# Le Routard

# Équateur
## et les îles Galápagos

*Directeur de collection et auteur*
**Philippe GLOAGUEN**

*Cofondateurs*
**Philippe GLOAGUEN et Michel DUVAL**

*Rédacteur en chef*
**Pierre JOSSE**

*Rédacteurs en chef adjoints*
**Amanda KERAVEL et Benoît LUCCHINI**

*Directrice de la coordination*
**Florence CHARMETANT**

*Directrice administrative*
**Bénédicte GLOAGUEN**

*Direction éditoriale*
**Catherine JULHE**

*Rédaction*
**Isabelle AL SUBAIHI**
**Mathilde de BOISGROLLIER**
**Thierry BROUARD**
**Marie BURIN des ROZIERS**
**Véronique de CHARDON**
**Gavin's CLEMENTE-RUÏZ**
**Fiona DEBRABANDER**
**Anne-Caroline DUMAS**
**Géraldine LEMAUF-BEAUVOIS**
**Olivier PAGE**
**Alain PALLIER**
**Anne POINSOT**
**André PONCELET**

*Administration*
**Carole BORDES**
**Solenne DESCHAMPS**

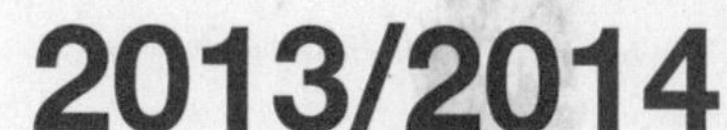


hachette

## Remarque importante aux hôteliers et restaurateurs

Les enquêteurs du *Routard* travaillent dans le plus strict anonymat. Aucune réduction, aucun avantage quelconque, aucune rétribution n'est jamais demandé en contrepartie. Face aux aigrefins, la loi autorise les hôteliers et restaurateurs à porter plainte.

## Avis aux lecteurs

Le *Routard,* ce n'est pas comme le bon vin, il vieillit mal. On ne veut pas pousser à la consommation, mais évitez de partir avec une édition ancienne. Les modifications sont souvent importantes.
Les réductions accordées à nos lecteurs ne sont jamais demandées par nos rédacteurs afin de préserver leur anonymat. Les hôteliers et restaurateurs sont sollicités par une société de mailing, totalement indépendante de la rédaction, qui reste donc libre de ses choix. De même pour les autocollants et plaques émaillées.

## routard.com, le voyage à portée de clics !

✓ Rejoignez la plus grande communauté francophone de voyageurs: plus de **2 millions** de visiteurs!

✓ Échangez avec les routarnautes: forums, photos, avis sur les hôtels...

✓ Retrouvez aussi toutes les informations actualisées pour choisir et préparer vos voyages: plus de 200 fiches pays, une centaine de dossiers pratiques et un magazine en ligne pour découvrir tous les secrets de votre destination.

✓ Enfin, comparez les offres pour organiser et réserver votre voyage au meilleur prix.



**Pictogrammes du *Routard***

**Établissements**

- Hôtel, auberge, chambres d'hôtes
- Camping
- Restaurant
- Boulangerie, sandwicherie
- Glacier
- Café, salon de thé
- Café, bar
- Bar musical
- Club, boîte de nuit
- Salle de spectacle
- Office de tourisme
- Poste
- Boutique, magasin, marché
- Accès internet
- Hôpitaux, urgences

**Sites**

- Plage
- Site de plongée
- Piste cyclable, parcours à vélo

**Transports**

- Aéroport
- Gare ferroviaire
- Gare routière, arrêt de bus
- Station de métro
- Station de tramway
- Parking
- Taxi
- Taxi collectif
- Bateau
- Bateau fluvial

**Attraits et équipements**

- Présente un intérêt touristique
- Recommandé pour les enfants
- Adapté aux personnes handicapées
- Ordinateur à disposition
- Connexion wifi
- Inscrit au Patrimoine mondial de l'Unesco

Mille excuses, on ne peut plus répondre individuellement aux centaines de CV reçus chaque année.

Le *Routard* est imprimé sur un papier issu de forêts gérées.


I.S.B.N. 978-2-01-245634-1

# TABLE DES MATIÈRES



## COMMENT Y ALLER ?



## ÉQUATEUR UTILE



## HOMMES, CULTURE ET ENVIRONNEMENT

## QUITO ET SES ENVIRONS



## LE NORD



## LE CENTRE



## LE SUD

## LA CÔTE OUEST



## LA CÔTE NORD



## L'AMAZONIE (L'ORIENTE)



## LES ÎLES GALÁPAGOS

## ISLA SANTA CRUZ



## ISABELA



## SAN CRISTÓBAL



## LES AUTRES ÎLES



Recommandation à nos lecteurs qui souhaitent profiter des réductions et avantages proposés dans le *Routard* par les hôteliers et les restaurateurs : à l'hôtel, prenez la précaution de les demander **à l'arrivée** et, au restaurant, **au moment** de la commande (pour les apéritifs) et surtout **avant** l'établissement de l'addition. Poser votre *Routard* sur la table ne suffit pas : le personnel de salle n'est pas toujours au courant et une fois le ticket de caisse imprimé, il est difficile pour votre hôte d'en modifier le contenu. En cas de doute, montrez la notice relative à l'établissement dans le guide et ne manquez pas de nous faire part detoute difficulté rencontrée.

**NOUVEAU ET IMPORTANT : DERNIÈRE MINUTE**

Sauf exception, le *Routard* bénéficie d'une parution annuelle à date fixe. Entre deux dates, des événements fortuits (formalités, taux de change, catastrophes naturelles, conditions d'accès aux sites, fermetures inopinées...) peuvent modifier vos projets de voyage. Pour éviter les déconvenues, nous vous recommandons de consulter la rubrique « Guide » par pays de notre site • ***routard.com*** • et plus particulièrement les dernières ***Actus voyageurs.***

# NOS NOUVEAUTÉS

## BANGKOK (paru)

À Bangkok, vous serez épaté par les balades éblouissantes dans les temples bouddhiques et les palais rutilants d'or. On se remet vite de ces visites avec les massages thaïs bien énergiques. On se promène aussi à bord des bateaux longue-queue dans les canaux, à travers les vieux quartiers sur pilotis. Et n'oubliez pas le Bangkok urbain et branché : son métro aérien, les centres commerciaux climatisés (eh oui ! le paradis du shopping, c'est ici !), où l'on se régale pour trois fois rien dans les *food courts*, et les cantines de rue. Parfait avant d'assister à un match de boxe thaïe en soirée ou de prendre un dernier verre au sommet d'un building !

## RENNES MÉTROPOLE (Saint-Malo et Dinard ; paru)

Classée dans les dix premières villes de France pour la jeunesse de sa population et sa qualité de vie, la capitale de la Bretagne est devenue une ville attractive. Situation exceptionnelle à une heure du bord de mer, de Dinard et de Saint-Malo, équilibre réussi et harmonieux entre passé et modernité, histoire et futur. Et pourtant, Rennes a longtemps souffert d'un manque d'image. À présent, au cœur de l'agglomération urbaine de Rennes Métropole qui englobe 37 communes, elle joue dans la catégorie enviée des capitales régionales à visage humain, entourée d'une couronne de petites villes à la campagne. À Rennes, les prés, les prairies, les champs et les bois sont à un saut de puce de la cathédrale Saint-Pierre. Ses rues médiévales bordées de maisons à pans de bois, son musée de Bretagne, son célèbre Parlement, son opéra, ses innombrables cafés bondés d'étudiants, ses délicieuses crêperies et restaurants à prix doux sont si bien préservés qu'on découvre facilement le centre-ville à pied. Et l'on a vite envie d'y rester !

# NOS NOUVEAUTÉS

## NOS MEILLEURS SITES POUR OBSERVER LES OISEAUX EN FRANCE (paru)

Pour répondre à l'attente des amoureux de la nature et de ceux qui souhaitent mieux connaître les oiseaux, le *Routard*, en partenariat avec la Ligue de protection des oiseaux, a sélectionné dans toute la France plus de 70 sites pour approcher et observer les voyageurs du ciel. À travers différents milieux (forêt, parc, étang, montagne...), c'est l'occasion de prendre conscience de la richesse et de la diversité du monde des oiseaux et de la nécessité de le protéger. Pour vous aider à les identifier, vous trouverez des planches en couleur, des conseils et des informations surprenantes sur nos amis à plumes, sans oublier les hébergements et restos à proximité. Que vous soyez *bird watcher* occasionnel ou ornithologue averti, ce guide vous prendra sous son aile.

## DUBLIN (paru)

Dublin, une ville grise tout en couleurs. Autant dire une ville qui en surprend plus d'un avec ses contrastes inattendus. On passe, tout d'un coup, d'un Dublin aristocratique à un Dublin populaire. Quant à la gastronomie, bonne nouvelle, l'offre a progressé de manière spectaculaire ces dernières années, et les Irlandais ont redécouvert les vertus de leurs produits naturels. Sans oublier, bien sûr, les pubs : il y en a... jusqu'à plus soif. Côté culture, la ville s'enorgueillit de posséder plusieurs musées nationaux qui, non seulement sont gratuits, mais renferment des collections somptueuses ; sans parler du prestigieux Trinity College, avec des pièces rares comme le fameux livre de Kells. Ville à l'empreinte littéraire également, labellisée Cité de la littérature par l'Unesco. À découvrir d'urgence.

## *Remerciements*

***Pour la nouvelle édition de ce guide, nous tenons à remercier particulièrement :***
– Philippe Cavé, pour ses bons tuyaux sur Quito, l'Amazonie et tout le pays ;
– Serge Bibauw, pour ses bons plans ;
– Charlène Fatou et Lucie de l'ONG *Ecuasol* a Quito ;
– Paul Salazar, *el caballero errante* ;
– Jean-Jacques Bordier-Chêne, voyageur infatigable.

**Nous tenons à remercier tout particulièrement Loup-Maëlle Besançon, Thierry Bessou, Gérard Bouchu, François Chauvin, Grégory Dalex, Stéphanie Déro, Fabrice Doumergue, Cédric Fischer, Carole Fouque, Michelle Georget, David Giason, Claude Hervé-Bazin, Emmanuel Juste, Dimitri Lefèvre, Sacha Lenormand, Fabrice de Lestang, Romain Meynier, Éric Milet, Pierre Mitrano, Jean-Sébastien Petitdemange, Thomas Rivallain, Dominique Roland et Solange Vivier pour leur collaboration régulière.**

***Et pour cette nouvelle collection, nous remercions aussi :***

Emmanuelle Bauquis
Jean-Jacques Bordier-Chêne
Michèle Boucher
Lisa Buchter
Stéphanie Condis
Agnès Debiage
Laurie Decaillon
Jérôme Denoix
Tovi et Ahmet Diler
Clélie Dudon
Sophie Duval
Clara Favini
Alain Fisch
Mathilde Fonteneau
Adrien et Clément Gloaguen
Xavier Haudiquet
Bernard Hilaire
Sébastien Jauffret
Anaïs Kerdraon
Jacques Lemoine
Béatrice Macé de Lépinay
Jacques Muller
Caroline Ollion
Nicolas et Benjamin Pallier
Martine Partrat
Odile Paugam et Didier Jehanno
Prakit Saiporn
Jean-Luc et Antigone Schilling
Camille Veillard

**Direction :** Nathalie Bloch-Pujo
**Contrôle de gestion :** Héloïse Morel d'Arleux et Virginie Laurent-Arnaud
**Secrétariat :** Catherine Maîtrepierre
**Direction éditoriale :** Catherine Julhe
**Édition :** Matthieu Devaux, Géraldine Péron, Olga Krokhina, Gia-Quy Tran, Julie Dupré, Pauline Fiot, Julien Hunter, Camille Loiseau, Emmanuelle Michon, Julia Nannicelli, Marion Sergent et Clémence Toublanc
**Préparation-lecture :** Lorraine Ouvrieu
**Cartographie :** Frédéric Clémençon et Aurélie Huot
**Fabrication :** Nathalie Lautout et Audrey Detournay
**Relations presse France :** COM'PROD, Fred Papet. ☎ 01-70-69-04-69.
• *info@comprod.fr* •
**Direction marketing :** Adrien de Bizemont, Lydie Firmin et Laure Illand
**Contacts partenariats :** André Magniez (EMD) • *andremagniez@gmail.com* •
**Édition des partenariats :** Élise Ernest
**Informatique éditoriale :** Lionel Barth
**Couverture :** Clément Gloaguen et Seenk
**Maquette intérieure :** le-bureau-des-affaires-graphiques.com, Thibault Reumaux et npeg.fr
**Relations presse :** Martine Levens (Belgique) et Maureen Browne (Suisse)
**Régie publicitaire :** Florence Brunel-Jars

# ??? LES QUESTIONS QU'ON SE POSE LE PLUS SOUVENT

**Quels sont les papiers à avoir ?**
Pas de visa pour un séjour touristique de moins de 3 mois, il suffit de présenter un passeport valable 6 mois après la date du retour.

**Quelle est la meilleure saison pour aller dans le pays ?**
La saison sèche s'étend de fin mai à fin novembre. Mais attention, en juillet-août, les vents peuvent être violents en altitude ; pour une ascension, les mois de décembre et janvier sont préférables. Pour la côte, en revanche, c'est plutôt de début mai à décembre (excepté pour le surf, où la saison court de novembre à avril). Enfin, en Amazonie, il pleut pratiquement toute l'année... avec un pic d'avril à juin.

**Quels sont les vaccins indispensables ?**
Pour l'Amazonie, traitement antipaludéen et vaccin contre la fièvre jaune fortement conseillés. Il est recommandé d'être à jour de ses vaccinations contre la diphtérie, le tétanos, la polio et les hépatites A et B.

**Quel est le décalage horaire ?**
De 6 à 7h en moins par rapport à la France, selon la saison. Quand il est midi à Paris, il est 6h à Quito en hiver et 5h en été.

**La vie est-elle chère ?**
Le coût de la vie a beaucoup augmenté depuis la dollarisation. Il est plus élevé que dans les pays voisins. Du fait de leur isolement, les îles Galápagos sont encore plus chères.

**Peut-on y aller avec des enfants ?**
Peut-être pas jusqu'au sommet du Cotopaxi ni au fin fond de l'Amazonie... mais ailleurs, oui !

**Quel est le meilleur moyen pour se déplacer dans le pays ?**
Le bus. Dans l'ensemble plutôt confortables, ils vont partout, à presque toute heure et pour trois fois rien.

**Peut-on escalader les volcans ?**
Oui, avec une bonne préparation physique et un guide compétent, car ça reste de la haute montagne. Nombre de volcans sont en activité et culminent à plus de 5 000 m ; une acclimatation à l'altitude est donc essentielle.

**Et s'enfoncer dans la forêt amazonienne ?**
Oui, avec un guide uniquement. Les hébergements sur place, ainsi que les agences touristiques, proposent des treks de 1 jour à 2 semaines, hébergement et matériel fournis. Une expérience à ne pas manquer !

**L'Équateur est-il un pays sûr ?**
La délinquance est un fléau, comme dans la plupart des pays andins. La palme revient à Guayaquil, mais certains quartiers de Quito doivent aussi être évités de nuit. Cuenca est plus sûre. Le vol dans les bagages est le plus fréquent, alors emportez un bon cadenas ! Attention aussi aux pickpockets dans les bus. Cela dit, en prenant les précautions d'usage, votre voyage devrait bien se passer.

**Où trouve-t-on les plus belles plages ?**
La côte égrène spots de surf réputés, stations balnéaires et villages de pêcheurs. Il y en a pour tous les goûts ! Mais attention aux courants, ne pas se baigner n'importe où.

# LES COUPS DE CŒUR DU ROUTARD

- Flâner dans le vieux Quito (Patrimoine mondial de l'Unesco), à la découverte des couvents, des vieilles églises et des anciennes façades coloniales. ............ p. 115
- Se mêler à la foule, un samedi matin, sur le grand marché aux bestiaux d'Otavalo, avant de s'attabler avec les Indiens pour s'empiffrer *d'hornado de chancho,* un cochon grillé servi avec ses petites patates. ........ p. 149
- Suer comme des damnés, serrés comme des sardines lors d'un *temazqual* d'enfer (rite purificatoire) dans une communauté indienne des environs de Peguche. ........................................ p. 149
- Emprunter les petits chemins pavés entre Ibarra et Cayambe à travers des paysages magnifiques de l'Imbabura............. p. 164
- S'époumoner jusqu'au sommet du Cotopaxi (5 897 m), dont le cône enneigé domine les hauts plateaux.......................... p. 170
- Sourire timidement aux gracieuses vigognes peuplant les pentes du Chimborazo, point culminant du pays (6 310 m)... p. 212
- Passer une nuit dans une hacienda centenaire, entre pâturages et *cabalgadas* (balades à cheval).
- S'aventurer dans la région de la laguna de Quilotoa, lac de cratère haut perché, entouré de montagnes aux pentes tapissées de champs. .......................................... p. 179
- S'offrir un inoubliable moment de farniente au bord des petites piscines de l'hôtel *Luna Runtun,* surplombant la vallée de Baños......................................... p. 195
- Se faire tremper par les embruns du Pailón del Diablo, la plus puissante des innombrables chutes émaillant la vallée du río Pastaza, sur la ruta de las Cascadas.................................. p. 201
- Chausser ses plus belles bottes pour partir explorer la vallée humide du parc national Sangay, menant au volcan El Altar............................................ p. 215
- Se perdre avec plaisir au hasard des rues pavées de Cuenca.......................... p. 221
- Grimper jusqu'à l'ancien village minier de Zaruma et rester souffle coupé devant l'immensité du panorama................ p. 245
- Randonner dans le parc national de Podocarpus, qui abrite une faune et une flore luxuriantes. Et faire étape à Vilcabamba, village entouré d'une nature préservée............................. p. 244, 246
- Se payer une langouste ou une salade de poulpe, dans un petit resto de Salango, avant d'aller photographier les baleines ou le dos du mec chargé de les signaler !)......................................... p. 278
- Sur la côte, assister au crépuscule ou au petit matin au retour des pêcheurs, quand la grève s'anime et que des myriades de frégates virevoltent autour des bateaux. ................................... p. 280
- Attendre la vague du siècle dans un bar de plage de Canoa parce qu'on n'a pas écouté le *Routard* et qu'on est venu en août plutôt qu'en décembre.............................. p. 296
- S'enfoncer dans la forêt amazonienne et ses mille et un sons, guidé par un Indien shuar (Jivaro). ................................ p. 315
- Explorer le monde sous-marin des Galápagos, masque sur les yeux et tuba en bouche... ......................................... p. 340
- Admirer, sur les îles Galápagos toujours, ou sur l'isla de la Plata, les pattes bleues du « fou » et son étonnant plongeon... Observer aussi tous les efforts de la frégate mâle, déployant sa gorge rouge pour attirer les femelles. .................................... p. 345
- Se mêler aux Équatoriens, lors d'une fête populaire comme celle de l'Inti Raymi le 21 juin, dans une gargote de rue autour d'une *chuleta* ou pour un match de volley dans un parc le dimanche.

# ITINÉRAIRES CONSEILLÉS

Le réseau routier s'étant bien développé ces dernières années, il est envisageable de louer une voiture pour se déplacer dans le pays, si l'on ne craint pas trop l'imprévu et qu'on a emporté sa boussole... Quand bien même, l'Équateur demeure surtout une destination pour les randonneurs et les amoureux de la nature – et en particulier de l'observation des oiseaux.

## L'essentiel de l'Équateur – 2 semaines

- Quito : 1-2 jour(s).
- Otavalo : 1 jour.
- Le volcan Cotopaxi : 1 jour.
- La laguna de Quilotoa : 1 jour.
- Baños et la ruta de las Cascadas : 1 jour.
- Le volcan Chimborazo : 1 jour.
- Alausí et le train de la Nariz del Diablo : 1 jour.
- Cuenca : 2 jours.
- Galápagos : 4-5 jours.

## La route des Volcans (version classique) – 3 semaines

- Quito : 2 jours.
- Mindo : 2 jours.
- Cayambe : 1 jour.
- Otavalo et ses environs : 2 jours.
- Ibarra et ses environs : 2 jours.
- Le volcan Cotopaxi : 1 jour.
- La laguna de Quilotoa : 1-2 jour(s).
- Baños et la ruta de las Cascadas : 2 jours.
- Le volcan Chimborazo et ses abords : 2 jours.
- Alausí et le train de la Nariz del Diablo : 1 jour.
- Le site inca d'Ingapirca : 1 jour.
- Cuenca : 2 jours.
- Le parc national El Cajas : 1 jour.

## La route des Volcans (version randonnée) – un mois

- Quito : 1 jour.
- Mindo : 2 jours.
- Cayambe : 2 jours.
- Otavalo et ses environs : 2 jours.
- Ibarra et ses environs : 2 jours.
- La réserve du Pasochoa : 2 jours.
- Le volcan Cotopaxi : 2 jours.
- La laguna de Quilotoa et sa région : 2-3 jours.
- Baños et la ruta de las Cascadas : 2-3 jours.
- Le volcan Chimborazo et ses abords : 2-3 jours.

- El Altar : 3 jours.
- Le Camino del Inca : 3 jours.
- Cuenca : 2 jours.
- Le parc national El Cajas : 1-2 jours.

## Quito et la côte pacifique – 2 semaines

- Quito : 2 jours.
- Guayaquil : 1 jour.
- Olón (Montañita) : 2 jours.
- Salango : 1 jour.
- Puerto López et ses environs : 4 jours.
- Bahía de Caraquéz : 1 jour.
- Canoa : 3 jours.
- Quito : 1 jour.



## Si vous êtes...

***... tendance nature :*** en Équateur, vous n'aurez que l'embarras du choix ! De la Sierra sur laquelle se dressent les cônes emblématiques des plus beaux volcans au défilé de chutes de la ruta de las Cascadas, en passant par le corps à corps avec la nature pour observer les oiseaux en Amazonie ou dans la forêt des nuages, ce ne sont pas les occasions qui manquent. Et on ne vous parle même pas du paradis insulaire des Galápagos !

***... trekkeur fou :*** alors là, voilà une bonne raison de prendre le premier vol pour l'Équateur ! Les marcheurs se hisseront peu à peu vers les plus hauts sommets, en commençant par un bon petit trek vers le lac de cratère d'El Altar, ou autour de celui de Quilotoa – avant de filer vers Chugchilán. Mêmes sensations dans les régions des lagunas de Atillo, d'Otavalo et d'Ibarra. Vient ensuite le temps fort du voyage, au-dessus de 5 000 m : l'ascension du splendide Cotopaxi (faisable), du Chimborazo (ardue), ou même celle du Tungurahua, si souvent en éruption !

***... branché art et culture :*** quelques musées méritent l'attention à Quito, Cuenca, Guayaquil et Bahía de Caraquéz. L'architecture coloniale, si elle est moins présente que dans les pays voisins, n'en demeure pas moins dénuée d'intérêt, avec de belles réalisations baroques, notamment à Quito. L'église de La Compañía, recouverte de 7 t d'or, vaut à elle seule le déplacement, et les monastères ne sont pas en reste.

***... avec des enfants ou des ados :*** quoi de plus enrichissant que de partager la vie d'une communauté indienne ? Voilà l'occasion de prendre le pouls de tout un peuple, de se frotter à la réalité quotidienne, dans ces contrées d'altitude où alternent les quatre saisons dans la même journée. Enfin prendre toute la mesure du travail de la terre, l'échine courbée et le dos en compote, de la nécessité du soleil, de la pluie et du temps qui passe...

***... en amoureux :*** pas d'hésitation, si vous êtes à l'aise côté finances, offrez-vous un *lodge* de rêve dans la forêt des nuages du côté de Mindo. Petit dîner à la lampe à pétrole, nuits peuplées de bruits d'une inquiétante étrangeté qui favorise les rapprochements et pourquoi pas un bain dans une eau thermale en pleine nature vierge... Plus confortable ? Plongez dans le passé en réservant une suite à *La Cienega,* une hacienda du XVIIe s classée Monument historique. Quelle belle ambiance !

***... du genre fêlé de la vague :*** Canoa accueillera en premier les amoureux du surf en pleine nature, ceux qui recherchent des ambiances *sea, surf and sun* à la bonne franquette, sans se prendre le chou. Un sentiment qui sera également partagé à Olón. Montañita, en revanche, n'intéressera que les surfeurs qui prennent la vague bras croisés en regardant la mer, un œil sur le va-et-vient des filles, qui privilégient les soirées endiablées et traînent sur le sable des embruns de *mojito*...

## LES LIGNES RÉGULIÈRES

### ▲ AIR FRANCE

*Rens et résas : ☎ 36-54 (0,34 €/mn – tlj 6h30-22h), sur • airfrance.fr •, dans les agences Air France et dans ttes les agences de voyages. Fermées dim.*

➢ Air France-KLM dessert Quito et Guayaquil 5 fois par sem, au départ de Paris, Lyon, Nice et Toulouse via Amsterdam-Schiphol ou Atlanta.

Air France propose toute l'année une gamme de tarifs accessibles à tous. Pour les moins de 25 ans, Air France offre des tarifs spécifiques ainsi qu'une carte de fidélité *(Flying Blue Jeune)* gratuite et valable sur l'ensemble des compagnies membres de *Skyteam*. Cette carte permet de cumuler des *miles*.

Sur Internet, possibilité de consulter les meilleurs tarifs du moment directement sur la page d'accueil « Nos meilleures offres ».

### ▲ IBERIA

*– Paris : ☎ 0825-800-965 (prix d'un appel local). • iberia.fr •*

➢ 1 à 4 vols quotidiens au départ de Paris-Orly ouest pour Quito avec escale à Madrid ou Barcelone.

### ▲ LAN

*☎ 0821-23-15-54 (0,15 €/mn). • lan.com • Rens par tél slt, lun-ven 9h30-17h30.*

➢ 7 vols/sem entre Paris (Orly) – Madrid – Guayaquil et/ou Quito, opérés par LAN (partage de codes avec Iberia sur la partie européenne).

La compagnie nationale chilienne est répresentée en France par Tam Airlines. Tarif très avantageux pour les vols Paris-Guayaquil/Quito-Galápagos. La compagnie LAN propose un *pass* qui permet de voyager sur tout leur réseau, soit plus de 70 destinations en Amérique du Sud. Vendu en France et disponible dans de nombreuses agences de voyages, le *South American Airpass* de LAN (3 coupons minimum) est valable 1 an et destiné à tout passager ayant un billet international sur *LAN* ou une compagnie de l'alliance *Oneworld* (*Iberia, American Airlines, British Airways,* etc).

## LES ORGANISMES DE VOYAGES

– Ne pas croire que les vols à tarif réduit sont tous au même prix pour une même destination à une même époque : loin de là. On a déjà vu, dans un même avion partagé par deux organismes, des passagers qui avaient payé 40 % plus cher que les autres. De plus, une agence bon marché ne l'est pas forcément toute l'année (elle peut n'être compétitive qu'à certaines dates bien précises). Donc, contactez tous les organismes et jugez vous-même.

– Les organismes cités sont classés par ordre alphabétique, pour éviter les jalousies et les grincements de dents.

## EN FRANCE

### ▲ AGUILA-VOYAGES-PHOTO

*– Atelier 10 : 270, rue Thomas-Edison, 34400 Lunel. ☎ 04-67-13-22-32. • aguila-voyages.com •*

Fondée par 3 photographes professionnels et grands voyageurs, Aguila offre l'opportunité de partir en voyage avec un photographe-reporter. Lors des séjours, celui-ci livre ses techniques

## NOUVEAUTÉ

### NORD-PAS DE CALAIS, LA RÉGION DES MUSÉES (paru)

Le saviez-vous ? La région Nord-Pas de Calais est la seconde région française en nombre de musées. Plus de 100 musées sont implantés sur les 2 départements. Ce guide présente les plus importants d'entre eux. Des musées riches, dynamiques, originaux, dans une région qui accueille désormais le Louvre-Lens. Et qui fait aussi la part belle à l'art contemporain à travers une série de structures permettant aux nouvelles disciplines et aux jeunes créateurs de se faire connaître. Une région fière de son histoire, riche d'un patrimoine industriel qu'elle a su, avec intelligence, reconvertir en lieux culturels de qualité. Alors pour découvrir l'art dans tous ses états et sous toutes ses formes, ne perdez pas le nord.

de la photographie de reportage et sa connaissance du territoire. Il apprend aux participants, par petits groupes de 3 à 10 personnes, à repérer les scènes et les lumières, et leur fait bénéficier de ses relations privilégiées avec les populations. Le catalogue offre une large gamme de destinations dans le monde avec par exemple l'Équateur, l'Islande, la Patagonie, la Toscane, le Maroc ou le Vietnam. Des séjours sont également organisés en France. Aguila propose aussi un cycle de conférences-formations sur le thème de la photo dans différentes villes de France. Inscriptions sur le site internet.

### ▲ ALLIBERT

*– Paris : 37, bd Beaumarchais, 75003. ☎ 01-44-59-35-35. • allibert-trekking.com • Ⓜ Chemin-Vert ou Bastille. Lun-ven 9h-19h ; sam 10h-18h.*

Née en 1975 d'une passion commune entre 3 guides de montagne, Allibert propose aujourd'hui 1 100 voyages aux quatre coins du monde tout en restant une entreprise familiale. Découvrir de nouveaux itinéraires en respectant la nature et les cultures des régions traversées reste leur priorité. Pour chaque pays, différents niveaux de difficulté. Allibert est le premier tour-opérateur certifié Tourisme responsable par ATR (Agir pour un tourisme responsable).

### ▲ ALTIPLANO

*– Annecy-le-Vieux : 18, rue du Pré-d'Avril, 74940. ☎ 04-50-46-90-25. • altiplano.org • Lun-ven 9h-18h.*

Agence spécialiste de l'Amérique latine, créée par Philippe, passionné par ce continent. Voyages à la carte : vols internationaux, vols intérieurs et *pass*, hôtels privilégiant le charme, les excursions, les locations de voitures...

### ▲ AMÉRIQUE LATINE REPRÉSENTATION

*– Paris : 5, rue Tiquetonne, 75002. ☎ 01-40-28-93-33. • receptifs@ameriquelatine.fr • Résas par email. Lun-ven 10h-13h, 14h-19h ; sam jusqu'à 18h.*

Cette agence représente en France *Solmartour SA*, agence réceptive péruvienne spécialiste du marché français implantée à Lima *(av. Grau, 300, Miraflorès)*, à Cuzco, Arequipa et Puno, et *Contactour*, agence réceptive équatorienne qui peut organiser des croisières aux Galápagos et tout autre prestation en Équateur. Si vous êtes intéressé par la Patagonie ou Ushuaia, ils sont aussi représentants d'*Eurotour*, réceptif argentin. Propose également la Bolivie, La Paz, le salar d'Uyuni, le Chili.

### ▲ BACK ROADS

*– Paris : 14, pl. Denfert-Rochereau, 75014. ☎ 01-43-22-65-65. • backroads.fr • Ⓜ ou RER B : Denfert-Rochereau. Lun-ven 10h-19h ; sam 10h-18h.*

Depuis 1975, Jacques Klein et son équipe sillonnent les routes américaines, ce qui fait d'eux de grands connaisseurs de cette région du monde. Pour cette raison, ils ne vendent leurs produits qu'en direct. Ils vous feront partager leurs expériences et vous conseilleront sur les circuits les plus adaptés à vos centres d'intérêt. Spécialistes des autotours, qu'ils programment eux-mêmes, ils ont également l'avantage de disposer de contingents de chambres dans les parcs nationaux ou à proximité immédiate. Dans leur brochure, ils offrent également un grand choix d'activités, allant du séjour en ranch aux expéditions à VTT, en passant par le trekking ou le rafting.

### ▲ BOURSE DES VOLS / BOURSE DES VOYAGES

*• bdv.fr • ou par tél, au ☎ 01-42-61-66-61, lun-sam 9h-20h.*

Agence de voyages en ligne, Bdv.fr propose une vaste sélection de vols secs, séjours et circuits à réserver en ligne ou par téléphone. Pour bénéficier des meilleurs tarifs aériens, même à la dernière minute, le service de Bourse des Vols référence en temps réel un large panel de vols réguliers, charters et dégriffés au départ de Paris et de nombreuses villes de province. Bourse des Voyages propose des promotions toute l'année sur une large sélection de destinations (séjours, circuits...).

### ▲ HUWANS – CLUB AVENTURE

*☎ 0826-882-080 (0,15 €/mn). • clubaventure.fr •*

*– Paris : 18, rue Séguier, 75006. Ⓜ Saint-Michel ou Odéon. Mar-sam 10h-19h.*

*– Lyon : 2, rue Vaubecour, 69002. Mar-ven 9h30-13h, 14h-18h30 ; sam 10h30-13h, 14h-18h.*

Spécialiste du voyage d'aventure, ce tour-opérateur privilégie la randonnée en petits groupes, en famille ou entre amis pour parcourir le monde hors des sentiers battus. Leur site offre 1 000 voyages dans 90 pays différents à pied, en 4x4, en pirogue ou à dos de chameau. Ces voyages sont encadrés par des guides accompagnateurs locaux et professionnels.

### ▲ COMPAGNIE DE L'AMÉRIQUE LATINE & DES CARAÏBES

*– Paris : 5, av. de l'Opéra, 75001. ☎ 0892-234-431 (0,34 €/mn). • compagniesdumonde.com • Ⓜ Palais-Royal-Musée-du-Louvre ou Pyramides. Lun-ven 9h-19h, sam 10h-19h.*

Dans le cadre de son *concept store*, vous rencontrerez des conseillers vendeurs spécialisés connaissant parfaitement cette partie du monde. Les voyages sont tournés vers le « beau » qui est pour eux la meilleure façon de découvrir et de respecter le monde. C'est pourquoi la Compagnie s'est spécialisée dans les voyages orientés vers l'archéologie, les sites religieux et la nature. Vous trouverez aussi une galerie d'art contemporain exposant des artistes locaux de grande qualité et un salon de thés et de cafés en provenance des meilleures plantations du continent.

La Compagnie propose de nombreux vols négociés et des formules de voyages individuels sur mesure en Équateur. Compagnie de l'Amérique latine & des Caraïbes fait partie du groupe *Compagnies du Monde*, tout comme Compagnie des États-Unis & du Canada, Compagnie des Indes & de l'Extrême-Orient, Compagnie de l'Afrique australe et de l'océan Indien, Compagnie des plages et Compagnie de la Polynésie.

Une envie de croisière, consultez le site le plus complet : • *mondeetcroisières.com* •

### ▲ COMPTOIR DES PAYS ANDINS

*• comptoir.fr •*

*– Paris : 2, rue Saint-Victor, 75005. ☎ 0892-230-466 (0,34 €/mn). Ⓜ Cardinal-Lemoine. Lun-ven 9h30-18h30 ; sam 10h-18h30.*

*– Lyon : 10, quai de Tilsitt, 69002. ☎ 0892-230-465 (0,34 €/mn). Ⓜ Bellecour. Lun-sam 9h30-18h30.*

*– Marseille : 12, rue Breteuil, 13001. ☎ 0892-236-636 (0,34 €/mn). Ⓜ Estrangin. Lun-sam 9h30-18h30.*

*– Toulouse : 43, rue Peyrolières, 31000. ☎ 0892-230-236 (0,34 €/mn). Ⓜ Esquirol. Lun-sam 9h30-18h30.*

Tout au long de la mythique cordillère des Andes, de nombreux voyages itinérants vous feront aller de la Terre de Feu à l'Équateur, de la Patagonie aux chemins incas du Pérou. Quelles que soient vos envies, une équipe de spécialistes des pays andins sera à votre écoute pour créer votre voyage sur mesure.

21 Comptoirs, plus de 60 destinations, des idées de voyages à l'infini. Comptoir des Voyages s'impose depuis 20 ans comme une référence incontournable pour les voyages sur mesure, accessible à tous les budgets. Membre de l'association ATR (Agir pour un tourisme responsable), Comptoir des Voyages a obtenu en 2010, pour la seconde année, la certification Tourisme responsable AFAQ AFNOR.

### ▲ COMPTOIRS DU MONDE (LES)

*– Paris : 22, rue Saint-Paul, 75004. ☎ 01-44-54-84-54. • comptoirsdumonde.fr • Ⓜ Saint-Paul ou Pont-Marie. Lun-ven 9h30-19h ; sam 11h-18h.*

C'est en plein cœur du Marais, dans une atmosphère chaleureuse, que l'équipe des Comptoirs du Monde traitera personnellement tous vos désirs d'évasion : circuits et prestations à la carte pour tous les budgets sur toute l'Asie, le Proche-Orient, les Amériques, les Antilles, Madagascar, l'île Maurice et maintenant l'Italie. Vous pouvez aussi réserver par téléphone et régler par carte de paiement, sans vous déplacer.

### ▲ ÉQUINOXIALES

*☎ 01-77-48-81-00. • equinoxiales.fr •*

25 ans d'expérience et une passion inépuisable sont les clés de l'expertise d'Équinoxiales pour les voyages sur mesure au long cours à prix *low-cost*, assortis des meilleurs conseils. Un simple appel, un simple email et

les conseillers Équinoxiales sont à l'écoute pour créer avec les candidats au voyage le périple qui leur convient au meilleur prix.

### ▲ FRANCE AMÉRIQUE LATINE

*– Paris : 37, bd Saint-Jacques, 75014. ☎ 01-45-88-20-00. • franceameriquelatine.fr • Ⓜ Saint-Jacques. Lun-jeu 9h30-13h, 14h-18h ; ven 10h-13h, 14h-16h.*

Présent depuis 1986 sur les terrains de la culture, de la solidarité et de la défense des Droits de l'homme, le service voyages de France Amérique latine propose de découvrir les richesses naturelles, et surtout humaines, du continent latino-américain à travers des circuits uniques et authentiques. Toute l'Amérique latine et la Caraïbe sont programmées afin de montrer la réalité des peuples sous diverses formes de voyages : séjours organisés ou à la carte, treks, mais aussi chantiers internationaux dans de nombreux pays, avec plusieurs associations et organisations de jeunesse, notamment des voyages solidaires. Sur place, ils pourront remettre eux-mêmes les médicaments et le matériel scolaire qu'ils auront réunis avant leur départ.

### ▲ IMAGES DU MONDE

*– Paris : 14, rue de Siam 75116. ☎ 01-44-24-87-88. • images-du-monde.com • info@images-du-monde.com •*

À deux pas de la tour Eiffel, l'équipe de spécialistes d'Images du Monde vous recevra sur rendez-vous dans son Espace Voyage : Maté Argentin servi dans le salon de l'agence puis projection sur grand écran des sites incontournables de l'Argentine et des différentes possibilités d'hébergement. Votre conseiller « construira » votre voyage en Argentine selon vos envies : croisière d'exception, sélection d'écolodges inédits, rencontres authentiques, séjours thématiques (œnologie, polo, tango...).
Extension possible au Chili, en Bolivie et au Brésil.

### ▲ NOMADE AVENTURE

*• nomade-aventure.com •*
*– Paris : 40, rue de la Montagne-Sainte-Geneviève, 75005. ☎ et fax : 0825-701-702 (0,15 €/mn). Lun-sam 9h30-18h30.*
*– Lyon : 10, quai Tilsitt, 69002. ☎ 0825-701-702 (0,15 €/mn). Lun-sam 9h30-18h30.*
*– Marseille : 12, rue Breteuil, 13001. ☎ 0825-701-702 (0,15€/mn). Lun-sam 9h30-18h30.*
*– Toulouse : 43, rue Peyrolières, 31000. ☎ 0825-701-702 (0,15 €/mn). Lun-sam 9h30-18h30.*

Loin des voyages préfabriqués, Nomade Aventure propose des circuits inédits partout dans le monde à réaliser en famille, entre amis, avec ou sans guide. Également la possibilité d'organiser, hors de groupes constitués, un séjour libre en toute autonomie. Spécialiste de l'aventure avec plus de 600 itinéraires (de niveau tranquille, dynamique, sportif ou sportif +) faits d'échanges, de rencontres et d'hébergements chez l'habitant, Nomade Aventure donne la priorité aux expériences authentiques à pied, à cheval, à dos de chameau, en bateau ou en 4x4.

### ▲ NOSTALATINA

*– Paris : 19, rue Damesme, 75013. ☎ 01-43-13-29-29. • ann.fr • Ⓜ Tolbiac. Sur rdv. Permanence : lun-ven 10h-13h, 15h-18h ; sam (sur rdv slt).*

Parce qu'il n'est pas toujours aisé de partir seul, NostaLatina propose des voyages sur mesure en Amérique latine, notamment en Équateur, du séjour classique jusqu'aux contrées les plus reculées, en individuel ou en groupe déjà constitué. Plusieurs formules au choix, dont 2 qui sont devenues des formules de référence depuis quelques années pour les voyageurs indépendants : *Les Estampes,* avec billets d'avion, logement, transferts entre les étapes en mixant avec astuce avion, bus, train, ou encore location de voitures. *Les Aquarelles* avec, en plus, un guide et un chauffeur privé à chaque étape. Les itinéraires ne sont que suggérés, ils sont modifiables à souhait sur ces formules à la carte. La responsable, amoureuse avisée du continent, sait ce qu'elle vend.

### ▲ NOUVELLES FRONTIÈRES

*Rens et résas dans tte la France : ☎ 0825-000-747 (0,15 €/mn). • nouvelles-frontieres.fr •*

Les brochures Nouvelles Frontières sont disponibles gratuitement dans les 300 agences du réseau, par téléphone et sur Internet. Nombreuses formules : vols sur Corsair International, la compagnie aérienne de Nouvelles Frontières, au départ de Paris et de province, et sur toutes les compagnies aériennes régulières ; circuits, aventures ou organisés ; séjours en hôtels, en hôtels-clubs et en résidences ; week-ends, formules à la carte...



**▲ ROUTE DES VOYAGES (LA)**

*– Paris : 10, rue Choron, 75009. ☎ 01-55-31-98-80. Ⓜ Notre-Dame-de-Lorette.*
*– Annecy : 4 bis, av. d'Aléry, 74000. ☎ 04-50-45-60-20. Lun-jeu 9h-19h ; ven 9h-18h.*
*– Bordeaux : 10, rue du Parlement-Saint-Pierre, 33000. ☎ 05-56-90-11-20.*
*– Lyon : 59, rue Franklin, 69002. ☎ 04-78-42-53-58.*
*– Toulouse : 9, rue Saint-Antoine-du-T, 31000. ☎ 05-62-27-00-68.*
*• route-voyages.com • Agences ouv lun-ven 9h-18h, sam sur rdv.*

Spécialiste du voyage sur mesure depuis 1994 sur les 5 continents. C'est une véritable équipe de voyageurs spécialisés par destination qui, grâce à son écoute et à ses repérages réguliers, construit des voyages très personnalisés. Elle privilégie une approche qui permet une réelle découverte, travaille en direct avec des prestataires locaux, limitant ainsi les intermédiaires et assurant une assistance personnalisée sur place. Son engagement à promouvoir un tourisme responsable se traduit aussi par une offre de séjours solidaires (*• routes-solidaires.com •*) à insérer dans les itinéraires de découverte individuelle.

**▲ TERRES D'AVENTURE**

*N° Indigo : ☎ 0825-700-825 (0,15 €/mn). • terdav.com •*
*– Paris : 30, rue Saint-Augustin, 75002. Ⓜ Opéra ou Quatre-Septembre. Lun-sam 9h30-19h.*
*– Agences également à Bordeaux, Chamonix, Grenoble, Lille, Lyon, Marseille, Nantes, Rennes, Rouen, Strasbourg et Toulouse.*

Depuis 1976, Terres d'Aventure, spécialiste du voyage à pied, propose aux voyageurs passionnés de marche et de rencontres des randonnées hors des sentiers battus à la découverte des grands espaces de notre planète. Voyages à pied, à cheval, en bateau, à raquettes... Sur tous les continents, des aventures en petits groupes ou en individuel encadrés par des professionnels expérimentés. Les hébergements dépendent des sites explorés : camps d'altitude, bivouacs, refuges ou petits hôtels. Les voyages sont conçus par niveau de difficulté : de la simple balade en plaine à l'expédition sportive en passant par la course en haute montagne.
En province, certaines de leurs agences sont de véritables *Cités des Voyageurs*. Tout y rappelle le voyage : librairies spécialisées, boutiques d'accessoires de voyage, expositions-vente d'artisanat et cocktails-conférences. Consultez le programme des manifestations sur leur site internet.

**▲ TERRES LOINTAINES**

*– Rens et résas : ☎ 01-46-44-10-48. • terres-lointaines.com •*

Véritable créateur de voyages sur mesure, Terres Lointaines est un spécialiste reconnu du long-courrier pour voyageurs individuels sur plus de 30 destinations en Amérique, en Afrique et en Asie, et qui assure des prix compétitifs et un discours de transparence. Grâce à une sélection rigoureuse de partenaires sur place et large choix d'hébergements de petite capacité et de charme, Terres Lointaines propose des voyages de qualité, hors des sentiers-battus. Les circuits itinérants sont déclinables à l'infini pour coller parfaitement à toutes les envies et tous les budgets. En plus d'un contact privilégié avec un expert du pays, le site terres-lointaines.com, illustré par de nombreuses photos, des cartes interactives et informations pratiques, commencera à vous faire voyager.

**▲ VACANCES AMÉRIQUE LATINE**

*– Paris : 4, rue Gomboust (angle 31, av. de l'Opéra), 75001. ☎ 01-40-15-15-15. • cercledesvacances.com • Lun-ven 8h30-20h, sam 10h-18h30. Vacances Amérique Latine est une marque de la société Le Cercle des Vacances.*

Vacances Amérique Latine, c'est une équipe de passionnés au service de tous ceux qui souhaitent préparer leur voyage ou simplement obtenir des conseils. Cet organisme propose des circuits accompagnés garantis, des circuits individuels privés, des autotours ou des séjours sur la riviera maya. Offre également des billets d'avion à des prix très intéressants ! Ses spécialistes ont une connaissance pointue de leur destination et y sont allés à de nombreuses reprises.

**▲ VOYAGEURS EN AMÉRIQUE DU SUD**

*• voyageursdumonde.com •*

*– Paris : La Cité des Voyageurs, 55, rue Sainte-Anne, 75002. ☎ 01-42-86-17-70 ou 01-42-86-16-00. Ⓜ Opéra ou Pyramides. Lun-sam 9h30-19h.*

*– Également des agences à Bordeaux, Grenoble, Lille, Lyon, Marseille, Montpellier, Nantes, Nice, Rennes, Rouen, Strasbourg et Toulouse. Également Bruxelles et Genève.*

Parce que chaque voyageur est différent, que chacun a ses rêves et ses idées pour les réaliser, Voyageurs du Monde conçoit, depuis plus de 30 ans, des projets sur mesure. Les séjours proposés sur 120 destinations sont des suggestions élaborées par leurs 180 conseillers voyageurs. Spécialistes de leur pays, ils vous aideront à personnaliser les voyages présentés à travers une trentaine de brochures d'un nouveau type et sur le site internet où vous pourrez également découvrir leurs hébergements exclusifs et consulter votre espace personnalisé.

Chacune des 15 *Cités des Voyageurs* est une invitation au voyage : librairies spécialisées, accessoires de voyage, expositions-vente d'artisanat et conférences. Voyageurs du Monde est membre de l'association ATR (Agir pour un tourisme responsable) et a obtenu sa certification Tourisme responsable AFAQ AFNOR.

## *Comment aller à Roissy et à Orly ?*

Bon à savoir :

– Le ***pass Navigo*** est valable pour Roissy-Rail (RER B, zones 1-5) et Orly-Rail (RER C, zones 1-4).

– Le ***billet Orly-Rail*** permet d'accéder sans supplément aux réseaux métro et RER.

## À Roissy-Charles-de-Gaulle 1, 2 et 3

Attention : si vous partez de Roissy, pensez à vérifier de quelle aérogare votre avion décolle car la durée du trajet peut considérablement varier en fonction de cette donnée.

***En transports collectifs***

🚌 ***Les cars Air France :*** *☎ 0892-350-820 (0,34 €/mn). • lescarsairfrance.com • Paiement par CB possible à bord.*

Le site internet diffuse les informations essentielles sur le réseau (lignes, horaires, tarifs...) permettant de connaître en temps réel des infos sur le trafic afin de mieux planifier son départ. Il propose également une boutique en ligne, qui permet d'acheter et d'imprimer les billets électroniques pour accéder aux bus.

➢ *Paris-Roissy :* départ pl. de l'Étoile (1, av. Carnot), avec un arrêt pl. de la Porte-Maillot (bd Gouvion-Saint-Cyr). Départs ttes les 20 mn, 5h45-23h. Durée du trajet : 35-50 mn env. Tarifs : 15,50 € l'aller simple, 26 € l'A/R ; réduc enfants 2-11 ans.

Autre départ depuis la gare Montparnasse (arrêt rue du Commandant-Mouchotte, face à l'hôtel *Pullman*), ttes les 30 mn, 6h-21h30, avec un arrêt gare de Lyon (20 bis, bd Diderot). Tarifs : 17 € l'aller simple, 26 € l'A/R ; réduc enfants 2-11 ans.

➢ *Roissy-Paris :* les cars *Air France* desservent la pl. de la Porte-Maillot, avec un arrêt bd Gouvion-Saint-Cyr, et se rendent ensuite au terminus de l'av. Carnot. Départs ttes les 20-30 mn, 5h45-23h des terminaux 2A et 2C (porte C2), 2E et 2F (niveau « Arrivées », porte 3 de la galerie), 2B et 2D (porte B1), et du terminal 1 (porte 34, niveau « Arrivées »).

À destination de la gare de Lyon et de la gare Montparnasse, départs ttes les 30 mn, 6h-21h30 des mêmes terminaux. Durée du trajet : 1h env.

***Roissybus :*** *☎ 32-46 (0,34 €/mn). • ratp.fr •* Départs de la pl. de l'Opéra (angle rues Scribe et Auber) ttes les 15 mn (20 mn à partir de 20h), 5h45-23h. Durée du trajet : 1h. De Roissy, départs 6h-23h des terminaux 1, 2A, 2B, 2C, 2D et 2F, et à la sortie du hall d'arrivée du terminal 3. Tarif : 10 €.

***Bus RATP n° 351 :*** de la pl. de la Nation, 5h35-20h20. Solution la moins chère mais la plus lente. Compter 3 tickets ou 5,70 € et 1h40 de trajet. Ou ***bus n° 350,*** de la gare de l'Est (1h15 de trajet). Arrivée Roissypôle-gare RER.

***RER ligne B + navette :*** *☎ 32-46 (0,34 €/mn).* Départ ttes les 15 mn, 4h53-0h20 depuis la gare du Nord et à partir de 5h26 depuis Châtelet. À Roissy-Charles-de-Gaulle, descendre à la station (il y en a 2) qui dessert le bon terminal. De là, prendre la navette adéquate. Compter 50 mn de la gare du Nord à l'aéroport (navette comprise). Tarif : 10,90 €.

Si vous venez du Nord, de l'Ouest ou du Sud de la France en train, vous pouvez rejoindre les aéroports de Roissy sans passer par Paris, la gare SNCF Paris-Charles-de-Gaulle étant reliée aux réseaux TGV.

***En taxi***

Compter au moins 50 € du centre de Paris en tarif de jour.

***En voiture***

Chaque terminal a son propre parking. Compter 34 € par tranche de 24h. Également des parkings longue durée (PR et PX), plus éloignés des terminaux, qui proposent des tarifs plus avantageux (forfait 24h 25 €, forfait 7 j. pour 151 €). Possibilité de réserver sa place de parking via le site *• aeroportsdeparis.fr •* Stationnement au parking Vacances (longue durée) dans le P3 Résa (terminaux 1 et 3) situé à 2 mn à pied du terminal 3 ou le PAB (terminal 2). Formules de stationnement 1-30 j. (120-205 €) pour le P3 Résa. De 2 à 5 j. dans le PAB 13 € par tranche de 12h et de 6 à 14 j. 24 € par tranche de 24h. Réservation sur Internet uniquement. Les P1, PAB et PEF accueillent les deux-roues : 15 € pour 24h.

***Comment se déplacer entre Roissy-Charles-de-Gaulle 1, 2 et 3 ?***

Les rames du CDG-VAL font le lien entre les 3 terminaux en 8 mn. Fonctionne tlj, 24h/24. Gratuit. Accessible aux personnes à mobilité réduite. Départ ttes les 4 mn, et ttes les 20 mn, minuit-4h. Desserte gratuite vers certains hôtels, parkings, gares RER et gares TGV. *Infos au : ☎ 39-50.*

## À Orly-Sud et Orly-Ouest

***En transports collectifs***

***Les cars Air France :*** *☎ 0892-350-820 (0,34 €/mn). • lescarsairfrance.com • Tarifs : 11 € l'aller simple, 18 € l'A/R ; réduc 2-11 ans. Paiement par CB possible dans le bus.*

➢ *Paris-Orly :* départs de l'Étoile, 1, av. Carnot, ttes les 30 mn 5h-22h40. Arrêts au terminal des Invalides, rue Esnault-Pelterie (Ⓜ Invalides), gare Montparnasse (rue du Commandant-Mouchotte, face à l'hôtel *Pullman* ; Ⓜ Montparnasse-Bienvenüe, sortie « Gare SNCF ») et porte d'Orléans (arrêt facultatif uniquement dans le sens Orly-Paris). Compter env 1h.

➢ *Orly-Paris :* départs ttes les 20 mn, 6h-23h40 d'Orly-Sud, porte L, et d'Orly-Ouest, porte H, niveau « Arrivées ».

***RER C + navette :*** *☎ 01-60-11-46-20. • parisparletrain.fr •* Prendre le RER C jusqu'à Pont-de-Rungis (un RER ttes les 15-30 mn). Compter 25 mn depuis la gare d'Austerlitz. Ensuite, navette pdt 15-20 mn pour Orly-Sud et Orly-Ouest. Compter 6,50 €. Très recommandé les jours où l'on piétine sur l'autoroute du Sud (w-e et jours de grands départs) : on ne sera jamais en retard. Pour le retour, départs de la navette ttes les 15 mn depuis la porte G à Orly-Ouest (5h40-23h14) et la porte F à Orly-Sud (4h45-0h55).

***Bus RATP Orlybus :*** *☎ 08-92-68-77-14 (0,34 €/mn). • ratp.fr •* Compter 20-30 mn pour rejoindre Orly (Ouest ou Sud) et 7 € l'aller simple.

➢ *Paris-Orly :* départs ttes les 15-20 mn de la pl. Denfert-Rochereau. Orlybus fonctionne tlj 5h35-23h, jusqu'à minuit ven, sam et veilles de

fêtes. Départs tlj 6h-23h30 ; jusqu'à 0h20 ven, sam et veilles de fêtes.
➢ *Orly-Paris :* départ d'Orly-Sud, porte H, quai 4, ou d'Orly-Ouest, porte J, niveau « Arrivées ». Compter 7 € l'aller simple.

**Orlyval :** ☎ *32-46 (0,34 €/mn).* • *ratp.fr* • Compter 10,90 € l'aller simple entre Orly et Paris. La jonction se fait à Antony (ligne B du RER) sans aucune attente. Permet d'aller d'Orly à Châtelet et vice versa en 40 mn env, sans se soucier de la densité de la circulation automobile.
➢ *Paris-Orly :* départs pour Orly-Sud et Ouest ttes les 6-8 mn, 6h-22h15.
➢ *Orly-Paris :* départ d'Orly-Sud, porte K, zone livraison des bagages, ou d'Orly-Ouest, porte W, niveau 1.

***En taxi***

Compter au moins 35 € en tarif de jour du centre de Paris, selon circulation et importance des bagages.

***En voiture***

À proximité d'Orly-Ouest, parkings P0 et P2. À proximité d'Orly-Sud, P1, P2 et P3 (à 50 m du terminal, accessible par tapis roulant). Compter 28,50 € pour 24h de stationnement. Les parkings P0 et P2, à proximité immédiate des terminaux, proposent des forfaits intéressants dont le « week-end ». Forfaits disponibles aussi pour les P4, P5 et P7 : 15,50 € pour 24h et 1 € par jour supplémentaire au-delà de 8 j. (45 j. de stationnement max). Il existe pour le P7 des forfaits Vacances 1 à 30 j. (15-130 €).
Les P4, P7 (en extérieur) et P5 (couvert) sont des parkings longue durée, plus excentrés, reliés par navettes gratuites aux terminaux. *Rens :* ☎ *01-49-75-56-50.* Comme à Roissy, possibilité de réserver en ligne sa place de parking (P0 et P7) sur • *aeroportsdeparis.fr* • Les frais de résa (en sus du parking) sont de 8 € pour 1 j., de 12 € pour 2-3 j. et de 20 € pour 4-10 j. de stationnement pour le P0. Les parkings P0-P2 à Orly-Ouest, et P1-P3 à Orly-Sud accueillent les deux-roues : 6,20 € pour 24h.

### Liaisons entre Orly et Roissy-Charles-de-Gaulle

***Les cars Air France :*** ☎ *0892-350-820 (0,34 €/mn).* • *lescarsairfrance.com* • Départs de Roissy-Charles-de-Gaulle depuis les terminaux 1 (porte 32), 2A et 2C, 2B et 2D, 2E et 2F (galerie de liaison entre les terminaux 2E et 2F) vers Orly 5h55-22h30. Départs d'Orly-Sud (porte K) et d'Orly-Ouest (porte H) vers Roissy-Charles-de-Gaulle 6h30 (7h le w-e)-22h30. Ttes les 30-45 mn (dans les 2 sens). Durée du trajet : 50 mn env. Tarif : 18 € ; réduc.

**RER B + Orlyval :** ☎ *32-46 (0,34 €/mn).* Depuis Roissy, navette puis RER B jusqu'à Antony et enfin Orlyval entre Antony et Orly, 6h-22h15. Tarif : 19,50 €.

– ***En taxi :*** compter 50-55 € en journée.

## EN BELGIQUE

### ▲ AIRSTOP

*Pour ttes les adresses Airstop, un seul numéro de tél :* ☎ *070-233-188.* • *airstop.be* • *Lun-ven 9h-18h30 ; sam 10h-17h.*
*– Bruxelles : bd E.-Jacquemain 76, 1000.*
*– Anvers : Jezusstraat, 16, 2000.*
*– Bruges : Dweersstraat, 2, 8000.*
*– Gand : Maria Hendrikaplein, 65, 9000.*
*– Louvain : Tiensestraat 5, 3000.*
Airstop offre une large gamme de prestations, du vol sec au séjour tout compris à travers le monde.

### ▲ CONNECTIONS

*Rens et résas :* ☎ *070-233-313.* • *connections.be* • *Lun-ven 9h-19h ; sam 10h-17h.*
Fort d'une expérience de plus de 20 ans dans le domaine du voyage, Connections dispose d'un réseau de 28 *travel shops* dont un à Brussels Airport. Connections propose des vols dans le monde entier à des tarifs avantageux et des voyages destinés à des voyageurs désireux de découvrir la planète de façon autonome et de vivre des expériences uniques. Connections propose une gamme complète de produits : vols, hébergements, locations de voitures, autotours, vacances

sportives, excursions, assurances « protections »...

### ▲ CONTINENTS INSOLITES

*– Bruxelles : rue César-Franck, 44 A, 1050. ☎ 02-218-24-84. • continentsinsolites.com • Lun-ven 10h-18h ; sam 10h-13h.*

Continents Insolites, organisateur de voyages lointains sans intermédiaire, propose une gamme étendue de formules de voyages détaillée dans leur brochure gratuite sur demande.

*– Voyages découverte taillés sur mesure :* à partir de 2 personnes. Un grand choix d'hébergements soigneusement sélectionnés : du petit hôtel simple à l'établissement luxueux et de charme.

*– Circuits découverte en minigroupes :* de la grande expédition au circuit accessible à tous. Des circuits à dates fixes dans plus de 60 pays en petits groupes francophones de 7 à 12 personnes. Avant chaque départ, une réunion est organisée. Voyages encadrés par des guides francophones, spécialistes des régions visitées.

### ▲ FAIRWAY TRAVEL

*– Bruxelles : rue Abbé-Heymans, 2, 1200. ☎ 02-762-78-78. • fairwaytravel.be • Lun-ven 10h-18h.*

Spécialiste de l'Amérique latine, du Mexique au Chili en passant par les fjords de Patagonie, la cordillère des Andes. Au programme, des circuits en individuel avec locations de voitures, un service à la carte, des croisières en Amazonie, en Antarctique, aux Galápagos et en Terre de Feu, des randonnées sur le chemin de l'Inca, les plus beaux trains d'Amérique latine.

### ▲ LATINO AMERICANA DE TURISMO

*– Bruxelles : av. Brugmann, 250, 1180. ☎ 02-211-33-50. • latinoamericana.be • Lun-ven 9h30-18h30, sam sur rdv.*

Son expérience sur l'Amérique latine permet à cet organisateur de voyages de proposer des formules personnalisées sur mesure. Ce spécialiste met tout en œuvre pour vous initier aux secrets du Pérou, du Chili, du Mexique, de l'Équateur, de l'Argentine, du Guatemala, de la Bolivie... Départs garantis, quelle que soit la date prévue, en tenant compte des paramètres climatiques du pays. Tarifs compétitifs sur vols réguliers.

### ▲ NOUVELLES FRONTIÈRES

*• nouvelles-frontieres.be •*

*– Nombreuses agences dans le pays dont Bruxelles, Charleroi, Liège, Mons, Namur, Waterloo, Wavre et au Luxembourg.*

(Voir plus haut le texte dans la partie « En France ».)

### ▲ PAMPA EXPLOR

*– Bruxelles : av. Brugmann, 250, 1180. ☎ 02-340-09-09. • pampa.be • Lun-ven 9h-19h ; sam 10h-17h. Également sur rdv, dans leurs locaux ou à votre domicile.*

Spécialiste des vrais voyages « à la carte », Pampa Explor propose plus de 70 % de la « planète bleue », selon les goûts, attentes, centres d'intérêt et budgets de chacun. Du Costa Rica à l'Indonésie, de l'Afrique australe à l'Afrique du Nord, de l'Amérique du Sud aux plus belles croisières, Pampa Explor tourne le dos au tourisme de masse pour privilégier des découvertes authentiques et originales, pleines d'air pur et de chaleur humaine. Pour ceux qui apprécient la jungle et les Pataugas ou ceux qui préfèrent les voyages de luxe. En individuel ou en petits groupes, mais toujours sur mesure.

### ▲ SUDAMERICA TOURS

*Brochures disponibles dans les agences de voyages en Belgique et au Luxembourg, ou au ☎ 02-772-15-34 (Bruxelles). • sudamericatours.be •*

Tour-opérateur belge spécialisé sur l'Amérique latine, Sudamerica Tours propose une brochure comprenant les « Circuits et séjours individuels » et les « Circuits en groupes » accompagnés avec départs garantis de Bruxelles ». Sudamerica Tours réalise également des circuits à la carte avec location de voitures, des séjours plage, des safaris et écotourisme, des croisières en Amazonie, aux Galápagos, sur le lac Titicaca... Logement en haciendas et hôtels de charme. Destinations : Argentine, Bolivie, Brésil, Chili, Équateur, Guatemala, Mexique, Nicaragua, Pérou, Costa Rica, Venezuela et Cuba.

▲ **TERRES D'AVENTURE**
*– Bruxelles : chaussée de Charleroi, 23, 1060.* ☎ *02-543-95-60.* • *terdav.com* • *Lun-sam 10h-19h.*
(Voir plus haut le texte dans la partie « En France ».)

▲ **VOYAGEURS DU MONDE**
*– Bruxelles : 23, chaussée de Charleroi, 1060.* ☎ *090-04-45-00 (0,45 €/mn).* • *voyageursdumonde.com* •
(Voir plus haut le texte « Voyageurs en Amérique du Sud » dans la partie « En France ».)

## EN SUISSE

▲ **JERRYCAN**
*– Genève : rue Sautter, 11, 1205.* ☎ *022-346-92-82.* • *jerrycan-travel.ch* •
Tour-opérateur de la Suisse francophone spécialisé sur l'Afrique, l'Asie et l'Amérique latine. 3 belles brochures proposent des circuits traditionnels et hors des sentiers battus. L'équipe connaît bien son sujet et peut vous construire un voyage à la carte.

▲ **NOUVEAUX MONDES**
*– Mies : route Suisse, 7, 1295.* ☎ *022-950-96-60.* • *nouveauxmondes.com* •
Spécialiste de l'Amérique du Sud en Suisse romande depuis plus de 15 ans, Nouveaux Mondes propose des circuits originaux et des voyages à la carte dans toute l'Amérique latine, ainsi qu'à l'île de Pâques, aux îles Malouines et sur le continent Antarctique. Nouveaux Mondes mise sur le logement de charme et sur des excursions hors des circuits touristiques traditionnels.

▲ **STA TRAVEL**
☎ *058-450-49-49.* • *statravel.ch* •
*– Fribourg : rue de Lausanne, 24, 1701.* ☎ *058-450-49-80.*
*– Genève : rue de Rive, 10, 1204.* ☎ *058-450-48-00.*
*– Genève : rue Vignier, 3, 1205.* ☎ *058-450-48-30.*
*– Lausanne : bd de Grancy, 20, 1006.* ☎ *058-450-48-50.*
*– Lausanne : à l'université, Anthropole, 1015.* ☎ *058-450-49-20.*
Agences spécialisées dans les voyages pour jeunes et étudiants. 150 bureaux STA et plus de 700 agents du même groupe répartis dans le monde entier sont là pour donner un coup de main *(Travel Help).*
STA propose des voyages très avantageux : vols secs *(Skybreaker),* billets Euro Train, hôtels, écoles de langues, *work & travel,* circuits d'aventure, voitures de location, etc. Délivre la carte internationale d'étudiant ISIC et la carte Jeune.
STA est membre du fonds de garantie de la branche suisse du voyage ; les montants versés par les clients pour les voyages forfaitaires sont assurés.

▲ **TERRES D'AVENTURE**
*– Genève : Néos Voyages, rue des Bains, 50, 1205.* ☎ *022-320-66-35.* • *geneve@neos.ch* •
*– Lausanne : Néos Voyages, rue Simplon, 11, 1006.* ☎ *021-612-66-00.* • *lausanne@neos.ch* •
(Voir plus haut le texte dans la partie « En France ».)

▲ **TUI – NOUVELLES FRONTIÈRES**
*– Genève : rue Chantepoulet, 10, 25.* ☎ *022-716-15-70.*
*– Lausanne : bd de Grancy, 19, 1006.* ☎ *021-616-88-91.*
(Voir plus haut le texte dans la partie « En France ».)

## AU QUÉBEC

▲ **CLUB AVENTURE VOYAGES**
*– Montréal (Québec) : 757, av. Mont-Royal, H2J-1W8.* • *clubaventure.qc.ca* •
Club Aventure développe une façon de voyager qui lui est propre : petits groupes, contact avec les populations visitées, utilisation des ressources humaines locales, visite des grands monuments mais aussi et surtout ouverture de routes parallèles. Ces circuits ont reçu la griffe du temps et de l'expérience ; ils sont devenus les « circuits griffés » du Club Aventure.

▲ **EXOTIK TOURS**
*Rens sur* • *exotiktours.com* • *ou auprès de votre agence de voyages.*
Exotik Tours offre une importante programmation en été comme en hiver sur la Méditerranée et l'Europe. Ses circuits estivaux se partagent notamment entre la France, l'Autriche, la

Grèce, la Turquie, l'Italie, la Croatie, le Maroc, la Tunisie, la République tchèque, la Russie, la Thaïlande, le Vietnam, la Chine... L'hiver, des séjours sont proposés dans le Bassin méditerranéen et en Asie (Thaïlande et Bali). Durant cette saison, on peut également opter pour des combinés plage + circuit. Dans la rubrique « Grands Voyages », le voyagiste suggère des périples en petits groupes ou en individuel. Entre autres : l'Amérique du Sud, le Pacifique sud, l'Afrique (Afrique du Sud, Kenya, Tanzanie), l'Inde et le Népal. Exotik Tours a par ailleurs créé une nouvelle division : Carte Postale Tours (circuits en autocar au Canada et aux États-Unis).



**▲ EXPÉDITIONS MONDE**

*– Ottawa : ☎ 800-567-2216.*
*– Montréal. ☎ 1866-606-1721 ou (514) 844-6364.*
*• expeditionsmonde.com • pour voir les brochures en ligne.*

Expéditions Monde est à l'avant-garde du voyage d'aventure, de découverte, de trekking, de vélo et d'alpinisme sur tous les continents. Les voyages en petits groupes facilitent les déplacements dans les régions les plus reculées et favorisent l'interaction avec les peuples locaux pour vivre une expérience authentique. Expéditions Monde offre aussi la possibilité de voyager en Europe à pied ou à vélo en liberté.

**▲ KARAVANIERS**

*– Montréal : 104, rue du Square-Gallery, H3C 3R3. ☎ (514) 281-0799. • karavaniers.com • detournature.com • Lun-ven 9h-18h, sam 10h-16h.*

L'agence québécoise Karavaniers a pour but de rendre accessibles des expéditions aux quatre coins de la planète. Toujours soucieuse de respecter les populations locales et l'environnement, Karavaniers favorise la découverte d'une quarantaine de destinations à pied et en kayak de mer, en petits groupes accompagnés d'un guide francophone et d'un guide local, avec hébergement en auberge ou sous la tente. Dans le cadre de son école de montagne, l'agence propose aussi des formations d'alpinisme, d'escalade et de camping d'hiver au Québec et dans le nord-est des États-Unis. Pour sa part, Détour Nature propose, sur de nombreuses destinations au Québec et en Amérique du Nord, des excursions d'une journée ainsi que des voyages de 2 à 14 jours à pied, à vélo, en kayak, mais aussi en raquette et ski de fond. Le transport s'effectue au départ de Montréal.

**▲ RÊVATOURS**

*• revatours.com •*

Ce voyagiste, membre du groupe Transat AT Inc., propose quelque 25 destinations à la carte ou en circuits organisés. De l'Inde à la Thaïlande en passant par le Vietnam, la Chine, Bali, l'Europe centrale, la Russie, des croisières sur les plus beaux fleuves d'Europe, la Grèce, la Turquie, l'Italie, la Croatie, le Maroc, l'Espagne, le Portugal, la Tunisie ou l'Égypte et l'Amérique du Sud, le client peut soumettre son itinéraire à Rêvatours qui se charge de lui concocter son voyage. Également des programmes en Scandinavie, l'Italie en circuit, ou Israël en combiné avec l'Égypte.

**▲ TOURS CHANTECLERC**

*• tourschanteclerc.com •*

Tours Chanteclerc est un tour-opérateur qui publie différentes brochures de voyages : Europe, Amérique du Nord, Amérique du Sud, Asie et Pacifique sud, Afrique et le Bassin méditerranéen en circuits ou en séjours. Il s'adresse aux voyageurs indépendants qui réservent un billet d'avion, un hébergement (dans toute l'Europe), des excursions ou une location de voiture. Également spécialiste de Paris, le tour-opérateur offre une vaste sélection d'hôtels et d'appartements dans la Ville lumière.

**▲ VACANCES AIR CANADA**

*• vacancesaircanada.com •*

Vacances Air Canada propose des forfaits loisirs (golf, croisières, voyages d'aventure, ski et excursions diverses) flexibles vers les destinations les plus populaires des Antilles, de l'Amérique centrale et du Sud, de l'Asie, de l'Europe et des États-Unis. Vaste sélection de forfaits incluant vol aller-retour et hébergement. Également des forfaits vol + hôtel ou vol + voiture.

**▲ VOYAGES CAMPUS / TRAVEL CUTS**

• *voyagescampus.com* •

Campus / Travel Cuts est un réseau national d'agences de voyages spécialisées pour les étudiants et les voyageurs qui disposent de petits budgets. Le réseau existe depuis 40 ans et compte plus de 50 agences, dont 6 au Québec. Voyages Campus propose des produits exclusifs comme l'assurance « Bon voyage », le programme de Vacances-Travail (Swap), la carte d'étudiant internationale (ISIC) et plus. Ils peuvent vous aider à planifier votre séjour autant à l'étranger qu'au Canada, et même au Québec.

## UNITAID

UNITAID a été créé pour lutter contre le VIH/sida, le paludisme et la tuberculose, principales maladies meurtrières dans les pays en développement. UNITAID intervient dans 94 pays en développement en facilitant l'accès aux médicaments et aux diagnostics, et en en baissant les prix. Le financement d'UNITAID provient principalement d'une contribution de solidarité sur les billets d'avion mise en place par six pays membres, dont la France. La taxe est de 1 € sur les vols intérieurs, et de 4 € sur les vols internationaux (ce qui représente le traitement d'un enfant séropositif pour 1 an). Depuis 2006, UNITAID a réuni plus de 1 milliard de dollars. Les financements d'UNITAID ont permis à près de 1 million de personnes atteintes du VIH/sida de bénéficier d'un traitement, et de délivrer plus de 19 millions de traitements contre le paludisme. Moins de 5 % des fonds servent au fonctionnement du programme, 95 % sont utilisés directement pour les médicaments et les tests. Pour en savoir plus : • *unitaid.eu* •

# ÉQUATEUR UTILE

▸ Pour la carte générale de l'Équateur, se reporter au cahier couleur.

## ABC DE L'ÉQUATEUR

- *Population :* 15 200 000 hab.
- *Superficie :* 283 560 km².
- *Densité :* 53,6 hab./km².
- *Point culminant :* Chimborazo, 6 310 m (Quito est à 2 800 m d'altitude).
- *Capitale :* Quito (2,3 millions d'habitants). Guayaquil est la plus grande ville du pays avec près de 3 millions d'habitants.
- *Langues :* espagnol (langue officielle), 93 % ; quechua, 6 % ; shuar et autres, 1 %. Mais beaucoup d'Indiens sont bilingues espagnol-quechua.
- *Monnaie :* le dollar américain (a remplacé le sucre en 2000).
- *Régime :* république, régime présidentiel.
- *Religion :* catholique (95 %) ; protestante, 5 %.
- *Chef de l'État :* Rafael Correa (novembre 2006, réélu au 1er tour en 2009).
- *PIB/hab. :* 4 352 US$ (en 2011).

## AVANT LE DÉPART

### Adresses et infos utiles

#### En France

■ ***Consulat et ambassade d'Équateur :*** *34, av. de Messine, 75008 Paris.* ☎ *01-45-61-10-04 (consulat) ou 21 (ambassade).* • *ambassade-equateur.fr* • Ⓜ *Monceau ou Miromesnil. Accueil du public lun-ven 9h30-13h pour le consulat ; 9h30-13h, 15h-18h pour l'ambassade.*

■ ***Consulat d'Équateur à Marseille :*** *bd des Bassins-du-Radoub, Cap Pinède, Intérieur PAM face Forme 7, 13002.* ☎ *04-91-02-55-55. Fax : 04-91-58-52-59. Ouv sur rdv slt.*

■ ***Association France-Équateur :*** *136, av. de l'Armée-Leclerc, 91600 Savigny-sur-Orge.* ☎ *01-69-24-40-88. Rens sur rdv.* Petit office de tourisme non officiel tenu par un particulier.

■ ***Équateur Tourisme :*** ☎ *04-50-44-38-49.* • *equateurtourisme.net* • *Lun-ven 9h-18h.* Association de connaisseurs de l'Équateur. Envoi de documentation gratuit. Réponses à vos questions pratiques par téléphone ou par email.

– ***Ariane, le fil à suivre :*** Ariane est un service gratuit mis à disposition par le centre de crise du ministère des Affaires étrangères et européennes. Il permet aux voyageurs français qui le souhaitent de s'enregistrer à l'occasion de leurs séjours à l'étranger. Les informations déposées sur Ariane sont utilisées en cas de crise, par exemple pour contacter des voyageurs dans l'hypothèse où des opérations de

secours sont organisées ou encore pour joindre rapidement les familles ou les proches en France si une situation le nécessite. Pour en savoir plus :
• *diplomatie.gouv.fr/fr/conseils-aux-voyageurs_909/index.html* •

## En Belgique

■ ***Ambassade et consulat :*** *av. Louise, 363 B1, 9e étage, Bruxelles 1050. ☎ 02-644-30-50. Lun-ven 9h30-13h, 15h-17h30.*

## En Suisse

■ ***Chancellerie et consulat :*** *Kramgasse 54, 3011 Berne. ☎ 031-351-17-55 (consulat) ou 62-54 (ambassade).* • *embecusuiza@bluewin.ch* • *Lun-ven 9h-13h, 14h-17h.*

## Au Canada

■ ***Consulat général d'Équateur :*** *2055 Peel, suite 501, Montréal, QC H3A-1V4. ☎ 514-874-40-71.* • *consecuador-quebec.org* • *Ouv 9h-13h.*
■ ***Ambassade :*** *50 O'Connor St, suite 113, Ottawa, ON K1P-6L2. ☎ 613-563-82-06. Fax : 613-235-5776. Lun-ven 9h-16h.*

# Formalités

– Pas besoin de visa pour les ressortissants français, belges, suisses et canadiens séjournant moins de 3 mois dans le pays pour raisons touristiques. Il suffit de présenter un ***passeport*** valable 6 mois après la date du retour. Possibilité de faire prolonger sur place son séjour de 1 ou 2 mois par l'intermédiaire du service de l'immigration.
– Pour ceux qui envisagent de rester plus de 3 mois, il existe aussi un ***visa*** valable 6 mois. Bien se renseigner sur les pièces à fournir. Pour ceux qui ne peuvent se déplacer, sachez qu'il est possible d'obtenir le visa par correspondance.
– ***Un conseil :*** pensez à scanner passeport, visa, CB, billet d'avion et vouchers d'hôtel. Ensuite, adressez-les-vous par mail, en pièces jointes. En cas de perte ou de vol, rien de plus facile pour les récupérer dans un cybercafé. Les démarches administratives en seront bien plus rapides. Et tâchez de ne pas transférer tous ces documents sur une clé USB, car si quelqu'un de malintentionné tombait dessus, il aurait toutes les infos à disposition... Merci tonton Routard !

## Avoir un passeport européen, ça peut être utile !

L'Union européenne a organisé une assistance consulaire mutuelle pour les ressortissants de l'UE en cas de problème en voyage.
Vous pouvez y faire appel lorsque la France (c'est rare) ou la Belgique (c'est plus fréquent) ne disposent pas d'une représentation dans le pays où vous vous trouvez. Concrètement, cette assistance vous permet de demander de l'aide à l'ambassade ou au consulat (pas à un consulat honoraire) de n'importe quel État membre de l'UE. Leurs services vous indiqueront s'ils peuvent directement vous aider ou vous préciseront ce qu'il faut faire.
***Leur assistance est, bien entendu, limitée aux situations d'urgence :*** décès, accidents ayant entraîné des blessures ou des lésions, maladie grave, rapatriement pour raison médicale, arrestation ou détention. En cas de ***perte ou de vol de votre passeport,*** ils pourront également vous procurer un ***document provisoire*** de voyage.
Cette entraide consulaire entre les 27 États membres de l'UE ne peut, bien entendu, vous garantir un accueil dans votre langue. En général, une langue européenne courante sera pratiquée.

# Assurances voyages

■ ***Routard Assurance*** *(c/o AVI International)* **:** *106, rue La Boétie, 75008 Paris. ☎ 01-44-63-51-00.* • *avi-international.com* • Ⓜ *Saint-Philippe-du-Roule, Franklin-D.-Roosevelt.* Depuis 1995, *Routard Assurance,* en collaboration avec *AVI International,* spécialiste de l'assurance voyage, propose aux routards un tarif à la semaine qui inclut une assurance bagages de 2 000 €, dont 300 € pour les appareils photo. Pour les séjours longs (2 mois à 1 an), il existe le *Plan Marco Polo.* Ces 2 contrats sont également disponibles à un prix forfaitaire pour les familles en courts et longs séjours. Les seniors ont aussi leur contrat *Routard Assistance Senior. Routard Assurance* est aussi disponible en version light (durée adaptée aux week-ends et courts séjours en Europe). Vous trouverez un bulletin de souscription dans les dernières pages de chaque guide.

■ ***AVA :*** *25, rue de Maubeuge, 75009 Paris.* ☎ *01-53-20-44-20.* • *ava.fr* • Ⓜ *Cadet.* Un autre courtier fiable pour ceux qui souhaitent s'assurer en cas de décès-invalidité-accident lors d'un voyage à l'étranger, mais surtout pour bénéficier d'une assistance rapatriement, perte de bagages et annulation. Attention, franchises pour leurs contrats d'assurance voyage.

■ ***Pixel Assur :*** *18, rue des Plantes, 78600 Maisons-Laffitte.* ☎ *01-39-62-28-63.* • *pixel-assur.com* • *RER A : Maisons-Laffitte.* Assurance de matériel photo et vidéo tous risques dans le monde entier. Devis basé sur le prix d'achat de votre matériel. Avantage : garantie à l'année.

## Carte internationale d'étudiant (carte ISIC)

Elle prouve le statut d'étudiant dans le monde entier et permet de bénéficier de tous les avantages, services, réductions étudiants du monde dans les domaines du transport, de l'hébergement, de la culture, des loisirs, du shopping... C'est la clé de la mobilité étudiante !

La carte ISIC permet aussi d'accéder à des avantages exclusifs sur le voyage (billets d'avion special étudiants, hôtels et auberges de jeunesse, assurances, cartes SIM internationales, location de voiture...).

Pour plus d'informations sur la carte ISIC et pour la commander en ligne, rendez-vous sur les sites • *isic.fr* • *statravel.fr* • Renseignements supplémentaires : ☎ *01-40-49-01-01.*

### Pour l'obtenir en France

- Commandez-la en ligne.
- Rendez-vous dans la boutique ISIC, *2, rue de Cicé, 75006 Paris,* muni de votre certificat de scolarité, d'une photo d'identité et de 13 € (12 € + 1 € de frais de traitement).
- Émission immédiate sur place ou envoi à domicile le jour même de la commande en ligne.

### En Belgique

La carte coûte 12 € (+ 1 € de frais d'envoi) et s'obtient sur présentation de la carte d'identité, de la carte d'étudiant et d'une photo auprès de :

■ ***Connections :*** *rens au* ☎ *070-23-33-13 ou 479-807-129.* • *isic.be* •

### En Suisse

La carte s'obtient dans toutes les agences *STA Travel* (☎ *058-450-40-00 ou 49-49),* sur présentation de la carte d'étudiant, d'une photo et de 20 Fs.

- Commande de la carte en ligne sur • *isic.ch* • ou • *statravel.ch* •

### Au Canada

La carte coûte 20 $Ca (+ 1,50 $Ca de frais d'envoi). Disponible dans les agences *TravelCuts / Voyages Campus,* mais aussi dans les bureaux d'associations d'étudiants. Pour plus d'infos : • *voyagescampus.com* •

# ARGENT, BANQUES, CHANGE

### Monnaie

Depuis l'an 2000, le ***dollar américain*** a remplacé le sucre – dont le nom venait du général Sucre, un des libérateurs du pays au XIXᵉ s. La Banque centrale équatorienne frappe des pièces de 1, 5, 10, 25 et 50 cents, mais on peut aussi utiliser les pièces américaines. Les billets, eux, viennent des États-Unis.

## Banques, change

Il n'est pas si facile de changer des devises (même les euros) en Équateur, car peu de banques font le change, et parce que les bureaux de change sont plutôt rares – en dehors des aéroports et de *Vazcorp,* qui possède un bureau dans les grandes villes. Bref, on vous conseille de ***partir avec des dollars américains,*** en prenant soin de demander des ***petites coupures (max 20 US$),*** car les billets de 50 et 100 US$ sont très très difficiles à écouler. Les commerçants n'ont jamais assez de monnaie et se méfient (à raison) des faux billets. Sinon, on trouve des distributeurs un peu partout. Il est déconseillé d'emporter des chèques de voyage. Ils sont incroyablement difficiles à changer – et à concurrence de 200 US$ par semaine seulement ! Si jamais vous tenez à en prendre, assurez-vous qu'il s'agit de chèques *American Express* libellés en dollars. Vous pourrez uniquement les changer auprès de *VAZcorp,* moyennant une commission d'environ 5 US$. En règle générale, les *casas de cambio* sont ouvertes du lundi au vendredi de 9h à 18h et parfois le samedi matin.

## Cartes de paiement

On trouve dans toutes les villes des distributeurs acceptant les cartes internationales (*MasterCard, Visa, American Express, Diner's Club, Maestro* ou *Cirrus*). Certaines banques locales ajoutent leur propre commission (1-2 US$), d'autres non. D'une manière générale, retirez toujours de l'argent en journée et dans un endroit fréquenté. Pour l'heure, seuls les hôtels et restos de catégorie moyenne à supérieure acceptent les cartes, et encore : il arrive que certains offrent une réduction si on paye en liquide...

## Perte ou vol de cartes de paiement

Avant de partir, notez donc bien le numéro d'opposition propre à votre banque en France (il figure souvent au dos des tickets de retrait, sur votre contrat, ou à côté des distributeurs de billets), ainsi que le numéro à 16 chiffres de votre carte. Bien entendu, conservez ces informations en lieu sûr et séparément de votre carte. Par ailleurs, l'assistance médicale se limite aux 90 premiers jours du voyage et l'assistance véhicule aux cartes haut de gamme (renseignez-vous auprès de votre banque).

N'oubliez pas aussi de VÉRIFIER LA DATE D'EXPIRATION DE VOTRE CARTE BANCAIRE !

– ***Carte Visa :*** assistance médicale ; numéro d'urgence *(Europe Assistance)* : ☎ *(00-33) 1-41-85-85-85.* • *visa-europe.fr* • Pour faire opposition, contactez le numéro communiqué par votre banque.

– ***Carte MasterCard :*** assistance médicale incluse ; numéro d'urgence : ☎ *(00-33) 1-45-16-65-65.* • *mastercardfrance.com* • En cas de perte ou de vol, composez le numéro communiqué par votre banque pour faire opposition.

– Pour la carte ***American Express,*** contactez le : ☎ *(00-33) 1-47-77-72-00 (numéro accessible tlj, 24h/24).* • *americanexpress.fr* •

– Pour toutes les cartes émises par ***La Banque postale,*** composez le ☎ *(00-33) 5-55-42-51-96.*

Petite mesure de précaution : si vous retirez de l'argent dans des distributeurs, utilisez de préférence ceux attenant à une agence bancaire. En cas de pépin avec votre carte (carte avalée, erreurs de code secret...), vous aurez un interlocuteur dans l'agence, pendant les heures ouvrables du moins.

## Western Union Money Transfer

En cas de besoin urgent d'argent liquide, vous pouvez être dépanné en quelques minutes grâce au système *Western Union Money Transfer.* Pour cela, demandez à quelqu'un de vous déposer de l'argent en euros dans l'un des bureaux *Western Union* ; les correspondants en France de *Western Union* sont *La Banque postale (fermée sam ap-m, n'oubliez pas !* ☎ *0825-00-*

*98-98 ; 0,15 €/mn)* et la *Société financière de paiements (SFDP ; ☎ 0825-825-842 ; 0,15 €/mn).* L'argent vous est transféré en moins d'un quart d'heure. La commission, assez élevée, est payée par l'expéditeur. Possibilité d'effectuer un transfert en ligne 24h/24 par carte de paiement (*Visa* ou *MasterCard* émises en France). ● *westernunion.com* ●

## ACHATS

Le plus connu des ***marchés*** d'Équateur est celui de la *plaza de los Ponchos* d'***Otavalo*** (voir plus loin la rubrique « Marchés » dans le chapitre « Hommes, culture, environnement »). On y trouve toute la production des Indiens du coin. Beaux lainages, ponchos et tapis. Pour les lainages, attention aux entourloupes. L'acrylique a tendance à remplacer la pure laine. Pour vérifier s'il s'agit bien de la toison du mouton, prendre un petit brin et le brûler. Si ça brûle, c'est de la laine ; si ça fond, c'est du synthétique. Éviter quand même de tout cramer ! On y trouve également des objets en bois sculpté, de petites céramiques et des bijoux.

– ***Planche de surf en balsa :*** pour surfer sur la vague écolo, si vous voulez frimer sur la plage en rentrant, le must, c'est d'avoir fait *shaper* à Canoa votre *board* customisée en balsa *made in Ecuador* (bon, d'accord, il faut la rapporter...)
– ***Sacs :*** en fibre d'agave ou en laine. On en trouve à Quito et Otavalo.
– ***Céramique :*** on en trouve dans toutes les régions, et surtout à Cuenca et Quito.
– ***Tzantzas*** (têtes réduites) ***:*** on en trouve à Quito et à Baños. Naturellement, elles sont fausses, mais cela peut faire plaisir à votre petite sœur (!).
– ***Rondadores :*** belles flûtes. On les trouve un peu partout.
– ***Orfèvrerie :*** le village de Chordeleg, dans les environs de Cuenca, est réputé pour ses bijoux en or (blanc, jaune et rose) et en argent.
– ***Tapis :*** dans le village de Salasaca, entre Ambato et Baños, des artisans fabriquent de beaux tapis muraux, souvent très colorés. Mais ce sont les Indiens d'Otavalo qui sont vraiment les maîtres dans ce domaine, tant pour les faire que pour les vendre.
– ***Figurines en masapán*** (massepain) ***:*** les petits objets réalisés avec du pain coloré et verni qui sont en vente dans les boutiques de Quito sont en fait fabriqués dans le village de Calderón, à 15 km au nord. Plus de choix et moins cher sur place.
– ***Sculptures sur bois :*** à San Antonio de Ibarra, près d'Ibarra. Bon travail d'inspiration locale ou religieuse en bois de cèdre américain ou de noyer.
– ***Tagua :*** c'est le fameux ivoire végétal. Tout aussi beau et résistant que celui du pauvre frère de Dumbo, il est également nettement moins cher – et légal, lui. La *tagua* est la graine de « l'éléphant végétal » *(Phytelephas aequatorialis),* une sorte de palmier qui pousse sur la Costa et en Amazonie. Dès le début du XXe s, l'Équateur a commencé à exporter l'ivoire végétal. On l'utilisait comme matière première pour la fabrication des boutons. L'arrivée du plastique a fait baisser sa valeur commerciale. L'ivoire, le vrai, étant désormais interdit, l'exportation de la *tagua* a repris. Les artisans fabriquent surtout petits animaux et bijoux, mais assemblent parfois plusieurs noix.

### Panamas d'Équateur

Surprise : le plus fameux chapeau fabriqué en Équateur est le *sombrero de paja toquilla,* dit *de Panamá* ! Achetés en 1898 pour l'armée américaine embarquant pour Cuba lors de la guerre hispano-américaine, puis conseillés comme bonne protection contre le soleil par les médecins aux employés qui creusaient le canal de Panamá, ces chapeaux connurent un tel succès que les commerçants européens et américains les importent encore aujourd'hui. Tout est parti de l'engouement de l'élite européenne pour ce couvre-chef présenté lors de l'Exposition universelle de Paris en 1855. Véritables merveilles dans leur genre, ils ne craignent ni les chocs ni la pluie, et sont légers comme un filet d'air. Ils constituent l'industrie principale des bourgades de Montecristi et des environs (région de Manta). On les trouve également dans de nombreuses boutiques de Cuenca, ville qui fournit désormais la plupart de la production. Les trois premiers points du tissage du fond indiquent sans équivoque le niveau de qualité du plus *fino* des chapeaux. Un panama de très bonne qualité peut atteindre la modique somme de 1 000 US$ !

# BUDGET

Le coût de la vie a beaucoup augmenté en Équateur depuis la dollarisation et est nettement plus élevé qu'au Pérou, par exemple. À qualité équivalente, les tarifs des hôtels sont à peu près les mêmes qu'en France ! Reste que l'on peut trouver une chambre convenable (avec salle de bains et TV) à partir de 20-24 US$ et un lit en dortoir pour 7-8 US$ par personne. Tout dépend du niveau de confort que vous recherchez. Un repas à la carte correcte coûte env 8-10 US$, ce qui est beaucoup, mais on peut profiter des menus du jour bon marché servis le midi dans nombre de restos (en général 2-5 US$). Bonne nouvelle, les bus et taxis sont très bon marché, de même que l'entrée dans la plupart des musées (1-3 US$). Mieux encore, la *Revolución ciudadana* a rendu les parcs nationaux gratuits pour tous, Équatoriens comme étrangers ! En revanche, les excursions en montagne ou en Amazonie peuvent s'avérer très coûteuses (et on ne vous parle même pas des Galápagos !).

## Hébergement

Les prix indiqués dans ce guide s'entendent pour deux personnes en chambre double ou *matrimonial* (pour couple), toutes taxes comprises, avec ou sans petit déj. Ce dernier est le plus souvent compris dans les hôtels de catégorie moyenne et supérieure, mais peut s'avérer un peu léger... Dans les endroits touristiques, les prix peuvent doubler pendant les vacances des nationaux. Dans la Sierra et l'Oriente, elles s'échelonnent de fin juin à début septembre (comme en France) mais, sur la côte, c'est de fin décembre à début mars ! Aux Galápagos, les tarifs sont nettement plus élevés que dans le reste du pays...
- ***Très bon marché :*** inférieur à 18 US$ (ou 9 US$ par personne).
- ***Bon marché :*** de 18 à 30 US$.
- ***Prix moyens :*** de 30 à 48 US$.
- ***Chic :*** de 48 à 70 US$.
- ***Plus chic :*** plus de 70 US$.

## Restaurants

Les prix s'entendent pour un plat de résistance (souvent suffisant), sans les boissons. Ils comprennent la TVA (12 %) et, généralement, le service (10 %). Vérifiez sur votre note si c'est bien le cas, sinon ajoutez-le. À partir d'une certaine catégorie, la loi impose théoriquement aux restaurateurs de faire figurer des prix TTC, mais ce n'est pratiquement jamais respecté.
- ***Bon marché :*** moins de 5 US$.
- ***Prix moyens :*** de 5 à 12 US$.
- ***Chic :*** à partir de 12 à 20 US$.
- ***Plus chic :*** à partir de 20 US$.

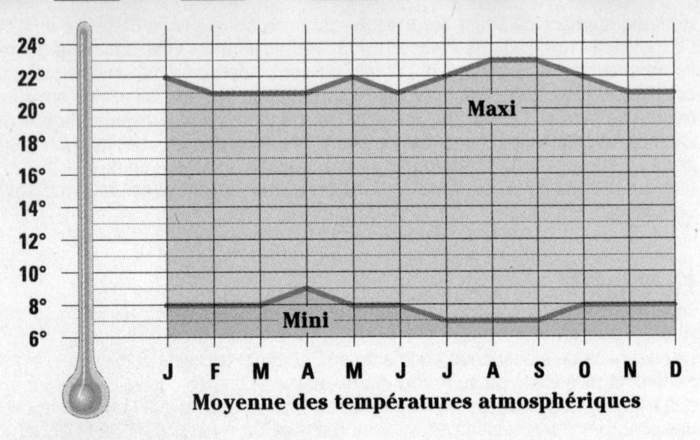


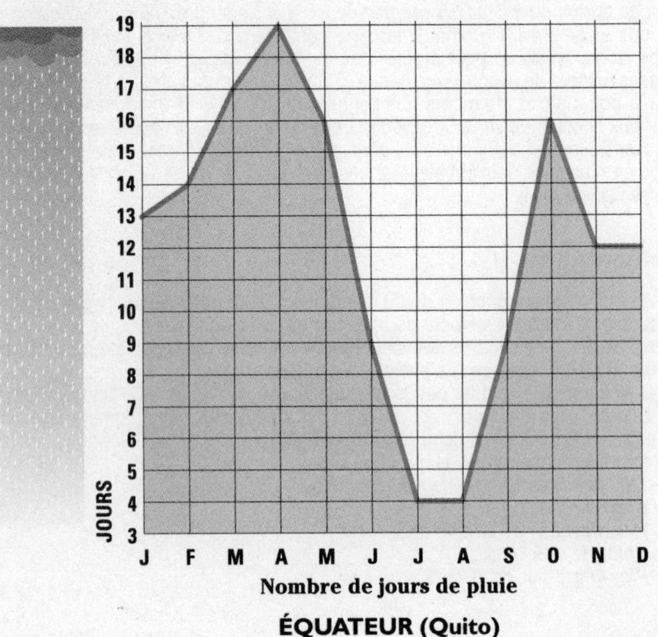


**ÉQUATEUR (Quito)**

## CLIMAT

L'Équateur se trouvant... à l'équateur, le climat est de type équatorial, mais sérieusement atténué par la présence de la cordillère des Andes. Dans la Sierra, la saison des pluies s'étend d'octobre à mai et, en moyenne, les températures oscillent entre 12 et 18 °C en raison de l'altitude. En saison sèche, et principalement en juillet-août, de violents vents d'altitude balaient les sommets et le temps est souvent imprévisible. Pas le meilleur moment pour les ascensions (privilégiez décembre-janvier). La côte, elle, affiche une température moyenne d'une vingtaine de degrés. En plein été (de juin à septembre), le soleil s'y fait rare. Une brume épaisse, la *garúa*, formée au contact des terres chaudes et des eaux froides du courant de Humboldt, enveloppe le littoral à longueur de journée. Il faut donc attendre les mois d'hiver pour profiter de la plage et du soleil. C'est aussi à cette période que le *swell* du Pacifique permet aux surfeurs de pratiquer leur sport favori. Quant à l'Amazonie, si sa température est invariable (environ 26 °C toute l'année), ce sont les mois de décembre à février qui sont les plus secs. Enfin façon de parler... Quant aux Galápagos, elles aussi baignées par le courant de Humboldt, elles ne sont pas si chaudes que ça ! Bref, si vous voyagez en Équateur, n'oubliez pas votre petite laine !

## À emporter

On le répète, n'oubliez pas un pull, ainsi qu'un vêtement de pluie. En Amazonie ou sur la côte, prévoyez des choses légères, en lin, en soie, en coton... Pour les randos, de bonnes chaussures de marche sont impératives – et plus si vous envisagez quelques ascensions (vos propres crampons, peut-être... ?). Pensez aux vêtements « qui respirent », à superposer en plusieurs couches (il fait froid la nuit, chaud la journée), à des guêtres, et emportez un bonnet, voire carrément une paire de gants. En Amazonie, privilégiez les chaussures de brousse, genre Pataugas. Complétez votre sac avec un chapeau ou une casquette, des lunettes de soleil, de la crème solaire et un répulsif antimoustiques pour espèces tropicales (voir plus loin la rubrique « Santé »), sans oublier les bouchons d'oreille...

# DANGERS ET ENQUIQUINEMENTS

Comme dans une bonne partie de l'Amérique latine, la pauvreté et la précarité (sans oublier de bien mauvaises habitudes...) sont à l'origine de problèmes de sécurité. Il convient donc d'être prudent, sans toutefois devenir parano. À Quito, notamment, faites attention dans les transports en commun, hantés par de nombreux pickpockets très habiles. Évitez aussi de vous balader seul la nuit, même dans le Quito moderne (surtout après 21h-22h). En dehors de la capitale, faites attention dans les villes en général, et plus particulièrement sur les marchés, dans les gares routières, les lieux touristiques et... à l'hôtel. On ne s'y attend pas forcément, mais c'est là qu'ont lieu la plupart des vols. Conclusion : emportez un bon cadenas (ou deux) ! Soyez aussi particulièrement vigilant à Guayaquil et renseignez-vous bien avant d'entamer un périple hors des sentiers battus. Certaines régions peuvent connaître des troubles momentanés et d'autres, reculées, peuvent être dangereuses en raison de trafics. Dans tout le Nord, de Quito à la frontière colombienne, ainsi que dans la région du lac de Quilotoa, des cas d'agressions (parfois violentes) de touristes se baladant seuls dans la montagne sont régulièrement signalés. Partez donc « légers » côté pépettes, avec un guide de confiance connaissant parfaitement le coin. Dans les zones sensibles, ne partez jamais sans avoir signalé, si ce n'est aux autorités, à tout le moins à votre aubergiste, l'itinéraire que vous comptez emprunter. Sachez aussi que la police refuse parfois de recevoir les plaintes, histoire de ne pas trop faire grimper les statistiques de criminalité ! On a rencontré des jeunes gens qui se sont fait voler à Otavalo et qui ont dû aller jusqu'à Quito pour pouvoir faire leur déposition !
Quelques règles élémentaires vous permettront d'éviter bien des mésaventures : ne pas traîner dans les rues seul(e) la nuit et ne pas exhiber d'objets de valeur ; dans la mesure du possible, empruntez un taxi pour vous déplacer de nuit, ils sont bon marché ; laissez argent et papiers dans un coffre ou à la réception de l'hôtel (contre un reçu, même si certains hôteliers indélicats se servent parfois en toute

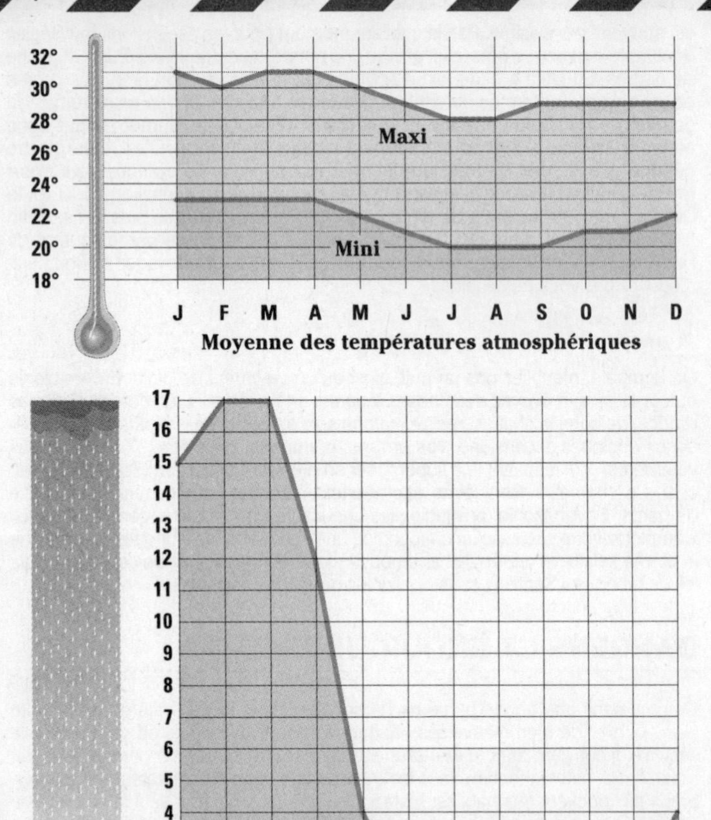


ÉQUATEUR (Guayaquil)

impunité...) et ne gardez sur vous qu'un peu de liquide et des photocopies de votre passeport ; ne gardez pas votre argent au même endroit. Certains marchés sont devenus les terrains de jeux favoris des pickpockets : fermez bien vos poches et gardez votre sac sur le ventre. Une pratique qui se répand : des jeunes cherchent à sympathiser avec vous et vous offrent une boisson, dans laquelle ils ont versé un somnifère, ou si le jeu vaut la chandelle, une drogue qui vous enlève toute volonté de résister. Évidemment, on vous pique tout. Gaffe aussi à l'ingénieuse « attaque à la moutarde » qui vous laisse dans le gaz : après qu'un complice vous a discrètement aspergé de moutarde, une personne bienveillante s'approche, prétendant

vous aider à vous nettoyer d'une malencontreuse fiente de pigeon tombée du ciel. Et pendant que vous tournez la tête, vos affaires disparaissent...
De nombreux vols ont aussi lieu dans les autocars, en particulier la nuit. Soyez très vigilant, les pickpockets font preuve d'une rare dextérité. Gardez sur vos genoux (pas sur le sol ni dans les casiers au-dessus des sièges) un sac contenant argent, objets de valeur... Pour le passeport, la carte de paiement et les grosses sommes d'argent, la meilleure cachette est encore la ceinture plate que l'on glisse dans son pantalon. Pour un voyage de nuit, préférez toujours les bus *ejecutivo,* plus chers mais plus sécurisés.
Bref, avec un minimum de bon sens et de vigilance, il ne vous arrivera... rien, comme à la plupart des touristes.

### Conseils en vrac

– Ne buvez pas d'eau du robinet, même si les Équatoriens le font. On trouve très facilement et partout de l'eau de source, ou de l'eau purifiée en bouteille. Vous pouvez également vous procurer, avant de partir, des pastilles purifiantes.
– Le marchandage est coutumier, même parfois dans les boutiques où les prix sont fixes. Donc, n'hésitez pas à discuter.
– Beaucoup de faux dollars circulent dans le pays. Ne changez votre argent que dans les *casas de cambio.*
– Téléphoner en PCV se dit en espagnol : « *llamar a cobro revertido* » ou « *llamada por cobrar* ».
– Acheter ses cartes géographiques avant de partir, ou aller en chercher des détaillées à l'Instituto Geográfico Militar de Quito, surtout avant un trek.
– Choisir un guide : pour éviter la prolifération de faux guides et les inconvénients qui pourraient s'ensuivre, demandez à votre guide sa « *licencia de guia de turismo nacional* ».
– Ultime conseil : prenez une assurance rapatriement. Cela peut vous tirer facilement d'un mauvais pas.

## DÉCALAGE HORAIRE

De 6 à 7h de décalage par rapport à la France selon la saison. Quand il est 12h à Paris, il est 6h du matin (heure d'hiver) ou 5h (en été) à Quito. L'heure est la même dans tout le pays, excepté aux Galápagos (- 1h). Pour info : le soleil se lève vers 6h et la nuit tombe vers 18h, toute l'année.

## DROGUE

Sachez que la plupart des étrangers actuellement en prison y sont pour détention de drogue. Les autorités n'ont aucune pitié pour les routards pris en flagrant délit : de 6 mois à 2 ans de prison pour toute consommation de substance illégale et au moins 12 ans de trou en cas de trafic ! Ne jamais se promener dans les rues avec de la drogue en poche. Beaucoup de routards ont négligé les règles élémentaires de prudence, pensant s'en tirer à bon compte sous prétexte de ne pas connaître les lois du pays... Pris la main dans le sac (d'herbe), ils ont payé pour les autres. Les autorités ne font pas d'exception.
Ceux que les expériences psychotropes intéressent joueront plutôt les ethnologues en testant la *chicha* (maïs ou manioc fermenté) des Quechuas et des Shuars ou, mieux, l'*ayahuasca* (une boisson fortement hallucinogène) des Indiens de l'Oriente. Quant à la feuille de coca, elle semble curieusement absente de la culture (dans les deux sens du terme) andine d'Équateur, contrairement au Pérou ou à la Bolivie.

Si vous visitez le nord de l'Équateur (Ibarra, Tulcán...), vous serez peut-être contrôlé par la police et par les douanes, qui cherchent de la drogue. Si vous êtes en voiture, le contrôle sera encore plus pointilleux (inspection des bagages, du véhicule, éventuelle fouille au corps, etc.). Une explication : plus de la moitié de la drogue consommée aux États-Unis transite par les ports équatoriens. L'Europe n'est pas épargnée non plus puisque, fin juin 2012, un conteneur en provenance de Guayaquil arrivait au Havre avec 113 kg de cocaïne planqués dans des boîtes de thon (valeur à la revente 7 millions d'euros). Le port de Guayaquil est une plaque tournante du trafic, notamment pour la cocaïne produite en Colombie ou au Pérou.

## ÉLECTRICITÉ

La norme est 110 V. Il faut donc prévoir un adaptateur (le même que celui pour les États-Unis).

## FÊTES ET JOURS FÉRIÉS

### Janvier

- Le 1er : *Jour de l'an* (férié).
- Le 6 : *jour de l'Épiphanie* (processions et festivités dans la plupart des villes).

### Février

- Le 12 : on célèbre les provinces de l'*Oriente* et des *Galápagos* (férié).
- Le 27 : on célèbre la *bataille de Tarqui* (férié).
- *Mardi gras :* c'est la fête la plus importante du pays et elle se déroule dans la plupart des villes. Tout est fermé pendant 4 jours. Les carnavals les plus colorés et les plus humides (l'arrosage est de rigueur) ont lieu à Quito, Esmeraldas, Riobamba et Salinas. À Ambato, le Carnaval s'accompagne d'une fête des fleurs et des fruits. Dans certaines villes toutefois, les traditions se perdent.

### Mars

- Le 4 : *fête des Fruits et de l'Artisanat* à Gualaceo.
- La *Semaine sainte* (en mars ou avril) donne lieu à des processions et à des réjouissances. C'est l'une des fêtes les plus importantes des Andes.

### Mai

- Le 24 : *fête nationale de la bataille de Pichincha,* qui donna l'indépendance au pays en 1822 (férié).

### Juin

- Le 14 : *anniversaire de saint Vincent* dans la province de Los Ríos.
- Le 21 : *Inti Raymi,* la fête du Soleil, au moment du solstice d'été, à l'origine fête une fête inca, surtout célébrée aujourd'hui par les communautés indiennes du Nord. Dans les grandes villes, l'*Inti Raymi* cède la place à la *fête de la Musique*. Merci Jack !
- Le 24 : *fête de la Saint-Jean.* Grandes festivités à Otavalo, Tabacundo et dans la province de l'Imbabura. Voir le texte sur Otavalo. Une des fêtes les plus délirantes d'Amérique du Sud.

– Du 24 juin au 2 juillet : *fête du Maïs* à Sangolqui (près de Quito) : défilés de groupes folkloriques, parades, mascarades. Promotion du tourisme dans la vallée de Los Chillos. Exposition artisanale. La fête dure 8 jours (à ne pas manquer).
– Du 28 au 30 juin : *fête de Saint-Paul et de Saint-Pierre* ; célébration religieuse et danses folkloriques à Otavalo, Cayambe et dans la Sierra.
– Durant une semaine avant ou après le 3 juillet : *fête anniversaire de Santo Domingo de los Colorados.*
À noter que les mois de mai et juin sont l'époque d'importantes fêtes religieuses indiennes dans toute la Sierra.

## Juillet

– Le 23 : *foire-exposition agricole et industrielle* à Machachi. Attention, date variable.
– Le 24 : *naissance de Simón Bolívar.*
– Le 25 : *anniversaire de la fondation de Guayaquil.* Semaine de festivités dans la ville.

## Août

– Le 5 : *jour de l'Indépendance d'Esmeraldas* (foire agricole et danses folkloriques). Une semaine entière de danses aux rythmes de la salsa et du *merengue.*
– Le 8 : *fête de la Vierge de Guápulo.* Procession religieuse au sanctuaire de Guápulo, à Quito.
– Le 10 : *fête nationale* de l'Équateur (indépendance de Quito, jour férié).
– Les 15-16 : on fête la *Vierge* dans les régions d'Ibarra, Otavalo et celle de Cañar.

## Septembre

– Du 2 au 15 : *fiesta del Yamor* à Otavalo. Folklore indien, danses, musique (recommandé).
– Du 5 au 9 : fête religieuse importante en l'honneur de la *Virgen del Cisne* à Loja.
– Du 6 au 14 : *fiesta de la Jora* à Cotacachi (province de l'Imbabura) ; danses folkloriques.
– Le 8 : *foire agricole* à Macara (province de Loja) et *fête folklorique.*
– Du 8 au 14 : *fiesta de bailes y toros* à Sangolqui (province du Pichincha). Une semaine endiablée vous attend, et on ne vous en dit pas plus...
– Le 10 : *fête du Maïs* à Machachi ; foire-exposition agricole.
– Du 11 au 16 : *foire agricole* à Milagro (province des Guayas) ; course de voitures, spectacles divers.
– Du 20 au 26 : *foire mondiale de la banane* à Machala, nombreuses attractions. Foire importante.
– Le 24 : *fiestas menores de la Mama Negra* à Latacunga. Sur fond de vieilles croyances indiennes et africaines, on honore la Vierge de La Merced, qui sauva jadis la ville d'une éruption du Cotopaxi.
– Du 24 au 28 : *fiesta de Los Lagos* à Ibarra et dans la province de l'Imbabura. Folklore, danses, course automobile à Yahuarcocha (à ne pas manquer).

## Octobre

– Le 9 : *fête de l'Indépendance de Guayaquil* (férié).

## Novembre

– Le 2 : c'est le *jour des Morts,* mais ici cet événement conserve une énorme importance. Pour vous en rendre compte, allez donc visiter Calderón, Ambato ou

n'importe quel autre cimetière indigène du pays. Vous comprendrez que les morts restent présents dans la vie quotidienne...
– Le 3 : *fête de l'Indépendance* de Cuenca.

### Décembre

– Début du mois : *anniversaire de la fondation de Quito,* avec défilés de musique folklorique, chars décorés représentant les provinces du pays. Le soir, pendant 4 ou 5 jours, improvisation d'orchestres. Euphorie sur l'avenue Amazonas jusqu'à 2h ou 3h du matin.
– Le 8 : l'*Immaculée Conception* est fêtée un peu partout, ainsi que *Noël* et le *Jour de l'an* (25, 31 décembre et 1er janvier fériés).

## HÉBERGEMENT

### Camping

On peut parfaitement emporter sa tente en Équateur. Elle pourra vous servir dans les réserves et parcs nationaux, où l'on campe souvent gratuitement, mais aussi dans certains hébergements pour routards disposant d'un coin de gazon.

### Hôtels

Toutes les catégories d'hôtels sont représentées en Équateur, du plus sommaire au plus chic. On commence avec des sortes d'AJ pour routards, plus ou moins familiales, plus ou moins bien tenues et souvent bruyantes (les fêtards apprécieront), pour grimper en gamme vers les petits hôtels aux chambres simples, mais généralement avec douche et TV. Là, l'éclairage est souvent au néon (plafonnier), blafard, et le chauffage est rare. Il faudra au moins vous payer un établissement de catégorie moyenne, voire chic, pour avoir droit au radiateur ou à la cheminée. Sinon, c'est couvertures en rab et, parfois, bouillotte, mais rien de plus ! N'hésitez pas, dans la mesure de votre budget, à vous offrir une nuit dans un joli hôtel colonial (surtout à Cuenca), dans une hacienda (l'occasion d'une balade à cheval), ou dans un *lodge* perdu dans la forêt – c'est souvent la meilleure formule pour avoir un contact direct avec la nature. Dans les zones les plus isolées, les tarifs sont souvent communiqués repas compris.
Dans tous les cas de figure, demandez à voir la chambre avant de vous décider. Et gardez un œil sur les périodes de festivités : il est prudent de réserver sa chambre à l'avance.
Dans les hôtels d'un certain standing, les prix sont majorés de 12 % de TVA (*IVA* en espagnol), auxquels s'ajoutent souvent, en fonction de la catégorie de l'hôtel, 10 % de service. Ces taxes doivent être incluses dans le prix affiché, c'est la loi. Nous, nous les avons systématiquement incluses dans les prix publiés.
En ce qui concerne la numérotation des immeubles, c'est simple : le premier numéro est celui du pâté de maisons et le second celui de l'immeuble proprement dit. Fastoche, non ?

## LANGUES

L'espagnol, bien sûr. On vous recommande chaudement d'en apprendre quelques bases et d'emporter le guide de conversation du *Routard,* car l'anglais est très peu parlé. En plus de ça, vous risquez de passer pour un *gringo,* pas toujours très apprécié... Les Indiens, eux, parlent pour la plupart le *kishwa* (ou *runa simi*), une variante du quechua parlé au Pérou, notamment. C'est leur première langue, tandis que l'espagnol sud-américain est la langue officielle du pays. Il varie selon les régions : dans le Sud par exemple, les habitants ont une manière douce et sifflante de glisser sur les « r » sans les faire rouler.

## Lexique du *mochilero* (« routard » en espagnol !)

Pour vous aider à communiquer, n'oubliez pas notre ***Guide de conversation du routard* en espagnol.**

| | |
|---|---|
| bonjour | *buenos días (ou juste « buenas »)* |
| salut | *hola* |
| bonne journée | *(que tenga un) buen día* |
| bon après-midi | *buenas tardes* |
| bonsoir/bonne nuit | *buenas noches* |
| au revoir | *hasta luego ou adios* |
| comment allez-vous ? | *¿ qué tal ?* |
| merci | *gracias* |
| excuse(z)-moi | *disculpa(e), perdona(e)* |
| copain/copine | *amigo/a* |
| enfant | *niño/a* |
| époux, épouse | *esposo/a* |
| frère, sœur | *hermano/a* |
| je suis français(e) | *soy francés/francesa* |
| je suis belge | *soy belga* |
| je suis canadien | *soy canadiense* |
| je suis québécois | *soy quebequense* |
| je suis suisse | *soy suizo/a* |
| je suis un(e) touriste | *soy turista* |
| je vais bien | *estoy bien* |
| marié(e) | *casado/a* |
| mère | *madre* |
| père | *padre* |
| mon prénom est... | *mi nombre es...* |
| mon nom de famille est... | *mi apellido es...* |
| oui | *sí* |
| non | *no* |
| parlez-vous le français ? | *¿ habla usted francés ?* |
| plus lentement s'il vous plaît | *más despacio, por favor* |
| quel est votre nom ? | *¿ como se llama ?* |
| s'il vous plaît l'addition | *por favor la cuenta* |
| s'il vous plaît combien ça coûte ? | *¿ por favor cuánto cuesta ?* |

## Les directions

| | |
|---|---|
| à côté de | *al lado de* |
| à droite | *a la derecha* |
| à gauche | *a la izquierda* |
| tout droit | *todo recto* |
| dans, dedans | *dentro* |
| derrière | *detrás* |
| devant | *delante de* |
| en dehors | *fuera* |
| entre | *entre* |
| ici | *aquí* |
| là-bas | *allá* |
| loin de | *lejos de* |

| | |
|---|---|
| près de | *cerca de* |
| il n'y a pas... | *no hay...* |
| où se trouve... ? | *¿ donde esta... ?* |
| pour se rendre à... ? | *¿ para ir a... ?* |
| y a-t-il un office de tourisme ici ? | *¿ hay aquí una oficina de turismo ?* |

## Les communications

| | |
|---|---|
| appel en PCV | *llamada por cobrar* |
| attendre la tonalité | *esperar la señal* |
| composer le préfixe | *marcar el prefijo* |
| une carte postale | *una postal* |
| une enveloppe | *un sobre* |
| interurbain | *larga distancia, a provincia* |
| la poste | *correos* |
| un bureau de poste | *una oficina de correos* |
| un timbre | *un sello* |
| le tarif | *la tarifa* |
| un fax | *un fax* |
| un annuaire de téléphone | *una guía telefónica* |

## Le temps

| | |
|---|---|
| une année | *un año* |
| un jour | *un día* |
| aujourd'hui | *hoy* |
| demain | *mañana* |
| une heure | *una hora* |
| hier | *ayer* |
| jamais | *nunca, jamás* |
| matin | *mañana* |
| après-midi, soir | *tarde* |
| maintenant | *ahora* |
| une minute | *un minuto* |
| un mois | *un mes* |
| la nuit | *la noche* |
| quelle heure est-il ? | *¿ qué hora es ?* |
| une semaine | *una semana* |
| dimanche | *domingo* |
| lundi | *lunes* |
| mardi | *martes* |
| mercredi | *miércoles* |
| jeudi | *jueves* |
| vendredi | *viernes* |
| samedi | *sábado* |
| janvier | *enero* |
| février | *febrero* |
| mars | *marzo* |
| avril | *abril* |
| mai | *mayo* |
| juin | *junio* |
| juillet | *julio* |
| août | *agosto* |
| septembre | *septiembre* |
| octobre | *octubre* |
| novembre | *noviembre* |
| décembre | *diciembre* |

## Les nombres

| | | | |
|---|---|---|---|
| 1 | *uno/una* | 23 | *veintitrés* |
| 2 | *dos* | 24 | *veinticuatro* |
| 3 | *tres* | 25 | *veinticinco* |
| 4 | *cuatro* | 26 | *veintiseís* |
| 5 | *cinco* | 27 | *veintisiete* |
| 6 | *seis* | 28 | *veintiocho* |
| 7 | *siete* | 29 | *veintinueve* |
| 8 | *ocho* | 30 | *treinta* |
| 9 | *nueve* | 31 | *treinta y uno* |
| 10 | *diez* | 32 | *treinta y dos* |
| 11 | *once* | 40 | *cuarenta* |
| 12 | *doce* | 50 | *cincuenta* |
| 13 | *trece* | 60 | *sesenta* |
| 14 | *catorce* | 70 | *setenta* |
| 15 | *quince* | 80 | *ochenta* |
| 16 | *dieciseís* | 90 | *noventa* |
| 17 | *diecisiete* | 100 | *cien ou ciento* |
| 18 | *dieciocho* | 200 | *doscientos* |
| 19 | *diecinueve* | 500 | *quinientos* |
| 20 | *veinte* | 1 000 | *mil* |
| 21 | *veintiuno* | 10 000 | *diez mil* |
| 22 | *veintidós* | 1 000 000 | *un millón* |

## Spécial Andes

– ***Acllahuasi :*** maison des femmes « choisies » où vivaient, cloîtrées, les jeunes filles destinées au service du Soleil.
– ***Ahuaya :*** pièce d'étoffe carrée portée comme châle par les femmes.
– ***Alpargates :*** espadrilles portées par les hommes ou les femmes otavalos.
– ***Ayllu :*** communauté partageant ses terres.
– ***Callahuaya :*** guérisseur, dans tous les pays andins.
– ***Camellones :*** système de culture utilisé dans les terrains inondables, dans les pays tropicaux. On emploie des billons surélevés disposés régulièrement sur de vastes étendues.
– ***Casasiri :*** aubade donnée par un galant à sa belle, ou par un orchestre, lors de noces.
– ***Chicha :*** boisson fermentée à base de maïs ou de canne à sucre, d'eau et de miel, servie par le *chichería.*
– ***Collca :*** grenier à céréales, entrepôt chez les Incas.
– ***Conopa :*** statuette protectrice du foyer domestique.
– ***Curaca :*** chez les Incas, chef d'un petit État regroupant plusieurs « ayllus ».
– ***Cuy :*** cochon d'Inde.
– ***Fachalinas :*** châle que les femmes otavalos portent sur leurs épaules ou replié sur leur tête.
– ***Huaca :*** désigne, chez les Incas, tous les lieux ou objets sacrés, habités par les esprits. Le mot désigne toujours un temple, un objet, un volcan, etc.
– ***Huaman :*** faucon vénéré dans les Andes.
– ***Huanca :*** pierre placée au milieu des champs pour vénérer les esprits bienfaisants.
– ***Huaquero :*** pilleur de sites archéologiques.
– ***Huasipungo :*** système de servage mis au point par les colons pour s'attacher le travail des Indiens vivant sur leurs terres et qui forçaient ces derniers à s'endetter vis-à-vis d'eux. Aboli depuis 1964.
– ***Huayru :*** jeu de dés chez les Indiens d'Équateur. Au Pérou et en Bolivie également.

– ***Illapa :*** dieu du Tonnerre, de la Foudre et de la Tempête. Il tient une fronde et une masse entre ses mains.
– ***Inti :*** oiseau sacré, compagnon de Viracocha. Le premier souverain inca reçut l'oiseau dans une cage. Son successeur lui rendit la liberté pour être informé de ce qui se passait chez la « déesse mère de l'Onde », patronne des pêcheurs et des navigateurs.
– ***Inti Raymi :*** la fête du Soleil chez les Incas, célébrée le 21 juin.
– ***Llamerada :*** mélodie de caractère mélancolique, jouée par le berger andin.
– ***Mama Quilla :*** déesse de la Lune, sœur ou épouse du Soleil.
– ***Manzana :*** bloc ou pâté de maisons.
– ***Minga :*** travail d'utilité publique, chez les Incas.
– ***Mita :*** travail obligatoire, à raison d'un jour sur sept, par roulement, pour les Indiens. Cette pratique ne fut abolie qu'en 1821.
– ***Mitimae :*** émigration forcée qui consistait, à l'époque des Incas, à déplacer des colons vers des régions faiblement peuplées.
– ***Nusta :*** jeune fille.
– ***Pacarina :*** esprits, symboles des forces naturelles. Ils s'appelaient « Conopa » sur la côte, « Chanca » et « Chuachur » sur les hauts plateaux.
– ***Pachamama :*** déesse de la Terre, vénérée dans les Andes.
– ***Páramo :*** plaine d'altitude couverte d'herbe rase, étendue entre la limite supérieure de la forêt et les sommets enneigés.
– ***Pinkullu :*** flûte à bec, taillée dans un roseau ; elle accompagne la danse de carnaval.
– ***Pirua :*** grenier à maïs, chez les Incas.
– ***Polleras :*** jupes superposées, portées par les femmes dans les pays andins.
– ***Puna :*** hautes terres froides où l'on élève lamas, alpagas, moutons, vigognes.
– ***Pututu :*** trompe fabriquée avec une corne de taureau.
– ***Quena :*** flûte de roseau, sans bec, qui comporte de trois à sept trous. C'est un instrument très populaire.
– ***Quipu :*** machine à calculer, chez les Incas, faite d'un cordon auquel étaient attachées par écheveaux des cordelettes à nœuds de différentes couleurs. Les nœuds représentaient les chiffres, les couleurs, certaines significations difficiles à établir. Les *quipus* tenaient lieu de système d'écriture.
– ***Tambo :*** relais sur les routes, pour abriter les voyageurs et leurs montures (à l'époque inca).
– ***Tonapa :*** serviteur de Viracocha, vivant près du lac Titicaca.
– ***Totoral :*** marécage dans lequel poussent les *totoras*.
– ***Tupu :*** fibule décorée pour fermer un manteau ou un châle (en or, chez les Incas).
– ***Viracocha :*** dieu de la Création et de la Civilisation, maître de l'Univers. Antérieurement, il s'appelait Pachacamac. Son nom est également celui d'un des principaux souverains incas, Viracocha Inca (1390-1430), organisateur de l'Empire.
– ***Yatiri :*** magicien ou devin.
– ***Zaramama :*** déesse mère du Maïs.

## LIVRES DE ROUTE

– ***Le Procès des étoiles,*** de Florence Trystram (éd. Payot, coll. « Petite Bibliothèque Payot » nº 136, 2001). Superbe récit – un chef-d'œuvre – de l'expédition menée par 10 savants français en Équateur entre 1735 et 1743. Envoyée par le roi Louis XV pour mesurer un degré de méridien terrestre afin de savoir si la Terre était ronde ou bombée aux extrémités, la mission géodésique menée par Charles Marie de La Condamine a dû surmonter d'invraisemblables obstacles humains et matériels pour arriver à son terme. Seuls deux membres de l'expédition rentreront vivants en France, les autres périront ou sombreront dans la folie. Il n'empêche : si le pays s'appelle l'Équateur, c'est depuis l'expédition La Condamine.

– ***Voyage sur l'Amazone,*** de Charles Marie de La Condamine (éd. La Découverte, 2004). Après plusieurs années dans la province de Quito et de Cuenca, une fois la mission scientifique achevée, La Condamine rentre en France. Il choisit de descendre l'Amazonie (il est le premier Français à accomplir ce voyage fluvial) jusqu'à son embouchure, pour rejoindre Cayenne. Son récit n'est pas un livre d'aventure (bien que cela en soit une), mais la chronique savante, précise, détaillée, d'un humaniste curieux de tout. Il découvre notamment en chemin le curare, le latex (caoutchouc), les dauphins d'eau douce et quantité de plantes.

– ***Voyage d'un naturaliste autour du monde*** (tome II), de Charles Darwin (éd. La Découverte, coll. « La Découverte », 2006). Passionnant récit d'expédition du scientifique anglais, curieux infatigable qui s'intéressait autant à la géologie et à la botanique qu'aux oiseaux, aux reptiles ou aux peuples autochtones (non sans un certain racisme propre à son époque). Ce deuxième tome est consacré aux Andes, à la Patagonie et aux Galápagos, où Darwin découvrit les preuves de sa fameuse théorie de l'évolution des espèces.

– ***Benito Cereno,*** de Herman Melville (éd. Gallimard, coll. « Folio Bilingue », 1994). Recueil de nouvelles de l'auteur de *Moby Dick,* parmi lesquelles une magnifique évocation des Galápagos, alors appelées les Îles enchantées. À noter : le titre d'une autre nouvelle (et du recueil), *Benito Cereno,* est un clin d'œil à un personnage fameux de l'histoire de l'Équateur, bien que le récit ne se passe pas dans le pays.

– ***L'Or du Cristobal,*** d'Albert T'serstevens (éd. J'ai lu, coll. « Librio », 1999). Roman d'aventure parmi les plus réussis de cet écrivain belge, également connu pour ses guides de voyage. À Guayaquil, pendant la Première Guerre mondiale, le capitaine du port est entraîné par une belle et jeune Américaine dans une entreprise hardie : s'emparer d'un bateau chargé d'or destiné à l'armée allemande. Haletant, drôle et bourré de détails sur la vie équatorienne au début du XX$^{e}$ s.

– ***Ecuador,*** d'Henri Michaux (éd. Gallimard, coll. « L'Imaginaire » n° 242, 1990). Œuvre de jeunesse, *Ecuador* est le journal d'un voyage effectué par Michaux de 1927 à 1929 en Équateur et au Pérou. C'est aussi celui d'un jeune homme en révolte et en quête d'aventures. Un classique du vagabondage poétique, plein d'hallucinations... Michaux traversa d'abord une partie du pays en voiture, puis descendit à cheval de Baños jusqu'en Amazonie équatorienne, d'où il embarqua pour une descente du fleuve Napo de Puerto Napo à Iquitos, et de là sur l'Amazone jusqu'à Manaus et Para (Brésil).

– ***L'Homme de Quito,*** de Jorge Icaza (éd. Albin Michel, coll. « Grandes Traductions », 2000). L'un des rares écrivains équatoriens traduits en français raconte dans ce roman noir, qui l'a rendu célèbre, l'ascension puis la chute d'un bureaucrate ambitieux, dont le plus grand malheur est d'être *chulla,* à savoir métis d'origines espagnole et indienne. On y retrouve toutes les contradictions d'une société équatorienne en pleine mutation.

– ***Le Vieux qui lisait des romans d'amour,*** de Luis Sepúlveda (éd. du Seuil, coll. « Points » n° 70, 1997). La belle histoire d'un ancien chasseur de l'Amazonie équatorienne, qui a trouvé un antidote à l'ennui en dévorant des romans à l'eau de rose. Il retrouve pourtant la forêt en acceptant de traquer un ocelot qui menace son village. Le grand écrivain chilien rend hommage à la jungle, aux Indiens (les Shuars) et aux derniers animaux sauvages, finalement moins dangereux que les hommes. Splendide petit conte philosophique. L'évasion à l'état pur.

– ***Noir Équateur,*** de José de la Cuadra (éd. L'Arbre Vengeur, 2008). Le souffle des terres chaudes de l'Équateur imprègne ce recueil de nouvelles peuplées de bandits magnifiques, de femmes cruelles, de musiciens errants et d'idiots philosophes. Deux romans et quelques nouvelles ont permis à José de la Cuadra de marquer la littérature sud-américaine. En racontant son Montuvio natal, ce territoire oublié des dieux, il a signé une des œuvres les plus puissantes du continent.

– ***D'amour et d'Amazone – L'épopée d'Isabel Godin (1728-1792),*** d'Anthony Smith (éd. Intervalles, 2006). Membre de l'expédition menée par La Condamine,

Jean Godin des Odonais resta à Riobamba, où il épousa Isabel. Conflits politiques et aléas de l'histoire séparèrent les époux et 20 ans s'écouleront avant qu'Isabel réussisse à rejoindre son mari, bloqué à Cayenne. Pour cela, elle dut monter une expédition (des 42 membres embarqués, elle fut la seule survivante) pour descendre l'Amazone, fleuve encore à peine exploré au XVIIIe s. Outre l'histoire extraordinaire du couple Godin, le grand intérêt de ce petit livre est de retracer les enjeux de l'expédition de La Condamine et ce que fut, au cours de l'histoire, la conquête de l'Amazone.

– ***Équateur, de la randonnée littorale à l'alpinisme,*** de Vincent Geus (éd. Glénat, 2011). Une quarantaine d'itinéraires très complets, de la simple balade au trek le plus ardu, pour ceux qui rêvent de parcourir l'Équateur à pied. Essentiel pour planifier le voyage et ne pas se fourvoyer sur place.

## PHOTO

Si vous êtes encore au mode argentique, achetez vos pellicules et développez vos photos sur place, en ville, c'est nettement moins cher que chez nous (mais pas de diapos dispos). Si vous fonctionnez en numérique, il est toujours possible, dans les villes un peu importantes ou les lieux touristiques, de décharger votre carte-mémoire sur un CD ou DVD. Au quotidien, sachez que les Indiens n'aiment guère être photographiés, même s'ils sont ici un peu moins hostiles qu'au Pérou, par exemple. Demandez-leur toujours l'autorisation avant de leur tirer le portrait. Évitez tous les sujets militaires, aussi. En Amazonie, attention à l'humidité : conservez votre matériel dans une sacoche étanche dans laquelle vous aurez placé un petit sachet de silicate. Pour photographier la faune d'Amazonie ou des Galápagos, un téléobjectif, voire un macro (insectes), s'avère nécessaire.

## POSTE

On trouve des bureaux de poste dans chaque ville, avec des succursales dans différents quartiers à Quito et Guayaquil. Ils sont généralement ouverts du lundi au vendredi de 8h à 17h ou 18h et le samedi matin (horaires variables).

– Le service de poste reste moyennement fiable en Équateur, et il n'est pas rare que des enveloppes ou paquets s'égarent. Il faut compter entre 10 jours et... plusieurs semaines pour que le courrier atteigne son destinataire en Europe. Pour accélérer les choses, mieux vaut le poster dans les grandes villes.

– Un timbre pour une carte postale (moins de 20 g) vers l'Europe coûte une fortune : 2,25 US$ ! Laissez votre courrier au guichet des postes et vérifiez qu'il est bien oblitéré devant vous.

– Pour les envois de colis, il faut se présenter au bureau de poste avec le paquet ouvert. Le contenu est vérifié par un officiel de la poste et fermé sous vos yeux.

## SANTÉ

### L'hygiène

On s'y attend, elle n'est pas au beau fixe partout. Les précautions universelles doivent être respectées : pas d'eau du robinet ni de boissons non contrôlées (sauf si bouillies : thé, café) et, en cas de doute, désinfection par *Micropur® DCCNa,* ou par filtration microbienne type *Katadyn®* ; pas de glaçons non plus (sauf dans les restos ou cafés chic) ; éviter les crudités dans les petits restos pas chers, le lait et ses dérivés non industriels, les viandes peu cuites ou servies « non fumantes », etc. Si dans certains pays d'Amérique du Sud sévit périodiquement une épidémie

de choléra, ce n'est que peu le cas en Équateur. En pratique, le touriste, fût-il routard, a très peu de risques d'attraper le choléra s'il respecte les précautions alimentaires de base. En cas de diarrhée, si coexiste une fièvre ou s'il y a émission de glaires, de pus ou de sang : consulter en urgence un médecin. Pour le reste, il ne s'agira que d'une simple *turista,* ce qui est heureusement le cas le plus fréquent. Le traitement aujourd'hui admis par tous les spécialistes est alors : deux comprimés d'*Ofloxaxine*®, de *Ciprofloxacine*® ou d'*Azithromycine*® une seule fois, en une prise, puis un ralentisseur du transit type *Imodium*® (une gélule à chaque selle molle, sans dépasser six par jour).
À savoir : les cliniques privées d'Équateur ne prennent en charge les malades que s'ils peuvent effectuer un dépôt de garantie (3 000 US$) par carte de paiement, et ce même s'ils ont contracté une assurance voyage.

## Le mal aigu des montagnes *(soroche)*

Ce problème, qui a des chances de survenir dès votre atterrissage à Quito (2 800 m), est provoqué par l'élévation trop rapide du niveau d'altitude, l'organisme n'ayant pas eu le temps de s'adapter. Il existe toutes les formes de gravité possibles : simple mal de tête ou gêne respiratoire (sensation de manque d'air), jusqu'à l'œdème pulmonaire aigu, qui peut être mortel. Les premiers jours, il convient de laisser l'organisme s'adapter à l'altitude sans le fatiguer : moins vous ferez d'efforts physiques, mieux vous vous porterez. Ne mangez pas trop, proscrivez toute boisson alcoolisée et le café, ne fumez pas et ne prenez ni calmant ni somnifère. Pour les maux de tête légers, contentez-vous de paracétamol *(Doliprane*®, *Efferalgan*®*).* Au bout de 4-5 jours, au minimum, vous pourrez envisager un circuit vers les sommets. Commencez par monter vers 4 000 m, puis 5 000 m, puis seulement, enfin, jusqu'au sommet du Chimborazo si vous en avez prévu l'escalade (6 310 m) ! Si les troubles vous reprennent en montant, la solution la plus simple pour les faire cesser est de redescendre le plus rapidement possible. Eh oui, on n'arrive pas toujours en haut ! La nature est parfois injuste, et certains résistent beaucoup mieux que d'autres...
– Sucer des comprimés de *Coramine glucose*® est sans grand effet, mais n'a jamais fait de mal à personne (si ce n'est aux diabétiques). Dans les Andes, la feuille de coca a la réputation d'aider à lutter efficacement contre le *soroche*. À défaut de la mâcher, vous pourrez la consommer en tisane, même si on en trouve beaucoup moins facilement en Équateur qu'au Pérou et en Bolivie. Pour tous les spécialistes aujourd'hui, la prise préventive de *Diamox*® est le plus efficace.
Enfin, en plus de l'altitude, l'air sec et frais expose aux problèmes ORL : angines et sinusites sont fréquentes ; prévoir ce qu'il faut avant de partir.

## Le paludisme

On distingue trois zones en Équateur : la zone amazonienne, où le paludisme est omniprésent ; la zone andine, où l'on peut considérer en pratique qu'il n'y a aucun risque de contamination ; la zone côtière, où le risque est très faible et pour laquelle aucun spécialiste ne recommande une chimioprophylaxie.
Sachez qu'il n'y a pas de risque de transmission au-dessus de 1 500 m, ni dans les grandes villes. Si, par exemple, vous allez à Puyo (Oriente), ville amazonienne située à 950 m d'altitude, il n'est pas nécessaire de prendre des antipaludiques, car il n'y a pas de moustiques, donc pas de risques de paludisme. Ailleurs en Amazonie, le risque existe, mais varie selon la région (pas la peine de prendre une prophylaxie si vous passez 2 jours à Tena...) et la durée du séjour.
– ***Quoi qu'il en soit :*** dès le coucher du soleil, portez des vêtements recouvrant le maximum de surface corporelle ; sur les parties découvertes, utilisez des répulsifs antimoustiques efficaces type *Insect Écran* (se munir éventuellement aussi de

spirales antimoustiques). Pour la forêt amazonienne, imprégnation des vêtements conseillée *(Insect Écran Trempage)*.
– En Amazonie : dormir sous **moustiquaire.** La plupart des hôtels situés dans les zones à risque, même bon marché, en sont pourvus, mais parfois en piteux état. Il peut donc s'avérer utile d'emporter la sienne... Les *moustiquaires* (environ 300 g) imprégnées d'insecticide, efficaces, peuvent être achetées en pharmacie (moustiquaire *Cinq sur Cinq*, modèles pour adultes ou nourrissons *Tracker*, ou *Spider*, plus grande) ou par correspondance, de même que la plupart des matériels et produits utiles au voyageur, sur le site *santé voyages*.
– **Médicaments antipaludiques préventifs :** pour le versant amazonien seulement. Aujourd'hui on recommande en première intention la *Malarone®* (1 comprimé par jour, à commencer la veille de l'arrivée en zone à risque, tout le séjour et 7 jours après la sortie de la zone). Seul inconvénient : son prix élevé. À défaut, le *Lariam®* (qui fait mauvais ménage avec l'altitude et aux nombreux effets secondaires) ou la *Doxycycline®* (qui fait mauvais ménage avec le soleil).

■ **Sante-voyages.com :** les produits et matériels utiles aux voyageurs, assez difficiles à trouver, peuvent être achetés par correspondance sur le site : • *sante-voyages.com* • Infos complètes toutes destinations, boutique web, paiement sécurisé, expéditions Colissimo Expert ou Chronopost. ☎ *01-45-86-41-91 (lun-ven 14-19h)*.

## Vaccinations conseillées

– Contre la **fièvre jaune,** fortement conseillée (mais pas obligatoire) pour tout séjour sur le versant amazonien, inutile sur les zones côtières et andines : à faire plus de 10 jours avant l'arrivée, dans un centre agréé.
– Il est recommandé d'être à jour dans ses vaccinations contre diphtérie, tétanos, polio, coqueluche *(Repevax®)* et hépatite B.
– Le vaccin contre l'**hépatite A** est fortement recommandé pour toutes les personnes qui ne sont pas naturellement immunisées (prise de sang éventuelle pour les voyageurs de plus de 65 ans). On n'ose plus compter le nombre de lecteurs qui en ont rapporté une.
– Vaccin contre la **typhoïde** pour les séjours prolongés.

## Centres de vaccination

Pour les centres de vaccinations partout en France, dans les DOM-TOM, en Belgique et en Suisse, consulter • *astrium.com/centres-de-vaccinations-internationales.html* •

# SITES INTERNET

Le réseau internet est une bonne source de renseignements pour préparer son voyage. Voici quelques sites qui pourront vous aider :
• *routard.com* • Rejoignez la plus grande communauté francophone de voyageurs ! Échangez avec les routarnautes : forums, photos, avis d'hôtels. Retrouvez aussi toutes les informations actualisées pour choisir et préparer vos voyages : plus de 200 fiches pays, une centaine de dossiers pratiques et un magazine en ligne pour découvrir tous les secrets de votre destination. Enfin, comparez les offres pour organiser et réserver votre voyage au meilleur prix.
• *ecuador.travel* • Le site officiel du ministère du Tourisme d'Équateur. En espagnol et en anglais.
• *e-equateur.com* • Un site en français conçu et mis à jour par des passionnés. Une foule d'infos pratiques mais aussi des articles sur l'histoire, la politique, l'artisanat, la faune et la flore, les cultures locales. Également une présentation des grandes villes, des parcs nationaux, de l'Amazonie et des Galápagos.

• *getquitoecuador.com* • Un max d'infos sur Quito, plans téléchargeables, contacts, etc.
• *go2ecuador.com* • Une foultitude de jolies photos sur tout le pays. Les Andes, l'Amazonie, la côte pacifique, les villes principales, etc.
• *ecuadorexplorer.com* • Ce site est avant tout à vocation commerciale, mais on peut y pêcher des infos d'ordre général sur les zones intéressantes à visiter.
• *conaie.org* • Site en espagnol de la Conaie, puissante association des ethnies indiennes. Informations sur les différentes ethnies en Équateur.
• *photos-galapagos.com* • Comme son nom l'indique, un site entièrement consacré aux Galápagos, leur faune et leur flore en particulier. De beaux clichés réalisés par deux photographes français, passionnés de cet archipel du bout du monde.
• *darwinfoundation.org* • La Fondation Charles-Darwin est impliquée dans la préservation des îles Galápagos.

# TAXES ET POURBOIRE

Tous les restos et hôtels d'un certain niveau facturent 12 % de TVA (IVA en espagnol) et 10 % de service (soit 22 % au total). Parfois, seuls les 12 % de TVA obligatoire sont ajoutés à la note ; on laisse alors environ 10 % de pourboire aux serveurs. Si la plupart des établissements qui imposent ces taxes les incluent automatiquement, certains ne le font que si une facture est exigée... Autant de taxes qui risquent d'échapper au budget national au détriment de la collectivité...

# TÉLÉPHONE – TÉLÉCOMMUNICATIONS

## Téléphone et Netphone

Toutes les villes possèdent de nombreux *locutorios,* des centres d'appel avec cabines. Inutile d'acheter une carte, on entre dans la cabine, on téléphone et on paie à la fin ! Bien souvent, un compteur indique au fur et à mesure le coût de la communication. Sachez toutefois que les centres ne pratiquent pas tous les mêmes tarifs ! Pour téléphoner en France, par exemple, les prix peuvent varier du simple au triple (à partir de 0,10 cents/mn) ! Le mieux est de se rendre dans un cybercafé ou une zone wifi et de passer un coup de fil par Internet (skype, par exemple).
– Pour les appels en *PCV* vers la France, il faut faire le ☎ *1-999-180* pour obtenir l'opérateur France Télécom.
– ***Équateur → France :*** 00 + 33 + numéro du correspondant à 9 chiffres (sans le « 0 »).
– ***France → Équateur :*** 00 + 593 + indicatif de la ville (sans le « 0 ») + numéro du correspondant (entre 1,13 et 1,42 €/mn). Pour appeler un portable équatorien : 00 + 593 + numéro du correspondant sans le zéro.
– ***Équateur → Équateur :*** on ne compose l'indicatif régional que si celui-ci diffère de l'endroit duquel on appelle.

***Indicatifs téléphoniques***

**02** Cayambe, Quito, Santo Domingo de los Colorados.
**03** Riobamba, Ambato, Alausí, Latacunga, Baños, Puyo, Salasaca, Saquisilí.
**04** Guayaquil, Montañita, Playas, Salinas.
**05** Bahía de Caráquez, Manta, Puerto López, Crucita, Canoa, Puerto Ayora, Montecristi.
**06** Atacames, Esmeraldas, Muisne, Same, Súa, San Lorenzo, Tonchigue, Lago Agrio, Baeza, Misahualli, Tena, Coca, Otavalo, Ibarra, Tulcán.
**07** Cuenca, Loja, Macas, Machala.
**09** Tous les téléphones cellulaires (depuis le 1er septembre 2012).

***Téléphone portable***

Depuis le 1er septembre 2012, tous les numéros de portable commencent par 09, suivi de 8 chiffres. Pour utiliser son portable européen en Équateur, il faut un modèle avec bande 850 MHZ, désimlocké au préalable auprès de votre opérateur national, et une carte SIM locale, à acheter sur place, à partir de 5 US$. On conseille de prendre une carte SIM prépayée chez l'un des opérateurs représentés dans les boutiques de téléphonie mobile des principales villes du pays, et souvent à l'aéroport. On vous attribue alors un numéro de téléphone local et un petit crédit de communication. Avant de signer le contrat et de payer, essayez donc, si possible, la carte SIM du vendeur dans votre téléphone – préalablement débloqué – afin de vérifier si celui-ci est compatible. Ensuite, pour passer des communications, il suffit de se procurer des cartes *Movistar, Porta* ou *Allegro*, à 3, 6, 10, 20 ou 30 US$.

## En cas de perte ou de vol de votre téléphone portable

Suspendre aussitôt sa ligne permet d'éviter de douloureuses surprises au retour du voyage ! Voici les numéros des quatre opérateurs français, accessibles depuis la France et l'étranger :

– ***SFR :*** *depuis la France, ☎ 1023 ; depuis l'étranger, 📱 + 33-6-1000-1900.*
– ***Bouygues Télécom :*** *depuis la France comme depuis l'étranger, ☎ 0-800-29-1000 (remplacer le « 0 » initial par « + 33 » depuis l'étranger).*
– ***Orange :*** *depuis la France comme depuis l'étranger, 📱 + 33-6-07-62-64-64.*
– ***Free :*** *depuis la France, ☎ 3244 ; depuis l'étranger, ☎ + 33-1-78-56-95-60.*

Vous pouvez aussi demander la suspension depuis le site internet de votre opérateur.

## Internet

Vous n'aurez aucun problème pour trouver des endroits où surfer : même les petites bourgades possèdent au moins un cybercafé. Dans certaines villes, il y en a presque à tous les coins de rue ! La connexion peut être un peu poussive, mais les tarifs sont invariablement bas : en général 1 US$ de l'heure, voire moins. Beaucoup d'hôtels et *hostales* sont équipés d'un ordinateur relié à Internet et de wifi gratuit. Des accès publics sont aussi souvent disponibles sur les places des grandes villes.

# TRANSPORTS

## Le bus

C'est le moyen le plus pratique et le meilleur marché pour voyager en Équateur. Les bus vont partout, ils ne coûtent que quelques dollars (en moyenne 1 US$/h de trajet), sont relativement ponctuels et les fréquences sont nombreuses. L'état des véhicules varie de correct à confortable, surtout si vous choisissez la classe *ejecutivo* (AC, TV, siège inclinable...). Privilégiez celle-ci quand c'est possible, surtout pour un trajet de nuit, car elle ne coûte pas beaucoup plus cher et les bus s'arrêtent moins souvent – ce qui limite au passage les risques de vol. Il existe un grand nombre de compagnies, souvent régionales. Au terminal, trouver un bus est simple : les représentants de chacune annoncent leurs prochains départs à la criée ! Point négatif, tous les chauffeurs ont tendance à conduire « sportivement », ce qui n'est jamais très rassurant, surtout en montagne... Reste que, vu les pentes, la moyenne horaire dépasse rarement les 50 km/h.

# DISTANCES ENTRE LES VILLES

| Distances entre les villes (en km) | Ambato | Baños | Cuenca | Esmeraldas | Guayaquil | Huaquillas | Ibarra | Latacunga | Loja | Machala | Manta | Otavalo | Playas | Quito | Riobamba | Salinas | Santo Domingo | Tulcán |
|---|---|---|---|---|---|---|---|---|---|---|---|---|---|---|---|---|---|---|
| Ambato | - | 40 | 306 | 390 | 288 | 597 | 251 | 47 | 511 | 354 | 411 | 241 | 521 | 136 | 52 | 539 | 209 | 376 |
| Baños | 40 | - | 309 | 430 | 288 | 641 | 291 | 84 | 514 | 578 | 455 | 271 | 565 | 180 | 55 | 583 | 253 | 416 |
| Cuenca | 306 | 309 | - | 667 | 243 | 255 | 557 | 353 | 211 | 192 | 435 | 537 | 356 | 442 | 254 | 384 | 552 | 684 |
| Esmeraldas | 390 | 430 | 667 | - | 470 | 740 | 433 | 343 | 832 | 679 | 474 | 413 | 583 | 320 | 442 | 611 | 187 | 558 |
| Guayaquil | 288 | 288 | 243 | 470 | - | 270 | 535 | 335 | 415 | 207 | 196 | 519 | 113 | 416 | 232 | 141 | 283 | 660 |
| Huaquillas | 597 | 641 | 255 | 740 | 270 | - | 870 | 637 | 275 | 83 | 466 | 845 | 393 | 734 | 532 | 421 | 553 | 994 |
| Ibarra | 251 | 291 | 557 | 433 | 535 | 870 | - | 204 | 762 | 806 | 555 | 25 | 669 | 115 | 309 | 697 | 269 | 124 |
| Latacunga | 47 | 84 | 353 | 343 | 335 | 637 | 204 | - | 558 | 574 | 376 | 184 | 371 | 89 | 99 | 500 | 170 | 329 |
| Loja | 511 | 514 | 211 | 832 | 415 | 275 | 762 | 558 | - | 252 | 650 | 742 | 567 | 647 | 459 | 595 | 763 | 887 |
| Machala | 354 | 578 | 192 | 679 | 207 | 83 | 806 | 574 | 252 | - | 400 | 781 | 320 | 670 | 469 | 348 | 494 | 930 |
| Manta | 411 | 455 | 435 | 474 | 196 | 466 | 555 | 346 | 650 | 400 | - | 530 | 315 | 419 | 320 | 333 | 286 | 679 |
| Otavalo | 241 | 271 | 537 | 413 | 519 | 845 | 25 | 184 | 742 | 781 | 530 | - | 632 | 95 | 283 | 660 | 244 | 149 |
| Playas | 521 | 565 | 356 | 583 | 113 | 393 | 669 | 371 | 567 | 320 | 315 | 632 | - | 529 | 333 | 122 | 396 | 781 |
| Quito | 136 | 180 | 442 | 320 | 416 | 734 | 115 | 89 | 647 | 670 | 419 | 95 | 529 | - | 188 | 549 | 125 | 240 |
| Riobamba | 52 | 55 | 254 | 442 | 232 | 532 | 303 | 99 | 459 | 469 | 320 | 283 | 333 | 188 | - | 373 | 275 | 428 |
| Salinas | 539 | 583 | 384 | 611 | 141 | 421 | 697 | 500 | 595 | 348 | 333 | 660 | 122 | 549 | 373 | - | 428 | 821 |
| Santo Domingo | 209 | 253 | 552 | 187 | 283 | 553 | 269 | 170 | 763 | 494 | 286 | 244 | 396 | 125 | 275 | 428 | - | 393 |
| Tulcán | 376 | 416 | 684 | 558 | 660 | 994 | 124 | 329 | 887 | 930 | 679 | 149 | 781 | 240 | 428 | 821 | 393 | - |

– ***Les gares routières :*** presque toutes les villes possèdent un terminal de bus dit « terminal terrestre » unique. Très pratique, car toutes les compagnies y sont regroupées. Ce n'est malheureusement pas toujours le cas. À Quito, il y a deux grands terminaux et plusieurs petits pour les liaisons locales.

***Encore quelques conseils pour le bus***

– Évitez les places du fond. Ça remue plus et les sièges ne s'inclinent pas.
– Évitez également d'être près de la porte si vous voyagez de nuit. Les joints laissent passer une petite brise la première heure, mais après on gèle littéralement. Prenez plutôt un siège côté fenêtre, ça permet de reposer la tête. Ceux qui ont de longues jambes préféreront le siège côté couloir (cela va de soi !).
– Ceux qui s'installent près d'un carreau cassé ou d'une fenêtre qui ferme mal pour avoir de l'air frais le regretteront vers 3h du matin quand le bus passera à 3 000 m d'altitude...
– Si vous roulez de nuit, prévoyez une couverture, un poncho ou un duvet (et pourquoi pas un oreiller ?).
– Attention à vos bagages (s'ils sont sur le toit) ! D'ailleurs, en règle générale, conservez tous les objets de valeur sur vous, sur vos genoux (pas sur le sol ni dans les casiers).
– Réservez vos places la veille ou le matin pour le soir, cela vous permettra de choisir votre siège. Sur les trajets courts, on ne peut pas réserver de place. Monter alors le plus tôt possible. Les derniers arrivés font le trajet debout...
– Munissez-vous de boules Quies. Bien souvent, même la nuit, le chauffeur met la TV, la radio ou une cassette de musique traditionnelle à fond (pour ne pas s'endormir). On en connaît qui, assis juste sous le haut-parleur, ont subi les commentaires en espagnol d'un match de foot avec prolongations !
– Attention, les veilles de marché, les bus sont souvent pleins.
– Un petit creux ? Pas de souci, au prochain arrêt une ribambelle de vendeurs grimpera à bord. Y a plus qu'à faire son choix.
– Enfin, si le bus tombe en panne, ne vous affolez pas. On s'arrange toujours !

## La voiture

Le service de bus fonctionne très bien, mais si vous tenez à voyager à votre rythme, une voiture de location vous donnera une liberté de mouvement inestimable pour explorer les parcs nationaux (rarement desservis par les transports en commun) et vous oublier dans un beau *lodge* ou une hacienda en pleine cambrousse. Un 4x4 est idéal, mais cher.

***Location de 4x4***

D'une façon générale, l'état de certaines routes et l'accès souvent difficile à certains sites naturels et historiques justifient amplement la location d'un 4x4. On a le choix entre quelques loueurs locaux et les sociétés internationales, plus sûres, comme *Hertz* ou *Avis.* On loue ***avec ou sans chauffeur.*** Vu l'amélioration du réseau routier, il est parfaitement possible de circuler sans chauffeur. Tout dépend de votre niveau de stress au volant. Sachez juste que les contrôles de police sont désormais réguliers et peuvent se révéler très sévères... De nouvelles dispositions conduisent même les contrevenants quelques jours derrière les barreaux pour des excès de vitesse de seulement 10 km/h ! Et on ne vous parle pas des infractions pour conduite en état d'ivresse... Sachez aussi que le GPS ne vous sera guère utile, sauf pour entrer et sortir des villes ; ailleurs, il invente régulièrement des routes, en ignore d'autres, et parfois confond même sa droite et sa gauche ! En cas d'accident, il n'est pas conseillé de rester sur place, mais de se rendre au prochain poste de police, pour éviter que les tempéraments ne s'enflamment à l'excès... Avec un chauffeur, bien sûr, vous éviterez tous ces problèmes et échapperez même à la franchise (jusqu'à 2 500 US$ pour un 4x4 !) à payer en cas de dom-

mage, de vol (fréquent) ou d'accident. Si vous optez pour cette solution, passez plutôt par une agence de voyages.
– Ne jamais rien laisser dans la voiture. Évidemment, si vous voyagez en itinérant ça risque d'être difficile. Dans ce cas, garez-vous systématiquement dans des parkings surveillés. Vous en trouverez dans toutes les villes, leur prix est très modique et votre voiture (et vos affaires) sera en sécurité.
– Malgré toutes ces contraintes, se promener en 4x4 en Équateur, c'est grimper en voiture à l'altitude du mont Blanc ; c'est se risquer dans des chemins du bout du monde où il n'y a que des lamas à qui demander son chemin ; c'est découvrir des paysages étonnants où l'on est sûr d'être absolument seul.

■ ***Auto Escape :*** *nº gratuit :* ☎ *0820-150-300.* • *autoescape.com* • *Vous trouverez également les services d'Auto Escape sur* • *routard.com* • L'agence *Auto Escape* réserve auprès des loueurs de véhicules de gros volumes d'affaires, ce qui garantit des tarifs très compétitifs. Il est recommandé de réserver à l'avance. *Auto Escape* offre 5 % de remise sur la location de voiture aux lecteurs du *Routard* pour toute réservation par Internet avec le code de réduction : « GDR13 ».
■ ***BSP Auto :*** ☎ *01-43-46-20-74 (tlj).* • *bsp-auto.com* • Les prix proposés sont attractifs et comprennent le kilométrage illimité et les assurances. *BSP Auto* vous propose exclusivement les grandes compagnies de location sur place, vous assurant un très bon niveau de services. Les plus : vous ne payez votre location que 5 jours avant le départ + réduction spéciale aux lecteurs de ce guide avec le code « routard ».
■ Et aussi :
– ***Avis :*** ☎ *0820-050-505 (0,12 €/mn),* • *avis.fr* •
– ***Hertz :*** ☎ *01-41-91-95-25 (0,15 €/mn),* • *hertz.com* •
– ***Europcar :*** ☎ *0825-358-358 (0,15 €/mn),* • *europcar.fr* •

***L'état des routes***

Le réseau est en plein boum. C'est simple, presque toutes les routes du pays sont neuves – ou en chantier ! L'axe principal est la Panaméricaine, en excellent état de la frontière colombienne jusqu'à Cuenca. Autres bonnes voies de circulation : l'autoroute à péage Guayaquil-Salinas, les axes Cuenca-Loja, Guayaquil-Pérou... D'une manière générale, les grands axes reliant les villes entre elles sont bitumés. Pour le reste (trajets village-village), le goudron gagne chaque année du terrain sur la piste, mais l'entretien ne suit pas toujours, ce qui donne parfois des routes asphaltées pleines de nids-de-poule. Côté Amazonie, ça bitume pas mal aussi : les routes menant à Puyo, Tena, Lago Agrio et Coca sont désormais entièrement goudronnées, tout comme celle reliant Puyo à Macas. La route longeant la côte est à quatre voies pratiquement partout de Guayaquil à Pedernales.
– Par temps de pluie, dans les régions montagneuses et sur les versants de la cordillère, les risques d'affaissement ou d'effondrement de pierres et de rochers sont monnaie courante. Des éruptions peuvent aussi causer des dégâts.
– Si vous apercevez un véhicule venant vers vous en faisant d'importants zigzags, ne pensez pas que le conducteur a forcé sur l'alcool. Il tente seulement d'éviter les nombreux ***nids-de-poule,*** et dans certains nids on peut mettre bien plus qu'une seule poule. Pour cette raison, ***évitez de conduire la nuit.***
– ***Dans certaines villes,*** même à Quito sur les boulevards, les nids-de-poule sont parfois remplacés par une plaque d'égout manquante... On peut imaginer le résultat si l'on est distrait !
– Quelques sections de la ***Panaméricaine*** sont ***payantes,*** mais le prix est modéré : compter 1 US$ pour 50 km.

***La signalisation***

Voilà un autre point faible du réseau routier équatorien. Les panneaux sont encore assez rares, même à l'entrée des villes et villages – ce qui complique l'orientation.

La Panaméricaine fait heureusement exception. Dans les grandes villes, les noms des rues sont presque toujours indiqués aux carrefours.
– ***Sens unique, sens interdit :*** en ville, les artères à double voie *(doble vía)* se limitent aux axes principaux. La plupart des autres rues sont en sens unique *(una vía)*, signalé par une seule flèche.
– Le panneau octogonal rouge *STOP* tel que nous le connaissons est présent comme ailleurs, à cette différence qu'il porte l'inscription ***« Pare »,*** du verbe *parar*, s'arrêter.
– ***« Peligro »*** signifie « danger »... et cette indication apparaît fréquemment sur les routes.
– ***Les feux de signalisation*** sont parfois perchés assez haut au milieu du carrefour ou placés de l'autre côté de l'intersection à franchir (comme aux USA), ce qui implique une certaine vigilance.

***Les cartes routières***

Il faut oublier les trop bonnes habitudes prises avec nos cartes *Michelin* et IGN. Rien d'équivalent n'existe ici, si ce n'est les cartes de l'*Instituto Geográfico Militar* (du 1/50 000 au 1/250 000), que l'on peut acquérir à l'institut en question, à Quito (voir ce chapitre). Toutefois, vu la petitesse de l'échelle, c'est fort peu pratique pour ceux qui voyagent dans tout le pays. Mieux vaut les réserver aux randonnées. Parmi les moins mauvaises cartes générales, on peut citer celle des éditions *International Travel Maps* à l'échelle 1/660 000 (trouvable en France), ainsi que celles de *Nelson Gómez* au 1/625 000 et des éditions *Reise Know-How* au 1/650 000. Certes, elles manquent de détails !
– ***Plan de Quito :*** le meilleur est sans doute le *Quito Distrito Metropolitano,* en couleurs, édité par *Produguias.* Sinon, il y a la carte au 1/12 500 d'*ITM* et la *Guía Informativa de Quito* des éditions *Nelson Gómez,* un livret bleu.

## L'auto-stop

Ce n'est pas vraiment une pratique équatorienne et vu le prix des bus, seuls les vrais aventuriers tendront le pouce.

## Le camion

C'est le faux stop. Si dans certains pays, et notamment au Pérou et en Bolivie, on voyage en camion en payant le chauffeur, c'est rare en Équateur. Cependant, certains prennent parfois des passagers moyennant participation aux frais ; se renseigner sur le tarif du bus et accepter de payer entre 50 et 70 % de ce tarif. Tout dépendra de la rapidité présumée du camion (de toute façon plus lent que le bus). Si vous voyagez de nuit, essayez d'occuper la cabine car les nuits dans la cordillère sont fraîches.

## Le train

Le mythique train équatorien, popularisé par l'écrivain américain Paul Theroux, a subi les foudres conjuguées d'El Niño et des transporteurs routiers... Laissé à l'abandon durant une quinzaine d'années, le réseau fait l'objet d'une restauration à grande échelle à l'initiative du président Correa. Quelques tronçons de l'ancienne ligne Guayaquil-Quito ont déjà été remis en service, mais à des fins uniquement touristiques. Ne vous attendez donc pas à un voyage extraordinaire, mais plutôt à des excursions pépères commentées en espagnol et en anglais... Certains trains sont modernes mais de style ancien, d'autres sont juste des *autoferros,* des sortes de bus sur rail. Inutile de penser rencontrer des locaux à bord, si ce n'est quelques bourgeois quiteños... Nous vous détaillons ces trains dans chaque lieu où on les trouve. Sachez toutefois qu'une plus grande partie de l'ancienne ligne devrait être rouverte entre fin 2012 et mi-2013, jusqu'à Riobamba.

## L'avion

Les lignes intérieures sont assez bon marché et fiables. Trois compagnies dominent le marché local : *Tame* (● *tame.com.ec* ●), *Aerogal* (● *aerogal.com.ec* ●) et *LAN* (● *lan.com* ●). Mentionnons aussi *Saereo* (● *saereo.com* ●). Elles relient les principales villes du pays et les Galápagos.
– ***La taxe d'aéroport*** sur les vols internationaux est désormais incluse dans le prix du billet d'avion.
– Pour les ***Galápagos,*** pensez à réserver le plus tôt possible : les places sont limitées et chères. Si vous vous y prenez longtemps à l'avance, vous pourrez trouver un tarif aux alentours de 200 US$ l'aller-retour (sinon, c'est plutôt 400-450 US$).

# HOMMES, CULTURE, ENVIRONNEMENT

**Coincé entre la Colombie et le Pérou, ce petit pays, grand comme la moitié de la France, s'étend du Pacifique à l'Amazonie, en enjambant la cordillère des Andes. Plus d'altiplano à proprement parler, ici, mais un relief chaotique, hautement volcanique, fait de cônes aux sommets enneigés, de *páramo* (une sorte de pampa d'altitude) et de champs en damiers recouvrant jusqu'aux plus hautes pentes.**
**Malgré sa modeste taille, l'Équateur offre une étonnante palette de paysages et de cultures. Si les Indiens de la Sierra ont largement conservé leurs coutumes andines, les gens de la côte semblent plus proches des mœurs caribéennes. En Amazonie, les tribus luttent vaillamment pour leur survie, menacée par l'industrie pétrolière et le déboisement. Quant aux citadins, métis pour la plupart d'entre eux, il y a belle lurette qu'ils ont adopté le mode de vie occidental. Comme partout, ou presque, en Amérique du Sud, l'Église continue de jouer un grand rôle et les coups d'État militaires se sont succédé avec une régularité métronomique...**
**Si les vestiges archéologiques et l'architecture coloniale sont bien moins présents qu'au Pérou, ce manque est en partie compensé par la beauté des paysages et la richesse de la nature – Amazonie et Galápagos en particulier.**

## BOISSONS

– ***Bière :*** *Pilsener* ou *Club* (cette dernière est un peu moins plate). Très bon marché.
– ***Chicha :*** les Indiens ont leur boisson ancestrale : une sorte de bière de maïs, faiblement alcoolisée. Le maïs, fermenté, macère avec des fruits pendant 2 à 6 jours, jusqu'à 20°. *La chicha* de maïs se boit uniquement pendant les fêtes. Il existe aussi la *chicha* d'Amazonie, faite avec du manioc, que les femmes mâchent et recrachent... On l'a testée pour vous. Honnêtement, on aurait préféré s'en passer, mais les Indiens se vexent si on refuse quand on est invité chez eux. Bref, c'est une boisson au goût aigre, qui ressemble à du yaourt dilué... Petit conseil : dites que vous êtes allergique à l'alcool (ou enceinte), et que vous prendriez bien volontiers un jus de fruits !
– ***Eau :*** ne pas boire celle du robinet. On trouve de l'eau en bouteille partout. Ce n'est pas de l'eau minérale, mais purifiée (rassurez-vous, elle est meilleure que celle des piscines). Plusieurs marques bien sûr, l'une des plus courantes étant *Dasani,* eau osmosée produite par la *Coca-Cola Company*.
– ***Jus de fruits :*** ils sont excellents. Bien préciser *sin agua* (sans eau) et *sin hielo* (sans glaçon) si vous avez peur des amies amibes. Le choix, vaste, varie selon la saison et la région. Les plus communs sont les jus d'ananas, de mangue (de novembre à mars), de *maracuya* (le plus courant des fruits de la Passion, mais vous trouverez aussi le *taxo* dans le Nord et la grenadille violette – *granadilla* en espagnol – dans la région de Baños), de papaye, de canne à sucre, de corossol *(guanabana),* de tomate fruit (*tomate de árbol* en espagnol), de

*naranjilla* (un fruit exotique, acide, de la même famille que la tomate fruit), de pomme-cannelle (*chirimoya* en espagnol) et encore de mûre (*mora,* rouge en Équateur), très populaire dans les villages indiens... Bref, vous n'aurez que l'embarras du choix !

– ***Colada morada :*** cette boisson est servie uniquement le jour des morts, le 2 novembre, avec des petites poupées en frangipane (attention, elles sont là seulement pour la déco !). Mûres, myrtilles et framboises sont les ingrédients de base. Ça se sert froid. Délicieux.

– ***Spirito del Ecuador :*** la bouteille de cette liqueur du pays représente le monument de la Mitad del Mundo, vous ne pouvez donc pas la louper ! Le goût très sec est celui de l'amande amère.

– ***Canelazo :*** alcool de canne allongé au citron et aromatisé à la cannelle, servi chaud dans de petits verres. Fort et très populaire, en particulier à Quito où l'on en écluse des litres les soirs de week-end dans la *calle de la Ronda*. En Amazonie, on peut tester son cousin, un tord-boyaux lui aussi à base d'alcool de canne, appelé ***veinte,*** en référence à son prix originel : *veinte centavos*.

– ***Rhum :*** vous connaissez, non ?

# CUISINE

L'écrivain Robert Louis Stevenson, qui a parcouru le pays à l'automne de sa vie, s'étonnait de la quantité phénoménale de fromage consommée par les Quiteños... En Équateur, c'est vrai, il accompagne une grande quantité de plats. Comme dans beaucoup de pays d'Amérique du Sud, on trouve d'excellents produits (légumes, poisson, tubercules, céréales...), mais pas toujours bien cuisinés... Il existe par exemple une douzaine de sortes de bananes, dont la plantain (à la chair très peu sucrée) consommée comme légume, mais le plus souvent bêtement frite (bof) !

Le maïs aussi présente un joli nombre de variétés, dont ce gros *mote* tout blanc (et bouilli) qui accompagne nombre de plats et de soupes. Ces dernières constituent, au demeurant, un des points forts de la cuisine équatorienne. Il en existe de toutes sortes, avec ou sans viande, mais toujours avec légumes, céréales et tubercules. Parmi ces derniers, mentionnons l'*oca* (un substitut acide de la patate) et la *mashwa* (une capucine tubéreuse), qui continuent d'être cuisinés par les Otavalos. Globalement, la population se nourrit surtout de riz, de pomme de terre, de viande (poulet notamment) ou de poisson (disponible dans les villes de la Sierra comme sur la côte ; ne pas trop s'inquiéter de la fraîcheur, les arrivages sont fréquents). De fait, le plat « typique » servi dans les restos est une assiette avec un morceau de viande ou de poisson (en sauce ou non), du riz (systématique !), un ou deux légumes ou tout simplement des frites. Si vous prenez un menu, ce *plato fuerte* (plat de résistance) sera précédé d'une soupe et suivi d'un dessert. Évitez si vous le pouvez les crudités et les fruits qui ne s'épluchent pas. Sur les marchés, les stands de cuisine ambulants ne sont pas toujours très sûrs pour l'estomac non plus (bien souvent, les brochettes sont là depuis longtemps).

## OCA, AU SECOURS !

*En Irlande, au milieu du XIXe s, toutes les plantations de pommes de terre furent attaquées par le mildiou. Il en résulta une terrible famine. Afin de pallier cette calamité, les agronomes irlandais envisagèrent de remplacer ladite patate par l'oca, plus acide, donc plus résistant aux attaques du champignon. Mais ils ne mirent jamais leur projet à exécution car, entre-temps, on avait découvert la bouillie bordelaise et le mildiou fut vaincu !*

Question budget, la meilleure solution est de privilégier l'*almuerzo,* le menu du midi, qu'on trouve dans presque tous les restos de catégorie « Très bon marché » à « Prix moyens », souvent autour de 2 ou 3 US$. Si l'on vous tend de préférence la carte des plats où les *almuerzos* ne sont pas mentionnés, n'hésitez pas à vous renseigner.

## Quelques spécialités

– ***Bolón de verde :*** beignet de banane plantain fourré au fromage. Cale bien son monde.
– ***Ceviche :*** poisson ou crustacés cuits puis marinés dans du citron (ou seulement marinés selon les cas). On en trouve de toutes sortes, aussi bien sur la côte que dans la Sierra. *Ceviche de corvina,* de *langostinos,* de *camarones* (crevettes) ou de *concha* (coquillages). Peut être très bon, même s'il ne vaut pas tout à fait le *ceviche* péruvien, qui est servi cru dans sa marinade de citron et d'oignons rouges. Il existe aussi des *ceviches* végétariens, comme cet incontournable *ceviche de chochos*, préparé avec des graines de lupin des Andes. Traditionnellement, en Équateur, le *ceviche* est servi avec... une petite assiette de pop-corn à jeter dessus !
– ***Chicharrón :*** morceaux de couenne de porc bouillis puis frits dans leur graisse. S'apparente aux gratons bordelais ou aux grillons charentais (la recette varie selon les régions).
– ***Chifas :*** c'est ainsi qu'on appelle les restos chinois. Ça change et, en général, ce n'est pas décevant. Bonnes soupes.
– ***Churrasco :*** steak grillé avec riz, avocat, deux œufs et quelques *papas fritas.* Roboratif.
– ***Cuy :*** cochon d'Inde. Prononcer « couit ». Vendu à l'unité, c'est un met de fête, généralement hors de prix car il possède une valeur symbolique pour les Indiens. Il est le plus souvent frit, ce qui n'est pas génial, car il est déjà très gras à la base. À Cuenca, il est rôti, mais ce n'est pas époustouflant non plus... Il est de coutume, après avoir mangé un *cuy,* de chercher un petit os du crâne de la bestiole, de le mettre dans un verre d'eau et d'avaler le tout. Santé !
– ***Empanadas :*** chaussons fourrés d'origine argentine et chilienne. Beaucoup moins bons que les originaux car ils sont en général frits et grassouillets. On en trouve au fromage, à la viande ou au poulet.
– ***Encebollado :*** plat typique de la côte pacifique. En fait, un étouffé de poisson (généralement de l'albacore) à base de manioc. Bien pimenté, on lui ajoute quelques gouttes de citron vert. Servi le matin, il a la réputation d'effacer la gueule de bois.
– ***Fanesca :*** spécialité préparée uniquement durant la semaine de Pâques. Morue avec un mélange de graines de lupin *(chochos),* fèves, petits pois et maïs.
– ***Fritada :*** viande de porc frite accompagnée de banane *maduro,* de maïs grillé (éventuellement soufflé ou bouilli) et de pommes de terre frites. La couenne peut également être ajoutée à ce plat déjà léger ! Pour être retirés plus facilement, les poils du cochon sont brûlés au bois d'eucalyptus, ce qui donne à la viande une saveur particulière. Du jeudi au dimanche, si vous passez à Calderón (au nord de Quito), dont la *fritada* est la spécialité, vous verrez les cochons suspendus devant les échoppes.
– ***Hayacas :*** sorte de chausson à la farine de maïs fourré à la viande, aux légumes, pois, olives et épices.
– ***Hornado :*** porc rôti entier, mariné à la bière ou à la *chicha* (jusqu'à 3 jours !), et frotté d'une mixture à base de cumin et d'ail. Il est ensuite découpé en lamelles et servi, au choix, avec mote, tranches d'avocat ou *llapingachos.*
– ***Huevos :*** rien à signaler, ils sont servis soit *revueltos* (brouillés), soit *fritos* (sur le plat), soit *tibios* (à la coque), ou encore en omelette (se dit *omelette* aussi... en espagnol d'Équateur).
– ***Humitas :*** maïs râpé et cuit, servi dans la feuille de l'épi.

– ***Llapingachos :*** sorte de purée de pommes de terre avec du fromage. Très bon. Se mange surtout dans la Sierra.
– ***Parrilladas :*** grillades assorties, parfois servies sur un plat chauffant. En général, très copieux et pas si cher.
– ***Patacón :*** variété de banane plantain frite en grosses rondelles, souvent servie avec le poisson.
– ***Pescado :*** le poisson, souvent frit et pané. Demandez-le *a la plancha* (grillé).
– ***Pollo a la brasa :*** poulet rôti avec frites. Le vrai plat national !
– ***Quinoa :*** c'est la graine bio par excellence, car on n'est pas obligé de la traiter pour la cultiver. Sacré chez les Incas, le quinoa permet de faire de la farine sans gluten. 2013 a été déclarée année du quinoa par l'Unesco ! En Équateur, il est souvent utilisé dans les soupes.
– ***Seco de gallina :*** ragoût de poulet servi avec du riz. On le fait aussi avec du bœuf (ça s'appelle alors *seco de res*).
– ***Sopas :*** très copieuses, elles peuvent presque constituer un repas. Une des meilleures est le *locro* : soupe de pommes de terre avec avocat, fromage et graines de lupin. Vous trouverez parfois aussi la *sopa de bolas verde* : dans le bouillon, le chou et la banane plantain sont accompagnés de boulettes de bananes, oignons, fromage, petits pois et viande de bœuf. Autre soupe : le *sancocho,* où la viande (poulet ou autres) côtoie le manioc, les bananes plantain, le maïs et les fines herbes. Et puis, encore, le *caldo de pata,* un bouillon de pied de bœuf avec du *mote* (gros maïs blanc).
– ***Tamales :*** petits pains de farine de maïs cuits à la vapeur et fourrés au porc ou au poulet. Les meilleurs se consomment à Loja, dans le Sud.
– ***Tortillas de maíz :*** maïs en grain séché au soleil, frit puis salé. Bon.
– ***Tostado :*** maïs poêlé qui accompagne généralement la viande. C'est aussi un simple snack.
– ***Yuca :*** le manioc accompagne les plats dans l'Oriente, lorsque la pomme de terre se fait rare. Pas mauvais du tout. Sa farine est très souvent employée dans la cuisine traditionnelle.

## DROITS DE L'HOMME

Scandales de corruption, mouvements de mécontentement des peuples autochtones, remaniements ministériels : en Équateur, les crises politiques se suivent... et se ressemblent. Le président Correa a même échappé de peu à une tentative de « putsch » organisée par la police et une partie de l'armée en septembre 2010. Les sujets de mécontentement sont nombreux dans ce pays, et la Confédération des nationalités indigènes d'Équateur (Conaie), qui milite notamment pour le droit à la culture de la coca, organise régulièrement des actions de barrages routiers ou des manifestations dans le pays. Au printemps 2011, elle a intenté un procès sans précédent contre le gouvernement, l'accusant d'ethnocide à l'encontre des tribus indiennes isolées. Elle proteste particulièrement contre les projets de développement industriel et demande un droit de consultation pour les principaux concernés : les habitants appelés à plier bagages ! La construction de barrages et l'exploitation des richesses pétrolières ont déjà conduit à des catastrophes écologiques majeures, qui ont eu de graves conséquences pour les populations locales (cancers, maladies de peau...). Écologistes et défenseurs des droits des indigènes tentent d'obtenir des réparations, mais leur activisme les place souvent en première ligne et certains ont pu être agressés et/ou menacés de mort. Un harcèlement juridique, basé sur des poursuites pour motifs fallacieux (terrorisme, sabotage) tente souvent de les faire taire. Parallèlement, les militaires et policiers responsables de dérapages continuent de bénéficier d'une certaine impunité, tandis que des craintes sont exprimées pour la liberté d'expression. En septembre 2010, des journalistes d'*El Universo* critiques du pouvoir en place ont été

condamnés en première instance à 3 ans de prison et 40 millions de dollars de dommages et intérêts (!) pour diffamation (ils avaient baptisé Correa « dictateur »)... D'autres journalistes opposants ont été confrontés aux mêmes procédés.
Pour en savoir plus, n'hésitez pas à contacter :

■ ***Fédération internationale des Droits de l'homme (FIDH) :*** *17, passage de la Main-d'Or, 75011 Paris. ☎ 01-43-55-25-18. • fidh.org • Ⓜ Ledru-Rollin.*

■ ***Amnesty International*** *(section française) : 76, bd de La Villette, 75940 Paris Cedex 19. ☎ 01-53-38-65-65. • amnesty.fr • Ⓜ Belleville ou Colonel-Fabien.*

N'oublions pas qu'en France aussi les organisations de défense des Droits de l'homme continuent de se battre contre les discriminations, le racisme et en faveur de l'intégration des plus démunis.

# ÉCONOMIE

Comme chez ses voisins, le développement économique en Équateur s'est profilé à travers une succession de « booms » de différents produits : le cacao d'abord (début XXe s), le panama (années 1920-1940), puis la banane (années 1940-1950), le pétrole (années 1970) et enfin la crevette (années 1990). Ces trois derniers secteurs continuent de jouer un rôle majeur aujourd'hui : l'Équateur est en effet le premier producteur mondial de bananes, et le pétrole représente environ les 2/5e des revenus de l'État et 50 % des exportations. Ajoutons à cela l'essor de la vente de fleurs et de poisson en boîte, et les secteurs traditionnels de l'agriculture (café), du bois et des textiles. La production industrielle, concentrée essentiellement à Guayaquil (bois, chimie) et Quito (textile et métallurgie), reste embryonnaire.
Une grave crise économique a secoué l'Équateur en 1999, débouchant sur une dévaluation de 200 % du sucre et la faillite d'une grande partie du système bancaire. Les importations ont alors chuté de moitié, et près d'un demi-million d'Équatoriens sont partis pour l'étranger... La rente que le pays reçoit de ses émigrés représente encore aujourd'hui 6 % du PIB !
Effective en mars 2001, la dollarisation a redonné au pays une certaine stabilité, mais a fait chuter sa compétitivité, renchéri le coût de la vie et, de fait, nettement appauvri la classe moyenne. Reste que, en termes économiques, les années suivantes ont été marquées par un fort essor du PIB, culminant en 2008 avec un taux de croissance de 7,2 %. La crise économique mondiale de 2008-2009, associée à la chute des cours du brut, a naturellement impacté le pays, mais il est déjà sorti de l'ornière – avec une croissance estimée à 7,8 % en 2011.

## L'ère Correa

Depuis l'élection de Rafael Correa en 2006, l'économie équatorienne connaît de nombreux bouleversements. L'Équateur bouge et cela se voit, dans les négociations internationales comme sur le terrain. Économiste de centre gauche, proche des gouvernements néosocialistes de Bolivie et du Venezuela, Rafael Correa s'emploie à réduire l'influence économique des États-Unis (qui absorbaient il y a quelques années 50 % des exportations équatoriennes) et des grandes firmes multinationales. Passant des paroles aux actes, il a fait expulser le représentant de la Banque mondiale à Quito et suspendu en 2008 le remboursement de 30 % de la dette internationale de l'Équateur, jugés illégitimes (et depuis rachetés par le gouvernement). Pour que la population, dont 29 % vivent encore en dessous du seuil de pauvreté, puisse accéder plus facilement aux soins, son gouvernement a lancé la fabrication d'environ 2 000 médicaments sans reverser de droits aux labos pharmaceutiques détenteurs des brevets (mais contre une compensation financière), estimant que « la connaissance est un bien public ». La nouvelle Constitution adoptée en 2008, inspirée par l'économiste critique de la mondialisation Joseph Stiglitz, instaure le principe d'une « politique économique souveraine qui ne tolère plus les abus d'aucune multinationale » – pour preuve, la condamnation exemplaire de la compagnie pétrolière américaine Chevron à payer 19 milliards d'US$ pour pollution ! La nouvelle constitution promeut en outre un système économique « social et solidaire », alternative à l'économie de marché. La propriété privée est ainsi relativisée par la reconnaissance d'autres types de propriétés : communautaire, associative, étatique... Le gouvernement de la « Revolución Ciudadana » (« révolution citoyenne ») multiplie par ailleurs les investissements dans les écoles, la santé, les retraites et les infrastructures de transports (ponts, routes, aéroports...), transformant le pays en un vaste chantier. Pour consolider son approvisionnement énergétique, la construction de deux centrales hydroélectriques est en projet. L'État martèle son message économique : « Quand tu achètes, achète équatorien d'abord. » L'Équateur est enfin le premier pays à avoir ratifié le nouveau mécanisme relatif aux droits sociaux et économiques mis en place par l'ONU. Il permet à toute personne estimant que ces dits droits sont bafoués de porter plainte auprès des Nations unies. En revanche, malgré les efforts de l'État, le travail des enfants est encore très répandu en Équateur.

## L'agriculture et la pêche

L'agriculture fournit à peine 6,5 % du produit intérieur brut, pour 27,6 % de la population équatorienne employée dans ce secteur. Autant dire que la rentabilité est faible. Après la Seconde Guerre mondiale, grâce à « l'or vert », l'Équateur est devenu un modèle de république bananière et le premier exportateur de bananes au monde (environ 30 % du marché aujourd'hui). Le fruit représente à lui seul 60 % des exportations agricoles du pays ! En 2008, à la suite d'une décision de l'OMC, l'Union européenne a été contrainte d'accepter de réduire ses taxes sur les bananes latino-américaines – davantage imposées que celles des anciennes colonies africaines et caribéennes –, donnant un nouveau coup d'accélérateur à la production, souvent au détriment de la forêt et des zones naturelles... L'exploitation de la banane emploie pas moins de 250 000 personnes sur le territoire, dans des conditions très pénibles et pour des salaires vraiment faibles. Les multinationales et grosses compagnies d'exportation intimident systématiquement les producteurs et les contraignent à vendre leur production à des prix plancher : ainsi, malgré cette position favorable sur le marché bananier mondial, le secteur rapporte assez peu d'argent.

Le café, le cacao et le bois sont également des secteurs importants, essentiellement dirigés vers l'exportation.

La pêche et ses produits dérivés sont devenus une importante source de revenus, surtout grâce au tilapia et à la crevette. Avec 180 000 t produites en 2009, l'Équateur assure 30 % des exportations mondiales (il est le troisième producteur) de cette dernière. Mais le secteur a été successivement touché par la baisse des cours, les catastrophes climatiques dues à *El Niño* et diverses épidémies, qui ont dévasté les piscines d'élevage. Des laboratoires, créés après de premiers dégâts en 1983, produisent cependant plus de 40 millions de larves par an, faisant de l'Équateur un pays exportateur de larves de crevettes, en particulier vers les pays andins. Tout cela au prix d'une destruction de l'environnement... Quelque 70 % des mangroves équatoriennes ont été anéanties pour faire place aux fermes aquacoles. Des zones entières sont désormais inaccessibles aux pêcheurs, rivières illégalement entravées par des barbelés, avec gardes armés à l'affût...

## Le pétrole

L'« or noir » a pris le pas sur l'or vert dans les espoirs nationaux. En 1964, la *Texaco-Gulf* obtient la première concession. En 1967, le premier puits est foré à Lago Agrio, en Amazonie. Cinq ans plus tard, un oléoduc de plus de 500 km *(El Sote)* permet d'évacuer la production jusqu'au port d'Esmeraldas – deux autres seront construits ultérieurement. L'Équateur rejoint le cercle des pays de l'OPEP en 1973, date du premier choc pétrolier. Il quitte l'organisation en 1992, afin d'échapper aux quotas de production, et la réintègre en 2007. Entre-temps, les concessions se multiplient : tout le gratin du monde du pétrole se doit désormais d'être présent en Équateur. En 25 ans, le pétrole est devenu le principal produit d'exportation du pays (au moins 50 %), qui tire de ses sous-sols quelque 500 000 barils par jour (les deux tiers sont exportés). Les revenus tirés de cette manne représentent plus d'un quart des recettes de l'État. Ils ont permis l'apparition d'une classe moyenne et la création d'infrastructures modernes. Revers de la médaille : le pays s'est endetté pour développer ses infrastructures, tout en restant dépendant des compagnies étrangères. Et on ne vous parle même pas ici des ravages écologiques et des conséquences sur les populations indiennes de l'Amazonie...

### DAVID CONTRE GOLIATH

*Déboisement, pollution aux hydrocarbures des sols, des cours d'eau et de la nappe phréatique, multiplication des cancers et malformations des nouveau-nés : les conséquences néfastes de l'exploitation du pétrole en Amazonie sont multiples. Décidé à se battre, un groupement de 30 000 Indiens, poursuit en justice depuis 1991 l'américaine Texaco (aujourd'hui Chevron). Finalement condamnée en février 2011 à 8,5 milliards de dollars de dommages et intérêts par un tribunal équatorien, la multinationale a affirmé qu'elle ne paierait pas. Les dommages ont entre-temps été portés à 19 milliards et des actions ont été intentées dans d'autres pays pour tenter d'y faire saisir les actifs de Chevron. Le tribunal de La Haye se penchera sur l'affaire en... janvier 2014.*

Même si l'État reste propriétaire du sous-sol, la plupart des opérations, de la prospection au forage en passant par la maintenance des puits, sont confiées à de puissants pétroliers étrangers, qui ne se soucient évidemment pas des conséquences socio-écologiques de leur activité. Avant 2005, quatre barils sur cinq étaient exploités par des compagnies étrangères. Mais sous l'impulsion de ses voisins vénézuélien et bolivien (la Bolivie d'Evo Morales a nationalisé ses hydrocarbures), l'Équateur de Rafael Correa a entrepris de redistribuer les cartes... En mai 2006, le ministère de l'Énergie a ainsi annulé le contrat d'exploitation de la société nord-américaine *Oxy*, premier investisseur étranger du pays. Ses gisements et ses équipements d'extraction ont été nationalisés.

En septembre 2007, devant les Nations unies, Correa créait la surprise en se déclarant prêt à renoncer à l'exploitation de l'énorme gisement *ITT* (Isphingo-Tambocacha-Tipulini), situé en Amazonie, dans le parc national Yasuní, zone déclarée « Réserve de la biosphère » par l'Unesco. Arguant de l'économie ainsi réalisée sur les émissions de $CO_2$, il demandait en contrepartie à la communauté internationale de se mobiliser pour « indemniser » l'Équateur de la perte économique liée à cette décision, à hauteur de 50 % des revenus qui auraient été générés pour l'État. D'abord bien engagé, ce projet novateur s'est depuis enlisé, entre soutiens financiers occidentaux particulièrement timides, menaces équatoriennes de reprendre les forages et sensation de chantage grandissante...

Selon les derniers chiffres disponibles, les réserves prouvées de l'Équateur, champs ITT inclus, s'élèveraient à environ 3,3 milliards de barils – soit 20 ans de production, pas davantage, au rythme actuel. Ajoutons à cela des réserves semblables de gaz, localisées surtout dans le golfe de Guayaquil.

## Le tourisme

Le tourisme est la quatrième activité génératrice de devises pour l'économie équatorienne et rapporte chaque année plus de 350 millions d'euros. En 2010, le nombre de visiteurs a pour la première fois failli atteindre le million. La moitié d'entre eux sont européens, mais les Américains, grands fervents des Galápagos, restent les plus nombreux par nationalité.
Parallèlement au tourisme en groupe ou même en individuel, l'Équateur est aux avant-postes d'un nouveau type de découverte, dit ***« tourisme communautaire »***. Nourris et logés dans une communauté indienne contre une modeste participation financière, des volontaires étrangers participent aux activités de la communauté, notamment agricoles. Certains font profiter de leur expérience dans les domaines de l'élevage, du tourisme, de l'écologie, des énergies renouvelables, etc. Des projets voient le jour et l'argent récolté est réinvesti dans la communauté. Selon les endroits, on trouve du bon et du moins bon. Certaines communautés accueillent également des touristes plus classiques (qui paient leur nuit et leurs repas), désireux de découvrir la vie quotidienne des communautés, voire de participer à des activités traditionnelles (payantes). Là aussi, on trouve de tout, du folklore artificiel à la rencontre inoubliable. Les tarifs demandés ont malheureusement souvent tendance à dépasser le raisonnable. Nous vous conseillons les projets qui ont davantage retenu notre attention.

## Quel futur ?

L'équation ne sera pas simple à résoudre pour l'actuel gouvernement. Malgré la rente pétrolière, qui ne durera pas éternellement, l'endettement croissant de l'État risque de voir les comptes déraper à terme. Le fait que l'Équateur est l'un des pays les plus corrompus du continent américain n'arrange rien... Espérons que la volonté affirmée du président Correa de lutter contre celle-ci portera ses fruits – quoique son frère entrepreneur a été accusé de favoritisme dans l'obtention de contrats gouvernementaux... Parallèlement, si le chômage s'établit officiellement à 4,9 % (début 2012), le taux de sous-emploi est estimé à 44 %, tandis que 29 % de la population vit toujours sous le seuil de pauvreté (contre 35 % précédemment). Les salaires restent bas et l'inflation (autour de 4,5 %) ne fait rien pour favoriser le pouvoir d'achat. Récemment, pour financer sa politique sociale efficace mais coûteuse (le déficit atteignait 5,6 % du PIB en 2011), le gouvernement s'est tourné vers un nouveau partenaire : la Chine. Au programme : prêts, avances sur livraisons de pétrole et financement d'infrastructures.

# ENVIRONNEMENT

S'il est un pays qui défie la chronique en matière d'environnement, c'est bien l'Équateur. Les enjeux en termes d'image sont de taille pour le gouvernement qui s'est autoproclamé défenseur de la Pachamama (la terre mère) aux yeux de la communauté internationale. Le principe indien du Sumak Kawsaï, qui signifie en gros « vivre en accord avec soi-même et les éléments », aurait désormais force de loi, si l'on en juge par les déclarations faites par le président.
Le problème, c'est que du discours à la réalité, il y a parfois des virages difficiles à négocier. Rappelons la donne : le Yasuní, une région d'Amazonie où vivent les Taromenani et les Tagaeri, classée « Réserve mondiale de la biosphère » en 1989 par l'Unesco, recèle près de 850 millions de barils de brut dans ses entrailles. Un hectare de cette forêt abriterait à lui seul autant de sortes d'arbres que toute l'Amérique du Nord réunie, ainsi qu'un nombre incommensurable d'oiseaux et près de 40 % des mammifères vivant dans toute l'Amazonie. Une biodiversité sans égale, un sanctuaire, un symbole... Le projet Yasuní ITT, qui consistait à deman-

der une participation financière à la communauté internationale en échange d'un renoncement à l'exploitation pétrolière dans cette zone, sous couvert de maintenir intacte sa biodiversité, a pris du plomb dans l'aile. Il n'est désormais pas exclu que l'Équateur mette en branle son plan B, donnant toute licence à *Petroecuador* pour exploiter le pétrole de la région. L'Allemagne, qui aux premières heures du projet s'était engagée à verser 50 millions d'euros par an pendant 13 ans, s'est désormais retirée du jeu...

Chercher des solutions durables dans un pays où la population s'accroît trois fois plus vite qu'en France n'est certes pas chose facile. Du coup, on légifère, on soigne son image. L'exploitation des mines, qui jusqu'alors était affaire des communautés locales et n'avait pas grande incidence sur l'environnement, passe désormais à la vitesse supérieure. Le gouvernement a voté une loi autorisant l'exploitation des mines à ciel ouvert, favorisant par-là même l'implantation de compagnies étrangères. Les Indiens se sont mobilisés une fois de plus, il y a eu des heurts, alors, en contrepartie, un tribunal chargé de surveiller les écosystèmes a vu le jour aux Galápagos. Joli tour de passe-passe pour la « révolution citoyenne ».

Mais, contre toute attente, dans un pays où il pleut la plupart du temps et où la disponibilité en eau par habitant est quatre fois supérieure à ce qu'elle est dans le reste du monde, le problème crucial, c'est l'eau ! Quand bien même « le droit à l'eau » a été inscrit dans la nouvelle constitution de 2008, la gestion dans le domaine n'apparaît pas très exemplaire. La tendance à concéder la distribution de l'eau au privé (comme à Guayaquil) prend le dessus, et les gens ne peuvent plus suivre financièrement. Inutile de souligner que ce désengagement de l'État affecte en priorité les communautés les plus pauvres. Rappelons au passage, que dans ce pays 35 % de la population « indigène » vit sans terre et sans eau. Autant dire qu'ils sont les premiers affectés, tout comme les Afro-équatoriens descendants d'anciens esclaves. Ceux-là vivent dans la misère, journaliers enchaînés à leur travail, à la merci de leurs propriétaires, à qui ils doivent demander permission pour filtrer une eau sale et la rendre apte à la consommation. Force est de constater que la « révolution citoyenne » a encore du chemin à parcourir en ce qui concerne l'abolissement des inégalités. Un gage d'avenir pour l'Équateur, qui, par ailleurs, dispose d'un potentiel énorme en matière d'énergies renouvelables : photovoltaïques, hydrauliques, marémotrices et surtout géothermiques dans ce pays truffé de volcans.

## La forêt équatorienne

Elle couvre en gros 40 % du territoire. Il y a d'abord, à l'est, l'Amazonie équatorienne (120 000 km²) et son emblématique forêt pluviale *(rainforest)*. Elle occupe les régions de faible altitude en aval de la cordillère des Andes et ses basses pentes. Il y fait chaud, l'air est saturé d'humidité et la tête des arbres chatouille les étoiles. La biodiversité est remarquable ; cet écosystème est considéré comme l'un des habitats les plus riches et les plus complexes de la planète (avec, à surface équivalente, une diversité cinq fois supérieure à ce qu'elle est en Amérique du Nord ou en Europe). Les piémonts *(foothillforest)* prennent ensuite la relève. C'est une zone de transition, la température moyenne baisse un peu, la hauteur des arbres – qui mesuraient près de 45 m dans la forêt pluviale – diminue ; on défriche, on cultive la *naranjilla* qui, malheureusement, épuise les sols. Plus en hauteur, c'est le règne de la forêt des nuages *(cloudforest)*. Humide et fraîche, en raison de l'altitude, elle est baignée jour après jour par brumes et nuées. Ici, le vert s'impose partout, la végétation est luxuriante, favorisée par une température plus ou moins constante et de nombreuses précipitations. Lichens, mousses, orchidées et épiphytes (des plantes qui poussent sur d'autres plantes) couvrent les arbres. À la différence de l'Amazonie ou des forêts pluviales de la côte, où de placides cours d'eau chocolat (à fort débit quand même !) drainent un relief plat, les rivières qui traversent la forêt des nuages sont claires et tumultueuses, modifiant sans cesse le paysage. Cette particularité géomorphologique contribue à créer d'importantes barrières naturelles, qui sont autant d'obstacles pour le développement des espèces. Il en résulte un endémisme important. La forêt des nuages est l'endroit préféré des naturalistes et autres fêlés de la jumelle binoculaire, car le nombre d'espèces d'oiseaux à observer est impressionnant. Certains sites, comme la région de Mindo, figurent dans le *top ten* mondial pour les ornithologues. Cette forêt des nuages débouche finalement sur le *páramo,* une haute prairie de graminées où les arbres se font rares (on y trouve surtout quelques bois de *polilepsis* aux troncs tordus). Au-dessus, il ne reste que les montagnes et les cônes des volcans.

## Faune et flore

L'Équateur est un des pays du monde qui possèdent la plus grande diversité animale et végétale. Les îles Galápagos en sont l'emblème vivant (pour combien de temps encore ?). Cette richesse, l'Équateur la doit à sa position géographique, mais également à la géomorphologie de son territoire, qui se décompose à la louche en trois zones : la côte, la Sierra et le Bassin amazonien. Avec, bien entendu, des zones intermédiaires le plus souvent boisées (voir ci-avant « La forêt équatorienne).
La côte, d'abord. Une région de collinettes (altitude inférieure à 800 m) et de plaines alluviales, vaste territoire, tantôt sec avec une végétation de broussaille à épineux d'où émergent çà et là des anacardiacées *(guansango),* des kapokiers, de la sapote *(capparis scabrida)* ou des tamariniers. La province de Guayas, aride parce que sous influence du courant froid de Humboldt, est éminemment représentative de ce type de végétation. C'est le terrain d'une faune discrète, de petits mammifères, de reptiles et d'oiseaux (y compris ceux de mer, comme les frégates, les fous et les pélicans). Cette forêt tend malheureusement à disparaître sous la pression occasionnée par la mise en culture des bananeraies et des palmiers à huile, la mangrove étant grignotée de son côté par l'élevage intensif des crevettes. Dans les poches plus humides, la forêt se peuple de cocotiers et de palmiers, refuges d'une avifaune particulièrement riche et variée. On y croise l'urubu noir ou à tête rouge, ce vautour toujours prêt à dépecer charogne, qui affectionne les poteaux électriques.
La végétation se densifie à mesure qu'elle grimpe dans la Sierra (on trouve des arbres jusqu'à environ 3 000 m). Dans la *cloudforest,* l'air saturé d'humidité est propice au développement des orchidées, des fougères et des mousses. Les grands arbres, tels le balsa (le bois le plus léger) ou le gayac (le bois le plus lourd), sont étranglés par des lianes, et sur leurs branches se développent des épiphytes. Les mammifères s'y cachent mais sont difficiles à localiser ; citons pêle-mêle le chat sauvage, l'ocelot, le daguet rouge, l'agouti, quelques capucins à front blanc, le singe hurleur, le paresseux. Mais ce sont encore une fois les oiseaux qui attirent le plus facilement le regard. Citons le toucan barbet, le brillant-fer-de-lance (un colibri), le momot houtouc, le tangara à bec d'argent et le rare et emblématique coq-de-roche... N'oublions pas toutes les bestioles qui font zzz, rampent, grimpent ou fourmillent : on en a déjà répertorié près d'un million et on n'a pas fini de compter ! Ensuite la forêt cède la place au páramo, des prairies d'altitude balayées par les vents. C'est le territoire des rapaces, dont le fameux condor (faut pas le réveiller), lequel surveille le lièvre, le petit de la vigogne et se méfie du loup. Lamas et alpagas sont rares, et les seules vigognes que vous risquez de croiser peuplent les pentes du Chimborazo : chiliennes et boliviennes, elles ont été réintroduites dans les années 1980.
Enfin, comment clore cette parenthèse sans toucher deux mots de l'Amazonie, de ses fromagers géants, de ses ficus, hévéas et autres essences sempervirentes qui habillent la forêt dense et servent de refuge au tatou, à l'ours mellifère, au tapir, au jaguar, aux aras et à toutes les bestioles qui font un vacarme infernal et peupleront vos rêves, quand vous vous retournerez mille fois à la minute, pris dans les rais de votre hamac...

### Les Galápagos

Classés au patrimoine mondial de l'Unesco, les 30 îles et îlots volcaniques des Galápagos sont peuplés d'une faune fascinante. Qui n'a jamais vu, à la télévision, les tortues géantes, les iguanes aux allures de dinosaures et autres otaries joueuses en leur bal aquatique ? Bien, mais qui connaît les cormorans aptères (qui ne volent pas), l'albatros et le pétrel des Galápagos, le pinson des mangroves et le rare moqueur de Floreana ? L'archipel compte quelques 58 espèces d'oiseaux, dont la moitié – Darwin l'a dit – sont endémiques. Les Galápagos sont un vrai laboratoire à ciel ouvert. Arrivés dans les îles au gré d'une tempête, déportés par des vents d'altitude, les ancêtres des animaux actuels ont donné naissance à plusieurs sous-espèces adaptées aux spécificités de l'environnement local. Le cas du fameux pinson des Galápagos est emblématique : il n'en existe pas moins de 14 espèces, réparties sur les différentes îles, descendant probablement d'un unique couple de pinsons arrivés du continent sud-américain il y a 2 ou 3 millions d'années. En 2006, une étude de l'université de Princeton a montré que l'évolution pouvait être rapide : elle exposait le cas d'un pinson de l'île de San Salvador débarqué en 1982 sur l'île de Daphne. Concurrencé par ce nouvel arrivant, plus gros et plus fort, le pinson local s'est trouvé contraint de s'adapter à un type différent de graines, plus petites, et a vu son bec rapetisser en quelques années !
Spécialisées au point d'en être fragilisées, les espèces endémiques sont menacées par les plantes et animaux invasifs, apportés par l'homme au gré de sa colonisation. L'essor du tourisme, qui a quadruplé en 20 ans, a favorisé celui des villages, devenus de véritables petits centres urbains aux problèmes souvent incompatibles avec la nature fragile de l'archipel... La population résidente a, elle, sextuplé en 50 ans, pour dépasser aujourd'hui 120 000 habitants. Les vols se sont multipliés, le trafic des marchandises a explosé et les infrastructures ont colonisé une part grandissante des îles habitées. Chiens, chats et rats s'attaquent aux tortues géantes et à leurs œufs, tandis que chèvres et ânes dévastent leurs maigres pâturages. Récemment, un iguane vert a même été signalé : concurrent nouveau et potentiellement redoutable pour les iguanes natifs des îles. Les autorités du parc national luttent pied à pied pour rétablir la balance écologique, en éliminant les espèces invasives là où elles peuvent l'être. D'ailleurs, les Galápagos, un temps (2007-2010) placées sur la liste des sites en danger de l'Unesco, en ont été retirées.

## LES FRANÇAIS ET L'ÉQUATEUR

### Ainsi est né l'Équateur...

Au XVIIIe s, les yeux des Européens, entrouverts par les philosophes et les encyclopédistes, se tournent vers le vaste monde. Certains cherchent le paradis perdu. D'autres parcourent, examinent, dissèquent, rapportent spécimens, croquis et récits de voyage. D'autres, encore, vont chercher au loin les preuves de leurs théories. C'est ainsi que le futur Équateur, pays de montagnes et de volcans, va passionner au plus haut point la communauté scientifique française.
En 1736, Louis XV confie à deux équipes de scientifiques la tâche de déterminer si la théorie de Newton, selon laquelle la terre serait renflée à l'équateur et aplatie aux pôles, est exacte. L'expédition est dirigée par l'astronome Louis Godin et le géodésien et naturaliste français Charles Marie de La Condamine, accompagnés de l'astronome Pierre Bouguer, de trois cartographes et de cinq autres scientifiques, dont le botaniste Jussieu. Elle est chargée de mener une série d'expériences visant, entre autres, à mesurer la longueur d'un arc de méridien de 1 degré au niveau de l'équateur – à quelques kilomètres au nord de Quito, à San Antonio de Pichincha. Une deuxième équipe, menée par le mathématicien français Pierre-

Louis Moreau de Maupertuis, tente, elle, de vérifier l'aplatissement de la planète en Laponie. L'équipe de Quito assiste à l'éruption du Cotopaxi en juin 1744 et observe l'attraction exercée sur le fil à plomb par la masse du mont Chimborazo, qu'elle croit être le plus haut du monde. L'emplacement du méridien 0 est bien établi à quelques kilomètres au nord de Quito. C'est ainsi que l'équipe française donne son nouveau nom à l'Audience de Quito : « Terre sous l'Équateur ». Exit le Pérou, dont la région dépend encore. L'équipe lutte contre les températures glaciales des hauts sommets andins pendant 5 longues années. Finalement, La Condamine rentre par la voie des écoliers : il est le premier scientifique à descendre l'Amazone.

### BONNE PÊCHE !

*La Condamine part, en 1743, avec le savant équatorien Maldonado explorer l'Amazonie. Il découvre le caoutchouc qu'il transcrit du nom de quechua* cahuchu. *De sa descente du grand fleuve, il collecte quantité d'échantillons et d'observations qui enrichissent la connaissance scientifique dans tous les domaines. Jussieu, lui, découvre des écorces de quinquina. De celles-ci on extrait la quinine, qui sert aux traitements antipaludiques. L'expédition rapporte aussi du curare et des minerais, dont le platine, alors inconnu en Europe.*

## Humboldt et Bonpland

Sur la lancée de La Condamine, le botaniste français Aimé Bonpland arrive en 1802 à Quito, en compagnie du célèbre explorateur franco-prussien, le baron Alexander von Humboldt (1769-1859), dont il est à la fois le bras droit et le secrétaire. Les deux hommes étudient 16 volcans et gravissent le Chimborazo jusqu'à une altitude encore jamais atteinte par l'homme à cette époque (près de 5 900 m). Humboldt observe aussi les courants marins dont l'un porte son nom : le courant froid de la côte pacifique sud-américaine. Il rapporte en France un herbier contenant 5 800 espèces de plantes, dont 3 600 inconnues à l'époque ! Il s'installe à Paris de 1808 à 1827 afin de rédiger et d'éditer avec son ami Bonpland l'immense ouvrage relatant leur *Voyage aux régions équinoxiales du Nouveau Continent.* Pas moins de 30 volumes, dont 15 de botanique par Bonpland et 15 de climatologie, vulcanologie, géologie, météorologie, géomorphographie, etc., par Humboldt. L'Europe entière profite de ces découvertes qui ont un grand retentissement.

## De l'origine de l'homme américain

Au début du XXe s, la France envoie une nouvelle mission géodésique chargée de vérifier les données de La Condamine sur la latitude 0 et la constance de la longueur du mètre. Médecin de l'équipe, le savant Paul Rivet, fondateur du musée de l'Homme et anthropologue, en profite pour rester en Amérique du Sud. Ses nombreuses études sur les populations locales lui permettent de découvrir l'homogénéité du groupe sanguin des tribus de la *selva :* ils ont tous le groupe O, comme les Mongols. Cette découverte participe de sa conviction, bientôt explicitée dans *Les Origines de l'homme américain* : oui, affirme-t-il, les Indiens des Amériques sont bien originaires d'Asie.

# GÉOGRAPHIE

L'Équateur aurait pu être grand comme la France, si le Pérou ne s'était pas emparé de près de la moitié de son territoire en 1941 – en Amazonie essentiellement. Aujourd'hui, la superficie de l'Équateur n'est plus que de 283 560 km², Galápagos comprises, ce qui en fait l'un des plus petits États d'Amérique du Sud. Petit, oui, mais ô combien riche d'un point de vue géographique. L'Équateur ? C'est à la fois la haute montagne, la forêt tropicale humide et la savane presque désertique. C'est une côte où alternent mangroves et plages de sable, une montagne cocotte-minute avec une douzaine de volcans mastocs et une Amazonie toute grouillante de bestioles, qui défie régulièrement la chronique parce qu'on aimerait bien lui pomper tout son pétrole sans déranger les petits oiseaux. Ce pays est un véritable sanctuaire de la biodiversité, abritant un grand nombre d'espèces animales ou végétales endémiques.

## Les Andes

La « Petite Suisse de l'Amérique latine » doit son surnom à ses hautes montagnes aux neiges éternelles, formées par la cordillère des Andes (ou Sierra). Cette chaîne, jeune d'un point de vue géologique (5 millions d'années), résulte d'un plissement de l'écorce terrestre provoqué par la subduction de la plaque océanique de Nazca sous la plaque continentale sud-américaine – à raison d'environ 4 cm par an. Véritable colonne vertébrale de l'Équateur, les Andes, larges de 200 km en moyenne, divisent le pays en deux. Tout au long courent deux lignes de crêtes plus ou moins parallèles, entre lesquelles se dessine un bassin de remblaiement : le couloir andin. C'est sur cet axe nord-sud, entre 2 000 et 3 000 m d'altitude, que se sont développées les principales villes du pays : Ibarra, Quito, Ambato, Riobamba, Cuenca. Des villes qu'égraine ce qu'Humboldt avait nommé « l'avenue des volcans »... Corollaire de la subduction de la place de Nazca sous la plaque sud-américaine, volcanisme et séismes sont omniprésents en Équateur. Depuis que les Espagnols ont mis les pieds dans le pays, on a dénombré pas moins de sept éruptions majeures, ce qui place le pays sur la liste rouge en matière de risque. En Équateur, les plus hauts sommets sont tous des volcans : le Chimborazo (6 310 m), le beau Cotopaxi (5 897 m) au cône parfait, le Cayambe (5 790 m) et l'Antisana (5 758 m). Parmi les plus actifs, citons aussi le turbulent Tungurahua (5 023 m), qui s'est encore manifesté en août 2012, et le Sangay (5 230 m). Cette intense activité a engendré un paysage hors du commun, créant de gigantesques bassins d'effondrement (caldeira) et des lacs de cratère. Le páramo, une prairie d'altitude caractéristique de la région, couvre à lui seul près de 10 % du pays. C'est le royaume du lama et de la vigogne, du lièvre et du renard des Andes.

## La côte

La côte équatorienne est soulignée, dans l'intérieur des terres, par une petite chaîne montagneuse dont l'altitude ne dépasse guère les 800 m. De vastes plaines alluviales l'interrompent, leurs cours d'eau boueux se déversant dans le Pacifique. Copieusement arrosée de janvier à mai, la côte attire alors les surfeurs, car le *swell* du Pacifique y lève une vague régulière, puissante et de qualité. Ce n'est pas le cas en été, période « sèche » marquée par des entrées d'air marin et par la présence de la *garúa*, une brume de mer formée au contact des terres chaudes et des eaux froides traversées par le courant de Humboldt, né en Antarctique. Une bonne partie du littoral est couverte de mangrove – « était », devrions-nous dire, plutôt, tant les élevages de crevettes l'ont endommagée. Pour le reste, de longues plages de sable alternent avec des falaises dans les régions où la Sierra vient mourir au bord de l'océan. L'arrière-pays, lui, est constitué de forêts tropicales (au nord) et de savanes au centre et au sud-ouest. Les franges péninsulaires occidentale et méridionale, en revanche, sont couvertes d'une forêt sèche à épineux dont les caractéristiques sont semi-désertiques. L'industrie agro-alimentaire est bien implantée ici, qui exploite le riz, la banane, le cacao, le soja, la canne à sucre et le café (plus en altitude). Les principales villes portuaires sont Guayaquil, Manta,

Esmeraldas et Puerto Bolívar. On trouve sur la côte plusieurs parcs nationaux, comme le parc national Machalilla, dans les environs de Puerto López, ou encore le parc de la mangrove de Churute, au sud de Guayaquil.

### L'Oriente

Coincée entre la Colombie au nord et le Pérou au sud, l'Amazonie équatorienne vient mourir, à l'ouest, sur une zone de piémont adossée à la cordillère des Andes. Étendu sur environ 120 000 km² (soit à peine 2 % du grand Bassin amazonien), ce territoire est traversé par de grands fleuves comme le Pastaza et le río Napo (un affluent de l'Amazone, long de 1 075 km), longtemps restés les seules voies d'accès à la région. De nouvelles routes permettent désormais de pénétrer profondément la forêt, en particulier vers Coca et Lago Agrio, terre d'élection des compagnies pétrolières...
Un coup de projecteur médiatique a été donné récemment sur une région, le Yasuní, un bout de forêt d'une dizaine de milliers de kilomètres carrés situé à environ 250 km à l'est de Quito, entre le río Napo et le río Curaray. Ce *hot spot* de la biodiversité, épinglé réserve de la biosphère par l'Unesco en 1989, semble devoir sa grande richesse à une longue période de stabilité écologique depuis la dernière extinction des espèces, il y a 65 millions d'années (vous savez, celle qui mit fin au règne incontesté des dinosaures...). Le Yasuní est aujourd'hui menacé par l'exploitation du pétrole. Qu'en adviendra-t-il exactement, dans cette Amazonie équatorienne qui cède à l'homme environ 187 000 ha par an ?

### Les Galápagos

Flottant à près de 1 000 km des côtes équatoriennes, l'archipel, volcanique, a surgi des eaux il y a environ 5 millions d'années. Il est situé au-dessus d'un point chaud – une fissure perçant la croûte océanique par laquelle remonte la lave. Si celle-ci est stationnaire, le fond de l'océan et l'archipel dérivent, eux, en direction de l'Amérique du Sud avec la plaque de Nazca, à une vitesse moyenne de 4 cm par an. C'est ainsi que, à chaque poussée plus forte du magma, est apparue une île volcanique. Certains sommets, sous-marins, n'ont jamais émergé.
Formant une barrière naturelle, l'archipel favorise la remontée d'eaux profondes froides, riches en matériaux organiques. C'est pourquoi le plancton prolifère, attirant à son tour poissons, mammifères marins et oiseaux. Les Galápagos bénéficient parallèlement de leur situation à la confluence des courants océaniques panaméen, péruvien et sud-équatorien. Ces phénomènes ont permis l'émergence d'une vie animale et végétale unique au monde (voir à ce propos nos informations dans le chapitre « Environnement – Les Galápagos », plus haut).
Constitué d'une petite vingtaine d'îles (dont quatre habitées) et d'une quarantaine d'îlots, l'archipel a été rattaché à l'Équateur 2 ans à peine après que le pays s'est déclaré indépendant en 1830. Charles Darwin y débarqua en 1835 en tant que géologue, mais collecta de nombreux spécimens d'oiseaux. C'est leur étude, de retour en Angleterre, qui le conduisit, 3 ans plus tard, à formuler sa célèbre *Théorie de l'évolution des espèces,* finalement publiée en 1859 et objet, alors, de maintes polémiques.

## HISTOIRE

### Aux origines

Comme dans le reste du continent américain, on pense que les premiers habitants descendent de peuplades qui migrèrent de Sibérie vers l'Alaska par le détroit de Béring voilà quelque 30 000 à 40 000 ans. Tout le monde a entendu parler de la fabuleuse histoire des Incas à l'école, mais peu savent que l'Équateur a derrière lui une bien plus longue histoire. Les archéologues ont trouvé à El Inga, près de Quito, des pointes, des flèches et des outils en pierre datant d'à peu près 9 000 ans. À cette même période, des chasseurs-cueilleurs appartenant à la culture de Las Vegas occupaient le littoral de la péninsule de Santa Elena (sud-ouest du pays) ; quelques traces laissent supposer qu'ils initièrent certaines formes d'agriculture. Celle-ci s'établit plus fermement il y a environ 8 000 ans.

La première tribu sur laquelle nous avons des informations plus précises est appelée *Valdivia.* Ce peuple, qui s'est développé sur la côte centrale il y a environ 5 500 ans, à la suite des Las Vegas, est réputé pour sa poterie : vous aurez l'occasion de voir leurs figurines en argile (baptisées « Vénus ») aux bras courts au *Museo de las Culturas aborigenas* de Cuenca, ainsi qu'au *Museo Nacional Ministerio de Cultura* de Quito. Les Valdivia ont aussi laissé de superbes objets en pierre polie. Il semble qu'ils naviguaient à bord de radeaux à voiles et avaient tissé des liens commerciaux avec les Andes et l'Amazonie.

Vers 3500-3300 av. J.-C. apparaissent sur la côte les cultures *machalilla* et *chorrera.* Agriculteurs, les Machalillas semblent être les premiers à avoir cultivé le maïs dans la région. Leurs cimetières, étonnants, ont révélé des crânes déformés (probablement pour raison esthétique) et des corps inhumés sous une sorte de carapace de tortue en céramique. S'imposant plus largement sur le territoire équatorien, jusqu'au sud de l'actuelle Colombie, les Chorreras ont laissé des poteries intéressantes, zoomorphes, phytomorphes et anthropomorphes – parmi elles, des drôles de cruches siffleuses, qui reproduisent le son d'un animal quand on les remplit ! Ils semblent aussi avoir initié le tissage et la métallurgie du cuivre et de l'or.

### LA GROSSE TÊTE DES CHORRERAS...

*Les statuettes de la culture chorrera ont une particularité assez étonnante : toutes les personnes figurées (hommes, femmes ou enfants) ont le crâne déformé. Il semblerait que – pour une raison encore inexpliquée – la tête des bébés était enfermée dans une sorte de casque en bois qui avait pour effet d'allonger le crâne et de l'élargir vers le haut. Est-ce purement esthétique, comme chez les Mayas ?*

## La valse des civilisations

La phase suivante, dite du « développement régional », correspond à la spécialisation des cultures en fonction de leur localisation. Les traces des cultures les plus intéressantes se situent alors dans la Sierra, avec les *Narrios* (- 1500 à 500) et les *Tuncahuanes.* Sur la côte nord, nous trouvons à cette époque les *Tolitas.* Les archéologues ont mis au jour de somptueux bijoux en or et en argent, et découvert qu'ils ont été les premiers à fondre et à utiliser le platine (plusieurs siècles avant nous !). Ne ratez pas le magnifique et emblématique « Soleil d'Or » à la chevelure batailleuse, en or repoussé, conservé au *Museo Nacional Ministerio de Cultura* de Quito. Mentionnons aussi les *Bahías* (- 500 à 500 environ), dont les céramistes ont laissé, entre autres, de grandes (80 cm) statuettes anthropomorphes supposées représenter des prêtres ou chamans.

Après l'an 500, nous trouvons les *Manteños* et les *Huancavilcas,* dont les traces se mêlent : établis dans les provinces de Manabí et de Guayas, ils sont pêcheurs (de *spondyles*, entre autres), mais aussi navigateurs. Ils ont établi un réseau commercial maritime qui semble s'être étendu jusqu'au nord du Chili et serait remonté jusqu'au Panama, voire jusqu'au Mexique. Plus au nord, les *Jama-Coaques* ont produit une céramique riche et fine, parfois décrite comme « baroque », laissant voir les détails des tenues vestimentaires et ornements – bijoux, boucles d'oreilles, plumiers, pectoraux en or, casques et autres ornements nasaux. Masques chimériques, représentations de musiciens et danseurs, prêtres et sorciers, maquettes de temples (croit-on), laissent imaginer des rites nombreux et complexe.

## Les Incas

La légende affirme que le dieu Viracocha surgit des eaux du lac Titicaca, perché à 3 800 m d'altitude entre Pérou et Bolivie, pour créer la Lune *(qilla)*, le Soleil *(inti)* et les étoiles *(wara)*. Descendant d'Inti, une tribu émergée de grottes mystérieuses, il part en quête d'un royaume, sous la conduite de Manco Capác, grand prêtre du dieu Soleil. Enfin, son bâton d'or s'enfonce en terre, comme l'annonçait la prophétie : c'est ici qu'est fondée Cuzco, le « nombril du monde », future capitale de l'Empire inca. La légende rejoint la réalité : nous sommes en 1200.

Les Incas sont-ils vraiment originaires des rives du Titicaca ? Certaines hypothèses en font plutôt une tribu des hautes plaines de l'Amazone, qui serait remontée vers les Andes. Quoi qu'il en soit, deux siècles durant, ils se cantonnent dans cette vallée de Cuzco, s'imposant peu à peu aux peuples voisins. Le premier Inca historique (le 9e de la mythologie), Pachacútec (1438-1471), jette les bases d'une politique expansionniste fulgurante en écrasant Chimus au nord et Nazcas au sud. Tupac Yupanqui (1471-1493), le 10e Inca, étend l'empire vers le nord : les Cañaris sont soumis, ouvrant la voie à l'annexion d'une partie de l'actuel Équateur. L'État est renforcé et un grand réseau routier construit pour favoriser la communication d'un bout à l'autre du Tahuantinsuyu (l'Empire). Succédant à son père, Huayna Capác (1493-1527) continue de batailler pour s'imposer en Équateur. Finalement, le nord du territoire est soumis à son tour. L'Inca épouse une princesse du royaume de Quito, qui donnera naissance à Atahualpa. En 1515, une dernière grande bataille contre les Karankis et les Kayambis achève d'unifier le territoire. Les victimes sont si nombreuses (20 000) que les cadavres des guerriers jetés dans un lac ont donné à celui-ci le nom de « lac de sang », Yawar Cocha.

Au moment du premier débarquement des Espagnols, en 1527, l'Empire inca couvre toute la bande allant du Pacifique à la cordillère des Andes (versant est inclus), depuis le sud de la Colombie jusqu'au milieu du Chili – soit 4 000 km du nord au sud ! À cette époque règne encore Huayna Capác. Mais l'Inca meurt, probablement terrassé par la petite vérole, apportée par les conquistadores et qui se propage très rapidement... Deux de ses fils, Atahualpa et Huascar, basés respectivement à Quito et Cuzco, s'opposent pour le contrôle de l'empire. Sa scission, favorisée par les différents clans, débouche sur une guerre civile sanglante, voulue par les généraux quiteños. Elle s'achève par la chute de Cuzco et la victoire d'Atahualpa. Celui-ci n'aura pourtant guère le temps d'en profiter : il est fait prisonnier par Pizarro à Cajamarca, dans un guet-apens pas très fair-play, alors qu'il se rend à Cuzco pour être sacré Inca ! On connaît la suite : Pizarro exige une rançon astronomique pour le libérer et le fait néanmoins exécuter. Atahualpa ayant lui-même fait tuer son demi-frère Huascar encore embastillé, aucun successeur n'est plus en mesure de reprendre le flambeau...

### *La société inca*

La domination inca de l'Équateur n'a pas duré plus d'un demi-siècle, de 1480 à 1532 ! On comprendra donc que les vestiges de cette période soient relativement peu nombreux et nettement moins impressionnants que ceux du Pérou voisin. Reste que, s'ils ne furent pas très créatifs en terme artistique, les Incas restent associés à quelques grandes évolutions, en particulier dans les domaines de l'administration et de l'architecture. C'est bien à eux que l'on doit les ouvrages colossaux réalisés à partir de pierres impressionnantes et si bien ajustées qu'on ne peut glisser la lame d'un couteau entre deux blocs !

La société inca était très fortement hiérarchisée. À sa tête régnaient l'Inca suprême *(Sapa Inca)*, les prêtres, les chefs militaires et ceux qui géraient le pays, tous issus des clans dirigeants – une sorte de noblesse. Au quotidien, la population était organisée en *ayllús*, des groupes qui se partageaient les tâches de manière communautaire – et dont les spécialisations géographiques permettaient d'assurer toutes les productions nécessaires à la bonne marche de l'empire. Ainsi, tel *ayllú* de la Sierra produisait plutôt de la laine, tel autre en plaine des légumes, un autre encore, sur la côte, sel et poisson. Cette gestion communautaire, efficace, permettait de dégager une importante main-d'œuvre pour l'omniprésente *mita*, les corvées, auxquelles étaient soumis tous les hommes de 15 à 50 ans : culture des champs de l'État (pour nourrir nobles et clergé), construction des routes, des palais, des temples, etc.

Pour rendre viable un tel système, il fallait surveiller étroitement la population et éviter que se manifeste toute velléité de liberté individuelle. Toute migration était interdite, ou plutôt soumise au bon vouloir de l'État, suivant les nécessités. Ce contrôle permettait de sécuriser les approvisionnements et d'établir une juste répartition de toutes les productions. Et pour mieux prévoir, la population était recensée et les stocks dûment comptabilisés (à l'aide du fameux *quipu*). Les Incas ont aussi souvent recouru aux déplacements massifs de populations pour briser d'éventuelles rébellions et assurer l'intégration du territoire. Ils ont par ailleurs imposé une langue unique, le quechua, et établi un réseau de communications des plus efficace. Sur les routes pavées, franchissant sommets et ravins au gré de ponts de cordes suspendus, un système de relais-auberges *(tambos)* permettait aux messagers de transmettre rapidement les communications, en se relayant toutes les demi-lieues. Ces postes permettaient aussi de surveiller la région et d'enrichir les caisses de l'État, car à chaque passage un droit était prélevé. Cette maîtrise du milieu montagnard aida d'ailleurs les Incas à s'imposer aux tribus de la plaine et de la côte en exerçant aussi sur elles un chantage à l'irrigation ! Reste que, s'ils ont pu se montrer brutaux dans leurs conquêtes et tyranniques dans leur organisation, les Incas n'en ont pas moins su assimiler les apports des cultures vaincues, composant peu à peu une sorte de synthèse des savoirs précolombiens.

## L'Équateur, colonie espagnole

Maire de la jeune Panama City, Pizarro mène deux expéditions en Amérique du Sud en 1524 et en 1526 – deux échecs. En avril 1528, il parvient au nord du Pérou et trouve une civilisation riche et prospère : le voilà convaincu d'avoir localisé un nouvel eldorado. Le roi Charles Ier lui donne toute autorité sur les terres à découvrir. En juillet 1532, il fonde une première cité au nord du Pérou : San Miguel de Piura. Quatre mois plus tard, Atahualpa est fait prisonnier à Cajamarca dans un acte audacieux, alors que 80 000 de ses hommes aguerris campent sur les collines alentour. Il sera mis à mort l'été suivant. Cuzco tombe et un empereur fantoche, Manco Capâc, est porté sur le trône par les Espagnols. Il se rebelle bientôt et tente de reprendre possession de son royaume avec l'aide de 200 000 hommes. Cuzco subit un siège de 10 mois, mais résiste. Et, bientôt, de chasseur, Manco Capac devient gibier. Il se retire dans une zone isolée du piémont oriental des Andes, où il fonde une nouvelle capitale, Vilcabamba. Le dernier empereur inca, Tupac Amaru, en est finalement délogé par les Espagnols en 1572.

En Équateur, en 1533, un lieutenant de Pizarro, Benalcazar, défait les troupes du général inca Rumiñahui avec l'aide des Cañaris, de 140 Espagnols et de quelques chevaux. Appliquant la politique de la terre brûlée, Rumiñahui détruit Quito, dans laquelle les Espagnols entrent sans combattre. Une nouvelle cité est refondée. Guayaquil voit le jour la même année.

Plus rien ne s'oppose, désormais, au règne total des Espagnols. L'Équateur fait partie intégrante du vice-royaume du Pérou, mais se voit concéder sa propre *audiencia* en 1563. Le début de la période coloniale est prospère et l'agriculture se développe à travers le système des *encomiendas* – de vastes concessions (haciendas) avec lesquelles les propriétaires reçoivent un droit de servage sur la population résidente. S'ils sont théoriquement tenus d'éduquer et de faire baptiser les Indiens placés sous leur tutelle, dans la pratique, ceux-ci sont réduits en esclavage. Ils meurent à la tâche par centaines de milliers, et l'Église n'y trouve rien à redire. Vers 1600, on compte déjà quelque 500 *encomiendas* en Équateur. Sur la côte, Guayaquil s'affirme comme un port majeur malgré des épidémies récurrentes de fièvre jaune et l'assaut des moustiques porteurs de la malaria. Les métaux précieux rapidement épuisés, l'Espagne encourage la production textile mais celle-ci, à son tour, entre en déclin. L'Équateur traverse le XVIIIe s dans un état d'épuisement et de pauvreté grandissante. Les élites créoles, lassées de la mainmise des *peninsulares* (métropolitains) sur la politique locale, réinstituée par la Couronne espagnole, se rebellent.

## Et Bolívar vint...

Au début du XVIIIe s, l'écho des victoires de la Révolution française, puis celui de l'invasion de l'Espagne par Napoléon, franchit les frontières et parvient rapidement jusqu'à Quito. Ces nouvelles et l'avènement de nouveaux courants de pensée venant de France et des États-Unis incitent les membres de l'oligarchie créole, menés par Juan Pío Montúfar, marquis de Selva Alegre, à prendre par la force la ville de Quito en 1809. Le siège ne dure que 24 jours et la tentative de libération est un échec cinglant, mais la voie vers l'indépendance est tracée.

### L'OMBRE DES LUMIÈRES

*L'influence des encyclopédistes et des théoriciens de la Révolution française en Amérique latine est bien connue. Ce qui l'est moins, c'est que le précepteur du petit Simón (Bolívar), el señor Rodriguez, était un disciple forcené de Rousseau, et qu'il initia son entourage aux idées philosophiques. Quant à l'hymne national, il fut écrit par Juan León Mera, admirateur de Chateaubriand, et mis en musique par le compositeur d'origine corse Antonio Neumane.*

C'est le Vénézuélien Simón Bolívar, converti aux « idées nouvelles » lors de son séjour en France vers 1805, et l'Argentin José de San Martín qui vont mener à bien l'émancipation des colonies américaines de l'Espagne. Il leur faudra 15 longues années de combats, depuis la consécration de la première indépendance, en Nouvelle-Grenade (Colombie), en 1811, jusqu'à l'obtention de celle de la Bolivie, en 1825. La ville de Guayaquil se déclare indépendante en 1820, mais ce n'est cependant qu'en 1822 que le général Sucre, envoyé par Bolívar avec des renforts, inflige une défaite salée aux derniers royalistes à Pichincha, juste au-dessus de Quito.

L'idée initiale de Bolívar est de créer une confédération sous le nom de « Gran Colombia », à l'image des États-Unis d'Amérique. Elle doit inclure le Venezuela, l'Équateur, le Pérou, la Bolivie et la Colombie. Le projet bolivarien voit le jour en 1823, mais les intérêts des nouvelles nations indépendantes sont trop divergents. Le Pérou refuse d'adhérer au projet et envahit même un temps l'Équateur. La confédération explose. Le 10 août 1830, l'« Audiencia de Quito » prend le nom définitif d'*Ecuador* lors de la déclaration de la Constitution de la République. La nouvelle nation met cependant du temps à s'unifier. Les élites de la côte, commerçants et libéraux, s'opposent à celles de la Sierra, grands propriétaires terriens plus conservateurs. Le pays se divise ainsi en 1834, puis en 1859, les dirigeants de Guayaquil offrant alors même leur région au Pérou ! Il faut attendre le développement des voies ferrées (fin XIXe s et première moitié du XXe) pour que, les communications aidant, le pays s'unifie vraiment.

## Entre conservateurs et libéraux

Des rues, des paroisses portent son nom. Héros pour les uns, affreux réactionnaire pour les autres, Gabriel García Moreno est de ceux qui ne laissent pas indifférent.

Émergeant des affres politiques de la crise de 1859, ce monarchiste convaincu accède à la présidence en janvier 1861. Il va mener le pays d'une main de fer pendant 15 ans. Chrétien fervent, il dédie officiellement l'Équateur au Christ-Roi ! Seuls les catholiques ont désormais droit de vote et de candidature aux élections ! À contrario, il combat avec acharnement la corruption, encourage l'éducation, ferme les maisons de passe, ouvre des hôpitaux, abolit l'esclavage (mais compense les propriétaires...), envoie ses officiers se former en Prusse, promeut le chemin de fer et le réseau routier... en faisant appel à une sorte de travail forcé, inspiré de la *mita* inca (à raison de 4 jours par an) ! Peu après avoir été réélu pour la troisième fois, il est assassiné au sortir de la cathédrale de Quito. Ses derniers mots, célèbres, sont restés dans toutes les mémoires : « *Dios no muere...* »
Les libéraux sont enfin portés au pouvoir par la révolution de 1895. Figure de proue de cette période, Eloy Alfaro entérine la séparation de l'Église et de l'État, promeut l'éducation publique, garantit la liberté de parole et de culte, le mariage civil et le divorce. Seul point commun avec García Moreno, il reprend à son compte le développement du chemin de fer ! Déposé en 1911, il tente de reprendre le pouvoir à la faveur de coups d'État et finit embastillé. Ses opposants vont alors jusqu'à l'extirper de derrière les barreaux pour l'achever physiquement.
Entre 1925 et 1962, une trentaine de présidents se succèdent ! De droite ou de gauche, civils ou militaires, ils sont régulièrement renversés ou contraints de démissionner. De cette succession de dirigeants se détache le populiste Jose María Velasco Ibarra, qui gouverne le pays à cinq reprises entre 1934 et 1972, parfois comme président constitutionnel, parfois comme dictateur. Il est lui-même renversé à quatre reprises, mais revient à chaque fois, porté par ses talents d'orateur. On lui attribue cette phrase : « Donnez-moi un balcon et je serai président ! »

## Vers la démocratie, peut-être...

En juillet 1941, l'Équateur et le Pérou, en conflit ouvert depuis un siècle pour le tracé de leur frontière amazonienne, se lancent dans une guerre éclair. Avant la fin du mois, l'Équateur est défait et contraint d'accepter un nouveau partage. Sous la pression des États-Unis, Lima et Quito signent le protocole de Rio en 1942 : l'Équateur cède près de la moitié de son territoire, essentiellement de la forêt, et surtout son accès à l'Amazone. En 1947, suite à la découverte d'un affluent de l'Amazone jusqu'alors inconnu, le Cenepa, dans une zone cédée au Pérou, Quito déclarera le protocole « inapplicable » sur au moins 80 km de long. La zone réclamée, en plus de donner un accès à l'Amazone, est réputée contenir des gisements d'or, de pétrole, voire d'uranium (en fait quasi inexistants...).
En 1964, une timide réforme agraire voit le jour. Durant toute la décennie qui suit, militaires et politiciens s'affrontent, s'occupant plus de tirer la couverture à eux que de gouverner le pays : coups d'État, purges, abandon de pouvoir... Les tentatives de démocratisation, souvent suivies de réformes économiques mal gérées et d'une flambée de l'inflation, ramènent très régulièrement l'armée au pouvoir, notamment pendant la violente dictature de 1972 à 1978. Malgré cela, grâce au boom pétrolier des années 1970, le pays continue à vivre, plutôt pas mal d'ailleurs par rapport au Pérou qui s'enlise dans un marasme économique chronique. Le lourd héritage de cette période n'apparaît que plus tard : l'Équateur s'est endetté fortement, comptant sur le pétrole pour rembourser plus tard.
Une Constitution démocratique est approuvée en 1978. Les premières réelles élections libres ont lieu l'année suivante. Dans ce nouveau cadre, les communautés indigènes peuvent enfin commencer à revendiquer haut et fort leurs particularismes culturels et le respect de leurs intérêts matériels.

## La pression des *Indigenas*

En 1990, sous l'égide de la *Conaie (Confederación de Nacionalidades Indigenas del Ecuador),* toutes les tribus se mobilisent et paralysent l'activité économique

et commerciale du pays pendant 4 jours. Les répressions et intimidations de la police et de l'armée font plusieurs victimes, dont des enfants. Malgré cela, l'État est contraint de commencer à prendre en compte les revendications des Indiens, qui représentent plus de 40 % de la population du pays. Les *indigenas,* comme on les appelle, réclament une partie des terres accaparées par la colonisation et un accès à l'eau, potable et pour l'irrigation. Ils exigent en outre une réforme constitutionnelle, qui ferait de l'Équateur un État plurinational, où les langues minoritaires seraient reconnues et enseignées dans les écoles publiques. En 1995, la Conaie lance un mouvement politique qui prend vite de l'ampleur : *Pachakutik-Nouveau Pays.* Il obtient 18 % des voix à l'élection présidentielle de 1996 et voit ses premiers députés entrer au Parlement. Quatre ministres du *Pachakutik* intègrent le gouvernement du conservateur Lucio Gutiérrez en 2003, mais le quittent rapidement. Largement battu aux présidentielles de 2006, le mouvement se range derrière Rafael Correa en 2009 – mais s'éloigne de lui dès l'année suivante...
La force du mouvement indien est de ne pas se contenter de revendications communautaristes, mais de prendre à bras-le-corps l'ensemble des problèmes sociaux des populations pauvres. Alphabétisation, prix des produits de première nécessité (le gaz, notamment), dette extérieure et rapports de dépendance de l'Équateur vis-à-vis des pays riches sont autant de thèmes de mobilisation. « *Nada solo para los indios* » (« Rien seulement pour les Indiens ») est devenu leur mot d'ordre. Les mobilisations sont ainsi généralement soutenues par les mouvements sociaux urbains et métis.

## Fin des années 1990 : un pays en crise

Début 1995, une nouvelle série de conflits armés avec le Pérou remet le tracé de la frontière amazonienne à l'ordre du jour. Pour payer les frais d'une guerre rapide mais onéreuse, le gouvernement impose à tous les Équatoriens possédant une voiture d'acheter une vignette à un prix exorbitant et à tous les salariés du pays de verser une journée de paie à l'État pour contribution ! Le 26 octobre 1998, un accord de paix mettra finalement fin à un siècle et demi de désaccords. L'Équateur renonce à la zone convoitée contre un accès facilité à l'Amazone et des promesses de coopération économique.
En février 1997, le pays est en pleine confusion politique. Le chef de l'État, Abdalá Bucaram Ortiz, qui a fait campagne habillé en costume de Batman et imposé une réforme très impopulaire obligeant bars et discothèques à fermer à 1h et 2h du matin (...), est destitué pour « incapacité mentale ». La vice-présidente s'autoproclame chef de l'État tandis qu'un troisième larron est désigné pour assurer la présidence provisoire. L'Équateur se retrouve ainsi avec trois chefs d'État durant une nuit !
En juillet 1998, un autre Équatorien d'origine libanaise, l'avocat démocrate-chrétien Jamil Mahuad, remporte l'élection présidentielle. Tout démarre sous de bons auspices, lorsqu'il signe l'accord de paix avec le président péruvien Fujimori en 1998. Mais la chute des prix du pétrole entraîne vite le pays dans une grave crise bancaire et financière. Et les dieux du ciel, pas en reste, s'en mêlent... *El Niño* détruit routes et voies de chemin de fer ; certaines sont entièrement à reconstruire. Fin 1999-début 2000, l'Équateur touche le fond. L'inflation est galopante. En 1 an, le dollar est passé de 8 000 à 25 000 sucres ! Les autorités tentent de promouvoir l'adoption du dollar comme nouvelle monnaie et gèlent les avoirs bancaires pour 7 ans. Elles rencontrent une forte opposition, en particulier de la Conaie, qui lance une grande grève générale, dresse des barrages routiers, envahit le Congrès et exige le départ du président Mahuad. L'état d'urgence est instauré.
Dans la nuit du 21 janvier, un triumvirat composé d'Antonio Vargas (dirigeant de la Conaie), de Carlos Solorzano (ancien chef de la Cour suprême) et du général Mendoza (chef d'état-major de l'armée) prend le pouvoir. Le président Mahuad s'enfuit, la foule investit la place de l'Indépendance, les soldats fraternisent avec

les manifestants. Mais les pays voisins s'opposent au coup d'État, les États-Unis tonnent, et Mendoza se retire de la junte, affirmant qu'il ne l'avait rejointe que pour éviter un bain de sang. Le samedi, constatant un vide du pouvoir, le Congrès élit Gustavo Noboa (ancien vice-président) à la présidence de la République. Il se hâte d'affirmer qu'il maintiendra le projet de dollarisation... Antonio Vargas hurle à la trahison. Démoralisés, les membres de la Conaie quittent la capitale avec la sensation d'avoir été dupés... mais désormais conscients de leur force. En mars 2001, le dollar devient monnaie nationale. La Conaie ne cesse pas pour autant ses mobilisations. Un nouveau mouvement empêche ainsi en janvier 2001 l'augmentation du prix du gaz, mais cette fois encore plusieurs manifestants sont tués par l'armée.

## L'Équateur des années 2000

Alors, la dollarisation, bonne ou mauvaise mesure ? Si le taux d'inflation baisse considérablement (96 % en 2002, 2 % en 2004), le pouvoir d'achat de la population en prend un bon coup dans le nez et devient l'un des plus bas d'Amérique du Sud. Lucio Gutiérrez, colonel à la retraite, emprisonné pour avoir participé à un coup d'État en 2000, arrive légalement au pouvoir à l'issue de l'élection présidentielle du 24 novembre 2002. Allié au mouvement indigéniste *Pachakutik-Nouveau Pays,* il promet de lutter contre la corruption des classes politiques et bancaires, de mener une politique sociale radicale et de résister aux pressions du FMI et des États-Unis. Il convainc les populations défavorisées et les Indiens de souche... avant de virer de bord à 180° et de renoncer à tous ses engagements pour mener une politique néolibérale classique, gelant les salaires et tentant de réduire le nombre de fonctionnaires... Ses quatre ministres issus du *Pachakutik* démissionnent au bout de 6 mois. Abandonné même par ses proches, confronté à un fort mécontentement social et à de multiples mobilisations fin 2003 et début 2004, Gutiérrez est finalement destitué par le Parlement en avril 2005 après qu'il a essayé de réformer la Cour suprême.
Dès la fin 2005, le successeur de Gutiérrez à la présidence, un chirurgien originaire de Guayaquil nommé Alfredo Palacio, doit faire face à la fronde des habitants de l'Est amazonien qui réclament une part des bénéfices du pétrole extrait de leur sous-sol. L'état d'urgence est décrété. Suite aux négociations, les Indiens obtiennent des compagnies étrangères le versement d'une part de l'impôt sur les bénéfices, ainsi que la construction d'une route pour désenclaver la région.
Lors des élections législatives et présidentielles d'octobre et novembre 2006, les Équatoriens élisent au second tour Rafael Correa, un proche de Hugo Chávez. Ancien missionnaire et économiste, il promet une nouvelle Constitution, qui signera la fin de l'ère néolibérale et « l'avènement du socialisme du XXIe s », et se pose en défenseur des petits contre les grands. Au programme : assainissement du système politique et économique, augmentation des investissements publics, meilleure redistribution sociale, renforcement de la souveraineté nationale et du contrôle de l'État sur l'industrie pétrolière, restructuration de la dette publique, fin de la soumission aux États-Unis et aux institutions financières internationales et coopération accrue avec les autres pays d'Amérique du Sud. Rien de vraiment nouveau dans les mots... mais dans les actes, oui ! Dès 2007, le ton change : il refuse d'intégrer la zone de libre-échange des Amériques et de renouveler l'accord qui autorise l'armée américaine à avoir une base à Manta. Il se rapproche d'autres pays d'Amérique du Sud et participe à la fondation, avec l'Argentine et le Venezuela, de la Banque du Sud, destinée à mettre fin à la mainmise des institutions financières internationales sur les pays du Sud. Une chose est sûre : le président fait grincer des dents les puissants, qu'il n'hésite pas à provoquer verbalement, quitte à se mettre à dos la classe dirigeante équatorienne...

## La « Revolución Ciudadana »

La nouvelle Constitution, qui reprend dans les grandes lignes les promesses faites par Correa lors de son élection, est adoptée à 64 % par référendum à

l'automne 2008, malgré l'opposition de la droite et de l'Église. Jugée trop « présidentialiste » par ses détracteurs, elle réduit les pouvoirs de l'armée et du Congrès, et autorise le président à briguer un second mandat et à dissoudre l'Assemblée, pour peu qu'il remette en jeu son mandat dans le même temps. Dans la foulée de l'adoption de la Constitution (la 20e depuis 1830), Rafael Correa est réélu à la présidence au premier tour. Investissements dans les infrastructures, coups d'éclat dans les domaines économiques et diplomatiques (lire plus haut « Économie »), il poursuit sa politique de « Revolución Ciudadana » (« révolution citoyenne »), estimant qu'il faudra 80 ans à son pays pour changer réellement. Les réformes économiques succèdent aux réformes sociales, comme cette campagne martelant que « le machisme est une violence ».
Cette marche forcée vers le « changement » est égrenée de tensions, comme celles autour de l'adoption d'une loi sur la communication en 2010, un encadrement de la liberté d'expression jugé liberticide par l'opposition – et par bon nombre d'observateurs internationaux. Oui, le pays est encore instable et, le 30 septembre 2010, une manifestation de policiers protestant contre une loi réduisant leurs primes d'ancienneté manque de tourner à la mutinerie et au coup de force. Après une journée de chaos rythmée par des affrontements (10 morts), des pillages, l'occupation de l'aéroport et de l'Assemblée nationale, la séquestration du président quelques heures durant dans un hôpital de Quito... tout rentre finalement dans l'ordre, Rafael Correa pouvant compter sur le soutien de l'armée et de la population. La loi en question est promulguée, les policiers reprennent le travail, et Correa sort de la crise renforcé, cumulant 75 % d'opinions favorables. Drôle de journée... Revenant sur les faits à posteriori, le président équatorien a confirmé la tentative de coup d'État et accusé l'ex-président Lucio Gutiérrez, proche des ultralibéraux américains, d'en être responsable.
Les conflits avec les États-Unis, eux, ne se sont pas arrangés. Bien au contraire. Après l'expulsion de deux diplomates en 2009, puis de l'ambassadrice américaine en avril 2011, l'ambassade d'Équateur à Londres a donné refuge, le 19 juin 2012, au très controversé fondateur de Wikileaks, Julian Assange – sous la menace d'une extradition en Suède, où il est accusé de viol. Arguant du risque d'une déportation ultérieure aux États-Unis, où il pourrait être jugé par un tribunal militaire, le gouvernement équatorien lui a accordé l'asile politique le 16 août.

## Repères historiques après la Conquista

– ***1531 :*** Pizarro débarque à Tumbes, avec 180 hommes et 27 chevaux.
– ***1533 :*** exécution d'Atahualpa. Quito résiste sous le commandement de Rumiñahui, qui est finalement vaincu par Benalcázar allié aux Indiens cañaris. Il brûle la ville pour ne laisser que des ruines aux Espagnols. Pizarro occupe Cuzco, capitale de « Nouvelle-Castille ».
– ***1534 :*** fondation de Santiago de Quito (Riobamba) par Benalcázar. Fondation de San Francisco de Quito (l'actuelle Quito) par Benalcázar.
– ***1535 :*** Pizarro fonde Lima dont il fait sa capitale. Découverte des îles Galápagos.
– ***1537 :*** refondation de Guayaquil.
– ***1541 :*** départ d'une expédition vers l'Oriente menée par Gonzalo Pizarro, le frère. Son premier lieutenant, Francisco de Orellana, découvre le fleuve Amazone qu'il descend jusqu'à l'Atlantique. Assassinat de Francisco Pizarro par un fils d'Almagro. Gonzalo Pizarro se rend à Lima où il se proclame gouverneur. Guerre avec les partisans du gouverneur nommé par la Couronne.
– ***1548 :*** le roi d'Espagne envoie un pacificateur, Don Pedro la Gasca, et des troupes. Gonzalo Pizarro est arrêté et décapité.
– ***1550 :*** les Espagnols s'installent et avec eux l'Administration coloniale.
– ***1557 :*** fondation de Cuenca.
– ***1563 :*** Philippe II crée l'Audience royale de Quito.

## De la lutte pour l'indépendance à nos jours

– ***1592 :*** révolte des Indiens menée par Bellido. Le 28 décembre : mort de Bellido.
– ***1717 :*** rattachement de Quito à la Nouvelle-Grenade.
– ***1780 :*** massacre des populations espagnoles par les Indiens à Guamote.
– ***1782 :*** naissance de Simón Bolívar à Caracas (Venezuela).
– ***1809 :*** première proclamation d'indépendance de l'Audience de Quito.
– ***1822 :*** le 24 mai, bataille de Pichincha, remportée par le général Sucre sur les Espagnols. Le 25 juillet : entrevue Bolívar-San Martín à Guayaquil. Entrée de l'Équateur dans la confédération de la Grande-Colombie.
– ***1829 :*** l'Équateur quitte la Grande-Colombie.
– ***1830 :*** en mai, Simón Bolívar abandonne le pouvoir. Le 10 août, l'Équateur se proclame République libre et indépendante. Le 17 décembre, mort de Simón Bolívar. Arrivée au pouvoir du conservateur Flores.
– ***1832 :*** les Galápagos deviennent une province équatorienne.
– ***1835-1839 :*** le libéral Vincente Rocafuerte est président.
– ***1861 :*** abolition de l'esclavage, élection de Gabriel García Moreno.
– ***1875 :*** assassinat de García Moreno.
– ***1895 :*** Eloy Alfaro est porté à la présidence par la Révolution libérale.
– ***1925 :*** le Congrès est dissous par un coup d'État militaire.
– ***1935 :*** dictature de Federico Paéz.
– ***1942 :*** amputation d'une grande partie de l'Amazonie équatorienne par le Pérou.
– ***1945 :*** l'Équateur entre aux Nations unies.
– ***1946 :*** établissement d'une nouvelle Constitution.
– ***1952 :*** réélection d'Ibarra.
– ***1960 :*** Ibarra est élu pour la quatrième fois.
– ***1961 :*** renversement militaire.
– ***1968 :*** cinquième élection d'Ibarra.
– ***1972*** *(15 février)* ***:*** coup d'État militaire ; le général Guillermo Rodríguez Lara est porté au pouvoir.
– ***1976*** *(11 janvier)* ***:*** démission de Rodríguez Lara, une junte le remplace.
– ***1978 :*** nouvelle Constitution.
– ***1979 :*** élections libres d'un gouvernement de centre gauche conduit par Jaime Roldós ; il meurt en 1981 dans un accident d'avion dans des circonstances jamais élucidées.
– ***1981 :*** le vice-président Osvaldo Hurtado prend la relève ; il est confronté aux terribles dégâts causés par *El Niño* en 1983.
– ***1984 :*** élection de León Febres Cordero.
– ***1988 :*** élection de Rodrigo Borja Cevallos, social-démocrate.
– ***1992 :*** élection de l'architecte Sixto Durán Ballén, de centre droit ; en octobre, l'Équateur se retire de l'OPEP.
– ***1995*** *(27 janvier)* ***:*** l'état d'urgence est décrété par l'Équateur du fait du conflit frontalier avec le Pérou.
– ***1996 :*** quatre députés indigènes entrent au Parlement. Le nouveau président Abdalá Bucaram Ortiz est destitué pour « folie » au bout de 6 mois. Grave crise politique.
– ***1997 :*** nomination de Fabián Alarcón.
– ***1998 :*** Jamil Mahuad est élu président.
– ***2000 :*** le 20 janvier, Jamil Mahuad est destitué par l'armée appuyée par les Indiens ; le 23 janvier, le vice-président Gustavo Noboa devient président.
– ***2002 :*** Lucio Gutiérrez remporte l'élection présidentielle.
– ***2005 :*** Gutiérrez est à son tour destitué, cette fois par le Parlement. Le 20 avril, Alfredo Palacio le remplace. Agitation des Indiens autour des exploitations pétrolières de l'est du pays. L'état d'urgence est décrété, l'ordre ramené provisoirement.
– ***2006 :*** le gouvernement équatorien annule le contrat d'exploitation de la compagnie pétrolière américaine *Oxy.* Les États-Unis suspendent les négociations bilatérales sur le libre-échange. Fin novembre, Rafael Correa est élu président.

– ***2007 :*** l'Équateur réintègre l'OPEP. Les Galápagos sont inscrites par l'Unesco sur la liste du Patrimoine mondial en péril.
– ***2008 :*** adoption par référendum de la nouvelle Constitution.
– ***2009 :*** Rafael Correa est réélu au premier tour.
– ***2010 :*** tentative de « putsch » organisé par la police et une partie de l'armée en septembre.
– ***2011 :*** les relations avec les États-Unis sont conflictuelles ; l'ambassadrice américaine est expulsée du pays en avril.
– ***2012 :*** l'ambassade d'Équateur à Londres donne refuge, le 19 juin, au controversé fondateur de Wikileaks, Julian Assange. Le gouvernement lui accorde l'asile politique le 16 août.

## MARCHÉS

Les marchés d'Équateur offrent les spectacles les plus colorés d'Amérique du Sud. Ils sont situés dans les villes et villages tout au long de l'« avenue des Volcans » et généralement animés par de petits agriculteurs et artisans indiens. C'est une bonne raison d'essayer d'accorder son itinéraire en fonction des jours de marché. Les villes se couvrent alors de couleurs, s'animent, trépident dans une atmosphère de sympathique bousculade. Ici s'étend le marché aux fruits et aux légumes, ici celui des textiles, des fleurs... Les plus impressionnants restent cependant les marchés aux bestiaux, toujours un peu excentrés : cochons noirs de toutes tailles, brebis que l'on charge sur le toit des bus... Vous rencontrerez aussi parfois au milieu de ces bruyantes assemblées de silencieux et fiers lamas. Essayez d'arriver la veille au soir, pour être sur place à l'aube.

### Lundi

Ambato (plusieurs marchés).

### Mardi

Latacunga (en cours de reconstruction).

### Mercredi

Otavalo.
Pujilí (près de Latacunga).

### Jeudi

Cuenca (touristique).
Guamote (très beau).
Saquisilí (l'un des plus beaux ; venir avant 9h pour le marché aux bestiaux).
Tulcán.

### Vendredi

Salarón/Tzalarón (très authentique ; au sud de Guamote).

### Samedi

Guano.
Guaranda.
Otavalo (grand marché aux bestiaux très réputé, mais beaucoup de touristes).
Pelileo.
Riobamba (plusieurs marchés).
Zumbahua (intéressant).

### Dimanche

Alausí.
Cajabamba (magnifique !).
Chordeleg (au nord-est de Cuenca).
Gualaceo (au nord-est de Cuenca ; devrait bientôt déménager sous une halle moderne).
Loja (aussi samedi et lundi).
Peguche (à côté d'Otavalo).
Pujilí (près de Latacunga).
Salasaca (près d'Ambato).
Saraguro (entre Cuenca et Loja).
Sigisig (au sud-est de Cuenca).

## MÉDIAS

### Votre TV en français : TV5MONDE

TV5MONDE est reçue partout dans le monde par câble, satellite et sur Internet. Voyage assuré au pays de la francophonie avec films, fictions, divertissements, sport, informations internationales et documentaires.
En voyage ou au retour, restez connecté ! Le site internet • *tv5.org* • et sa déclinaison mobile • *m.tv5monde.com* • offrent de nombreux services pratiques et permettent de prolonger ses vacances à travers des blogs et des visites multimédia. Demandez à votre hôtel sur quel canal vous pouvez recevoir TV5MONDE et n'hésitez pas à faire vos remarques sur le site • *tv5monde.com/contact* •

### Presse nationale

Les journaux et revues les plus connus sont :
– *El Comercio :* • *elcomercio.com* •
– *Hoy :* • *hoy.com.ec* •
– *Mercurio :* • *elmercurio.com.ec* •
– *La Hora :* • *lahora.com.ec* •
– *El Telegráfo :* • *telegrafo.com.ec* •
– *Expreso :* • *expreso.ec* •
– *El Universo :* • *eluniverso.com* •
– *Últimas noticias :* • *ultimasnoticias.ec* •
– *El Financiero :* • *elfinanciero.com* •

### Liberté de la presse

Au mois d'août 2012, le gouvernement a accordé l'asile politique à Julian Assange, le fondateur de Wikileaks. Ce gage symbolique fort en faveur de la liberté d'information ne saurait pourtant faire oublier une réalité interne difficile et tendue. La polarisation s'aggrave entre le gouvernement et une partie de la presse privée, au prix de procédures judiciaires parfois lourdes et de fermetures intempestives de médias. La loi de communication, dont certaines dispositions pourraient favoriser le pluralisme, attend depuis 3 ans son adoption.
Le président Rafael Correa a proposé en 2009 la création d'une nouvelle loi de communication avec pour objectif une meilleure répartition des fréquences entre médias communautaires, médias publics et médias privés (un tiers pour chaque). Plusieurs fois en débat à l'Assemblée nationale, la loi n'a toujours pas été adoptée 3 ans après son premier examen. Certains éléments, tels que la régulation des contenus ou le statut des journalistes, restent très controversés. Par ailleurs, le fonctionnement du système d'attribution des fréquences et de l'autorité qui les

administre doit être entièrement réexaminé afin que les conditions d'application de la loi soient acceptables.
L'État, de son côté, a beaucoup investi dans le domaine de la communication et surtout la télévision, et ce dans un climat tendu avec les médias privés qui étaient en situation de quasi-monopole avant l'arrivée de Correa au pouvoir. La chaîne de télévision nationale *Ecuador TV* est créée, la station *Radio Nacional* est réactivée. L'agence d'informations *Andes*, le journal en ligne *El Ciudadano*, puis le quotidien en ligne *El Telégrafo* viennent s'ajouter aux médias d'État. Douze médias privés – *incautados* – ayant fait faillite sont « repris » par l'État, notamment *Gama TV* et *TC Televisión*, grossissant les rangs des médias progouvernementaux.
La présence de *cadenas* (annonces du gouvernement dont la diffusion est obligatoire sur toutes les ondes) et d'*enlaces* (discours personnels de Rafael Correa dont la diffusion le samedi est facultative... mais fortement conseillée) fournit au président un outil d'affrontement direct avec les médias privés et la presse critique. En juillet 2012, Gustavo Cortez, rédacteur en chef du quotidien *El Universo*, a été la cible de violents réquisitoires présidentiels au cours de quatre *enlaces*. Un mois plus tôt, César Ricaurte, directeur de l'ONG de défense de la liberté d'expression Fundamedios, avait subi les foudres du président.
Les tensions ne s'arrêtent malheureusement pas aux échanges d'amabilités. Deux procédures judiciaires ont été engagées, en 2011, à la demande de Correa lui-même, contre deux journalistes auteurs du livre controversé *Le Grand Frère* (consacré à Fabricio Correa, frère aîné du chef de l'État) et contre trois directeurs du quotidien *El Universo* pour un éditorial injurieux. Dans cette dernière affaire, Rafael Correa a accordé le pardon à ses détracteurs, en février 2012. Les délits de « diffamation » et d'« injure » n'en demeurent pas moins passibles de prison.
Les attaques personnelles du président équatorien contre des personnalités d'opposition interviennent également dans un nouveau contexte de rétorsions contre des médias audiovisuels réputés critiques envers le gouvernement (la radio *Morena*, la revue *Vanguardia*). Une quinzaine ont été fermés au cours de l'année 2012, sans avoir eu le temps d'épuiser toutes leurs possibilités de recours.
Ce texte a été réalisé en collaboration avec ***Reporters sans frontières.*** Pour plus d'informations sur les atteintes aux libertés de la presse, n'hésitez pas à contacter :

■ ***Reporters sans frontières :*** *47, rue Vivienne, 75002 Paris. ☎ 01-44-83-84-84. • rsf.org • Ⓜ Grands-Boulevards.*

# MUSIQUE

Il n'existe pas de société sans musique et, à cet égard, l'Équateur ne fait pas exception. En Équateur, les premières traces attestées de la présence d'instruments de musique datent de l'époque précéramique, il y a plus de 10 000 ans. Mais c'est réellement entre - 500 av. J.-C. et + 500 apr. J.-C. que les terres-cuites zoomorphes capables de sortir des sons connaissent leur essor (voir le Musée préhistorique de Guayaquil). La musique s'est alors enrichie concomitamment à l'expansion des différentes cultures sur la côte et dans la Sierra. Cette musique autochtone se développera jusqu'à l'arrivée des Espagnols. Les Incas, eux, n'auront pas beaucoup d'influence sur le fond musical indigène à cette époque. Ce n'est que bien plus tard que le traditionnel *yaraví*, chant d'amour des Indiens du Pérou, fera des adeptes en Équateur. Dès leur arrivée, les Espagnols, qui ne jurent que par le cor et le tambour de guerre, ont énormément de mal à se faire à la musique locale ; fêtes et danses, jugées païennes, sont sévèrement réprimées par l'Église. Mais les Indiens de la Sierra ont tôt fait de s'accaparer quelques instruments « nouveaux » comme la guitare, tandis que, sur la côte nord et dans la région d'Imbabura, se développent des rythmes chantés accompagnés de tambour.

Ensuite, les curés commencent à former des maîtres de chapelle indigènes. Le style polyphonique atteint bientôt les populations métisses et indiennes à mesure de leur conversion au catholicisme. Les gosses de riches apprennent à jouer de l'orgue, de la flûte, des cuivres, tandis que dans les villages, les pauvres continuent de souffler dans leur flûte de pan. L'église profite du savoir-faire local pour faire confectionner des instruments sur place. L'Espagne gardera son influence jusqu'à la fin du XVIIIe s, période qui voit l'introduction des danses de salon que sont la valse, le quadrille ou le menuet, ainsi que des instruments qui vont avec.
Retour en fanfare de la musique militaire avec la déclaration d'indépendance au début du XIXe s. Deux instruments sortent du lot : la guitare séduit les masses populaires et le piano les bourgeois. Les bals s'uniformisent et certaines danses comme la mazurka, la polka et les valses, passent des salons collet monté aux guinguettes. Dans la foulée de l'indépendance, les premières écoles de musique voient le jour. Gabriel García Moreno au pouvoir, trouvant que la musique religieuse n'est plus ce qu'elle était, ouvre le premier conservatoire en 1870. Il sera fermé presque aussitôt, faute de budget, et ne rouvrira que sous le mandat d'Eloy Afaro. Nous sommes en 1900.
Le début du XXe s voit l'émergence d'une classe d'artistes autochtones. Des conservatoires sont créés dans d'autres villes, les orchestres militaires n'ont plus la cote. La musique populaire se développe, largement influencée par ce qui se passe en Europe à la même époque. Cela dit une identité nationale se crée : Carlos Ortiz, Francisco Paredes Herrera, Carlos Brito composent des musiques *made in Ecuador.* Puis dans les premières décennies du siècle apparaît le *fox incaio* (un genre de ragtime, presque du jazz), notamment sous l'impulsion de Sixto Durán María, dont la revendication première est d'affirmer l'héritage de la culture inca. Dans le même temps, la musique populaire s'affirme : *pasillos* (une fusion entre la musique indigène et espagnole, on chante ses peines de cœur..), *yaravís* (encore de l'eau de rose...), *sanjuanitos* (musique type bandas, pour s'éclater en groupe) et *tonada* (chants indiens souvent en chœur, où guitare et trompette se mêlent aux instruments du cru)... Tandis que la *pasacalle (*musique gaie et dansante où la guitare et l'accordéon donnent le *la*), avec des textes en l'honneur des provinces et des villes, renforce le sentiment territorial tout en affirmant l'esprit métis. Les différentes communautés s'individualisent, les Noirs sont plutôt *bamba* ou *marimba,* voire *andarele* (musique métisse negro-andine).
Des noms de compositeurs-interprètes sortent du lot : Nicasio Safadi, Segundo Cueva Celi, Ruben Uquillas, Carlos Rubira Infante, Olimpo Cárdenas et l'enfant terrible de Guayaquil Julio Jaramillo, le tombeur de ces dames avec ses boléros d'enfer et sa voix qui roucoule (un type de la trempe des Sinatra et Gardel, à ce qui paraît). Ce à quoi succédera une production typiquement équatorienne, le *rokolera,* sorte de musique « glucose » qui mixte allégrement la valse et le boléro, et qu'on écouterait volontiers au rayon fruit et légumes de l'hyper d'à côté.
Enfin, après un break dans les années 1970, l'influence américaine (rap, notamment) et afro-américaine (reggae, salsa, merengue) pénétrera les ondes équatoriennes. Aujourd'hui la jeunesse des villes a l'oreille sur le regetón, la cumbia, la pop, le heavy metal, voire le R'n'B, ou sur le rigolo et médiatique Delfín Quishpe, chantre de la techno-andine.

## PERSONNAGES

– ***Atahualpa** (1497-1533)* **:** fils de Huayna Capac et d'une princesse de Quito, il serait né en 1497 ou 1500, la date exacte et le lieu de naissance restant toujours à prouver (et à trouver). Entre 1525 (ou 1527) et 1532, il gouverna la partie nord du Tahuantinsuyu (empire), laissant le Sud à son demi-frère Huascar, qu'il finit par attaquer et vaincre, pour réunir le pays. Mais son règne fut de courte durée, puisque, à la suite d'un traquenard à Cajamarca, les Espagnols (Pizarro en personne) le firent prisonnier en 1532, puis l'exécutèrent en 1533.

- ***Rumiñahui*** *(?-1535)* **:** ce grand général inca, proche d'Atahualpa, tenta de le sauver des mains espagnoles et organisa la résistance à l'envahisseur. Il défendit avec courage la zone nord de l'empire et, à la mort d'Atahualpa, affirme la légende, cacha le trésor qu'il apportait aux Espagnols en rançon pour la libération (ou la vie sauve) de l'Inca.
- ***Manuela Sáenz*** *(1797-1856)* **:** née à Quito d'une union illégitime (donc déjà un peu en marge d'une certaine société bien-pensante), elle abandonna tout pour s'engager à la suite du *Libertador.* Compagne de Simón Bolívar, elle fut aussi sa main droite, sa salvatrice (elle lui évita un attentat) et le soutint dans son objectif d'une Amérique latine unie.
- ***Eugenio de Santa Cruz y Espejo*** *(1746-1795)* **:** né à Quito dans un milieu très modeste (d'un père indien et d'une mère mulâtre), le jeune Eugenio se hissa par la force de sa volonté jusqu'à des études riches et multiples : séminariste, mais aussi médecin, diplômé de droit, puis journaliste polémiste, il fonda en 1792 le premier journal du pays *(Primicias de la Cultura de Quito)* et inspira les indépendantistes équatoriens. Ce libre-penseur s'attaqua aussi bien aux questions de santé publique qu'aux progrès de l'agriculture. Ses multiples prises de position lui valurent exil et emprisonnement à plusieurs reprises.
- ***Gabriel García Moreno*** *(1821-1875)* **:** né à Guayaquil, il présida l'Équateur pendant 10 ans (jusqu'à son assassinat en 1875). Si son gouvernement, conservateur et intransigeant, se caractérisa principalement par un retour drastique à la morale chrétienne, un autoritarisme manifeste et une répression très dure, il n'en mit pas moins le pays sur le chemin du développement, en initiant un certain nombre de projets semi-industriels (aménagements portuaires, lancement du chemin de fer, etc.).
- ***Eloy Alfaro*** *(1842-1912)* **:** né à Montecristi (province de Manabí), il fut deux fois président du pays (1895-1901 et 1906-1911), chaque fois à l'occasion d'un coup d'État. Libéral radical, il améliora le code civil, les conditions de vie des Indiens, la santé et l'enseignement publics et, en 1906, proclama la séparation de l'Église et de l'État. Un de ses plus grands succès fut la finalisation du réseau ferroviaire du pays.
- ***Camilo Egas*** *(1889-1962)* **:** peintre engagé, formé aux Beaux-Arts de Quito, aux côtés des principaux artistes contemporains du pays, il poursuivit ses études à Madrid et eut un petit atelier à Paris dans les années 1920. Il prit part à la naissance du mouvement indigéniste équatorien en 1926 et, l'année suivante, s'installa à New York (dont il dirigea plus tard la faculté d'art), tandis que l'Équateur traversait une grave crise économique et politique. Son œuvre est tout aussi engagée que celle de Guayasamín. Il y dénonce les maux de son siècle : l'exploitation des Indiens, les inégalités sociales, le franquisme. Sa technique fut perméable aux grands courants de la peinture du XXe s (indigénisme, cubisme, expressionnisme, muralisme).
- ***José María Velasco Ibarra*** *(1893-1979)* **:** figure indéboulonnable de la vie politique équatorienne, il fut cinq fois président du pays entre 1934 et 1972. Relativement « populiste », il se signala plus par ses dons d'orateur et de tribun que par ses capacités à bien gouverner...
- ***Benjamín Carrión*** *(1897-1979)* **:** né à Loja, tour à tour avocat, écrivain, diplomate, ministre de l'Éducation et de la Culture, directeur du journal *El Sol* et recteur d'université, cet homme aux casquettes multiples fut aussi le fondateur de la *Casa de la Cultura* (Maison de la culture), laquelle porte aujourd'hui son nom. Brillant défenseur des richesses culturelles et des artistes du pays, il était profondément persuadé qu'une identité culturelle commune pouvait être le ciment d'une nation.
- ***Tránsito Amaguaña*** *(1909-2009)* **:** née dans la province de Pichincha de parents journaliers, mise au travail à l'âge de 7 ans et mère à 15, elle s'impliqua dans les

luttes et les grandes marches du mouvement indigène qui surgit en Équateur entre 1920 et 1970. Forcée à vivre en clandestinité durant 15 ans, elle rejoignit le parti communiste, fonda la Fédération équatorienne des Indiens, promut la création d'écoles bilingues (espagnol-quechua) et fut incarcérée en 1963 à la suite d'un voyage à Cuba et en URSS. Une des plus grandes figures des mouvements de revendication indiens, elle est aussi l'une des femmes les plus hautes en couleur du pays !

– ***Jorge Icaza*** *(1906-1978)* **:** né à Quito, il est l'un des plus illustres représentants de la littérature équatorienne contemporaine. Son œuvre, et en particulier *Huasipungo,* son écrit le plus connu, dénonce les graves problèmes sociaux des Indiens.

– ***Oswaldo Guayasamín*** *(1919-1999)* **:** né d'un père indigène et d'une mère métis dans les quartiers pauvres de Quito, il est l'aîné d'une famille modeste de 10 frères et sœurs. Très tôt, ses œuvres reflétaient déjà le quotidien d'un pays pauvre et d'une société inégalitaire et violente, bafouant les droits des Indiens. Lors de sa première exposition à Quito en 1942, Rockefeller acheta six de ses toiles et l'invita à exposer aux États-Unis durant 8 mois. Au Mexique, il travailla avec le grand muraliste Orozco. En 1944, c'est avec le poète et prix Nobel chilien Pablo Neruda qu'il se lia d'amitié. Pendant 8 ans, il élabora plus d'une centaine de tableaux représentant un monde de douleur et d'angoisse – celui des peuples opprimés. Durant les années 1960 et 1970, il acquit une réputation internationale. C'est la période de *La Edad de la Ira* (« l'âge de la colère ») et de ses terribles peintures sur l'homme victime des guerres et des dictatures. En 1963, engagé contre la dictature militaire de son pays, il fut fait prisonnier avec sa fille aînée. Dès 1979, il entama le cycle de *La Edad de la Ternura* (« l'âge de la tendresse »), composé d'une cinquantaine d'œuvres plus optimistes exprimant l'amour, la tendresse et la solidarité, avec de nombreuses *Mère à l'Enfant*. Dans les dernières années de sa vie, il promut la création de la Capilla del Hombre, un centre culturel polyvalent destiné à la recherche, à l'enseignement et à des expositions favorisant l'expression des cultures indiennes du continent latino-américain ; il mourut au cours de sa réalisation, le 10 mars 1999. L'Unesco a désigné le lieu « Projet prioritaire de l'humanité ». Fidel Castro (grand ami du peintre) a d'ailleurs mis des fonds personnels dans ce projet.

– ***Eduardo Kingman*** *(1913-1998)* **:** né à Loja, il participa, aux côtés de Benjamin Carrión, à la fondation de la *Casa de la Cultura.* Professeur aux Beaux-Arts de Quito mais peintre avant tout, il a exprimé à travers son œuvre les luttes et misères du peuple, dans un style expressionniste, métis et populaire. Le traitement des mains de ses personnages (très grandes, souvent centrales) symbolisait toutes ces douleurs et ces difficultés, et lui a valu le surnom de « peintre des mains ».

– ***Leonidas Proaño*** *(1910-1988)* **:** dès le début de sa carrière ecclésiastique, il choisit de défendre les Indiens. Affecté à Riobamba et bientôt surnommé « l'évêque des pauvres », « l'évêque des Indiens » ou encore « l'évêque rouge », il s'est fait le chantre de la théologie de la libération, influençant la politique et l'église latino-américaine en « servant de voix aux sans-voix ». Il fonda l'École radiophonique populaire et créa des écoles de langues indiennes. Ses prises de position lui ont valu d'être jugé pour « guérilla » à Rome (il fut acquitté) et jeté en prison sous la dictature militaire, en 1976.

– ***Julio Jaramillo*** *(1935-1978)* **:** né à Guayaquil, ce chanteur surnommé « le Rossignol d'Amérique» est la figure centrale de la musique populaire équatorienne des années 1950 à 1970. Il est l'auteur de centaines de valses, tangos, rancheras et boléros. Ses succès ont parcouru toute l'Amérique latine.

– ***Nina Pacari*** *(née à Cotacachi en 1960)* **:** cette avocate, dont le nom quechua signifie « flamme de l'aube », est la plus célèbre des dirigeantes indiennes du pays. Membre du *Pachakutik-Nouveau Pays,* elle a été élue députée en 1997, puis vice-présidente du Congrès et a été nommée ministre des Affaires étrangères au début de la présidence de Lucio Gutiérrez (janvier-août 2003) – la première Indienne à ce poste.

– ***Jefferson Pérez*** *(né à Cuenca en 1974)* **:** médaillé d'or aux 20 km-marche des Jeux olympiques d'Atlanta en 1996, Pérez a rendu tout le pays fou de joie pendant plusieurs semaines. On lui a offert une voiture et le président Bucaram lui a donné un chèque avec un bon nombre de zéros pour poursuivre l'entraînement sans souci d'argent ! Sacré champion du monde à Paris en 2003, à Helsinki en 2005 et Osaka en 2007, il a encore décroché l'argent aux JO de Pékin en 2008, à l'âge respectable de 34 ans. Un sacré palmarès, inégalé dans le pays.

– ***Ulises de la Cruz*** *(né à Quito en 1974)* **:** l'autre star du sport équatorien. L'un des rares footballeurs du pays à avoir fait une brillante carrière internationale, il est rentré en Équateur en 2009 pour remporter la coupe sud-américaine et le championnat national l'année suivante avec l'équipe de la LDU de Quito. Dans un pays où le football est le sport roi, il est l'idole de tout un peuple à chaque match de l'équipe nationale.

# POPULATION

Dépassant désormais 15 millions d'habitants, la population de l'Équateur a connu une croissance très rapide depuis un siècle – on ne comptait encore que 1 million d'habitants en 1900 et 3,2 millions en 1950. La densité est la plus élevée d'Amérique du Sud, avec 53,6 hab./km$^2$ – une réalité confirmée par l'impression de voir une zone habitée de manière quasi ininterrompue entre Quito et Riobamba. Autant dire que la pression sur les ressources et sur les gouvernements est intense...

Les disparités régionales sont importantes. L'Amazonie ne regroupe guère que 5 % de la population, le reste se divisant quasi équitablement entre la Sierra et le littoral. L'essentiel de la population est composé de Métis (environ 65 %) ; les Amérindiens (en majorité de souche quechua) représentent environ 25 %, les Blancs descendant des colons espagnols 7 %, les Afro-équatoriens descendant d'anciens esclaves *(morenos)* 3 %. Les Métis se décomposent eux-mêmes en trois groupes : les *mestizos,* Métis d'Indiens et de Blancs, les *mulatos,* Métis de Blancs et de Noirs, et les *zambos,* Métis de Noirs et d'Indiens. Les différences sociales sont très importantes. L'essentiel des moyens de production et de la richesse demeure aux mains d'une minorité de Blancs et de Métis, tandis que les Indiens survivent avec peine et que les Noirs plongent au bas du classement des revenus. Une chose, toutefois, semble vouloir unir le pays : 95 % de ses habitants sont catholiques.

## Les Indiens

Malgré des siècles d'humiliation pendant lesquels les *criollos* ont asservi les « Indiens » et leur ont volé leurs terres, les Quechuas d'Équateur sont certainement parmi les natifs d'Amérique du Sud qui sont restés les plus fidèles à leur culture.

Du nord au sud, on trouve les *Otavalos* dans la région du même nom, les *Salasacas* au nord d'Ambato, les *Puruhuas* dans les environs de Riobamba, les *Cañaris* au nord de Cuenca et les *Saraguros* dans la région de Loja. Autrefois travailleurs dans les haciendas de grands propriétaires, dont ils étaient totalement tributaires, ils cultivent désormais (depuis la réforme agraire) leur propre lopin de terre. Mais cela suffit à peine à nourrir leur famille. De plus, bien souvent, ils contractent des dettes pour acheter des graines ou louer des machines. Bref, ils représentent l'une des catégories sociales les plus défavorisées du pays. De même, ceux qui émigrent vers les centres urbains pour échapper à la misère rejoignent les populations les plus pauvres, vivant généralement de travail informel.

Outre les *Quechuas,* majoritaires, on trouve bien d'autres « nations indigènes » en Équateur, notamment dans l'Oriente (Amazonie). La plus nombreuse (environ

40 000) est celle des ***Shuars,*** naguère célèbres réducteurs de têtes, baptisés *Jivaros* par les *conquistadores.* Ils sont principalement répartis dans l'est du pays (au-delà de Macas), sur une large portion de territoire. Évangélisés au XIX<sup>e</sup> s au prix de révoltes sanglantes, ils ont ensuite subi une scolarisation forcée. Aujourd'hui, ils font partie des populations les plus revendicatives d'Amazonie. Autre tribu symbole, qui a su garder sa manière de vivre, les ***Huaoranis*** (environ 2 000) s'isolent volontairement dans la forêt profonde autour du Napo. Plus au nord, dans la région de Lago Agrio, les ***Cofánes*** et les ***Sionas-Secoyas*** ne subsistent plus qu'isolés au milieu des nouveaux colons descendus de la Sierra. Ces nations indiennes de l'Oriente, déjà perturbées par les missionnaires jésuites, sont aujourd'hui menacées par l'exploitation intensive de leur territoire : déforestation, orpaillage mais surtout exploitation pétrolière causent de nombreux ravages écologiques et humains. D'autres groupes peu nombreux, au nord-ouest du pays, ont également gardé leur langue et leur culture : les ***Chachis,*** les ***Tsáchilas*** et les ***Awas.***

## Les Noirs

Les Noirs, qui constituent environ 3 % de la population, sont installés principalement sur la côte nord, surtout à San Lorenzo et à Esmeraldas – et plus à l'est, dans la vallée du Chota, au nord d'Ibarra. La plupart d'entre eux sont des descendants d'esclaves, arrivés à l'époque où Guayaquil était un centre de traite important. Pour la petite histoire, la communauté noire du Chota a, elle, été amenée là au XVIII<sup>e</sup> s par les jésuites, qui y exploitaient des plantations de canne à sucre... L'importante communauté d'Esmeraldas aurait été constituée, pour sa part, par des esclaves en fuite ayant profité du naufrage d'un galion espagnol en 1553. L'anniversaire de la fondation de la ville donne lieu tous les ans à une fête. Les Noirs, peu intégrés et victimes du racisme, constituent l'une des franges les plus pauvres de la population. Ce sont eux, en revanche, qui donnent au pays les sportifs les plus titrés. Surtout en football, où nombre d'entre eux exercent leurs talents à l'étranger.

## Les Métis et les Blancs

Formant la classe dirigeante (oserons-nous dire l'oligarchie ?), ils sont surtout concentrés dans les grandes villes. Certains descendent de nobles familles espagnoles, d'autres de simples soldats devenus *encomienderos,* d'autres encore d'immigrants plus tardifs. D'un lieu à l'autre, le définition de *mestizo* peut être variable : en ville, il suffit de quelques gouttes de sang indien pour y avoir droit ; à la campagne, à contrario, certains propriétaires d'haciendas clairement métissés se verront eux-mêmes et seront désignés comme « blancs »... Bref, tout est question de perspective et de prestige social. Il y a aussi parmi eux des paysans, connus sous le nom de *montuvios* sur la côte (un terme devenu synonyme de « pécore »...), où ils travaillent surtout dans les bananeraies, et de *chagras* dans la Sierra (ceux-ci étant des sortes de gauchos équatoriens).

## Les autres...

La diaspora chinoise est représentée dans les centres urbains, particulièrement à Guayaquil. Là, vous trouverez de nombreux magasins de produits d'importation chinoise et des restos, les *chifas.* L'immigration colombienne est également importante. Ayant fui leur pays d'origine, ces réfugiés sont de plus victimes de racisme de la part de nombreux Équatoriens qui leur imputent une part importante de la délinquance. Nombre d'enfants de réfugiés colombiens travaillent, faute d'être scolarisés. Les Libanais, que les Équatoriens appellent les Turcs, descendent des Libanais chrétiens émigrés entre 1900 et 1930. Peu nombreux, ils représentent pourtant une force politique et économique non négligeable. D'où les noms à consonance arabe de quelques anciens présidents.

## Une population contrastée

À ces différences ethniques s'ajoutent les clivages (ou clichés) dus à la géographie du pays. Les *serranos,* ceux de la montagne (Sierra), sont réputés austères, durs au travail, économes. Les *costeños,* ceux de la côte, sont jugés volubiles, expansifs, voire insouciants. Pour les montagnards, les gens de la côte, volontiers surnommés *monos* (« singes »), sont des paresseux et des incultes. Mais cela ne les empêche pas de venir s'installer en nombre dans la région, plus active malgré tout ! En politique, il n'est pas rare que le président et le vice-président soient l'un originaire de la côte et l'autre de la Sierra. Ça a toujours été comme ça depuis l'indépendance...
Si les Quechuas ont encore du mal à se faire entendre, les tribus amazoniennes, coupées du reste du monde pendant des siècles, sont à peine considérées. Existent-elles vraiment ? Certains Équatoriens en douteraient presque... Ils font bien peu de cas, en tout cas, de leur mode de vie et de sa protection. Les *serranos* sont ainsi des dizaines de milliers à avoir débarqué dans l'Oriente, attirés par la manne pétrolière. La sédentarisation progresse et la forêt, peu à peu, est grignotée. Que restera-t-il des tribus amazoniennes dans 50 ans ? Difficile de le dire. Peut-être le tourisme écologique, développé par certaines de ces communautés, les aidera-t-il à survivre. Peut-être, à contrario, participera-t-il du phénomène d'acculturation...

# RELIGIONS ET CROYANCES

Sur le papier, le doute n'est pas permis : les Équatoriens sont catholiques et fiers de l'être. Malgré les tentatives de conversion de quelques sectes protestantes missionnaires américaines, la population reste très majoritairement fidèle au pape et à ses curés. Rappelons que, sous le gouvernement de García Moreno, à la fin du XIXe s, il fallait être catholique pour avoir le droit de vote et la nationalité équatorienne ! Cela dit, si l'on gratte un peu la surface, nombre de vieilles croyances resurgissent. Les curés eux-mêmes l'admettent.

## Syncrétisme et magie

Plutôt que de remplacer les croyances anciennes, la religion catholique s'est superposée aux schémas existants et a fait siennes des pratiques pas toujours très catholiques... Le Christ est forcément solaire, la Vierge Marie lunaire – à moins qu'elle ne soit la Pachamama réincarnée (à chacun sa tambouille...). Des saints aux divinités des montagnes, il n'y a qu'un pas. Et les fêtes alors ? Prenez le Qoylluriti péruvien, rapporté à la Fête-Dieu : des pèlerins venus de toutes les Andes y découpent des morceaux d'un glacier sacré, réputé miraculeux, et les déposent ensuite sur les autels du Christ. Nulle contradiction là-dedans : les dieux se juxtaposent, les croyances se dédoublent, les protections se multiplient.

### ET LA LUMIÈRE FUT !

*Les architectes diocésains espagnols de l'époque coloniale avaient conçu des ouvertures dans les églises permettant de faire entrer les rayons du soleil pour éclairer une statue ou une représentation de saint précisément au moment du solstice de décembre. Les Indiens étant émerveillés par ce genre de manifestation « divine », l'Église réalisait par-là même un tour de passe-passe magistral !*

Les curés espagnols confrontés à l'« idolâtrie » des peuples andins l'avaient bien compris : quand on ne peut convertir vraiment, extirper du fond de l'âme ce salmigondis de croyances anciennes, il ne reste qu'à s'arranger. Dresser des croix là où les Indiens priaient déjà les dieux anciens. Bénir les animaux. Bénir la terre, comme on bénirait le fruit des entrailles de toutes les femmes.
Aujourd'hui encore, dans certains villages reculés (ou pas), on fait plus facilement appel au *yachac,* le guérisseur, qu'au médecin. Le *yachac* donne quelques herbes et fait beaucoup de passes magiques, très efficaces sur les croyants. Ensuite, seulement, il se fait payer pour ses bons services. La tradition (la superstition diront certains), en la matière, régit encore la vie de tous les jours. Lorsqu'on passe un col, il faut jeter sa pierre blanche sur le petit tas déjà accumulé. On honore ainsi les esprits qui résident dans les lieux élevés et les esprits familiers. Le jour des morts, on sert des repas aux défunts. Quant aux constructions, elles s'élèvent toujours au-dessus d'un fœtus de lama, tandis qu'une croix protège la maison...

## SITES INSCRITS AU PATRIMOINE MONDIAL DE L'UNESCO

Pour figurer sur la Liste du patrimoine mondial, les sites doivent avoir une valeur universelle exceptionnelle et satisfaire à au moins un des dix critères de sélection. La protection, la gestion, l'authenticité et l'intégrité des biens sont également des considérations importantes.
Le patrimoine est l'héritage du passé dont nous profitons aujourd'hui et que nous transmettons aux générations à venir. Nos patrimoines culturel et naturel sont deux sources irremplaçables de vie et d'inspiration. Ces sites appartiennent à tous les peuples du monde, sans tenir compte du territoire sur lequel ils sont situés. Pour plus d'informations : • *whc.unesco.org* •
Les sites classés en Équateur sont :
– ***les îles Galápagos ;***
– ***la vieille ville de Quito ;***
– ***le parc national Sangay ;***
– ***le centre historique de Cuenca.***

## VOLCANS ET ANDINISME

L'Équateur possède une quarantaine de volcans (actifs pour beaucoup), parmi lesquels le majestueux Chimborazo, qui est la montagne dont le sommet constitue le point terrestre le plus proche du Soleil. Certains de ces volcans font partie des espaces sacrés *(huacas)* pour les indigènes. Les Incas y établirent naguère leurs lieux de culte et les Espagnols, pour mieux enraciner le christianisme, y élevèrent leurs églises. Pour les explorateurs, voyageurs et andinistes contemporains, les volcans d'Équateur sont parmi les plus beaux du monde.
– ***Le Guagua Pichincha :*** 4 794 m. Dominant la ville de Quito, il forme, avec le Rucu Pichincha endormi (désormais atteint par une télécabine), un complexe volcanique de 29 km de long. Actif, le Guagua Pichincha est entré en éruption en 1999. La ville de Quito fut alors couverte de particules très fines et plongée dans l'obscurité pendant plusieurs jours. Cette éruption récente fut toutefois moins grave que celle de 1660 qui, elle, recouvrit Quito d'une couche de cendre de 30 cm.
– ***Le Cotopaxi :*** 5 897 m. En forme de cône presque parfait, c'est à la fois le deuxième sommet d'Équateur et le volcan actif le plus haut du monde. Situé dans

la province du Cotopaxi, à 62 km au sud de Quito, il a connu de violentes éruptions au XIXe et au début du XXe s. Il est en partie responsable de la défaite des troupes des généraux d'Atahualpa, alors prisonnier de Francisco Pizarro. Lorsque les Indiens voulurent faire barrage aux Espagnols, le volcan entra en éruption et mit en fuite leurs armées.

– ***Le Chimborazo :*** 6 310 m. Situé dans la province à laquelle il a donné son nom, sur la cordillère occidentale, c'est le point culminant du pays. Son sommet toujours enneigé inspire aux Quechuas un sentiment de respect et de crainte. De toutes les montagnes de la terre, le Chimborazo est le sommet qui se rapproche le plus du Soleil (car sur l'équateur la terre est bombée, tandis qu'elle est aplatie aux pôles). Il n'est plus entré en éruption depuis au moins 1 500 ans.

– ***Le Cotacachi :*** 4 939 m. Au nord-ouest d'Otavalo, il est endormi depuis au moins 2 000 ans. Lorsqu'il est couvert de neige, au petit matin, les Indiens disent que « Taïta » (père) Imbabura lui a rendu visite pendant la nuit. De leurs rencontres est né le bébé volcan, le *Mojanda,* au sud d'Otavalo.

– ***L'Imbabura :*** 4 609 m. À l'est d'Otavalo, il domine le lac de San Pablo. Silencieux depuis 14 000 ans, il est assoupi, peut-être même endormi. Ses flancs, jadis semés de cendre, sont recouverts d'une mosaïque de petits champs fertiles.

– ***Le Cayambe :*** 5 790 m, c'est le troisième point culminant d'Équateur. Son sommet recouvert de glaciers domine la ville de Cayambe, vouée aux activités laitières, fromagères et florales. Malgré son apparence placide, il est encore considéré comme actif. Environ 35 km à l'est à vol d'oiseau, le petit Reventador (3 485 m) est en activité presque ininterrompue. Fin 2002, une grande éruption a obligé à fermer temporairement l'aéroport de Quito.

– ***Le Tungurahua :*** 5 016 m. Volcan actif de la cordillère orientale, il menace la vallée où se niche la ville de Baños. En éruption depuis 1999, il s'est encore manifesté par des jets de lave et une haute colonne de cendre en août 2012 !

– ***El Altar :*** 5 319 m. Les Purwa le nommaient Capac Urcu, « le roi de toutes les montagnes ». Endormi, il forme une vaste caldeira aux franges déchiquetées, avec une brèche ouverte à l'ouest. Neuf de ses sommets dépassent 5 000 m. But de trekking apprécié, il abrite un beau lac de cratère.

– ***Le Sangay :*** 5 230 m. Cet autre cône parfait, situé à l'est de Guamote, est en éruption quasi permanente depuis près de 80 ans ! Il crache des matériaux incandescents qui rendent son ascension dangereuse. L'un des plus inaccessibles, il ne peut être atteint qu'au terme d'un trek de 6 jours.

➢ Les voyageurs doivent s'informer sur l'évolution de la situation avant leur départ, soit auprès du ministère des Affaires étrangères en consultant son site, soit auprès de leur agence de voyages. En cas d'éruption, ils doivent s'attendre à des modifications de leur programme ou de leurs itinéraires.

– L'Institut de géophysique de Quito publie régulièrement un « bulletin de santé » des principaux volcans équatoriens : • *igepn.edu.ec* • Il est quotidien dans le cas du *Tungurahua.*

## Andinisme

Randonnée, trekking et andinisme font partie, avec le rafting et le canyoning, des principales activités sportives et touristiques du pays. En effet, les sommets de plus de 5 000 m sont nombreux et la tentation est grande d'en escalader au moins un ! De nombreux guides suivent la formation de l'*Asociación Ecuatoriana de Guías de Montaña (Aseguim)* et les villes regorgent littéralement de tour-opérateurs proposant des ascensions. Assurez-vous toujours qu'ils font bien appel à des guides diplômés, de confiance, et ne surestimez jamais vos forces. Une compagnie qui vous conseillera de ne pas partir en raison du mauvais temps est une *bonne* compagnie – et non l'inverse. Les adresses que nous vous indiquons sont fiables. Pour vous faire une première idée, procurez-vous l'indispensable *Équateur, de la randonnée littorale à l'alpinisme,* de Vincent Geus, aux Éditions Glénat (2011).

Non seulement il vous faudra être en bonne (voire très bonne) condition physique, mais vous devrez aussi vous acclimater à l'altitude. Passez au moins 4 ou 5 jours à Quito avant de grimper vers 4 000 m, puis 5 000 m. À défaut, vous souffrirez probablement assez vite du *soroche,* le mal de l'altitude. L'acclimatation peut commencer par le Rucu Pichincha (4 698 m) ou l'Iliniza Norte, pour finir par le Cotopaxi (5 897 m), voire par le Chimborazo (6 310 m). Certaines ascensions sur les volcans actifs comme le Tungurahua ou le Sangay demandent des précautions supplémentaires. Les agences qui les programment, déjà bien moins nombreuses, demandent même à ce que les participants signent une décharge en cas d'accident... Mais dans tous les cas, l'encadrement par des guides locaux expérimentés s'avère indispensable.

## Quelques conseils

– Les agences de trekking fournissent l'essentiel du matériel nécessaire. Pour le reste, prévoyez des affaires chaudes, en couches multiples, car il fait très froid à 5 000 m d'altitude. Équipez-vous de bonnes chaussures de trek, imperméables. Pour certains sommets comme le Chimborazo, une expérience du glacier est préférable, pour ne pas dire quasi obligatoire. Certains préféreront amener leurs crampons. Pour le trek de l'Altar, en revanche, il faudra plutôt penser aux bottes...
– Protégez-vous très soigneusement contre la réverbération.
– Météo : ne vous y fiez jamais à 100 % et méfiez-vous des brusques changements de temps, surtout autour d'octobre-novembre. En juillet-août, des vents violents soufflent sur la Sierra, ce n'est donc pas le meilleur moment pour partir à l'assaut ; privilégiez si possible décembre-janvier.

L'Équateur est situé dans une zone d'activité sismique intense. Voici quelques recommandations de base à appliquer en cas de tremblement de terre (lisez-les avant !).
*À l'intérieur :*
– s'éloigner des fenêtres, des murs extérieurs, de tout meuble, tableau, luminaire susceptibles de se renverser ;
– s'abriter sous une table solide ou tout meuble résistant ou rester debout sous un encadrement de porte.
*À l'extérieur :*
– s'efforcer d'atteindre un espace libre, loin des arbres, poteaux électriques, murs ou bâtiments ;
– en voiture, s'arrêter au bord de la route et attendre à l'intérieur la fin des secousses.
Dans tous les cas, conservez votre calme, suivez les instructions données et attendez les secours, si nécessaire. N'oubliez pas que tout séisme important est suivi d'une série de répliques plus ou moins espacées (secousses secondaires). Dans un second temps, pensez à prendre rapidement contact avec votre famille ou vos proches afin de les rassurer sur votre sort ou, le cas échéant, en cas de problème de communication avec l'extérieur, avec le consulat de France (voir plus loin « Adresses utiles » dans « Le Quito moderne »).

# QUITO ET SES ENVIRONS

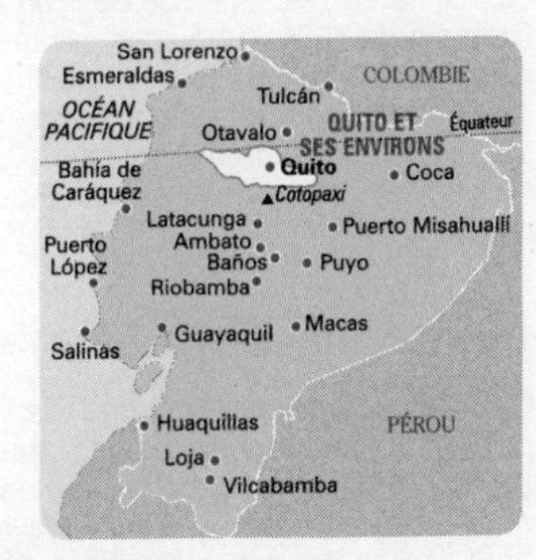


## QUITO

env 2 300 000 hab. IND. TÉL. : 02

> Pour les plans de Quito, se reporter au cahier couleur.

**_« Quito, luz de America » :_ « Quito lumière de l'Amérique ». Cette fameuse phrase du libérateur Simón Bolívar, nous la prenons d'abord au sens propre, tant cette haute capitale semble soumise à la puissance de la lumière andine, emportée vers le ciel, aspirée par les nuages. C'est bien simple, à 2 850 m d'altitude, c'est la deuxième capitale la plus haute du monde après La Paz, en Bolivie. Elle s'étire tout en longueur dans le sens nord-sud, dans une vallée entourée de collines verdoyantes et dominée, à l'ouest, par les volcans Rucu et Guagua Pichincha, qui culminent respectivement à 4 627 et 4 776 m. Difficile de trouver relief plus bosselé, paysage plus accidenté, géographie urbaine plus agrippée aux montagnes que le site naturel de Quito.**

**Côté culturel et architectural, la ville présente au moins trois visages. D'une part, le Quito colonial, ou le centre historique, inscrit au Patrimoine de l'humanité par l'Unesco. C'est la partie la plus intéressante de la ville. D'autre part, le Quito moderne, au nord, avec en vedette la zone de La Mariscal, ses hôtels pour touristes, ses restos, ses agences de tout poil et sa vie nocturne assez débridée en fin de semaine (avis aux noceurs !). Au-delà, le quartier gravitant autour du grand parque La Carolina présente un visage bien mis, plus bourgeois pour tout dire.**
**En bref, on peut facilement passer 2 ou 3 jours à Quito sans s'ennuyer, la ville représentant également une excellente base d'acclimatation (à l'altitude...) pour partir ensuite explorer les montagnes du pays.**

## UN PEU D'HISTOIRE

L'existence de la ville remonte à des temps immémoriaux. Les annales évoquent en particulier le peuple des Quitu, autrefois installé autour de l'actuel Panecillo (dominant le Quito colonial). Plus tard, les Incas s'en emparèrent et y imposèrent leur culture et leur religion. L'Inca *Atahualpa* résidait d'ailleurs plus souvent à Quito qu'à Cuzco. Son palais se trouvait à l'emplacement même de l'actuel palacio del Gobierno, plaza de la Independencia.
À l'arrivée des Espagnols, le général *Rumiñahui,* conscient de son infériorité, préféra détruire la ville plutôt que de la livrer aux envahisseurs. Le premier conquistador, *Sebastián de Benalcázar,* fonda alors la « nouvelle » ville de Quito, le 6 décembre 1534. Les Espagnols détruisirent ce qu'il restait des temples incas et en utilisèrent les pierres pour construire sur les mêmes emplacements. Les seuls vestiges historiques datent donc de l'époque coloniale : églises, monastères, palais avec patio, rues et places pavées... Sans se comparer aux plus belles villes mexicaines, Quito s'enorgueillit de quelques édifices fastueux. Seule l'unité architecturale fait défaut.



## TOPOGRAPHIE DE LA VILLE

Quito est une ville assez étroite (4 à 7 km de large en moyenne) mais très longue : plus de 30 km ! Les deux principaux quartiers, le Quito colonial et La Mariscal, sont toutefois assez proches l'un de l'autre (environ 2 km). Chacun s'organisant selon un plan en damier, il est relativement facile de s'y repérer. Trois grands axes nord-sud se déroulent parallèlement. D'est en ouest : Avenida 6 de Diciembre, Avenida 10 de Agosto et Avenida América, qu'empruntent des bus et trolleys très bon marché.
– ***Le Quito colonial :*** au sud du Quito moderne, avec la plaza de la Independencia (ou plaza Grande) comme centre. C'est le quartier historique et populaire, délimité au sud par la colline du Panecillo (chapeautée par une Vierge démesurée) et à l'est par celle d'Itchimbía. On y admire des églises aux intérieurs baroques débridés, des marchés, des petites places pavées, de belles rangées de maisons coloniales colorées... Très animé en journée, le quartier est en revanche sans vie le soir, et la sécurité reste un souci (même si elle s'est globalement améliorée).
– ***Le Quito moderne :*** au nord du Quito colonial (C.Q.F.D. !). Les deux quartiers sont séparés par deux jardins publics, l'Alameda et le vaste parque El Ejido, très vivant la journée. Au-delà s'étend La Mariscal, quartier aux rues bordées d'immeubles plus ou moins récents (mais aussi de quelques vieilles et belles maisons), de boutiques, de restos et de bars, de petites pensions pour routards et d'hôtels chic. C'est surtout ici que résident les touristes et visiteurs étrangers, l'hébergement étant plus varié et la vie nocturne plus animée (euphémisme !) que dans le Quito colonial – surtout le week-end. À l'est, passé l'avenida 12 de Octubre, débute l'agréable quartier résidentiel en plein essor de La Floresta, qui domine de ses hauteurs le vieux Guápulo colonial aux rues pentues et pavées. Au nord de La Mariscal, le parque La Carolina forme le cœur d'un autre quartier moderne où se regroupent compagnies aériennes et ambassades.

### Arrivée à l'aéroport

✈ Le tout nouvel ***aéroport (NAIQ ; hors plan d'ensemble par E3)*** de Quito a ouvert le 20 février 2013. Il est situé près de Tababela, à environ 20 km au nord-est de la capitale. Il remplace le vieil aéroport Mariscal Sucre, qui devrait être reconverti en parc public. Toutefois, à l'heure où nous imprimons ces lignes, nous ne pouvons pas vous donner plus d'informations. Tous les services sur place sont prévus (office de tourisme, change, agences de location de voitures...). Infos : • *aeropuertoquito.aero* •

## Se déplacer dans Quito et dans les environs

À l'intérieur du Quito colonial ou de La Mariscal, on se déplace à pied. En revanche, entre les 2 (ou pour se rendre dans certains musées et rejoindre des sites un peu excentrés), il peut être nécessaire de monter dans un taxi ou un bus.

### Taxis

Les taxis, nombreux, ne sont pas chers. Privilégiez toujours les officiels, plus sûrs, de couleur jaune et avec une plaque orange. Le taximètre est théoriquement obligatoire jusqu'à 20h. Certains chauffeurs l'enclenchent automatiquement, d'autres attendent qu'on le leur demande... À défaut, ou après l'heure, convenez d'un tarif forfaitaire (ça évite les détours inutiles !). Compter entre 1 US$ (tarif minimum) et 4 US$, selon la distance parcourue, un peu plus pour rejoindre les gares routières, très excentrées. Du Quito moderne au Quito colonial, prévoir 2-3 US$.

### Bus et trolleybus

Les bus sont nombreux à Quito, mais il n'est pas toujours facile de savoir lequel prendre – d'autant que certains ralentissent pour charger les passagers plus qu'ils ne s'arrêtent ! Il n'existe malheureusement pas de bus direct entre La Mariscal et le cœur du Quito colonial. Depuis La Mariscal, prenez par exemple un bus indiquant « La Marín », il vous déposera à 10 mn à pied.
Pour simplifier vos déplacements en ville, nous vous conseillons de privilégier les 3 grandes lignes avec voie dédiée du ***Metrobus,*** du ***Trolleybus*** et de l'***Ecovía,*** qui remontent et descendent respectivement l'avenida América, l'avenida 10 de Agosto et l'avenida 6 de Diciembre, sur un axe nord-sud. Leur coût est le même que celui des bus ordinaires : 0,25 US$ par trajet, quelle que soit la distance ! Et comme les bus, ils fonctionnent grosso modo de 5h-6h à 21h-22h (plus tôt le w-e).
Pour rejoindre le terminal des bus de Quitumbe, vous aurez le choix entre l'*Ecovía* et le *Trolleybus,* directs tous les 2. Pour le terminal de Carcelén (nord), en revanche, il vous faudra d'abord prendre le *Metrobus* jusqu'à l'estación La Ofelia, puis changer pour un bus ordinaire. Sinon, le *Trolleybus* a la bonne idée de desservir le cœur du quartier historique ! Pratique donc, mais attention aux pickpockets qui fréquentent volontiers ces lignes aux heures de pointe, en semaine, lorsqu'on est serré comme des sardines... Grand classique : le sac découpé à la lame de rasoir.

### Bus « interparroquiales »

En plus de ses 2 terminaux de bus longues distances, Quito dispose de 3 terminaux dédiés aux liaisons de proximité. Celui de la ***plaza Marín*** *(plan couleur II, B5),* juste en contrebas du Quito colonial, dessert entre autres Calderón. On peut le rejoindre à bord de l'*Ecovía*. C'est également le cas du terminal de ***Río Coca,*** situé au nord-est *(hors plan d'ensemble par E1)*. Quant au terminal **La Ofelia,** au nord, on l'atteint avec le *Metrobus (hors plan d'ensemble par D1)*. C'est là qu'il faut aller pour rejoindre Mindo.

### Location de voitures

Si vous souhaitez visiter les environs de Quito, cela peut être une bonne idée de louer une voiture. Mais attention, cela revient vite assez cher, surtout si vous souhaitez vous reposer sur les services d'un chauffeur. Autre détail qui a son importance : vérifiez bien le numéro de plaque de votre véhicule. Celles qui terminent en 1 et 2 n'ont pas le droit de circuler entre 7h et 9h30 le lundi, celles terminant en 3 et 4 sont interdites le mardi aux mêmes heures, celles en 5 et 6 le mercredi, celles en 7 et 8 le jeudi, et celles en 9 et 0 le vendredi ! Amende assurée si vous ne respectez pas cette réglementation.

■ ***Avis*** *(plan couleur III, E1,* ***13****)* **:** *av. de Los Granados E11-26 et av. 6 de Diciembre. ☎ 244-02-70 ou 225-93-33. À l'aéroport : ☎ 330-06-67.*

*● avis.com.ec ● Lun-ven 7h-21h. Également sam 8h-19h et dim 10h-20h à l'aéroport.*

■ **Budget** (zoom couleur, C3, **14**) **:** *av. Colón E4-387 et Río Amazonas. ☎ 223-70-26. ● budget-ec.com ● Lun-ven 8h-19h30, sam 8h-13h. À l'aéroport : ☎ 330-09-79.*

■ **Hertz** (hors plan d'ensemble par D1) **:** *av. Río Amazonas N49-111 y Río Curaray. ☎ 330-07-83. ● hertz.com.ec ● Lun-ven 8h30-17h30. À l'aéroport : ☎ 225-42-57. Tlj 7h-22h.*

## Adresses utiles

### Infos touristiques

ℹ @ ***Quito Turismo*** (plan couleur II, B5) **:** *sur la plaza de la Independencia, à l'angle d'Espejo et Venezuela, dans la vieille ville. ☎ 257-24-45. ● quito.com.ec ● Lun-ven 9h-18h, sam 9h-20h, dim 10h-17h.* Un office de tourisme bien organisé (consignes et Internet) et très professionnel. Propose des visites guidées à thème : art colonial *(tlj à 9h, 10h, 11h, 11h30 et 14h ; 12,50 US$)*, grands édifices *(tlj sf lun, mêmes horaires ; 15 US$)*, simple balade diurne *(tlj ; 4 US$)* ou nocturne *(sur résa ; 5 US$)*, et même un itinéraire sur les traces des artisans *(tlj à 9h ; 11 US$)*. Il existe également des visites guidées en costume d'époque *(sam soir à 19h et 20h ; 7 US$)*, attachées chaque fois à un lieu différent, mais il n'est pas sûr qu'elles soient reconduites. Autres bureaux à l'aéroport et au terminal des bus de Quitumbe.

### Poste, télécommunications

✉ ***Poste*** (Correos) **:** *edif. Torre B, Cristobal Colón y Reina Victoria, La Mariscal (zoom couleur, D3). Lun-ven 8h-18h ; sam 8h-12h. Dans le centre, vous trouverez une antenne dans le Palacio Arzobispal (plan couleur II, B5), et des kiosques vendant timbres et cartes postales dans Espejo Oe3-19, entre Venezuela et Guayaquil (plan couleur II, B5). Lun-ven 8h-18h.*

■ ***Téléphone et Internet* :** le Quito colonial dispose d'une connexion wifi publique gratuite dont vous pourrez profiter pleinement... jusqu'à ce qu'un voleur ne vous subtilise votre *laptop*, disent les Quiteños narquois ! Pour téléphoner au meilleur coût, cherchez un des nombreux centres d'appels *(locutorios)* où les communications passent par Internet. On paie souvent moins de 0,10 US$/mn pour l'Europe ! La plupart font aussi café Internet (compter moins de 1 US$/h). Dans La Mariscal, on en trouve un bon paquet dans les rues P. Wilson, Juan León Mera *(zoom couleur, C3)* et à leurs abords. Par exemple :

@ ***Cabinas Intern*** (zoom couleur, C3, **11**) **:** *Cordero E5-39 y Juan León Mera. Tlj 8h-20h.*

@ ***Netplace Cyber*** (zoom couleur, C4, **12**) **:** *angle de J. L. Mera et Ramón Roca. Tlj 8h-20h.* Au rez-de-chaussée d'un petit château style Disneyland... Il y en a des bien plus centraux, mais celui-ci a le mérite d'être rigolo !

### Argent, change

■ ***Distributeurs automatiques*** (**ATM**) **:** on en trouve un peu partout. Parmi les mieux placés, citons ceux à côté de l'office de tourisme de Quito, à l'angle de Venezuela et Espejo, dans le Quito colonial *(plan couleur II, B5)*. Dans La Mariscal : *av. Colón y Reina Victoria (*Banco de Guayaquil *; zoom couleur, D3, **3**), et à l'angle de Río Amazonas et Veintimilla (zoom couleur, C3, **3**).*

■ ***Change* :** ***VAZcorp,*** *edif. Río Amazonas, av. Amazonas N21-169 y Roca (plan couleur I, C4, **6**). ☎ 252-91-69. Lun-ven 8h30-17h30.* Change les euros sans commission, à un taux encore acceptable, ainsi que les *travellers American Express* en dollars (com' de 5 US$). Ce sont les seuls dans tout Quito qui le fassent ! Autre bureau de change presque à côté : ***Euromoney SCC,*** *av. Amazonas N21-229 ; lun-ven 9h-18h, sam 9h-13h.* Conditions similaires.

■ ***American Express*** (plan couleur I, C4, **4**) **:** *av. Amazonas N21-33 y Jorge Washington. ☎ 256-04-88. Lun-ven 8h30-17h.* On n'y change pas les chèques de voyage, mais c'est ici qu'il faut venir en cas de perte ou de vol de ceux-ci (ou de votre carte *Amex*).

■ ***Western Union*** *(zoom couleur, C3,* ***10****) : Rio Amazonas 24-08 y Wilson. Lun-sam 8h30-19h.* Transfert d'argent.

## Représentations diplomatiques

■ ***Ambassade et consulat de France*** *(plan couleur I, C4,* ***5****) : av. Léonidas Plaza 107-127 y Patria.* ☎ *294-38-00.* • *ambafrance-ec.org* • *Ambassade ouv lun-ven 8h30-13h, 15h-17h30. Section consulaire ouv lun-ven 8h30-12h.* Le consulat peut, en cas de difficultés financières, vous indiquer la meilleure solution pour que des proches puissent vous faire parvenir de l'argent, ou encore vous assister juridiquement en cas de problèmes.

■ ***Ambassade de Belgique*** *(plan couleur III, D2,* ***17****) : av. República del Salvador 1082 y av. Naciones Unidas, edif. Mansión Blanca, Torre París, 10e étage.* ☎ *227-39-10.* • *diplomatie.be/quitoes* • *Lun-jeu 9h-12h, 14h-16h.*

■ ***Ambassade de Suisse*** *(plan couleur III, D2,* ***18****) : av. Amazonas N35-17 y Juan Pablo Sanz, edif. Xerox, 2e étage.* ☎ *243-49-49 ou 48-04.* • *eda.admin.ch/quito* • *Lun-ven 9h-12h.*

■ ***Ambassade du Canada*** *(plan couleur III, D1,* ***19****) : av. Amazonas 37-29 y Union Naciónal de Periodistas, edif. Eurocenter, 3e étage.* ☎ *245-54-99. En cas d'extrême urgence pour les citoyens canadiens :* ☎ *(1) 613-996-8885 (appel à frais virés accepté).* • *quito.gc.ca* • *Consulat ouv lun-ven 8h-12h.*

■ ***Ambassade de Colombie*** *(plan couleur I, D4,* ***20****) : av. 12 de Octubre 24-528 y Luis Cordero, edif. World Trade Center, Torre B, 14e étage.* ☎ *223-64-63.* ***Consulat*** *(plan couleur III, C2,* ***22****) : Atahualpa E1-159 y República edif. Digicom, 3e étage.* ☎ *245-80-12. Lun-ven 8h30-13h30.* Les ressortissants français, belges, suisses et canadiens n'ont pas besoin de visa pour un simple séjour touristique.

■ ***Ambassade du Pérou*** *(plan couleur III, D2,* ***21****) : República del Salvador N34-361 y Irlanda.* ☎ *246-84-10.* • *embajadadelperu.org.ec* • *Lun-ven 9h-13h, 15h-18h.* Le visa n'est pas nécessaire pour se rendre au Pérou en touriste.

## Urgences

⊞ ***Hôpital Metropolitano*** *(plan d'ensemble, B2) : av. Mariana de Jesús y Nicolás Arteta, au nord-ouest de la ville.* ☎ *399-80-00, extension 2153.* • *hospitalmetropolitano.org* • Un hôpital 5 étoiles, alors mieux vaut avoir une bonne assurance !

## Loisirs, culture

■ ***Alliance française*** *(plan couleur III, D3,* ***23****) : av. Eloy Alfaro N32-468 y Bélgica, près du parque La Carolina.* ☎ *224-65-89 ou 90.* • *afquito.org.ec* • *blogaf.org* • *Médiathèque ouv lun-ven 9h-12h30, 14h30-19h ; sam 9h45-12h45.* Biblio avec accès Internet gratuit (30 mn) et même un iPad en consultation avec plus de 500 livres numériques ! Belle programmation culturelle : films en espagnol et français, théâtre, conférences, expos diverses, etc. Ceux qui sont partis depuis longtemps pourront faire halte, à côté, à *La Maison du Fromage* (bon menu le midi) !

■ ***Libri Mundi*** *(zoom couleur, C3,* ***7****) : Juan León Mera N23-83 y Wilson, La Mariscal.* ☎ *223-47-91.* • *librimundi.com* • *Lun-ven 8h30-19h30 ; sam 9h-14h, 15h-18h.* Belle librairie bien approvisionnée, avec quelques ouvrages (dont des romans) en français, de beaux livres sur l'Équateur et des cartes du pays.

■ Ceux qui lisent l'espagnol et s'intéressent aux cultures minoritaires peuvent aller fouiner du côté de la librairie du ***Museo Amazónico Abya-Yala*** *(plan couleur I, D4,* ***193****), av. 12 de Octubre 23-116 y Wilson.* Lire plus loin « À voir. À faire ».

■ ***Cinéma Ocho y Medio*** *(plan couleur I, D4,* ***8****) : Valladolid N24-353 y Vizcaya, La Floresta.* ☎ *290-47-20.* • *ochoymedio.net* • *Ciné tlj 14h30-23h30 ; café lun-ven 9h-23h, w-e 12h-23h, j. fériés 14h-23h.* Belle initiative que ce petit centre culturel proposant une programmation variée de reportages, vidéos et films de qualité venus du monde entier et estampillés « art et essai ». Parfois, groupes de musique du coin ou théâtre. Petit bar-resto coloré, *Dios le Pague*, un rien bohème et toujours chaleureux, pour se donner rendez-vous ou discuter des films à bâtons rompus autour d'une belle salade ou d'un verre de vin (menu à 5 US$).

## Centres d'infos et de documentation pour le voyage

■ ***Instituto Geográfico Militar*** *(plan couleur I, C4,* ***15****) : Seniergues E4-676 y General Telmo Paz y Miño. ☎ 397-51-00 ou 29. • igm.gob.ec • À côté du planétarium, sur une colline au sud-est du parque El Ejido. Lun-ven 9h-16h.* On peut y acheter ou faire des photocopies, en noir et blanc ou en couleur, des cartes militaires (1/250 000 à 1/50 000) de tout le pays. Une aubaine pour ceux qui comptent sortir un peu des sentiers battus, d'autant qu'il n'existe pas de cartes très précises dans le commerce. Compter 3,50 US$ la copie ou 7,30 US$ en format digital. Il faut aussi donner son numéro de passeport.

■ ***South American Explorers Club*** *(plan couleur I, C4,* ***16****) : Jorge Washington E8-64 y Léonidas Plaza. ☎ 222-52-28. • saexplorers.org • Près de l'ambassade de France, dans une belle villa entourée d'un jardin. Lun-ven 9h30-17h.* Cette organisation culturelle à but non lucratif est une vraie perle dans son genre. Vous y trouverez une avalanche d'infos, des cartes, des guides et livres de référence variés sur tous les pays d'Amérique latine. Tout le monde est le bienvenu, mais si vous n'êtes pas membre de l'association, on vous aidera seulement pendant une petite demi-heure, car les services de l'association sont réservés à ceux qui en font partie. L'inscription est de 60 US$ par personne par an (90 US$ pour un couple), mais donne droit à de nombreux avantages : organiser toutes ses expéditions (accès libre à la bibliothèque et à Internet), appeler gratuitement vers l'Amérique du Nord (nos amis canadiens apprécieront !), trouver des compagnons de voyage, utiliser leur adresse comme poste restante, laisser ses bagages en consigne pendant plusieurs mois et déposer son argent et ses objets de valeur dans leur coffre-fort. L'association organise diverses sorties, randos, cours de yoga, cours d'espagnol ou de cuisine... Vous pourrez aussi profiter de cette belle maison et de ses salons pour lire, discuter, vous faire une boisson chaude et... un tas de nouveaux potes ! Certains logent même sur place *(chambres 175-275 US$/mois).* Personnel vraiment sympa et très averti. Panneau bourré de petites annonces.

## Compagnies aériennes

#### Compagnies aériennes nationales

■ ***Tame*** *(zoom couleur, C3,* ***9****) : av. Amazonas 24-260 y Colón, La Mariscal (1er étage). ☎ 396-63-00 ou 1-800-500-800 (n° gratuit). À l'aéroport : ☎ 396-32-00. • tame.com.ec • Lun-ven 8h-18h ; sam 9h-13h.* Dessert les principales villes équatoriennes, ainsi que les Galápagos.

■ ***AeroGal*** *: av. Amazonas 7797 y Juan Holguín, à côté de l'aéroport Mariscal Sucre (hors plan d'ensemble par D1). ☎ 396-06-00 ou 1-800-237-6425 (n° gratuit). • aerogal.com.ec • Lun-ven 8h30-18h. Autre bureau à La Mariscal (plan couleur I, C3, et hors zoom couleur par C3,* ***24****) : Río Amazonas N22-23 y Jerónimo Carrión. Lun-ven 9h-18h. Également près du parque La Carolina (plan couleur III, D2,* ***24****) : República de Salvador y Suizo. Lun-ven 9h-18h.* Vols pour les Galápagos, Manta, Cuenca, Guayaquil, El Coca, Lago Agrio et Bogota.

■ ***Saereo*** *(hors plan d'ensemble par D1) : Indanza 121 y av. Río Amazonas, près de l'aéroport Mariscal Sucre. ☎ 330-11-52 ou 1-800-723-736 (n° gratuit). • saereo.com •* Dessert Macas, Lago Agrio et les Galápagos.

#### Compagnies aériennes internationales

■ ***Air France-KLM*** *(plan couleur I, D3,* ***25****) : av. 12 de Octubre N26-27 y Lincoln, edif. Torre 1492, bureau 1103. ☎ 298-68-20, 396-67-28 ou 1-800-010-337 (n° gratuit). À l'aéroport : ☎ 330-12-35.*

■ ***American Airlines*** *(plan couleur III, D2,* ***26****)* **:** *av. de Los Shyris y Suecia, edif. Renazzo Plaza. ☎ 299-50-00. Lun-sam 9h-18h. À l'aéroport : ☎ 330-22-40.*

■ ***Avianca*** *(plan couleur I, D3,* ***27****)* **:** *av. La Coruña 143 y Bello Horizonte, loc. 3. ☎ 397-80-00 ou 1-800-003-434 (nº gratuit). Lun-ven 8h30-18h, sam 10h-13h. À l'aéroport : ☎ 330-13-79.*

■ **Delta Airlines** *(plan couleur III, D2,* ***26****)* **:** *av. de Los Shyris y Suecia, edif. Renazzo Plaza. ☎ 333-16-91 ou 1-800-101-060 (nº gratuit). Lun-ven 9h-17h. À l'aéroport : ☎ 333-11-64.*

■ **Iberia** *(plan couleur III, D3)* **:** *av. Eloy Alfaro 939 y Amazonas, edif. Finandes, 5ᵉ étage. ☎ 222-94-54. À l'aéroport : ☎ 330-22-48.*

■ **Lan** *(plan couleur I, D3,* ***28****)* **:** *av. La Coruña 1527 y Orellana, edif. Orellana, 3ᵉ étage. ☎ 299-23-00 ou 1-800-101-075 (nº gratuit). Lun-ven 9h-18h, sam 9h-13h. Autre bureau dans le centre commercial* Quicentro *(plan couleur III, D1,* ***28****), av. Naciones Unidas et av. de Los Shyris, à l'angle nord-est du parque La Carolina. Lun-jeu 9h30-20h, ven-sam 9h30-21h, dim 10h-20h. À l'aéroport : ☎ 330-22-13.*

■ ***United*** *(plan couleur III, D1-2,* ***29****)* **:** *av. Naciones Unidas, entre República del Salvador et av. 6 de Diciembre. ☎ 225-09-05 ou 1-800-222-333 (nº gratuit). Lun-ven 9h-17h30, sam 9h-12h30. À l'aéroport : ☎ 330-22-19.*

## Agences de voyages

Comme disent les Équatoriens : *lo barato sale caro* (« vouloir payer peu revient cher ! »), donc ne vous ruez pas sur les agences qui proposent les tarifs les plus alléchants. Les agences qui suivent sont fiables.

■ ***Capac Ñan*** **:** *Flores Jijón E17-74 y Sotomayor, Bellavista, Quito. ☎ 244-94-83. 📱 0984-619-072. • capacnan.com •* Visiter l'Équateur insolite et hors des sentiers battus, avec des hébergements en maisons d'hôtes et haciendas privées, voilà ce que propose cette agence fondée par Philippe et Marie-Gabrielle, un couple franco-suisso-équatorien basé à Quito. Des circuits privés sur-mesure, avec un suivi ultra-personnalisé, pour découvrir par exemple les marchés indigènes perdus dans la Sierra, visiter des églises et couvents de Quito habituellement fermés au public, en compagnie d'un professeur d'histoire. Des activités inédites sont aussi proposées : cours de cuisine, montée à cheval aux mines de glace du Chimborazo, séjour au sein d'une communauté indigène, etc. Aux Galapagos, *Capac Ñan* propose principalement des croisières à bord de beaux voiliers à très faible capacité (12-16 pers max).

■ ***Équateur Voyages Passion*** *(plan couleur I, C4,* ***60****)* **:** *Gran Colombia N15-200 y Yaguachi. ☎ 254-38-03. 📱 09-99-93-51-08 ou, depuis la France, ☎ 09-70-46-82-99. • equateur-voyages.com • À l'intérieur de l'hostal* Auberge Inn. *Lun-ven 9h-18h.* Petite agence très dynamique tenue par 2 Français sympas, Christian et Gérald. Une excellente adresse pour organiser votre séjour en Équateur. Programmes variés et originaux pour tout public : randonnée, trek, haute montagne, descente à vélo et aussi des séjours plus doux à la découverte des populations, à la carte ou selon des itinéraires préétablis, en groupes de 2 à 8 personnes. Offre également des séjours intéressants en Amazonie (où ils possèdent un *lodge*) et des croisières aux îles Galápagos à des prix raisonnables.

■ ***Palmar Voyages*** *(plan couleur III, C3,* ***41****)* **:** *Alemania N31-77 y av. Mariana de Jesús. ☎ 256-98-09 ou 255-64-51. • palmarvoyages.com • Lun-ven 9h-18h ; sam 9h-13h.* Dominique, la proprio française, installée en Équateur depuis plus de 20 ans, vous propose tout l'Équateur à la carte, selon votre budget. Grand choix de circuits privés (ou non), classique, aventure, écotourisme ou communautaire dans le pays, au Pérou et en Amérique latine, mais aussi des croisières aux Galápagos, des séjours en Amazonie au plus près des populations indiennes, ainsi que des billets d'avion. Le tout avec professionnalisme, attention personnalisée et une grande connaissance du pays. Loue également une maison à Mindo *(50 US$/j.).*

■ ***Terra Nova Trek*** *(plan couleur III, C1)* **:** *Villalengua Oe4-177 y Barón de*

*Carondelet (2e étage).* ☎ *244-42-13.* • *terranovatrek.com* • *Lun-ven 9h-18h.* Le Belge Henri Leduc, compétent et jovial, est à la fois alpiniste, instructeur de parapente, plongeur, moniteur de kayak et organisateur de treks et d'ascensions. Au programme : le Cotopaxi, le Chimborazo, les Illinizas et bien d'autres volcans et sommets, à l'unité ou à enchaîner. Organise aussi des treks au long cours, des tours en Amazonie, des randos équestres, du rafting et des croisières aux Galápagos.

■ ***Biking Dutchman*** *(zoom couleur, C3,* ***30****)* **:** *Foch E4-283 y av. Río Amazonas.* ☎ *256-83-23 ou 254-28-06.* • *bikingdutchman.com* • *Lun-ven 9h-18h.* Cette agence très professionnelle, où l'on parle le français, se propose de vous faire découvrir l'Équateur à vélo. On pédale exclusivement en descente (c'est la politique de la maison), et on utilise un 4x4 pour rallier les sites éloignés. Les tours durent de 1 à 5 jours et combinent, au choix, volcans Cotopaxi et Chimborazo, lagune de Quilotoa, thermes de Papallacta, forêt des nuages à l'ouest du volcan Pichincha, chutes San Rafael et Amazonie.

■ ***Gulliver*** *(zoom couleur, C3,* ***31****)* **:** *Juan Léon Mera N24-156 y José Cálama.* ☎ *252-92-97.* • *gulliver.com.ec* • Très bien implantée à La Mariscal, cette agence propose des excursions de qualité à Quito et dans sa région. Compter environ 35 US$ pour une journée à la lagune de Quilotoa, autant pour une balade équestre de 4h, 38 US$ pour une excursion à Otavalo ou 40 US$ pour une descente en vélo depuis le refuge du Cotopaxi. Des excursions de 2 jours sont aussi proposées, avec nuit à l'*Hosteria Papagayo,* à proximité du parc national du Cotopaxi. Également des tarifs intéressants pour les Galápagos en dernière minute.

■ ***Klein Tours*** *(plan couleur III, E2)* **:** *av. Eloy Alfaro N34-151 y Catalina de Aldaz.* ☎ *226-70-80.* • *kleintours.com* • *Succursale av. de Los Shyris 1000 y Holanda.* Une des agences les plus sérieuses de Quito, mais aussi l'une des plus chères. Propose notamment de superbes prestations sur les Galápagos (3-7 jours), à bord d'un des 3 bateaux lui appartenant (20 à 100 passagers), mais aussi le reste du pays et des extensions au Pérou.

■ ***Quimbaya Tours*** *(plan couleur III, D3)* **:** *Almagro y av. de Los Shyris, edif. Torrenova, 11e étage.* ☎ *222-11-38 ou 223-06-86.* • *quimbaya-tours.fr* • *Lun-ven 8h30-17h.* Cette bonne agence généraliste propose des circuits bien faits dans tout l'Équateur (Galápagos inclus), des autotours, mais également des voyages à la carte et hors des sentiers battus. Dispose de guides et de correspondants locaux parlant le français.

■ ***SM Turismo et Andes Planet*** *(plan couleur III, C1-2)* **:** *av. 10 de Agosto N36-67, entre Manosca et Juan Galindez, edif. Green Power, 6e étage.* ☎ *226-64-61 ou 226-81-80.* • *andesplanet.com* • Paúl et Paola Salazar, frère et sœur, parlent tous les 2 le français. Paúl est un excellent guide professionnel et il fera tout pour que vous n'ayez qu'une envie : revenir dans son pays qu'il connaît si bien. L'agence *SM Turismo* dispose de plusieurs véhicules (voiture, 4x4, bus et minibus en bon état) avec chauffeur, disponibles à la journée, à la semaine, etc. Quant à *Andes Planet,* elle organise plutôt des voyages privés, à la carte. Paiement de 50 % par transfert bancaire avant l'arrivée. Très demandé, réserver bien à l'avance.

■ ***Ecuador Adventure*** **:** ☎ *604-68-00.* • *ecuadoradventure.ec* • Ici, on allie l'aventure et la sécurité. Cette agence est spécialisée dans les randonnées à pied et à vélo, le rafting, le kayak et l'andinisme. Il y en a pour tous les niveaux, du débutant au confirmé. Sensations assurées mais tarifs élevés.

■ ***Marite Tour*** *(plan couleur I, C4)* **:** *Robles 769 y 9 de Octubre, face à l'église Santa Teresita.* ☎ *255-90-69 ou 252-38-49.* • *galapagosandecuador.com* • Encore une agence généraliste fiable, tenue par Paola, une Équatorienne consciencieuse et très sympathique mariée à un Français. Organise tout type de circuits et séjours, de la simple location de voitures avec chauffeur à la croisière aux Galápagos.

## Divers

■ ***Supermarché*** *(plan couleur II, A5,* ***32****)* **:** *Bolívar Oe4-42, entre Venezuela et*

*Garcia Moreno, dans le Quito colonial. Lun-sam 8h30-20h, dim 9h-18h.*

■ ***Laveries :*** elles sont nombreuses dans La Mariscal. Compter environ 1 US$/kg. Parmi elles : *Ecuadorian Cleaning (zoom couleur, C3,* ***33****), Pinto E4-365.* ☎ *255-81-01. Tlj 8h-19h (9h-17h le w-e).* Il y en a 2 autres à côté. Près de l'AJ officielle, 100 m plus bas, vous trouverez aussi la *lavandería Super Lavado, Pinto E6-24, entre Reina Victoria et Juan L. Mera.* ☎ *250-29-87. Ouv tlj 7h30-19h30.* Dans cette dernière, réduc de 10 % avec la carte internationale d'étudiant.

## Où dormir ?

### *Dans le Quito colonial (plan couleur II)*

Les possibilités d'hébergement sont moins nombreuses ici que dans le Quito moderne. Certes, plusieurs beaux édifices coloniaux ont été restaurés ces dernières années, mais leurs chambres affichent des tarifs souvent indécents, comme dans les superbes *Casa Gangotena* et *Plaza Grande* (rien à moins de 450 US$ !). Restent 1 ou 2 belles adresses qui font exception. Attention : ici, la nuit, on ne se promène pas le nez en l'air...

### De très bon marché à bon marché (jusqu'à 30 US$)

***Hostal La Posada Colonial*** *(plan couleur II, B5,* ***50****) : Paredes S1-49 y Rocafuerte.* ☎ *228-28-59.* • *laposadacolonial.com* • *Compter 6-12 US$/pers.* Cet *hostal* accueillant et bien propre occupe une maison ancienne rénovée, aux planchers qui craquent doucement. Les chambres, avec ou sans salle de bains, sont parfois un peu petites, parfois lumineuses, parfois moins, mais globalement d'un très bon rapport qualité-prix pour le centre historique. Eau chaude en quantité et bon accueil (cool) de Jaime. Calme assuré sur place, mais la calle de La Ronda n'est qu'à 2 mn.

***Hotel San Agustín*** *(plan couleur II, B5,* ***51****) : Flores N5-28 y Chile.* ☎ *228-31-10. Double avec sdb à partir de 15 US$.* L'adresse n'est pas de première jeunesse, loin s'en faut, mais elle reste acceptable pour le prix. Les chambres ne sont pas trop petites et plutôt calmes au fond – préférez les n[os] 305 ou 306. En revanche, les douches sont très étroites.

### Prix moyens (30-48 US$)

***Hostal Ecuador*** *(plan couleur II, A5,* ***53****) : Venezuela S-128 y Rocafuerte.* ☎ *295-26-29.* • *hostalecuadorquito.com* • *Doubles 40-46 US$.* Tout proche de la belle calle de La Ronda, ce petit hôtel a été joliment restauré, avec des parquets et des dessus-de-lit pimpants. Les 7 chambres, assez spacieuses, donnent sur un patio central. Également 2 suites de 2 chambres en duplex, que vous obtiendrez peut-être au même prix en basse saison.

***Hotel Viena Internacional*** *(plan couleur II, B5,* ***51****) : Flores N5-04 y Chile.* ☎ *295-48-60.* • *hotelvienaint.com* • *Double 44 US$.* Chambres réparties sur 3 niveaux autour d'un beau patio agrémenté d'une fontaine (à sec). Elles sont plutôt spacieuses (avec TV et salle de bains), mais sans charme, et celles donnant sur la rue peuvent se révéler très bruyantes. Parking gratuit.

### Chic (48-70 US$)

***Hotel Boutique Portal de Cantuña*** *(plan couleur II, A5,* ***55****) : Bolívar Oe6-105.* ☎ *228-22-76.* • *portaldecantuna.com* • *Au fond d'une ruelle, juste au-dessus du couvent de San Francisco. Doubles 57-59 US$, petit déj inclus.* Voici, de loin, notre adresse préférée à Quito ! Récemment ouvert, ce superbe petit hôtel de 12 chambres à l'ambiance *Bed & Breakfast* occupe une vénérable maison familiale, organisée autour d'un beau patio à colonnes, coiffé d'une verrière artistique en matériaux recyclés. Les chambres se répartissent autour, sur 2 étages, entre les pièces à vivre aux parquets et pavements de céramique anciens – superbe salon doré et vert pastel, salle à manger où l'on peut prendre le thé à toute heure... et même une chapelle privée où trône une Vierge tricentenaire rapportée de l'hacienda familiale ! Les chambres restent relativement simples, mais les détails font du lieu un enchantement : luminaires créés spécialement, recoin jacuzzi sur un terrasson et souci constant des énergies renouvelables. Pour ne rien gâcher, Mario et sa famille sont très accueillants et parlent parfaitement anglais. Il ne reste plus qu'à espérer que les prix n'augmentent pas trop vite...

**Hotel San Francisco** *(plan couleur II, A-B5,* ***54****) : Sucre Oe3-17 y Guayaquil. ☎ 228-77-58. • sanfrancisco dequito.com.ec • Double 50 US$, petit déj inclus ; suites 60-70 US$.* Ce petit hôtel colonial offre un joli cadre avec ses 3 patios – le premier, très beau, à colonnade, est bien fleuri et décoré de fougères. Dommage que les chambres manquent souvent de personnalité et de luminosité. Évitez pour de bon celles de l'arrière, suites incluses.

**Hostal Quito Cultural** *(plan couleur II, B5,* ***56****) : Flores N4-160 y Chile. ☎ 228-80-84. • hostalquito cultural.com • Double 56 US$, petit déj inclus.* Sans être exceptionnelle, l'adresse est très centrale et affiche un rapport qualité-prix des plus correct pour le centre historique. Les chambres ne sont pas très grandes mais bien tenues, avec parquet et eau chaude à profusion (en général...). Essayez d'obtenir l'une des 2 situées du côté opposé de la rue (bruyante) et évitez les transferts aéroport (bien trop chers).

## *Non loin du Quito colonial, dans le quartier de La Tola (plans couleur I et II)*

Juste à l'est du vieux centre, La Tola regroupe pas mal de bons petits *hostales* à prix compétitif. L'ambiance du quartier, accroché aux pentes du Cerro Itchimbía (rues bien raides garanties !), oscille entre populaire et résidentiel. Certains s'y sentiront à l'aise, d'autres moins. La nuit, privilégiez le taxi.

### Très bon marché (moins de 18 US$)

**Residencial Margarita 1** *(plans couleur I et II, B4,* ***58****) : Antonio Elizalde 410 y Los Ríos. ☎ 295-25-99. • residencialmargarita@yahoo.com • Ecovía : Simón Bolívar. Double 16 US$ ; pas de petit déj.* À l'étage d'une petite épicerie, une poignée de chambres exiguës et sommaires, mais propres. Il y a aussi le *Margarita 2* un peu plus loin *(N12-108 Los Ríos)*, du même genre.

**Hotel Mediterráneo** *(plan couleur II, B4,* ***59****) : Antonio Elizalde E4-78 y av. Gran Colombia, presque en face du Residencial Margarita 1. ☎ 228-63-28. • hmediterraneoquito.com • Ecovía : Simón Bolívar. Double 18 US$.* Un bon choix dans cette catégorie. Carrelées et bien nettes (avec salle de bains et TV câblée), les chambres sont situées dans un bâtiment calme, tout carrelé lui aussi. Vente de boissons à la réception.

### De très bon marché à bon marché (moins de 30 US$)

**L'Auberge Inn** *(plan couleur I, C4,* ***60****) : av. Gran Colombia N15-200 y Yaguachi. ☎ 255-29-12. • auberge-inn-hostal.com • Doubles 20-26 US$, avec ou sans sdb ; 10 % de réduc avec la carte ISIC. payant,* À mi-chemin entre le Quito colonial et le Quito moderne, près du parque El Ejido, cette grosse maison rénovée aux faux airs de chalet (elle est tenue par un Suisse...) dessine un vrai havre de paix avec son patio, son salon et son jardin. Les chambres sont simples mais charmantes, carrelées, fraîches, aux murs blancs décorés de quelques textiles locaux, bref confortables et très bien tenues, avec salle de bains pour les plus chères. Cuisine commune, billard, local à bagages (payant), coffre-fort, service de laverie et bonne agence de voyages à l'arrière. Une adresse plusieurs fois approuvée par nos lecteurs !

**Community Hostel** *(plan couleur II, B5,* ***61****) : Cevallos N6-78 y Olmedo. ☎ 228-51-08. 0959-049-658.*

● *communityhostel.com* ● *Résa impérative. Double 30 US$ ; lit en dortoir (4-6 lits) 10-12,50 US$. Petit déj 2 US$, dîner 4 US$ (tlj, vers 19h-19h30).* Amarrée aux portes du Mercado Central, dans un coin très populaire, cette AJ récente et pimpante dispose de 2 chambres privées et de beaux dortoirs super propres, avec tiroirs fermant à clé. Les lits sont bien confortables, les serviettes sont fournies, les douches sont chaudes, le thé, le café et l'eau filtrée sont fournis à discrétion. Quant à l'esprit communautaire, il est indiscutable : on dîne ensemble, on papote sur la terrasse, bière à la main, et la maison reverse 10 % de ses bénefs à une ONG soutenant les familles les plus pauvres. Top !

**Hostal Secret Garden** *(plan couleur II, B5,* ***62****) : Antepara E4-60 y Los Ríos.* ☎ *295-67-04.* ● *secretgardenquito.com* ● *Dortoir (4-7 lits) env 10 US$/pers, doubles 28-34 US$ ; petit déj en sus (3 US$).* Tenu par un couple franco-équatorien, cette grosse AJ très colorée, tout en hauteur, est le lieu idéal pour rencontrer des routards de tous les pays. Au choix, dortoirs propres avec salles de bains communes, ou chambres privées plus intimes avec vieux plancher, tissu chatoyant aux murs et salle de bains privée. Toutes ne sont pas aussi agréables et lumineuses, mais on vient avant tout pour l'ambiance. On adore la terrasse panoramique où tout le monde se retrouve le soir, une bière à la main (*happy hour* 19h30-20h30), ou autour d'un feu de camp allumé dans une brouette ! C'est là aussi que se trouve la réception (belle ascension !)... Toujours beaucoup de monde disséminé au gré des différents salons. Eau filtrée, thé et café en libre-service, resto (cuba libre ou bière gratuite), laverie, consigne à bagages, cours d'espagnol (chers) et excursions, en particulier vers le Cotopaxi, où se trouve un autre *Secret Garden* (voir « Où dormir ? » dans le chapitre afférent). On peut d'ailleurs profiter d'un transfert pour seulement 5 US$.

**Hostel Revolution** *(plans couleur I et II, B4,* ***63****) : Los Ríos N13-11 y Julio Castro.* ☎ *254-64-58.* ● *hostelrevolutionquito.com* ● *Lit en dortoir (6 lits) 8,50 US$/pers ; doubles 16-25 US$ selon saison.* Un peu sur les hauteurs mais pas trop, cette AJ classique et calme est dirigée par un Australien. Murs colorés, plafonds à moulures, parquets, le lieu est bien tenu et les chambres sont toutes lumineuses. Elles partagent les mêmes douches (nombreuses) que les dortoirs. Cuisine commune bien équipée, thé et café gratuits, miniterrasse avec baby-foot et fléchettes. Attention, on n'entre pas entre 23h et 8h !

**Chicago Hostel** *(plan couleur II, B4-5,* ***65****) : Los Ríos N11-142 y Briceño.* ☎ *228-16-95 ou 258-97-81.* ● *chicagohostelecuador.hostel.com* ● *Doubles 20-24 US$. (à la réception).* Pension d'une quinzaine de chambres très bien tenues (certaines un peu petites), avec TV et salle de bains nickel – mais des murs plutôt fins. Une terrasse sur le toit pour le petit déj.

**Hostal San Blas** *(plan couleur II, B5,* ***66****) : Francisco de Caldas E1-38 y Cevallos.* ☎ *228-94-80.* ● *hostalsanblas.com.ec* ● *Doubles 20-24 US$, avec ou sans sdb.* Le joli bâtiment, posé sur la plaza San Blas, aux portes du Quito colonial, laisse imaginer plus chic, avec ses drapeaux en batterie au balcon. La plupart des chambres sont très petites et pas très lumineuses, parfois bruyantes (privilégiez les étages), mais elles sont fort bien tenues, propres et même un peu colorées. Petit plus : la terrasse au niveau supérieur.

## À La Mariscal (zoom couleur et plan couleur I)

C'est ici, à 2-3 km au nord du Quito colonial, que logent la plupart des visiteurs. Le quartier n'a aucun charme mais il est très vivant (un peu trop diront certains) et offre un large éventail d'hébergements « Bon marché » et « Prix moyens » – ce qui n'est pas le cas de la vieille ville.

## De très bon marché à bon marché (jusqu'à 30 US$)

**Otavalo Huasi Hostal** *(zoom couleur, C3,* ***67****) : Juan León Mera 24-203, entre Lizardo García et Cálama.*

☎ *252-87-69.* • *otavalohuasi.com* • *Compter 16-20 US$ la double avec ou sans sdb.* 💻 📶 *(payants).* L'accueil est simple, le lieu aussi, mais on apprécie ses petites chambres propres, avec parquet et TV, aux murs souvent peints de fresques colorées. Les plus grandes accueillent jusqu'à 5 personnes. À disposition : une cuisine et un salon-salle à manger. Bon accueil et atmosphère familiale, mais le lieu est assez bruyant, surtout si on loge du côté de la Juan León Mera.

🏠 ***Hostal New Bask*** *(zoom couleur, C3,* ***68****) : Lizardo García A7-56 (entre Diego de Almagro et Reina Victoria).* ☎ *256-71-53 ou 250-34-56.* • *hostal newbask.com* • *Env 6-7 US$/pers la nuit en dortoir et 16-18 US$ la double avec sdb.* 📶 Voici une adresse plutôt bordélique mais à l'atmosphère chaleureuse et familiale, très *buena onda*, qui plaira aux voyageurs au long cours. On y joue au bongo dans le salon et on bénéficie d'une petite cuisine dans le salon TV. Reste à ne pas être trop regardant : les matelas sont fatigués et certains murs pèlent.

🏠 ***Hostal Backpackers' Inn*** *(zoom couleur, D3,* ***69****) : Juan Rodríguez E7-48 y Reina Victoria.* ☎ *250-96-69.* • *backpackersinn.net* • *Dortoirs (5 lits) 7-8 US$/pers, doubles 17-24 US$, avec ou sans sdb.* 📶 Un bon choix pour les *backpackers* en quête d'une adresse familiale et propre. Ne vous attendez pas à faire la fête ici : on vient surtout pour dormir au calme. Espace commun au rez-de-chaussée avec TV, collection de DVD et grande cuisine équipée. Côté chambres, c'est simple mais plaisant et bien tenu. Évitez juste la n° 3, petite et sans fenêtre. Les dortoirs sont équipés de casiers.

🏠 🍴 ***El Cafecito Café-Hostal*** *(zoom couleur, D3,* ***70****) : Luis Cordero E6-43 y Reina Victoria.* ☎ *223-48-62.* • *cafe cito.net* • *Dortoir env 7 US$/pers, 1 matrimonial avec sdb commune 15 US$ et 2 doubles avec sdb 25 US$. Bon petit déj en sus. Resto tlj 8h-23h.* 📶 Ce petit hôtel coloré, au café-resto bien sympa, fréquenté par de nombreux routards, serait agréable s'il était mieux entretenu... Malheureusement, les chambres sont pour la plupart petites et sombres. Pour retrouver le sourire, on peut profiter du jardinet avec ses tables en bois, du baby-foot, du coin salon et de la cuisine. Les hôtes bénéficient de 10 % de réduc au resto (qualité variable). Organise des excursions. On trouve le même établissement à Cuenca – en mieux.

🏠 ***Hostal Centro del Mundo*** *(zoom couleur, C3,* ***71****) : Lizardo García E7-26 y Reina Victoria.* ☎ *222-90-50.* • *cen trodelmundo.net* • *Lit en dortoir 6 US$/pers (4-6 lits), doubles 16-21 US$ (1 avec sdb), petit déj (léger) inclus.* 💻 📶 En plein cœur de la zone festive de Gringolandia, cet *hostal* tenu par un Québécois et une Équatorienne séduira surtout les fêtards avides de profiter des litres de rhum-coca distribués gratuitement les lundi, mercredi et vendredi à partir de 19h ! Pour le reste, l'ensemble est spartiate, avec des chambres plutôt étriquées et parfois bien sombres, aux lits durs et à l'entretien très approximatif. Évitez le dortoir du rez-de-chaussée, bruyant et aveugle. Possibilité de faire sa popote dans la petite cour. Billard. Organise des tours et donne plein d'infos pour découvrir le pays.

🏠 ***Hostal Loro Verde*** *(zoom couleur, D3,* ***72****) : Juan Rodríguez E7-74 y Diego de Almagro.* ☎ *222-61-73.* • *hostalo roverde.com* • *Double 30 US$. Garage gratuit.* 💻 📶 On aime beaucoup la rue arborée où se situe l'hôtel, assez calme malgré la proximité de la plaza Foch, des bars et des boîtes. Privilégiez les chambres de la section frontale, pas très grandes mais plutôt agréables avec leur parquet et leurs murs roses. Toutes ont leur propre salle de bains. En revanche, évitez le petit déj, médiocre.

🏠 ***Hostal de la Reina*** *(zoom couleur, C3,* ***73****) : Reina Victoria 23-70, entre Wilson et Baquedano.* ☎ *290-60-55. Double 30 US$, avec sdb et TV.* 📶 Rien d'extraordinaire, juste un petit *hostal* simple dans une maison jaune, propre et correct malgré des lits un peu durs et des salles d'eau étroites. Certaines chambres ont une vue sur la ville et les montagnes, d'autres, à éviter (sombres), donnent juste sur le couloir. La n° 12, une triple, spacieuse et lumineuse, s'ouvre sur la grande terrasse de l'étage ; en prime, des dessus-de-lit vert pétant ! Cuisine commune à l'arrière.

▲ ***Hostal El Vagabundo*** *(zoom couleur, C3, **74**) : Wilson E7-45 y Reina Victoria. ☎ 222-63-76. Doubles 22-27 US$.* Ce petit hôtel familial propose des chambres sans charme pour 2 à 6 personnes (la plus grande avec 3 lits superposés), avec ou sans TV ; 2 partagent une salle de bains, toutes les autres ont la leur. Parquet ciré, ensemble correct. Fait aussi cafétéria (sandwichs, petits plats).

## De bon marché à prix moyens (18-48 US$)

▲ |●| ***The Magic Bean*** *(zoom couleur, C3, **75**) : Foch E5-08 y Juan León Mera. ☎ 256-61-81. • magicbeanquito.com • Résa impérative. Dortoirs (3-4 lits) 14,50 US$/pers, double 40 US$, petit déj compris. Resto tlj 7h-23h. Plats 7,50-17 US$.* Sous ce curieux nom, on découvre une grande maison avec une cafétéria un peu chic, haute en couleur, fréquentée à toute heure du jour par les routards du monde entier. À peine 2 chambres (avec salles de bains) et 2 petits dortoirs, très propres et très agréables, dotés de matelas bien épais et de grands placards en bois. La rue étant passante et le resto ne désemplissant pas, le lieu peut toutefois être bruyant. À la carte : belles salades, pâtes, pizzas, *burgers, shakes* et jus à gogo. Très bien malgré des prix un peu trop élevés.

▲ ***Hotel Posada del Maple*** *(zoom couleur, D3, **76**) : Juan Rodríguez E8-49 y 6 de Diciembre. ☎ 254-45-07 ou 223-73-75. • posadadelmaple.com • Résa conseillée. Dortoir 10 US$/pers, doubles 29-42,50 US$ avec ou sans sdb, petit déj maison, copieux et délicieux, compris.* Voici une demeure aux tons chauds, arrangée autour de plusieurs patios et salons, sur un joli secteur de rue ombragée. Elle propose 3 dortoirs de 4 à 8 lits et une quinzaine de chambres privées, un peu petites et sombres, mais bien tenues et plutôt agréables. Eau bien chaude. Le matin, on prend le petit déj dans un espace clair et charmant, donnant sur un patio tout fleuri. Salon TV, cuisine à dispo, *lockers* dans les dortoirs et possibilité de confier ses affaires pour plusieurs jours. Bon accueil en prime.

## Prix moyens (30-48 US$)

▲ ***Hostal El Arupo*** *(zoom couleur, C-D3, **77**) : Juan Rodríguez E7-22 y Reina Victoria. ☎ 255-75-43. • hostalelarupo.com • Double env 45 US$, bon petit déj compris.* Cette maison particulière abrite des chambres élégantes avec parquet, murs de brique, TV et salle d'eau carrelée. Pas très grandes mais très agréables, à l'image de la n° 15, à la salle de bains éclairée par un puits de lumière. Comme partout, certaines sont un peu bruyantes. En plus : coin cuisine, charmant salon avec cheminée et consigne. L'atmosphère est excellente et la patronne, adorable, parle le français. Une de nos adresses préférées à Quito !

▲ ***Villa Nancy Bed & Breakfast*** *(zoom couleur, D3, **78**) : 6 de Diciembre N24-398, entre Baquerizo Moreno et Cordero. ☎ 256-30-84. • villa-nancy.com • Double env 40 US$, bon petit déj compris.* L'avenue est large et passante mais les chambres, pour la plupart situées à l'arrière de la maison (ancienne), sont plutôt calmes et d'un bon rapport qualité-prix. Elles sont agréables, propres, lumineuses et assez spacieuses ; la plupart disposent de leur propre salle de bains. Les proprios, un Équatorien et son épouse suisse allemande, sont très chaleureux. Terrasse surélevée côté rue et cuisine à disposition. Eau filtrée, thé et café en libre-service.

▲ ***Hotel Plaza Internacional*** *(plan couleur I, C4, **79**) : Léonidas Plaza N19-50 y 18 de Septiembre. ☎ 252-45-30. • hotelplazainternacional.com • Ecovía : Galo Plaza. Double 38 US$, petit déj inclus. Parking. (payants).* Toute proche de l'ambassade de France, dans un quartier résidentiel calme et plaisant, cette ancienne résidence d'un président de l'Équateur a été reconvertie en hôtel pour étudiants (prix spéciaux). Autrefois cossue, elle est aujourd'hui assez décatie : la plomberie et les moquettes mériteraient d'être revues, le mobilier est vieillot, mais il reste le charme intemporel des lieux ! Consigne à bagages, service de *lavandería*. L'accueil est sympa. Fait aussi agence de voyages.

## Chic (48-70 US$)

***Cayman Hotel*** *(zoom couleur, D3,* ***80****) : Juan Rodríguez E7-29 y Reina Victoria. ☎ 256-76-16. • hotelcaymanquito.com • Double 61 US$, petit déj inclus.* Bordant un grand jardin, cette grosse maison en brique et bois dessine une atmosphère presque coloniale. Les chambres, récentes, ne sont pas bien grandes mais très propres, fraîches et lumineuses, avec parquet bien ciré et petite salle d'eau. Demandez-en une qui s'ouvre de préférence sur le tapis de gazon. Salon TV avec plein de livres à dévorer au coin de la cheminée. Accueil tout en douceur.

***Carolina Montecarlo*** *(zoom couleur, D3,* ***81****) : Reina Victoria N25-50 y Colón. ☎ 252-51-21. • carolinamontecarlo.com • Double 55 US$, petit déj inclus. Parking fermé gratuit.* À l'entrée de La Mariscal, cet hôtel récent, précédé d'une courette verdoyante, abrite des chambres claires et confortables à dominante bois, avec parquet ou moquette, salle de bains avec douche effet pluie et TV câblée. Situées au fond, elles ne pâtissent pas du trafic sur la rue. Accueil pro. Un assez bon rapport qualité-prix.

***Hostal Fuente de Piedra II*** *(zoom couleur, C3,* ***82****) : Juan León Mera N23-21 y Baquedano. ☎ 290-03-23. • ecuahotel.com • Double 67 US$, petit déj inclus.* Avec ses couleurs ocre et ses rampes en bois verni, on se croirait presque dans une hacienda. Les chambres varient en taille mais sont globalement soignées, avec poutres apparentes, mobilier en bois, literie douillette, TV et salle de bains nickel. Celles de l'intérieur sont plus calmes, mais les vitres donnant sur les corridors laissent rentrer un peu trop de lumière la nuit (rideaux trop fins). Parfois quelques soucis d'eau chaude quand l'hôtel est plein. Il y a aussi le *Fuente de Piedra I (Presidente Wilson E9-80 y José Luis Tamayo)*, très similaire.

## Plus chic (70-100 US$)

***Apart-Hotel Antinea*** *(zoom couleur, D3,* ***83****) : Juan Rodríguez E8-20 y Diego de Almagro. ☎ 250-68-38 ou 39. • hotelantinea.com • Chambre standard à partir de 71 US$ (parfois dès 50 US$ en basse saison), appartements 74-134 US$ ; petit déj inclus. payant,* Installé dans une belle rue calme et arborée, cet établissement cossu, aménagé et décoré avec goût dans un style « français », dispose d'une quinzaine de chambres et appartements de taille et de décor différents, biscornus mais pleins de caractère. Les moquettes et les salles de bain ont un peu vieilli, mais les nombreux recoins et le patio verdoyant compensent largement. Aux routards romantiques, on conseille la chambre de luxe avec cheminée, lit à baldaquin et jardin privatif fleuri d'agapanthes ! Consigne à bagages. Une adresse qu'on aime bien.

***Casa Foch Boutique Hotel*** *(zoom couleur, C3,* ***84****) : Mariscal Foch E4-301 y Río Amazonas. ☎ 222-13-05 ou 223-52-30. • casafoch.com • Double env 100 US$, mais parfois dès 60 US$ en période creuse ; copieux petit déj compris (3 choix).* Un grand *arupo*, couvert de fleurs roses en été, se dresse dans la courette devant cette belle demeure coloniale retapée avec goût. À l'intérieur, des parties communes décorées de photos et de belles chambres aux noms champêtres, spacieuses, lumineuses, avec parquet et mobilier ancien ou de style – la plupart avec un poêle, quelques-unes avec balcon. Le lieu dégage beaucoup de charme, mais on aime moins les grandes familiales de l'étage, peu chaleureuses et plus sombres. Thé et café en libre-service, consigne.

***La Cartuja*** *(plan couleur I, C4,* ***85****) : Léonidas Plaza N20-08 y 18 de Septiembre. ☎ 252-35-77. • hotelacartuja.com • Dans le quartier résidentiel de l'ambassade de France. Double env 83 US$, petit déj inclus.*

Installé dans l'ancienne ambassade d'Angleterre, ce bel hôtel aux tonalités méditerranéennes abrite des chambres parquetées claires et confortables, sobres et élégantes, avec moulures au plafond. Certaines s'ouvrent à l'arrière sur un paisible patio-jardin, au carré de gazon parsemé de chaises longues. Dommage que les prix aient autant augmenté, d'autant que le mobilier, lui, a plutôt pris un coup de vieux... Restaurant.

***Hostal Los Alpes*** *(plan couleur I, C4, **86**)* **:** *Tamayo N21-39 y Jorge Washington.* ☎ *256-11-10.* • *quitolosalpes.com* • *Double env 73 US$, petit déj compris. Parking.* Tenu par un Italien accueillant, cet hôtel chaleureux à la déco rustique tient à la fois du chalet cossu et de la maison de grand-mère ! C'est d'ailleurs elle qui a dû choisir le papier peint et les couvre-lits de certaines chambres... Préférez les plus récentes, comme la nº 6, bien agréable avec son parquet et sa baignoire. Certaines s'ouvrent sur un balcon. Le soir, un feu de cheminée anime le salon, au coin du superbe piano *Clementi* sculpté de 1830. Coin bar dans la courette.

## Encore plus chic (plus de 120 US$)

***Café Cultura*** *(plan couleur I, C4, **87**)* **:** *Robles 513 y Reina Victoria.* ☎ *222-42-71 ou 256-49-56.* • *cafecultura.com* • *Env 122 US$ la double et 167 US$ la suite ; petit déj env 7 US$.* En pleine ville moderne, cette très belle demeure à la déco patinée et au parquet craquant abritait jadis le centre culturel français. Toutes différentes, les chambres sont pleines de charme avec leur mobilier ancien et leurs fresques modernes. Une partie occupe la maison principale, une autre les dépendances basses l'entourant. Voici un vrai havre de paix avec un jardin très agréable, un salon cossu doté d'une bibliothèque et un joli café-resto. Seul petit inconvénient (hormis le prix, fort élevé) : les chambres ne sont pas très bien insonorisées, et les allées et venues dans les couloirs s'entendent bien. On peut aussi y manger à toute heure du jour.

***Nü House*** *(zoom couleur, C3, **88**)* **:** *Mariscal Foch E6-12 y Reina Victoria (plaza Foch).* ☎ *255-78-45.* • *nuhousehotels.com* • *Doubles env 183-194 US$, avec petit déj-buffet ; réducs sur Internet (133-145 US$).* C'est l'espèce de bloc en bois tout neuf qui domine la place Foch. Difficile de faire plus central. C'est aussi notre adresse la plus chère à Quito. Et pourtant, le prix n'est pas disproportionné, car les chambres, tout comme l'ensemble de l'hôtel, sont très réussies : déco design, mobilier aux lignes épurées, grande TV à écran plat, minibar vitré, salle de bains en pierre... Également des suites avec salon de style un peu baroque du meilleur goût. Accueil et service à l'avenant. Attention, les chambres côté place sont bruyantes en fin de semaine.

## À La Floresta (plan couleur I, D4)

Cet agréable quartier résidentiel, à moins de 1 km à l'est de La Mariscal, offre calme et tranquillité. Voici quelques belles adresses pour ceux qui voudraient sortir des sentiers battus.

## Bon marché (18-30 US$)

***La Casona de Mario*** *(plan couleur I, D4, **89**)* **:** *Andalucía N24-115 y Galicia.* ☎ *254-40-36.* • *casonademario.com* • *Compter 12 US$/pers.* On aime beaucoup cette grande maison des années 1940 à l'ambiance routarde (tous âges confondus), tenue par le sympathique Mario, un Argentin immigré à Quito de longue date. Les chambres, charmantes, sont situées à l'étage ou donnent sur un petit jardin où se balancent des hamacs. Elles partagent 4 salles de bains. Partout, la propreté est au rendez-vous. On a accès à une cuisine très *old style,* bien équipée, et au salon cosy avec TV (un canal en français) et lecteur DVD. On peut également faire sa lessive dans le jardin avec, au choix, une machine à laver ou un vieux lavoir. Consigne. Bref, un petit havre de paix à deux pas du centre.

### Très chic (plus de 150 US$)

**Casa Aliso** *(plan couleur I, D4,* ***90****) : Francisco Salazar E12-137 y Toledo. ☎ 252-80-62. • casaliso.com • Double env 165 US$, excellent petit déj inclus.* Est-ce une villa ? Un petit hôtel de charme ? Un *bed and breakfast* de luxe ? C'est un peu tout cela. La *Casa Aliso* dispose de 10 chambres impeccables, spacieuses, lumineuses, très confortables, décorées sur des notes gentiment design. Les nos 4 et 5, ouvrant directement sur le jardinet, ont notre préférence. Les parties communes, joliment fleuries, ne sont pas en reste, avec un agréable salon doté d'une cheminée. Accueil très pro.

**Hotel Quito** *(plan couleur I, D3,* ***91****) : av. González Suárez N27-142. ☎ 396-49-00. • hotelquito.com • Doubles env 146-183 US$ ; petit déj-buffet en sus (et cher !). (payant)* Ce grand hôtel de standing international, perché sur la crête dominant le quartier de La Floresta d'un côté et le vieux Guápulo de l'autre, dénote par son architecture « Costa Brava ». Il propose des chambres rénovées, joliment meublées et tout confort (coffre, minibar et TV satellite). Toutes disposent d'un balcon ; on préfère celles donnant sur les volcans. Du resto logé sur le toit, vue superbe sur la ville et les montagnes. *Business center,* casino, coiffeur, spa, salle de fitness, sauna et bain turc... De très jolis jardins aux arbres taillés entourent également une belle piscine.

## *Près du parque La Carolina (plan couleur III)*

Moderne et dynamique, le quartier regroupe surtout bureaux et ambassades, mais on peut aussi y loger.

### Très chic (plus de 100 US$)

**Lugano Suites** *(plan couleur III, D2,* ***92****) : Suiza N33-132 y Checoslovaquia. ☎ 333-19-00. • luganosuiteshotel.com • Doubles 110-171 US$, penthouse 183 US$ ; petit déj inclus. Transfert et parking gratuits.* Ceux qui recherchent de l'espace apprécieront cet appart-hôtel de très bon standing proposant des suites de 1 et 2 chambres, avec cuisine américaine bien équipée et salon (sofa-lit dépliant). Certaines salles de bains ont une baignoire, d'autres une douche vitrée, mais tout est toujours impeccable. Accueil très pro et sympa, en français s'il vous plaît. On peut même faire les courses pour vous si vous n'avez pas le temps (ou l'envie) !

# Où manger ?

## *Dans le Quito colonial et aux environs (plan couleur II)*

### Bon marché (moins de 5 US$)

Si on ne mange globalement pas très bien en Équateur, c'est encore pire dans le vieux centre de Quito : restos touristiques médiocres et/ou bien trop chers pour la qualité... Quelques établissements populaires proposent toutefois des menus très bon marché le midi (environ 2,50 US$), avec soupe, plat, dessert et jus. Essayez par exemple le **Donde Balfour** *(plan couleur II, B5,* ***100****), Olmedo Oe2-51 y Guayaquil. Lun-sam 8h-17h.* On en trouve d'autres sur Guayaquil, vers Espejo.

**Marché central** *(plan couleur II, B5,* ***101****) : dans le Mercado Central, av. Pichincha, entre Esmeraldas et Manabí. Lun-sam 7h-17h, dim 7h-15h.* On y trouve une trentaine de stands très populaires, alignés côte à côte, autour desquels butine une armée de clients à l'heure du déjeuner. Parmi eux, *Las Corvinas de Don Jimmy* sert d'énormes portions de *corvina* (poisson), frit ou non, pour 3-4 US$. Les autres gargotes sont bien aussi.

**Café del Museo de la Ciudad** *(plan couleur II, A5,* ***107****) : García Moreno S1-47 y Rocafuerte. ☎ 228-38-82. Tlj jusqu'à 16h, 17h le w-e.* Caché au fond d'un grand patio ensoleillé, ce petit café-resto charmant offre une pause bienvenue après la visite du musée ou du quartier. Vous y trouverez surtout des sandwichs chauds, mais les tables disposées sous les arches et dans le patio, au calme, sont bien agréables. Prix raisonnables.

🍽 ***Las Delicias de Don Viche*** *(restaurant Manabita ; plan couleur II, A5,* ***102****) : Garcia Moreno 1-17. ☎ 295-05-72. Ouv lun-ven 7h-17h30.* Spécialités de la côte pacifique. Grande salle fréquentée par les locaux, qui se régalent de bons *ceviches*, mais aussi de *mariscos, sopas* et copieux *desayunos* le matin. Populaire, authentique et cuisine d'une grande fraîcheur.

🍽 ***Frutería Monserrate*** *(plan couleur II, B5,* ***103****) : Espejo Oe2-12 y Flores. ☎ 258-34-08. Tlj 8h30-20h (9h-17h le w-e). Plats 3-5 US$.* La maison a essaimé dans toute la ville mais on préfère cette adresse centrale, avec son grand patio en brique formant un puits de lumière, ses escaliers métalliques et sa grande horloge qui confère à l'ensemble un indéniable style postmoderne. On peut y grignoter un plat pas cher à midi, un gâteau ou une glace. Dans les cuisines, les étagères croulent sous les fruits ! Attention, ne pas arriver trop tard car le menu, déjà pas bien grand, se restreint au fil de la journée.

## Prix moyens (5-12 US$)

🍽 ***Tianguez*** *(plan couleur II, A5,* ***104****) : plaza San Francisco. ☎ 257-03-33. Tlj 9h30-19h (20h30 ven-sam). Plats 6-10 US$.* On s'attable sous d'épaisses voûtes de pierre, ou sur la petite terrasse s'avançant sur l'immense place, au pied même du monastère de San Francisco. Le week-end, musiciens et danseurs sont souvent de la partie. C'est l'un des rares endroits où vous pourrez goûter à des plats authentiquement indiens : *empanaditas de morocho y verde* (chaussons de maïs moulu et banane verte), *humitas fritas* et autre *locro de papas* (soupe de pomme de terre, avocat, fromage et maïs). En dessert, essayez le *quimbolito,* un *tamale* de maïs doux parfumé à l'anis. Délicieux *ceviches* aussi et très bon café expresso. Le *Tianguez* collabore avec l'ONG *Sinchi Sacha,* association de commerce équitable. Voir aussi plus loin la rubrique « Achats », pour le beau magasin d'artisanat attenant au resto.

🍽 🍸 ***Dios No Muere*** *(plan couleur II, B5,* ***105****) : angle Flores et Junin. ☎ 257-19-95.* « Dieu ne meurt pas » en v.f., ou les derniers mots prononcés par Gabriel García Moreno, président de l'Équateur assassiné le 6 août 1875. Un *leitmotiv* tout trouvé pour ce resto aux 3 petits étages biscornus, coincé dans l'angle d'un monastère vieux de 4 siècles. Matthew – de son vrai nom Mathieu Charles Guillory –, Cajun pure souche, propose d'excellents *po'boys* (sandwichs), mais s'attaque aussi à la cuisine équatorienne, préparée à base de produits frais provenant de sa ferme bio. Il vous montrera peut-être même fièrement son café ! Canapé au 2e étage pour vous taper un bon cigare sur fond musical jazzy. Un endroit plein de charme. Super pour un verre, aussi.

🍽 ***Tampu*** *(plan couleur II, A-B5,* ***113****) : calle Morales Oe1-84 y av. Maldonado. ☎ 228-42-21. À 200 m de l'intersection avec Guayaquil.* Charmant patio intérieur avec galerie à l'étage où l'on peut dîner en écoutant des groupes locaux (musique les vendredi et samedi soirs) jusqu'à 2h du matin. Cuisine traditionnelle équatorienne soignée. Excellent *canelazo.*

🍽 ***El Criollo*** *(plan couleur II, B5,* ***106****) : Flores N7-31, entre Olmedo et Manabí. ☎ 228-98-28. Tlj 8h-20h30 (18h dim). Menu du midi 3,60 US$ ; plats 4,50-10 US$.* La salle un peu chic, partagée entre tables et banquettes, s'adosse aux cuisines ouvertes, où règne une nonchalance tout équatorienne. La maison se spécialise dans la cuisine traditionnelle, comme le *yaguarlocro* (soupe de tripes) et le *seco de chivo.* Service en tenue mais prix plutôt décontractés.

🍽 ***Portal de Benalcazar*** *(plan couleur II, A-B5,* ***108****) : angle Benalcazar et Olmedo. ☎ 228-00-14. Lun-sam 12h-20h. Plats 5,50-9 US$.* Installé sous les arcades d'une placette, le resto joue à fond la carte de la tradition, avec sa déco nostalgico-provinciale. Le patron est accueillant et causant – résultat de plusieurs années passées aux États-Unis. Dans l'assiette, la tradition s'impose une fois encore, avec plus ou moins de succès. On peut se contenter de bons *empanadas* et *humitas*, ou s'attaquer à la soupe de tripes et au *seco de chivo*. Par contre, les *ceviches* ne nous ont pas convaincus.

IOI ***Café del Fraile*** *(plan couleur II, B5, **109**) : à l'intérieur du centre commercial* Pasaje Arzobispal, *donnant sur la plaza de la Independencia.* ☎ *257-33-60. Tlj 10h-23h (21h dim). Plats 6-15 US$.* Le cadre est extra : on s'installe sur le balcon donnant sur l'agréable patio intérieur ou dans l'une des 2 charmantes petites salles. Sans être extraordinaire, la cuisine se tient – mieux que chez les voisins en tout cas ! Au menu, salades, sandwichs ou plats plus consistants, genre pâtes, *pollo* ou *mariscos*. Accueil courtois. Idéal (voire préférable) pour une pause-café.

IOI ***Café Mosaíco*** *(plan couleur II, B5, **114**) : Manuel Samaniego N8-95 y Antepara.* ☎ *254-28-71. Tlj 12h (13h mar)-23h. Juste en dessous du parque Itchimbía. Pour y aller, le plus simple est de prendre un taxi (env 3 US$ du Quito colonial). Sinon, de l'arrêt du trolley « Hermano Miguel », monter les escaliers de la calle Antepara, mais il faut avoir du souffle. Plat env 10 US$.* Un balcon sur la ville ! Comme ses voisins (il y en a plusieurs dans la rue), *Mosaíco* est installé dans une villa perchée au-dessus de la ville. Vue spectaculaire sur Quito *by night* (y aller plutôt pour dîner) et les montagnes depuis la terrasse... Bonne cuisine équatorienne avec quelques incursions du côté de la Grèce.

## De chic à plus chic (plus de 12 US$)

IOI ***Café Plaza Grande*** *(plan couleur II, B5, **110**) : García Moreno N5-16 y Chile.* ☎ *251-07-77. Tlj 7h-23h. Plats 7-23 US$.* À défaut de vous installer dans le chiquissime (et ultra cher) *Hotel Plaza Grande,* posé face au palais présidentiel, offrez-vous un bon repas dans son restaurant très Belle Époque. Sur la carte, les tarifs s'affichent en sucres, histoire de ramener dans le passé ! Le choix n'est pas très large mais de qualité : belles salades, sandwichs et plats qui tiennent au corps, comme ce bon *biche de pescado,* une soupe épaisse de poisson aux bananes, cacahuètes, maïs et coriandre. En dessert, commandez sans faute un *helado de paila* (glace), élaboré comme dans le temps... Un duo de guitaristes s'invite les vendredi, samedi et dimanche.

IOI ***Theatrum*** *(plan couleur II, B5, **111**) : Manabí, entre Guayaquil et Flores, sur la plaza del Teatro Sucre.* ☎ *257-10-11. Lun-ven 12h30-15h, 19h-23h ; w-e 18h45-23h slt. Réserver ou arriver tôt. Menu dégustation 38 US$ + taxes.* Occupant tout le 1er étage du théâtre, ce resto aussi chic que cher s'impose comme le lieu de choix des riches Quiteños pour un repas d'affaires ou un anniversaire. Entre décor néoclassique et touches contemporaines, il propose une cuisine gastronomique, nettement plus méditerranéenne qu'équatorienne – le chef, péruvien, a fait un séjour remarqué dans un 3-étoiles du Pays basque espagnol... Petit plus : transport gratuit de et vers le resto depuis votre hôtel !

# *À La Mariscal (zoom couleur)*

## Bon marché (moins de 5 US$)

Comme partout en Équateur, vous trouverez ici quelques petits restos familiaux – parfois sans nom – proposant un menu complet pour une bouchée de pain le midi. Parmi ceux-ci, nous vous conseillons celui situé à l'angle de Luis Cordero et Joaquin Pinto *(zoom couleur, C3, **115**),* dont le menu à 2 US$, comprenant entrée, plat, dessert et jus, attire une foule d'habitués. Petit bonus : une miniterrasse avec parasols. Autre bonne option : ***Porky's*** *(zoom couleur, C3, **116**), Luis Cordero E5-31 y Juan León Mera.* ☎ *290-62-89.* Ici, le menu coûte 3 US$ (ou 5 US$ pour 2) et l'accueil est délicieux.

IOI ***Méli-Mélo*** *(zoom couleur, D3, **117**) : Yánez Pinzón N25-70 y Colón.* ☎ *222-*

*89-80. Lun-ven 8h30-19h30, ainsi que les 1er et 3e sam du mois (12h-18h). Brunch le 1er dim du mois, 10h-15h (10 US$). Menu du midi 4 US$.* Coralie, la Française, ex-prof de l'Alliance, et sa copine équatorienne Mariana, francophone avertie, ont monté ce sympathique café-resto grand comme trois pommes aux portes de La Mariscal. Une grande terrasse sur la rue, 4 tables à l'intérieur, un canapé pour tailler une bavette et le tour est joué. On y prend un petit déj, une part de quiche, une crêpe, une pâtisserie, une *sopa de verduras,* en piochant dans la minibiblio.

|●| ***Great India Restaurant*** *(zoom couleur, C3,* ***118****) : Cálama E4-380 y Juan León Mera. Tlj. Plats 3-5 US$.* Une modeste gargote indienne où, de fait, on parle l'anglais. Large choix de plats du sous-continent, avec viande ou végétariens.

## Prix moyens (5-12 US$)

|●| ***Fried Bananas*** *(zoom couleur, C3,* ***119****) : Mariscal Foch E4-150 y Río Amazonas. ☎ 223-52-08. Lun-sam 12h-21h. Plats 4-6,50 US$.* Le lieu n'est pas bien grand, presque intime avec ses tables rondes et nappées, ses murs saumon et olive, sa déco *casera* (traditionnelle) et son fond musical équatorien. Certes, la carte est un peu courte, mais vous y trouverez un choix de bonnes salades, quelques options végétariennes, une truite au four, du poulet ou un T-bone grillés ; d'excellents et grands jus frais aussi. Joli cadre, prix raisonnables, cuisine de bonne tenue et accueil invariablement souriant, que demander de plus ?

|●| ***Chez Alain*** *(zoom couleur, C3,* ***120****) : Baquedano E5-26 y Juan León Mera. ☎ 290-31-92. Lun-ven 12h-15h30 et mer ou jeu soir (menu 15 US$). Menu midi 6 US$.* Ce petit resto chaleureux est tenu par Alain, un sympathique cuistot français originaire de Bordeaux. Le midi, il propose un menu d'un excellent rapport qualité-prix avec entrée ou soupe, plat au choix (volaille, poisson ou viande) et dessert. C'est bon et copieux ! Soirée tarot le mercredi ou jeudi avec un menu incluant apéritif, vin et café. Vous y rencontrerez peut-être le consul et l'ambassadeur...

|●| ***El Palé Suizo*** *(zoom couleur, C3,* ***121****) : Luis Cordero E5-36 y Juan León Mera. ☎ 290-62-04. Ouv lun-mar 12h-16h et mer-sam 12h-15h30, 18h30-23h. Menu midi 3,50 US$ ; le soir, plats 6-10 US$.* Un chalet suisse mâtiné d'Amérique du Sud : sous un toit pentu, la salle aux poutres en bois et murs de brique aligne affiches helvético-guévaristes et nappes à carreaux. Le resto propose un bon menu (soupe-plat-dessert-jus) le midi et, en soirée, d'excellents plats à la carte à prix modérés. Spécialités de fondues, mais si vous penchez plutôt pour le *lomo a la pimienta* (énorme, servi avec des légumes et une grosse portion de rösti) ou la *sopa del pescador* (soupe du pêcheur), vous ne serez pas déçu ! Bon accueil.

|●| ***La Casa del Cangrejo y el Pargo*** *(zoom couleur, C3,* ***122****) : 9 de Octubre N24-110 y Cordero. ☎ 256-71-24. Tlj 9h-22h. Plats 8-11 US$.* Cette *cevichería* très populaire est l'une des rares fermant tard. On y mange dans une sorte de cale hérissée de bouteilles de pinard, avec la circulation de la rue en fond sonore. Rien de romantique, donc, mais les *ceviches* sont vraiment bons et copieusement servis (8 options). Le reste n'est pas mal non plus : *parillada de mariscos* pour ceux qui ont gagné au loto, *pargo* (poisson) *a lo macho* et *corvina* en au moins 10 déclinaisons (dont le bon *sancocho,* une soupe). Accueil sympa en prime.

|●| ***La Casa de Mi Abuela*** *(plan couleur I, C3,* ***123****) : Juan León Mera N26-135 y La Niña. ☎ 256-56-67. Lun-sam 11h-15h30, 18h30-22h ; dim à midi slt. Plats 5-11 US$.* Tenue par la 3e génération d'une famille de carnivores, cette banale maison jaune cache l'un des bons restos de viande de Quito. On s'installe dans de coquets petits salons aux murs tapissés de vieilles photos en noir et blanc, dans une atmosphère assez intime, et on déguste des steaks juteux à souhait. Prix pas si élevés, vu la qualité. En dessert, tarte au citron ou glace. Une très bonne adresse.

|●| ***Al Estilo Uruguayo*** *(zoom couleur, C3,* ***124****) : Juan León Mera N24-82. Tlj 12h-23h. Plats 6-8 US$.* Contrastant avec les enseignes lumineuses criardes de ses voisins, ce tout petit resto niché

derrière une baie vitrée séduira les amoureux. Oscillant entre le bistro et le bar à vins, avec ses 4 tables illuminées de bougies, il met à l'honneur les viandes du sud du continent sur des notes élégantes, mais pas prétentieuses pour autant. À accompagner d'un vin local au verre ou en pichet.

Ι●Ι ***Mongo's Mongolian Lounge & Grill*** *(zoom couleur, C3, **125**) : Cálama E5-10 y Juan León Mera. ☎ 255-61-59. Tlj 12h-minuit. Menu 5 US$ (12h-15h). Sinon, compter 6-10 US$ pour le buffet selon option choisie, 16 US$ avec boissons à volonté.* Pour ceux qui ne connaissent pas le principe des restos mongols, c'est simple : on va se servir à volonté sur un buffet de légumes, viandes, poissons et fruits de mer (selon l'option choisie), on donne le tout à cuire (sur une grande plaque chauffante) et, en 1 ou 2 mn, c'est prêt ! Le soir, la jeunesse locale débarque en masse pour les cocktails.

Ι●Ι Voir également le restaurant de l'hôtel ***The Magic Bean*** *(zoom couleur, C3, **75**)*, dans la rubrique « Où dormir ? À La Mariscal » plus haut.

## Chic (12-20 US$)

Ι●Ι ***La Boca del Lobo*** *(zoom couleur, C3, **126**) : Cálama 284 y Reina Victoria. ☎ 252-79-15 ou 223-40-83. Tlj à partir de 17h. Plats 8-15 US$.* Notre coup de cœur ! La gueule du loup – c'est son nom – n'est pas un attrape-pigeon, bien au contraire. Ce loup bon comme un agneau s'est installé dans une villa ancienne entourée d'une véranda vitrée et décorée avec un brin de folie : tableaux baroques, moutons ailés au plafond... Au menu, joyeusement glamour, beaucoup de créativité tirée des multiples voyages du chef. Résultat : des plats *fusion* de bon aloi. Citons les *empanadas de cuy* (cochon d'Inde), jambon et cognac, les *camarones terminator* flambées, le *pollo feroz* et ces drôles de *dragon balls* de steak et jambon fourrées d'oignons caramélisés ! Desserts succulents. Bon fond musical tendance techno (mais pas envahissant). À découvrir impérativement !

Ι●Ι ***Achiote*** *(zoom couleur, D3, **127**) : Juan Rodriguez 282 y Reina Victoria. ☎ 250-17-43. Tlj 12h-23h. Plats 7-21 US$.* Ce resto affiche un décor contemporain à des prix... éminemment touristiques ! Reste que sa grande salle vitrée en écharpe, aux tonalités mangue et framboise, au milieu de laquelle pousse un arbre, est bien agréable – le recoin aux 3 tables face à la cheminée aussi ! La cuisine, puisant aux sources équatoriennes, est bien tournée, avec un grand choix de brochettes et *ceviches*, des salades et quelques plats végétariens. Nombreux desserts, plus ou moins réussis. Soyez patient, tout est fait à la commande.

Ι●Ι ***Mama Clorinda*** *(zoom couleur, C3, **128**) : Reina Victoria 11-44 y Cálama. ☎ 254-25-23. Tlj 11h30-23h. Plats 8-16 US$.* En plein Gringolandia, ce resto décline 3 étages de salles plutôt chaleureuses, où l'on débite une cuisine traditionnelle qui tient au corps, simple (un peu trop vu les prix...) et copieuse. Spécialités de *yaguarlocro* (soupe), de *cuy* et de viandes accompagnées de *llapingachos* (purée de pommes de terre au fromage). Également du poisson.

Ι●Ι ***Parrilladas Columbia*** *(zoom couleur, C3, **129**) : av. Colón E5-40 y La Rábida. ☎ 255-18-57. Tlj midi-minuit. Grillades 12-15 US$.* Grande cafétéria vitrée, sans charme mais populaire en diable. Belles portions de viandes et abats que l'on choisit directement en vitrine, avant de les envoyer griller sur les barbecues bien alignés, nappés d'une persillade. Également un espace « Bon marché », où l'on commande pour environ 3-3,50 US$ *burgers*, frites, saucisses et lamelles de bœuf, à emporter dans des assiettes en carton.

## *À Guápulo (plan couleur I)*

### De bon marché à prix moyens (moins de 12 US$)

Ι●Ι ***Restaurant sans nom*** *(plan couleur I, E3, **130**) : Francisco de Orellana E16-124. Ouv slt sam-dim 12h-17h env... selon affluence. Env 100 m au-dessus du monastère de Guápulo.* Cette maison anonyme, dotée d'une précieuse terrasse en nid d'aigle, se mue chaque fin de semaine en un resto de poissons et fruits de mer très apprécié des habitués. On y mange d'excellents *ceviches, camarones a la plancha* et autres *corvinas* grillés, servis dans la porcelaine à fleurs familiale. Pas de menu : tout est énoncé. Venir de préférence le dimanche pour coupler l'escale avec la visite de l'église du monastère, ouverte uniquement le jour du Seigneur.

## *À La Floresta (plan couleur I)*

### De bon marché à prix moyens (moins de 12 US$)

|●| **Formosa** *(plan couleur I, D4,* ***131****) : Andalucía N24-257 y Luis Cordero. ☎ 222-48-85. Près de* La Casona de Mario. *Fermé le soir. Menus lun-ven midi 2,50-3 US$.* Ce petit resto taïwanais prépare uniquement de la cuisine végétarienne. Banquettes en bois et murs peints aux tons chauds. Zen, simple et bon.

|●| **La Choza** *(plan couleur I, D3,* ***132****) : av. 12 de Octubre N24-551 y Cordero. ☎ 223-08-39. Lun-sam 12h-16h et 18h30-22h ; dim et j. fériés midi slt. Plats 10-14 US$.* En bas, autour de la grande cheminée, une immense salle aérée donne sur un peu de verdure. En mezzanine, une seconde pièce plus intime. Service impeccable malgré l'abondance de la clientèle touristique. Au menu, cuisine équatorienne de bonne tenue (mais trop chère) proposant *empanadas, ceviche, corvina en salsa de esparragos,* etc. Excellents jus de fruits. Musique traditionnelle vers 19h30 du lundi au vendredi.

|●| Voir également le café du cinéma **Ocho y Media** *(plan couleur I, D4,* ***8****),* dans la rubrique « Adresses utiles », plus haut.

## *Dans le quartier du parque La Carolina (plan couleur III)*

### Prix moyens (5-12 US$)

|●| **Al Forno** *(plan couleur III, D2,* ***133****) : Bélgica E9-35 y av. de Los Shyris. ☎ 333-06-81. Tlj sf lun. Compter 8-10 US$ pour une pizza, plat env 12 US$.* Ici, les pizzas sont cuites au feu de bois, tout est frais et la pâte est croustillante à souhait. Les plus grandes tailles sont énoooormes ! Pour les réfractaires, les plats de poisson ne sont pas mal non plus. Bons jus frais.

|●| **Conchitas Azuela** *(hors plan couleur III par D1,* ***134****) : Tomás de Berlanga E5-63 y Isla San Cristobal. ☎ 224-32-56. À env 800 m au nord du parque La Carolina (compter 2-3 US$ en taxi). Tlj 8h30-17h. Menu 9 US$ ; plats à partir de 9 US$.* Grande brasserie populaire et rugissante, avec terrasse ombragée, excentrée mais très appréciée (surtout le w-e) pour ses bons et généreux plats de fruits de mer. Misez sur le *ceviche* (poisson, crevettes, conques...) ou laissez-vous tenter par un *terremoto con derrumbe,* un « tremblement de terre avec éboulis », en fait une excellente (et copieuse !) soupe de la mer. Qualité et fraîcheur garanties, service rapide.

|●| **Zavalita** *(plan couleur III, E2,* ***135****) : Juan de Dios Martínez N34-396 y Portugal. ☎ 244-54-11. Ecovía : Benalcázar. À 5 mn à pied de l'arrêt de bus. Monter la calle Portugal, traverser l'av. General Eloy Alfaro et tourner juste après à droite. Tlj 9h-16h30. Compter 8 US$ pour un* ceviche. Agréable *cevichería* dans une villa jaune poussin, dans un quartier résidentiel calme et haut perché, avec grande terrasse ombragée en surplomb de la rue. Aussi des *empanadas,* quelques *arroces* (plats de riz) et... c'est tout !

### De chic à très chic (plus de 12 US$)

|●| **Zazu** *(plans couleur I et III, D3,* ***136****) : Mariano Aguilera 331 y La Pradera. ☎ 254-35-59. Lun-ven 12h30-minuit, sam 19h-minuit. Plats 10-43 US$.* Tout le monde s'accorde pour voir en lui le meilleur restaurant de Quito et peut-être même de l'Équateur. Cadre contemporain pour une clientèle huppée et expatriée. La présentation est minimaliste, et la cuisine s'affirme dans une fusion entre traditions péru-

viennes, méditerranéennes et asiatiques. Pisco, lait de coco, aïoli, wasabi, guacamole, gingembre et quinoa, il en vient de partout ! Les *ceviches* s'imposent, mêlant par exemple thon et foie gras. L'espadon grillé est indémodable, mais les aventuriers se laisseront peut-être tenter par le filet de thon cru en croûte de pistache servi avec des poireaux...

## Où prendre le petit déj ? Où boire un café et manger une douceur ?

### Dans le Quito colonial (plan couleur II)

**Cafeto** (*plan couleur II, B5,* **140**) **:** *Chile 930.* ☎ *257-29-21. Tlj 8h-19h.* De la rue, rien ne le laisse présager : à l'intérieur, une porte vitrée s'ouvre avec majesté sur le cloître de l'église San Agustín. Inutile de préciser que *la* seule table bien placée est fort courue... À défaut, installez-vous en mezzanine, sous le plafond peint, pour profiter du cadre, du café et des pâtisseries.

**Cueva del Buho** (*plan couleur II, A5,* **182**) **:** *dans le Centro Cultural Metropolitano.* ☎ *228-98-77. Lun-ven 7h-19h ; w-e 7h-16h.* C'est le resto du « centre culturel métropolitain ». Donnant sur le patio, il fait une halte sympa, entre 2 visites, pour boire un verre et grignoter quelques *picadas.*

**Heladería San Agustín** (*plan couleur II, B5,* **142**) **:** *Guayaquil N5-59 y Chile.* ☎ *228-50-82.* Voici le plus vieux glacier de Quito, fondé en... 1858 ! Sa spécialité : les *helados de paila,* une sorte de sorbet onctueux, sans colorant ni conservateur. Essayez donc la mûre. On peut aussi commander une pâtisserie, une gaufre ou même manger pour de bon.

**Tianguez** (*plan couleur II, A5,* **104**) **:** idéal de s'oublier un moment sur la place. Voir « Où manger ? », plus haut.

### À La Mariscal (zoom couleur et plan couleur I)

De nombreux cafés-restos du quartier proposent des petits déj complets pour une poignée de dollars.

**The Magic Bean** (*zoom couleur, C3,* **75**) **:** *Foch E5-08 y Juan León Mera.* ☎ *256-61-81. Tlj 7h-23h. Petit déj env 6 US$.* En plus d'être une charmante auberge (voir « Où dormir ? »), c'est un endroit sympa et animé où manger à toute heure de la journée. Petit déj à la carte : œufs, *pancakes,* céréales et salade de fruits. De quoi bien commencer la journée ! Dommage que le café soit si médiocre.

**Café Cultura** (*plan couleur I, C4,* **87**) **:** *Robles 513 y Reina Victoria.* ☎ *222-42-71. Tlj 7h-22h (petit déj jusqu'à midi). Petits déj 8-14 US$.* Si votre budget ne vous permet pas de dormir dans cette splendide villa coloniale, laissez-vous tout de même tenter par un bon petit déj. Il est certes bien cher, mais tout est fait maison (pain, viennoiseries, confitures).

N'oubliez pas les petits déj et le brunch *(le 1er dim du mois)* du sympathique **Méli-Mélo** (voir « Où manger ? », plus haut).

### Près du parque La Carolina (plan couleur III)

**Cyrano et Corfu** (*plan couleur III, D2,* **141**) **:** *Portugal E9-59 y av. de Los Shyris.* ☎ *224-35-07. Tlj 7h (8h été)-20h.* Côte à côte, vous trouverez une bonne pâtisserie française, croulant sous les pains, croissants et viennoiseries, et un salon de thé-glacier, où l'on peut s'attabler, sur une petite terrasse surélevée, pour déguster un très bon café ou un jus de mangue épais en diable... Les bourgeois locaux adorent. Les glaces, faites à partir de jus pressés à la main (et pas trop fort !) pour éviter toute amertume, sont délicieuses ! Goûtez donc la mandarine, vous nous en direz des nouvelles. Les prix sont français eux aussi, mais bon, vu la qualité... Le mercredi, le patron donne des gâteaux aux ONG, qui les distribuent aux gamins.

## Où boire un verre ? Où écouter de la musique ? Où sortir ?

Vous ne le savez sans doute pas mais Quito est la 1re ville d'Amérique du Sud à avoir brassé de la bière ! Malgré ses airs bourrus et provinciaux, cette ville sait s'amuser la nuit, en tout cas à partir du jeudi soir. Du dimanche au mercredi, en revanche, elle ressemble plutôt à une ville morte... Deux lieux essentiels regroupent l'animation : la belle calle de La Ronda, dans le Quito colonial, plus bohème, et La Mariscal, en particulier sur la rue José Cálama. Là, les bars, disco-bars, bars-boîtes et autres salsathèques se disputent leur lot de jeunes (et moins jeunes) Quiteños gominés et toilettés comme il faut, venus draguer et faire la noce au son de la disco, du rock, de la salsa ou de la musique électro-machin. De quoi passer de chaudes soirées en se laissant entraîner d'un troquet à l'autre.

### *Dans le Quito colonial (plan couleur II)*

Des concerts gratuits se tiennent régulièrement sur les places de la vieille ville, surtout en fin de semaine.

🍸 ***Calle de La Ronda*** *(plan couleur II, A5) :* « une voie lactée sur la vie », ainsi était-elle surnommée par un grand poète. Cette longue rue étroite, bordée de maisons coloniales blanches aux toits de tuiles rousses, fut longtemps le rendez-vous de la bohème littéraire de Quito – puis, conséquence de l'appauvrissement du quartier, elle devint une rue malfamée, fréquentée par les voyous et les dealers. Restaurée en 2005, la *calle de La Ronda* est redevenue fréquentable. En semaine, peu d'animation ; tout ferme à 22h. Mais à partir du jeudi soir, et plus encore les vendredi et samedi, les Quiteños se bousculent jusqu'à 3h ou 4h du matin le long des pavés disjoints, pour écluser quelques *canelazos,* un alcool de cannelle allongé au citron et servi chaud dans de petits verres. La cinquantaine de troquets qui jalonnent la rue abreuve les fêtards, chacun rivalisant de décibels (souvent *en vivo*) pour attirer le chaland. Pendant ce temps, des groupes déambulent dans la rue, guitare en main, les familles s'offrent un chocolat chaud, poussent la chansonnette dans un karaoké...

### *À La Mariscal (zoom couleur)*

🍸 ***Coffee Tree*** *(zoom couleur, C3, **150**) : angle Reina Victoria et Foch. Ouv 24h/24 !* 📶 L'un des cafés les plus fréquentés de la place, déjà très animée. On y fait halte à toute heure du jour et de la nuit pour une bière ou un cocktail – en revanche, évitez d'y manger. *Happy hour* sur différents cocktails chaque jour. Le lundi, c'est mojito ! En face, le ***Azuca Latin Bistro*** sert à l'étage ses cocktails les pieds dans le sable. DJ ou *musica en vivo* jeudi et samedi à partir de 21h, tendance rock-pop. De l'autre côté de La Mariscal Sucre, il y a aussi la terrasse accueillante du ***Q,*** avec ses fauteuils verts et ses chaufferettes, pour débuter la soirée.

🍸 ***Canut Café*** *(alias 2x1 Canelazo ; zoom couleur, C3, **151**) : Cálama E6-22 y Reina Victoria. Lun-sam 16h-minuit.* Ce minitroquet ne paie pas de mine, mais on y descend pour seulement 1 US$ les meilleurs *canelazos* de La Mariscal, cet alcool de canne et cannelle servi chaud dans de petits verres (parfois avec jus de mûre ou de *naranjilla*). Populaire et idéal pour se mettre en jambes.

🍸 ***Ambrosia*** *(zoom couleur, C3, **152**) : angle Reina Victoria et Lizardo Garcia.* L'ambroisie d'ici, dorée et mousseuse, porte en bandoulière le nom de *Pilsner* et de *Brahma* et déborde des choppes maousses. Les prix sont ras du plancher et attirent foule. Les jeunes Équatoriens s'y retrouvent donc en masse, entre fresques murales et bandes de potes, sur fond de standards rock bien balancés, tendance hard et nuages de fumée. La plaza Foch est à un jet de pierre, pourtant, les gringos sont rares ici.

🍸 ♩ ♫ ***El Aguijón*** *(zoom couleur, C3, **153**) : Cálama E7-35 y Reina Victoria.* ☎ *256-98-14.* ● *elaguijon.com.ec* ●

*Mar-sam 21h-3h. Entrée : env 10 US$ pour les concerts, 1 boisson incluse.* À mi-chemin du centre culturel et de la boîte populaire, *El Aguijón* propose un riche éventail d'activités : musique mais aussi théâtre, danse, cinéma, performances et autres expos. La fiesta commence par la soirée salsa gratuite (jusqu'à 21h30) le mercredi (avec même des cours), puis enchaîne du jeudi au samedi par concerts et soirées DJ, tendance ska, punk, reggae ou indie-rock.

**Zócalo** (zoom couleur, C3, **154**) **:** *Cálama E5-10 y Juan León Mera. ☎ 223-39-29. Tlj jusqu'à 1h. Happy hours 18h-20h.* Au 1er étage, le bar trône dans des lumières tamisées au centre d'une salle ouverte façon véranda surplombant la rue. On y débite des citrons à la chaîne pour les tequilas et les mojitos ! Tout autour, des tabourets hauts et des recoins sombres pour achever les conquêtes d'un soir. Groupes de musique et DJ se relaient pour faire danser la foule qui se presse invariablement.

**Varadero et Bodeguita de Cuba** (plan couleur I, D3, **155**) **:** *Reina Victoria N26-105 y La Pinta. ☎ 254-24-76. Plats 6-9 US$.* L'un à côté de l'autre, 2 bars-restos cubains à la devanture touffue et aux salles rustiques, où se produisent des groupes. N'oubliez pas votre marqueur pour ajouter votre tag aux murs ou sur une des chaises ! À la *Bodeguita,* musique les mercredi et jeudi à partir de 21h30 (petit droit d'entrée). Au *Varadero,* c'est les vendredi et samedi (même punition). Dans les assiettes, les classiques de la cuisine cubaine bien réalisés (*ropa vieja, picadillo,* etc.). Très bonne ambiance et chaleur assurée.

**Mayo 68** (zoom couleur, C3, **156**) **:** *Lizardo García E5-15 y Juan León Mera. ☎ 290-61-89. Mar-sam 19h-3h. Entrée : 3 US$.* Sympathique salsathèque bondée en fin de semaine, où touristes et locaux se mélangent joyeusement sur des rythmes cubains depuis un bon paquet d'années... La température monte à partir de 23h.

**No Bar** (zoom couleur, C3, **157**) **:** *Cálama E5-09 y Juan León Mera. ☎ 254-51-45. • nobarq.com • Lun-sam 20h-3h (c'est une boîte, venir au cœur de la soirée quand la salle se remplit !). Entrée : 3-5 US$ (avec 1 boisson).* Ce classique de longue date, pionnier du quartier, prend malgré son nom des allures de bar rustique. Petite salle, petite piste, mais très souvent plein ! Les DJ y passent tout type de musique et les couples se forment et se déforment en cadence.

**Bungalow 6** (zoom couleur, C3, **158**) **:** *Diego de Almagro N24-151 y Cálama. ☎ 254-79-57. Mer-sam 20h-3h. Entrée : 5-9 US$ avec 1 ou 2 boissons après 22h-23h ; entrée libre pour ts le jeu jusqu'à 22h et boissons illimitées pour les femmes le mer jusqu'à 22h.* Parmi les plus populaires de La Mariscal, ce bar aux murs tapissés de vieux disques est un des repaires favoris des *gringos* et des *gringueros* – ces Équatoriens assidus de chasse à la *gringa*... Au programme : soirées DJ, soirées spéciales, soirées foot, soirées *speed dating,* etc. Grande piste de danse au 1er et billard à l'étage supérieur. Ambiance au top le mercredi pour la *ladies night.*

## À La Floresta (plan couleur I)

**El Pobre Diablo** (plan couleur I, D4, **159**) **:** *Isabel La Católica N24-274 y Galavis. ☎ 223-51-94. • elpobrediablo.com • Tlj sf dim soir 13h-2h. Entrée : 6-7 US$ lorsqu'il y a des groupes.* Dans une maison particulière, avec haut plafond, parquet qui craque et murs colorés décorés d'affiches. Devant, un petit jardin invite à siroter un verre à l'ombre des parasols. Musique *en vivo* les mercredi, jeudi et samedi à partir de 22h. Funk, soul, *musica latina* bien sûr, jazz, blues, il y en a pour tous les goûts. C'est l'un des rares endroits de ce genre à Quito ! Bonnes vibrations, bonne ambiance, et c'est ainsi depuis plus de 20 ans.

## Plus loin encore... (plan couleur I)

**Ñucanchi Peña** (plan couleur I, B4, **160**) **:** *av. Universitaria Oe5-188 y Armero. ☎ 254-09-67. Jeu 20h-2h (en principe, concert à 22h) ; ven et* *sam 20h-3h (concert à 21h). Entrée : 5-8 US$ (gratuit pour les femmes le jeu). Excentré, il vaut mieux y aller en taxi.* Dans ce petit cabaret ouvert il y a 3 décennies, plusieurs groupes de musique équatorienne et andine se relaient au cours de la soirée. On sirote du rhum, on s'amuse et on n'a pas peur d'esquisser quelques pas de danse sur la piste. On est loin de l'ambiance qui prévaut dans les lieux où abondent les troupeaux de touristes en mal de sensations. Bouteilles chères mais, au verre, ça reste tout à fait honnête. Habillez-vous bien !

## Achats

**Tianguez** *(plan couleur II, A5,* ***104****) : plaza San Francisco, dans le Quito colonial. ☎ 295-43-26. • mindalae.com • Tlj 9h30-18h30.* Magnifiquement installé sous le porche du couvent San Francisco, ce magasin-musée vaut vraiment le coup d'œil. Outre son artisanat d'excellente qualité (mais cher) provenant de toutes les régions du pays, *Tianguez* fait partie de l'ONG *Sinchi Sacha,* une association de commerce équitable qui soutient aussi des projets de développement dans les communautés indigènes de l'*Oriente* (l'Amazonie). N'hésitez pas à vous enfoncer dans le dédale de couloirs, c'est étonnant ! Puis allez prendre un jus ou une boisson chaude au café-resto attenant, dont la terrasse s'avance sur la place. L'ONG a récemment ouvert un vrai musée aux marges de La Mariscal (voir « À voir. À faire – Le Quito moderne »).

**Águila de Oro** *(plan couleur II, A5,* ***170****) : Benalcázar N3-123 et Espejo, dans le Quito colonial. ☎ 228-05-23. Lun-ven 8h-18h, sam 8h-14h.* Petite boutique à l'ancienne embaumant le café. Évitez juste d'y aller en fin de journée, le choix est moindre.

***Mercado artesanal « La Mariscal »*** *(plan couleur I, C4,* ***171****) : Jorge Washington, entre Juan León Mera et Reina Victoria, La Mariscal. Lun-sam 8h-19h (18h dim).* Grand marché artisanal couvert qui abrite diverses échoppes où l'on vend chapeaux, sacs, bijoux, articles de cuir, textiles et lainages, peintures, etc. Ne pas hésiter à marchander !

**Galería Gourmet** *(zoom couleur, C3,* ***172****) : Reina Victoria N24-263 y Lizardo Garcia, La Mariscal. ☎ 226-99-22. Lun-sam 9h-21h, dim 10h-20h.* Voici une bien belle boutique où s'empilent produits comestibles (chocolat équatorien, huile d'avocat...) ou non (beaux vêtements en alpaga, artisanat, bijoux, beaux livres...). Pas donné, mais encore abordable et pratique pour les petits cadeaux.

**Galería Latina** *(zoom couleur, C3,* ***173****) : Juan León Mera N23-69, entre Veintimilla et Presidente Wilson, La Mariscal. ☎ 254-03-80. À côté de la librairie* Libri Mundi. *Lun-sam 10h-19h30, dim 11h-18h.* Très belles pièces de tout l'artisanat équatorien (et même latino-américain) : pulls en alpaga, bijoux, textiles et tapis, céramiques, objets en bois et ivoire végétal, panamas, cuir. Belle qualité mais vraiment cher.

**Hilana** *(zoom couleur, C4,* ***174****) : av. 6 de Diciembre N23-10 y Veintimilla, La Mariscal. ☎ 254-07-14. • hilana.com.ec • Lun-ven 9h-19h ; sam 10h-13h.* Pulls, ponchos, manteaux, couvertures et tapis en laine et coton aux coupes occidentales élégantes, dans de belles couleurs naturelles. Très joli, mais plutôt cher.

# À voir. À faire

### *LE QUITO COLONIAL* (plan couleur II)

Ce qui frappe, dans le centre historique, c'est la floraison d'art baroque inscrite dans la pierre. L'architecture coloniale de la ville lui a valu d'être la première (avec Cracovie en Pologne) à être inscrite au Patrimoine mondial de l'humanité par l'Unesco, en 1978. Nous vous proposons un circuit à pied à travers la vieille ville, qui vous permettra de visiter les principaux édifices religieux et musées, tout

en flânant dans les rues étroites, bordées de jolis alignements de maisons pastel aux balcons en fer forgé. Ne vous attendez toutefois pas à une ville d'une unité exemplaire : les séismes sont passés par là.
Après des années marquées par des conditions d'insécurité, le vieux Quito a retrouvé une certaine normalité. Une brigade de policiers en assure la surveillance continue et les places les plus glauques ont été rénovées. On peut désormais visiter le quartier de jour en toute quiétude. Le soir, passé 19h-20h, mieux vaut ne pas trop traîner dans les rues, surtout si elles sont désertes. Déplacez-vous alors en taxi. À noter, le dimanche, une partie du Quito colonial est fermée à la circulation. Ce jour-là, seul le *Trolleybus* circule.
– N'oubliez pas les visites guidées organisées par l'office de tourisme (voir les détails plus haut dans « Adresses utiles »). Il suffit de passer réserver la veille ou de téléphoner au ☎ *257-24-45.*

**Plaza de la Independencia** *(ou plaza Grande ; plan couleur II, A-B5)* **:** cette belle place arborée, cœur névralgique du vieux Quito, est encadrée sur trois côtés par des bâtiments historiques : cathédrale au sud, *palacio del Gobierno* à l'ouest et ***palacio Arzobispal*** *(palais de l'Archevêché)* au nord – dont l'élégant patio est aujourd'hui occupé par des fast-foods et restaurants touristiques... Il voisine, à l'angle, avec un fort bel édifice rococo, qui fut le premier grand hôtel de la ville, le *Majestic,* rebaptisé *Plaza Grande* (voir « Où manger ? », plus haut). Sur le quatrième côté, le moderne *Palacio Municipal* (Hôtel de Ville) abrite l'office de tourisme. Le dimanche, des comédiens et des musiciens viennent souvent se produire sur l'esplanade. Elle fait aussi office d'agora ; on vient y débattre des projets politiques en cours ou tenter de convaincre. Une sorte de « *speaker's corner* » équatorien !
– Au cœur du jardin de la place, se dresse le ***monument aux Héros du 10 août 1809,*** premier groupe à se battre pour l'indépendance. Le lion blessé symbolise l'armée ibérique en déroute. Derrière lui, le drapeau espagnol, avec armes, canons et croix de l'évangélisation. Au-dessus, un condor personnifie la résistance et brise sa chaîne. Tout en haut, l'allégorie de la liberté.

**Palacio del Gobierno** *(palais du Gouvernement ; plan couleur II, A-B5)* **:** *entrée sur la plaza Grande, à l'angle d'Espejo et de Garcia Moreno. Visite guidée gratuite (45 mn env), mar-dim 9h-16h, ttes les 15-30 mn en espagnol, un peu moins fréquemment en anglais. Avoir son passeport sur soi.* C'est le palais présidentiel. Bâti au XVII^e s, il a été remanié dans les années 1800 sur ordre du baron de Carondelet, noble d'origine française devenu président de l'Audience royale de Quito. C'est ici, en 1822, que les Espagnols signèrent l'acte de capitulation de leur armée consacrant l'indépendance équatorienne. Il conserve une jolie balustrade en fer forgé qui, dit-on, aurait été récupérée au palais des Tuileries peu de temps après la Révolution française !
La visite débute par une séance photo dans l'un des deux patios à arcades : un peu kitsch, mais c'est le président Correa qui offre le cliché ! On grimpe ensuite à l'étage, pour le salut au drapeau national. Levez le nez : la grande mosaïque réalisée par Oswaldo Guayasamín évoque la conquête de l'Amazonie. Suivent le salon du cabinet, la salle de banquet aux lustres en cristal de Baccarat, veillée par Sucre, Bolívar et... la Vierge trônant dans sa chapelle baroque ! Autant pour la séparation de l'Église et de l'État. On termine par le salon jaune, où s'alignent les portraits de tous les présidents équatoriens ; c'est ici qu'ont lieu les réceptions officielles. Dans les couloirs, nombreuses vitrines contenant objets d'artisanat équatorien et cadeaux offerts par des chefs d'État étrangers.

**Catedral Primada** *(plan couleur II, A-B5,* ***180****)* **:** *plaza de la Independencia. Entrée exclusivement par le Museo de la Catedral Primada, Venezuela N3-117 y Espejo.* ☎ *257-03-71. Lun-sam 9h30-16h. Entrée : 1,50 US$ ; réduc.* Trapue et basse en raison des tremblements de terre, la blanche cathédrale occupe tout le pan sud de la place. De chaque côté du portail principal, six plaques détaillent la liste des 204 fondateurs de la ville (dont deux Noirs – « *de color negra* »). Une

autre, près de l'angle de la calle Venezuela, rappelle que c'est d'ici que partit, en 1541, l'explorateur Francisco de Orellana lorsqu'il découvrit l'Amazonie et le fleuve Amazone, escorté par 3 000 indigènes.
Dans le *Museo de la Catedral Primada* sont exposés peintures et sculptures religieuses, objets liturgiques, vêtements sacerdotaux et de beaux ornements d'autels en argent repoussé. En pénétrant finalement dans la cathédrale, retournez-vous : vous voilà face à une belle chapelle churrigueresque à l'autel doré greffé d'angelots. Le reste du sanctuaire est relativement plus sobre, si l'on excepte le plafond de style mudéjar, la chaire baroque dorée assez impressionnante et le grand maître-autel turquoise scintillant d'or ! Les peintures appartiennent à l'école quiteña. En particulier, au-dessus de l'autel, la fameuse toile de Caspicara, *La Descente de la Croix.* À droite du maître-autel, l'une des chapelles abrite le ***mausolée du maréchal Sucre*** (1795-1830), libérateur du pays et père de l'indépendance. Son cénotaphe en pierre polie est dominé par des peintures murales représentant la bataille décisive de la Pichincha. Dans une niche vitrée, est exposée une réplique de l'épée de Simón Bolívar, offerte en 2002 par Hugo Chávez, le président du Venezuela. Vénézuélien comme Bolívar, dont il était le lieutenant – son bras droit en fait –, Sucre avait épousé une Équatorienne et déclaré qu'il « souhaitait que ses os demeurent à jamais à Quito ».

🎭🎭 ***El Sagrario*** *(plan couleur II, A-B5,* ***181****)* **:** *García Moreno y Espejo, sur le côté ouest de la cathédrale. Visite gratuite, tlj 7h30-18h15.* C'est une ancienne chapelle de la cathédrale, un vrai festival churrigueresque, avec ses autels latéraux et maître-autel à l'avenant. Proportions harmonieuses et belle porte intérieure baroque, encadrée de jolies colonnades dorées. Les murs ont été peints pour donner l'illusion du marbre.

🎭 ***Centro Cultural Metropolitano*** *(plan couleur II, A5,* ***182****)* **:** *García Moreno N3-151, entre Sucre et Espejo. Tlj sf lun 9h-17h.* Ce centre culturel occupe les anciens bâtiments de l'ordre des jésuites, le plus puissant de Quito jusqu'à ce que Charles III ordonne leur expulsion de toutes les colonies espagnoles en 1757. Outre le restaurant *Cueva del Buho* (voir plus haut « Où prendre le petit déj ? Où boire un café et manger une douceur ? »), il abrite plusieurs salles d'***expos temporaires*** (entrée gratuite) et l'intéressant ***Museo Alberto Mema Caamaño*** *(entrée : 2 US$ ; visite guidée en espagnol ou anglais sur demande).*
Ce dernier relate l'histoire du pays de 1737 à 1830. Vous y croiserez, entre autres, le savant français La Condamine, qui logea ici même en arrivant à Quito le 7 juin 1736 avec l'expédition géodésique française. On y voit aussi Juan de Velasco, premier historien d'Équateur, et Manuel Chusic, premier bibliothécaire métis du pays, qui prit – pour masquer ses origines indigènes – le nom d'Eugenio Espejo. Il était aussi philosophe et médecin, et l'on pense qu'il lut au moins la moitié des 40 000 livres que devait receler la bibliothèque dont il avait la charge ! Au sous-sol, enfin, ne pas manquer la reconstitution de la prison où les partisans de l'indépendance (figurés par des mannequins) furent emprisonnés et massacrés le 2 août 1810. C'est à la suite de cet événement atroce que Simón Bolívar, profondément choqué, s'engagea à fond dans la lutte contre l'Espagne et pour l'indépendance.

🎭🎭🎭 ***La Compañía*** *(église de la Compagnie des Jésuites ; plan couleur II, A5,* ***183****)* **:** *García Moreno. ☎ 258-18-95 (résa pour visites nocturnes). Lun-ven 9h30-17h30 ; sam et j. fériés 9h30-16h30 ; dim 13h30-16h30. Entrée : 3 US$ ; réduc ; gratuit le 1er dim du mois. Guide gratuit sur demande.* Fondée en 1605, l'église mit plus d'un siècle et demi pour être achevée (1766) ! Précédée d'une façade baroque au portail encadré d'élégantes colonnes torsadées, elle dissimule un intérieur d'une richesse époustouflante. Ce serait l'église la plus couverte d'or du pays, nous voulons bien le croire ! Colonnes, autels, retables, portes, tout a été passé à la feuille d'or, jusqu'à l'infinie variété de motifs floraux et géométriques couvrant murs et plafonds. L'or de l'Amérique, l'or des *conquistadores* ! La sculpture du maître-autel confine aux filigranes. Ne manquez pas non plus, à droite de l'entrée, cette représentation des Enfers, où pourrissent les pécheurs précisément répertoriés (par catégories !).

**Museo Numismático del Banco Central del Ecuador** *(plan couleur II, A5,* ***184****) : angle de García Moreno y Sucre, en face de l'église La Compañía. ☎ 257-27-80. Mar-ven 9h-17h ; w-e et j. fériés 10h-16h. Entrée : 1 US$ ; réduc.* C'est avant tout un bel édifice des années 1930, gardé par deux condors et illuminé par deux porteuses de lumière. Le musée, vieillot, mal éclairé et mal présenté, se penche sur l'histoire du commerce et de la monnaie en Équateur, depuis la période précolombienne. Rien de bien passionnant.

**Casa-museo María Augusta Urrutia** *(plan couleur II, A5,* ***185****) : García Moreno N2-60, entre Sucre et Bolívar. ☎ 258-01-03. Mar-ven 10h-18h ; w-e 9h30-17h30. Fermé lun. Entrée : 2 US$ ; réduc. Visites guidées (obligatoires) en espagnol.* La Fundación Mariana de Jesús gère cette maison-musée consacrée à l'œuvre de María Augusta Urrutia (1901-1986), une philanthrope catholique de Quito qui passa sa vie à aider les enfants pauvres. C'est surtout l'occasion, rare, de pénétrer dans les intérieurs d'une grande famille bourgeoise du début du XXe s, conservés en l'état. On découvre entre autres la salle à manger, la salle de couture, le bureau avec ses cabinets *(bargueños)* incrustés d'os blanc et la chambre austère de la Señora Urrutia (une sorte de sainte laïque en somme) ornée d'œuvres de son ami le peintre Victor Mideros.

**Museo Casa de Sucre** *(plan couleur II, A5,* ***186****) : angle Venezuela et Sucre. Mar-ven 9h-17h, sam 10h-14h. Entrée : 1 US$. Visite guidée (en espagnol) incluse sur demande.* Non, ce n'est pas une maison de sucre, mais l'une des plus belles demeures coloniales de Quito, propriété de l'épouse quiteña du général Sucre (1795-1830), héros de l'indépendance de l'Équateur – qui y vécut tout juste 18 mois. Plusieurs salles bien aménagées, dans l'esprit de l'époque, reconstituent le mode de vie de la bourgeoisie locale au début du XIXe s. Certaines sont séparées par de simples cloisons de bambous amovibles, qui permettaient de remodeler les espaces et de favoriser l'aération. On commence, au rez-de-chaussée, par la *Sala de los Próceres* (salle des grands hommes) avec son tableau montrant la rencontre entre Sucre et Bolívar. Suit la *Sala de Armas* avec son petit canon de campagne en bronze qui aurait servi lors de la première expédition d'Orellana en Amazonie (1541). À l'étage : le salon principal avec des meubles français, la chapelle, la chambre de Sucre avec un lit étroit en bois de prunus, la salle à manger. Et encore la cuisine, le four à pain et la cave.

**Convento de San Francisco** *(plan couleur II, A5) : plaza San Francisco. ☎ 295-29-11. Musée : lun-sam 9h-17h30 ; dim 9h-12h30. Entrée : 2 US$ ; réduc. L'église, elle, a des heures d'ouverture assez fantaisistes, en principe lun-jeu 7h-11h45 et 17h-19h, ven-dim 7h-19h.* Situé sur une immense place pavée (sans voitures) bordée de maisons coloniales, le monastère occupe probablement l'emplacement de l'ancien palais de l'Inca Atahualpa. Bâti entre le milieu du XVIe s et les années 1680, il forme, avec ses 3,5 ha, le plus grand ensemble conventuel des Amériques – ce qui lui a valu le surnom d'« Escurial du Nouveau Monde » ! En lui faisant face, on distingue, de droite à gauche, le monastère (qui abrite le musée), l'église et la chapelle de Cantuña.

– ***Le couvent et le musée :*** après avoir payé l'entrée à la caisse, on découvre un admirable et vaste **cloître** encadrant un jardin lumineux planté de palmiers. Sur le mur de droite, plusieurs pierres tombales portent les épitaphes des familles nobles ; parmi elles, celle de l'Indien Francisco Cantuña et de sa famille (voir plus loin la chapelle de Cantuña). En continuant, on accède au musée *Franciscano Fray Pedro Gocial,* qui présente une riche collection d'objets religieux évoquant la vie et l'œuvre de saint François d'Assise. L'ordre des franciscains fonda ici la première école d'art religieux d'Amérique, dont sont issus les toiles évoquant la vie du saint et les portraits royaux attribués à *Andrés Sánchez Gallque,* premier peintre indigène d'Équateur. Parmi eux... Saint Louis. On découvre aussi tout un

ensemble de *pasos,* ces groupes sculptés de la Passion menés en procession lors de la Semaine sainte. Situé au fond de la galerie, le *tenebrario,* un gros chandelier sur pied de 3,50 m de haut, en bois peint, était allumé uniquement les Mercredi et Jeudi saints. Les salles du fond sont dédiées au baroque quiteño avec, entre autres, une des trois sculptures originales de la Vierge (ailée !) de Quito et un étonnant ensemble de peintures sur albâtre.
Enfin, à l'étage, on peut accéder au ***chœur*** de l'église, où les frères se réunissent encore pour chanter et prier. On y monte par un grand escalier (à gauche de l'entrée du musée), dont la cage est ornée d'un tableau de plusieurs mètres de haut montrant l'arbre généalogique de la communauté franciscaine. Dans le chœur, les stalles des moines, toutes veillées par un saint différent, reposent sous un magnifique plafond sculpté mudéjar. De là, vue splendide sur la nef centrale.
– ***L'église :*** *entrée libre, par la place, aux horaires (théoriques) mentionnés ci-dessus.* C'est, avec la cathédrale, le plus ancien sanctuaire chrétien de Quito (1535-1580) ; les tours ont toutefois été reconstruites en 1893. Sa façade aux influences maniéristes, plutôt austère, contraste avec l'intérieur, éblouissant, où explose tout l'art cumulé du mudéjar et du baroque. L'ornementation débridée mêle dorures à gogo, chérubins (parfois en grappes) et motifs géométriques d'une finesse évoquant les broderies des vêtements sacerdotaux. Clou du spectacle : le maître-autel bleu et or, veillé par deux caryatides. On peut y voir la petite (30 cm) *Vierge de Quito* ou « Vierge danseuse », aux ailes d'argent, du sculpteur Bernardo de Legarda, devenue l'emblème de l'école quiteña.
– ***La chapelle de Cantuña :*** *rarement ouverte, si ce n'est pour les messes (tlj vers 7h, sf dim 8h) et les mariages (sam midi).* L'histoire de cette chapelle est intimement liée à celle d'un Indien dénommé Francisco Cantuña. Une légende, parmi tant d'autres, affirme qu'il aurait appris de son père, homme de confiance du général inca Rumiñahui, l'emplacement des trésors de l'empire cachés au moment de la conquête espagnole... Plus tard converti au catholicisme, Cantuña en aurait fait don aux franciscains de Quito, qui l'employèrent à bâtir des monuments éblouissants. À moins, dit-on encore, qu'il ait fait lui-même bâtir la chapelle portant son nom pour se racheter d'un pacte conclu avec le Diable... Si elle est ouverte, n'hésitez pas à y pénétrer, le maître-autel baroque, œuvre de Bernardo de Legarda, est d'une richesse époustouflante.

### ET CANTUÑA SE JOUA DU DIABLE !

*Une histoire raconte que l'Indien Francisco Cantuña, dont la chapelle du couvent San Francisco porte le nom, fut chargé, en tant que maçon, de refaire le porche du couvent. Le délai de construction étant particulièrement court, il fit un pacte avec le Diable : son âme en échange de l'aide d'une armée de diablotins pour finir les travaux ! Au terme du délai, le porche était rebâti, mais Cantuña, tracassé à l'idée de se voir dépossédé de son âme, dissimula une brique pour faire croire au Diable que l'œuvre n'était pas achevée. Le Diable ne trouva rien à répondre... et s'en fut sans son dû.*

![3] ***Casa del Alabado – Museo de Arte Precolombino*** *(plan couleur II, A5) :* *calle Cuenca N1-41 y Bolívar. ☎ 228-09-40. • alabado.org • Entrée : 4 US$. Visite guidée incluse, en espagnol ou anglais, ttes les 30 mn env. Audioguide : 2 US$. Agréable café dans la courette.* Ce musée récent, à ne surtout pas manquer, se consacre aux cultures précolombiennes de l'Équateur. Il occupe un beau bâtiment colonial organisé autour d'un patio intérieur, superbement restauré. Enfin un musée moderne, joliment mis en scène, avec des explications en anglais. Le parcours, partiellement chronologique, partiellement thématique, insiste sur les pratiques religieuses et rituelles de ces cultures anciennes. Au programme : la force spirituelle des ancêtres, le monde primordial, les mondes parallèles, le pouvoir du

chaman, le monde des élites... Les collections comprennent un ensemble d'objets en pierre, poteries et autres figurines époustouflantes de qualité, depuis les très belles statuettes votives de la culture de Valdivia (vieille de 6 000 ans) jusqu'aux étonnantes représentations de nains, considérés comme des intercesseurs privilégiés entre monde physique et monde spirituel – tout comme, d'ailleurs, ceux qui avaient un bec-de-lièvre ou un pied-bot ! Certaines représentations de chamans confinent aux cauchemars les plus noirs, tandis que les poteries zoomorphes en appellent à un monde autrement plus en harmonie avec le vivant.

**Museo de la Ciudad** *(musée de la Ville ; plan couleur II, A5)* **:** *García Moreno S1-47 y Rocafuerte. ☎ 295-36-43 ou 228-38-83. • museociudadquito.gob.ec • Tlj sf lun 9h-16h30. Entrée : 3 US$ ; réduc. Agréable petit resto dans le patio intérieur (voir « Où manger ? »).* Occupant l'ancien et immense hôpital *San Juan de Dios,* fondé en 1565 et resté en activité jusqu'en 1974, le musée présente l'histoire de Quito depuis les origines. Certaines sections bénéficient d'explications en anglais.

Au rez-de-chaussée, on découvre d'abord un patio orné d'une très belle fontaine et une petite chapelle toute blanche (1682) aux beaux volets de bois. Une première salle se penche sur la période précolombienne. On y apprend que les premiers habitants de Quito utilisaient l'obsidienne dans leurs parures et leur artisanat, se servaient de coquillages comme monnaie d'échange et inhumaient leurs morts dans une natte végétale, parmi des pots en céramique et des feuilles de coca.

À l'étage, de la tribune, on domine l'église de l'hôpital, avec son maître-autel rococo. Les salles déclinent ici l'histoire coloniale. On parcourt le XVIe s avec la reconstitution d'une hutte *(bohio),* d'une cuisine « métisse », et une maquette présentant l'expédition d'Orellana en Amazonie (1541). Le XVIIe s avec la christianisation, des objets de culte et la reconstitution d'un atelier de fabrication de cierges. Le XVIIIe s avec la montée en puissance de l'art baroque quiteño, un atelier de sculpteur, le développement des sciences et les soulèvements sous-tendant l'affirmation croissante d'une identité créole. Le XIXe et le XXe s, enfin, synonymes de progrès techniques et d'évolution des mœurs. Au rez-de-chaussée du second patio, une salle se consacre à l'histoire de l'hôpital et de ses malades (avec une fraise de dentiste à pédale !). C'est là, aussi, que l'on trouve l'agréable café-resto du musée.

**Calle de la Ronda** *(plan couleur II, A5)* **:** *de son vrai nom calle Morales.* La plus ancienne ruelle coloniale de Quito, négligée et dangereuse avant 2005, a été joliment réhabilitée. Elle offre une agréable plongée dans le passé, avec ses pavés disjoints et ses hautes bâtisses coloniales aux façades blanches et fleuries, balcons de fer forgé et toits de tuiles rousses. La journée, assez morte, elle est agrémentée de quelques jeux de rue. Le soir tombant, métamorphosée, elle s'habille de lumière et attire foule : du jeudi au samedi soir, les bars et restos par dizaines ne se couchent pas avant l'aube. Voir plus haut la rubrique « Où boire un verre ? ».

**Convento e iglesia de Santo Domingo** *(plan couleur II, B5)* **:** *Flores y Bolívar. Mar-ven 9h-13h30, 14h30-17h ; w-e 9h-14h. Entrée : 2 US$. Attention, le mat, les offices religieux rendent la visite de l'église assez difficile.* La sobre façade de l'ensemble conventuel (1583-1650) donne sur la vaste plaza Santo Domingo, où trône une statue du maréchal Sucre. On pénètre d'abord dans le ***cloître,*** qui rassemble quelques-uns des plus vieux arbres de Quito, avant d'entrer dans l'***église,*** de style colonial. On notera surtout le plafond mudéjar de la nef aux belles formes géométriques sur fond rouge. Pour le reste, la physionomie du sanctuaire a été largement modifiée au XIXe s, à l'initiative de dominicains italiens. Dans le bras droit du transept, l'impressionnante *chapelle de la Virgen del Rosario* est richement décorée en or et rouge, dans un style rococo. Elle fut édifiée pour accueillir une Vierge, don de Charles Quint. Dans le couvent, le ***réfectoire*** est coiffé par un plafond mudéjar représentant la vie de *santa Catalina* de Sienne et les 54 martyrs dominicains – avec, pour chacun d'eux, la façon dont ils ont été tués ! Enfin, on peut terminer la visite par le ***Museo Dominicano de Arte Fray Pedro Bedón*** *(lun-ven 9h30-16h30),* qui rassemble des peintures et sculptures des écoles italienne, espagnole, cusqueña et quiteña, des vêtements liturgiques et d'énormes livres de chants.

En revenant vers la plaza Grande, vous croiserez la ***calle Espejo*** *(plan couleur II, B5),* piétonne et très animée en journée. Ne manquez pas, à l'angle de Guayaquil, ce superbe immeuble de style éclectique couvert de céramique verte. Notez le beau travail sur la corniche et les balcons. Juste à côté, le ***Teatro Bolívar,*** tout rose, affirme un style néoclassique mâtiné d'influences Art déco. Inauguré en 1933, il a été entièrement restauré après avoir brûlé en 1997 lors d'un incendie déclenché par le *Pizza Hut* du bas...

***Museo Monacal Santa Catalina de Siena*** *(plan couleur II, B5,* ***187****)* **:** *Espejo Oe1-85 y Flores.* ☎ *228-40-00. • museodominicas.com.ec • Lun-ven 8h30-17h ; sam 8h30-12h30. Entrée : 1,50 US$, visite guidée (longue et ennuyeuse) incluse et obligatoire ; réduc.* Ce musée d'art religieux est installé dans un monastère vieux d'environ 4 siècles, où vivent encore une vingtaine de nonnes. Au programme : peintures et sculptures du XVIIe au XXe s (pas forcément remarquables), christs, vêtements liturgiques, sans oublier quelques reliques de saints – et celle du président chrétien conservateur García Moreno, qui réforma le pays dans l'ombre du « royaume social du Christ-Roi » et mourut assassiné en 1875 en prononçant sa célèbre phrase : « Dios No Muere ! » Au passage, vous pourrez jeter un coup d'œil aux cellules des sœurs et à leur jardin. Possibilité de monter en haut du clocher à la fin de la visite, pour une vue sur le Quito colonial.

### SŒURS ET MUETTES !

*Le monastère de Santa Catalina de Siena est toujours habité par une vingtaine de nonnes cloîtrées, dont le vœu de silence ne peut être rompu que 30 mn par jour, entre 12h30 et 13h. Outre le temps – considérable – qu'elles consacrent au recueillement et à la prière, elles préparent toutes sortes de remèdes médicinaux à base de plantes, vendus à l'entrée du monastère. Les produits, toujours très populaires, sont déposés sur une espèce de tourniquet en bois, ce qui les empêche d'être vues !*

***Iglesia de San Agustín*** *(plan couleur II, B5,* ***188****)* **:** *Chile 924, à l'angle de Guayaquil. Tlj 7h-12h, 15h-17h. Entrée libre.* Installés à Quito en 1573, les Augustins entreprirent peu après l'édification d'un monastère et de cette robuste église dotée d'une tour latérale assez trapue (remodelée vers 1868). Sur la grosse porte d'entrée, les petits cœurs ailés en bronze percés de trois clous représentent le « cœur anxieux » de saint Augustin... L'intérieur est assez sombre mais coloré, avec des murs pastel, bleus, verts et jaunes, et des autels latéraux baroquissimes. Nombre de héros de l'indépendance y sont inhumés.

– À droite de l'église, on accède au ***Museo Miguel de Santiago.*** *Lun-ven 9h-12h30, 14h30-17h ; sam 9h-13h. Entrée : 2 US$ ; réduc. Visite guidée (en espagnol) un peu barbante incluse.* On découvre, autour d'un cloître (1669), un ensemble de peintures et sculptures religieuses des XVIIe et XVIIIe s, mais aussi et surtout la grande salle du chapitre, où fut signé l'acte d'Indépendance du pays en 1810. Longue de 22 m, elle possède d'impressionnants bancs en bois sculpté, un autel doré en cèdre baroque et un plafond mudéjar orné de pommes de pins, de motifs floraux et de 32 toiles de l'école quiteña représentant tous les martyrs de l'ordre. Le 2 août, on peut accéder aux catacombes.

***Iglesia de La Merced*** *(plan couleur II, A5,* ***189****)* **:** *Cuenca y Chile. Lun-ven 7h30-12h, 14h-18h, sam 6h30-12h.* Une des églises les plus imposantes de la ville, La Merced a été reconsacrée en 1737 à l'emplacement d'un sanctuaire antérieur de 2 siècles. Bel exemple de baroque quiteño, elle aligne planchers en bois, maître-autel doré, nef et plafond couverts de stuc blanc et rose aux motifs d'arabesques d'inspiration mudéjar. Nombre de toiles sont dues à Victor Medeiros, un artiste jadis célèbre, dont on dit qu'il peignait avec la palette de Dieu... Ses tableaux, aux tons flamboyants et ténébreux tout à la fois, expriment une atmosphère souvent tragique, avec de nombreuses scènes de fin du monde d'où émerge un Christ sauveur. Certains formats, ronds ou ovales, étonnent. Certains sujets profanes aussi, comme ce volcan en éruption, ces caravelles qui accostent et cette représentation de Sucre en vainqueur !

**Museo de Arte Colonial** *(plan couleur II, A4)* **:** *Cuenca N6-16 y Mejía. Mar-sam 9h-16h30. Entrée : 2 US$.* Ce musée récent occupe une vénérable demeure organisée autour d'un patio à colonnade où glougloute une fontaine. Il décline l'histoire coloniale de Quito à travers peinture et sculpture, objets en ivoire ciselé importés de Chine via le Mexique et autres chaînes en fer aux bouts pointus, jadis utilisées pour les flagellations ! L'omnipotence du christianisme saute ici aux yeux. Trois des quatre *Saisons* de Miguel de Santiago, qui s'est illustré au XVII<sup>e</sup> s au monastère des Augustins et à San Francisco, semblent la seule concession au profane. Une légende affirme qu'il tua son assistant d'un coup de lance pour mieux capter la douleur de son *Christ à l'agonie* !



**Casa de Benalcázar** *(plan couleur II, B4-5,* ***190****)* **:** *Olmedo Oe5-74, presque à l'angle de... Benalcázar. Lun-ven 9h30-13h, 15h30-19h. Entrée gratuite.* Siège de l'*Instituto ecuatoriano de cultura hispánica*, cette vieille bâtisse coloniale accueille des expos temporaires, des concerts et des événements culturels. C'est l'une des premières maisons de Quito, située dans le noyau historique (la ville a grandi à partir de ce secteur). On a longtemps cru que le conquistador Sebastián de Benalcázar, homme ambitieux et cruel, y résida – à tort, semble-t-il. Reste sa statue sur la place voisine. Une modeste salle voûtée abrite de vieilles statues religieuses.

**Museo Camilo Egas** *(plan couleur II, B4-5,* ***191****)* **:** *Venezuela N9-02 y Esmeraldas. ☎ 257-20-12. Mar-ven 9h-13h. Entrée libre.* Ce modeste musée d'art, situé dans une charmante petite maison coloniale, est dédié à l'œuvre et à la vie du grand peintre équatorien Camilo Egas (1889-1962). Il a tout balayé, de l'indigénisme des premiers temps à l'abstraction, en passant par l'expressionnisme et le surréalisme. Expos temporaires d'artistes locaux, d'intérêt très variable, et ateliers d'art destinés aux enfants.

S'il vous reste un peu d'énergie, remontez à pied la calle Venezuela sur trois *cuadras* jusqu'à la ***basílica del Voto Nacional*** *(plan couleur II, B4). Tlj 9h-17h. Entrée : 1 US$.* Ce monstre néogothique a été dessiné par un architecte d'origine française, Emilio Tarlier, qui s'est inspiré de la cathédrale de Bourges. Elle n'aurait guère d'intérêt si ses gargouilles ne prenaient la forme des animaux d'Équateur : iguanes et tortues des Galápagos, tamanoirs, singes, pumas, crocos... Côté ouest (calle Carchí), un ascenseur conduit (lorsqu'il n'est pas en panne) dans les hauteurs de la tour, culminant à 117 m *(tlj 9h-16h, 2 US$).* Seul hic : le panorama sur le Quito colonial ne se découvre que du café-bar-cafét' (pas toujours ouvert).

## *EN PÉRIPHÉRIE DU QUITO COLONIAL*
*(plan d'ensemble)*

**Recoleta San Diego** *(plan d'ensemble A5 et hors plan couleur II par A5,* ***192****)* **:** *plaza San Diego (Calicuchima 117 y Farfán). Lun-sam 9h-13h30, 14h30-17h. Entrée : 2 US$ ; réduc.* Construite pour l'essentiel au début du XVII<sup>e</sup> s, cette retraite franciscaine a échappé aux séismes, incendies et autres calamités, conservant beaucoup d'éléments d'origine – comme le beau plafond mudéjar du presbytère et la chaire baroque de l'église. À droite du chœur s'ouvre un ***oratoire*** dont l'insolite plafond est fait de troncs de *capulis* même pas équarris, soutenus par des colonnes de pierre. Dans le grand ***cloître,*** belle fresque redécouverte en 1978, lorsqu'un ouvrier laissa tomber son échelle, qui heurta une paroi. Un morceau s'en détacha révélant... une main. Accès à la salle de prière, puis au ***comedor*** (réfectoire). Du toit, belle vue sur le grand cimetière. Et, pour finir, visite de plusieurs ***salles de peinture*** avec quelques belles pièces, comme cette *Vierge de la Carmen* de facture espagnole. Peinture flamande attribuée à Jérôme Bosch, retable cuzqueño du XVIIe s...

**Virgen del Panecillo** *(plan d'ensemble A5)* **:** *accès par la c/ Bahia de Caráquez, depuis les abords du Museo de la Ciudad. Ouv lun-jeu 9h-17h ; ven-dim 9h-21h. Entrée pour l'intérieur du monument : 1 US$. Mieux vaut s'y rendre en taxi.* Cette statue en aluminium de la Vierge ailée de Quito est perchée au sommet de la colline du « petit pain », qui domine la vieille ville par le sud. Les Espagnols y installèrent jadis un fortin (démoli), théâtre d'âpres combats lors de la guerre d'indépendance. La statue, inspirée de la *Vierge* de Bernardo de Legarda conservée au monastère de San Francisco, date de 1976. On peut accéder à un mirador situé au niveau de ses pieds, pour bénéficier de la vue la plus étendue sur le Quito colonial et les environs. Grâce à la brigade de sécurité postée près de la statue, le secteur se visite, mais il ne vaut mieux pas sortir du périmètre.

***La colline d'Itchimbía*** *(plan d'ensemble B-C5 et plan couleur II, B5)* **:** faisant pendant au Panecillo, la colline domine le Quito colonial par l'est. L'ancienne halle métallique du marché de Santa Clara, démontée et remontée au sommet, a été transformée en centre culturel *(tlj 9h-17h).* Fabriquée en Belgique en 1899, elle avait été transportée à Quito en charrettes et à dos de mule depuis Guayaquil ! Les expos ne sont pas incontournables, mais le bâtiment est superbe. Du parvis, vue dominante sur le centre. On peut en profiter depuis le café-resto *Pim's (lun-sam 12h-minuit, dim 12h-18h).*



## *LE QUITO MODERNE* (plan couleur I)

Le Quito colonial semble bien loin de cette ville plus aisée, où larges avenues et parcs publics verdoyants voisinent avec restos huppés, enseignes internationales et centres commerciaux aux parkings encombrés de grosses berlines. Pourtant, sur les trottoirs, quelques mendiants rappellent que la précarité n'est pas loin.
Principal quartier touristique, La Mariscal n'a guère (non, rien !) à offrir en terme de visites. Par contre, on trouve deux musées intéressants à ses portes, face au parque El Ejido et, plus loin, sur les hauteurs, les maisons-musées du peintre Guayasamín. Le reste n'est qu'anecdotique. En revanche, si vous êtes là un dimanche, n'hésitez pas à faire une balade jusqu'au vieux quartier de Guápulo, dont l'église n'ouvre que ce jour-là.

## *Du Parque El Ejido à La Mariscal* (plan couleur I)

La ville moderne est semée de parcs où les Quiteños se retrouvent volontiers en famille en fin de semaine. Ainsi au *parque El Ejido (plan couleur I, C4),* à mi-chemin du Quito colonial et de La Mariscal – où vous trouverez deux des principaux musées de la ville. Le week-end, on y croise des bambins par centaines autour de l'aire de jeux, des voitures à pédales qui vrombissent, des clowns et autres artistes de rue, des peintres du dimanche, des vendeurs de tout et de rien – de petits riens, surtout –, tandis que volent les cerfs-volants et les bulles de savon. Le lieu est très sûr en journée, un peu moins le soir.

***Museo Nacional Ministerio de Cultura*** *(plan couleur I, C4)* **:** *Casa de la Cultura, av. Patria y 6 de Diciembre. ☎ 222-32-58. Mar-ven 9h-17h ; w-e et j. fériés 10h-16h. Entrée libre. Visite guidée gratuite (espagnol ou anglais) sur demande. Sinon, explications en anglais et brochure en français. Cafét'.* Ce grand musée installé dans un bâtiment moderne abrite les collections de la *Banque centrale d'Équateur,* fort bien présentées, et des expos temporaires. Elles couvrent toute l'histoire de l'Équateur avec, pour chaque civilisation, des explications concises. Commencez par la présentation audiovisuelle et terminez, s'il vous reste du temps, par les expos temporaires de l'étage.

– ***Salle archéologique*** *(rez-de-chaussée)* **:** on y découvre des objets en terre cuite et quelques-uns en pierre, dont la richesse décorative est parfois surprenante. Citons ces superbes figures de la culture de *Jama Coaque* (350 av. J.-C.-1533) : femmes bras tendus, paumes ouvertes, joueurs de flûte, homme montant un taureau. Ne pas manquer les statuettes érotiques de la culture de *La Tolita* (600 av. J.-C.-400 apr. J.-C.). La culture panzalea nous offre, elle, de ravissants vases anthropomorphes et zoomorphes et une haute statuette de mâcheur de coca, tout nu ! Les *Carchís* (750-1533) ont eux aussi façonné d'intéressants personnages – comme cet homme nu en érection hurlant sa jouissance... À côté, un autre semble sujet au priapisme ! De riches collections et grandes maquettes présentent les activités domestiques, le chamanisme, les religions, etc. Mentionnons encore une momie cañari et des crânes déformés incas.

– ***Salle de l'or*** *(rez-de-chaussée)* **:** magnifique exposition regroupant les plus belles pièces en métal précieux des principales cultures, de la préhistoire jusqu'aux Incas. Plongées dans le noir, elles surgissent soudain dans la lumière lorsqu'on approche des vitrines. À voir entre autres : de magnifiques parures en or et le célèbre *Sol de Oro,* au visage hiératique et aux rayons dardés en une chevelure batailleuse ! Quelques objets en argent aussi, dont un impressionnant masque funéraire Manteño-Huancavilca (500-1532). Une section aborde les différentes méthodes du travail de l'or.

– ***Art religieux et colonial*** *(mezzanine)* **:** l'art colonial quiteño est presque exclusivement religieux. On découvre donc beaucoup de peintures et de statues en bois sculpté polychromes, sanglantes pour la plupart, à l'image de ce Christ en croix sculpté avec ses entrailles à l'air. Et que dire de cet inquiétant saint François d'Assise à l'air macabre... Curieuse peinture de la *Trinité* de l'école de Quito (XVIII^e s), où Dieu et le Christ semblent très copains. Dans *El Lagar* (XVIII^e s), le sang de Jésus se transforme en vin. C'est ce qu'on appelle prendre le texte au pied de la lettre : le sang coule de ses stigmates directement dans un bac à raisin !

🏛🏛 ***Casa de la Cultura Ecuatoriana*** *(plan couleur I, C4)* **:** *à côté du Museo Nacional. ☎ 222-10-06. • cce.org.ec • Mar-ven 9h-13h et 14h-17h ; sam 10h-14h. Fermé dim-lun. Entrée : 2 US$ ; réduc. Photos interdites.* Drôle d'endroit, un peu surdimensionné, donnant une impression de grand vide un peu tristounet. Il abrite le musée d'Art moderne et contemporain et celui des Instruments de musique. Les collections sont intéressantes mais mal présentées.

– ***Le musée d'Art moderne et contemporain :*** très riches collections. Elles commencent par le ***XIX^e s,*** avec des artistes de tous genres : style pompier, naturalisme colonial, scènes champêtres, portraits académiques (de Salas), aquarelles, paysages impressionnistes, dessins, etc. On a particulièrement aimé les scènes de mœurs et les représentations des vieux métiers de Joaquim Pinto. Puis viennent les ***années 1930,*** sur la mezzanine. Beaucoup d'œuvres inspirées par la nature, les villes et villages, les Indiens. Y figure évidemment l'extraordinaire Eduardo Kingman (1913-1998), aussi majeur que Guayasamín, bouleversant avec l'épique *Los Guandos.* Admirer également la poignante désolation qui imprègne la peinture de Camillo Egas, qui va parfois loucher du côté de Jérôme Bosch. Après un corridor dédié aux crayonnés, la suite du ***XX^e s*** occupe le reste de l'espace. *Christ en Croix* tout en clous de Gilberto Almeida, intéressants collages de Julio Cesar Mejía, les délires de Nelson Roman *(Espejo Ahumado),* quelques œuvres surréalistes, les néo-expressionnistes Carlos Castillo et Rosario Burbano. *Hommage à Van Gogh* aussi de Miguel Bétancourt, séduisante *Casa de la familia Grijalva* de Carlos Rosero et *Figura en Paisaje* de Marcello Aguire. Brûlant triptyque *Homenaje al Nicaragua* de Germán Pavón. Enfin, section d'***art sud-américain.***

– ***Le musée des Instruments de musique :*** il occupe une grande salle. Petite section des costumes traditionnels par province. Puis, présentation chronologique par genre des instruments de musique (aérophone, membranophone, cordophone). Les premiers sont les pierres musicales (les « lithophones »). Puis les instruments pour danses guerrières et religieuses (à base d'os, de coquillages). Apparition des maracas (faits de courges et autres cucurbitacées), des tambours et des instruments à base de carapaces de tortue, tatou, etc. Sifflets en terre cuite, *vasijas silbato,* flûtes de Pan, buccins, etc. Les instruments appartenant à d'autres cultures et d'autres pays ne sont pas oubliés : curieux *serpenton* (France), *fagot* (Autriche), trompettes en forme de dragon ou de monstre, *gaita* (cornemuse) roumaine, lyres et harpes de tous pays, cithares, vielles, *tan ch'in* (Chine), violons, guitares et mandolines diverses...

***Museo Amazónico Abya-Yala*** *(plan couleur I, D4,* ***193****)* **:** *av. 12 de Octubre N23-116 y Presidente Wilson. ☎ 223-68-99. Lun-ven 9h-13h, 14h-17h. Entrée : 2 US$ ; réduc.* Tenu et géré par l'université polytechnique salésienne, ce musée est consacré aux principales ethnies amazoniennes, notamment les Shuar (les fameux réducteurs de têtes, baptisés Jivaros par les Espagnols). Présentation claire et pédagogique en plusieurs sections : chasse, armes, textiles et vannerie (observez les lances empoisonnées – *bodoqueras* – des Shuar) ; cuisine et objets de la vie courante ; navigation et pêche ; instruments de musique (dont les curieux *makich, shakap* et *kitiar* – un violon indigène) ; têtes réduites (pas seulement d'humains, les Shuar réduisaient aussi les têtes des animaux) ; la faune amazonienne empaillée, etc. Ne pas hésiter non plus à jeter un œil à la riche ***librairie*** du rez-de-chaussée (ferme un peu plus tard), qui recèle un tas de livres et de documents sur les cultures amazoniennes.

***Museo Etnohistórico de artesanías del Ecuador Mindalae*** *(plan couleur I, D3,* ***194****)* **:** *Reina Victoria N26-166 y La Niña, juste au nord de La Mariscal. ☎ 223-06-09. ● mindalae.com ● Lun-ven 9h-18h ; sam et j. fériés 10h-17h30. Entrée : 3 US$ ; réduc. Explications en français.* Ce petit musée-boutique a été ouvert par l'ONG *Sinchi Sacha,* une association de commerce équitable qui possède un autre magasin-musée sur la plaza de San Francisco (voir plus haut la rubrique « Achats ») et qui soutient des projets de développement dans les communautés indiennes de l'*Oriente* (Amazonie). Il offre un joli panorama des différents groupes culturels du pays à travers leur artisanat, superbement présenté et mis en valeur sur quatre étages, avec même des schémas techniques détaillant les processus de fabrication. Une association à soutenir vivement !

## ***Barrio de Guápulo*** *(plan couleur I, E3)*

*Prendre la rue Rafael Larrea qui descend derrière l'hôtel* Quito, *puis tourner dans la 3e rue à gauche jusqu'à rejoindre le camino Orellana (ou couper par les escaliers au niveau du belvédère «* Mirador de Guápulo *»). Attention, ça descend sec, donc, au retour, ça grimpe ! Prendre alors un bus ou un taxi.*
Caché à l'œil, ce paisible quartier colonial se serre au pied de la capitale, en contrebas des hauteurs de La Floresta. Selon la légende, un rien méprisante, son nom proviendrait d'un défaut de prononciation des Indiens qui contractaient *Virgen* (Vierge) *de Guadalupe* en *Guápulo*. On y accède par la même route qu'emprunta jadis Francisco de Orellana lorsqu'il s'embarqua dans son épique expédition en Amazonie – aujourd'hui une rue pavée raide en lacets, sur le bord de laquelle se perchent quelques petits cafés modestes. Les Quiteños se rendent en famille au monastère franciscain le dimanche, seul jour d'ouverture au public *(15h30-18h env)* de son église au baroque affirmé. Il se dresse fièrement sur la plaza Guápulo, en bas du quartier, à côté d'une statue d'Orellana. On vous conseille surtout la balade ce jour-là, avec une escale éventuelle sur la gentille terrasse du restaurant sans nom perché un peu au-dessus (voir « Où manger ? »,

plus haut). Descendez ensuite jusqu'au feu en bas de la rue, et attrapez un taxi ou un bus qui vous remontera à Quito. Le quartier s'anime aussi en septembre, à l'occasion d'une fête traditionnelle.

## *Quartier de Bellavista* (plan couleur III)

Perché au-dessus du parque La Carolina, au nord-est du centre-ville, ce quartier résidentiel abrite deux musées d'envergure dédiés à l'œuvre du peintre Oswaldo Guayasamín.

*** ***Capilla del Hombre*** *(plan couleur III, E3) : Lorenzo Chávez EA18-143 y Mariano Calvache. ☎ 244-84-92. • capilladelhombre.com • Tlj sf lun 10h-17h. Visite guidée (anglais et espagnol) si un guide est disponible... Entrée : 4 US$ ; réduc ; gratuit le dim. Cafétéria.*

Installé dans un quartier populaire tranquille dominant Quito, ce grand projet du peintre Guayasamín a pris forme à la fin de sa vie. On y trouve sa dernière villa et un drôle de bâtiment bunker aux lignes inspirées de celles d'un temple inca. Sa coupole est recouverte à l'extérieur de plaques de cuivre offertes par des mineurs chiliens, tandis que la grande fresque intérieure illustre la vie des mineurs de Potosí extrayant du minerai d'argent. Toujours émane cette volonté de réconciliation entre passé et présent, entre mondes précolombien et hispanique.

Vous aurez peut-être déjà rencontré les fresques de Guayasamín en transitant à l'aéroport Barajas de Madrid ou en visitant le palais présidentiel équatorien. Il fit lui-même du lieu un musée dédié à ses vastes collections d'art précolombien et religieux, en même temps qu'un cadre d'exposition pour ses propres œuvres, pour le moins torturées... Pétri d'esprit révolutionnaire, Guayasamín a dépeint avec une verve expressionniste inhabituelle, empruntant à Picasso et aux muralistes mexicains Orozco et Siqueiros, toute l'horreur de la vie sous les dictatures, de l'oppression, de la pauvreté et du racisme. Ceci ne l'a d'ailleurs pas empêché de trouver un mécène en Nelson Rockefeller, gouverneur de New York et membre éminent du Parti républicain, alors soutien des dictatures sud-américaines !

Les œuvres les plus monumentales du peintre sont exposées ici en un magnifique ensemble reflétant la situation sociale et politique de l'Amérique du Sud – et au-delà. Ainsi, *Los Mutilados* (1976-1977) a été peint dans un style à la *Guernica* à la suite d'un voyage dans l'Espagne franquiste, encore marquée par les conséquences de la guerre civile. Mentionnons aussi ces lugubres *Condenados de la Tierra* (Les Damnés), tout en noir et blanc. Sur le tard, Guayasamín s'adoucit enfin : il se penche sur son enfance, sur la maternité, si joliment mise en scène dans *La Ternura* (La Tendresse, 1986). Mais ces bras protecteurs ne forment-ils pas aussi une cage ? Plus loin, le grand *Mestizaje* représente une jeune fille se réveillant, métaphore de l'essor de l'Amérique latine après 500 ans de colonisation. D'autres compositions géantes en céramique s'inspirent de motifs précolombiens.

Voir aussi les œuvres anciennement exposées à la *Fundación Guayasamín* (fermée fin 2012), en particulier le polyptique *La Espera,* où alternent le visage désespéré et émacié d'un personnage et son corps décharné sur fond noir. Autres belles compositions : *Las Manos,* en plusieurs volets sur le thème des mains, priant, protestant, méditant... Dans la même veine : *Los Niños Muertos* (les Enfants morts) de 1942 et *El Paro* (la Grève) de 1938, aux corps brisés par l'armée.

Au-dessus du musée, la villa avec piscine où vécut Guayasamín devrait accueillir à partir de 2013 les collections archéologiques et d'art colonial pour l'heure conservées à la Fundación. On y voit encore ses vieilles voitures et, à côté, l'arbre de vie au pied duquel ses cendres ont été enterrées. Une dernière section, particulièrement riche en crucifix plus ou moins ensanglantés et en toiles dont le hiératisme catholique s'ouvre aux symboles amérindiens – à l'image de ces tableaux représentant le Christ portant un épi de maïs en guise de sceptre, et coiffé de broches en or symbolisant à la fois la croix et le soleil. L'expression de ces syncrétismes, entre deux mondes, renvoyait Guayasamín à sa propre quête identitaire, marquée par ses racines métissées.

## *Autour du parque La Carolina*

Ce très vaste parc *(hors plan couleur I par E1)*, très couru le week-end, fait le bonheur des familles et, plus encore, des sportifs, avec ses vendeurs de glaces, ses parcours de santé et ses terrains omnisports. Il accueille parfois des concerts gratuits en été ou les jours fériés. Si vous passez près de l'étang à midi, commandez donc un *ceviche de chochos*, préparé à partir de graines de lupins des Andes...

### TRIBUNES LIBRES

*D'étranges tribunes bordent le* parque La Carolina, *le long de l'av. de Los Shyris. Si aujourd'hui les Quiteños passent devant sans un regard, hier encore elles étaient un symbole de la dictature militaire des années 1970. Les soldats y défilaient régulièrement. Pied de nez à l'Histoire, c'est juste en face que le parti du président Rafael Correa a choisi d'installer son siège.*

**Museo de Ciencias naturales** (plan couleur III, D2) **:** *av. Parque La Carolina y pasaje Rumipamba 3-41. ☎ 244-98-24. Lun-ven 8h30-13h, 13h45-16h30 ; sam 9h-13h. Entrée : 2 US$ ; réduc.* Ce petit musée sans prétention propose une courte introduction à la faune locale à travers deux salles peuplées de squelettes de mammifères marins, tortues, poissons et insectes. Petite section géologique également.

Juste à côté, se trouve le florissant ***jardín botánico,*** *ouv tlj 8h (9h w-e)-17h. Entrée : 3,50 US$, réduc.* Ce lieu paisible regroupe un vaste *Orquideario* (parfois malheureusement fermé), une roseraie, une section de forêt des nuages, une serre aux plantes carnivores... L'ensemble n'est pas très grand, mais plutôt agréable. Attention toutefois aux arrosages automatiques qui inondent tout sans prévenir, y compris les visiteurs !

***Vivarium*** (plan couleur III, D2) **:** *parque La Carolina, dans une maisonnette blanche côté c/ Amazonas, à 200 m à l'ouest du musée des Sciences naturelles. ☎ 227-18-20. Mar-dim 9h30-17h30. Entrée : 3 US$. Explications en espagnol slt.* Créé par un Français, ce vivarium est aussi un centre de recherche et de lutte pour la préservation d'espèces menacées d'extinction. On y croise tortues, vipères, jolis boas et même un tout petit anaconda – à peine 2 m.

## *Plus loin à l'ouest*

**Mercado Santa Clara** (plan couleur I, C3) **:** *entre l'av. América et la c/ Versalles. Tlj 8h-16h (12h dim).* Des halles successives envahies de bruit et d'odeurs abritent tour à tour fleurs, produits frais, droguerie, etc. Dans la partie dédiée aux aliments frais, on peut manger sur le pouce une cuisse de poulet, un *ceviche* ou une friture pour moins de 3 US$, assis sur un tabouret à l'un des comptoirs carrelés.

# DANS LES ENVIRONS DE QUITO

## *VERS LE NORD*

**Le zoo de Guayllabamba :** *à 25 km de Quito et à 3 km du village du même nom. ☎ 236-88-98. • quitozoo.org • Pour y aller, bus (vert) au terminal Ofelia pour la Panaméricaine Nord, puis camion ou taxi. Mar-ven 8h30-17h ; w-e et j. fériés*

*9h-17h. Entrée : 4 US$ ; réduc.* Assez récent et bien géré. Outre des mammifères, reptiles et oiseaux d'Équateur et des Galápagos, on peut y voir des lions et des kangourous.

**El Quinche :** *bus depuis le terminal interparroquial de Río Coca.* Un autre petit village, en poussant toujours un peu plus au nord, surtout intéressant pour son église comportant de belles peintures et un superbe autel doré où est exposée la Vierge de Quinche, la sainte patronne des chauffeurs. L'endroit mérite surtout une petite visite les samedi et dimanche, quand les gens viennent faire bénir leur véhicule après la messe (!).

**Le cratère de Pululahua :** *prenez un bus à San Antonio (le village situé juste en face du site de la Mitad del Mundo) en direction du village de Calacali ; demandez au chauffeur de vous laisser au croisement qui indique le cratère et continuez à pied par la route goudronnée pdt 2 km ; vous ne pourrez pas aller plus loin : il y a un belvédère.* La vue sur le cratère est superbe si les nuages ne sont pas trop bas. Avec près de 300 m de profondeur et 4 km de circonférence, le cratère abrite désormais quelques habitations et des cultures. Pour les plus courageux, un chemin y descend (à gauche du point de vue). Mais pensez au retour : ça grimpe sec !



## VERS L'EST

➢ **La route de Quito vers l'Amazonie :** elle descend vers la plaine amazonienne à l'est, c'est une route aux paysages grandioses. On passe ainsi de la capitale perchée dans les montagnes andines aux contreforts de la chaîne et à la forêt amazonienne. Seuls inconvénients : les travaux, nécessités par les glissements de terrain et l'omniprésence de l'oléoduc qui, au fil des stations de pompage, joue à saute-mouton avec la route et dégorge de temps à autre des tonnes de pétrole brut lorsqu'un séisme en rompt une section.

**Baeza** *(ind. tél. : 06)* **:** *compter moins de 2h de bus au départ du terminal terrestre de Quito.* Petit village avec un marché un vendredi sur deux. Le plat local, la truite, peut justifier une petite halte. Agences de location de kayaks et pratique intensive du rafting.

**Hotel Samay :** *le long de la route qui traverse le village. ☎ 232-01-70. Doubles env 10-12 US$ avec ou sans sdb ; pas de petit déj.* Grande bâtisse en bois. Très bon marché. Propreté à vérifier néanmoins. Propose des randonnées.

À 500 m à la sortie de la ville, en direction de Quito, on déguste chez **Gina** de bonnes pâtes à un prix raisonnable, face à la TV. Ne pas y manquer le *ceviche de trucha,* fameux ! Délicieuses truites à l'ail aussi. Gina a aménagé une auberge à l'étage : 8 chambres de taille variable tout en bois, décorées d'images pieuses avec ou sans salle de bains, pour 8 US$.

**Laguna de Papallacta :** *sur la route de Baeza.* Si vous voulez vous dégourdir les jambes, faites le tour de ce grand lac. Pour la petite histoire, cette eau une fois traitée est transformée en eau potable pour la ville de Quito.

**Termas de Papallacta :** *à 65 km de Quito, sur la route de Baeza, près du village de Papallacta. ☎ 289-50-60. Tlj 6h (9h spa)-21h. Pour y parvenir, prendre un bus au terminal Quitumbe de Quito pour Baeza, Tena, Lago Agrio ou Coca, et demander au chauffeur de s'arrêter à Papallacta ; de là, une navette (1 US$) vous conduira jusqu'au centre thermal, perché à 3 km (ça grimpe sec !). Autre option : prendre un bus interparroquial au terminal Río Coca pour la vallée de Cumbaya et changer à l'arrêt Supermaxi pour un bus longue distance – ce qui évite de devoir aller jusqu'à Quitumbe. Compter 7,50 US$ pour la piscine, 18 US$ pour le spa.* Des thermes beaucoup plus luxueux et propres que ceux de Baños, avec resto, cafétéria, panier pour le linge. Un véritable complexe touristique, dans un cadre superbe à 3 300 m d'altitude. Reste que la région est fort humide et que se baigner relève parfois de l'exploit, car il peut faire très froid ! En tout cas, mieux vaut éviter le week-end, toujours bondé.

**Las Termas de Papallacta :** *☎ 256-89-89, 250-47-87 ou 223-01-56. • termaspapallacta.com • Résa conseillée. Chambres (jusqu'à 3 pers) à partir de 140 US$, avec sdb et chauffage, bungalow (jusqu'à 6 pers) env 200 US$ ; entrée au complexe touristique des thermes compris ; petit déj-buffet 10 US$. Repas env 16 US$.* Le must, mais attentat au portefeuille garanti ! Cet hôtel est vraiment le top pour se détendre à la fin d'un voyage en Amazonie. Piscine privée d'eau thermale à découvert. Bon service. Et le cadre est fabuleux !

## VERS L'OUEST

**Télécabine du Rucu Pichincha (TelefériQo) :** *à l'ouest de Quito. ☎ 222-29-96. Pour y aller, le plus simple est de prendre un taxi (env 4 US$ depuis le centre historique) ; sinon, des minibus peuvent vous emmener à proximité depuis La Marín, aux portes de la vieille ville (1 US$). Tlj 8h-20h. Prix : 8,50 US$ ; réduc. Évitez les w-e, noirs de monde, et venez de préférence le matin, plus dégagé (surtout si vous voulez faire l'ascension).*
Installé par une entreprise française en 2005, le TelefériQo permet de monter à 4 100 m d'altitude pour une vue exceptionnelle sur la vallée de Quito et les volcans qui l'entourent. L'endroit est fort touristique, avec même un parc d'attractions en bas (le *VulQano*). Là-haut, vous pourrez vous promener, à pied ou à cheval, le long des crêtes dénudées, souvent ennuagées et battues par les vents, ou tenter de rejoindre le sommet du *Rucu Pichincha* (4 696 m), à environ 3h de marche. Possibilité aussi d'accrocher son VTT à la cabine pour s'offrir une descente sportive et une poussée d'adrénaline ! Une montée unique au sommet coûte 3-4 US$ selon le jour, 7-8,50 US$ en illimité. Dans tous les cas, prévoyez une bonne petite laine.

**Le volcan Guagua Pichincha :** le massif du Pichincha compte deux volcans, le Rucu (« vieux »), endormi, et le Guagua (« jeune »), encore actif, qui domine Quito de ses 4 794 m. Véritable menace pour la ville, il pourrait un jour l'engloutir sous des lahars (coulées de boues) et l'a déjà recouverte de 30 cm de cendres en 1660 – et, à nouveau, quoique dans des proportions moindres, à l'automne 1999... Le nuage atteignit alors tout de même près de 20 km d'altitude ! L'ascension du Guagua Pichincha demande 4 à 5h, selon les conditions météo et votre forme physique. Elle n'est pas très difficile si vous êtes acclimaté à l'altitude mais, attention, si l'aventure vous tente, utilisez les services d'un guide (contactez par exemple *Terra Nova Trek,* voir « Adresses utiles – Agences de voyages », plus haut) ; il y a déjà eu des cas d'agressions. Du sommet, vous découvrirez la caldeira éventrée à l'ouest, d'où sourdent des fumerolles sulfureuses.

**Mindo :** *à 90 km au nord-ouest de Quito. Pour y aller : bus Cooperativa Flor del Valle depuis le terminal interparroquial La Ofelia, au nord de Quito (accessible par le Metrobus). Horaires assez variables, mais on peut compter sur env 3 départs lun-ven (vers 8h, 9h et 16h) et 4-5 le w-e. Retours de Mindo vers 6h30, 13h45 et 15h en sem ; entre 6h30 et 17h le w-e. Env 2,50 US$ et 2h de trajet.*
Ce village situé à 1 300 m d'altitude, dans une vallée au microclimat tropical nuageux, s'est mué en quelques années en un centre d'écotourisme de premier plan. Il faut dire qu'il bénéficie du plus beau des voisinages : la réserve forestière Mindo-Nambillo, étendue sur environ 195 km$^2$. On y a répertorié plus de 350 espèces d'oiseaux, dont d'innombrables colibris, des tangaras, des toucans, le discret quetzal (ici vert et turquoise) et l'emblématique coq de roche. La zone, très humide, est constellée de rivières et cascades, offrant autant de terrains de jeux aux amateurs de canyoning et de tubing – en particulier sur les ríos Mindo

et Blanco. On peut aussi explorer la forêt du haut, façon accrobranche (canopy), visiter des fermes de papillons ou la fabrique de chocolat Quetzal, partir en randonnée à pied ou à cheval, etc. Une superbe promenade de 2h à la découverte des cascades emprunte un chemin accessible par une longue *tarabita* (nacelle) suspendue sur un câble de 550 m de long ! On trouve à Mindo des pensions bon marché, des hôtels à prix moyens et un nombre croissant d'écolodges et réserves privées entourées d'oiseaux. On a retenu notamment l'hôtel *El Descanso (☎ 217-02-13),* avec peu de chambres mais un cadre agréable, de nombreux colibris dans le jardin, un très bon petit déjeuner et un patron accueillant qui organise des sorties d'observation des oiseaux.

La propriétaire française de *Palmar Voyages* loue un chalet pouvant héberger jusqu'à 9 personnes à 2 km de Mindo, dans un coin de campagne tranquille, au pied d'un pan de forêt et près d'une rivière. Il comprend 3 chambres, cuisine à l'américaine, salle de bains (eau chaude), terrasse et... bottes à disposition ! *Contacter Dominique au ☎ 255-64-51 ou 09-94-80-22-68. • gerencia@palmarvoyages.com • Compter 50-200 US$/j. selon nombre de pers et de j.* Possibilité d'organiser toutes sortes d'activités sportives et balades.

***Lodge Bellavista :*** *☎ 211-62-32. À Quito : ☎ 290-31-66. • bellavistacloudforest.com • Avt Mindo en venant de Quito ; tourner à gauche au km 52 (dans un virage, juste après le pont), jusqu'à Tandayapa, puis à droite sur 6 km jusqu'au* lodge. *Sinon, bus jusqu'à Nanegalito (du terminal interparroquial de La Ofelia), env ttes les heures avec* Coop Otavalo *ou* San José de Minas, *6h15-18h, puis* camioneta. *Mieux vaut appeler avt pour avertir de votre arrivée. Possibilité de formule à la journée avec transport inclus depuis Quito, petit déj et déj ainsi qu'une visite guidée (tarifs dégressifs selon nombre de pers).* Ce superbe *lodge* construit en pleine forêt humide est réputé pour son abondance de colibris – et c'est peu dire. Nombreux sentiers balisés pour observer la faune et la flore, très riche. Il est possible de dormir sur place, mais il faut compter 46 US$ par personne pour l'hébergement seul (en chambre double), 80 US$ avec les 3 repas. En dortoir, compter respectivement 26 et 50 US$.

***El Nomada :*** *près de la plaza.* Pierre et sa compagne équatorienne Meche proposent de bonnes pizzas à pâte fine, mais aussi des pâtes maison, du carpaccio de truite et des grillades. Accueil cordial, en français s'il vous plaît. Juste en face, *Barbara* pour un gâteau, un milk-shake ou un jus de fruits ; et la *Cafeteria del Chocolate* pour un chocolat chaud et un brownie.

## VERS LE SUD

***Refugio de Vida Silvestre Pasochoa :*** *à env 45 km (1h15) au sud-est de Quito, cette réserve, gérée par la Fundación Natura, occupe env 520 ha sur les pentes du volcan Pasochoa. Pour s'y rendre, bus (1 US$) depuis le terminal interparroquial La Marín, à côté du vieux Quito, jusqu'au village d'Amaguaña. Faites-vous déposer sur la route, à l'angle de l'av. General Rumiñahui et c/ Fermín Castillo, d'où partent les taxis ruraux* (camionetas) *grimpant jusqu'à la réserve, à 5,5 km de là (5 US$). Pour le retour, arrangez-vous avec le chauffeur pour qu'il vienne vous rechercher ou téléphonez, par exemple, à Luis Anasi, au 09-97-82-52-04. Réserve ouv tlj 8h-17h. Entrée gratuite. Emportez votre pique-nique (rien sur place).*

Ceux qui ne viennent que pour la journée s'intéresseront aux trois sentiers les plus courts, parfaits pour un premier aperçu de la flore de la réserve, riche de nombreuses orchidées, broméliacées et autres plantes épiphytes : le rouge *(Colibri),* long de 900 m ; le bleu *(Amiga Naturaleza),* à peine plus étendu (1 000 m), et le jaune *(Bosque para Todos),* de 2 km. Tous dessinent une boucle et démarrent en fanfare par une bonne petite grimpette. Notre préféré, le bleu, suit dans sa partie haute une petite rivière à l'air de *levada* – ces canaux d'irrigation typiques de Madère.

Ceux qui disposent de davantage de temps (et d'énergie !) pourront s'attaquer à l'ascension du volcan Pasochoa, culminant à 4 200 m. Compter environ 8h-10h aller-retour. Passé 2 900 m, on s'extirpe de la forêt des nuages, dégoulinante d'humidité, pour pénétrer dans la forêt « toujours verte », comme on l'appelle ici. Au-dessus de 3 600 m débute le *páramo* (steppe andine). De discrets pumas habitent la zone, de même que des renards des andes et des zorilles ; quelques condors la fréquentent épisodiquement.

⛺ Possibilité de planter sa tente gratuitement dans la réserve, juste au-dessus de l'entrée, dans deux petits champs à l'herbe moelleuse. Sur place : w-c, barbecue et tables couvertes.

**Hacienda La Alegria :** *La Libertad, à env 40 km au sud de Quito. ☎ 223-32-13 ou 09-99-80-25-26. • haciendalaalegria.com • alegriafarm.com • Bus fréquents pour Aloag, où on viendra vous chercher si vous prévenez. En voiture, prendre la Panaméricaine, sortir à Aloag (direction Santo Domingo de los Colorados), tourner à droite env 1 km plus loin, dans le bourg, au niveau de la ferreteria El Constructor (panneau rouge). Env 800 m plus loin sur la piste, vous trouverez le 1er panneau fléchant la hacienda, à gauche. Double 130 US$, petit déj inclus ; autres repas très (trop) chers.* Cette hacienda de 130 ha, nichée au cœur d'un superbe paysage frais et verdoyant, appartient à la même famille depuis 3 générations. Le cheval est ici une vraie passion. Le propriétaire, Don Gabriel Espinosa, est un jovial *gentleman-farmer* équatorien, qui dirige une exploitation laitière de 200 vaches. Il organise de bien belles randonnées à cheval, de quelques heures à une dizaine de jours – et plus en fonction des desiderata de chacun. Certes, les tarifs ne sont pas tendres... *Comptez au moins 85 US$/j. ou 240 US$/j. pour des itinéraires plus longs !* Sur place, on loge dans des chambres modernes (un peu trop, peut-être) à la déco chic et soignée (belle vue sur la vallée et les montagnes).

➢ Ceux qui continuent vers le Sud atteindront rapidement les abords du volcan Cotopaxi. Retrouvez nos adresses dans la rubrique qui lui est consacrée un peu plus loin.

# QUITTER QUITO

## En bus

Quito compte 2 gares routières principales, toutes 2 très excentrées, l'une loin au sud (la principale), Quitumbe, l'autre loin au nord, Carcelén. Ajoutons à cela 3 gares routières interparroquiales pour les destinations proches. Si vous êtes en transfert entre Quitumbe et Carcelén, sachez qu'une navette *(expreso inter-terminales)* les relie ttes les 30 mn env, 5h-minuit, puis ttes les heures pdt la nuit. Si vous partez de Quito, plutôt que de vous taper le long trajet jusqu'aux gares routières, prenez une des compagnies qui possèdent un terminal au centre-ville (voir ci-après). Sinon, pour le tarif des billets, compter en moyenne 1 US$ par heure de trajet.

**Ecuador** *(plan couleur I, C4,* ***34****) : Juan León Mera N21-44 y Jorge Washington. ☎ 257-13-62.*

**Esmeraldas** *(plan couleur I, C3,* ***35****) : Santa María y 9 de Octubre. ☎ 250-50-99. • transportesesmeraldas.com •*

**Flota Imbabura** *(plan couleur I, B4,* ***36****) : N19-17 Manuel Larrea y Portoviejo. ☎ 257-26-57 ou 256-56-20.*

**Occidentales** *(plan couleur I, B4,* ***37****) : c/ 18 de Septiembre Oe2-142. ☎ 250-27-33 ou 34. • transportesoccidentales.com •*

**Panamericana** *(zoom couleur, D3,* ***38****) : Cristobal Colón E7-31 y Reina Victoria. ☎ 255-71-33. • panamericana.ec •*

**Reina del Camino** *(plan couleur I, C4,* ***39****) : angle 18 de Septiembre* *y Manuel Larrea.* ☎ *257-26-73 ou 382-48-75.*

🚌 **Santa** *(plan couleur I, B4,* ***40****) : 18 de Septiembre y Manuel Larrea.* ☎ *254-91-76.* ● *cooperativadetransportessanta.com* ●

🚌 ***Terminal terrestre Quitumbe-sur*** *(hors plan d'ensemble et plan couleur II par B5, plan couleur I par B4,* ***1****) : à un bon 15 km au sud de Quito ! Prendre le Trolleybus ou l'Ecovía jusqu'à leur terminus ; prévoir près de 1h de trajet. En taxi, compter min 30 mn (trafic dense) et env 8 US$ – mais on vous demandera 10 US$, ou même plus !* Immense et flambant neuve, façon aérogare, c'est la principale gare routière de Quito. Liaisons avec toutes les villes du pays, à presque toute heure. Cependant, si vous comptez partir vers le nord, rendez-vous plutôt au terminal *Carcelén,* plus petit et un peu plus proche du centre (lire ci-après). On trouve à Quitumbe un bureau d'information touristique *(lun-sam 8h-19h)* avec accès Internet, un centre commercial attenant et un distributeur de billets entre les 2. Toutes les compagnies de bus sont représentées. Leurs guichets, à l'étage, sont regroupés par zone géographique desservie. Il est donc très simple de s'y repérer.

➢ ***Latacunga :*** bus ttes les 10-15 mn (5h30-21h) avec *Trans Latacunga* et *Unidos de Salcedo.* Durée : 1h30.

➢ ***Ambato :*** départs très fréquents avec les compagnies *Acatip* (3h30-22h30) et *Unión de Cooperativas* (5h-20h30), nombreux avec *Trans Amazonas* (3h-23h30), *Santa* (5h-23h) ou *Trans Baños* (4h10-22h45). Compter 2h30 de trajet.

➢ ***Riobamba (et Alausi) :*** nombreuses options, avec *Ecuador Ejecutivo,* ttes les 30 mn à 1h30, 3h-20h30, ou avec *Chimborazo* (ttes les 45 mn à 1h, 5h30-19h), ainsi que *Trans Vencedores, Santa* et *Trans Alausi.* Ce dernier dessert aussi Alausi (départs vers 7h25, 9h25, 12h15 et 17h25, avec un supplémentaire le dim vers 13h30). Compter 3h30 de trajet jusqu'à Riobamba.

➢ ***Cuenca :*** avec *Trans Patria,* 3h45-18h, surtout en début d'ap-m ; *Sucre Express,* avec 12 départs/j., 7h30-22h45, ou *Flota Imbabura,* avec 1 bus à 6h30, puis 7 autres 17h-23h. Autre option avec *Santa,* 10h45-23h45, la grande majorité partant le soir. Trajet : 9h.

➢ ***Guayaquil :*** ttes les 30 mn à 1h30 env, 24h/24, avec *Trans Ecuador,* une excellente compagnie. Sinon, 17 départs/j. avec *Imbabura,* 7h-0h30 ; 15 départs/j. avec *Panamericana,* 8h30-0h30 ; et encore 8 bus/j. avec *Aerotaxi,* 3h30-23h10. Durée : 9h env.

➢ ***Loja :*** 9 bus/j. avec *Coop Loja,* 12h50-21h, dont 3 directs en soirée ; 6 départs avec *Santa,* 13h40-20h40, la plupart via Cuenca ; et 3 autres avec *Viajeros.*

➢ ***Huaquillas*** *(frontière péruvienne)* ***:*** env 9 bus/j. (6h30-22h30), avec *Panamericana* et 3/j. avec *Occidentales* vers 8h45, 16h10 et 19h30. Compter 12h de route. Les 2 compagnies desservent aussi Machala. Autre option pour Huaquillas avec *Santa* (vers 10h50, 17h et 21h.

➢ ***Baños :*** départs très fréquents avec les compagnies *Trans Baños* (ttes les 10 mn à 1h, 3h50-22h45) et *Trans Amazonas* (19 bus/j., 6h20-19h25), *San Francisco* (18 bus/j., 4h-22h30) et *Expreso Baños* (10 bus/j., 4h50-17h, la majorité le matin). Durée : 3h30.

➢ ***Tena (via Papallacta et Baeza) :*** 7 bus/j. avec *Pelileo,* 6 bus/j. (12h-18h) avec *Trans Amazonas,* autant avec *Trans Baños* (5h30-20h50) et encore 5 bus/j. avec *Expreso Baños,* 7h-16h. Durée : 5-6h. Également 1 bus/j. pour **Puerto Misahualli,** à 11h30, avec *Trans Amazonas.*

➢ ***Puyo :*** 8 bus/j. avec *San Francisco,* 6h45-22h ; 4 bus/j. avec *Trans Amazonas* (7h55-17h), autant avec *Centinela del Oriente* (7h30-20h30) et encore 2 bus/j. avec *Trans Baños* (à 21h30 et 23h15). Ces 2 derniers continuent vers **Macas,** qui est aussi desservi par *Macas Limitada* à 11h45. Trajet jusqu'à Puyo : 5h.

➢ ***Lago Agrio :*** 18 bus/j. avec *Trans Baños* (5h-23h45), dont 8 après 20h. Trajet en 7h.

➢ ***Coca :*** nombreux bus, plutôt tôt le mat ou en soirée, avec *Trans Baños* (21/j., 4h-23h30), via *Lago Agrio* ou *Loreto,* et avec *Putumayo* (12/j., 5h30-22h30). Durée : 9h.

QUITO ET SES ENVIRONS

➢ ***Esmeraldas :*** env 15 départs/j. avec *Occidentales* (4h45-23h30), et 12 bus/j. avec *Trans Esmeraldas* (7h30-23h40), surtout le soir. *Aerotaxi* assure aussi 6 départs/j. (8h-23h20). Compter env 6h de trajet.

➢ ***Puerto López :*** avec *Carlos Aray* vers 7h45, 10h10 et 19h. Durée : env 11h. La même compagnie dessert ***Portoviejo*** et ***Manta*** à raison de 10 bus/j. (9h-23h30).

➢ Également des bus pour ***Ibarra***, ***Otavalo*** et ***Tulcan*** – mais mieux vaut aller au terminal Carcelén, au nord de la ville.

***Terminal terrestre Carcelén-norte*** *(hors plan d'ensemble et hors plan couleur III par D1,* ***2****) : à env 8 km au nord de la ville. Prendre le Metrobus jusqu'à son terminus (terminal interparroquial La Ofelia), puis un bus en correspondance sur le quai d'à côté (fréquence élevée). Prévoir 45 mn à 1h de trajet depuis le centre-ville. En taxi, compter env 20-30 mn et 6-8 US$.* C'est le terminal qui dessert le nord du pays et la frontière colombienne. Nombreux départs pour les villes situées sur la route Panaméricaine.

➢ ***Otavalo :*** bus ttes les 20 mn env (4h40-21h), avec *Unión de Otavalo*. Compter env 2h de route et 2 US$.

➢ ***Ibarra :*** bus ttes les 20-30 mn env avec *Expreso Turismo* (4h50-20h50) et *Taca Andina* (4h30-21h20) ; ttes les 20 mn-1h avec *Aerotaxi* (7h-21h30) et aussi avec *Flota Imbabura*. Prévoir env 2,50 US$. Desservent *Otavalo* au passage.

➢ ***Tulcán*** *(frontière colombienne)* **:** nombreux départs 24h/24 avec *Velotax* (ttes les heures env), *San Cristobal* et *Pullman Carchí* ; ttes les 1-2h avec *Expreso Turismo* (6h-18h) et *Expreso Tulcan,* dont des départs ultra-matinaux, et d'autres encore avec *Flota Imbabura*. Compter 5h de trajet et env 5 US$.

***Terminal La Ofelia*** *(hors plan d'ensemble et hors plan couleur III par D1,* ***2****) : au nord de la ville. On y accède facilement par le Metrobus.* Dessert entre autres la ***Mitad del Mundo*** (d'un quai voisin, ttes les 5-10 mn), ***Cayambe*** et ***Mindo*** (depuis le terminal interparroquial situé à l'arrière).

#### *Vers le Pérou*

Le plus simple est de prendre un bus pour Huaquillas, la ville frontière, par exemple avec les compagnies *Panamericana* ou *Occidentales,* au terminal terrestre de Quitumbe ou depuis leur terminal du centre-ville, plus pratique (voir plus haut). Demandez à descendre au niveau du poste de douane équatorien, un peu avant Huaquillas, pour faire tamponner votre passeport, puis reprenez un taxi (2 US$) jusqu'à la frontière, à env 3 km de là. On passe le pont du río Zarumilla à pied, au milieu de la foule et des vendeurs de tout et n'importe quoi, puis on reprend un taxi ou une mototaxi jusqu'au poste péruvien, situé env 3 km plus loin. Certains n'hésitent pas à demander 5 US$, voire plus, alors que ce serait plutôt le tarif jusqu'à Tumbes, à 25 km de là ! Douane franchie, vous voilà à Aguas Verdes, au Pérou. De là, bus ou *colectivos* se dirigent vers Tumbes, d'où plusieurs compagnies *(El Dorado, Flores...)* assurent des liaisons régulières vers Mancora, Piura, Chiclayo, Trujillo et Lima.

- Pour le *change,* le mieux est de patienter jusqu'à rejoindre une banque (les dollars sont acceptés presque partout), sinon, adressez-vous aux hommes assis sur le pont, qui ont une mallette sur les genoux. Taux acceptables. Ne changez que le minimum de dollars contre des *soles.*
- Ouverture de la frontière : 24h/24.

#### *Vers la Colombie*

On rejoint la ville frontière de Tulcán depuis le terminal *Carcelén* (voir ci-avant), en 5h env. Une fois arrivé, prenez un *colectivo* (1,50 US$) ou un taxi (3,50 US$) jusqu'à la frontière, située à Rumichaca, à 7 km env. Passez la douane équatorienne (bureau marqué *Migración*), franchissez le pont à pied, puis faites la queue à la douane colombienne. Il ne reste plus qu'à sauter dans un autre *colectivo* pour rejoindre le terminal des bus d'Ipiales, à 3 km.

➢ Pour ceux qui souhaitent se rendre en Colombie ou au Venezuela le plus directement possible de Quito, prendre la compagnie péruvienne *Rutas de América, Selva Alegre Oe-72 y av. 10 de Agosto.* ☎ *250-36-11 ou 12.* ● *rutasenbus.com* ● Ligne Lima-Quito-Cali-Bogota-Caracas directe.

## En train

**Gare de Chimbacalle** *(Eloy Alfaro ; hors plan d'ensemble par B5)* **:** *av. Pedro Maldonado, au sud-est du Panecillo.* ☎ *1800-873-637.* ● *trenecuador.com* ● *Pour s'y rendre, taxi 2 US$.* On peut y visiter un *Museo del Tren (mer-dim 9h-13h et 14h-17h).* Si la grande ligne Quito-Guayaquil n'a pas encore repris de service, certains tronçons du trajet ont été restaurés ces dernières années à des fins touristiques. Il y a le Quito-Machachi-Boliche, à 8h15, les jeu-dim et j. fériés slt ; le seul Machachi-Boliche, les w-e et j. fériés à 10h45 ; et le Quito-Latacunga, les jeu-dim et j. fériés à 8h. Ce dernier trajet se fait en *autoferro,* un autocar monté sur rails. Compter 10 US$ A/R. Il s'agit dans tous les cas d'excursions commentées en espagnol. Pas très authentique, tout ça... *Tren Ecuador* annonce de nouvelles liaisons pour 2013 – à suivre...



## En avion

✈ Reportez-vous à la rubrique « Arrivée à l'aéroport » au début du chapitre consacré à Quito. Vous trouverez par ailleurs la liste des compagnies aériennes dans « Adresses utiles ».

➢ ***Guayaquil :*** nombreux vols tte la journée avec *Tame, Aerogal* et *LAN* (6h-21h15). Durée : 45 mn.

➢ ***Coca :*** 2 vols/j. avec *Tame* et 1/j. avec *Aerogal*. Durée : 25 mn.

➢ ***Cuenca :*** env 3 vols/j. avec *Tame* et *LAN,* 2 avec *Aerogal*. Durée : env 45 mn.

➢ ***Manta :*** 3 vols/j. avec *Tame* et *Aerogal*. Durée : 35 mn.

➢ ***Esmeraldas :*** 1 vol/j., avec *Tame.* Durée : 30 mn.

➢ ***Lago Agrio :*** 2 vols/j. avec *Tame,* lun-ven, 1 slt le w-e, et 2 vols/j. lun-ven avec *Saereo.*

➢ ***Macas :*** tlj sf sam avec *Saereo.*

➢ ***San Cristóbal (îles Galápagos) :*** 1 vol/j. avec *Aerogal* ; les mar, ven et sam avec *Tame* ; mer slt avec *LAN*, tous via Guayaquil. Prévoir env 400 US$ l'A/R.

➢ ***Baltra (Galápagos) :*** 2 vols/j. avec *Aerogal,* 2 autres avec *Tame* et 1 avec *LAN,* ts le mat. Ils transitent aussi à Guayaquil, à l'exception du vol 193 de *Tame* (tlj sf sam).

# LE NORD

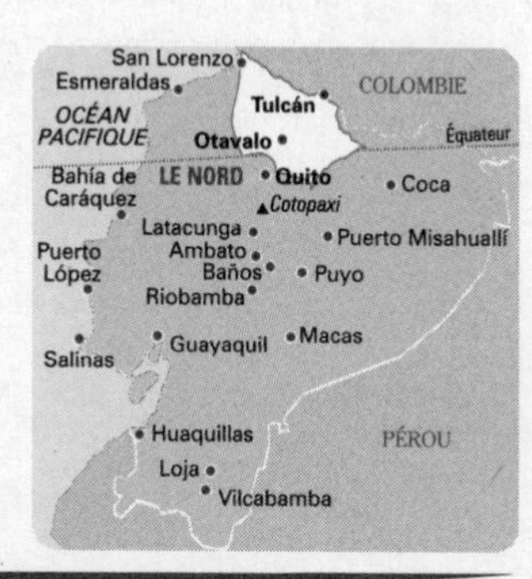


## LA MITAD DEL MUNDO (LIGNE DE L'ÉQUATEUR)

**Bienvenue sur la ligne de partage du Monde ! Altitude : 2 483 m. Longitude : 78° 27' 08". Latitude : 0° 0' 0". Ce sont les indications des GPS et celles fournies par les scientifiques (à 300 m près). Cette « ligne » n'est ni une ville ni un village, mais un parc d'attractions très prisé des nationaux en goguette et des Quiteños en balade dominicale. C'est aujourd'hui le site touristique le plus visité du pays.**
**Sur le site même de la Mitad del Mundo, dont on sait désormais qu'il est en réalité distant de 240 m de l'authentique ligne de l'équateur, a été construit un faux village colonial, avec son cortège de boutiques de souvenirs, de fast-foods, cafés et autres petites attractions et musées.**

### UN PEU D'HISTOIRE

Au XVIIIe s, Siècle des lumières, les esprits curieux se demandaient quelle était la forme exacte de la Terre. Est-elle ronde ou ovale ? Le globe a-t-il la forme d'une orange ou celle d'un pamplemousse ? Pour tenter de résoudre cette énigme, l'Académie royale des sciences de Paris expédie deux de ses équipes de savants à une distance de près d'un quart de méridien terrestre (soit 90° de latitude) l'une de l'autre. Maupertuis part avec trois hommes vers le pôle Nord, en Laponie, tandis qu'une équipe de 10 savants, dirigée par Charles Marie de La Condamine (officiellement par Louis Godin, astronome), prend la route de Quito, vice-royaume du Pérou, possession de la Couronne d'Espagne.
Pourquoi les Andes ? Tout simplement parce que c'est le seul endroit du monde où la ligne de l'équateur traverse un paysage de hautes montagnes dégagées. De plus, on ne souffre pas de grosse chaleur, il n'y a pas de malaria et surtout les observations scientifiques peuvent y être effectuées dans un paysage d'une grande visibilité (aucune forêt dense comme en Amazonie, en Afrique ou à Bornéo).

## La Condamine et la mission géodésique du XVIIIe s

De juin 1736 à 1739, les savants français accompagnés par deux savants espagnols (Ulloa et Pedro de Maldonado) mesurent trois degrés de l'arc de méridien terrestre, ce qui correspond à une distance de plus de 300 km, depuis l'observatoire de Mira au nord de Quito jusqu'à celui de Tarqui au sud de Cuenca. Un travail de titan, à la vitesse des fourmis, des relevés épuisants qui les obligent à faire l'ascension de nombreuses montagnes et volcans des Andes (le Pichincha, le Cotopaxi, le Chimborazo), emportant avec eux leur cargaison de matériel et de lourds instruments.

Il leur faut surmonter d'innombrables obstacles pour arriver au terme de leurs travaux : dissensions internes, rivalités politiques, problèmes sanitaires, financiers, difficultés d'ordre climatique et géographique. Sur la dizaine de savants que compte la mission, près de la moitié ne rentrera jamais en France. Couplet, aide géographe, meurt en 1736. Le chirurgien Séniergues est assassiné à Cuenca en 1739. L'horloger Hugot se tue en 1743, et Morainville, l'aide technicien, est victime d'un accident alors qu'il réparait le clocher d'une église. Mais plus incroyable encore est l'histoire de Joseph de Jussieu. Parti pour quelques années seulement, il restera finalement 36 ans au Pérou, totalement envoûté par l'Amérique du Sud, avant de rentrer au bercail malade comme un chien et empreint d'amertume, puisque, dans l'intervalle, il a perdu la totalité des caisses qui contenaient le résultat de ses laborieuses recherches.

### SCIENCE EXACTE ?

*La mission géodésique française n'était pas loin de la vérité scientifique, car la vraie ligne de l'équateur passe au mont* Catequilla, *à 240 m au nord du monument de la Mitad del Mundo. Une erreur mineure sur une longueur de plus de 300 km, et une prouesse pour l'époque ! Cette mission permit aussi de découvrir une unité de longueur qui devait devenir le mètre (homologuée en 1791).*

Revenu en France après avoir descendu le fleuve Amazone au péril de sa vie, La Condamine, considéré par son charisme comme le « vrai » père de l'expédition, est reçu en grandes pompes. Dans son *Journal de voyage à l'équateur,* il contribuera sans le vouloir à donner ce nom – Équateur – au pays lorsqu'il se séparera de la Grande-Colombie. En outre, à peine arrivé dans l'Hexagone, ce touche-à-tout de génie tentera d'acclimater une plante : le *cinchona officinalis condaminea,* qui n'est autre que le quinquina. La Condamine aux multiples ressources fera également l'apologie d'un arbre hors du commun, l'hévéa, dont le nom quechua le *caucho,* donnera le vocable caoutchouc !

Le très beau livre de Florence Trystram, ***Le Procès des étoiles*** (voir la rubrique « Livres de route » dans « Équateur utile »), raconte en détail le déroulement rocambolesque du voyage et de la mission des Français au XVIIIe s dans les Andes.

## Arriver – Quitter

Attention, à Quito, les bus pour *La Mitad del Mundo* ne partent pas du terminal de Carcelén mais de celui de La Ofelia (navettes entre les 2 terminaux).

➢ ***Terminal La Ofelia*** *(Quito, hors plan couleur I par D1,* ***19****) : au nord-ouest de la ville. Du centre, prendre un taxi (env 10 US$). Bus réguliers pour La Mitad del Mundo avec* Trans Hemisfericos *(bus bleus). Tlj, ttes les 10 mn, 5h-21h30.* On paie devant les tourniquets réglementant l'accès aux départs.

## Adresses utiles

**i** ***Infos touristiques :*** *au 1er étage d'un bâtiment situé sur le côté de la place principale.* ☎ *239-48-04.* • *mitaddelmundo.com* • *Tlj 9h-18h.* Quelques brochures.

■ ***Andinatel :*** *face à la tour, au 1er étage.*

LE NORD

✉ ***Poste et distributeur de billets :*** *sur la place.*

## Où manger ? Où boire un verre ?

I●I 🍸 Plusieurs ***bars, snacks et restaurants*** à l'intérieur du site, mais assez chers et sans éclat.

I●I ***El Gordo y El Flaco :*** *env 400 m avt l'entrée du site, dans le prolongement de l'allée des Savants en direction du village (à côté de l'hôtel* Inty Raymi*).* 📱 *09-84-08-38-62. Tlj sf sam 8h-21h. Repas le midi env 2 US$.* Tout est nickel dans ce petit resto de cuisine familiale. Menu du midi à prix canon avec une soupe, un plat de riz et même des fraises à la chantilly en saison. Autrement, *salchipapas,* hamburgers, etc. Service « presto » d'Estella qui ne rechigne pas à la tâche.

I●I ***Cochabamba :*** *sur la route principale, 50 m avt l'entrée du site.* ☎ *239-41-28. Lun-sam 9h-17h ; dim 10h-17h. Plats env 8-12 US$ ; env 15-25 US$ le repas complet. CB acceptées.* Bon resto traditionnel. Très bonne *corvina a la salsa de cangrejo, empanada de morocho* (beignet fait avec une variété de maïs blanc farci à la viande et aux oignons et accompagné de sauce piquante). Musique folklorique le dimanche midi.

## À voir

*Le musée et les monuments sont ouv tlj 9h-17h45 (en principe). Entrée du site : 2 US$ ; parking 2 US$. L'accès à certains autres musées et monuments est aussi payant.*

🎥🎥 ***Monumento Mitad del Mundo*** *(Museo etnográfico)* ***:*** *ouv tlj 9h-17h45. Entrée : 3 US$ ; réduc.* Cette grosse tour en pierre de 43 m de haut, surmontée d'une boule figurant la Terre, abrite un petit *musée d'Ethnologie.* Longue file d'attente à prévoir en fin de semaine. On prend d'abord l'ascenseur jusqu'à la terrasse du 9e étage, à ciel ouvert, puis on descend à pied les neuf niveaux. Maquettes, nombreuses photos de la faune et de la flore locales, costumes et coutumes des différentes populations indigènes d'Équateur.

🎥 ***L'allée des Savants :*** c'est notre appellation, en réalité elle ne porte pas de nom. 13 bustes en pierre bordent la grande allée piétonne qui conduit de l'entrée du site jusqu'au monument de la Mitad del Mundo. Il s'agit des dix savants français (dont La Condamine) et des trois Espagnols qui constituèrent la mission géodésique du XVIIIe s. Voir l'historique plus haut. Charles Marie de La Condamine se trouve tout en haut à droite, près du monument.

🎥🎥 ***Les pavillons scientifiques :*** *sur le côté gauche de l'allée centrale qui monte au monument de la Mitad del Mundo.* Quatre *pavillons* tenus chacun par un pays : l'Équateur, l'Espagne, la France et l'Allemagne. Ils évoquent l'histoire de la mission.

– Le ***pavillon Francia*** est très bien présenté. Au rez-de-chaussée, la fabuleuse aventure de la mesure de la circonférence de la Terre, du Grec Ératosthène jusqu'à L'expédition de La Condamine. Documents, fac-similés de cartes et de plans. Premier plan de Quito tracé par Morainville, première carte d'Équateur par Maldonado (1751), portraits de quelques savants français (La Condamine, Bouguer, Godin) qui participèrent à la fameuse mission géodésique initiée en 1735. Quelques documents aussi sur la mission scientifique de Rivet-Perrier, de 1902 à 1906, qui avait pour objectif de mesurer un arc de méridien plus long que celui mesuré par la mission géodésique du XVIIIe s. Au premier étage, photos satellite par *Spot Images* et infos sur le CNES et ses activités en Guyane française.

🎥 ***Museo Quito Colonial :*** *en bas de l'allée des Savants, près de la sortie. Ttes les 30 mn, 9h30-12h30, 14h-17h ; entrée gratuite.* Maquette du Quito colonial (6 x 6 m environ). On en fait le tour, tandis que les lumières s'allument et s'éteignent pour figurer le cycle du Soleil.

**Pachamama** (Planetario) **:** *Visite ttes les heures, 9h-17h. Il faut constituer un groupe. Séance de 35 mn, en espagnol et en anglais. Entrée : 1,50 US$ ; réduc.* Ce pavillon est consacré à l'univers, aux étoiles, au cosmos, des thèmes chers aux peuples pré-incaïques.

***Le musée Inti Ñan :*** *entrée à l'extérieur du site, après le resto* Cochabamba. *☎ 239-51-22. Tlj 9h30-17h. Visite guidée d'env 45 mn en anglais ou en espagnol, parfois en français (sf le sam). Entrée : 4 US$.*
Ce musée est situé sur la véritable ligne de l'équateur, désormais attestée par les positionneurs satellites. L'occasion d'effleurer la culture quitu-caras, et notamment d'apprendre qu'en tant qu'adeptes du culte solaire, les gens du coin avaient déjà positionné la sacro-sainte ligne bien avant l'arrivée des Incas. Cet *Inti Ñan,* littéralement « le chemin du Soleil », est également le prétexte à vous faire faire un tas d'expériences toutes plus ou moins truquées, histoire de vous en mettre plein les mirettes. Cela dit, le site est agréable. Quelques belles répliques de totems émergent des cactus et des succulentes. On vous présente même la maison d'une très vieille femme qui serait morte à l'âge de 130 ans (paraît qu'elle se nourrissait exclusivement de cochons d'Inde !), et pour finir on vous invite à méditer sur le code d'honneur des autochtones, à savoir : ne pas voler, ne pas mentir, ne pas être paresseux... Si on ne le respectait pas, on était fouetté à coup de nerf de bœuf !



# CAYAMBE

IND. TÉL. : 02

**À 78 km au nord-est de Quito, Cayambe, dominée par le sommet enneigé de son volcan éponyme (5 790 m), coule des jours paisibles au fond d'une vaste vallée consacrée à l'horticulture.**
**Loin de la tumultueuse Quito, mais pourtant si proche (à 1h30 de bus), Cayambe, avec ses petites rues tirées au cordeau offertes à tous vents, sa place de l'église et son joli musée, est également une étape gourmande. Les becs sucrés y apprécieront les *bizcochos,* ces délicieux gâteaux secs que les connaisseurs dégustent avec de la confiture de mûres (qui, en Équateur, sont rouges) ou nappés de *dulce de leche,* la confiture de lait chère aux Sud-américains. Le *queso de hojas,* un fromage qui rappelle un peu la mozzarella, mérite également votre attention. Faut dire que les produits laitiers ne manquent pas dans cette région d'élevage.**
– ***Fiesta de San Pedro :*** en juin, autour du *parque Central.*

## Arriver – Quitter

Le terminal des bus se situe à l'angle des *calle* Junín et Juan Montalvo. À Quito, les bus directs pour Cayambe partent du terminal La Ofelia.

➢ ***Quito (terminal La Ofelia) :*** bus ttes les 10 mn, 5h-22h15, avec *Flor del Valle.*
➢ ***Zuleta, Ibarra :*** 4 bus/j., très tôt le mat et en début d'ap-m, avec *24 de Junio.*
➢ ***Otavalo :*** bus fréquents. Si vous prenez un bus de la ligne Quito-Otavalo (et non Quito-Cayambe), vérifiez que celui-ci emprunte bien la route de Cayambe et non celle de Tabacundo (la plus fréquente).

## Adresses et info utiles

***iTur :*** *sur la place principale. ☎ 236-00-52 (poste 126). • cayambeturismo.gov.ec • Lun-ven 8h-17h.* Fournit un plan du centre-ville et de la région ainsi que quelques brochures.
■ ***Banco Pichincha :*** *angle Bolívar y Ascázubi. Lun-ven 9h-17h, sam 9h-13h.* Distributeur de billets.

– **Marché :** *dim ; à l'angle de Junín et Restauración, en plein centre.*

## Où dormir ? Où manger à Cayambe et dans les environs ?

■ **Hostal Cayambe :** *Bolívar y Juan Montalvo, à un jet de pierre du cimetière.* ☎ *236-04-00 ;* 📱 *09-87-01-17-44. Double 12 US$. Pas de petit déj.* Dans un bloc en béton aux vitres fumées, une petite douzaine de chambres doubles ou triples. La plupart possèdent leur propre salle de bains. C'est propre, pas cher et central.

■ |●| **Hacienda Guachalá :** *à 8 km au sud de Cayambe.* ☎ *236-30-42 ;* 📱 *09-69-11-00-19. • guachala.com • De Cayambe, sur la Panaméricaine, en direction de Quito, tourner à gauche après les monuments du passage de la ligne de l'équateur ; l'hacienda est à 2 km de la route principale. Double env 55 US$, quadruple 108 US$. Petit déj 4,50 US$. Menu midi et soir env 20 US$.* Grande hacienda de 24 ha (une des plus vieilles du pays), entourée d'eucalyptus. Elle se visite comme un musée. Dès 1495, le site servit de garnison aux Incas. À la Conquête, en 1534, on y créa une *encomienda*, puis ce fut le début de la construction des bâtiments actuels. En 1736, passage de La Condamine et de la mission géodésique française. En 1868, la maison devint la résidence du président García Moreno et, en 1898, elle fut rachetée par Josefina Ascázubi de Bonifaz, arrière-grand-mère du propriétaire actuel. La chapelle (construite vers 1580 sur l'emplacement d'un temple inca) abrite une intéressante expo de photos des années 1910-1920. Demeure historique d'Équateur, l'hôtel comprend une vingtaine de chambres au charme rustique avec cheminée et salle de bains. Piscine dans une grande serre tropicale. Équitation (on vient surtout ici pour ça), billard, ping-pong...

## Où goûter les spécialités locales ?

La ville regorge de petits cafés-épiceries servant les spécialités locales. Vous en trouverez plusieurs aux abords de la place principale. En voici 2 parmi beaucoup d'autres :

|●| **Café Encuentro :** *Ascázubi y Bolívar.* ☎ *236-30-32. À deux pas de la place principale. De l'office de tourisme, prendre Bolívar (paseo 1) ; le café se trouve au croisement avec la rue Ascázubi, sur la droite. Tlj sf lun, 8h-20h30.* Comme beaucoup de ses confrères, l'endroit est à la fois un café, une épicerie et un snack qui propose les spécialités de la région. Quelques tables en terrasse.

|●| **Bizcochos San Pedro :** *Olmedo 947 y Sucre.* ☎ *236-09-71. Depuis la place principale, prendre la rue Sucre vers le cimetière (dont on aperçoit l'arche au loin) ; la fabrique est en face de celui-ci. Tlj 7h30-20h30.* On visite l'atelier de fabrication de *bizcochos* où travaille une équipe d'ouvriers dirigée par le père Rafael. La méthode de production reste traditionnelle. Les *bizcochos* formés à la main à partir d'une pâte jaunâtre sont ensuite cuits dans un four à bois. Possibilité de déguster sur place. Petite cafétéria et bon chocolat chaud. La maison possède également une structure plus moderne à la sortie de la ville, sur la route d'Otavalo.



# À voir

**Museo de la Ciudad :** *sur la place principale, dans le même bâtiment que l'office de tourisme. Tlj 8h-17h. Entrée gratuite.* Relate l'histoire et les traditions des Indiens cayambe. Modeste, mais pas mal fichu. Une petite expo permet de comprendre comment s'est formé le paysage à l'époque glacière (il y a 30 000 ans), puis comment les hommes, à la poursuite des bêtes sauvages, sont entrés d'Asie sur le continent américain par le détroit de Béring.

**Iglesia de la Compañía de Jesús :** *sur la place principale, face à l'office de tourisme.* Entrez-y, vous ne serez pas déçu. C'est magistralement kitsch, avec une toile comme une rétrospective naïve des pêchés capitaux très évocatrice. Amusant.

## DANS LES ENVIRONS DE CAYAMBE

**Museo cultural Solar** *(ligne de l'équateur) :* *à 8 km au sud de Cayambe, sur la route Panamericana. Tlj 8h30-17h30. • quitsato.org • Entrée : 1 US$/pers ; réduc.*
Petit « musée » en plein air dirigé par Cristobal Covo, ingénieur, chercheur autodidacte équatorien et adepte du parapente. Les recherches de Cristobal Covo ont en effet prouvé que le mont Catequilla (à moins de 300 m du monument de la Mitad del Mundo) est le lieu exact où passe la vraie ligne de l'équateur (le GPS le confirme). Au sommet de cette montagne, un muretin de pierre semi-circulaire, daté de 3000 à 1500 av. J.-C., suit le tracé exact de l'ombre du soleil au moment du solstice (constituant, au passage, la preuve que les Indiens quitucaras connaissaient déjà l'emplacement de l'équateur).
Sur le site même, une tour métallique de couleur orange se dresse au centre d'un grand cercle pavé sur lequel se dessinent les ombres du soleil en fonction de sa rotation annuelle. Des bénévoles de l'association *Quitsato* assurent le commentaire (en espagnol ou plus rarement en anglais). C'est beaucoup plus intime et personnel que le grand site officiel de la Mitad del Mundo. *De l'autre côté de la route, petit resto ouv tlj 7h-21h ; env 5 US$ le repas.*

LE NORD

**Les pyramides de Cochasqui :** *à env 15 km au nord-ouest de Cayambe. De Cayambe, rejoindre le péage de Cochasqui. Départ de la petite route revêtue de pavés env 100 m avt le péage sur la droite en venant du nord ; le site (fléché) se trouve à 8 km de là. Tlj 8h-16h. Visite guidée obligatoire (1h30 env). Entrée : 3 US$ ; réduc.* Ce site archéologique de la période pré-incaïque (1550-850 av. J.-C.) témoigne des rites propitiatoires de la tribu des *Quitu-Caras,* ancêtres des Quiteños actuels. Le site, qui s'étend sur 84 ha, présente 15 pyramides tronquées et 20 tombes. Construites à base de blocs d'andésite (roche volcanique) superposés, elles sont aujourd'hui modelées par l'érosion et recouvertes d'herbe. Leur sommet tronqué était en fait une plate-forme ; celle de la pyramide 13 servait de calendrier solaire et lunaire.
Ces pyramides étaient également prolongées par une rampe d'accès. Certaines de ces rampes sont encore en place. Outre la belle vue panoramique sur la cordillère et sur au moins 13 sommets, ce site est l'occasion d'en apprendre davantage sur la population de la région avant l'arrivée des Incas. Sur place un petit musée où sont exposés les résultats des fouilles.

## OTAVALO

93 000 hab. IND. TÉL. : 06

**Perchée à 2 580 m d'altitude, à 1h30 de route au nord de Quito, Otavalo est dominée par les silhouettes massives et intrigantes des volcans Mama Cotacachi et Taita Imbabura, représentant respectivement la mère et le père protecteurs pour les Indiens. Plaque tournante du commerce autochtone depuis des lustres, cette ville, désormais très touristique, regorge d'hôtels et de petits restos. Avec ses placettes ourlées d'immeubles éclairés la nuit, ses petites églises baroquisantes et son célèbre marché artisanal sur la *plaza de los Ponchos,* elle a depuis longtemps la préférence des voyageurs. Le**

**samedi, la communauté otavalo (Indiens autochtones) des villages environnants afflue ici pour y échanger, vendre et acheter du bétail ou des produits de première nécessité. C'est le temps fort de la semaine, aussi est-il préférable de réserver son hôtel à l'avance.**

## LE PEUPLE OTAVALO

Otavalo possède une très ancienne vocation commerciale, en partie due à sa géographie. Les terres sur lesquelles vivent les Indiens otavalos se situent à l'endroit où, sévèrement entaillée par les ríos, la cordillère « s'affaisse », favorisant le passage d'est en ouest. Cette particularité géographique leur a permis d'avoir accès à des zones tropicales chaudes et, par ce fait, de disposer de ressources rares à fort pouvoir commercial comme le coton, la coca, sans oublier le sel, dont la terre de Salinas regorge et dont ils furent les principaux bénéficiaires.
À la fin du XVIe s, les Espagnols, qui avaient supplanté les Incas, se rendirent maîtres de la filière coton et, sous forme de tribut, utilisèrent la main-d'œuvre otavalo pour tisser des vêtements. Ainsi, chaque tributaire se devait de fournir aux colons une cape par an. Puis toute la communauté fut contrainte de développer une grande maîtrise du tissage à raison de 14h de travail quotidien, dans les tristement célèbres *obrajes,* ces ateliers de textiles où ils étaient enchaînés à leur métier à tisser.
Fort heureusement pour eux, les Otavalos ont fini par s'extraire de cette sordide condition en poursuivant leur destinée de commerçants et de tisserands. Dans les années 1970, ils ont su développer une économie du textile qui les a rendus célèbres bien au-delà des limites de l'Équateur, puisqu'ils exportent aujourd'hui encore dans le monde entier.
Les Otavalos sont aujourd'hui partie prenante dans la politique du pays.

### TISSU LOCAL CONTRE TISSU SOCIAL

*Au début du XXe s, les Otavalos réussirent à se libérer de l'emprise des propriétaires terriens, notamment grâce à un tisserand qui eut la riche idée de reprendre à son compte les motifs en tweed écossais, très en vogue à l'époque. Ces nouveaux tissus obtinrent un tel succès que les Indiens otavalos acquirent une grande renommée au-delà des frontières, tant en Europe qu'aux États-Unis. De nombreuses familles s'enrichirent, d'autres pas. Cette modification du tissu social de la communauté entraîna une certaine désolidarisation du groupe.*

## LE COSTUME OTAVALO

La culture otavalo est l'une des plus vivantes du pays. C'est aussi l'une des plus étudiées au monde. Il existe même, à la sortie de la ville, un Institut d'anthropologie où des étudiants du monde entier viennent travailler. En adhérant aux clichés, on peut dire que les Otavalos portent encore souvent des costumes d'une grande élégance. Les femmes sont vêtues d'une longue jupe bleu marine, fendue sur un seul côté, laissant apparaître une autre jupe de couleur blanche. Un corsage de dentelle brodée couvre le buste, tandis que le cou est enserré dans un ras-du-cou multifils de perles dorées ou couleur corail de toute beauté. Les hommes, pour leur part, portent un pantalon blanc, large et court, un poncho bleu marine et les cheveux longs, qu'ils rassemblent en une jolie natte. Ils portent un chapeau en feutre, tandis que les femmes sont coiffées d'une étoffe bleu marine repliée sur elle-même (un châle en fait). Tous sont chaussés d'*alpargates,* des sandales de fibre tressée qui ressemblent à des espadrilles et dont le dessus est en feutre noir pour les femmes et en coton blanc pour les hommes.

## Arriver – Quitter

### En voiture

➢ ***Quito :*** il existe 2 routes d'accès. L'une, la Panaméricaine, la plus ancienne, passe par Cayambe ; l'autre, plus récente, plus rapide et plus belle, passe par Tabacundo. Toutes les 2 sont payantes.

### En bus

***Terminal terrestre*** *(plan B2) : Roca y Ordóñez. Ouv 5h-21h.*

➢ ***Quito :*** bus ttes les 10 mn, 6h10-18h, avec les compagnies *Transportes Otavalo* ou *Los Lagos*. Durée du trajet : env 1h30-2h (arrivée au terminal Carcelén).

➢ ***Ibarra, Tulcán :*** les bus pour Ibarra ou Tulcán (qui font généralement Quito-Tulcán) ne passent pas systématiquement par la gare routière, il faut les attraper à l'un des arrêts de bus le long de la Panaméricaine *(arrêts de part et d'autre de la ville, grosso modo en face des stations-service qui marquent l'entrée et la sortie de la ville – se faire préciser l'endroit sur place).* Durée du trajet : 30 mn pour Ibarra et 3h pour Tulcán.

➢ ***Cotacachi :*** bus ttes les 10 mn, 6h20-19h15, avec *Coop 6 de Julio.*

➢ ***San Pablo :*** bus ttes les 10 mn, 6h-19h, avec les compagnies *Transportes Otavalo* et *Imbaburapak.*



## Adresses utiles

### Infos touristiques

***Oficina de Turísmo*** *(plan A2) : Jaramillo y Quiróga. ☎ 292-72-30. • visitotavalo.com • Lun-ven 8h-12h30, 14h30-18h ; sam 8h-16h.* Cartes de la région et plan de la ville.

### Poste, télécommunications

***Poste*** *(plan A2) : Sucre y Salinas ; 1er étage. Tlj sf dim 8h-17h (12h sam).*

■ ***Téléphone :*** nombreux centres d'appel partout en ville, pour les communications locales et internationales.

@ ***Himalaya Internet*** *(plan A2) : Bolívar y Colón. Tlj 8h-22h.* On trouve plein de centres de ce type partout en ville. Wifi gratuit sur le parque Bolívar (devant la mairie).

### Banque

■ ***Banco del Pacífico*** *(plan A3,* ***2****) : Bolívar y García Moreno. Lun-ven 8h30-17h.* Assure le change des euros, ainsi que des chèques de voyage (mais seulement *American Express* et pas le samedi !). Distributeur.

### Santé

***Hôpital San Luis de Otavalo*** *(plan B1,* ***3****) : au bout de l'av. Sucre. ☎ 292-04-44.*

### Agences

■ ***Runa Tupari*** *(plan B2,* ***4****) : plaza de los Ponchos, Sucre y Quiróga. ☎ 292-23-20 ou 📱 09-97-28-67-56. • runatupari.com •* Le nom de cette agence pas comme les autres signifie « rencontres avec les habitants » en quechua. Elle développe une forme de tourisme communautaire avec la participation directe de villageois des environs de Cotacachi. *Hébergement chez l'habitant : env 28 US$/pers en ½ pens, transport inclus. L'idéal : 3 j. et 2 nuits.* Elle organise aussi des randonnées vers les lacs de Cuicocha, de Mojanda, à cheval ou à VTT, ainsi que l'ascension des volcans Cotacachi, Imbabura et Fuya-Fuya.

■ ***Zulaytur*** *(plan A2,* ***5****) : Colón y Sucre ; 2e étage. ☎ 292-27-91 ou 📱 09-98-14-64-83. • geocities.com/zulaytur •* Petite agence sérieuse qui organise des tours en voiture, des expéditions à cheval et des visites de communautés. Une partie des bénéfices est versée à des projets de développement dans les communautés indiennes. En cours des excursions, on visite plusieurs villages, chacun ayant sa spécialité artisanale : tapis, chapeaux, cuir et sisal, etc. (pour ce qui est du travail de la laine, éviter le samedi : les artisans sont au marché). Organise également des sorties vers les lacs de Mojanda, Cuicocha et San Pablo.

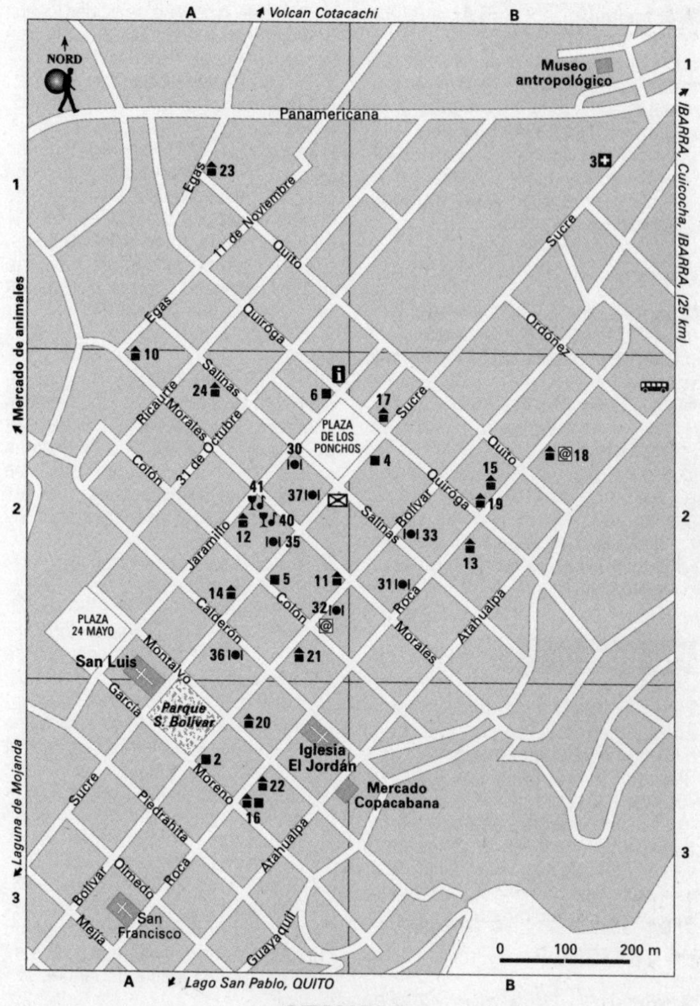


## OTAVALO

**Adresses utiles**

- 2 Banco del Pacífico
- 3 Hôpital San Luis de Otavalo
- 4 Runa Tupari
- 5 Zulaytur
- 6 Supermarcado La Mía
- 16 The Book Market

**Où dormir ?**

- 10 Residencial El Rocío
- 11 Hostal Chukito's
- 12 Hostal María
- 13 Hostal Runa Pacha
- 14 Hotel Flores
- 15 Hostal Rincón del Viajero
- 16 Hotel Riviera Sucre
- 17 Hostal Los Andes
- 18 Samana Hostal
- 19 Hotel Valle del Amanecer
- 20 Hostal Doña Esther
- 21 Hotel El Indio Inn
- 22 Hotel Otavalo
- 23 La Posada del Quinde
- 24 Acoma – Ciudad del Cielo

**Où manger ?**

- 30 Aly Allpa et Buena Vista
- 31 Los Cebiches de la Rumiñahui
- 32 Salinerito
- 33 Ali Micuy
- 35 Mi Otavalito
- 36 La SISA
- 37 Pizzería Blue Rose

**Où boire un verre ? Où écouter de la musique ?**

- 40 The Red Pub
- 41 Peña Amauta

■ ***Mamaquilla :*** *à Atuntaqui.* 📱 *09-82-10-05-17 et 09-82-10-05-18.* ● *mamaquilla.net* ● La « mère-lune » est une petite agence spécialisée dans le tourisme chez l'habitant. Fernando, francophone à ses heures, qui connaît le pays comme sa poche, propose différents circuits en 4x4 et minibus ainsi que du covoiturage pour routards. C'est sérieux et sympa.

## Divers

■ ***La Mía*** *(plan A2,* ***6****) : Quirόga y Jaramillo. Tlj 9h-21h.* C'est le supermarché d'Otavalo pour faire le plein avant une rando.

■ ***The Book Market*** *(plan A3,* ***16****) : Roca y García Moreno ; au rdc de l'hôtel* Riviera Sucre. ☎ *292-85-35. Tlj sf dim 9h-13h, 15h-20h.* Petite librairie où vous trouverez des bouquins sur Otavalo et la région, cartes postales, timbres, cartes routières, disques, etc. Quelques livres en français et beaucoup en anglais.



## Où dormir ?

Le grand marché du samedi draine énormément de monde tant et si bien que les hébergements sont pris d'assaut. Il peut donc être judicieux d'arriver à Otavalo dès le jeudi afin de trouver une chambre sans problème, d'autant plus que les environs de la ville méritent qu'on s'y attarde un peu.

### Très bon marché (moins de 18 US$)

🏠 ***Hostal Chukito's*** *(plan A2,* ***11****) : Bolívar 10-13 y Morales.* ☎ *292-49-59. Double 18 US$, petit déj compris.* 📶 Dans un immeuble récent, une quinzaine de chambres avec salle de bains (eau chaude) et TV câblée. Les chambres sont agréables surtout quand elles possèdent une fenêtre. Un grand lit côtoie 2 lits superposés. Sinon, échange de livres, salle commune et cuisine pour préparer son frichti. La maison dispose également d'une camionnette pour balader ses hôtes dans les communautés environnantes et propose un service de guides locaux pour explorer les sentiers du coin. Bon accueil de Pintak, le père aubergiste.

🏠 ***Hostal Runa Pacha*** *(plan B2,* ***13****) : Roca 10-02 y Quirόga.* ☎ *292-55-66.* ● *hostalrunapacha@hotmail.com* ● *Doubles 12-15 US$ selon confort. Pas de petit déj.* 📶 Hôtel à la façade jaune pâle, bien situé. Une petite vingtaine de chambres un peu défraîchies, dont la moitié possèdent une salle de bains. C'est propre et de confort suffisant. Accueil souriant. La terrasse sur le toit offre une jolie vue sur la ville.

🏠 ***Hostal María*** *(plan A2,* ***12****) : Modesto Jaramillo y Colón.* ☎ *292-06-72. Double 16 US$.* 📶 Hostal simple et propret, d'une douzaine de chambres, sur 2 étages. Toutes sont pourvues de fenêtres, de la TV et d'une salle de bains avec eau chaude. Une bonne petite adresse mais dont les chambres ne sont pas faites tous les jours, sachez-le.

🏠 ***Hostal Los Andes*** *(plan B2,* ***17****) : Sucre y Quirόga (au-dessus de la Banco del Austro).* ☎ *292-10-57. Doubles 15-20 US$ selon confort ; triple 24 US$.* 📶 En plein centre, face à la très animée plaza de los Ponchos, un hôtel aux chambres relativement lumineuses, toutes avec salle de bains et TV câblée. Meubles mélaminés et rideaux à motifs quechuas amorcent un embryon de déco. C'est propre et l'accueil est sympa.

🏠 ***Residencial El Rocío*** *(plan A1-2,* ***10****) : Morales 11-70 y Egas.* ☎ *et fax : 292-05-84 ou* 📱 *09-89-62-80-08. Doubles avec ou sans sdb 14-16 US$.* Petit hôtel disposant d'une dizaine de chambres dont une seule possède sa propre salle d'eau. Pour dépanner.

### Bon marché (18-30 US$)

🏠 @ ***Samana Hostal*** *(plan B2,* ***18****) : Roca 12-08 y Quito.* ☎ *292-14-58.* ● *samanahostal.com* ● *Double env 19 US$.* 💻 📶 Une façade couleur pistache et une quinzaine de chambres fraîches et nettes (avec douche-w-c). Elles sont toutes d'un bon rapport qualité-prix, même si celles ouvrant sur l'intérieur souffrent un peu du manque de lumière naturelle. La n° 6 est la plus claire. Sinon la maison fait aussi cybercafé. Bon accueil.

**Hotel Riviera Sucre** *(plan A3,* ***16****) : García Moreno 3-80 y Roca. ☎ 292-02-41. • rivierasucre.com • Double avec sdb 28 US$, petit déj 3 US$. Parking.* Petit hôtel de charme à prix doux. Derrière la façade aux couleurs vives se cache un édifice centenaire tout en bois et joliment rénové. Demandez une chambre sur le jardin fleuri à l'arrière (nº 14 par exemple), non loin de la rivière. Les prix, le charme du lieu (grandes et belles chambres), l'ambiance un peu nonchalante, la cafétéria avec sa cheminée et le petit salon avec sa bibliothèque, tout est impeccable. On peut laver son linge et la cuisine est à disposition à partir de 14h. Bon accueil et très bon rapport qualité-prix.

**Hostal Rincón del Viajero** *(plan B2,* ***15****) : Roca 11-07 y Quiróga. ☎ 292-17-41. • hostalrincondelviajero.com • Doubles 23-28 US$ selon confort, petit déj inclus.* Petit hôtel familial jaune et vert, tenu par des patrons adorables et attentionnés. La quinzaine de chambres est répartie autour d'une cour intérieure (préférez l'étage supérieur). Tout est très propre même si les chambres sont un peu défraîchies. Douches communes pour certaines. On aime beaucoup la petite pièce dans la cour, avec cheminée et fauteuils. Jolie vue depuis la terrasse sur le toit et quelques hamacs. Table de billard et resto. C'est l'une de nos plus vieilles adresses à Otavalo.

**Hotel Valle del Amanecer** *(plan B2,* ***19****) : Roca y Quiróga. ☎ 292-09-90. • valledelamanecer.com • Doubles avec ou sans sdb 24-30 US$ ; triples 36-45 US$, petit déj (au choix) compris.* Chambres distribuées tout autour d'une petite cour pavée de galets, où trônent de majestueux avocatiers. Plaisant. Murs de brique, carrelage ou moquette pour les pieds fragiles, salles de bains réduites à leur plus simple expression mais avec eau chaude. Préférez les chambres à l'étage, avec leur parquet grinçant et leurs jolies couleurs, elles sont petites mais charmantes. La maison loue des VTT et organise des excursions. Un bon plan.

**Hotel Flores** *(plan A2,* ***14****) : Sucre 10-09 y Colón. ☎ 292-68-27 ou 09-83-56-85-05. • hotelfloresjf@hotmail.com • Double avec sdb 30 US$, triple 45 US$, petit déj 3,50 US$. Parking.* Cet hôtel propose 26 chambres doubles ou triples, confortables, propres et bien équipées, quoique un peu étriquées. Évitez celles qui donnent sur la rue et préférez l'arrière du bâtiment : le quartier, très central, est assez bruyant. Bon accueil.

## Prix moyens (30-48 US$)

**Acoma – Ciudad del Cielo** *(plan A2,* ***24****) : Salinas 7-57 entre 31 de Octubre et Ricaurte. ☎ 292-65-70. • hotelacoma.com • Double avec sdb commune 25 US$, avec sdb privée 41 US$, petit déj compris.* Une vingtaine de chambres agréables et bien décorées dans cet hôtel 100 % kishwa (une variante du quechua) ; d'ailleurs si vous voulez apprendre à compter dans cette langue, les chiffres sont inscrits en toutes lettres sur les portes des chambres. Les espaces communs sont conviviaux, avec un beau salon disposant d'une cheminée et un bar pour refaire le monde au retour de rando. Doubles, triples ou suites avec cuisinette, préférez quand même celles à l'étage, car certaines possèdent un balcon. Les plus simples, situées sur l'arrière, se partagent les salles de bains mais sont d'un excellent rapport qualité-prix. En plus de ça, l'accueil de Lourdes est charmant. Une belle adresse.

**Hotel Otavalo** *(plan A3,* ***22****) : Roca 504 y Juan Montalvo. ☎ 292-37-12. • hotelotavalo.com.ec • Bar et resto fermés le soir. Double avec sdb env 44 US$, petit déj compris.* Vieille et belle demeure coloniale au charme espagnol discret. Une trentaine de jolies chambres (un peu sombres), simples et de confort suffisant, réparties sur 2 étages autour d'un patio lumineux. Bon accueil.

## Chic (48-70 US$)

**Hostal Doña Esther** *(plan A3,* ***20****) : Juan Montalvo 4-44 y Roca. ☎ 292-07-39. • otavalohotel.com • Double* *avec sdb 53 US$ ; penthouse (genre de garçonnière avec cheminée) env 70 US$ ; petit déj compris.* Adorable maison qui fait penser à un petit caravansérail avec une douzaine de chambres sur plusieurs niveaux donnant sur une cour intérieure. On a tout de suite envie d'y poser son sac. Tout est doté d'une déco très sobre, avec parquet et murs chaulés, mobilier en bois, jolis tissus et quelques effets d'éclairage. Une bonne adresse côté hébergement, mais évitez le restaurant, cher et pas bon du tout !

**Hotel El Indio Inn** (*plan A2*, **21**) : *Bolívar 904 y Calderón.* ☎ *292-29-22.* • *hotelelindioinn.com* • *Double 58 US$, petit déj – léger – compris.* Hôtel moderne tout en céramique et verre, avec une verrière en altuglas bleu qui lui donne un petit côté oriental. Les chambres se répartissent autour de 2 patios ; certaines possèdent même un petit salon. Toutes sont confortables et impeccablement tenues. Buanderie et salle de jeux (billard, baby-foot). Préférer les chambres du second patio, un peu plus calmes. Resto attenant à l'hôtel. Spa, hydromassage. Bon accueil.



## Plus chic (à partir de 70 US$)

**La Posada del Quinde** (*plan A1*, **23**) : *Quito y Miguel Egas.* ☎ *292-07-50.* • *posadaquinde.com* • *Double 73 US$ ; suites à partir de 152 US$ ; petit déj compris.* Voici un hôtel spacieux, agréable et très bien tenu. Les chambres confortables, à la déco soignée et traditionnelle, donnent sur les montagnes. Beau jardin d'où l'on aperçoit le volcan Imbabura. Resto. Quand il fait beau, on peut s'attabler dehors. Une adresse de charme.

# Où manger ?

Otavalo n'est pas une destination gastronomique. Certains restos font certes des efforts côté déco, mais ça ne contentera que vos yeux. Côté papilles, c'est souvent sur le pouce qu'on mange le mieux. Certains hôtels mentionnés dans la rubrique « Où dormir ? » disposent également de restos.

## Bon marché (moins de 5 US$)

**Aly Allpa** (*plan A2*, **30**) : *Salinas 509, sur la plaza de los Ponchos.* ☎ *292-02-89. Mer-sam 7h30-17h, dim-mar 7h30-16h. Plats 4,50-6,50 US$.* Endroit agréable pour prendre le petit déj face à la place. Plusieurs formules et bons jus de fruits. De quoi prendre des forces avant de se lancer à l'assaut du marché. En journée, popote classique de viandes et volailles, bonnes truites d'élevage, sandwichs...

**Salinerito** (*plan A2*, **32**) : *Bolívar s/n, entre Colón y Morales.* ☎ *292-70-86. Lun-sam 7h30-21h30 ; dim 9h-14h, 16h-21h30.* Petite cafétéria tout en longueur où l'on vend des produits issus du commerce équitable... mais aussi du *Nutella* ! Également des sandwichs à emporter ou à consommer sur place.

## Prix moyens (5-12 US$)

**Ali Micuy** (*plan B2*, **33**) : *Bolívar y Salinas.* ☎ *292-63-97. Tlj 8h-22h. Plats 7-8 US$.* Un petit resto aux salles proprettes et colorées, dans le style local : tables de bois couvertes de textiles andins. La carte n'en impose pas (quelques viandes, des poissons ou des fruits de mer, des pâtes), mais la cuisine est fraîche et goûteuse, notamment la délicieuse soupe de légumes ou les pâtes à l'ail accompagnées de poisson ou de crevettes.

**Buena Vista** (*plan A2*, **30**) : *Salinas 509, sur la plaza de los Ponchos.* ☎ *292-51-66. Même adresse que* Aly Allpa, *au 1er étage. Tlj sf mar 12h-22h (dès 8h sam). Plats 5,50-10 US$. CB acceptées.* Cuisine réalisée avec des produits organiques provenant des communautés otavalos du coin. Sandwichs, plats végétariens, etc. Vins chiliens et argentins. Service attentif et cadre agréable avec vue sur la plaza de los Ponchos.

**Los Cebiches de la Rumiñahui** (*plan B2*, **31**) : *Salinas y Roca.* ☎ *292-16-29. Tlj 8h-17h. Plats 5-7 US$ (promos* *lun-ven). CB acceptées. Picaditas, asados et cebiches* sont les 3 mamelles de cette franchise quiteña spécialisée dans le poisson et les *mariscos* (fruits de mer). Dans la grande salle tout en longueur aux allures de fast-food, on a tété aux 3, c'est parfois chiche, mais c'est bon !

|●| ***Mi Otavalito*** *(plan A2, **35**) : Sucre 11-19 y Morales.* ☎ *292-01-76. Tlj le midi ; le soir jusqu'à 22h mais slt pour les groupes. Plats 7-9 US$. CB acceptées.* Bon resto traditionnel (au rez-de-chaussée d'un *hostal*) servant une cuisine simple et plutôt copieuse. Carte variée avec notamment un *llapingachos a la otavalita* (plat composé d'avocat, de maïs cuit à l'eau, de viande de porc et d'un œuf), idéal pour caler une grosse faim.

|●| ***La SISA*** *(Salas de Imagen Sonido y Arte ; plan A2, **36**) : av. Calderón 409, entre Bolívar y Sucre.* ☎ *292-01-54 ou 292-56-24. Tlj 8h-22h ; plats à partir de 7 US$.* Bonne cafétéria proposant des jus de fruits incomparables et des petits déj très corrects. Excellent café de la région de Loja, « travaillé » comme il se doit, au percolateur ! Cet établissement, géré par une communauté otavalo et animé par le sympathique Washo Maldonado, est en fait à la fois une galerie d'art et une librairie spécialisée dans la culture indienne. Projection de documentaires ou de films « alternatifs » du jeudi au samedi à 20h30. Boutique d'artisanat. Resto à l'étage, de qualité inégale.

|●| ***Pizzería Blue Rose*** *(plan A2, **37**) : Sucre y Salinas.* ☎ *292-28-87. Tlj 12h-22h. Pizzas 7-19 US$ selon taille. CB acceptées.* Situé en sous-sol, donc sombre dans la journée mais agréable le soir pour dîner. De bonnes pizzas servies en 3 tailles selon votre appétit. Les randonneurs apprécieront également les pâtes et les lasagnes, histoire de faire le plein de sucres lents !

## Où dormir ? Où manger dans les environs ?

Pour des adresses dans les environs proches d'Otavalo, vous pouvez également vous reporter au village de Peguche.

### Prix moyens (32-42 US$)

|●| Possibilité de loger dans la région de Cotacachi, parmi l'une des 4 ***communautés*** de villageois coordonnées par l'agence *Runa Tupari* (voir plus haut « Adresses utiles »). *Départ d'Otavalo dans l'ap-m, dîner, nuitée et petit déj dans une famille d'accueil ; env 28-30 US$/pers, transport et repas inclus. Résa min la veille.* On dort dans de petits chalets équipés d'une cheminée et de douches chaudes.

|●| ***Hostería de Campo La Luna :*** *à 4,5 km au sud-ouest d'Otavalo. 09-93-15-60-82 et 09-99-73-74-15. ● lalunaecuador.com ● Prendre la Panaméricaine, sortir en direction des Lagunas de Mojanda puis tourner tt de suite à gauche et remonter le chemin pavé puis empierré ; env 100 m après la* casa Mojanda, *tourner à gauche, c'est à 200 m. Env 5 US$ en taxi depuis Otavalo. Resto ouv jusqu'à 20h. Doubles avec ou sans sdb 32-42 US$, bon petit déj inclus ; dortoir (12 lits) 12 US$/pers ; camping 8 US$/pers, eau chaude et accès à la cuisine compris. Au resto, plats env 6-7 US$.* Un endroit séduisant, planté en pleine verdure, avec vue sur le volcan. Une huitaine de maisonnettes disséminées au milieu des champs. Déco rustique. L'adresse est surtout destinée aux groupes de randonneurs car les balades aux alentours sont superbes (lacs, cascades). Accueil convivial de l'Anglais, Kevin, et de Tamara, l'Équatorienne. Service de laverie. Joli petit resto où grignoter sandwichs, pâtes et pizzas. Une adresse reposante mais pas donnée quand même.

### Beaucoup plus chic (plus de 100 US$)

|●| ***Casa Mojanda :*** *à 4 km au sud-ouest d'Otavalo.* ☎ *299-10-10 ; 09-80-33-51-08. ● casamojanda.com ● Prendre la Panaméricaine, sortir en direction des lagunas de Mojanda, puis tourner tt de suite à gauche et remonter le chemin. Résa obligatoire. Double en ½ pens 183 US$. Pour les non-résidents, menu env 16 US$. CB acceptées.* À flanc de colline, un œil

LE NORD

sur le Cotacachi et l'autre sur l'Imbabura. Une bonne dizaine de maisonnettes de style traditionnel, avec terrasse et une vue magnifique. Déco sobre et plaisante, elles offrent tout le confort. Certaines ont même une cheminée. Belle bibliothèque très cosy, salle de jeux, vidéothèque, jacuzzi en plein air dans le jardin, laverie, VTT, rando à cheval. Le resto propose une excellente cuisine végétarienne à base de légumes et produits laitiers maison.

**Hostería Puerto Lago :** *au bord du lago San Pablo. ☎ 263-54-00. • puertolago.com • À 5 km au sud d'Otavalo (indiqué depuis la Panaméricaine). Double 110 US$ ; suite 130 US$, petit déj compris. Plats 10-15 US$. CB acceptées.* Dans un jardin tiré au cordeau, plusieurs coquets chalets de bois et de brique avec terrasse et jardinières débordant de géraniums (on se croirait au Tyrol !). Le tout plus ou moins en bordure du lac. Chambres cossues, chaleureuses et de bon goût, avec cheminée. La cuisine, fine et joliment présentée, est servie dans une très belle salle à l'atmosphère cosy, avec baies vitrées quasiment à fleur de lac et un espace salon avec table de billard. Vraiment une belle adresse.



## Où boire un verre ? Où écouter de la musique ?

**Peña Amauta** *(plan A2, **41**) : Morales 511 y Jaramillo. ☎ 292-24-35. En sous-sol.* Groupes de musique andine les vendredi et samedi soir à partir de 21h30.

On vous recommande aussi **The Red Pub** *(plan A2, **40**), Morales 507 y Modesto Jaramillo (à deux pas de l'adresse précédente). ☎ 292-78-10. Ouv mar-dim 16h30-2h.* Un des lieux nocturnes animés, avec *musica en vivo*.

## À voir

**Museo antropológico** *(plan B1) :* ☎ *292-03-21. Au nord de la ville, sur la route Panaméricaine. À 15 mn à pied du centre. Lun-ven 8h-13h, 15h-18h (17h ven). Entrée gratuite.* On y trouve des informations sur la culture otavalo. Quelques poteries et poupées costumées. Rien de bien excitant. Les chercheurs peuvent consulter de nombreux ouvrages à la bibliothèque.

**Parque Simón Bolívar** *(plan A3) :* superbe place baignée d'une gentille petite musique andine dès que la nuit tombe. Les bâtiments s'illuminent les uns après les autres, conférant aux espaces un romantisme sans pareil. Les couples enamourés l'ont bien compris, quant aux habitués, ils en profitent pour venir tapoter sur leur *laptop* (wifi gratuit). Au centre une statue de Ruminahui, général de l'Inca Atahualpa. En face se trouve la mairie de style colonial et, sur un côté, l'église de San Luis, reconstruite après le tremblement de terre qui ravagea la ville en 1868.

**Iglesia San Luis et iglesia El Jordán** *(plan A2-3 et A3) :* deux beaux exemples du baroque colonial, avec des autels flamboyant de dorures, colonnes salomoniques (torsadées), chaire au plus près des fidèles et tout le tralala... Bref une « déco » en parfait accord avec les préceptes de la Contre-Réforme dont les jésuites étaient les plus fieffés zélateurs. Comme la plupart des églises équatoriennes, elles donnent sur un espace ouvert (la place). Ceci répond à la logique de conversion des Indiens au catholicisme par les Espagnols. Les natifs pratiquaient déjà le culte de leurs dieux sur des espaces dégagés, ainsi était-il plus facile pour les colonisateurs d'amener les locaux à embrasser la religion catholique. Ces églises sont très largement inspirées de celles de Quito, où les artistes développèrent une excellente technique de la sculpture sur bois. On y décline les thèmes chers aux jésuites, qui furent les principaux évangélisateurs des Indiens (supplantant haut la main les dominicains, franciscains et autres augustins qui les avaient précédés),

tels que l'Enfant Jésus, par exemple. Les compagnons de Jésus insisteront même sur l'identification du Christ avec le Soleil de la justice et de la droiture (d'où les rayons qui sortent de son cœur), un culte qui n'était pas étranger aux natifs puisqu'ils vénéraient déjà le soleil.
Le cas d'El Jordán est particulier dans la mesure où c'est un sanctuaire marial. En Équateur, la Vierge est souvent représentée ailée et entourée d'étoiles comme la Vierge de l'Apocalypse. Dans cette église, on y célèbre une messe en kishwa (la langue des Otavalos, une variante du quechua) tous les dimanches dès 6h du mat.

## Les marchés

Ils se tiennent tous les jours (sauf celui des animaux), mais c'est sans aucune commune mesure avec celui qui se déroule le samedi dans les rues qui convergent vers le marché aux bestiaux. Allez-y le matin de bonne heure, la lumière est encore plus belle !

★★★ ***Mercado de animales*** *(marché aux bestiaux ; hors plan par A2)* **:** *à l'ouest de la ville, de l'autre côté de la Panaméricaine, à 5 mn à pied du centre (descendre Calderón). Ts les sam mat. Y aller tôt pour bien profiter de l'ambiance.* C'est le rendez-vous des éleveurs. Pittoresque en diable, d'ailleurs les photographes se régaleront. Ici on se bouscule, on s'invective, on se tape dans la main. Qui des volailles en bandoulière, qui un verrat au bout d'une corde, qui une paire de *cuys* au fond d'un sac, qu'on sort et qui couine ; ça caquète, ça brait, ça jacasse, ça meugle, ça chie mou sur les pompes des curieux (merci les vaches !). Tout le monde y va de sa petite promo : on toise les chiots, on tripote les chats, on négocie quelques mesures de corde, on s'arrache un lot de poulets. Sur les étals, on découpe des cochons de lait, on s'empiffre, ça fait des gros slurp ! Parfois un homme traverse la foule une oie sur la tête, puis disparaît comme aspiré par on ne sait quel tour de magie, avant de ressurgir du côté de la Panaméricaine, là où les bus débarquent leur contingent de badauds, chapeau à plume et ponchos tirés à quatre épingles.

★ ***Plaza de los Ponchos*** *(plan A-B2)* **:** s'y promener entre 9h et 11h, quand l'activité bat son plein (selon la fréquentation, la chaleur, la recette du jour, les marchands remballent plus ou moins tôt). De l'artisanat vu et revu. S'il n'y avait pas quelques « gueules » locales on se croirait sur n'importe quel marché de Noël de France ou de Navarre. Cela dit, vous trouverez tout l'artisanat andin dont vous rêvez. Évidemment, du textile (beau choix), mais également des bijoux (malheureusement pas du coin) ainsi que toute une flopée de babioles souvent de piètre facture. En revanche, si vous voulez faire des affaires, c'est partout sauf ici, car les prix demandés sont carrément délirants !

## Fêtes

Vérifiez les dates auprès de l'office de tourisme ou d'une agence de voyages locale.
– ***Inti Raymi*** *(fête du Soleil – la Saint Jean pour les chrétiens)* **:** *au moment du solstice d'été, en juin.* Tout débute par une grande feria le 23 juin, où les communautés environnantes se réunissent à Otavalo. La nuit, ils procèdent au bain rituel purificateur dans la cascade de Peguche (village des environs). À minuit, les danses commencent. Elles dureront 3 jours et 3 nuits. L'alcool coule à flots. Les Indiens passent de maison en maison pour danser et pour boire. Délire indescriptible. Seuls les hommes dansent, les femmes se contentent de ramasser et soutenir les hommes qui atteignent des états d'ébriété fort avancés. Le dernier jour, c'est la *toma de la plaza,* tout le monde s'affronte sur la plaza de los Ponchos dans une

débauche de couleurs et de cris (tenez-vous à l'écart, ça part en vrille très vite). Les tenues des guerriers sont superbes. Si les touristes ont le droit de participer aux danses et aux beuveries collectives des premiers jours, en revanche, ils sont exclus de la phase finale qui atteint une violence paroxystique et fait chaque année plusieurs victimes... Vous voilà prévenu.

– ***Fiesta de San Pedro et Santa Luzia :*** *22-27 juil, à Otavalo puis dans la foulée à Cotacachi.*

– ***Fiesta del Yamor :*** *en sept, du 1er ven du mois jusqu'au 12 ou 13.* Sorte de fête foraine avec bal musette et guitares électriques. Très importante ici.

– ***Día de los Difuntos*** *(Jour des Morts)* **:** *le 2 nov, tte la journée, au cimetière dans la partie de celui-ci consacré aux* « indigenas ». Un peu comme au Mexique, on rend visite aux morts, on apporte son casse-croûte et on mange sur les tombes dans la bonne humeur et les rires. Rien à voir avec l'esprit de recueillement dont font preuve Blancs et Métis, lesquels célèbrent la Toussaint la veille.

## DANS LES ENVIRONS D'OTAVALO

Pour découvrir les villages alentour ou entreprendre l'ascension des volcans Cotacachi, Imbabura ou Fuya-Fuya (des ascensions que l'on vous déconseille d'entreprendre sans guide), vous pouvez vous adresser aux agences ***Zulaytur*** et ***Runa Tupari*** (voir leurs coordonnées plus haut dans « Adresses utiles ») ou auprès des communautés qui accueillent les étrangers, comme celle de Chilcapamba par exemple.

***« El lechero » :*** *rando facile et agréable d'env 4 km aller. Un des chemins est celui-ci : d'Otavalo, sortir par le marché Copacabana (plan A-B3), traverser la voie ferrée, prendre les escaliers à droite et monter la route en pierre ; El lechero est au sommet de la colline (2 850 m), sur la droite ; pour l'atteindre, il faut grimper à travers champs (les regards aiguisés parviendront cependant à discerner des passages plus ou moins tracés). El lechero* est un arbre solitaire sacré pour les gens du coin. Sa frondaison en plateau est très peu dense. Il est situé au sommet de la colline entre Otavalo et le lago San Pablo. De là-haut, jolie vue. Vous pouvez ensuite revenir sur vos pas ou continuer la promenade, en reprenant la route de pierre jusqu'au croisement qui mène à droite au lago San Pablo, à gauche au parque Condor et tout droit vers Peguche. Pour plus de sécurité, n'entreprenez pas cette rando seul ou sans la certitude de pouvoir rentrer au bercail avant la tombée de la nuit.

### L'ARBRE NOURRICIER

*Le lechero est un arbre sacré pour les Indiens. En effet, du « lait » s'en échappe quand on casse une branche, c'est pourquoi la tradition veut qu'un enfant mort soit enterré à côté d'un* lechero, *afin que le petit défunt soit éternellement nourri. Par conséquent, si vous observez une personne assise sous un tel arbre, respect et discrétion : celle-ci est peut-être en train de se recueillir sur la dépouille d'un enfant décédé.*

***Parque Condor :*** *à l'est d'Otavalo • parquecondor.org • Accès à pied (lire ci-avant « El lechero »), en taxi ou avec votre propre véhicule (mais allez-y mollo car la route empierrée est très cahoteuse). Mar-dim 9h30-17h ; démonstration à 11h30 et 16h30. Entrée : 3,75 US$.* Une sorte de « centre d'accueil » pour crécerelles américaines *(falco spaverius)* — une espèce de petits rapaces très commune dans la région et que les Indiens appellent *quilicos*. Ces dernières sont gardées en cage et certaines d'entre elles sont sorties deux fois par jour pour une démonstration de vol présentée dans un petit amphithéâtre. Elles ont été recueillies blessées ou en mauvaise santé. On peut y voir aussi deux condors qui sont la grande fierté du parc. Vous reconnaîtrez le mâle à sa crête. En devenant adultes, les condors (mâles et femelles) se dotent d'une collerette blanche, qui leur donnerait presque

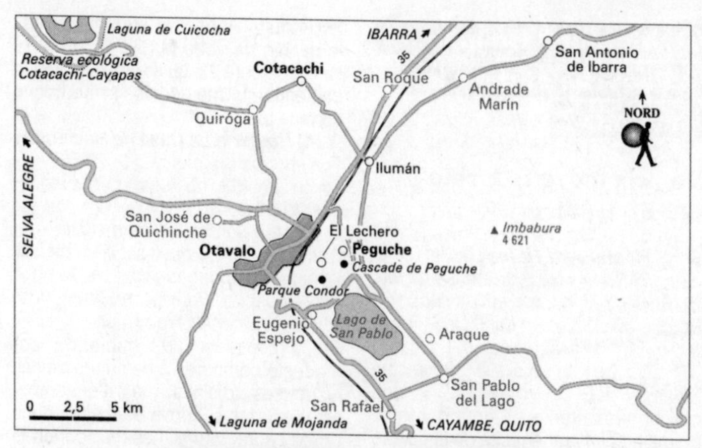


## LES ENVIRONS D'OTAVALO

un petit air de juge ! Sinon, un petit centre thématique en espagnol fait le point sur les rapaces du coin.

➢ ***Randonnée jusqu'à Peguche :*** la route empierrée qui part d'Otavalo et qui passe près du *lechero* et du *parque Condor* peut également vous mener à Peguche et à sa cascade (lire « Peguche » ci-après), à environ 9 km de là. C'est une très belle façon d'aborder ce village.



***Laguna de Mojanda :*** *au départ de Tabacundo, à 17 km au sud d'Otavalo, par un chemin empierré. Ça grimpe à flanc de montagne, mais la balade est belle. À pied, compter 5-6h de montée et 4h de descente. On peut prendre un taxi jusqu'aux lacs (compter 20 mn depuis Otavalo) et demander au chauffeur d'attendre (prévoir min 35 US$, retour compris). Cela peut aussi se négocier avec une agence d'Otavalo, à condition de se regrouper.* La laguna de Mojanda occupe ce que l'on appelle en géologie une caldeira, c'est-à-dire une dépression circulaire ou elliptique parfois de plusieurs kilomètres qui résulte de l'explosion de la chambre magmatique d'un volcan lors d'une gigantesque éruption (on parle dans ce cas-là d'explosion plinienne : la lave étant trop visqueuse pour s'écouler, ça pète, comme quand le Vésuve a détruit Pompéi et que l'explosion fut décrite par Pline – d'où son nom !). Dans le cas du Mojanda, ça s'est passé il y a environ 200 000 ans. Sur place, on compte en fait trois lacs de cratère, le plus grand est le Caricocha, le moyen l'Huarmicocha et le petit le Yanacocha ou lac noir. Sur leur pourtour, les *páramos* (prairies de haute altitude caractéristiques des Andes équatoriennes) sont mises à profit par les communautés du coin pour y élever leurs bovins. Depuis les lacs, un itinéraire mène au sommet du Fuya-Fuya (4 263 m) en 3h (ajouter environ 1h30 de descente). Le site n'étant pas sécurisé (et il s'agit d'endroits très peu fréquentés), mieux vaut partir sans passeport ni carte bleue et léger côté pépettes et, surtout, être accompagné d'un guide.

# PEGUCHE

IND. TÉL. : 06

**À 5 km au nord d'Otavalo, Peguche est un gros village tranquille où vous trouverez aussi de l'artisanat. D'Otavalo, on peut y accéder à pied (compter 40 mn).**

## Où dormir ? Où manger à Peguche et dans les environs ?

### De prix moyens à chic (20-50 US$)

⌂ |●| ***Hostal Aya Huma :*** *à Peguche, au bord de la voie ferrée désaffectée. ☎ 269-03-33. • ayahuma.com • Double 30 US$, petit déj 3 US$. Resto tlj 7h-11h, 17h-21h ; bar ouv jusqu'à 23h. Groupes de musique andine sam 20h-23h. CB acceptées.* Une maison restaurée avec goût qui tente de maintenir l'authenticité de la culture locale. Une bonne vingtaine de chambres, petites mais coquettes et bien arrangées, toutes avec salle de bains et aménagées pour 2 à 4 personnes. Le resto se trouve juste en face de l'hôtel, de l'autre côté des rails. Quelques tables en terrasse, avec une vue sympa. Chaque 1er samedi du mois à 15h, la maison organise un *temazcal* pour touristes avec shaman de service, sudation à la pierre de lave et tout le tintouin. Allez-y si vous ressentez le besoin de vous purifier le corps et l'âme, ça dure 2 à 3h (le vrai, lui, dure la nuit entière). Une adresse sympatoche comme tout.

⌂ |●| ***Hostería La Casa de Hacienda :*** *Panamericana Norte, km 3. ☎ 269-02-45 ou 294-63-36. • casadehacienda.com • À 1 km au nord de Peguche sur la route d'Ilumán et 3 km d'Otavalo, l'hacienda est indiquée sur la droite, sur la route Otavalo-Ibarra. Double 50 US$, petit déj inclus. Pour les résidents, possibilité de dîner sur résa : menu 10 US$. CB acceptées.* L'hacienda est modeste comparée à certaines de ses luxueuses voisines, mais l'ensemble est confortable, convivial et situé dans un joli cadre naturel. Les maisonnettes de 1 ou 2 étages abritent des chambres aux murs de brique, prolongées par une petite terrasse donnant sur une cour pavée ourlée de phœnix centenaires. Toutes celles situées au rez-de-chaussée possèdent une cheminée. Le patron, sympa comme tout, ne manquera pas de vous faire faire le tour de son jardin d'agrumes où il expérimente des traitements antiparasitaires bios.

## À voir. À faire

**La cascade :** *à 1 km du village (indiquée). Tlj 8h-18h. Petite contribution plus que bienvenue.* Jolie cascade de 18 m de haut dans une forêt d'eucalyptus à la végétation riche et variée. Le site sert régulièrement aux ablutions rituelles d'Inti Raymi (la fête du Soleil, le 21 juin) mais aussi pendant les équinoxes. Sachez que, pour les Indiens, l'endroit est avant tout un lieu sacré et non un site touristique (ce qui n'a pas empêché l'installation de nombre d'échoppes à ses abords !). Donc, montrez du respect pour les gens sur place et, si certains se baignent, évitez de les prendre en photo. Par ailleurs, même si c'est tentant, l'endroit ne se prête pas aux pique-niques, et vélos, chiens et chevaux sont interdits.

***Taller de Instrumentos Andinos Nanda Mañachi :*** *dans le village, à env 400 m de l'église, face au terrain de foot ; nom indiqué en grand sur la maison. ☎ 269-00-76. Tlj sf dim.* Il s'agit d'une famille de musiciens qui fabriquent également, de façon artisanale, des instruments : flûtes, maracas, *charangos* (guitares) conçues autrefois avec des carapaces de tatou *(armadillos)*. Avec un peu de chance, ils accepteront de se prêter à une petite démonstration, en 8 mn chrono, on taille, on accorde, on retaille, on assemble et ça donne une flûte de pan.

***L'atelier José Cotacachi :*** *de la place principale, prendre la ruelle à droite de l'église (quand on la regarde de face). ☎ 269-01-71.* Vous trouverez plusieurs maisons ou magasins du même nom autour de la place ; préférez la petite maison tapie derrière l'église, où, en semaine, on peut encore voir des démonstrations de *kallua*. Le *kallua* était le métier utilisé pour tisser la laine d'alpaga et de lama avant l'arrivée des Espagnols (qui introduisirent le mouton en Équateur). Bien entendu, toute la production exposée est à vendre. Escale prisée des touristes américains en goguette, ne comptez pas faire des affaires ici, les prix sont un peu plus élevés qu'à Otavalo, mais chaque article est signé et la qualité garantie.

## DANS LES ENVIRONS DE PEGUCHE

**Ilumán :** *au nord de Peguche.* Dans ce village, où sont aussi fabriqués des chapeaux de feutre *(au 26 calle principale dans le barrio Santo Domingo, par exemple),* quelques maisons portent, au-dessus de leur porte, le nom des *yachacs,* ces médecins traditionnels indiens. Pas d'argent entre vous et lui, on ne paie que si l'on est satisfait. La médecine traditionnelle des Indiens est tolérée en Équateur. Elle se rapproche des médecines des hauts plateaux du Tibet voire de l'âyurveda. Carlos Alberto Sosa Encalada est un type en or (enfin, c'est plutôt son sourire qui est en or). Il exerce depuis 1959. Il saura détecter tous les maux qui vous habitent et vous concoctera un régime alimentaire pour 3 jours ! À découvrir.

# COTACACHI

IND. TÉL. : 06



**Situé à 11 km au nord d'Otavalo, Cotacachi, terre indigène par excellence, est devenue en quelques années une sorte de nouveau Far West pour retraités américains. Il n'est pas rare de croiser dans ses rues en damier, quelques septuagénaires à l'accent texan, le stetson porté à la manière des cow-boys. Faut dire que la région offre de grands espaces propices à la randonnée équestre, qu'on y respire un air pur et qu'il y souffle un vent de liberté. Qui plus est, on y développe un travail de maroquinerie d'excellente facture. Loin des magasins attrape-touristes d'Otavalo, les échoppes d'ici font dans la chaussure, le prêt-à-porter et la bagagerie. Un travail du cuir haut de gamme dont la réputation dépasse largement les limites du canton puisqu'ils exportent dans le monde entier. Il n'y a qu'à faire l'inventaire des boutiques du centre-ville pour s'en persuader. Mis à part ça, Cotacachi est célèbre dans tout le pays pour avoir élu le premier maire indien, Auki Tituaña, c'était en 1996. Depuis, les Indiens ont gardé le pouvoir, puisque, aujourd'hui encore, c'est toujours un *kishwa* qui préside aux affaires communales.**

➢ Bus ttes les 10 mn de/vers Otavalo, 6h20-19h15 avec la compagnie *6 de Julio*.

### Adresse utile

**Departamento de Desarrollo Turístico :** *Bolívar y 9 de Octubre, dans la Casa de las culturas. ☎ 291-57-55 ou 51-40. Lun-ven 9h-13h, 15h-19h.* Petite cafétéria au rez-de-chaussée.

### Où dormir ?

### Où manger ?

Peu d'hébergements dans le coin, la plupart des touristes dormant à Otavalo ou dans les communautés de la région. Aux abords du terminal terrestre, une flopée de petits restos très bon marché (moins de 2 US$ le repas complet), l'occasion de se laisser tenter par un bouillon de poule ou par le traditionnel *yahuar locro,* une soupe de tripes de mouton avec des patates et de l'avocat.

**Mindala B & B :** *Bolívar s/n y 9 de Octubre. ☎ 291-69-00 ou 09-98-30-01-60. • mindala.com • Double 38 US$, petit déj compris.* Une petite quinzaine de chambres, toutes avec salle de bains et eau chaude et un petit appart disposant d'une cuisine. Distribuées tout autour d'un patio intérieur, elles ne sont pas bien grandes mais bien tenues. Accueil convenable.

**Comedor de Jambi Mascari :** *calle Artepiel (anciennement 10 de Agosto). ☎ 291-59-77. À 30 m après le terminal de bus, en descendant vers la campagne, sur la droite. Lun-ven, slt le midi et de 12h30 à 14h. Repas 1,75 US$.* Cantine sans prétention gérée par les femmes du cru. Cuisine simple et typiquement équatorienne. Les recettes servent à un programme d'éducation santé à destination des femmes développé par Médecins sans frontières.

**Restaurante La Marqueza :** *calle 10 de Agosto y Bolívar. ☎ 291-54-88. Tlj 8h-21h30. Menu du jour copieux env 10 US$ ; à la carte, plats 11-13 US$. CB acceptées.* Bon resto à la carte variée et proposant des spécialités locales comme le cochon d'Inde.

## À voir

**Museo de las Culturas :** *García Moreno 1341 y Bolívar. Lun-ven 9h-12h, 14h-17h ; sam 14h-17h ; dim 10h-13h. Entrée gratuite.* Ce musée, remis à neuf en 2012, propose des expos attrayantes qui retracent l'histoire archéologique et ethnographique de la région. Une salle consacrée à l'artisanat du coin (travail de la laine, du coton et surtout du cuir). Une autre dédiée aux plus fameux musiciens et compositeurs de Cotacachi, partitions et instruments à l'appui. Très bien expliqué (traduction en anglais) : on apprend plein de choses ! Sinon, expos temporaires.

**Casa de las Culturas :** *Bolívar y 9 de Octubre. Lun-ven 9h-13h, 15h-19h. Entrée gratuite.* Espace public d'exposition présentant des tableaux d'Oswaldo Guayasamín, le chantre équatorien de la peinture expressionniste. Ils proviennent de sa fondation à Quito. Intéressant si vous n'avez pas l'occasion de visiter celle-ci. Les œuvres tournent tous les 2 mois. Propose aussi un accès à Internet sur les ordinateurs de la bibliothèque, organise tous les 15 jours des concerts de musique traditionnelle ou classique. Participe aussi à un programme d'alphabétisation des enfants des communautés environnantes. Infos sur place.

**Mural de los Excluidos :** sur la place près du *Museo de las Culturas,* grande céramique polychrome intitulée *El Grito de los Excluidos* (« Le Cri des exclus ») de Pavel Egüez.



# DANS LES ENVIRONS DE COTACACHI

**Reserva ecológica Cotacachi-Cayapas :** *entrée principale située env 13 km à l'ouest de Cotacachi. Visite tlj 8h-17h. Entrée gratuite.* La réserve proprement dite est immense, elle avoisine les 2 450 km² et s'étage sur des altitudes allant de 35 m – au voisinage de la zone littorale de la province d'Esmeraldas –, à 4 939 m. Cette réserve constitue un des écosystèmes les plus riches du monde, dans la mesure où elle englobe à la fois de vastes territoires en zone montagneuse mais également de la forêt tropicale humide. On y dénombre plus de 630 espèces d'oiseaux, dont une grande majorité est endémique à cette région. Les ríos Santiago et Cayapas forment un bassin d'irrigation de 7 100 km² avec un débit de 34 130 m³ à la seconde (en comparaison, le Rhône qui, après le Nil, est le fleuve le plus puissant débouchant en Méditerranée, atteint 5 000 m³/s quand il est en crue !). Plusieurs centres d'intérêt méritent qu'on s'y attarde. Ils sont plus ou moins accessibles, mais il est de toute façon toujours recommandé de se faire accompagner d'un guide compétent.

➢ **Laguna de Cuicocha :** *juste au niveau de l'entrée de la réserve. On s'y rend en bus depuis Cotacachi ou Otavalo (arrêt à Quiroga), ensuite il faut négocier une camionnette ou éventuellement s'adresser à une communauté telle que celle de Chilcapamba.* Situé à 3 068 m d'altitude, c'est un très beau lac de cratère occupant le fond d'une caldeira qui s'est formée il y a de cela un peu plus de 3 000 ans (ce qui est récent d'un point de vue géologique). Au centre de ses eaux d'un bleu profond tirant sur le vert, émergent deux îles d'origine volcanique dont l'une a la forme d'un cochon d'Inde, ce qui a donné le nom au lac (du quechua *cuy,* « le cochon d'Inde », et *cocha* qui veut dire « lac »). Elles servaient jadis de prison aux Incas. Un sentier balisé fait le tour du lac par les crêtes (compter environ 4-5h). Sinon quelques centaines de mètres après le petit centre d'informations (faible intérêt, sauf pour faire le point sur les randos : temps de parcours, distance, etc.), un bar-resto à fleur de lac propose des balades en barque *(compter 2 US$/pers, le w-e slt).*

➢ ***Ascension du volcan Cotacachi :*** faisable sans trop de problème, mais rappelez-vous bien que le Cotacachi est considéré comme le volcan le plus actif d'Équateur ! Ça commence par une piste jusqu'au relais téléphonique et ça se poursuit par un sentier de rando. Comptez bivouaquer un peu après le relais, mais choisissez bien l'endroit, car il y a du vent (surtout en juillet-août). Prévoir aussi de quoi vous changer car vous risquez d'être bien trempé (le temps change très vite). Pour cette ascension (qui reste quand même de la haute montagne), préférez vous adresser à une agence proposant des guides compétents et expérimentés. Méfiez-vous des jeunes des communautés indiennes qui s'improvisent guide de haute montagne et vous suivent le lecteur mp3 à fond dans les oreilles. L'auberge *El Mirador* connaît bien le sujet et pourra vous conseiller.

➢ ***Páramos et lagunas de Piñán :*** *à env 65 km au nord-ouest de Cotacachi.* Les *lagunas de Piñán* sont un ensemble de lacs d'origine glaciaire dont les plus grands sont le Dononso et le Yanacocha. C'est une région reculée et sauvage. On y trouve une des dernières *fincas* autrefois régie par le système du *huasipungo,* un principe féodal de servage établi au XVIIIe s, par lequel les riches propriétaires d'hacienda s'attachaient à temps plein le travail des Indiens vivant sur « leurs » terres. Ce système a théoriquement été aboli en 1964, les proprios ont refilé aux Indiens les terres les plus misérables et le tour était joué... Nombre de ces *fincas* ont été depuis converties en hôtels. Parmi la flore de la région, citons quelques broméliacées et orchidées endémiques. Côté faune, les pêcheurs taquineront la truite arc-en-ciel et les observateurs épingleront à leur tableau de chasse photographique quelques cervidés.

De l'entrée principale de la réserve, une piste part au sud-ouest et rejoint le village d'Intag en un peu moins de 2h de bus *(3 départs/j. du terminal terrestre d'Otavalo à 8h, 10h et 14h).* Elle égrène au passage un certain nombre de sites intéressants dont ***Apuela*** et les ***termas de Nangulví,*** le plus gros bourg sur la route d'Intag. Pour y accéder, on traverse de magnifiques paysages dans une végétation subtropicale dense où le vert impose sa loi. Situé à la confluence des ríos Apuela et Azabi, mis à part le dimanche, jour de marché, le village ne casse pas quatre pattes à un canard, mais il a l'avantage d'être le point de départ de quelques randos, notamment pour les sources chaudes de Nangulví à environ 10 mn en 4x4 de là. Nangulví est une station thermale gérée par les locaux *(tlj 6h-21h ; entrée : env 1 US$).* Sur place, on trouve de quoi se loger relativement bon marché.

## Où loger dans la région ?

***Chilcapamba :*** *les contacter à l'avance (si possible en espagnol) par l'intermédiaire du formulaire sur • chilcapamba.org • ou • alfmorales23@gmail.com • Sur place, contacter Alfonso Morales, 09-97-71-26-95 ou 09-90-48-34-28. Depuis Otavalo, bus pour Quiroga (ttes les 15 mn env jusqu'à 19h ; env 20 mn), puis taxi ou camionnette locale (en face de l'arrêt de bus ; env 1,5 US$) jusqu'à la*

LE NORD

*communauté. Compter 25 US$/pers en ½ pens ; loc de VTT 15 US$/j.* Au cœur d'une communauté otavalo, à deux pas du lac Cuicocha, dominée par les volcans Imbabura et Cotacachi. Ce projet de tourisme équitable est né il y a une quinzaine d'années sous l'impulsion d'Alfonso Morales. Aujourd'hui, 5 familles accueillent les touristes de passage. Logement simple chez l'habitant mais correct dans des chambres de 3 à 4 personnes avec salle de bains à partager, attenantes aux maisons familiales. Les repas sont pris dans les salles à manger communes ou à la table familiale, un bon moyen de partager le quotidien des gens et les travaux des champs. Plusieurs excursions proposées, à pied ou à cheval, accompagné d'un « guide » de la communauté, vers la lagune Cuicocha ou la cascade de Peguche.

**El Mirador :** *au-dessus de la laguna Cuicocha. 09-99-90-87-57. • miradordecuicocha@yahoo.com • Juste avt le poste de péage, à l'entrée du site du lac, prendre la piste à gauche, qui monte sur 600 m jusqu'au belvédère. En taxi, env 10 US$ de Cotacachi et 12 US$ d'Otavalo ; si vous appelez au préalable, on peut venir vous chercher à la gare routière d'Otavalo ou de Cotacachi. Env 14 US$/pers en chambre double avec sdb et eau chaude. Menu midi et soir 6-7 US$.* Une pension rustique d'une bonne douzaine de chambres, dont certaines possèdent une belle vue sur le lac. Accueil familial, simple et gentil d'Ernesto et de sa femme Soraya, qui pourront vous parler de la flore environnante et vous aider à organiser vos excursions. Les chambres possèdent parfois une cheminée. La salle à manger est au diapason, tout aussi dépouillée. Un vrai refuge pour randonneur quoi !



# IBARRA

135 000 hab. IND. TÉL. : 06

**Située à 106 km au nord de Quito et à 24 km d'Otavalo, la capitale de l'Imbabura, perchée à 2 225 m d'altitude, fut la cité la plus septentrionale de l'empire inca. C'est aujourd'hui une ville commerçante aussi animée dans la journée qu'elle est tranquille le soir. Plantée au cœur d'une région agricole de toute beauté, elle est surnommée « la ville blanche », peut-être pour la distinguer des nombreuses communautés noires qu'égrène la plaine arrosée par le río Chota, plus au nord. Fondée par les Espagnols en 1606, elle fut entièrement détruite par le tremblement de terre qui ravagea la région en 1868, et à la suite duquel les habitants furent contraints à l'exil pendant 4 ans. En 1987, un nouveau tremblement de terre fit plus de 13 000 victimes. Beaucoup moins touristique qu'Otavalo, Ibarra, qui garde en mémoire les traumatismes qui l'ont endeuillée, paraît de ce fait moins artificielle. Quelques belles architectures néoclassiques, néogothiques, du baroque colonial ou, pour certaines, de style Art nouveau font écho à des places joliment arborées sur lesquelles aiment à se retrouver les habitants pour surfer sur le Net.**

### *HELADOS DE PAILA* : UNE GLACE À VOUS FAIRE FONDRE...

*En 1896, Rosalia Suarez inventa ici une glace, ou plutôt son procédé de fabrication. La bassine qui contient le jus de fruits est posée dans une grande cuvette tapissée de paille, de glace et de sel. Le jus de fruits est mélangé avec une cuillère, à la main, dans un mouvement de rotation continu, afin que le liquide prenne et se transforme en un pur délice fruité, léger et glacé. Cette heureuse tradition est perpétuée par la descendance et vous pourrez goûter les fameuses glaces de Rosalia dans les enseignes* « Rosalia Suarez » *ou* « La Bermejita ».

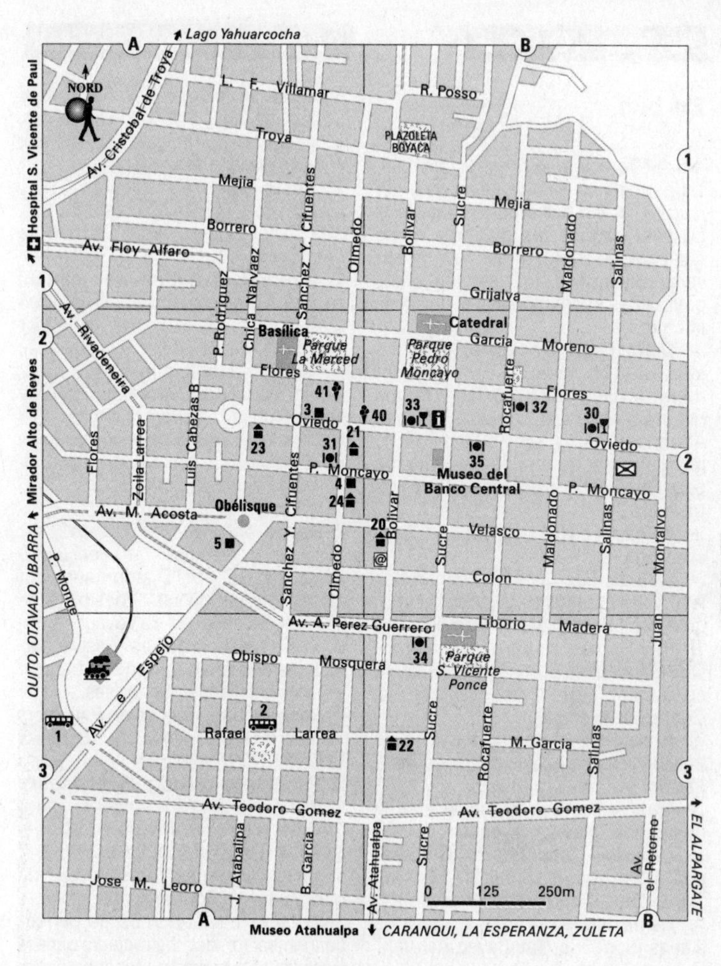


# IBARRA

**Adresses utiles**

- **1** Terminal terrestre
- **2** Terminal La Esperanza (bus locaux)
- **3** Casa de cambio Imbacomer
- **4** Banco del Pacífico
- **5** Bureau Autoferro

**Où dormir ?**

- **20** Hostal El Ejecutivo
- **21** El Imperio
- **22** Master's Hostal Suite
- **23** Hotel Imbabura
- **24** Hotel Royal Ruiz

**Où manger ? Où boire un verre ?**

- **30** Cafe Arte
- **31** Picanteria Myriancita
- **32** Pizzería El Horno
- **33** La Hacienda Café-Delicatessen
- **34** Caribou
- **35** Degloria

**Où manger une bonne glace ?**

- **40** Helados Rosalia Suarez
- **41** Helados La Bermejita

## Arriver – Quitter

### En bus

🚌 @ ***Terminal terrestre*** *(plan A3,* ***1****)* **:** *à proximité de l'ancienne gare ferroviaire.* Grand hall propre et lumineux où sont alignés les guichets d'une quinzaine de compagnies. Vous y trouverez aussi un distributeur de billets pour cartes internationales et un accès Internet.

➢ ***Quito, Otavalo :*** bus ttes les 10 mn env, 3h-18h avec le groupement d'entreprises *Transportes Unidos* (*Aerotaxi, Andina* et *Expresso Turismo*). Attention, le dim soir, quand tout le monde rentre de w-e, la file d'attente pour Quito est considérable ! Durée du trajet 3h.

➢ ***Tulcán :*** env 9 bus/j 7h30-17h30 avec *Expresso Turismo*.

➢ ***Salinas, San Lorenzo :*** départ ttes les 2h env, 4h-18h10, avec la compagnie *Trans Espejo*. Durée du trajet : env 1h pour Salinas, 5h pour San Lorenzo. Quelques autres compagnies assurent également cette liaison (*Trans del Chota*, par exemple).

➢ ***El Angel :*** une demi-douzaine de bus 6h-17h30, plutôt le mat avec *Trans Espejo*.

➢ ***Mascarilla :*** bus fréquents avec la compagnie *Oriental Pimanpiro*.

➢ ***Urcuqui, Chachimbiro, Cahuasqui :*** 1 bus ttes les heures 9h-19h avec *Transportes Urcuqui* et *Buenos Aires*.

➢ ***Esmeraldas :*** 4-5 bus/j. dans les 2 sens (dont 3 le mat !) avec *Aerotaxi*. Durée du trajet : env 7h.

➢ ***Guayaquil, Manta, Portoviejo, Cuenca :*** avec *Flota Imbabura*. Guayaquil, départ à 19h30, 20h50, 21h30 ; Cuenca à 19h, 20h et Manta à 19h. Jusqu'à Guayaquil, compter 12h.

🚌 ***Terminal La Esperanza*** *(bus locaux ; plan A3,* ***2****)* **:** *calle Rafael Larrea y Juana Atabalipa.*

➢ ***La Esperanza :*** ttes les 15 mn, 6h-19h45. Durée du trajet : 30-45 mn.

➢ ***Zuleta :*** vers Zuleta, ttes les heures, lun-sam 6h-19h (dim jusqu'à 17h30 slt) ; vers Ibarra, ttes les heures, 5h30-17h30.

## Adresses et infos utiles

ℹ ***Oficina de Turísmo*** *(plan B2)* **:** *Oviedo y Sucre.* ☎ *260-84-89.* ● *touribarra.gob.ec* ● *Lun-ven 9h-16h ; sam 8h-12h.* Sur une jolie placette. Bon accueil.

✉ ***Poste*** *(plan B2)* **:** *Salinas 6-70 y Oviedo. Lun-ven 8h-18h ; sam 8h-12h. Une annexe, aussi, dans la gare de l'autoferro.*

@ ***Internet et téléphone :*** partout en ville. Le plus complet est le ***Jireh Cybercafé*** *(plan B2)* **:** *Bolívar 9-33 y Sucre (à côté de l'hôtel* Ejecutivo*). Tlj lun-sam 7h-21h30, dim 8h-17h.* Également du wifi gratuit dans le *parque Pedro Moncayo* (devant la mairie).

■ ***Casa de cambio Imbacomer*** *(plan A2,* ***3****)* **:** *Oviedo 8-18 y Olmedo.* ☎ *295-551-29. Lun-ven 8h30-13h, 15h-18h30 ; sam 9h-13h30.*

■ ***Banco del Pacífico*** *(plan A2,* ***4****)* **:** *Moncayo y Olmedo. Lun-ven 8h30-16h ; sam 9h-14h.* Distributeur pour cartes internationales. Possibilité de changer les chèques de voyage *(American Express)* en dollars. Assure normalement le change, mais la banque est souvent à cours de devises...

✚ ***Hospital San Vicente de Paul*** *(hors plan par A1)* **:** *Luis Vargas Torres 12-56.* ☎ *295-06-66 (urgences).*

■ ***Parapente-rafting Flyecuador :*** *Rafael Troya 5-117 y Vincente Fierro (derrière la piscine olympique).* ☎ *295-32-97.* ● *riverecuador.com* ● *Tlj 9h-13h, 15h-19h.* Une des rares écoles de parapente en Équateur, qui propose des stages d'initiation ou de perfectionnement (un des instructeurs parle le français) et des vols en tandem. Organise également des sorties en rafting ou kayak sur les rivières Miro et Chota.

– ***Marché*** *(plan A3)* **:** *tlj autour de l'ancienne gare ferroviaire et sur les rails de l'autoferro !* Vaste et animé.

## Où dormir ?

### Très bon marché (moins de 18 US$)

🏠 ***Hostal El Ejecutivo*** *(plan B2,* ***20****)* **:** *Bolívar 9-69 y Colón.* ☎ *295-65-*

*75. Double avec sdb 14 US$.* Un hôtel propre dont le mobilier a un peu vécu, qui garde toutefois une certaine élégance. Bon rapport qualité-prix. Accueil un peu désabusé.

**El Imperio** *(plan A2,* ***21****) : Olmedo 8-50 y Oviedo. ☎ 295-29-29. • ama rillainternet.com • Entrée au 1er étage. Double 16 US$, quadruple 32 US$.* Passé l'accueil avec l'image du Christ pensif et coloré, une cinquante de chambres fort bien équipées avec salle de bains, TV câblée et juste ce qui faut de mètres carrés pour se retourner au sortir du lit. À l'étage, les « suites » possèdent même leur propre cuisine tout équipée. L'ensemble fait un peu hôpital désaffecté mais, dans l'ensemble, le rapport qualité-prix n'est pas mauvais. Accueil courtois.

## Bon marché (18-30 US$)

**Master's Hostal Suite** *(plan B3,* ***22****) : Rafael Larrea 3-53 y Bolívar. ☎ 295-86-86 ; 09-95-34-93-23. • mastershostal@hotmail.com • Double 25 US$, réduc à partir de la 2e nuit. Pas de petit déj.* Dans un immeuble un peu isolé, une vingtaine de chambres avec salle de bains privative et TV câblée, qui arborent fièrement un embryon de déco kitschouille. L'endroit se veut plaisant avec ses édredons molletonnés tout roses et ses oreillers en forme de cœur. Tout est nickel et l'accueil est souriant.

**Hotel Imbabura** *(plan A2,* ***23****) : Oviedo 9-33 y Sánchez y Cifuentes. ☎ 295-01-55. Double avec sdb commune 22 US$.* Un des plus vieux hôtels de la ville, mais il est bien tenu et reste de qualité. Une adresse aussi charmante que son vénérable propriétaire, Don Pepe, mémoire de la ville, qui possède un petit musée privé précolombien ainsi qu'une collection surprenante de mignonnettes venues du monde entier ! Les chambres se répartissent autour d'un petit patio fleuri, avec fontaine poissonneuse (si, si, cherchez bien sous les feuilles !). Au nombre d'une douzaine, les chambres sont rudimentaires mais propres et suffisamment confortables. Demandez-en une avec fenêtre, ça change tout !

## Prix moyens (30-48 US$)

**Hotel Royal Ruiz** *(plan A2,* ***24****) : Olmedo 9-40 y Pedro Moncayo. ☎ 264-46-53. • h.royalruiz@yahoo.es • Double avec sdb 40 US$, petit déj compris. CB acceptées.* Situé en plein centre, ce grand hôtel parcouru par les effluves des produits d'entretien qui l'ont aidé à se hisser dans la catégorie « Prix moyens » reste d'un assez bon rapport qualité-prix. On y trouve une trentaine de chambres plutôt confortables mais sans gros efforts de déco. Les plus calmes donnent sur l'arrière.

# Où manger ? Où boire un verre ?

## Bon marché (moins de 5 US$)

**Cafe Arte** *(plan B2,* ***30****) : Salinas y Oviedo. ☎ 295-08-06. Lun-jeu 12h-minuit, ven 12h-2h, sam 17h-2h. Repas du midi env 3 US$, à la carte le soir env 5-6 US$.* Concert *en vivo ven-sam 21h30. Projection de films mar.* Plusieurs salles dont un espace salon, une dans le style auberge avec tables et bancs de bois, une autre consacrée aux projections de films. L'endroit ne s'appelle pas *Cafe Arte* pour rien : les murs sont couverts de tableaux plutôt contemporains, et les films proposés sont plus volontiers piochés dans le cinéma indépendant que dans les grosses productions hollywoodiennes. Une belle adresse un tantinet branchée mais néanmoins fort agréable, que l'on pourrait qualifier d'alternative.

**Picanteria Myriancita** *(plan A2,* ***31****) : à l'angle Olmedo y Moncayo.* Petite cantine de rue, simple et bonne. On y sert le *llapingacho,* purée de pommes de terre avec de la viande, du chorizo, de l'avocat...

## Prix moyens (5-12 US$)

**Pizzería El Horno** *(plan B2,* ***32****) : Rocafuerte 6-38 y Flores. ☎ 295-90-*

LE NORD

*19. Tlj sf lun ; ouv le soir slt, à partir de 18h.* Voilà une vraie pizzeria (sans ketchup dans les pizzas, comme c'est souvent le cas ailleurs) tenue par le jovial Patito, un Équatorien qui a travaillé en Italie et en France et s'adresse à vous avec une pointe d'accent toulonnais. Ses salades niçoises, pizzas, lasagnes et viandes sont faites avec amour et passion. Parfois, Patito joue avec son groupe de musique sud-américaine, les *Vientos de América,* alors on passe un bon moment...

**La Hacienda Café-Delicatessen** *(plan B2,* ***33****)* **:** *Oviedo y Sucre, dans la cour à côté de l'office de tourisme. ☎ 260-30-03. Lun-jeu 7h45-22h30, ven-sam jusqu'à 23h30. CB acceptées.* Murs imitation banco, bancs et tables en bois, pour une déco terre et paille faisant référence à l'Afrique. Au bar, on s'assoit sur des bidons de lait. C'est chaleureux. Un endroit idéal pour grignoter un en-cas ou un goûter et boire un jus de fruits naturel. Également des tapas, salades, sandwichs, vin au verre (bof). Bon et vrai café expresso. Bonne musique.

**Caribou** *(plan B3,* ***34****)* **:** *Pérez Guerrero 5-37, entre Sucre y Bolívar. ☎ 260-51-37. Tlj sf dim.* Tenu par Esthela une souriante Équatorienne mariée à un Canadien (Enderick). La carte et l'ambiance cosy de la salle évoquent l'Amérique du Nord. Carte variée : la viande occupe une place d'honneur, accompagnée de bonnes salades, mais on retrouve aussi quelques plats mexicains et les traditionnels hamburgers ou sandwichs.

**Degloria** *(plan B2,* ***35****)* **:** *Oviedo 5-45, entre Sucre y Rocafuerte. ☎ 295-06-99. Lun-sam 8h-22h. Plats env 7-9 US$.* Généreuses et alléchantes pâtisseries et petits plats bien préparés dans un espace aéré, en mezzanine.

## Où dormir ? Où manger dans les environs ?

**Casa Aida :** à **La Esperanza.** *☎ 266-02-21. • casaaida.com • À 7 km au sud d'Ibarra (bus fréquents depuis le terminal local). Camping 3 US$/pers ; double env 14 US$. Petit déj 3,50 US$, dîner env 5 US$.* La Esperanza est un village perché à 2 650 m d'altitude, d'où l'on peut entreprendre les ascensions du Culbiche (3 830 m) et, pour les plus sportifs, du volcan Imbabura (4 630 m). La *Casa Aida* est un refuge bien connu dans la région (ne pas confondre avec une autre adresse située dans la même rue mais nettement moins bien et plus chère). Salles de bains (avec eau chaude) et w-c communs plutôt sommaires, tout comme les chambres qui possèdent une literie correcte. Dans le jardin, une cahute avec 5 couchages répartis sur 2 niveaux, très sympa pour une bande de potes. Bref un endroit plein de charme, d'où se dégage une chaleureuse atmosphère. Salle à manger genre refuge alpin. Sans être guide officiel, José, le maître des lieux, peut vous organiser n'importe quel type de balade dans les environs. Par contre vous avez intérêt à partir dès potron-minet car le clairon de la caserne d'à côté vous tirera des bras de Morphée à 5h pétantes de toute façon !

**Pukyu Pamba – Tourisme communautaire :** à **San Clemente** *(au sud d'Ibarra, sur le versant est de l'Imbabura). 09-99-16-10-95 (Manuel). • sclemente.com • Le mieux c'est de prendre un taxi à Ibarra, compter 5 US$ max. 2 tarifs de séjour au forfait, comprenant la pension complète et les activités (y compris les randos mais pour le cheval, compter un sup de 10 US$). Hébergement « confort » 45 US$/pers ; hébergement avec sdb à partager 35 US$/pers ; ½ prix pour les 6-12 ans.* Une petite « affaire » communautaire créée à l'initiative de Laura et Manuel Guatemal. Aujourd'hui, près d'une quinzaine de familles kishwaquaranquis accueillent les touristes qui viennent ici s'immerger dans la culture locale. On apprend à travailler la terre selon la pratique de la *Minga* (mise en valeur commune), à faire de la broderie, à cuisiner à s'occuper des bêtes. L'occasion également de faire de belles balades, y compris jusque dans la réserve écologique de Cayambe-Coca (compter 4-5 jours dans ce cas-là). Bref, une petite aventure à vivre en famille, même si ce n'est pas donné, il faut bien l'avouer.

🛏 🍽 ***Hostería Chorlaví :*** *Panamericana Sur, au niveau du pont N° 14.* ☎ *293-22-22.* • *haciendachorlavi.com* • *À 4 km de la sortie d'Ibarra, en direction de Quito. Doubles à partir de 82 US$, petit déj inclus. CB acceptées.* 💻 📶 *Chorlaví* signifie « nid d'amour » en kishwa. Le monastère d'origine fut rapidement transformé en hacienda, puis en hôtel de charme suite à la réforme agraire. Certaines chambres entourent le grand patio (sur lequel donne aussi le bar...), mais les plus tranquilles sont à l'écart, au fond du magnifique jardin. Toutes possèdent le confort en rapport avec cette classe d'établissements. Le petit déj est copieux, même si le service n'est pas toujours au top. Les parties communes possèdent beaucoup de charme et regorgent de vieux meubles et objets datant de l'époque où l'hacienda était encore en service. Sinon, tennis, billard, piscine et spa. Une belle adresse et qui plus est, d'un rapport qualité-prix fort convenable.

## Où manger une bonne glace ?

🍦 ***Helados Rosalia Suarez*** *(plan A-B2,* ***40****) : Oviedo 7-82 y Olmedo. Tlj 7h-18h30.* On y déguste les meilleures glaces de la province, fabriquées maison depuis des générations (1896) et à tous les parfums : vanille, noix de coco, papaye, ananas, corossol (appelé ici *guanabana,* l'alter ego du célèbre durian que l'on trouve en Asie du Sud-Est)... Ne pas confondre cette adresse avec son homonyme, situé juste en face, les 2 maisons étant en étroite compétition. Les glaces sont fabriquées dans la boutique le matin, donc si vous voulez voir comment est préparé ce délice...

🍦 ***Helados La Bermejita*** *(plan A2,* ***41****) : Olmedo 7-15 y Flores. Tlj 8h30-19h30.* Tenu également par la famille Suarez, l'endroit est idéal pour s'attabler autour d'une jolie (et délicieuse !) coupe de glace dans un décor aux couleurs acidulées.



# À voir. À faire

👁👁👁 ***Museo del Banco Central*** *(plan B2) : Oviedo y Sucre. Lun-sam 10h-16h. Entrée gratuite.* La première salle présente principalement les découvertes archéologiques faites autour d'Ibarra et l'histoire de la présence humaine en Équateur et dans la région. L'ensemble, succinct mais instructif, est très bien agencé (pour ceux qui ne parleraient pas l'espagnol : les textes sont traduits en anglais). On remarquera, entre autres poteries et objets issus de l'industrie lithique préhistorique, un bel exemple d'orfèvrerie (médaillons, sautoirs, fibules, boucles d'oreilles). Dans la salle située en sous-sol, bel inventaire des coutumes et rituels des Indiens de la région, dont de savoureux êtres mythiques comme *Sacha Runa,* l'homme des bois. Vous noterez également que le Corpus Christi local n'est pas piqué des hannetons ! Moins délirante est la salle consacrée aux objets liturgiques et à la peinture religieuse des XVIIe et XVIIIe s. Un coup de projecteur est donné sur l'*escuela quiteña* du XVIIIe s. Autrement, quelques madones à l'enfant et des sculptures polychromes sur bois. Bref, l'occasion de faire le tour de l'art sacré colonial. Vous noterez cette propension qu'ont les locaux à coller des ailes dans le dos de tous les saints, voire même de la Vierge. Ceci vient en partie du fait que l'iconographie américaine a fortement été influencée – dans l'art baroque, notamment –, par le traité sur les anges de Denys l'Aéropagite et que, à la différence de celles de l'Europe, les hiérarchies angéliques paraissent en étroite relation avec les astres. Bref, une intelligente substitution des croyances autochtones vers le christianisme.

👁 ***Parque y basílica La Merced*** *(plan A2) :* c'est le plus intéressant des trois parcs de la ville. Construite au début du XIXe s, la basilique est dans le pur style baroque avec son plafond voûté, ses trois nefs et son plan en croix latine avec coupole. Le maître-autel, flamboyant comme ce n'est pas permis, abrite, en son centre, la

Vierge de la Merci. Précisons que les mercédaires jouèrent un rôle considérable dans l'évangélisation du Nouveau Monde. Le soir, au moment du rosaire, les portes sont largement ouvertes sur la place, ce qui confère à ce sanctuaire marial, un charme typiquement équatorien. En face de la basilique, de l'autre côté de la place, se trouve un ancien fort militaire. Au rez-de-chaussée quelques gargotes et des boutiques vendant fruits secs et liqueurs, ainsi que tout un tas de sucreries à base de sucre de canne et de noix.

***Parque Pedro Moncayo – Catedral*** *(plan B2)* **:** sur cette place où l'on peut surfer gratuitement sur le Net (wifi), la cathédrale occupe l'angle nord-ouest. Elle a été construite après le tremblement de terre de 1868. Dans un style baroque, avec plafond en faux caissons, coupole, maître-autel avec colonnes salomoniques dorées et tout le tintouin, elle recèle quelques œuvres de l'*escuela quiteña* du XVIIIe s. À l'autre extrémité de la place, séparée d'elle par la curie, la chapelle épiscopale à la façade néogothique mérite également une belle photo.

Le centre d'Ibarra cache bien ses joyaux. ***El Alpargate*** *(hors plan par B3),* nom donné à la calle José Domingo Albuja, appartient aux vieux quartiers d'Ibarra. Cette rue tranquille, bordée de jolies petites maisons colorées et de cabanes en bois, offre un certain dépaysement. Malheureusement le pavé autobloquant lui donne des petits airs de lotissement de banlieue. Notez qu'elle est plus romantique la nuit, à la lueur des petits lampions en fer forgé qui ornent encore les portes des maisons.



***Museo Atahualpa*** *(hors plan par B3)* **:** *à Caranqui, à côté de la statue d'Atahualpa ; av. Atahualpa y c/ Cori-Cori. ☎ 265-12-10. • touribarra.gob.ec • Lun-ven 8h30-12h30, 14h30-17h30 ; sam-dim 9h-17h30. Entrée gratuite.* Ce petit musée qui sert également d'office de tourisme (docs sur Ibarra et sa région) fait le point sur l'activité volcanique de la sierra. S'ensuit un topo sur l'agriculture, la chasse et quelques poteries au colombin. À l'étage, de la céramique cosanga de la vallée de Cumbayá (province de Pichincha), d'intéressantes amulettes et divers objets votifs. Une brève exposition sur les coutumes néonatales nous apprend que les mères déformaient intentionnellement la forme du crâne de leurs nouveau-nés avec des instruments (de torture), pour signifier leur appartenance à une caste, à un clan. Dans le registre morbide, on poursuit par une vasque en pierre qui servait à poser la tête du sacrifié avant de l'égorger à l'occasion des sacrifices humains. Quelques fragments de tissus incas bien conservés clôturent la visite.

***Mirador Alto de Reyes*** *(à l'ouest de la ville, hors plan par B2)* **:** on le repère de loin grâce à la statue de saint Michel qui y trône. *Accès en taxi ou par le bus bleu de* Coop 28 Septiembre *(marqué sur le front du bus ; arrêt au croisement de Rocafuerte et Oviedo) ; descendre à l'Universidad Técnica ; de là, 10-15 mn de montée.* À droite, la *laguna de Yahoarcocha* apparaît très nettement, tandis qu'à gauche se dessine un beau panorama sur la ville.

## DANS LES ENVIRONS D'IBARRA

***L'autoferro*** **:** *infos et billets au bureau de la société ferroviaire (plan A2,* ***5****), situé au niveau de l'obélisque. La gare ferroviaire se trouve à 400 m plus au sud (plan A3). ☎ 295-50-50 ou 1800 TRENES (87-36-37). • ferrocarilesdelecuador.gob.ec • trenecuador.com • Billet A/R : 15 US$/pers. Départ d'Ibarra mer-dim 10h30 ; retour de Salinas 16h. Compter 1h30 de voyage à l'aller et autant au retour. Résa vivement conseillée (possible sur Internet), surtout les w-e et pdt les vac scol.* C'est à Ibarra que l'on emprunte l'un des trains les plus insolites du monde. Enfin, un train, c'est beaucoup dire. On l'appelle *autoferro* car il s'agit d'un bus monté sur rails. Du bus, on a pris le volant du chauffeur ainsi que les banquettes ; du train, on reconnaîtra les roues. Un bien curieux attelage qui reliait, à la grande époque,

Ibarra à San Lorenzo sur un trajet épique de 193 km. Suite à maintes détériorations l'*autoferro* ne parcourt plus que les 45 premiers kilomètres au départ d'Ibarra et s'arrête 5 km après Salinas (un village assoupi dont les habitants vivent pour beaucoup de la culture de la canne à sucre), à El Primer Paso. À l'arrivée, les passagers aident à tourner la micheline pour le retour ! Comme dans le bus, les gens montent et descendent n'importe où et n'importe quand sur le trajet. Il arrive même que le « train » déraille, mais ce n'est pas grave : tout le monde descend et on le remet en piste, dans la bonne humeur.
Vous souhaitez continuer vers San Lorenzo sans revenir à Ibarra ou faire une étape dans un coin perdu en pleine nature ? Nous avons deux adresses à vous proposer.

**Bosque de Paz** : *à* **El Limonal.** ☎ *(06) 301-66-06.* • *bospas.org* • *À 62 km d'Ibarra et 28 km de l'endroit où l'*autoferro *peut vous déposer pour que vous attrapiez un bus d'Ibarra en direction de San Lorenzo. Aller avec l'*autoferro *jusqu'à Salinas et, au retour, descendre au 1er arrêt du train (qui vous dépose au croisement avec la route de San Lorenzo) ; il vous faudra peut-être attendre le bus un petit moment. Demandez au chauffeur de vous arrêter à El Limonal (village env 3 km après le poste de douane) ; dans le village, prenez une route cahoteuse sur la gauche (fléché) ; allez, encore une petite montée de 600 m et vous y êtes ! Résa à l'avance obligatoire. Lit en dortoir 13 US$, double 36 US$, petit déj inclus. Repas env 6 US$.* Dans une région très peu visitée (et pourtant si belle !), Piet (un Belge flamand qui parle aussi le français) et Olda, son épouse originaire d'Esmeraldas, ont créé un petit paradis sur cette propriété de 15 ha, où monsieur, passionné de nature, a planté toutes sortes de plantes et d'arbres (dont une bambouseraie remarquable qui se visite moyennant une petite contribution). Aujourd'hui, la végétation luxuriante entoure de toutes parts la belle maison de bois. Les 3 chambres disposent de leur propre salle de bains et peuvent accueillir de 2 à 7 personnes. Une maisonnette, un peu à l'écart, est plutôt destinée aux groupes. Celles à la déco brute (béton au sol) sont impeccables et la literie est confortable. 2 d'entre elles ont un balcon avec hamac. Possibilité de randonnées ou de sorties à cheval. Également une toute petite piscine. Un coup de cœur pour cette adresse écolo, qui réjouira les amateurs de nature et de calme.

**Rana Cantó** : *à* **La Conga (Cahuasqui).** *09-93-08-31-34 ou 09-88-23-98-20.* • *ranacanto.com* • *À 1h30 en bus d'Ibarra (descendre au terminus de Cahuasqui). Double env 17 US$, camping 4 US$, petit déj 2,50 US$. Compter 7 US$ le repas complet. Réduc en cas de séjour prolongé.* Ça s'appelle se mettre au vert. Nadine et Pascal, un couple d'Ardéchois installé depuis une quinzaine d'années en Équateur, proposent le gîte et le couvert aux amoureux de la nature. Côté confort, une poignée de chambres pour 2 ou 3 personnes, toutes avec salle de bains, aménagées avec peu de moyen mais beaucoup de goût. Les inconditionnels du camping planteront leur guitoune dans le jardin. Sinon, belle table d'hôtes préparée avec les produits bios de la maison. L'endroit est un excellent point de départ pour faire du trekking et partir à la découverte des volcans et de la flore andine. Une adresse prisée de nos lecteurs.

***Mascarilla*** : juste après le pont sur le río Chota qui marque la frontière avec la province du Carchi, sur la route de Mira et d'El Ángel. Mascarilla est l'une des communautés noires d'Équateur, véritable creuset de sportifs de haut niveau, notamment en ce qui concerne le foot. L'implantation des Africains dans cette région date du XVIIe s, quand les jésuites, malmenés en Europe, arrivèrent en masse au Nouveau Monde avec dans leurs bagages des esclaves nègres – soi-disant plus résistants à la chaleur que les Indiens – dans le but de les faire travailler dans leurs haciendas. Faut dire qu'il fait salement chaud dans le coin. Tout ici rappelle l'Afrique : les femmes qui portent les bassines sur la tête, les gosses qui jouent au foot dans la poussière des rues, les hommes qui palabrent par grappes à l'ombre des maisons. Le tout baigné d'une petite musique aux accents de balafons. On a même développé un art nègre à base de terre cuite mais franchement sans grand intérêt, en tout cas sans commune mesure avec l'art africain.

Ceux qui aiment l'aventure pourront toutefois séjourner ici auprès de l'***association Gaen,*** *calle principal dans le quartier de La Dolorosa. 09-94-49-40-29 (Paquita). 2 chambres ultra-basiques, eau froide, etc. Compter 10 US$/pers pour dormir et 18 US$ pour les 3 repas.*

***Lago Yahuarcocha :*** *à env 3 km d'Ibarra ; accessible par la Panaméricaine.* Entre 1500 et 1505, les environs du lac furent le théâtre d'une énième bataille entre les Incas et les Otavalos. Notons que ces derniers résistèrent avec bravoure au colonisateur inca. En mémoire de cet affrontement sanglant, le lac porte aujourd'hui le nom de Yahuarcocha, ce qui signifie « le lac de sang ». C'est devenu un lieu de villégiature très prisé des nationaux. Les familles de Quito viennent s'y détendre en fin de semaine. Un circuit de formule 1 en fait le tour. Des sommets environnants décollent des parapentes. Sinon pas grand-chose à faire dans le coin à part manger des truites d'élevage.

***San Antonio de Ibarra :*** *pour s'y rendre (6 km), prendre un bus sur la pl. de l'Obélisque d'Ibarra. Au retour, on les trouve sur la place centrale.* Cette bourgade est réputée pour son travail de sculpture sur bois. Depuis plus de 55 ans, Luis Potosi en a fait son métier, il a exposé dans le monde entier. Les bois les plus utilisés sont le cèdre d'Amérique et le noyer. Les formes varient peu et trouvent leur inspiration dans la statuaire indigène ou religieuse. Rien de bien transcendant pour des goûts occidentaux, mais ça représente un vrai savoir-faire. Luis Potosi : *Bolívar y Luis Enrique Cevallos. ☎ (06) 293-20-56.*



***Chaltura :*** *à 1 km après la sortie de San Antonio de Ibarra et à 7 km d'Ibarra. Sur la Panaméricaine, en direction du sud, prendre sur la droite à la sortie d'un grand virage.* La spécialité du lieu : le cochon d'Inde *(cuy).* Le week-end, les gens viennent de Quito pour déguster l'animal, qui est ici mangé jeune (quand il a 2 mois et pèse moins de 800 g) et donc tendre (alors que très souvent, en Équateur, il est servi plus gros, mais plus vieux... donc plus coriace !). Vu la taille de l'animal, vous pouvez imaginer qu'on doit s'y attaquer avec les doigts et qu'il faut quand même un peu chercher la viande. La bête, préparée frite, au four ou embrochée et passée au barbecue, est servie accompagnée de pommes de terre bouillies, d'une sauce à la cacahuète et de la traditionnelle sauce pimentée. L'ensemble s'accommode très bien d'une *Pilsener*... Autant vous dire que la petite sieste post-déjeuner est bienvenue ! Compter environ 20 US$ le cochon d'Inde, ce qui est tout bonnement hors de prix quand on peut manger pour moins de 2 US$ ailleurs ! La raison vient du fait qu'il a une valeur symbolique très puissante pour les Indiens (un héritage des Incas, pour qui l'animal était sacré). Il est souvent utilisé par les guérisseurs *(yachacs)* qui vous le passent plusieurs fois sur le corps afin de chasser le mal qui vous habite (seriez-vous prêt à faire le cobaye ?).

***El Chozón 2 :*** *2,3 km après avoir quitté la Panaméricaine, tourner à gauche et continuer sur 50 m : c'est sur la droite. ☎ (06) 290-67-17.* On s'attable dans la jolie petite maison ou dans son jardin verdoyant. Une adresse champêtre, paisible et conviviale, succursale d'El Chozón, situé dans le village même, derrière la place de l'église.

***La Colina Restaurante :*** *Obispo Mosquera. À 2 km de la Panaméricaine, au bord de la route principale, sur la gauche. ☎ (06) 290-66-47. Mar-dim 9h-18h* Sur un petit promontoire, une grande maison aux larges baies vitrées qui offrent une jolie vue sur les monts environnants. Une adresse bien propre sur elle, un peu moins familiale et nature que *La Choza,* mais dont la carte est un peu plus variée.

***Zuleta :*** *à 18 km au sud d'Ibarra. Accès (en voiture ou en bus – voir à Ibarra « Arriver – Quitter ») par une route pavée passant par La Esperanza.* Zuleta est parfois appelée ***Angochagua*** sur certaines cartes, du nom de la paroisse dont elle dépend (reconnue, par ailleurs, comme étant la plus pauvre d'Équateur). Une

très belle route pavée passe par ce petit village et permet de « redescendre » sur Cayambe en contournant l'Imbabura par son flanc est (compter 2 bonnes heures de route). Le paysage (superbe) offre de larges vallées en surplomb desquelles, de temps en temps, des petits hameaux paraissent s'accrocher aux prairies pour ne point glisser vers l'aval. Ici l'eucalyptus a remplacé l'arbre à papier (polylepis), dans un décor hérissé d'agaves noirs. En voiture de tourisme, ne comptez pas faire d'excès de vitesse car ça chahute un max côté amortisseurs. De Zuleta, il est possible de revenir sur Otavalo en empruntant la piste de San Pablo (14 km), mais ça passe difficilement sans 4x4 car le pavage est sérieusement défoncé par endroits. À Zuleta, une adresse pour poser son sac et trouver un guide pour partir explorer la région. Un peu plus au sud, l'hacienda *La Merced Baja* est encore en activité, mais elle est franchement réservée aux riches passionnés d'équitation.
À Zuleta, une adresse :

**Cabañas del Molino :** *via Cayambe km 35 ; à 20 m du monument situé sur la plaza Lasso (où se trouve la bibliothèque) à Zuleta. ☎ (06) 266-22-40 ; 09-91-36-72-25. Compter 20 US$/pers, copieux petit déj inclus. Déj ou dîner (sur résa) 5 US$.* Un peu à l'écart du village, un ensemble récent, où les chambres (2-4 personnes) ont été aménagées dans 2 *long-houses* en brique donnant sur un jardin. Au nombre d'une demi-douzaine, elles possèdent toutes une salle de bains ainsi qu'un petit salon avec cheminée. On s'y sent bien, grâce notamment aux baies vitrées qui donnent sur la campagne. Sol tomettes pour faire rustique, poutres apparentes, c'est agréablement meublé (frigo-bar) et la literie est bonne. Dans la maison commune, un petit salon pour regarder la TV ou surfer sur le Net. Pour les amoureux, 2 chambres « matrimoniales » un peu plus petites, avec salle de bains privative. Possibilité de trouver un guide pour partir en rando. Bon accueil.



# TULCÁN

87 000 hab. IND. TÉL. : 06

**Ville ancienne, ville frontière. Ville de petites échoppes et de trafic, vivante comme on les aime. Fondée en 1535, perchée à 2 980 m, cette agglomération est la plus haute du pays, une des plus froides, aussi... Aucune raison objective d'y dormir, car à part le célèbre cimetière (déclaré Patrimoine national en 1984, vraiment étonnant), il n'y a rien à voir. Point de passage obligé pour les voyageurs au long cours qui entrent ou sortent de Colombie, Tulcán n'est pas la ville la plus sûre la nuit. Le jeudi, jour du marché, c'est le grand déballage.**

### COMPLÈTEMENT DÉBOUSSOLÉ !

*La Colombie est ainsi nommée en hommage à Christophe Colomb. Lequel aurait dû donner son nom au continent tout entier, si un certain Martin Waldseemüller, géographe chargé de mettre à jour une nouvelle carte du monde en 1507, n'avait pas bêtement repris des textes écrits quelques années plus tôt par Amerigo Vespucci... C'est donc tout naturellement qu'il baptisa le continent « America ».*

## Arriver – Quitter

Le ***terminal terrestre*** est situé à 2 km de la ville, en direction d'Ibarra. Un bus fait la navette entre les 2. On peut également prendre un taxi.

➢ ***Quito :*** une petite dizaine de bus/j. 6h-17h50 avec *Expresso Turismo,* la moitié entre 11h et 14h30 avec *Flota*

*Imbabura*. Dessert au passage Ibarra (2h30) et Otavalo (env 3h). Compter 5h de route pour Quito.

➢ ***Cuenca, Guayaquil, Manta :*** avec *Flota Imbabura,* 4 départs à partir de 12h. Pour Manta, changement à Ibarra, nouveau départ d'Ibarra à 19h15.

➢ ***Colombie :*** se rendre d'abord à la frontière, à 7 km de là à Rumichaca (petit village frontalier) en taxi ou *colectivo* (compter respectivement 3,50 et 1,50 US$). Traverser la frontière (ouv tlj 6h-22h) à pied ; mais au préalable, il faut faire tamponner son passeport (tampon de sortie de l'Équateur) auprès du bureau marqué *Migración.* Ensuite, il suffit de passer le pont qui enjambe la rivière Guaytara et de refaire la queue à la frontière colombienne cette fois. De l'autre côté, nombreux taxis collectifs pour se rendre à Ipiales (3 km). Les touristes de la Communauté européenne n'ont pas besoin de visa pour entrer en Colombie, mais renseignez-vous au préalable.



## Adresses utiles

ℹ ***Subsecretaria de turísmo i-Tour :*** *à l'entrée du cimetière.* ☎ *298-04-87. Ouv tlj 7h30-18h30.*

✉ ***Poste** (Correos) :* *Bolívar 53-027, entre Boyaca et Junín.*

■ @ ***Téléphone** (Andinatel) **et Internet :*** nombreux points phone privés partout dans le centre-ville. Également des cybercafés disséminés dans le centre, notamment sur Bolívar.

■ ***Consulat de Colombie :*** *calle Bolívar, entre Junín et Ayacucho.* ☎ *298-05-59.* • *ctulcan@cancilleria.gov.co* • *Ouv au public lun-ven 8h-13h, 14h30-15h30.* Les ressortissants de l'Union européenne n'ont pas besoin de visa pour la Colombie.

■ ***Banco Pichincha :*** *plaza Ayora.* Distributeur et change ; nombreuses banques avec distributeurs, aussi, sur la *plaza de la Independancia, encadrée par les calle Sucre et Olmedo.*

■ ***Western Union :*** *au rdc du centre commercial* Muñoz, *angle Bolívar/ Ayacucho (angle opposé à la* Banco del Austro*). Ouv lun-ven 9h-18h, sam 9h-13h.*

## Où dormir ?

Pas grand-chose de bien. L'offre est dirigée vers les commerçants en transit, pas vers les touristes.

☗ ***Residencial Minerva :*** *Olmedo 50-040.* ☎ *298-09-09. La chambre : 7 US$ avec sdb et eau chaude, 5 US$ sans.* L'entrée de l'hôtel est occupée par un stand de glaces. Puis on débouche sur une cour familiale où les femmes font la cuisine. 2 douzaines de chambres spacieuses dont 6 seulement sont dotées d'une salle de bains propre (avec eau chaude). Un bon rapport qualité-prix et un accueil gentil de Narcissa, la proprio.

☗ ***Hotel Saenz International :*** *Sucre y Rocafuerte.* ☎ *298-19-16. Double avec sdb 26 US$.* Un hôtel « moderne » d'une quarantaine de chambres relativement bien tenues, disons largement plus propres que la moyenne. Eau chaude et TV câblée. La patronne tient le magasin de bottes en caoutchouc juste à l'angle.

☗ ***Flor de Los Andes :*** *Sucre y Junín.* ☎ *296-23-90 ou 91.* • *hotelflordelosandes@gmail.com* • *Double « matrimoniale » 55 US$, petit déj américain compris. CB acceptées.* Un hôtel au standard international flambant neuf, avec meubles en mélaminé, moquette et grandes baies vitrées donnant sur rien mais faisant rentrer de la lumière. Effets de serviettes rigolos sur les lits. Grande salle de resto assez design, parking, ascenseur. Une bonne adresse.

## Où manger ?

|●| ***La Brasa :*** *Ayacucho 3-61 y Sucre.* ☎ *298-09-68. Tlj 9h-21h.* Ici, le petit peuple s'y retrouve pour manger, avec les doigts, un *pollo a la brasa* servi dans une écuelle en plastique, tout en sirotant bruyamment un Coca avec une paille. Dans un coin, les poulets rôtissent sous vos yeux. En face, une Vierge illuminée ; derrière sa cage de verre, la matrone surveille l'assemblée. Mais qu'est-ce qu'un *gringo* peut bien faire dans un endroit pareil ?

**El Taita :** *Sucre y 10 de Agosto (dans un angle de la plaza de la Independencia. ☎ 298-03-50. Tlj 7h-23h. Menus 3-4 US$ ; également copieux petits déj 2-2,50 US$.* C'est le rendez-vous de la *middle class* le dimanche midi. Un bon resto de cuisine colombienne, voire aussi internationale, servant d'immenses portions (on mange facile à 2 dessus). L'occasion de goûter à la *chaulafan,* un plat de riz équatorien à mi-chemin entre la paella et le *nasi goreng* indonésien. Service stylé.

**La tradición del Sabor :** *Bolívar (au débouché de García Moreno). ☎ 298-74-90. Tlj 9h-13h.* C'est la queue sur le trottoir et elle n'est pas en tire-bouchon ! Pourtant ici, on se presse pour s'empiffrer d'un succulent *hornado del Carchi,* un porc grillé, puis émincé en fines lamelles et ensuite bouilli, le tout servi avec des pommes dauphines (et avec les doigts aussi !). Humm !

## À voir

**Cementerio Municipal Jose María A. Franco** *(cimetière)* **:** à ne pas louper. Situé à deux blocs du parc Ayora. En 1936, un certain Don José María Azaél Franco y planta les premiers cyprès. Plus tard, il eut l'idée de leur « donner vie » en les taillant : visages humains, idoles incas, animaux, colonnades, arcades... Pas moins de 220 figures différentes. Il fit si bien que le cimetière de Tulcán est désormais réputé à travers tout le pays. Aujourd'hui, le sculpteur est mort, mais on continue de les tailler. L'ensemble forme un joli labyrinthe, dans lequel les étonnantes sculptures végétales, qu'on dirait presque vivantes, font écho à la solennité des columbariums. L'ensemble est éclairé à la tombée de la nuit. En sortant, ne manquez pas le marché municipal, juste à côté. On y trouve de nombreuses petites gargotes pour se restaurer pour trois fois rien.



## DANS LES ENVIRONS DE TULCÁN

**Reserva ecológica El Ángel :** *à env 15 km au nord de la petite ville d'El Ángel. Accès par l'ancienne route Tulcán-El Ángel jusqu'au poste des rangers ; accès possible à partir de la Libertad (village au nord d'El Ángel) d'où l'on prendra une camionnette ou un taxi jusqu'au poste d'El Salado permettant d'atteindre Morán.* Créée en 1992, cette réserve de 15 715 ha est considérée comme la région le plus humide d'Équateur. Entre juin et octobre, c'est la saison « sèche » et des vents violents. Entre novembre et mai, les bruines d'hiver nimbent le relief pratiquement en permanence. Cette réserve mérite qu'on s'y attarde un peu, car elle recèle un paysage bien particulier : les *frailejones (espeletia pychnophyla),* une sorte de « yucca » arborescent géant (certains spécimens mesurent jusqu'à 6 m de haut) à feuilles duveteuses. Endémiques dans la région, ils couvrent près de 85 % du páramo.

➢ Depuis le poste des rangers, un petit chemin est aménagé jusqu'au lago Voladero, situé à 3 700 m d'altitude. D'autres lacs de moindre importance mais tout aussi photogéniques sont également accessibles (préférez quand même vous balader avec un guide en vous adressant à la **communauté villageoise du village de Morán,** *notamment auprès de Carlos Castro ☎ (06) 297-78-56 ou 📱 09-91-37-48-51. • castro503@yahoo.com •*).

Le parc recèle également une forêt d'arbres à papier d'une douzaine d'hectares. Quelques espèces sauvages peuvent être observées : des loups de páramo, des renards, des lièvres, des cervidés, tout ça sur terre. Dans les airs : le condor, la sarcelle des Andes, la perdrix et quelques foulques. Bien planquée, la grenouille marsupiale.

# LE CENTRE

**Avez-vous déjà rêvé de cônes parfaits, aux auréoles immaculées, s'élevant au-dessus de la Sierra ? Judicieusement baptisée au XIXe s par l'explorateur allemand Alexander von Humboldt, l'*avenida de los Volcanes* (aujourd'hui empruntée par la Panaméricaine) se déroule ainsi à travers l'Équateur, griffant les cieux d'une dizaine des plus hauts volcans du monde. Plusieurs sont actifs et certains sont même fréquemment en éruption ! À leurs pieds, le *páramo* cède le pas à des pâturages gras, où vaches et moutons paissent auprès des haciendas. Les villes, trop souvent endommagées par séismes et coulées de lave, n'ont rien pour elles, mais, en retrait des grands axes, les villages indiens se multiplient. Les champs y couvrent de leurs damiers les pentes les plus raides, jusqu'à 4 000 m d'altitude, et tous les produits de la terre se retrouvent, une ou deux fois par semaine, sur les marchés colorés. Reste à prier les dieux pour que les nuées dévoilent les sommets tant convoités...**

## PARQUE NACIONAL COTOPAXI

IND. TEL : 03

**Joyau de « l'allée des Volcans », le Cotopaxi est, à 5 897 m, le deuxième sommet d'Équateur (après le Chimborazo) et l'un des volcans en activité les plus hauts du monde ! Son nom signifierait « cou de la lune » en quechua – celle-ci donnant parfois l'impression de se poser délicatement à son sommet telle une tête sur un corps... Son imposant cône enneigé, presque parfait, rappelle celui du célèbre Fuji Yama japonais. Par beau temps, il se distingue de loin, dominant le páramo, cette plaine d'altitude froide et herbeuse, étendue entre 3 500 et 4 200 m d'altitude, où l'on croise parfois des chevaux en semi-liberté, quelques cervidés et lapins.**

### UN PEU D'HISTOIRE

Assis sur une base de 20 km de diamètre, le Cotopaxi est à la fois l'un des plus gros et des plus dangereux volcans des Andes. Ses dégâts peuvent être considérables : outre les habituelles coulées de lave, jets de pierres et de cendres, ses éruptions menacent de faire fondre glaces et neiges du sommet, provoquant de terribles lahars – ces coulées de boue mortelles qui ont déjà maintes fois endeuillé

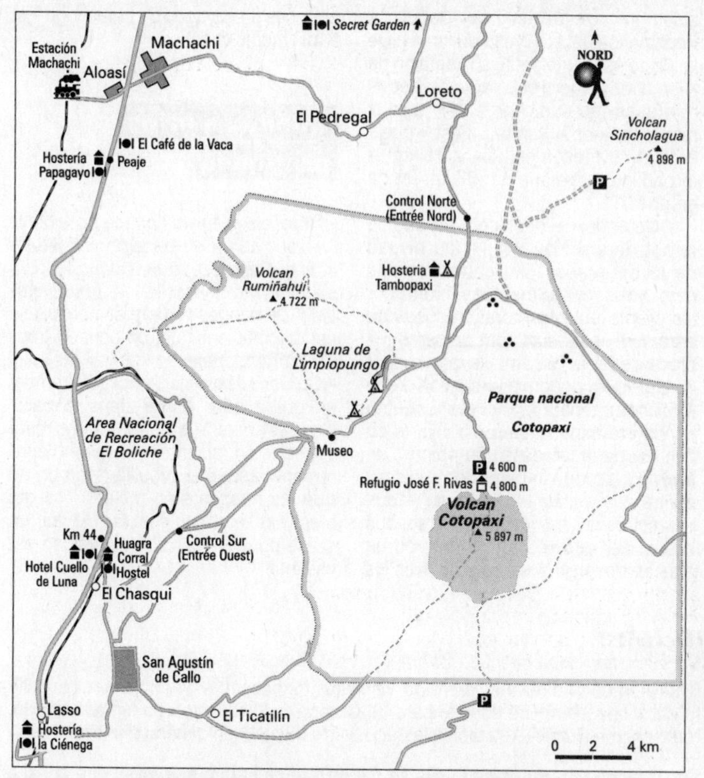


PARQUE NACIONAL COTOPAXI

la vallée des Chillos et plus encore celle de Latacunga, vers laquelle penche le Cotopaxi...
À peine débarqués, en 1534, les Espagnols sont repoussés par l'une de ses éruptions, alors même qu'ils sont en train de livrer bataille aux Incas... Il y en aura une cinquantaine d'autres dans les cinq siècles suivants ! En 1742, l'explorateur français Charles-Marie de La Condamine assiste au soubresaut qui détruit en partie Latacunga. En 1802, le savant allemand Alexander von Humboldt tente l'ascension, en vain – le Cotopaxi ne sera vaincu que 70 ans plus tard par des compatriotes géologues. Il donne alors son nom à la route qui se déroule entre Quito et Riobamba : « L'allée des Volcans ». L'éruption de 1877, entendue jusqu'à 350 km de distance, est l'une des plus violentes de l'histoire récente : le ciel s'assombrit en plein jour, et de nombreux villages sont détruits par une gigantesque coulée de boue, qui fait des milliers de victimes. Plusieurs jours plus tard, elle atteint la plaine tropicale de Manabí (littoral Pacifique), à 80 km à l'ouest !

## Arriver – Quitter

Le parc compte 2 entrées officielles. Celle du nord, atteinte par Machachi (à 21 km) et El Pedregal, est moins fréquentée car la piste, d'abord bonne, devient caillouteuse et cassante sur la fin. Ceux qui n'ont pas de 4x4 privilégieront l'entrée sud (en fait à l'ouest), aisément atteinte en 7 km depuis la Panaméricaine, au niveau du km 44. De là, Quito est à une petite soixantaine de kilomètres au nord et Latacunga à environ 35 km au sud. Après, n'imaginez pas marcher : si l'entrée n'est « que » à 7 km, le musée est, lui, à 18 km et le parking du refuge à... 37 km (et ça grimpe !) !

Ceux qui se déplacent en bus se feront déposer au km 44, au niveau de la bifurcation. Au carrefour, des *camionetas* assermentées attendent les clients pour les conduire jusqu'au parc. Les chauffeurs sont présents sur place de 7h à 16h env. Ils demandent 25 US$/pers pour une excursion d'env 4-5h comprenant la montée jusqu'au parking terminal situé à 4 600 m (d'où l'on gagne le refuge en 30-40 mn), un arrêt au lac de Limpiopungo, puis au centre des visiteurs (musée) au retour. Un resto est situé juste à côté si vous n'avez rien prévu. Bref, un aperçu un peu rapide, mais guère plus qu'avec les agences de voyages de Latacunga – et 2 fois moins cher !

## Quelques infos pratiques

– **Horaires et tarifs :** *entrée possible tlj 8h-15h ; sortie en principe obligatoire à 17h. Ceux qui logent dans le parc peuvent arriver jusqu'à 17h. Entrée gratuite.* Demandez la carte du parc si elle est disponible (sinon, on peut en trouver au *Tambopaxi*).

– **Guides :** il fallait jadis obligatoirement un guide pour entrer dans le parc. Ce n'est plus le cas, mais cela reste conseillé en raison des risques d'égarement lorsque le brouillard tombe ou que les nuages s'en mêlent – ce qui n'est pas rare, loin s'en faut ! Avoir un guide pour l'ascension du volcan est essentiel.



# À faire

Outre un coup d'œil au *Centro de Visitantes,* exposant la géologie des lieux, il y a deux choses à faire dans le parc de Cotopaxi : l'ascension du fameux volcan, ou bien une simple excursion à la découverte du parc (en général d'une journée).

➢ ***L'ascension du volcan :*** elle se fait en 2 jours et une nuit, avec une agence (voir coordonnées dans le chapitre « Latacunga », rubrique « Adresses utiles »). Compter entre 170 et 250 US$ par personne, transport, guide, logement, nourriture et matériel compris, en fonction de l'agence et du nombre de participants. Attention, ce n'est pas une promenade de santé ! Toute personne en bonne condition physique peut en principe tenter l'ascension, mais il faut au moins s'être acclimaté à l'altitude plusieurs jours à Quito, et même de préférence avoir gravi deux ou trois sommets des environs, comme le Pichincha ou l'Iliniza Norte (voir plus loin). Avec une excursion classique, on part de Quito ou de Latacunga vers 8h et on arrive au refuge, situé à 4 800 m, vers 13h. Là, on essaie le matériel, on s'entraîne à manier crampons et pic à glace, on mange, on se repose... et on s'acclimate encore (important !)... jusqu'à minuit-1h, heure de départ de l'ascension. Marche en moraine d'abord, à la frontale, en cordée, puis sur le glacier, fracturé par quelques crevasses. Le thermomètre affiche - 5 °C, - 10 °C, - 20 °C parfois. L'ascension dure, selon la condition physique de chacun, entre 5h et 8h, la moyenne s'établissant plutôt à 6-7h. Au sommet, si vous avez la chance d'avoir du beau temps (fréquent le matin tôt), vous bénéficierez d'un panorama imprenable. Le vaste cratère, mesurant 650 m sur 800 m, s'ouvre à vos pieds, gueule béante et sombre, entre lèvres de glace et émanations de soufre. Il n'est pas rare qu'en raison des conditions météo, il faille rebrousser chemin, ou encore qu'un des grimpeurs, pris du mal d'altitude (on le répète, bien se préparer et, surtout, ne pas boire d'alcool la veille), abandonne avant la fin. Seule une personne sur deux, en moyenne, arrive jusqu'en haut. Mais si l'expérience vous tente, lancez-vous, vous ne le regretterez pas ! Retour en début d'après-midi.

➢ ***La découverte du parc :*** si vous ne vous sentez pas de taille à gravir le Cotopaxi, consolez-vous en faisant une excursion dans le parc : après tout, on voit d'autant mieux l'impressionnante silhouette du volcan qu'on ne grimpe pas dessus ! En général, on se contente d'aller (en véhicule tout-terrain) jusqu'au « parking » situé à 4 600 m d'altitude et, de là, de marcher jusqu'au refuge, perché 200 m plus haut (compter 30 mn à 1h). Après quelques pas dans la neige, on retourne doucement à la voiture, puis vers l'entrée du parc (et son musée), en passant par la belle *laguna de Limpiopungo* – un lac à 3 830 m d'altitude, bordé de *páramo* où évoluent des chevaux sauvages. Sous le soleil, ses eaux, même ridées par le vent, reflètent superbement le Chimborazo. Les amoureux des oiseaux y observeront sûrement mouettes et sarcelles (canards) des Andes, pas frileux pour un sou. Ceux qui ont le temps et sont bien couverts pourront faire le tour du lac en 40 mn environ (2,6 km). Beaucoup de visiteurs confient la logistique de cette excursion à une agence, qui prend entre 50 et 70 US$ par personne (minimum 2 participants), mais on peut se rendre au parc par ses propres moyens, en se faisant déposer au km 44 par n'importe quel bus reliant Quito à Latacunga. Voir la rubrique « Arriver – Quitter », plus haut.

## Où dormir dans le parc ?

⛺ ***Campings du parc :*** 📱 *09-98-95-04-65 ou 09-98-87-71-14 (Fernando Ruvio). Camping gratuit pour l'instant, mais les autorités parlent d'installer un droit de 3 US$/tente.* Le parc national dispose de plusieurs aires de camping. La plus agréable se situe près de la belle *laguna de Limpiopungo* ; on y a même vu des camping-cars au long cours y passer la nuit ! L'autre site facilement accessible se trouve sur la gauche de la route d'accès montant de l'entrée ouest, après le musée et avant le lac. On y trouve cuisine commune, barbecue et w-c récents, mais les lieux ne sont pas toujours bien entretenus.

🏠 À 4 800 m (l'altitude du mont Blanc !), le ***refuge José Rivas*** sert de camp de base pour l'ascension du volcan. On y trouve un dortoir basique d'une soixantaine de lits superposés sur 3 niveaux (prévoir un sac de couchage), sans chauffage, aux matelas très fins et des w-c qui ont la mauvaise habitude de geler... Cuisine à dispo, vente de snacks, chocolat et eau potable. C'est tout et c'est plutôt cher : *env 22 US$/pers.* Pensez aux boules Quies, car les allées et venues sont fréquentes durant la courte nuit.

⛺ 🏠 ***Hosteria Tambopaxi :*** *7 km après le lac de Limpiopungo en arrivant de l'entrée ouest, suivre la direction « Entrée nord ». Camping 7,30 US$/pers, loc de tentes 5 US$/pers ; dortoir env 24 US$ (sans petit déj) ; double 104 US$ (avec petit déj).* 📶 *(payant).* Perdu sur le plateau à 3 750 m d'altitude, face au Cotopaxi, cet hôtel-refuge propose 5 dortoirs agréables de 4 à 8 lits tout en bois, façon chalet, et, dans une annexe moderne, 6 chambres spacieuses pour 2 à 4 personnes, avec salle de bains privée, poêle, parquet, édredon et petit chauffage d'appoint (pas très efficace). Leur gros plus : de larges baies vitrées s'ouvrant pile poil sur le Cotopaxi, souvent dégagé au réveil ! Électricité jusqu'à 22h, lampe à gaz ensuite. Resto chaleureux dans la maison principale *(dîner 18h30-19h30),* avec poêles qui ronronnent, servant quelques plats consistants pour 8-12 US$ et un menu fixe à 15 US$. On pourra vous conseiller un guide, vous fournir un transport jusqu'au volcan ou vous réserver un cheval *(15 US$/h)* pour une balade sur le *páramo,* bien emmitouflé. Un lieu qu'on aime tout particulièrement pour son charme et sa situation unique même s'il n'y fait pas chaud !

## Où dormir ? Où manger près du parc ?

Si vous ne choisissez pas l'*Hosteria Tambopaxi* (dommage !), voici quelques bonnes adresses dans les environs, entre Machachi et Lasso. Dans tous les cas, vous serez tributaire des proprios pour organiser vos déplacements et excursions – un service qui peut vous coûter cher à la longue.

## De prix moyens à chic (44-60 US$)

**Huagra Corral Hostel :** *km 44 (Panamericana), à 100 m du départ des camionetas conduisant au parc du Cotopaxi, sur la route y menant. ☎ 271-97-29. • huagracorral.com • Doubles 30-42 US$, ou 44-56 US$ avec petit déj.* Cette gentille auberge à l'ambiance de chalet, entourée d'un minijardin fleuri, est idéalement située pour ceux qui voudraient grimper au Cotopaxi en *camioneta.* La jolie déco mêle bois et murs blancs couverts d'objets équatoriens, et le salon avec cheminée invite à des soirées ronronnantes. Les chambres, avec ou sans salle de bains (eau chaude), sont parfois toutes petites, parfois pas. On aime bien celle en duplex, avec 1 lit à chaque niveau. Bon resto, mais un peu cher. Excellent accueil de Paola.

**Secret Garden Cotopaxi :** *à 5 km de l'entrée nord du parc, au milieu des pâturages. ☎ (02) 295-67-04 à Quito ou 09-93-57-27-14. • secretgardencotopaxi.com • Compter 37,50 US$/pers en dortoir de 8 lits ; 73 US$ pour 2 en tente ou dans une maisonnette de jardin (trop cher) ; 89 US$ la double avec sdb privée. Ts les prix s'entendent en pension complète (obligatoire). CB refusées. Transfert depuis Quito 5 US$ slt, ça compense !* Isolé dans un coin de nature, ce petit *lodge* pour routards, émanation du *Secret Garden* de Quito, propose différentes sortes d'hébergements dans un esprit communautaire sympathique – quoique à des tarifs élevés... On choisit entre le dortoir de 8 lits (avec poêle et casiers), les tentes pré-érigées sur plate-forme (avec toit pour la pluie), la maisonnette de jardin, façon cabane à outils, et les 3 *cabañas,* abusivement dénommées *honeymoon suites* – en fait des chambres classiques avec poêle, baignoire et lit en mezzanine. Les tarifs peuvent faire grimacer, mais tous les repas (bons) sont compris, de même que thé et café à volonté, snacks dans l'après-midi, VTT en prêt et une balade guidée de 2h à votre arrivée ! Jacuzzi. Propose en outre toutes sortes d'excursions au Cotopaxi, des balades équestres ou en VTT guidées (payantes). L'ambiance est d'autant plus sympa que les lieux sont gérés par des volontaires originaires du monde entier.

**Hotel Cuello de Luna :** *Sector del Chasqui, km 44 (Panamericana). ☎ 271-80-68 ou 09-99-70-03-30. • cuellodeluna.com • Le chemin (carrossable) qui y mène débute presque en face de la bifurcation conduisant à l'entrée ouest du parc du Cotopaxi (panneau) ; le suivre sur 1,5 km. Doubles 56-84 US$, petit déj inclus. Menu le soir env 12 US$.* Jardin tout fleuri, murs blancs, tuiles rouges et petit patio : cette auberge de style hispanique, fondée par un Suisse allemand, ne manque pas de charme. Les chambres, propres et bien décorées, avec jolis rideaux et dessus-de-lit ornés de lamas, sont agréables. Les moins chères, avec cheminée et poutres au plafond, sont plus froides et plus petites ; les plus chères sont plus récentes, mieux isolées et avec poêle. Notre préférée : la n° 26. Petit souci : des vols nous ont été signalés.

**Hostería Papagayo :** *hacienda La Bolivia,* ***Machachi.*** *☎ 231-00-02. • hosteria-papagayo.com • À env 50 km au sud de Quito, au niveau du km 26 de la Panaméricaine. Après la ville de Machachi, passez le péage, et env 1 km après, sur la droite, un petit chemin pavé, dans un creux, mène à l'hostería (à 500 m). Camping 10 US$/pers ; doubles avec ou sans sdb 45-60 US$ ; cabaña avec cuisine 90 US$ pour 4 pers ; petit déj 5 US$, menu 12 US$.* Le proprio, israélien, dirige l'agence *Gulliver* de Quito. Il a trouvé là sa terre promise et a fait de cette vieille ferme une charmante auberge de campagne, à l'intérieur en bois patiné et rustique. Les chambres sont du même tonneau, parfois un peu vieillottes, la plupart avec cheminée, certaines avec vue sur le jardin et les champs, où batifolent chevaux et alpagas. Aire de camping, avec accès aux salles de bains communes. Également un jacuzzi, des VTT à louer *(10 US$/j.)*, un bon resto avec cheminée *(tlj 7h-20h)* et une grande terrasse à l'arrière. Randonnées à pied ou à cheval, excursions en montagne avec guides parlant (théoriquement) anglais.

**El Café de la Vaca :** *à env 3 km au sud de Machachi. ☎ 231-50-12. Tlj 8h-17h30 env. Petits déj 6-14 US$ ; plats 5-16 US$.* Une vraie institution que ce « Café de la Vache », repérable de loin à ses murs blancs tachés de noir (les w-c sont à l'avenant) ! C'est un simple restoroute ancré sur le bord de la Panaméricaine, mais les Quiteños ne manqueraient sous aucun prétexte l'escale, pour s'offrir un bon gros petit déj avec yaourt maison, une truite, un *burger* ou un pavé de viande (150 ou 300 g) provenant des fermes alentours. Qualité garantie. Ambiance rurale, sans chichis, mais on peut même faire provision de fromage ! Seul hic : en venant du nord en voiture, il faut aller faire un demi-tour un poil dangereux au proche péage, avant de pouvoir reprendre la double voie dans le bon sens...

## Plus chic (plus de 70 US$)

**Hostería La Ciénega :** *à la sortie sud de Lasso, près du km 52, prendre la petite route surmontée d'une arche (marquée La Ciénega) et continuer sur env 2 km. ☎ (02) 254-91-26 (à Quito), (03) 271-90-52 ou 93 (direct). • hosterialacienega.com • Double standard env 96 US$, avec le petit déj ; quelques suites 190 US$.* Située dans une hacienda remontant au XVIIe s, cette *hostería* classée Monument historique appartient aux descendants des marquis de Maenza – qui ont donné à l'Équateur d'illustres patriotes, un vice-président et même une fille, épouse du président Garcia Moreno ! La Condamine séjourna ici le 15 juin 1742. En 1802, ce fut au tour d'Alexander von Humboldt, venu étudier le Cotopaxi. Malgré 4 tremblements de terre, le bâtiment tient toujours debout : normal, direz-vous, avec des murs épais de 2 m ! Précédé d'une grande et belle allée d'eucalyptus terminée par une fontaine, l'édifice encadre un adorable jardin clos foisonnant de fleurs, buis taillés, pins et palmiers (et une chapelle privée !). À l'intérieur, on découvre de beaux salons avec cheminée, mobilier et déco d'époque. Les chambres sont cossues, mais toutes ne se valent pas : privilégiez celles de la maison principale et, si vous en avez les moyens, les gigantesques suites de l'étage. Celle de Humboldt est superbe avec son buste de l'explorateur et une salle de bains un poil rétro. En revanche, le resto *(tlj 6h30-20h30)* ne casse pas des briques. Balades à cheval pas très chères.



# DANS LA RÉGION DU COTOPAXI

## *LOS ILINIZAS*

Ce massif constitué de volcans jumeaux se dresse à l'ouest de la Panaméricaine, à la même latitude que le Cotopaxi. Le plus « petit » des deux sommets (Norte) se hisse à 5 126 m et son grand frère (Sur) à 5 248 m. Des altitudes fort respectables ! Le massif fait partie d'une *reserva ecológica* populaire auprès des amateurs de montagne. Si le pic nord est relativement accessible aux randonneurs expérimentés (mais n'ayant pas le vertige), le pic sud, lui, est réservé à ceux ayant une sérieuse expérience sur glacier. Et même le pic nord peut se montrer ardu à conquérir, après de fortes chutes de neige ou par mauvais temps... Il n'est pas rare que certains soient contraints de faire demi-tour. Dans tous les cas, un guide s'avère indispensable pour ne pas se perdre et savoir comment négocier les obstacles.

## Arriver - Quitter

Ceux qui ne sont pas motorisés commenceront par gagner Machachi, desservi fréquemment depuis Quito (Quitumbe) par les compagnies *Mejía* et *Carlos Brito*. De là, vous reprendrez un bus pour El Chaupi (ttes les 30 mn env). Si vous venez du sud, descendez du bus à Pastocalle. Restera, ensuite, à rejoindre le parking de la Virgen, marquant le bout de la piste des Ilinizas, à 3 900 m et 9 km de là. Une *camioneta* vous coûtera env 10 US$ (par sens). Si vous ne parvenez pas à en trouver une par vous-même, adressez-vous au bureau du parc ou au *lodge Llovizna* – un bon endroit pour recruter un guide et passer la nuit si vous ne voulez pas grimper directement jusqu'au refuge. En tout cas, n'oubliez pas de fixer un rendez-vous pour le retour... Pour plus de simplicité, vous pouvez contacter une agence comme *High Andes*, à Latacunga, qui propose plusieurs options.

## L'ascension

On peut camper à côté du parking de la Virgen, mais il vaut mieux ne rien laisser sur place. De là, comptez 3h de marche jusqu'au refuge *Nuevos Horizontes*, posté entre les deux Ilinizas, à 4 700 m. Petit et plutôt chaleureux, il dispose de w-c et de l'eau courante, d'une gazinière et d'ustensiles de cuisine. Y passer la nuit revient à environ 15 US$ par personne. On peut apporter sa nourriture ou commander ses repas sur place *(7-8 US$/pers)*. Les campeurs peuvent aussi s'installer à côté et bénéficier des services du refuge pour seulement 5 US$ par tente.
De là, le sommet de l'Iliniza Norte n'est plus qu'à 3-4h de marche en remontant le long de la crête sud-est... si tout va bien ! Attention, certains passages sont assez vertigineux, en particulier au niveau du ravin du Paso de la Muerte... Ne quittez pas le sentier, les blocs rocheux sont très peu stables et les chutes de pierre risqueraient de blesser les suivants.
Avant ou après l'ascension, offrez-vous une balade jusqu'à la petite ***cascade de Cunuyacu*** (à 4 047 m), aux eaux ferrugineuses tombant de 15 m de haut. On y accède en 11 km depuis le bourg de Pastocalle, au sud d'El Chaupi – comptez 1h30 de 4x4 sur des pistes non signalisées, ou 4h de marche (guide essentiel). Petit plus : en continuant le sentier sur 1 km, on atteint un bassin aux eaux thermales chaudes, idéal pour la baignade !



# LATACUNGA

65 000 hab. IND. TÉL. : 03

**À 89 km au sud de Quito (1h30 de bus), sur la route de Riobamba (2h de bus), le chef-lieu de la province de Cotopaxi est une ville de province à taille humaine, sans grand intérêt, mais qui peut faire une base convenable pour explorer la région. La plaine verdoyante s'étendant au nord est dominée par six ou sept volcans – dont l'incontournable Cotopaxi, qui détruisit la ville à trois reprises entre 1742 et 1877... À environ 1h30 au nord-ouest, on trouve le beau lac d'altitude de Quilotoa.**
**À Latacunga même, on pourra jeter un coup d'œil à la sobre cathédrale, prendre le frais sur le parque Vicente León, dominé par un élégant hôtel de ville en pierre volcanique (XX^e^ s), et faire un tour au marché, en particulier les mardi, mercredi et samedi. Le jeudi, on se rend à celui de Saquisilí, l'un des plus colorés du pays. Et si vous avez encore du temps à tuer, vous pourrez grimper jusqu'au monument de la Vierge, à l'est du centre, pour une vue dominante.**

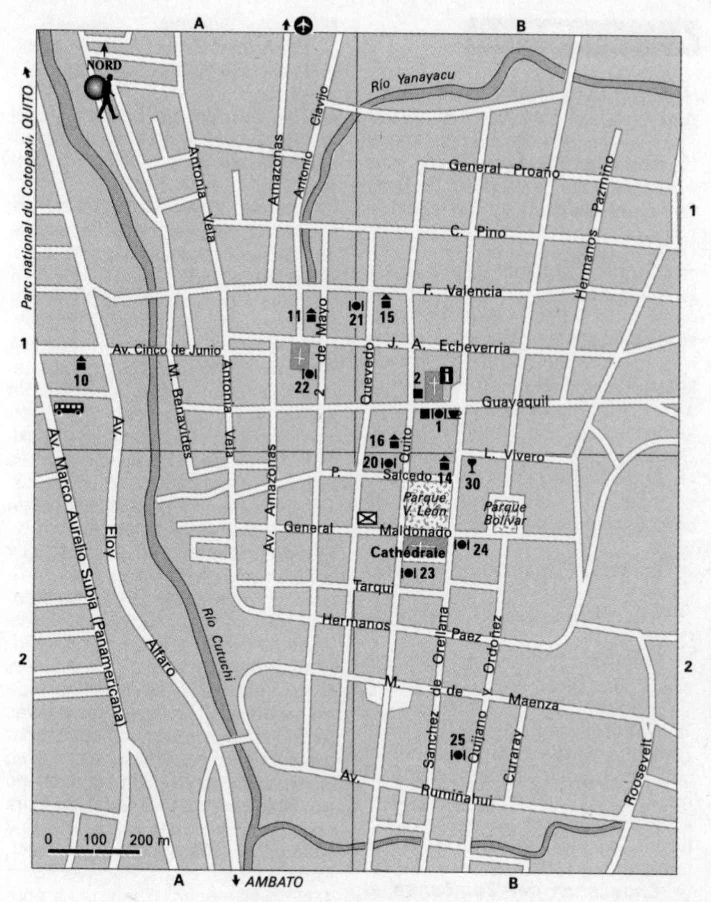


# LATACUNGA

- **Adresses utiles**
  - **1** High Andes
  - **2** Neiges
- **Où dormir ?**
  - **10** Residencial Los Nevados
  - **11** Hostal El Alamo et Hostal Tiana
  - **14** Hôtels Central et Cotopaxi
  - **15** Hotel Makroz
  - **16** Hotel Rodelu
- **Où manger ? Où prendre le petit déjeuner ?**
  - **1** High Andes
  - **20** El Pasaje Cafetería
  - **21** Pollos Jimmy's
  - **22** Parrilladas La Española
  - **23** Parrillada el Copihue Rojo
  - **24** Buon Giorno Pizzería
  - **25** La Mamá Negra
- **Où boire un verre ?**
  - **30** El Templeario

## Arriver – Quitter

✈ ***Aeropuerto Internacional Cotopaxi*** *(hors plan par A1)* **:** *juste au nord du centre-ville.* Ce petit aéroport régional est surtout utilisé pour le fret, mais il propose aussi un vol direct de *Tame* vers Guayaquil du lundi au vendredi (le matin).

***Terminal terrestre*** *(plan A1)* **:** *sur la Panaméricaine, à env 600 m à l'ouest du centre-ville.* Pour le rejoindre, traversez le pont sur le río Cutuchi. Certains bus inter-provinciaux marquent seulement un arrêt un peu plus à l'ouest, à l'angle de Río Langoa (dans le prolongement de 5 de Junio) et Ave Río Cutuchi.

➢ ***Quito :*** départs ttes les 10-15 mn avec *Salcedo, Cotopaxi* et toutes les compagnies de passage arrivant du sud.

➢ ***Ambato, Riobamba et au-delà :*** départs ttes les 10-15 mn, avec les compagnies de passage arrivant de Quito.

➢ ***Saquisilí :*** bus ttes les 10-15 mn env, à partir de 6h, avec *Coop Saquisilí* ; dernier retour vers 18h30.

➢ ***Quilotoa :*** 1 bus/j., à 9h30, via Zumbahua, mais d'autres viendront peut-être s'ajouter. Sinon, prendre un bus allant vers Quevedo (ttes les 30 mn à 1h env, 6h-19h) et descendre à Zumbahua, où vous sauterez dans une *camioneta*.

➢ ***Chugchilán par Zumbahua et Quilotoa :*** 1 bus/j. avec *Coop Iliniza,* à 12h. Compter env 4h de trajet. Retour de Chugchilán à 4h. Bus supplémentaires le dim.

➢ ***Chugchilán par Sigchos :*** 1 bus/j. avec *Coop Iliniza,* à 11h30 (15h le sam). Retour à Latacunga à 3h30.

## Adresses utiles

ℹ ***Bureau du tourisme Captur*** *(plan B1)* **:** *sur la placette de l'église Santo Domingo (angle Guayaquil et Sanchez de Orellana).* ☎ *281-49-68. Lun-ven 8h-12h et 14h-17h.* Pour des infos un peu pointues, on vous conseille plutôt d'aller vous renseigner à l'agence *Neiges* (voir ci-après).

✉ ***Poste*** *(plan B2)* **:** *Belisario Quevedo y Maldonado. Lun-ven 8h-17h, sam 8h-15h.*

■ ***Distributeurs de billets :*** sur et autour de la *pl. Vicente León. Banco ProCredit,* sur *Salcedo,* fait aussi *Western Union.*

@ ***Internet :*** il y a des adresses où surfer partout dans le centre, impossible de marcher 2 mn sans en croiser une !

■ ***Neiges*** *(plan B1,* ***2****)* **:** *Guayaquil 6-25 y Quito, à gauche de l'église Santo Domingo.* ☎ *281-11-99. Tlj 8h-18h.* Cette agence de voyages sérieuse, tenue par une équipe très accueillante, organise tout type de tours dans la région, de l'excursion d'un jour au lac de Quilotoa à l'ascension du Cotopaxi. Pour ce dernier, une simple montée jusqu'au refuge coûte environ 50 US$. Réserver la veille pour le lendemain (avant 18h). Excellent matériel.

■ ***High Andes*** *(plan B1,* ***1****)* **:** *Guayaquil 6-74, entre Quito et Sanchez de Orellana, face à l'église Santo Domingo.* ☎ *280-74-01 ou* 📱 *09-99-98-70-72.* • *high-andes.com* • *Tlj 8h-18h.* Concurrente immédiate de *Neiges, High Andes* propose le même type de prestations, sérieuses, mais à des tarifs un peu plus élevés ; compter par exemple 60 US$ pour une excursion au lac de Quilotoa, 70 US$ pour le refuge du Cotopaxi et 240-250 US$/pers pour l'ascension du volcan sur une base double. Transports, équipement, repas, tout est inclus. Réserver avant 16h la veille pour un tour, midi pour l'ascension.

## Où dormir ?

Le mercredi, veille du marché de Saquisilí, mieux vaut ne pas arriver trop tard. Pendant les fêtes de la Mama Negra (23-24 septembre et samedi le plus proche du 11 novembre), les prix flambent.

### Très bon marché (moins de 18 US$)

***Residencial Los Nevados*** *(plan A1,* ***10****)* **:** *5 de Junio 476 y Eloy Alfaro (Pana-*

LE CENTRE

*mericana).* ☎ *280-04-07. Au-dessus d'un resto populaire (l'accès à l'hôtel se fait par le parking à droite de ce dernier). Compter 7-14 US$ pour 2 selon confort, avec ou sans sdb, avec ou sans TV.* À deux pas de la gare routière, une quinzaine de chambres petites et spartiates mais plutôt propres pour le prix. Bruyant côté route, préférer l'arrière du bâtiment.

## Bon marché (18-30 US$)

**Hotel Central** *(plan B2,* ***14****) : Sánchez de Orellana 15-01 y Padre Salcedo.* ☎ *280-29-12. • hotelcentral atacunga@hotmail.com • Doubles env 18-20 US$.* La patronne est accueillante et veille sur ses clients comme une mère. On choisit parmi les 17 chambres avec salle de bains (jusqu'à 7 personnes), certes sans charme, mais très convenables – et même plutôt spacieuses. Évitez celles côté place, bruyantes, et préférez en une avec grande fenêtre sur l'arrière. Parfois quelques soucis d'eau chaude.

**Hotel Cotopaxi** *(plan B2,* ***14****) : Padre Salcedo 5-61, sur le parque Vicente León.* ☎ *280-13-10. Proche de l'*Hotel Central *et très semblable. Parking gratuit. Compter 20 US$ pour 2, avec sdb.* La façade, style sixties, est moche, mais les chambres sont très correctes, avec TV câblée et super propres. Celles côté place sont plus agréables, quoique plus bruyantes. Bon accueil.

**Hostal El Alamo** *(plan A1,* ***11****) : 2 de Mayo 801.* ☎ *281-06-56. Double avec sdb 20 US$.* L'immeuble est là encore sans caractère, mais l'ensemble est bien net, avec des chambres globalement agréables, donnant sur la rue (bruyante) ou sur l'arrière (calme mais moins lumineux). Bon accueil.

**Hostal Tiana** *(plan A1,* ***11****) : 2 de Mayo 801.* ☎ *281-01-47. • hostaltiana.com • Lits en dortoir 9,50-12,50 US$, doubles 23-31 US$, avec ou sans sdb. Petit déj inclus.* Très populaire auprès des routards, le *Tiana* propose tout ce dont un voyageur peut avoir envie : une vieille maison, une position centrale mais en léger retrait l'assurant d'un certain calme, un agréable patio avec cuisine commune et des chambres plutôt jolies, hautes de plafond (un peu trop ?) et colorées. On y trouvera toutes les infos pour barouder dans la région, on peut y réserver des excursions et même laisser son sac quelques jours. Bref, un bon choix, même si les prix sont un poil élevés et que certaines chambres sentent parfois l'humidité.

## De prix moyens à chic (30-70 US$)

**Hotel Makroz** *(plan B1,* ***15****) : Felix Valencia 8-56 y Quito.* ☎ *280-09-07. Doubles et suites 30-50 US$, petit déj inclus. Parking gratuit.* Sentant bon le propre, cet hôtel de taille moyenne propose des chambres bien tenues, avec bonne literie, TV câblée, sèche-cheveux et mobilier plutôt classe. Les plus petites, avec moquette, sont un peu moins bien mais, à contrario, on peut choisir une suite avec frigo. Possibilité de petit déj au resto. Accueil agréable.

**Hotel Rodelu** *(plan B1,* ***16****) : Quito 16-31 y Padre Salcedo.* ☎ *280-09-56 ou 281-23-41. • rodelu.com.ec • Double env 48 US$ ; petit déj (pas terrible) en sus.* Ici, les chambres sont coquettes, voire cosy, bien tenues et de bon confort, avec TV câblée et sèche-cheveux. Certaines sont toutefois très sombres. Calme, sauf côté rue (encore que la nuit est tranquille à Latacunga). L'hôtel possède un bon resto (grillades, pizzas ; *fermé dim soir*).

# Où manger ? Où prendre le petit déjeuner ?

## De bon marché à prix moyens (moins de 12 US$)

**El Pasaje Cafetería** *(plan B2,* ***20****) : Padre Salcedo 4-97 y Quito.*

*☎ 281-31-69. Tlj sf dim 9h-20h30. Au 1er étage.* Une des adresses les moins chères du centre : *burgers*, sandwichs copieux et pizzas entre 1,50 et 4 US$. Sans chichis mais propre.

**Pollos Jimmy's** *(plan A-B1,* ***21****) : Quevedo 8-85 y Valencia. ☎ 280-19-22. Tlj 10h-21h (ou jusqu'au dernier poulet !). Compter 3,50 US$ pour un quart de volatile, 6,50 US$ un demi et 11,50 US$ le poulet entier.* Ça fait 40 ans que les gens de Latacunga font la queue dans ce boui-boui pour y manger le poulet rôti de Jimmy, servi invariablement avec de la salade, des frites, du riz et une petite soupe. Très populaire.

**High Andes** *(plan B1,* ***1****) : Guayaquil 6-74, entre Quito et Sanchez de Orellana. ☎ 280-74-01. Lun 7h-23h, mar-sam 8h-minuit, dim 10h-20h. Petit déj-buffet env 3,50 US$ (façon brunch).* L'agence de voyages *High Andes*, spécialisée dans les ascensions du Cotopaxi et les excursions dans la région, se double d'un gentil café sans prétention, avec 3 petites tables alignées sur des minibalcons dominant la plaza et l'église Santo Domingo. On y grignote à toute heure, mais on vous conseille surtout d'y venir pour le petit déj, d'un très bon rapport qualité-prix. On peut aussi y boire un verre le soir (bon fond musical).

**La Mamá Negra** *(plan B2,* ***25****) : Quijano y Ordoñez 1-67 y Rumiñahui. ☎ 280-54-01. Tlj sf lun, 11h-17h env.* Il y a au moins 2 bonnes raisons de se propulser jusqu'ici. Et d'une : le superbe cadre Art déco renvoyant à des temps révolus. Et de deux : la spécialité de la maison, emblématique de Latacunga, le *chugchucaras*. De quoi s'agit-il ? D'*empanadas* (chaussons) au fromage servis avec des petits morceaux de porc frits, du *mote* (maïs blanc), des frites, des bananes plantains frites et du pop-corn. On ne vous a pas dit que ça allait être léger, juste typique ! Parfait pour se requinquer après une ascension du Cotopaxi. Bon accueil.

**Buon Giorno Pizzería** *(plan B2,* ***24****) : angle Sánchez de Orellana y General Maldonado, à gauche de la cathédrale. ☎ 280-49-24. Tlj 13h-23h (22h dim). Pâtes 4,50-8 US$, pizzas 9-22 US$ selon taille.* Grande salle aux couleurs de l'Italie où l'on mange des pâtes et des pizzas. Ce n'est pas Naples, mais elles restent acceptables, quoique noyées sous le fromage. Possibilité de livraison.

## De prix moyens à chic (moins de 20 US$)

**Parrilladas La Española** *(plan A1,* ***22****) : 2 de Mayo, entre Echeverria et Guayaquil. ☎ 280-42-47. Lun-sam 12h-21h. Plats 8-14 US$.* Sans être extraordinaire, la déco évoquant une hacienda est tout à fait appropriée : on sert ici d'excellentes grillades, accompagnées de bonnes sauces et de frites ou pommes de terre en robe des champs. Goûteux et très copieux. Les produits proviennent des élevages locaux. D'ailleurs, la maison possède aussi une épicerie fine à 100 m.

**Parrillada el Copihue Rojo** *(plan B2,* ***23****) : Quito 14-38. ☎ 280-17-25. Près de la cathédrale. Lun-sam 12h-21h. Menu du midi (servi 12h30-15h) : 3,50 US$. Plats 7-10 US$.* Après une courette décorée de cygnes en plâtre, on découvre 4 petites salles charmantes aux tons chauds, avec parquet et chaises en bois. Le *lomo saltado* servi avec *papas fritas* est excellent. Ambiance calme certains soirs. Très bon accueil.

## Où boire un verre ?

**El Templeario** *(plan B2,* ***30****) : pasaje Luis Vivero 1-02 y Orellana. 09-97-37-91-54. Tlj jusqu'à minuit env.* Juan, un Espagnol chaleureux et accueillant, brasse sa propre bière. Prenez une petite blonde pour tester, une rousse « allemande » si vous êtes satisfait et une « grande allemande » si vous en redemandez ! Et si vous avez un petit creux, demandez un plateau de jambon et fromage. Le lieu, très apprécié des jeunes du coin – qui viennent y taper le carton –, résonne d'un bon fond musical qui n'empêche pas de discuter.

## Fêtes

– Les 23-24 septembre et le samedi le plus proche du 11 novembre ont lieu les ***fiestas de la Mama Negra,*** sorte de carnaval avec défilés et beaucoup d'animation. Son origine remonte à l'éruption du Cotopaxi de 1742, qui détruisit Latacunga. Depuis, on honore la *Virgen de La Merced,* ou *Mama Negra,* pour qu'elle préserve la ville de la fureur du volcan (ce qui n'empêcha pas une autre éruption dévastatrice en 1877 !). Pour la petite histoire, sachez que la Mama Negra caracolant sur son fier destrier, le visage grimé de noir, est un homme !

# DANS LES ENVIRONS DE LATACUNGA

## *PUJILÍ*

Cette bourgade située à 12 km à l'ouest de Latacunga, sur la route de Zumbahua et du lac de Quilotoa, est réputée pour son beau marché (mercredi et dimanche). Toujours beaucoup de monde sous la halle couverte, posée en bord de route. La spécialité du coin : les tirelires en céramique !

## *LAGUNA DE QUILOTOA*

Partie intégrante de la *Reserva ecológica Los Ilinizas,* le lac de cratère de Quilotoa, aux eaux d'un beau vert turquoise, se trouve au cœur de l'une des régions les plus sauvages des Andes équatoriennes. Ceux qui y consacreront quelques jours ne seront pas déçus. Routes, pistes et chemins serpentent ici à travers un chaos de montagnes souvent couvertes jusqu'au sommet d'un patchwork de cultures étagées. Par endroits cisaillés de ravines, de gorges, de canyons, les massifs s'entrouvrent un peu plus loin sur des combes protégées où prospèrent villages, bois et bosquets d'eucalyptus. À tout moment, par beau temps, les sommets du Chimborazo, du Cotopaxi et des Ilinizas offrent une remarquable toile de fond.

Ceux qui sont pressés par le temps se contentent habituellement d'une excursion de 1 ou 2 jours jusqu'à Quilotoa, avec escale au marché de Zumbahua (le samedi), très typique. D'autres, plus bucoliques, se laissent porter par les pistes poussiéreuses jusqu'à Chugchilán ou, même, entreprennent une boucle les menant au-delà jusqu'à Sigchos, puis de retour à Latacunga via Saquisilí (réputé pour son marché du jeudi). Les vrais aventuriers, eux, louent des mules, explorent les chemins indiens.



### Arriver – Quitter

➢ ***Latacunga :*** bus direct avec *Vivero* vers 9h30, via Zumbahua – mais vérifiez bien, ça change régulièrement. Compter env 2h30 de trajet sur une bonne route – même si une section est encore en train d'être refaite. Sinon, prendre un bus allant vers La Maná ou Quevedo (ttes les 30 mn à 1h env, 6h-19h) et descendre à Zumbahua (à 66 km à l'ouest), où vous sauterez dans une *camioneta* (tlj 7h-21h), éventuellement après avoir fait un arrêt au marché (sam mat). Les *camionetas* partent directement du carrefour, alors que le cœur du village est env 1 km en contrebas. Il y a tout juste 13 km jusqu'à Quilotoa par une bonne route (20 mn). Compter env 1 US$ par personne ou 5 US$ par véhicule, à partager entre le nombre de voyageurs. Bus de retour direct de Quilotoa vers Latacunga à 13h. Sinon, à Latacunga, plusieurs agences (voir à Latacunga, « Adresses utiles ») proposent une excursion d'une journée à Quilotoa pour 60-70 US$.

## Où dormir ? Où manger ?

Passé la cahute communautaire où l'on paie le droit d'entrée au mirador (2 US$/pers), on découvre une enfilade de petits hôtels assez semblables, situés juste en retrait de la caldeira. La plupart sont très rustiques, avec un poêle dans les chambres du bas et... leur tuyau d'évacuation dans les chambres du haut pour tout chauffage ! Il y fait invariablement frisquet, l'eau chaude annoncée n'est que rarement au rendez-vous (ou, en tout cas, en quantité spartiate), et la propreté n'est guère extraordinaire. Autre souci de taille : de nombreux vols nous ont été signalés, toutes enseignes confondues, alors fermez bien vos sacs ! Le pire en la matière semble être le *Quilotoa Crater Lake Lodge*... Voici les mieux dans l'ordre d'apparition depuis la cahute de l'entrée :



■ |●| ***Hostería Alpaca Quilotoa :*** *à droite au niveau de la cahute d'entrée.* ☐ *09-92-12-59-62.* ● *alpacaquilotoa.com* ● *Compter 25 US$/pers, avec petit déj et dîner.* C'est, de loin, l'adresse la plus chic du village (hors *Quilotoa Crater Lake Lodge*), avec des chambres plutôt spacieuses et agréables, dotées d'un poêle et d'une salle de bains, et qui donnent sur la salle à manger. Évitez l'*Hostal Cabañas Quilotoa,* à côté, très basique et aux salles de bains peu engageantes.

■ |●| ***Hostal La Chosita :*** *à droite, un peu plus loin, après le virage.* ☐ *09-88-52-01-56. Compter 12 US$/pers avec petit déj et dîner.* On y trouve 6 chambres pas trop petites, assez rustiques et moyennement propres, dans un petit bâtiment rose plutôt avenant. Celles du rez-de-chaussée ont une cheminée, celles de l'étage le seul tuyau. Toutes ont une salle de bains, mais les mauvaises odeurs sont assez présentes.

■ |●| ***Hostería Pachamama :*** *à gauche, encore un peu plus loin, face au resto communautaire* Kirutwa. ☐ *09-86-22-82-47.* ● *hostalpachamama.com* ● *Compter 12 US$/pers avec petit déj et dîner.* C'est l'un des hébergements les plus organisés, sur le modèle standard du coin mais avec, en plus, une grande chambre pour 5 personnes (sombre) au rez-de-chaussée.

■ |●| ***Hostal Chukirawa :*** *à gauche, à côté du* Pachamama. ☎ *(03) 267-20-20 ou* ☐ *09-89-31-33-13.* ● *hostalchukirawa@hotmail.com* ● *Compter 12 US$/pers avec petit déj et dîner.* Ses 3 chambres du devant, grandes comme un mouchoir de poche, ont chacune poêle et douche. Tenue correcte. D'autres sont en cours de construction à l'arrière. Évitez le proche *Hostal Conejito,* au bout du parking, particulièrement sale.

|●| ***Kirutwa :*** *tlj 8h30-17h. Menu 7,50 US$ avec entrée, plat (unique), dessert et jus (de mûre !).* Occupant le grand bâtiment communautaire moderne en brique rouge dominant le lac, ce resto sans prétention compte 2 salles, l'une en nid d'aigle avec vue sur le cratère, l'autre au rez-de-chaussée, sans vue mais avec cheminée. Un peu cher, mais vous contribuez au développement du village... Quelques sandwichs aussi.

## Où dormir ? Où manger entre Latacunga et Quilotoa ?

■ |●| ***La Posada de Tigua :*** *hacienda* Tigua Chimbacucho, *sur la route Latacunga-Quevedo ; au km 49, prendre à droite le chemin cabossé en dévers (4x4 slt ; c'est à 1 km env).* ☐ *09-91-61-23-91.* ● *posadadetigua@yahoo.com* ● *Sur résa. Lit en dortoir (2-3 lits) 25 US$, double 70 US$, petit déj et dîner inclus dans les 2 cas.* Posée dans un vallon, à près de 3 500 m d'altitude, cette hacienda aux murs en adobe date de la fin du XIXe s. Margarita et Marco Rodriguez y élèvent veaux, vaches, cochons et autres lamas, fabriquent du fromage et du yaourt – naturellement conviés à la table du petit déjeuner. Ils proposent aussi petits dortoirs et chambres doubles ou triples, avec salle de bains commune ou privée. L'ensemble est plutôt modeste mais bien propre et avec eau chaude. Certes, le chauffage manque en dehors du poêle du salon, mais on vous fournira bouillottes et couvertures ! Nombreuses possibilités d'excursions, guidées ou non, à pied ou à cheval, notamment vers le Quilotoa (5-6h de marche). Pour les chevauchées, réservez au moins 1 ou 2 jours avant. On profite aussi des produits du potager et de la cuisine maison (spécialité de *seco de borrego,* un ragoût de mouton). Un havre de tranquillité pour poser son sac quelques jours et rayonner dans la région.

## À voir. À faire

*Laguna de Quilotoa :* du mirador perché sur le rebord du cratère, à 3 920 m d'altitude, le regard s'accroche à la corolle de falaises tombant dru dans les eaux verdâtres, quelque 400 m plus bas. Un site vertigineux à souhait ! Le lac, d'un diamètre d'environ 3 km, est né d'une éruption survenue il y a plusieurs siècles, qui provoqua l'effondrement du cratère sur lui-même. Une balade aisée d'une quarantaine de minutes, sur un sentier largement aménagé, mène jusqu'à sa plagette, où l'on peut louer un kayak. Vous y trouverez aussi un *hostal,* le *Princesa Toa II,* géré par la communauté. Sommaire (sanitaires partagés) et guère propre, il constitue néanmoins une alternative intéressante de par sa situation unique. Pour remonter, comptez au moins 1h à pied et 8 US$ à dos de mule...

➢ Les randonneurs pourront faire le tour du lac par les crêtes : une belle aventure qui demande au moins 4-5h de marche – et parfois bien plus lorsque les violents vents d'été se lèvent et menacent l'équilibre alors qu'on chemine le long du précipice... Au gré de la balade, vous verrez les paysans indiens travailler dans leurs champs pentus, où poussent patates et fèves.

➢ La région se prête à bien d'autres ***balades,*** au gré des vieux sentiers indiens reliant les villages entre eux. À Quilotoa, vous pourrez louer une mule et un muletier pour vous conduire jusqu'à Zumbahua (20 US$), Chugchilán (25 US$), ou vers la Posada de Tigua (30 US$). Ces prix s'entendent par personne, mais sont assez largement négociables si l'on est 2 ou plus. Attention, dernier départ vers 13h, en fonction de la destination. Ne payez que 50 % au départ et les autres 50 % une fois à bon port – sinon, il n'est pas rare que les jeunes muletiers trouvent une excuse fallacieuse pour faire demi-tour avant l'arrivée... Sans guide, il est facile de se perdre en raison des multiples bifurcations.

***Attention*** encore : des agressions ont été signalées dans cette zone. Renseignez-vous avant d'entreprendre le périple et formez de préférence un groupe avec d'autres voyageurs. À défaut, adressez-vous aux agences de Quito ou Latacunga. Comptez environ 4-5h pour rejoindre Chugchilán ou la Posada de Tigua depuis Quilotoa – les itinéraires les plus intéressants. Pour Chugchilán, on commence par longer la caldeira, avant de plonger vers le bourg de Guayama. Étape suivante : la traversée d'un bras du canyon del Toachí, avec une sacrée descente et... une sacrée remontée ! Nous vous déconseillons de prendre les pistes carrossables : elles sont certes plus sûres, car plus fréquentées, mais la poussière soulevée par les véhicules rend la rando plutôt pénible (et la douche incontournable à l'arrivée !).



## *CHUGCHILÁN*

À une vingtaine de kilomètres au nord du Quilotoa par une piste défoncée, ce village tranquille, situé à 3 200 m d'altitude, invite à une pause sereine, dans des paysages verdoyants de collines griffées de cultures en terrasses. Enfin on respire ! On peut y faire des randos à pied, à vélo ou à cheval, vers le lac de Quilotoa, le canyon du río Toachí, vers un pan de forêt des nuages (Bosque Nublado), ou encore visiter une fabrique de fromages.

## Arriver – Quitter

🚌 2 bus/j. relient Latacunga à Chugchilán : départ à 11h30 via Sigchos et à 12h via Zumbahua et le lac de Quilotoa. Le temps de trajet est à peu près le même (4h). Retour à 3h30 du mat pour le premier, 4h pour le second... Une heure sans doute idéale pour arriver à Latacunga à l'ouverture des magasins, mais pas pour les routards... Pour sauvegarder votre nuit, prenez plutôt le camion du laitier *(tlj sf dim)*, qui part entre 8h30 et 9h pour Sigchos. Il ne vous en coûtera que 1 US$ pour 2h de trajet ; de là, vous aurez plus de choix de bus (vers 13h30, 14h30 et 16h). Le dim, 3 rotations supplémentaires relient Latacunga à Chugchilán, la plupart via Zumbahua (et le lac de Quilotoa).

➢ Si vos horaires ne sont pas compatibles avec ceux des rares bus, vous pourrez louer une *camioneta* entière pour rejoindre les centres d'intérêt et villages de la région. 📱 *09-91-03-73-63.* Comptez 20 US$ pour le *Bosque Nublado* (plus sympa à cheval) et Sigchos, 25 US$ pour Quilotoa, 30 US$ pour Zumbahua et Isinliví, 40 US$ pour Tigua et 60 US$ pour Latacunga.



## Où dormir ? Où manger ?

🏠 |●| ***Hostal Cloud Forest :*** ☎ *(03) 270-81-81 ou* 📱 *09-89-54-56-34.* ● *josecloudforest@gmail.com* ● *Compter 7-15 US$/pers, petit déj et dîner compris.* Cette grosse bâtisse en bois de 3 étages abrite un vaste éventail de chambres, les plus agréables (qui sont aussi les plus chères) étant en duplex. Demandez à voir pour faire votre choix. Des hamacs pendent aux balcons et une salle de jeux avec ping-pong et billards est à disposition. Bon petit resto qui sert de la cuisine végétarienne.

🏠 |●| ***Hostal Mama Hilda :*** *à côté du Cloud Forest.* ☎ *(03) 270-80-05 ou* 📱 *09-95-26-86-15.* ● *mamahilda.com* ● *Compter env 41,50-73 US$ pour 2, avec ou sans sdb, selon le type d'hébergement, petit déj et dîner compris.* Mama Hilda, son mari et le fiston ont aménagé un hôtel bien agréable, aux jolis airs de chalet équatorien, où l'on s'oublie aisément quelques jours. On choisit entre 4 catégories de chambres, bien tenues, réparties dans un grand jardin – dont une partie en duplex. Les *Mirador,* plus petites, possèdent une drôle de douche évoquant quelque chose de Gaudí... Presque toutes ont un poêle. Cuisine familiale. Randonnées équestres. Une bonne adresse.

🏠 |●| ***The Black Sheep Inn :*** *à la sortie de Chugchilán, direction Sigchos, un chemin raide grimpe jusqu'à la maison.* ☎ *(03) 270-80-68 ou 077.* ● *blacksheepinn.com* ● *Dortoir 35 US$, doubles 60-80 US$/pers avec ou sans sdb, pens complète pour ts ; réduc 15 % au-delà de 4 nuits. CB refusées, mais paiement possible par Paypal.* 📶 Cet endroit vraiment séduisant, tenu par un couple nord-américain, se fait le chantre d'un tourisme écologique. Les chambres sont réparties au fil d'une pente raide, dans différentes constructions harmonieusement intégrées au cadre naturel. Elles sont très agréables, joliment décorées et douillettes. Celles du haut (beau raidillon !) jouissent d'une vue sublime. Certes, les prix sont très élevés, surtout avec salle de bains commune... mais quelles salles de bains ! Les toilettes sèches (à la sciure) sont postées dans des guérites avec baie vitrée et minijardin ! Ajoutez à cela une grande pièce commune avec cheminée, un sauna, une salle de yoga, une salle de sport grande ouverte sur la vallée, une laverie gratuite... La cuisine, exclusivement végétarienne, est excellente. Itinéraires détaillés de randos à faire dans les environs (transport possible).

# À faire

➢ De Chugchilán, certains font durer le plaisir de la rando en ajoutant une étape vers ***Isinliví*** (4-5h de marche), un village à 2 900 m d'altitude, d'où ils regagnent Latacunga en bus *(2/j.).* C'est aussi possible dans l'autre sens, mais ça monte plus ! Et puis il n'est pas rare de se perdre un peu en chemin... À Isinliví, on peut passer la nuit à l'*Hostal Llullu Llama* (☎ *(03) 281-47-90 ; ● llullullama.com ●*), une charmante fermette reconvertie, abritant un dortoir et huit chambres partageant une unique douche (chaude). Compter 18-21 US$/pers avec le dîner et le petit déj. Si vous remontez vers Chugchilán, les sympathiques proprios vous dessineront une carte de l'itinéraire à suivre !

## SAQUISILI

➢ *De Latacunga (12 km), bus ttes les 10-15 mn, dès 6h ; dernier retour vers 18h30.* Le jeudi s'y tient l'un des plus beaux marchés d'Équateur, haut en couleur et bien moins touristique que celui d'Otavalo. Marché au sucre et aux légumes sur le terrain de sports. Marché aux tissus près de l'église. Marché aux animaux (moutons, lamas, bœufs, porcs, *cuyes*...) légèrement excentré par rapport aux précédents : superbe, mais il faut y aller de bonne heure, quand l'activité est à son comble.

# AMBATO

220 000 hab. IND. TÉL. : 03

**Cette grosse ville étalée sur plusieurs collines, en grande partie détruite par un séisme en 1949, n'a guère de chance de vous retenir. Tout juste croise-t-on encore au centre quelques bâtisses coloniales sauvées des eaux, trois musées très secondaires et un marché coloré. Le lundi, les Indiens descendent par centaines de la montagne pour y vendre leurs produits. En fait, Ambato n'est intéressante que ce jour-là... et lors du carnaval, en février.**

## Arriver – Quitter

### En bus

🚌 ***Le terminal terrestre*** *(hors plan par B1)* **:** *c/ Paraguay, à 2 km au nord-est du centre.* Un bus le relie au parque Cevallos. Tous les départs s'effectuent d'ici, sauf ceux pour Cuenca (à deux pas) et Baños (voir ci-après).

➢ ***Latacunga et Quito :*** bus ttes les 10-15 mn, 24h/24, avec *Coop Ambato, El Dorado, Amazonas,* etc. Compter 1h de route pour Latacunga et 2h30 pour Quito.

➢ ***Riobamba :*** ttes les 15 mn à 1h avec *22 de Julio* (5h20-17h20) et *Condorazo* (5h-19h20). Env 1h de trajet. Aux amateurs de beaux paysages, on conseille de prendre plutôt un bus pour *Guaranda* (à 2h d'Ambato, départ ttes les 30 mn) et, de là, un autre bus pour Riobamba (à nouveau 2h de trajet). Certes, c'est beaucoup plus long, mais la route, qui passe tout près du Chimborazo, est sublime, avec des passages à 4 000 m. Se placer du côté gauche du bus pour profiter du panorama.

➢ ***Guayaquil :*** bus presque 24h/24, ttes les 30 mn à 2h avec *Flota Pelileo, Transandino* et *Cita Express.* D'autres, moins fréquents, avec *Santa* et *El Dorado.* Compter 6h.

➢ ***Amazonie :*** Ambato est un carrefour important vers l'Amazonie. Env 7 bus/j. pour Puyo avec *Expreso Baños* (2h30-18h15), 5/j. avec *Transportes Baños* et *Flota Pelileo* (3h-13h), et encore *Amazonas, San Francisco* et *El Dorado*. La plupart continuent jusqu'à Tena et certains poussent même jusqu'à Coca et Lago Agrio (*Transportes Baños* slt). Cette dernière compagnie dessert aussi Macas (vers 23h30 et 1h15).

➢ D'autres bus directs, encore, vers ***Esmeraldas*** et ***Manta*** sur la côte, ***Otavalo*** et ***Ibarra*** au nord, ***Loja*** au sud et ***Huaquillas*** à la frontière péruvienne (le soir).

➢ ***Cuenca :*** départ du terminal de la compagnie *Santa, c/ Estados Unidos.* Prendre la rue qui monte sur la gauche lorsqu'on fait face au terminal terrestre, puis la 2e à gauche (c'est à 150 m). 13 bus/j., 6h-minuit, dont la moitié après 20h. Trajet en 7h.

➢ ***Baños :*** départ du *terminal intercantonal,* situé à env 4 km au sud-est du centre, face au *mercado Mayorista.* Bus très fréquents jusqu'en fin de journée. Trajet en moins de 1h.

## Adresses utiles

🛈 ***Ministerio de Turismo*** *(plan A2) : angle Guayaquil et Rocafuerte, à gauche de l'entrée de l'hôtel* Ambato. *☎ 282-18-00. Lun-ven 8h30-17h30.* Bonnes infos et accueil aimable.

✉ ***Poste*** *(plan A2) : sur le parque Juan Montalvo, à l'angle de Bolívar et Castillo. Lun-ven 8h-17h, sam 9h-13h.*

■ ***Téléphone : CNT*** *(plan A1,* ***4****), Castillo 03-17 y Bolívar. Lun-ven 8h30-17h.* Sinon, plein d'autres centres d'appels en ville. Comparez les prix car ils peuvent varier du simple au triple.

@ ***Internet :*** là encore, il y en a à la pelle. Notamment *calle Sucre, entre Juan Montalvo et Juan León Mera (plan A-B1-2) ; et calle Bolívar, entre Juan León Mera et Luis Martinez (plan A-B1).*

■ ***Distributeurs de billets :*** par exemple au ***Banco Pichincha*** *(plan B1,* ***1****), parque Cevallos,* ou au ***Banco del Pacífico*** *(plan A1,* ***2****), Juan Montalvo.* Plein d'autres entre les 2 plazas, sur *l'av. Cevallos.*

■ ***Clínica Tungurahua*** *(plan B2,* ***3****) : Juan Benigno Vela 717 y Mera. ☎ 282-06-44.* Urgences 24h/24. C'est une clinique privée, soyez bien assuré. L'hôpital régional se trouve de l'autre côté du río *(☎ 242-05-33 ou 242-10-12).*

## Où dormir ?

### Bon marché (jusqu'à 30 US$)

🏠 ***Residencial Nueve de Octubre*** *(plan B2,* ***11****) : Juan León Mera 07-56. ☎ 242-18-28. Sur la pl. 12 de Noviembre. Doubles 8-14 US$.* Des petits hôtels bon marché de la place, c'est celui qui offre le meilleur rapport qualité-prix. On choisit entre les chambres alignées le long du couloir, sombres et avec salle de bains commune (mais vraiment pas chères), ou celles du fond, nettement plus agréables, dans un bâtiment plus récent et lumineux, avec douche et TV.

🏠 ***Hotel Nürnberg*** *(plan B2,* ***12****) : 12 de Noviembre 09-25 y Martínez. ☎ 282-84-55. Sur la pl. 12 de Noviembre. Double 20 US$ avec sdb et TV.* Le proprio a vécu en Allemagne, d'où ce nom incongru et le petit drapeau flottant à la réception. Pour le reste, la propreté n'a rien de germanique... Chambres assez basiques, pour beaucoup sans fenêtre (juste un soupirail).

🏠 ***Pirámide Inn*** *(plan B1,* ***13****) : Cevallos y Egüez. ☎ 242-19-20. Parking. Double env 26 US$, petit déj inclus. CB acceptées.* 📶 Hôtel aux chambres acceptables, avec salles de bains, moquette et TV câblée. Éviter le côté calle Cevallos, bruyant.

### Chic (plus de 70 US$)

🏠 ***Hotel Roka Plaza*** *(plan A2,* ***14****) : av. Bolívar, entre Quito et Guayaquil. ☎ 242-38-45. • hotelrokaplaza.com • Parking gratuit. Doubles et suites 78-95 US$ env, petit déj inclus.* 📶 On ne s'attendait pas à trouver cette belle escale ici ! Aménagé dans une ancienne demeure coloniale, l'hôtel compte juste 6 chambres et une suite très spacieuses, installées à l'étage, autour du joli patio central (devenu restaurant). Elles mêlent avec goût charme de l'ancien et touches de déco design. Au menu : hauts plafonds, beaux parquets, joli mobilier, TV à grand écran plat et des montagnes de coussins semés sur les lits (très confortables) et jusque sur le sol ! La musique anime les soirées, mais tout s'arrête à 22h, à la fermeture du (bon) restaurant – très apprécié de la bourgeoisie locale.

🏠 ***Hotel Ambato*** *(plan A2,* ***15****) : Guayaquil 01-08 y Rocafuerte. ☎ 242-17-91 ou 92. • hotelambato.com • Compter 80 US$ la double, petit déj inclus. Par-*

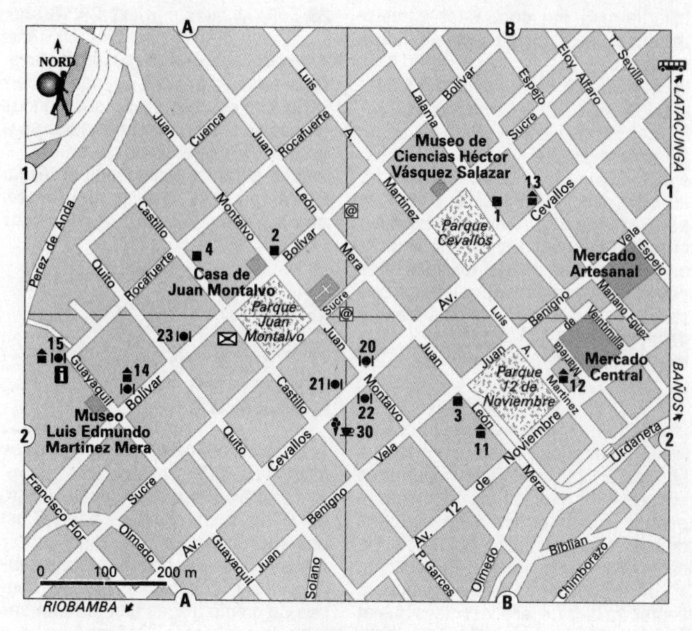


## AMBATO

**Adresses utiles**

1 Banco Pichincha
2 Banco del Pacífico
3 Clínica Tungurahua
4 CNT (téléphone)

**Où dormir ?**

11 Residencial Nueve de Octubre
12 Hotel Nürnberg
13 Pirámide Inn
14 Hotel Roka Plaza
15 Hotel Ambato

**Où manger ?**

14 Restaurant de l'hotel Roka Plaza
15 Restaurant de l'Hotel Ambato
20 El Sabor
21 Pizzería La Fornace
22 El Álamo Chalet
23 Parrilladas El Gaucho

**Où déguster une glace ? Où prendre un café ?**

30 Gelatería-cafetería La Fornace

*king gratuit.* L'un des meilleurs hôtels de la ville. Le bâtiment, moderne, est banal, mais les chambres sont sans défaut et très confortables. La moitié d'entre elles donnent sur Ambato et les montagnes. Possède également un bon resto. Accueil pro.

## Où manger ?

À l'ouest du centre, avenida de los Guaytambos (face au collège *Santo Domingo de Guzmán*), vous trouverez une brochette de bouis-bouis où rôtissent des *cuyes*. Attention, si l'on mange dehors dans un cadre simple, le cochon d'Inde n'en est pas moins un mets relativement onéreux !

### De bon marché à prix moyens (jusqu'à 12 US$)

**El Sabor** *(plan B2,* ***20****) : angle Montalvo et Cevallos. ☎ 282-53-78. Tlj 7h-22h (cafétéria jusqu'à 14h).* On y attrape au passage un palmier ou un sandwich frais pas cher du tout (1,50-3 US$). Coin cafet' pour s'installer le midi. Par contre, les gâteaux restent souvent un peu trop longtemps en vitrine...

|●| ***Pizzería La Fornace*** *(plan A2,* ***21****)* **:** *av. Cevallos 17-28 y Montalvo.* ☎ *282-32-44. Tlj 12h-22h (23h ven-sam). Compter 4-16 US$ la pizza selon taille ; autres plats 5-12 US$.* Le four marche au bois, les pizzaiolos font voler la pâte en maestros et des bougies ornent gentiment les tables. Encore un peu et on se croirait en Italie ! Les pizzas sont parfaites. Également des salades, viandes, pâtes et de généreux desserts.

|●| ***El Álamo Chalet*** *(plan B2,* ***22****)* **:** *Cevallos 17-19 y Montalvo.* ☎ *282-47-04. Tlj 9h-23h. Plats 5,50-8 US$.* La façade tout en bois évoque un chalet, mais, à l'intérieur, la salle prend des airs plutôt chic, avec ses banquettes accueillantes veillées par des lampes pseudo-Tiffany et ses murs couverts de cadres façon intérieur bourgeois. Un cadre chaleureux, presque romantique, si l'on excepte les affreuses nappes à fleurs ! La cuisine, elle, est classique et bien faite. Très apprécié des locaux.

|●| ***Parrilladas El Gaucho*** *(plan A2,* ***23****)* **:** *Bolívar y Quito.* ☎ *282-89-69. Lun-sam 12h-23h, dim 12h-16h. Plats 7-10 US$.* La grande salle en demi-sous-sol n'est pas très avenante, mais le *Gaucho* est réputé pour ses viandes grillées au charbon de bois, accompagnées de vin argentin ou chilien.

|●| Voir aussi les restaurants du ***Roka Plaza*** *(plan A2,* ***14****)* et de ***l'Hotel Ambato*** *(plan A2,* ***15****)*, décrits dans « Où dormir ? ».

## Où déguster une glace ? Où prendre un café ?

***Gelatería-cafetería La Fornace*** *(plan A-B2,* ***30****)* **:** *Cevallos y Montalvo. Tlj 10h-22h.* Presque en face du resto du même nom, cité plus haut. C'est une succursale. Le week-end, on s'y presse en famille pour ses bons *cappuccini* bien chauds, ses grosses coupes de crème glacée aux fruits et ses succulentes glaces. Goûtez à celles à la mangue, à la fraise ou aux noix !



# À voir

***Museo de Ciencias Héctor Vásquez Salazar*** *(plan B1)* **:** *Sucre 04-34, sur le parque Cevallos.* ☎ *282-73-95 ext. 107. Lun-ven 8h30-12h30, 14h30-18h30. Fermé w-e. Entrée : 2 US$.* Ce musée un peu vieillot et fourre-tout sur les bords (il date de 1920) amusera les nostalgiques et les poètes. Au milieu des mille et une bestioles empaillées ou baignant dans le formol, vous tomberez sur d'étranges créatures que ne renierait pas David Cronenberg : agneau à huit pattes, taureau cyclope, veau à deux têtes et autre poule à quatre pattes ! Ajoutez à cela une collection numismatique, une petite section archéologique, une météorite de 192 kg (!), des objets amazoniens et des photos du début du XXe s. Autant de tranches d'histoire et de vie encrassées de poussière.

***Casa de Juan Montalvo*** *(plan A1)* **:** *angle Montalvo et Bolívar. Lun-ven 9h-12h, 14h-18h ; sam 9h-14h. Entrée : 1 US$.* Ce célèbre romancier, qui naquit à Ambato le 13 avril 1832 et mourut à Paris (26, rue Cardinet) en janvier 1889, est, entre autres, l'auteur de *La Dictature perpétuelle*. Connu pour son anticléricalisme et son opposition aux régimes qui régentèrent l'Équateur au XIXe s, il passa de nombreuses années en exil. Si sa vie est intéressante, le musée, installé dans une vieille maison coloniale, ne l'est guère... Le mausolée pompeux d'à côté accueille sa dépouille, transférée ici en 1932.

***Museo Luis Edmundo Martinez Mera*** *(plan A2)* **:** *Guayaquil y Bolívar. Mer-dim 9h-17h. Entrée libre.* Cette galerie de peinture moderne équatorienne, ouverte par la municipalité, est installée dans une belle demeure coloniale, autour de deux patios à colonnes. L'espace est beau, les toiles plus incertaines, même si on y a vu une aquarelle de Guayasamín.

**Mercado Central** *(plan B1-2)* **:** *au nord du parque 12 de Noviembre.* Sous la halle, les stands disposent leurs fruits et légumes avec soin, en petites piles instables et colorées. Le lundi, de nombreux Indiens descendent de leur village pour l'occasion. À l'étage, vous trouverez stands de nourriture (bons *llapingachos*) et de jus de fruits. Un *marché aux fleurs* se tient devant, le long de l'av. 12 de Noviembre, et un *marché artisanal* (tristoune) occupe la *cuadra* suivante, entre Egüez et Espejo *(plan B1).* Ceux qui ont du temps pousseront jusqu'à l'immense *Mercado Mayorista*, à 4 km au sud-est (les bus pour Baños partent d'à côté).

## DANS LES ENVIRONS D'AMBATO

### *SALASACA*

Cette bourgade se trouve sur la route de Baños, à environ 14 km d'Ambato. Elle est réputée pour ses tapis de laine, vendus au marché dominical (sur la place de l'église) et dans quelques boutiques ouvertes toute la semaine. Si vous craquez, il vous faudra naturellement marchander ! Le village attenant, ***Pelileo,*** est spécialisé dans la fabrication et la vente de jeans ! Boutiques à touche-touche sur la rue principale et marché les samedi et dimanche. Pour poursuivre vers Baños, arrêtez n'importe quel bus de passage. Peut-être vous faudra-t-il changer à Pelileo, mais les départs sont fréquents. La route descend ensuite en serpentant entre les collines cultivées. Paysage doux et reposant.

# BAÑOS

20 000 hab. IND. TÉL. : 03

**À moins de 1h d'Ambato et 3h30 de Quito, Baños de Agua Santa (de son nom complet) se serre sur un replat, dans une vallée écrasée par la masse invisible du volcan Tungurahua et cisaillée par les gorges du río Pastaza. À 1 820 m d'altitude, Baños s'ancre dans une zone de transition entre mondes andin et amazonien : la chaleur y est plus évidente, les pluies plus fréquentes, la végétation plus verdoyante. Née le long des routes commerciales vers l'Oriente, Baños (« bains » en espagnol) a acquis ses lettres de noblesse avec le développement de ses thermes – nourris par les eaux chaudes et sulfureuses sourdant des entrailles du Tungurahua. Leurs propriétés curatives attirent chaque fin de semaine des foules d'Équatoriens. Au fil du temps, la bourgade s'est muée en station thermale, puis en une petite ville ultra-touristique (et sans grand charme, disons-le...). On y trouve aujourd'hui une densité d'hôtels et de restos inégalée en Équateur ! Des dizaines d'activités sont parallèlement proposées : randonnée bien sûr, balades à cheval, rafting, kayak, VTT, mais aussi saut à l'élastique (alias *puenting*), canyoning et autres promenades en *chiva* (camionnette ouverte), musique à fond et verre à la main... Pour retrouver la sérénité, il faut s'éloigner un peu.**

## LE VOLCAN TUNGURAHUA

Son nom, en quechua, signifie peu ou prou « gorge brûlante »... Ce jeune stratovolcan de type strombolien, culminant à 5 023 m, est l'un des plus actifs des Andes : il se manifeste en moyenne tous les 80 à 100 ans. Fin 1999, il s'est réveillé puissamment, au point de provoquer l'évacuation de toute la population de Baños. Durant plusieurs mois, la ville fut placée sous la surveillance de l'armée. Jusqu'au jour où une vidéo révéla que des éléments incontrôlés pillaient les maisons et les

hôtels... Une partie des habitants reprit alors – de force – possession des lieux. Peu à peu, la plupart se sont réinstallés, ont oublié.
Lorsque le Tungurahua s'est à nouveau manifesté violemment, en octobre 2006, beaucoup ont refusé de partir malgré les vitres qui vibraient et les cendres qui pleuvaient. Les maris restèrent, envoyant femmes et enfants en sécurité. Finalement, le 16 août, une gigantesque explosion déclencha un spectacle aussi sublime qu'effrayant : pendant quelques heures, des fontaines de lave jaillirent du cratère jusqu'à près de 1 km dans les airs ! Une dizaine de personnes furent tuées. Depuis, le Tungurahua s'est manifesté presque chaque année, crachant à chaque fois lave et cendres – la dernière fin août 2012. Plus personne, ou presque, ne prête attention à ses humeurs, désormais... Et pourtant, qu'adviendrait-il si une explosion cataclysmique franchissait la barrière rocheuse protégeant Baños ?

## Arriver – Quitter

**Terminal de bus** (plan A1) **:** *av. de las Amazonas, à l'orée (nord) du centre-ville. De là, il suffit de descendre Maldonado pour rejoindre le Parque central et la calle Ambato (perpendiculaire), axe central (et semi-piéton) de Baños.* Petit office de tourisme sur place *(tlj 8h-17h30).*



➢ ***Ambato, Latacunga et Quito :*** ttes les 20 mn env avec *Trans Baños* (4h-18h40), *Trans Amazonas* (4h15-18h20) et *Expreso Baños* (6h40-19h50). Durée pour Quito : 3h30.
➢ ***Puyo et Tena :*** bus fréquents avec ttes les compagnies, 3h30-23h, ttes les 30 mn env pour Puyo et ttes les 1h pour Tena. *Coop Sangay* (7h45-21h), *Expreso Baños* (3h30-19h30), *Trans Riobamba* (5h30-19h45) et *Pelileo* (4h45-23h) assurent les départs les plus fréquents. Compter 1h15 de route pour Puyo et env 4h pour Tena.
➢ ***Coca :*** 3 bus/j. avec *Trans Baños* (à 17h30, 21h30 et 22h40) et 2 /j. avec *Pelileo* (4h et 19h30). Env 8-9h de route.
➢ ***Macas :*** 2 bus/j. avec *Pelileo,* vers 10h30 et 21h30, et 1 autre avec *Trans Baños* vers 1h du mat. Trajet en 5h.
➢ ***Riobamba :*** bus ttes les 30 mn en moyenne, les plus fréquents avec *Trans Riobamba* (6h-21h) et *Trans Sangay* (5h-21h). Compter 2h.
➢ ***Cuenca :*** 6 bus/j. avec *Coop Sangay* (6h45-18h40) et 3/j. avec *Trans Riobamba* (vers 7h15, 11h et 17h).
➢ ***Guayaquil :*** 6 bus/j. avec *Pelileo* (bien répartis, 9h-22h30), 4 avec *Trans Baños* (soirée et début de nuit) continuant jusqu'à Salinas et 2 avec *Trans Riobamba* (6h et 13h10).

## Adresses utiles

### Infos touristiques

***Información Turística*** (plan A2) **:** *Tomás Halflants, face au parc central.* ☎ *274-04-83. Tlj 8h-17h30.* Excellentes infos. Plan de la ville et des environs, avec les sentiers de promenade. Bureau au terminal des bus également *(tlj 8h-17h30).*

### Poste et télécommunications

✉ **Poste** (Correos ; plan A2) **:** *Parque central. Lun-ven 8h-18h ; sam 9h-13h.*
■ **Téléphone** (plan A2, **1**) **: CNT,** *Vicente Rocafuerte et Tomás Halflants, sur la place centrale. Lun-ven 8h-13h30, 14h-16h30.* Beaucoup de *locutorios* moins chers, partout en ville.
@ ***Internet :*** il y a des cybercafés partout, notamment sur Eloy Alfaro *(plan B1-2).* Compter env 1 US$/h. Une bonne adresse : ***Solnet*** *(plan A1-2,* **2***), angle Ambato et Tomás Halflants. Tlj 9h-22h30.*

### Argent, change

■ ***Distributeurs :*** au *Banco del Pacífico* (voir ci-après) et au ***Banco del Pichincha*** *(plan A2,* **3***),* aussi sur le parc central.
■ ***Change :*** au ***Banco del Pacífico*** *(plan A2,* **5***), à l'angle de Tomás Halflants et Rocafuerte. Lun-ven 8h30-16h.* Change les euros cash à un taux acceptable, sans commission, et les

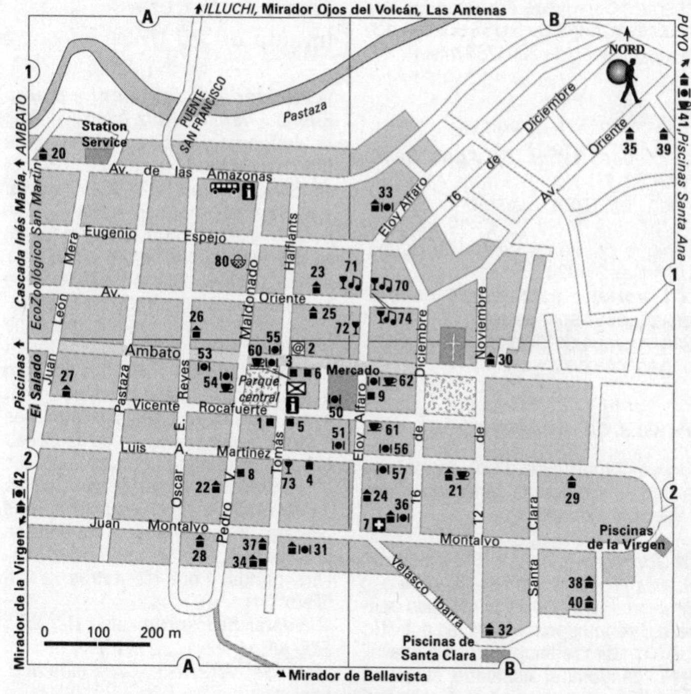


# BAÑOS

**Adresses utiles**

1 CNT (téléphone)
2 Solnet
3 Banco del Pichincha
4 Alexander Tours
5 Banco del Pacífico
6 Geotours
7 Clinica Baños de Agua Santa
8 Jose & Two Dogs
9 Marberktour
34 Isla de Baños

**Où dormir ?**

20 Hospedaje familiar « Mama Emma », familia Ruiz
21 Hostal Plantas y Blanco
22 Hostal Timara
23 Hostal d'Anthony
24 Hostal El Pedrón
25 Hostal Dinastía
26 Hotel El Belen
27 Hostal Residencia Princesa María
28 Hostal Monte Real
29 Hostal Chiminea
30 Hostal Los Nevados
31 Hotel Mariane
32 Hotel Villa Santa Clara
33 Hostal Donde Ivan
34 Hostería Isla de Baños
35 Napolitano Apart & Hotel
36 La Petite Auberge
37 Hotel La Floresta
38 Hostal Posada del Arte
39 Hospedaje Higuerón
40 Posada J (El Marques)

**Où manger ?**

31 Mariane
33 Restaurant de l'Hostal Donde Ivan
36 Le Petit Restaurant
50 Mercado
51 Casa Hood
53 Tarinacuy
54 Café Hood
55 La Cocina de Dulcelina
56 Bella Italia
57 Swiss Bistro

**Où dormir ? Où manger dans les environs ?**

41 Pequeño Paraíso, Finca Chamanapamba – Regine's Café-Restaurant Alemán, Hotel Luna Runtun
42 Casa Amarilla

**Où prendre un petit déjeuner ? Où faire une pause café ?**

21 Caféteria de l'Hostal Plantas y Blanco
41 Café del Cielo
60 Café Blah Blah
61 The Coffee Lounge
62 Ponche Suizo

**Où boire un verre ? Où sortir ?**

70 Leprechaun
71 Peña El Volcán
72 Jack Rock Café
73 Rincón de Suiza
74 Good Bar

**Artisanat**

80 El Cade

chèques de voyage *American Express* en dollars (com' de 5 US$ sur ces derniers), à raison de 200 US$ max/j.

## Divers

**Clinica Baños de Agua Santa** (plan B2, **7**) : *Juan Montalvo, entre Eloy Alfaro et 16 de Diciembre. ☎ 274-24-47 ou 09-84-19-42-39.* La seule clinique privée du centre de Baños. Urgences 24h/24.

■ **Laveries :** nombreuses dans le centre, elles sont souvent couplées à une boutique de location de 2-roues ou une agence de voyages.

## Agences de voyages

On en compte plus d'une soixantaine à Baños, pas toutes sérieuses ! Privilégiez par exemple :

■ **Geotours** (plan A2, **6**) : *Ambato y Tomás Halflants. ☎ 274-13-44. • geotoursbanios.com • Tlj 8h-21h.* Un opérateur sérieux pour toutes les activités de plein air : rafting, balades à cheval, VTT, canyoning, escalade et même saut à l'élastique et parapente. Matériel récent et guides compétents. Organise également des excursions à la journée et des séjours en Amazonie jusqu'à 3 j. Location de VTT 7 US$/j.

■ **Alexander Tours** (plan A2, **4**) : *Tomás Halflants y Martínez. 09-87-55-80-63. • alexandertours@hotmail.com • Tlj 8h-21h.* Le proprio s'appelle Guidon, euh pardon, Guido ! Pour ceux qui veulent aller à Río Verde à vélo et continuer en bus vers Puyo, possibilité de laisser son 2-roues là-bas. Compter 10 US$/j. Location de motos, tours à cheval et aussi rafting.

## Où dormir ?

Vous trouverez un bien meilleur rapport qualité-prix dans les catégories « Très bon marché » et « Bon marché » ! Attention, le week-end, les prix grimpent et tout se remplit très vite. Il peut être préférable de réserver les vendredi et samedi.

### Très bon marché (moins de 20 US$)

**Hospedaje familiar « Mama Emma », familia Ruiz** (plan A1, **20**) : *av. Amazonas, à 3 cuadras à l'ouest du terminal de bus, au début du virage. ☎ 274-00-52 ou 09-95-96-40-46. • yadiradhp@gmail.com • Env 12 US$ pour 2.* Mama Emma, son époux et sa fille vous accueilleront chaleureusement dans leur maisonnette perchée au-dessus des gorges du río Pastaza. Posée tout contre la route, elle domine un jardinet tout en pente où prospèrent des mandariniers (on vous invitera à vous servir). Les 8 chambres sont assez sommaires, mais pas chères du tout et avec salle de bains et eau chaude ; préférez l'une des 3 situées en contrebas, plus au calme. Cuisine à disposition, mais on peut aussi vous préparer un repas le soir. Une adresse pour ceux qui veulent sortir des sentiers battus. Pour les autres, il y a mieux.

**Hostal El Pedrón** (plan B2, **24**) : *Eloy Alfaro, entre Luis Martínez et Juan Montalvo. ☎ 274-07-01. • elpedron.banios.com • Doubles 9-20 US$ selon taille et saison ; un peu plus cher avec le petit déj.* Noyée au cœur d'un grand jardin tropical, en plein centre, la maison familiale, devenue hôtel, abrite des chambres impeccables, plutôt lumineuses, avec TV câblée. Même la plus petite (à 9 US$ en basse saison !) a sa propre salle de bains ; les autres sont un peu plus grandes. Un excellent choix, soutenu par un accueil charmant. Attention, si vous êtes allergique : nombreux chiens.

**Hostal Residencia Princesa María** (plan A2, **27**) : *Rocafuerte y Juan León Mera. ☎ 274-10-35. • holaprincesamaria1@hotmail.com • Double env 14 US$.* Voici encore une excellente option ! Vous trouverez ici des chambres plutôt spacieuses, avec parquet, salle de bains et, parfois, un petit balcon donnant sur le jardinet. Le tout a été récemment rénové et est très bien tenu. Cerise sur le gâteau : une cuisine à dispo et un excellent accueil ! Les prix et l'ambiance d'une AJ, mais en plus intime.

🏠 ***Hostal Timara*** *(plan A2, **22**) : Pedro V. Maldonado y Luis Martínez. ☎ 274-05-99. • banios.com/timara • Doubles env 10-20 US$.* Cette pension familiale sans prétention, appartenant à un couple anglo-équatorien, propose 2 types de chambres. Les moins chères, avec salle de bains commune (bien tenue), ne sont guère plus grandes que le lit ; celles du fond, 2 fois plus chères, sont vraiment agréables : tons chauds aux murs, petite déco, bonne literie, carrelage, TV, sanitaires nickel... Pas de petit déj, mais cuisine à dispo. Une bonne adresse.

🏠 ***Hostal Los Nevados*** *(plan B2, **30**) : Ambato y Hermano Enrique Mideros. ☎ 274-06-73. Double avec sdb 16 US$ sans petit déj, 18 US$ avec.* Proche de l'église, ce petit hôtel ne vous laissera pas de souvenirs impérissables, mais ses chambres sont propres. Les salles de bains sont un peu fatiguées (quelques fuites). Petit déj sur la terrasse.

## Bon marché (14-32 US$)

🏠 ***Hotel El Belen*** *(plan A1, **26**) : Oscar Efren Reyes y Ambato. ☎ 274-10-24. • hotelelbelen.com • Doubles env 16-25 US$. Parking gratuit.* En plein centre, à 2 blocs de la gare routière, cet hôtel familial, coloré et net, propose des chambres bien finies et de confort suffisant, avec salle de bains, eau chaude et TV. Calmes, elles donnent sur une cour intérieure fleurie (où l'on peut se garer). En bonus : une cuisine commune, un coin pour faire sa lessive, un jacuzzi et des *baños de cajón,* ces espèces de boîtes en bois où circule de la vapeur, qui enveloppent tout le corps sauf la tête. Bon accueil.

🏠 ***Hostal Monte Real*** *(plan A2, **28**) : Juan Montalvo y Pedro Maldonado. ☎ 274-06-03. Doubles 18-25 US$ selon taille.* Encore central mais au calme, le *Monte Real* dispose de 6 chambres tout juste, lumineuses, propres, bien tenues, la plupart avec parquet. Déco variable, assez sobre. Une bonne adresse pour ce prix et un accueil souriant de Cathy.

🏠 ***Hostal Plantas y Blanco*** *(plan B2, **21**) : Luis A. Martínez y 12 de Noviembre. ☎ 274-00-44. • plantasyblanco.com • Dortoir à partir de 7,50 US$, doubles avec ou sans sdb 19-24 US$.* Tenu par Nathalie et Michel, un couple français, ce petit hôtel pour routards abrite des chambres bien propres, blanches et garnies de plantes – d'où le nom du lieu. La plupart sont très agréables et lumineuses, mais évitez celles de l'intérieur, sombres de jour et envahies par les lumières du couloir la nuit. On trouve 5 dortoirs aussi, de 3 à 6 lits, avec sanitaires communs bien tenus. La cafétéria, au dernier étage, offre un joli panorama sur les montagnes. On y sert d'excellents petits déj payants (voir plus loin « Où prendre un petit déjeuner ? »). Les résidents peuvent servir dans le frigo et inscrire ce qu'ils ont pris sur un panneau au mur ! À signaler encore, une petite boulangerie au rez-de-chaussée et des *baños de cajón*. Essayez !

🏠 ***Hostal Chiminea*** *(plan B2, **29**) : Luis Martínez y Rafael Vieira. ☎ 274-27-25 ou 274-08-30. • hostelchiminea.com • Dortoir 8 US$/pers, doubles env 17-23 US$.* L'accueil pourrait gagner en sourire, mais l'adresse est bonne. On choisit entre les dortoirs (pleins à craquer le week-end) et des chambres avec salle de bains privée, toutes simples mais bien propres. Cuisine à disposition et agréable terrasse où l'on prend le petit déj (en sus) le regard rivé sur la cascade des thermes. Il y a aussi une minipiscine et des bains de vapeur.

🏠 ***Hostal Dinastía*** *(plan A1, **25**) : Oriente 11-43 y Eloy Alfaro. ☎ 274-09-33. • melissacosta96@hotmail.com • Doubles 15-28 US$ selon période.* Durant la semaine, ce petit hôtel de 3 étages présente un bon rapport qualité-prix. Le week-end et les jours fériés, en revanche, il est trop cher. Chambres avec parquet, salle de bains, TV câblée et dessus-de-lit un peu kitsch... On peut laver son linge à la main et utiliser la cuisine. Accueil gentil.

🏠 ***Hostal d'Anthony*** *(plan A1, **23**) : Oriente y Tomás Halflants. ☎ 274-11-53. Doubles env 20-30 US$. Parking gratuit.* Pour quelques dollars de plus qu'à l'*hostal Dinastía* (situé juste en face), on a droit à des chambres presque cossues, avec un bon gros lit, des murs colorés, la TV et une salle de bains étincelante. Certaines ont même un petit balcon.

**Hotel Villa Santa Clara** (plan B2, **32**) : *12 de Noviembre y Velasco Ibarra. ☎ 274-03-49. • hotelvillasantaclara.com • Doubles env 22-27 US$.* Proche de la piscine du même nom, ce motel équatorien regroupe une trentaine de chambres impeccables et bien arrangées, réparties sur 2 étages autour d'une cour – où se garent les clients. Patronne très accueillante. Petit déj à la carte (5 options) en supplément, celui *de la casa* étant particulièrement apprécié.

**Hotel Mariane** (plan A2, **31**) : *Montalvo, entre Tomás Halflants et Eloy Alfaro. ☎ 274-19-47 ou 09-99-77-32-41. • hotelmariane.com • Double env 30 US$.* Caché au fond du jardin du restaurant *Mariane* (voir « Où manger ? »), le grand bâtiment de 4 étages abrite des chambres de bon confort, très propres, un peu colorées, avec TV câblée, mais sans charme particulier. Préférez celles donnant sur le balcon avec canapé et hamac et évitez les jours fériés, où le tarif double presque. Le gérant est un Suisse francophone.

**La Petite Auberge** (plan B2, **36**) : *16 de Diciembre 240 y Montalvo. ☎ 274-09-36. • banios.com/lepetit • Doubles 24-32 US$ selon confort et saison.* Attenant au *Petit Restaurant* (voir « Où manger ? »), cet hôtel possède des chambres plutôt agréables avec balcon – nos préférées sont celles avec mezzanine. Les plus chères ont même une cheminée (avec réserve de bois et possibilité d'en acheter davantage). Pas la meilleure affaire de Baños, mais un style à tendance rustique que certains apprécient. Hamacs à disposition.

## Prix moyens (30-50 US$)

**Hostal Donde Ivan** (plan B1, **33**) : *Eloy Alfaro y Espejo. ☎ 274-12-85 ou 09-84-64-57-66. • hostaldondeivan.com • Double env 34 US$, bon petit déj inclus.* Ivan et son épouse sont des hôtes charmants. Partis d'une simple maison d'hôtes, ils en sont arrivés à cet hôtel récent et très bien tenu d'une quinzaine de chambres – de qualité, avec murs, de brique (pour la plupart) et lits douillets. Vos hôtes sont aussi cuisiniers, et leur resto est apprécié pour une sortie chic. Leur spécialité ? Le *cuy* (cochon d'Inde) !

**Hospedaje Higuerón** (plan B1, **39**) : *Los Arrayanes y Oriente. ☎ 274-14-82 ou 09-95-80-51-37. • cafehigueron@yahoo.es • Un peu excentré, à env 10 mn à pied de l'église. Compter env 56 US$ pour 2, excellent petit déj inclus.* Les 4 *cabanas* avec salle de bains privée donnant sur le jardinet sont un peu chères, mais le lieu est bien net, les chambres spacieuses et agréables avec leurs colombages. Les propriétaires, un couple charmant, préparent une cuisine simple et savoureuse (spécialité de soupe à l'avocat). Monsieur propose aussi des séances d'escalade.

**Hostería Isla de Baños** (plan A2, **34**) : *Tomás Halflants 131 y Montalvo. ☎ 274-06-09 ou 274-15-11. • isladebanios.com • Doubles 43-50 US$ selon confort, avec le petit déj. payants.* On aurait aimé ne vous dire que du bien de cet hôtel mêlant harmonieusement le bois et le verre, dont la jolie véranda donne sur un superbe jardin à la végétation luxuriante. Les chambres sont pour certaines charmantes, avec balcon et vue sur la montagne, mais toutes ne se valent pas. Pire, l'accueil est souvent médiocre (voire hostile) et le super complexe hammam-sauna-piscine, enclos dans une véranda remplie de fougères et décorée de mosaïques, n'est accessible que sur réservation au prix de 10 US$ par personne... Quel dommage, vraiment ! Promenades à cheval et à vélo dans des coins peu touristiques.

**Posada J** (El Marques ; plan B2, **40**) : *V. Ibarra y Montalvo. ☎ 274-00-53. • hostalmarques.com • Presque à côté de la* Posada del Arte. *Doubles 35-50 US$ selon période, petit déj inclus.* Là encore, on ne peut qu'avoir des regrets... Cette grosse pension un peu à l'écart des autres possède un certain charme ; ses chambres sont pour la plupart lumineuses et joliment décorées, avec plancher ou carrelage, dans les tons vert et bleu clair, avec TV, sanitaires bien nets et literie impeccable. Malheureusement, la gestion nous a paru floue, l'entretien de fond irrégulier, l'accueil incertain.

## Chic (48-70 US$)

🏠 ***Hostal Posada del Arte*** *(plan B2,* ***38****)* **:** *V. Ibarra y Juan Montalvo. ☎ 274-00-83. • posadadelarte.com • Doubles 55-59 US$ avec petit déj.* Cet hôtel de charme, tenu par des Américains, occupe 2 maisons voisines, dans un coin tranquille proche des thermes de la Virgen. On préfère un peu les chambres de la plus grande (où se trouve l'accueil), toutes différentes et très colorées, mais plus cosy avec leur parquet. Certaines sont dotées d'une cheminée, d'un jacuzzi et/ou d'un balcon avec vue sur la cascade ou le jardin. Ici se niche un recoin avec balancelle, là un petit patio privé... Les chambres de la maison bleue, à côté, sont très bien aussi, mais un peu plus froides – quoique celle avec ses 3 fenêtres en enfilade ouvrant sur la cour arborée n'est pas mal non plus... Aucune n'a de TV mais, partout, des œuvres originales égaient les murs. Resto très plaisant, où l'on sert des plats vraiment végétariens. Gros éventail de petits déj le matin.

🏠 ***Hotel La Floresta*** *(plan A2,* ***37****)* **:** *Tomás Halflants y Montalvo. ☎ 274-18-24. • laflorestahotel.com • ♿ Doubles 55-65 US$, petit déj buffet compris.* Les murs en brique rouge pourraient sembler un peu tristes, mais la cour intérieure verdoyante dessine un havre de paix avec ses quelques chaises longues. Des recoins invitent à se reposer, et les chambres, soignées, charmantes même, sont de belle taille. Elles sont très bien tenues et équipées (TV câblée, sèche-cheveux) ; certaines ont une terrasse avec hamac, et la plus chère, côté rue, une cheminée et une baignoire. Comme souvent, préférez celles de l'étage, plus lumineuses. Du ravissant salon avec cheminée à la salle du petit déj, tout est accueillant ici ! Boutique artisanale avec un beau choix. Beaucoup de groupes.

🏠 ***Napolitano Apart & Hotel*** *(plan B1,* ***35****)* **:** *av. Oriente 470, à côté des pompiers. Double 50 US$, studio 70 US$, petit déj inclus. Appart au mois 480 US$.* Cet hôtel récent, assez excentré (un taxi vous coûtera 1 US$), intéressera ceux qui recherchent plus d'espace. On y trouve de grandes chambres bien confortables, les plus agréables avec lit *king size* moelleux et baie vitrée, ainsi que 3 studios et apparts avec cheminée et grande cuisine. Le tout est très bien tenu et, récemment, les proprios étaient en train d'aménager piscine, jacuzzi et spa dans le jardin. Table de billard.

# Où manger ?

Une confiserie omniprésente à Baños : la *melcocha*. Il s'agit de jus de canne qui, après cuisson, forme une sorte de caramel mou qu'on fixe à un crochet et étire pour former des bâtonnets. Vous verrez les artisans la fabriquer le matin. À essayer !

## De bon marché à prix moyens (moins de 10 US$)

🍴 ***Mercado*** *(plan A2,* ***50****)* **:** *Rocafuerte y Alfaro. Tlj 6h30-17h30 (19h sam).* Cuisine locale et jus de fruits frais. N'hésitez pas, c'est propre, sympa, copieux et hyper bon marché. On mange pour 2-2,50 US$. Côté c/ Ambato, des vendeurs de *cuy*.

🍴 ***Casa Hood*** *(plan A2,* ***51****)* **:** *Luis A. Martínez y Eloy Alfaro. ☎ 274-26-68. Tlj 12h-22h. Plats 4-6,50 US$. Happy hour 21-22h.* On se sent bien dans cette salle en bois chaleureuse, évoluant entre déco ethnique et éclectique, presque chic avec ses bougies et son haut canapé réservé aux lectures « spirituelles »... Le lieu est placé sous le signe des musiques du monde, tendance jazzy, et de la cuisine internationale, tendance végétarienne. On pioche à tous les râteliers : plats indiens, lasagnes, nouilles thaïlandaises, riz frit indonésien *(nasi goreng)*... le tout de bonne facture. Le patron, américain, organise tous les jours, à 16h30, une séance ciné gratuite dans l'arrière-salle. *Book exchange* bien fourni, avec quelques options en français – dont, souvent, des *Routards* récents et en bon état des pays voisins !

**La Cocina de Dulcelina** *(plan A2, **55**) : Ambato y Tomás Halflants. Tlj 11h-22h. Plats 6-8 US$.* Elle nous a séduits, cette *Dulcinée,* avec sa vieille maison aux gros volets de bois posée sur la place centrale, sa charmante petite salle aux tons jaune-vert et sa cuisine tout aussi soignée. Au menu, 100 % équatorien : spécialité de truites (grosses et goûteuses), *llapingachos* copieux (purée de pommes de terre au fromage avec œuf, saucisse et avocat), pâtes et autre *pollo* (poulet). Bon accueil.

**Tarinacuy** *(plan A2, **53**) : Ambato y Maldonado. ☎ 274-22-53. Tlj 7h-22h. Plats 5-9 US$.* Originaire de la côte pacifique, le patron propose une carte riche de *ceviches* (bons), *encebollados de pescado* et autres *cazuelas.* Si vous êtes affamé, commandez le *majarisco,* un ragoût de fruits de mer à la banane plantain. De quoi manger à 2 ! Service efficace. Par contre, le cadre n'est pas top : salle glauque veillée par une TV et portes grandes ouvertes sur la rue le soir (ça caille !).

**Bella Italia** *(plan B2, **56**) : Luis A. Martínez, entre Eloy Alfaro y 16 de Diciembre. 09-82-72-40-00. Tlj 11h-23h. Pizza moyenne env 7 US$, familiales 12-13 US$ ; autres plats 6,50-9 US$.* Les bougies qui vacillent sur les tables, le soir, attirent le regard. Jaune comme les bons blés, la petite salle est soignée, bien qu'étroite. On y déguste d'excellentes pizzas, des pâtes convenables et de savoureux plats de viande. Pain frotté à l'ail. Le petit vin chilien, proposé au verre, est bien goûteux.

**Café Hood** *(plan A2, **54**) : Maldonado, sur la pl. du parque central. ☎ 274-05-37. Tlj sf mer 10h-22h. Plats 5,50-7,50 US$.* Encore un *Hood* ! Un peu plus roots et moins chaleureux que la *Casa,* le *Café* s'enrobe de murs tapissés de cadres et photos, couleurs chaudes et fresque de Ganesh. On y retrouve un peu la même cuisine du monde à prédominance végétarienne, avec davantage de plats mexicains. Grand choix de petits déj intéressants (mais pas avant 10h !).

**Mariane** *(plan A2, **31**) : Montalvo, entre Tomás Halflants et Eloy Alfaro. ☎ 274-19-47 ou 09-95-22-35-55. Lun-sam 13h-22h. Plats 7-11 US$.* Nostalgique de la Provence parfumée ? Vous trouverez, au bout de l'allée, des tables nichées dans la verdure – et, s'il fait un peu frais, une grande salle à l'ambiance d'auberge campagnarde où l'on dîne au coin du feu. La cuisine, franco-méditerranéenne, est délicieuse : superbe truite au pistou, succulent poulet à la marocaine, excellente soupe à l'oignon, et on en passe ! De plus, c'est copieux, et le sympathique patron français, installé depuis une trentaine d'années à Baños, se fera un plaisir de vous parler des éruptions du Tungurahua !

## De prix moyens à chic (5-15 US$)

**Swiss Bistro** *(plan B2, **57**) : Luis A. Martínez y Eloy Alfaro. ☎ 274-22-62 ou 09-94-00-40-19. En face du resto* Bella Italia. *Tlj 12h-22h. Plats 4-13,50 US$.* Le patron est de Lausanne, les serveurs sont chaussés d'un T-shirt orné de la croix suisse, la déco, chaleureuse, joue sur des notes de rouge et de blanc, avec peau de vache, et, dans les caquelons, le fromage bouillonne doucement pour la raclette... Également des plats plus fins, type truite aux raisins et steak de thon flambé au pastis.

**Le Petit Restaurant** *(plan B2, **36**) : 16 de Diciembre y Montalvo. ☎ 274-09-36. Mar-dim 8h-15h, 18h-22h. Plats 2-12 US$.* C'est le resto de *La Petite Auberge* (voir plus haut « Où dormir ? »). Situé au fond d'un jardin tranquille, il met à l'honneur une bonne cuisine française : steak au poivre, salades, crêpes, fondue bourguignonne, etc. Le patron étant franco-argentin, les viandes occupent aussi une belle part du menu.

On recommande aussi le resto de l'***Hostal Donde Ivan*** *(plan B1, **33**).* Voir plus haut la rubrique « Où dormir ? ».

## Où dormir ? Où manger dans les environs ?

### Bon marché (moins de 30 US$)

🏠 🍴 ***Pequeño Paraíso*** *(hors plan par B1,* ***41,*** *et plan Ruta de las Cascadas)* ***:*** *quitter Baños en direction de Puyo et dépasser Río Verde ; c'est juste après, env 1 km après la sortie du tunnel Cadenillas, sur la droite, juste avt le km 53 (soit à 17 km de Baños).* ☎ *249-30-49.* • *pprioverde.com* • *Dortoir 12 US$, double 30 US$.* Le vaste jardin tropical, mi-forêt, mi-verger, s'étend juste en contrebas de la route et au-dessus des gorges du río Pastaza. Beaucoup de routards venus du monde entier s'oublient un moment dans le « petit paradis » des kangourous (australiens) Marc et Sue, malgré la pluie généreuse qui transforme parfois l'aire de camping en bourbier... Sinon, on choisit entre le dortoir de 6 lits et l'une des 3 chambres privées, tous avec leur salle de bains. Simple. Propre. Chaleureux. Voilà comment on pourrait résumer le lieu et l'ambiance. Au programme : belle balade jusqu'aux chutes du Pailón del Diablo (environ 2h aller-retour), treks plus ardus en montagne, canyoning et rafting (minimum 4 pers).

### Chic (48-70 US$)

🏠 🍴 ***Casa Amarilla*** *(hors plan par A2,* ***42****)* ***:*** *prendre la c/ Juan León Mera jusqu'à son terme, puis le sendero Runtun (fléché) pdt env 15-20 mn ; attention de ne pas bifurquer sur le sentier de la Virgen.* ☎ *274-31-47 ou* 📱 *09-99-73-27-28.* • *casaamarilla.banios.com* • *Double 50 US$ avec le petit déj.* On adore cet endroit ! Certes, il faut de l'énergie pour se hisser jusque-là avec son sac, mais l'isolement de cette adorable maisonnette jaune, perchée à flanc de coteau, 100 m au-dessus de Baños, vaut tous les efforts du monde. On y trouve juste 3 chambres, 2 doubles et 1 familiale (pour 5 personnes), fraîches et plaisantes, avec sanitaires privés. Tout autour, un petit potager (d'où viennent les fraises des jus), plein de fleurs à papillons, d'orchidées, de colibris... Dans un coin, un hamac se languit de votre présence. Il y a un jacuzzi aussi, en supplément (2 US$). La *Casa Amarilla* fait aussi resto : inutile, donc, de vous surcharger de vivres avant de monter, mais prévenez à l'avance pour que les jeunes proprios aient le temps de faire les courses ! On peut aussi faire halte au cours d'une balade.

### Très chic (plus de 100 US$)

🏠 🍴 ***Finca Chamanapamba – Regine's Café-Restaurant Alemán*** *(hors plan par B1,* ***41,*** *et plan Ruta de las Cascadas)* ***:*** *de Baños, prendre la route de Puyo. Après 3 km, tourner à droite et monter sur 1 km à flanc de montagne (c'est indiqué).* ☎ *277-62-41 ou* 📱 *09-86-18-77-81.* • *chamanapamba.com* • *Double 110 US$, gros petit déj buffet (allemand) inclus.* Amarré sur un versant où coule un torrent, cet hôtel un peu fou a été conçu et construit par l'ingénieur naval Dietrich Heinke et son épouse Regine (qui parle un peu français). Outre l'accueil excellent du couple, on est séduit par l'architecture originale, organique, tout en lignes courbes : coupole percée de vitres rondes pour éclairer la salle à manger, rambardes en branches, arbres intégrés aux édifices... Les 3 chambres, avec entrée séparée, sont du même tonneau ; 2 d'entre elles peuvent accueillir jusqu'à 5 personnes. Excellente cuisine au resto (plats environ 8-9 US$).

🏠 🍴 ***Hotel Luna Runtun*** *(hors plan par B1,* ***41,*** *et plan Ruta de las Cascadas)* ***:*** *perché à 4 km de Baños, env 1 km après le mirador Bellavista.* ☎ *274-08-82 ou 83.* • *lunaruntun.com* • *Prendre la direction de Puyo puis, au panneau « Luna Runtun » (après l'hotel Samari), la route qui part sur la droite et monte en serpentant. Compter 20 mn depuis le centre de Baños en voiture (env 9 km en tt). Doubles à partir de 154 US$, petit déj et repas du soir compris.* Le grand atout de cet établissement comprenant une vingtaine de pavillons, c'est sa situation, unique, presque en surplomb de Baños ! Vue exceptionnelle donc, dont on profite de la plupart des suites (immenses et luxueuses), mais aussi des charmantes piscines à ciel ouvert et du (bien nommé !) *café del Cielo*. Possibilité de pratiquer une vingtaine d'activités au choix : rando, vélo, cheval, rafting, massages, observation des oiseaux, etc. Sans oublier le spa, qui propose 25 traitements différents !

## Où prendre un petit déjeuner ? Où faire une pause café ?

☕ ***Cafétéria de l'Hostal Plantas y Blanco*** *(plan B2,* ***21****)* **:** *voir « Où dormir ? », plus haut. Tlj 7h30-11h30.* L'endroit est fameux pour son agréable terrasse panoramique dominant l'hôtel et pour ses *double pancakes* – énormes, recouverts de fruits, de yaourt et de sirop de canne ! Ça vous cale son bonhomme pour la journée. Également de bonnes omelettes, des jus de fruits nature et un excellent *granola* avec yaourt maison.

☕ |●| ***Café Blah Blah*** *(plan A2,* ***60****)* **:** *Tomás Halflants y Ambato. Tlj 8h-20h. Petits déj 3-6 US$, sandwichs 3,50-5 US$.* De nombreux habitués s'y retrouvent pour bien commencer la journée. Ce café de femmes, propret, est tout petit et tout rouge, avec un comptoir aligné de tabourets hauts, 3 tables rondes et des murs recouverts d'icônes people. On y savoure le fond musical, une bonne salade de fruits et un supplément de yaourt et granola si affinités. Choix de sandwichs pour plus tard.

☕ ***The Coffee Lounge*** *(plan B2,* ***61****)* **:** *Vicente Rocafuerte y Eloy Alfaro. Tlj sf dim 8h30-21h.* Un minuscule local très agréable à toute heure, parfait pour une pause au calme ou un réveil en douceur, un café ou un grand jus frais en main (1 US$ seulement), les oreilles bercées par de grands crooners. Petits déj, café, pancakes et crêpes, chocolat chaud, mais aussi soupes, salades et sandwichs. Les murs vert turquoise sont tapissés de tableaux, photos et affiches un rien nostalgiques. Accueil gentil.

☕ |●| ***Ponche Suizo*** *(plan B2,* ***62****)* **:** *Eloy Alfaro y Ambato. Tlj 8h-22h.* Mini-café propret parfait pour un jus bon marché, un bon café (joli choix), un petit déj complet à 2,50 US$ ou, plus tard, des *empanadas* au fromage ou une part de tarte.

☕ |●| ***Café del Cielo*** *(hors plan par B1,* ***41,*** *et plan Ruta de las Cascadas)* **:** *à l'*Hotel Luna Runtun *(voir « Où dormir dans les environs ? »). À 15-20 mn en voiture du centre de Baños, certes, mais on ne regrette pas les 9 km parcourus ! Tlj 13h-22h.* Vue plongeante sur Baños, située 300 m plus bas, très belle sélection de cafés, salades, sandwichs et crêpes abordables. On peut aussi intégrer cette sympathique pause dans une balade vers le mirador Bellavista.

## Où boire un verre ? Où sortir ?

Baños ne s'anime vraiment que du jeudi au samedi. L'action se déroule alors surtout dans le haut de la rue Eloy Alfaro, entre Espejo et Ambato. Le dimanche, tout est fermé.

🍸 ***Rincón de Suiza*** *(plan A2,* ***73****)* **:** *Martínez y Tomás Halflants. Tlj à partir de 9h jusque tard.* Ce bar au look assez éthéré, ouvert sur la rue, attire irrémédiablement avec son trio de divans framboise et ses tables de billard. On y sert un bon expresso (machine). Bonne ambiance et accueil cordial.

🍸 ***Jack Rock Café*** *(plan B1,* ***72****)* **:** *Eloy Alfaro y Ambato, c'est le 1er bar en venant du centre. Tlj 19h-2h.* Un bar tout en bois, tendance anglo-saxonne, qui s'agite bruyamment autour du baby-foot ou du billard (gratuit). Les fresques extérieures lui conférant de faux airs planants sont des leurres. Bonne musique rock, tendance *oldies*, blues et alternative, avec quelques incursions plus modernes – et des nuages de fumée pour aller avec !

🍸 ♫ ***Leprechaun*** *(plan B1,* ***70****)* **:** *Eloy Alfaro y Oriente. Ouv à 20h.* Shot *« Bob*

*Marley » (enflammé !) offert.* L'un des bars les plus populaires de Baños auprès des étrangers – les prix s'en ressentent. Joueur de flûte, le gaélique *leprechaun* (lutin) se sentirait sans doute un peu en décalage au milieu de cette foule de noceurs de tous horizons tanguant au rythme de la salsa, du merengue, du hip hop ou des derniers hits de Shakira. Pour pouvoir converser sans vous égosiller, allez au jardin, derrière, où brûle un grand feu les soirs de fin de semaine. Attention mesdames, chasseurs de *gringas* à l'affût.

**Good Bar** *(plan B1, **74**) : Oriente y Eloy Alfaro. Ouv à 20h.* Voici une autre escale favorite des fêtards baneños. Les timides pillent la carte des cocktails en se demandant s'ils vont oser se mettre à la salsa (cours le jeudi avant soirée spéciale !). Les autres jours, le DJ balance hip hop, reggae et Elvis remixé.

**Peña El Volcán** *(plan A-B1, **71**) : Eloy Alfaro, entre Espejo et Oriente. En face du* Leprechaun. *Tlj dès 20h30. Là encore,* trago *(goutte) de bienvenue, à avaler cul sec et à la paille !* Si ce n'est pas le Tungurahua qui s'est réveillé, c'est le *Volcán* qui explose ! Plus boîte que bar (la frontière est floue !), on se déchaîne en grand nombre sur la piste, entre les tables.

## Artisanat

**El Cade** *(plan A1, **80**) : Maldonado y Oriente. ☎ 274-29-33. Tlj 8h-20h.* Petit magasin-atelier de *tagua,* l'ivoire végétal, dont le nom scientifique est *Phytelephas ecuatorialis.* Il s'agit de la noix d'une espèce de palmier poussant sur la côte et en Amazonie. Utilisé comme matière première pour la fabrication des boutons, l'Équateur l'exporta en quantité durant la première moitié du XXe s, jusqu'à l'invasion du plastique. Les exportations reprennent car on l'utilise à nouveau en haute couture et en décoration, à la place de l'ivoire animal. Vous pourrez voir dans cette boutique un tas de petits objets et bijoux sculptés avec finesse.

LE CENTRE

# À voir

**Iglesia** *(plan B1-2) : Ambato, entre 16 de Diciembre et 12 de Noviembre. Tlj 6h-19h.* Cette église en pierre volcanique coiffée de deux flèches blanches dégage un petit charme. Ses tableaux illustrent les miracles de la Virgen de Agua Santa. À côté, dans le cloître, les miracles continuent. Au premier étage, s'est installé le ***Museo Fray Enrique Mideros :*** *lun-ven 8h-12h30, 14h-17h15 (dernière sortie 18h), w-e 8h-16h. Entrée : 1 US$.* Il présente des vêtements liturgiques, de la céramique précolombienne, de l'artisanat et une section de sciences naturelles, avec une tête de veau à deux nez et trois bouches... Certains murs sont couverts d'ex-voto. Une salle regroupe les bouquets de mariées, vêtements de baptême, robes de confirmation (rose bonbon), costumes militaires et autres maquettes de bus et camions offerts par les fidèles exaucés ! À côté scintille toute une garde-robe destinée à vêtir la Vierge et l'Enfant Jésus lors des processions – avec une sacrée collection de chaussures (souvent à talons !).

**EcoZoológico San Martín** *(hors plan par A1) : à la sortie de Baños, en allant vers Patate (à 20 mn à pied du centre). ☎ 274-19-66. • zoosanmartin.8m.com • Tlj 8h-17h. Entrée : 2 US$.* On n'aime pas trop les zoos, mais on en a vu de pires que celui-ci. On y croise, dans des enclos à ciel ouvert (parfois de grandes cages), la faune représentative du pays : un jaguar, un puma, un ocelot, des capybaras (cabiais), sortes de cochons d'Inde géants atteignant 65 kg, de rares ours à lunettes, des singes-araignées, condors, aigles, aras... De l'autre côté de la route, on trouve aussi un vivarium.

**Cascada Inés María** *(hors plan par A1) :* des abords du zoo, on peut rejoindre à pied, en 3 mn, un sentier qui descend vers la cascade (située environ 15 mn plus loin). Vous en verrez bien d'autres, plus belles, en descendant vers Río Verde.

## Les bains

Il y a quatre ensembles de piscines thermales à Baños. Les plus connues sont celles de la Virgen, juste sous la chute d'eau qui tombe de la colline du côté est de la ville. Le week-end, elles sont littéralement envahies, allez-y de préférence à l'aube ! N'imaginez pas une eau limpide, elle est plutôt jaunâtre, tendance rouille. Normal, elle sourd du cœur du volcan Tungurahua.

– ***Piscinas de la Virgen*** *(plan B2)* **:** *Montalvo, tt au bout, dans le grand virage. Tlj 5h-17h, 18h-22h ; dernière entrée 30 mn avt. Pas cher : 2 US$ (le jour) ou 3 US$ (le soir).* Imaginez quatre petites piscines en plein air, un peu vieillottes, dans lesquelles pataugent des familles entières, coude à coude aux heures de pointe... On alterne entre froid, tiède, chaud et brûlant, jusqu'à se sentir totalement délassé. Les eaux, réputées thérapeutiques, sont riches en bicarbonate de fer et en magnésium. Le bassin le plus agréable, à l'étage, est à 40 °C. Contrairement à ce que vous pourriez penser, les eaux sont changées deux fois par jour. Apportez serviette et maillot (aussi en location sur place). Les *piscinas Las Peñas (Las Modernas ; ven-dim 8h-17h),* à gauche, ne sont que des piscines traditionnelles avec toboggan. Quant aux proches ***piscinas de Santa Clara*** *(plan B2), au bout de la rue du même nom (jeu-dim 8h-17h ; entrée : 3 US$),* elles se distinguent plus par leur spa récent et leurs jeux d'eau attirant les familles que par leurs deux piscines très classiques (22 °C).

– ***Piscinas El Salado*** *(hors plan par A1-2)* **:** *prendre la calle Ambato vers l'ouest, c'est à env 2 km du centre (en montée). Tlj 5h-17h ; w-e également 18h-22h (dernière entrée 30 mn avt). En journée, 3 US$ ; le soir, 4 US$.* Rénovés en 2010-2011 après l'une des éruptions du Tungurahua, ces thermes sont un peu plus pimpants et moins fréquentés que ceux de la Virgen. Le site encaissé est joli, au pied d'un à-pic. Le must : la douche d'eau chaude.

### MASOCHISTES BIENVENUS

*Nombre d'Équatoriens viennent à Baños se refaire une santé et appliquent à la lettre les vieilles recettes. 1/ Buvez un fond de verre d'huile d'olive. 2/ Puis 10 verres de chacune des deux eaux thermales proposées aux piscinas del Salado. 3/ Enchaînez avec un verre d'eau « normale ». Effet dépuratif garanti !*

– ***Piscinas Santa Ana*** *(hors plan par B1)* **:** *sur la route de Puyo, à env 1,5 km du centre, côté droit (en face de l'hotel* Samari*). Ouv ven-dim 9h-16h (dernière entrée). Compter 2 US$/pers. Parking payant. Réduc.* Derrière l'aire de stationnement, quatre petits bassins, plus ou moins chauds, se regroupent au pied de la colline. L'un d'eux est en forme de cœur ! Un lieu plutôt tranquille.

– Dans un autre registre, certains hôtels de Baños possèdent des ***baños de cajón,*** des espèces de boîtes en bois où peut se placer une personne (la tête reste en dehors) et où circule de la vapeur. Très requinquant. Vous pouvez par exemple aller à l'*hostal Plantas y Blanco* (voir plus haut « Où dormir ? »), *lun-sam 8h-12h et 13h-17h (résa conseillée la veille). Compter moins de 5 US$.* Après ça, on engloutit un *double pancake* à la cafétéria et on est d'attaque pour une journée d'excursion en montagne !

# DANS LA RÉGION DE BAÑOS

## Balades à pied, à cheval...

Baños est un peu La Mecque équatorienne des sports de plein air ! De la simple balade de 1 ou 2h aux abords du río Pastaza à la chevauchée fantastique (ou non), en passant par le saut à l'élastique du haut du Puente San Francisco, tout, ou presque, est possible. Si certaines activités vous tentent, faites appel à un tour-opérateur sérieux et bien implanté, comme *Geotours* (voir « Adresse utiles » en début de chapitre). L'office de tourisme donne de bons renseignements ainsi qu'un plan des environs de Baños sur lequel sont signalés les sentiers.

➢ ***Mirador de la Virgen*** *(hors plan par A2)* **:** *le chemin d'accès (1,3 km), tt en montée, débute au bout de la c/ Juan León Mera (hors plan par A2), côté droit.* Très aménagé, il est entrecoupé de 600 marches. Comptez 30 mn à 1h selon votre condition physique pour atteindre la statue de la Vierge à l'Enfant, aux traits fortement amérindiens. De là, le panorama sur Baños est saisissant.

➢ ***Mirador de Bellavista*** *(hors plan par A2)* **:** *il est perché au-dessus de la chute d'eau qui dégringole de la colline, côté est de Baños. Le chemin (1,2 km), pentu, mais clair et bien tracé, est plus naturel et agréable que celui menant à la Virgen. Il part du bout de la c/ Pedro Maldonado (plan A2) ; compter 45 mn à 1h de grimpette. Signalé la nuit par une grande croix illuminée, le mirador est aussi accessible par la route. Dans ce cas, prendre vers Puyo sur env 2,5 km, puis grimper sur 5 km par une petite route goudronnée tortueuse (suivez les panneaux de l'hôtel* Luna Runtun*) et ne pas rater l'embranchement menant au mirador, à droite. Sur place, stands de boissons et snacks.* De là-haut, à nouveau, se dégage une superbe vue sur la ville, les environs, et même, par beau temps, le sommet du Tungurahua. Certaines agences de Baños proposent l'excursion de nuit, en *chiva* (camionnette ouverte), souvent avec force *canelazos*... Si le ciel est dégagé, cela peut valoir la peine car on aperçoit alors le rougeoiement du volcan – en activité, on le rappelle, depuis 1999.

➢ Un sentier relie le mirador de la Virgen à celui de Bellavista, permettant de faire un agréable circuit. Compter environ 3h en tout. Un petit détour vous mènera vers l'hôtel *Luna Runtun* pour une géniale petite pause au *café del Cielo,* dominant Baños de haut (voir plus haut « Où dormir ? Où manger dans les environs ? »).

➢ ***Mirador Ojos del Volcán*** *(2 708 m)* ***et Las Antenas*** *(plan Ruta de las Cascadas)* **:** Baños étant calfeutrée sur les basses pentes du Tungurahua, à l'abri de la *quebrada* (ravin) du río Bascún, il est impossible de voir le volcan depuis la ville ! Pour enfin le regarder dans les yeux (si jamais il daigne s'extirper des nuages), grimpez jusqu'aux Antenas (de télécommunications) perchées de l'autre côté du río Pastaza. Franchissez le pont de San Francisco derrière la gare routière *(plan A1)* et continuez par la route pavée grimpant sec. Cela devrait vous prendre un peu moins de 2h. Ceux qui sont véhiculés pourront s'offrir l'excursion à moindre effort – en louant, par exemple, une moto en ville. Si vous préférez le taxi, il vous en coûtera environ 8 US$ l'aller, 15 US$ l'aller-retour. Des Antenas, les randonneurs continueront par le sentier menant à Lligua (4,4 km), d'où ils pourront redescendre sur Baños au niveau du zoo. Comptez 5-6h pour toute la balade.

➢ Envie d'une balade plus courte et un peu moins fatigante, tout en apercevant (peut-être) le Tungurahua ? Une fois franchi le *puente San Francisco,* commencez à grimper sur la route des Antenas, puis prenez à droite à la première bifurcation. Un peu plus loin (à droite), un sentier (4 km) vous permettra de rejoindre Baños par le pont de Los Sauces. Prévoyez environ 1h30 en tout.

➢ ***Sendero de los Contrabandistas*** *(plan Ruta de las Cascadas)* **:** en aval de Baños, le río Pastaza creuse une gorge profonde et superbe entrecoupée d'une multitude de cascades. On peut en partie la longer par ce beau « sentier des Contrebandiers », partant d'Agoyán, à environ 5 km de Baños – s'il vient de pleuvoir, il sera boueux et glissant à souhait ! Demandez au chauffeur de bus de vous arrêter à l'orée du Puente Agoyán, où vous trouverez un panneau indiquant le début du chemin. Long de 10 km, il passe près du bourg de Chinchin, de la cascade *du Manto de la Novia* (voile de la mariée), et de la *Cascada del Inca,* d'où l'on peut regagner la rive opposée par l'une des nombreuses *tarabitas* (nacelles) tra-

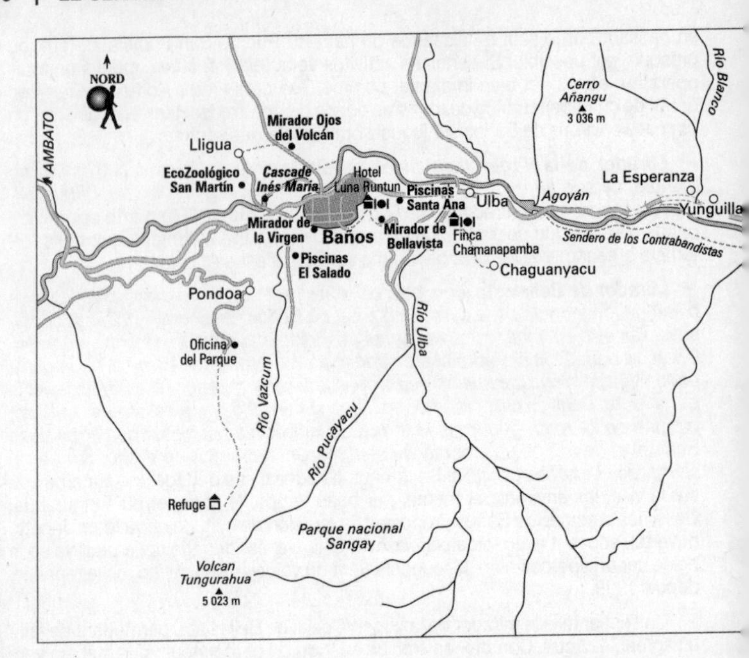




versant la gorge (voir ci-dessous les détails). Là, il ne vous restera plus qu'à héler un bus sur la route pour rentrer à Baños – ou, dans l'autre sens, rejoindre Río Verde et l'hôtel *Pequeño Paraíso* (voir « Où dormir ? Où manger dans les environs ? »). Comptez 3-4h si vous ne vous égarez pas ! De nombreuses variantes étant possibles, demandez la carte de la *Ruta de las Cascadas* à l'office de tourisme pour vous faire une idée.

➢ ***Balades équestres :*** les promenades reprises plus haut peuvent aussi pour la plupart se faire à cheval, avis aux amateurs ! Compter environ 8 US$/h (un peu moins pour les excursions plus longues). Contactez par exemple :
– ***Isla de Baños :*** à l'hôtel du même nom *(plan A2, **34**)*. ☎ *274-06-09 ou 274-15-11.* ● *isladebanios.com* ● Propose des balades à cheval hors des sentiers battus de 1 à 3 jours, avec pique-nique, camping et/ou nuit en hacienda.
– ***Jose & Two Dogs*** *(plan A2, **8**) : Maldonado y Martínez.* ☎ *274-07-46.* Randonnées équestres de 1 à 5 jours.

## Balades à vélo

➢ ***Ruta de las Cascadas*** *(plan Ruta de las Cascadas) :* classique d'entre les classiques, la descente en VTT de Baños jusqu'à Río Verde (à 18 km), en longeant la gorge du río Pastaza par la grand-route, donne un joli avant-goût d'Amazonie. Partout, ce n'est que chutes d'eau et végétation exubérante ! On trouve très facilement à louer un VTT à Baños (5-10 US$ la journée selon l'état et le loueur) et on peut, dans bien des cas, le laisser à Río Verde – à défaut, des navettes permettent de le remonter à Baños pour 1,50 US$. Par le bus normal, c'est plus ardu, les soutes étant souvent déjà pleines (et les chauffeurs pas très enclins à s'arrêter, surtout s'il pleut !).

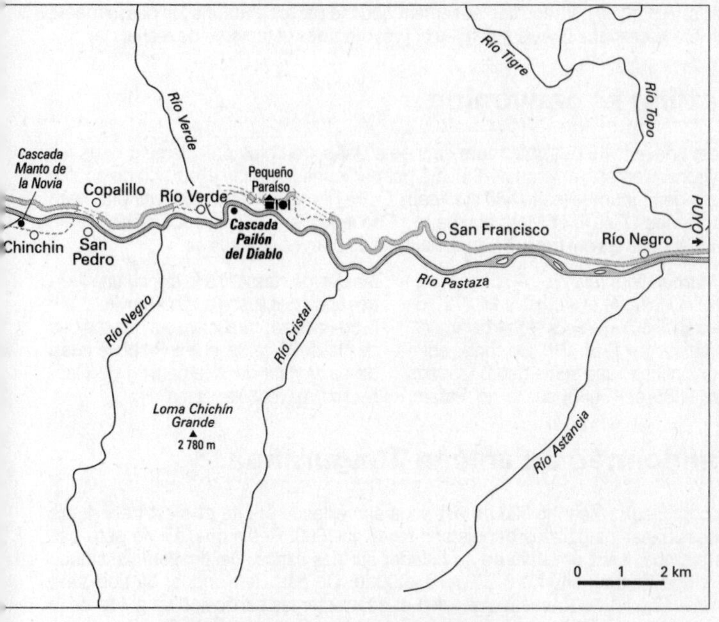




## RUTA DE LAS CASCADAS

La route, qui descend presque tout le temps, est superbe, mais aussi très passante : les bus et les camions reliant l'Amazonie à l'altiplano sont légion. Nous ne conseillons donc pas cette balade avec des enfants. L'itinéraire est entrecoupé de nombreux tunnels, mais, rassurez-vous, d'agréables voies cyclables ont été aménagées pour permettre de les contourner ! Les plus courageux continueront jusqu'à Puyo, à 60 km.

**Les tarabitas :** drôle de surprise peu après Agoyán : suspendue à un câble au-dessus des gorges du río Pastaza, une nacelle métallique relie les deux rives ! Elles sont sept *tarabitas,* en fait, à se succéder ainsi jusqu'à Río Verde, allant et venant au gré de la demande. La première, qui est aussi la plus récente et la plus longue (430 m), mène à l'hacienda *Guamag,* survolant les eaux tumultueuses de 180 m. *Fonctionne en principe 8h-18h. Coût : 1,50 US$ A/R.* Si vous n'avez pas le vertige, c'est le moment d'essayer ce moyen de transport inventé par les Incas. Ils passaient ainsi leurs marchandises d'une montagne à l'autre, y compris les animaux !
Environ 5 km plus loin, la spectaculaire *tarabita Manto de la Novia (7h-17h ; 1,50 US$)* ne traverse pas le río, mais descend jusqu'à ses berges, d'où l'on accède par un pont à la cascade du même nom (40 m). De là, on peut remonter vers le *sendero de los Contrabandistas* (voir ci-dessus). Une seconde *tarabita* gagne directement le haut de la chute.

**El Pailón del Diablo :** *au bout de l'ancienne route de Río Verde, un panneau indique le point de départ d'une belle balade jusqu'à cette cataracte. Compter 1h de marche A/R (on descend puis on remonte). Accès : 1 US$.* Le chemin plonge à l'aveugle, au cœur d'une végétation luxuriante, vers ce « chaudron du diable » surgissant d'une anfractuosité de la roche. Nourrie par les eaux du río Verde, qui se fraie bruyamment un chemin, la chute tombe de 80 m de haut. Assourdissant ! On peut faire halte au petit bar-resto stratégiquement posté avant le pont suspendu, puis se rendre au mirador, copieusement douché par les embruns (on passe même derrière la cascade !). Avis aux frileux : prévoyez des vêtements de rechange.

## Rafting et canyoning

C'est une activité possible toute l'année à Baños, ou plus précisément dans les environs. Compter environ 30-35 US$ par personne pour une excursion de qualité d'une demi-journée (soit 1h30 sur l'eau). Outre l'excellent *Geotours* (voir plus haut « Adresses utiles ») et Marc et Sue, au *Pequeño Paraíso* (voir « Où dormir ? Où manger dans les environs ? », plus haut), vous pouvez contacter :

■ ***Marberktour*** *(plan B2,* ***9****)* ***:*** *Eloy Alfaro, entre Rocafuerte et Ambato.* ☎ *274-16-95 ou* 📱 *09-91-74-79-27.* • *marberktour@hotmail.com* • *Tlj 8h-21h.* On choisit entre deux options : une sortie de 4h (départs vers 9h30 et 13h30) sur le río Patate, rapides de classe III à la clé, ou une journée complète (jusqu'à 15h30 environ), sur le río Pastaza, caracolant sur des rapides de classe IV (ça secoue !). Propose aussi du canyoning dans le canyon de Cashaurco, référence en la matière.

## Randonnée au volcan Tungurahua

Le capricieux volcan (5 023 m) est sous surveillance étroite et n'est plus guère accessible aux alpinistes depuis son réveil en 1999. Reste que, s'il ne pète pas les plombs, il est possible de se balader sur ses flancs. Destination classique : le refuge (fermé), situé à 3 830 m d'altitude. On part de Pondoa, où l'on peut dormir *(12 US$/pers avec le petit déj)* et contracter les services d'un guide de la communauté. Téléphonez à son président, Angel Casco au 📱 09-95-75-03-37. Il vous expliquera les différentes options de balade, de 4h à 2 jours. Du village, situé à 2 500 m, l'ascension jusqu'au refuge prend environ 4-5h, la redescente 2-3h. Certaines agences proposent un retour à vélo.
Pour suivre l'activité du volcan : • *igepn.edu.ec* •



## Excursions en forêt

Possibles au départ de Baños (l'Amazonie n'est pas loin), mais on conseille plutôt d'organiser son tour depuis Quito (choix d'agences beaucoup plus grand), Puyo, Tena ou Puerto Misahualli (tout de même plus au cœur du sujet).

## *PARQUE NACIONAL LLANGANATES*

Couvrant 2 197 km² au nord de la vallée du río Pastaza, le parc se partage entre Sierra à l'ouest et flanc oriental plongeant vers la *selva* amazonienne. Là, prennent naissance de multiples petits affluents du grand río Napo. *Llanganati* signifierait peu ou prou « belle montagne » en quechua – un nom repris par le Cerro Hermoso, point culminant du parc à 4 571 m. De nombreuses légendes circulent autour de ce pays

### L'OR D'ATAHUALPA

*La cordillera de los Llanganates abriterait le trésor des Incas ! Fin 1532, Pizarro fit prisonnier l'Inca à Cajamarca. Celui-ci négocia sa liberté contre une pièce remplie d'or. Ses envoyés commencèrent à livrer la rançon. Mais Pizarro, méfiant, fit exécuter l'empereur avant même d'avoir reçu l'ensemble de l'or promis. Le général Rumiñahui, jurant que jamais les conquistadores ne mettraient la main sur le trésor qu'il transportait, l'aurait alors jeté dans un lac de la Sierra de Los Llanganates... À votre tuba !*

sauvage, froid, humide et difficile d'accès. Seule option : les infrastructures de tourisme communautaire de la laguna de Amaruncachi.

# RIOBAMBA

130 000 hab. IND. TÉL. : 03

**Grande ville d'altitude (2 750 m) située sur le vieux chemin inca qui menait naguère de Cuzco à Quito, Riobamba a été refondée sur ce site à la fin du XVIIIe s, après qu'un puissant séisme eut ravagé la ville précédente, située plus au sud. Le centre ancien a conservé quelques bâtiments coloniaux autour du parque Maldonado, mais rien qui ne justifie vraiment un détour. Non, l'intérêt principal de Riobamba réside dans son environnement extraordinaire. De superbes montagnes enneigées semblent protéger la ville, dont le célèbre volcan *Chimborazo,* le plus haut sommet d'Équateur (6 310 m). Désertée par les touristes depuis la fermeture partielle du chemin de fer de la Nariz del Diablo, Riobamba devrait renaître avec son retour annoncé en 2013.**

## LE MARCHÉ DE RIOBAMBA

Pour profiter au mieux de votre passage, essayez de venir le samedi, jour de marché. C'est le plus important de la région. Il a lieu à différents endroits de la ville. Descendus en camion de la montagne pour vendre leur production, les paysans quechuas font alors de Riobamba une vaste fourmilière. Maïs, patates s'échangent par sacs entiers, à côté des piles de tomates et de *naranjillas,* tandis que s'échappent les effluves du *hornado,* le cochon rôti entier ! Les familles s'offrent une glace, vendue à même le trottoir par des commerçants ambulants, et repartent le soir vers les villages. Attention, le dimanche, tout est fermé. Même en semaine, la ville est plutôt morte le soir.



## Arriver – Quitter

### En bus

**Terminal terrestre** *(hors plan par A1,* ***1****) : à 1,5 km au nord du centre, par l'av. Daniel León Borja y La Prensa. Pour y aller, prendre un bus indiquant « Terminal norte » (ou un taxi, pour 1-1,50 US$).*

– **Attention :** les bus pour Baños partent du *terminal oriental*.

➢ **Ambato, Latacunga et Quito :** départs très fréquents, avec les compagnies *Patria, Ecuador Ejecutivo, Chimborazo, Vencedores* et *Coop Riobamba* (par nombre de fréquences). Soit en tout quelque 70 bus/j. (2h15-22h) ! Durée pour Quito : 3h30.

➢ **Cuenca :** env 8 bus/j. avec *Patria,* 5h30-22h30. Trajet en 5-6h.

➢ **Guayaquil :** jusqu'à 25 départs/j. avec *Patria* (2h-22h30), 6/j. avec *Chimborazo* et 3 avec *Coop Riobamba*. Durée : 5h.

➢ **Guaranda :** 8 bus/j. avec *Atenas* (9h30, 12h15, 18h, 19h) *et Coop 10 de Noviembre* (vers 7h30, 10h30, 16h et 20h). Dernier retour de Guaranda vers 20h.

➢ **Alausí :** départ ttes les 30 mn, 5h-20h.

**Terminal Oriental** *(hors plan par B3,* ***2****) : Eugenio Espejo, à l'angle de Luz Elisa Borja, à env 1 km à l'est du centre. Compter 1 US$ pour s'y rendre en taxi.*

➢ **Baños :** 16 bus/j. (4h-18h20) avec *Coop Riobamba,* dont une partie continue vers **Puyo** (8/j., 4h-18h) et **Tena** (6/j., 4h-15h). Également 11 bus/j. avec *Sangay* (6h-19h30), qui poursuivent jusqu'à Puyo ; 3 d'entre eux vont jusqu'à Tena.

➢ **Macas :** 7 bus/j. avec *Coop Riobamba* (5h45-1h), ttes les 3h en jour-

née, et 1/j. avec *Sangay* à 18h30.
➢ ***Coca :*** 1 bus/j. vers 18h45 avec *San Francisco*.

## En train

La **gare ferroviaire** *(plan A2)* se trouve en plein centre, à l'angle de Daniel León Borja et Carabobo. ☎ *1800-873-637.* • *trenecuador.com* • ➢ En travaux depuis 2009, la ligne menant à Alausí et à la célèbre *Nariz del Diablo* devrait rouvrir entre fin 2012 et mi-2013, aux dernières nouvelles (toujours fluctuantes !). Renseignez-vous auprès de *Tren Ecuador* ou directement à la gare. Si le train repart comme prévu, il devrait à nouveau desservir Guamote. En attendant, une portion de trajet a été rouverte entre Riobamba et la gare de La Urbina, à 23 km au nord. Excursion en *autoferro* (bus sur rails) jeu-dim et j. fériés à 8h ; compter 11 US$ l'aller-retour. Ce tarif inclut la visite du centre d'interprétation installé dans la gare, avec exposition sur les *hieleros*.



## Adresses utiles

***Office de tourisme municipal*** *(plan A1) : av. Daniel León Borja y pasaje Municipal (parallèle à Uruguay).* ☎ *294-73-89 ou 296-31-59.* • *turismoriobamba@hotmail.com* • *Entre le centre et le terminal des bus. Lun-ven 8h-12h30, 14h30-18h.* Plan de la ville. À l'arrière du bâtiment, le *Ministerio de Turismo* (bien planqué) dispose de brochures intéressantes sur la province.

✉ ***Poste*** *(plan B3) : à l'angle de 10 de Agosto et Espejo. Lun-ven 8h-18h, sam 8h-12h.*

■ ***Téléphone :*** **CNT** *(plan B3,* ***3****), av. Tarqui y Veloz. Lun-ven 8h-16h30.*

@ ***Internet :*** *par exemple à l'*Hotel Los Shyris *(plan A2,* ***10****), chez* Colonial Internet *à l'*Hotel Tren Dorado *(plan A2,* ***16****), tlj 9h-minuit, ou chez* **Akrear** *(plan B3,* ***8****), 10 de Agosto y Espejo, tt près de la poste. Lun-sam 9h-20h.* Plusieurs autres encore dans les rues adjacentes.

■ ***Distributeurs de billets :*** parmi d'autres. **Banco Pichincha** *(plan B2,* ***4****)* et **Servipagos,** *à l'angle de Primera Constituyente et García Moreno.* Un autre *(Banco de Guayaquil),* pratique, au *Mercado de la Merced (plan B3,* ***4****).*

En cas de problème de santé, évitez l'hôpital de la ville et préférez la ***clínica Chimborazo*** *(hors plan par A1),* sérieuse, *Primera Constituyente 39-27.* ☎ *296-24-05.*

■ ***Lavandería La Quimica*** *(plan B3,* ***7****) : Colón 20-26 y Guayaquil (contre le* Mercado La Merced*). Lun-ven 9h-19h30, sam 9h-16h30.*

## Agences d'andinisme et d'excursions

Elles sont nombreuses, Riobamba étant une base classique pour partir à la découverte de la région.

■ ***Alta Montaña :*** *Estación La Urbina, à 23 km au nord de Riobamba.* ☐ *09-99-69-48-67 ou 09-99-19-19-09.* • *aventurag@yahoo.com* • *altamontana.net* • Demandez Rodrigo Donoso

■ **Adresses utiles**
1 Terminal terrestre
2 Terminal oriental
3 Téléphone CNT
4 Distributeurs de billets
5 Andean Adventures
6 Ciclotur Pro Bici
7 Lavandería La Quimica
@ 8 Akrear
@ 10 Hotel Los Shyris
@ 16 Colonial Internet

**Où dormir ?**
10 Hotel Los Shyris
12 Mansión Santa Isabella
13 Hotel El Libertador
14 Hotel La Estación
15 Hotel San Pedro de Riobamba
16 Hotel Tren Dorado

**Où manger ?**
12 Restaurant de la Mansión Santa Isabella
20 Mercado de la Merced
21 Hugo's
22 La Cabaña Montecarlo
23 Parrillada Don Severín
24 El Delirio
25 La Andaluza
26 Rayuela

**Où manger une bonne glace ?**
30 Los Alpes

**Artisanat**
40 Tagua Work Shop

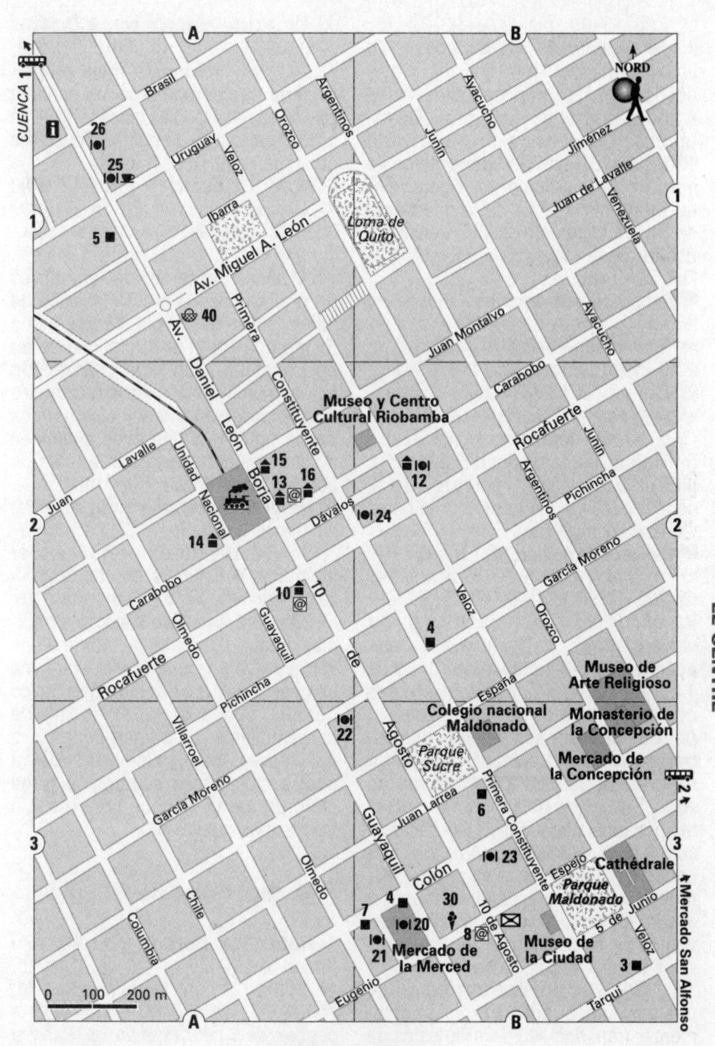


RIOBAMBA

(voir plus loin « Où dormir ? Où manger dans les environs ? *Estación Urbina* »). Ses guides sont très compétents et proposent des treks et l'ascension des principaux volcans : Chimborazo, Cotopaxi (par la face sud, ce qui est rare !), El Altar, mais aussi les remuants Tungurahua et Sangay – ce dernier demandant une véritable expédition de 6 jours ! Inutile de préciser que cela ne va pas sans risque... On vous demandera d'ailleurs de signer un formulaire de décharge. Également des sorties plus classiques comme la descente en VTT du refuge du Chimborazo *(1 j., compter env 50 US$/pers).*

■ ***Andean Adventures*** *(plan A1,* ***5****)* **:** *av. Daniel León Borja 35-17 y Uruguay.*

☎ 295-13-89 ou 📱 09-99-09-36-98. • *andeannadventures.com* • *Tlj 9h-18h (parfois jusqu'à 20h).* Cette agence sérieuse propose toutes sortes d'activités sur et autour du Chimborazo. L'ascension coûte environ 190-250 US$ par personne selon le nombre de participants. Également au programme : tour de la montagne en 3 jours, descente en VTT, trekking à El Altar ou sur le camino del Inca *(env 70 US$/j.)*, etc.

■ ***Expediciones Andinas :*** *en face de l'Hostería Abraspungo (voir « Où dormir ? Où manger dans les environs ? »), à 3,5 km du centre en allant vers Guano.* ☎ *236-42-58 ou 78.* • *expedicionesandinas.com* • C'est l'agence de Marco Cruz, le pape de la haute montagne. Il a gravi tous les sommets d'Équateur et plus de 600 fois le Chimborazo ! Treks, ascensions, randos dans tout le pays. Compétent mais cher.

■ ***Ciclotur Pro Bici*** (plan B3, **6**) : *Primera Constituyente 23-51 y Larrea.* ☎ *295-17-59 ou* 📱 *09-98-23-81-29.* • *probici.com* • *À l'étage d'un grand magasin de tissus. Tlj 8h30-20h.* Cette agence très pro organise des tours de 1 à 3 jours à vélo, à la découverte des nombreux sites de la région, souvent par des sentiers secondaires : Chimborazo *(5 options, 25-55 US$/pers), thermes de Guayllabamba, lagunas de Atillo, Salinas de Bolívar, etc.* Excellentes bécanes, casques, gants et accessoires sont fournis, de même que des cartes des itinéraires avec profil d'altitude et détails par kilomètre. Transport assuré en 4x4 : les non-cyclistes peuvent ainsi accompagner les cyclistes pour un prix réduit. Location de VTT 15 US$/j., avec possibilité de contacter une assistance radio. Propose également le transport seul vers les parcs de la région pour les randonneurs.

## Où dormir ?

### De très bon marché à bon marché (moins de 30 US$)

🏠 ***Hotel Los Shyris*** (plan A2, **10**) : *Vicente Rocafuerte, presque à l'angle de 10 de Agosto, au 1er étage.* ☎ *296-03-23.* • *hotellosshyris.com* • *Doubles 12-18 US$ avec ou sans douche.* 💻 *(payant).* Sommaire mais propre. Préférer les chambres qui ne donnent pas sur la rue. Pour les fauchés, il y en a aussi 3 sans salle de bains (minuscules au demeurant). Bons matelas.

🏠 ***Hotel La Estación*** (plan A2, **14**) : *av. Unidad Nacional 29-15 y Carabobo.* ☎ *295-52-26.* • *hotelaestacion.com* • *Double 28 US$, petit déj inclus.* 💻 📶 Une trentaine de chambres un peu banales, avec TV et salle de bains, mais l'ensemble, décoré sur le thème de l'âge d'or du chemin de fer en Équateur, a un petit charme. On trouve même des vitrines exposant des objets précolombiens collectionnés par le patron ! Salon avec cheminée au 3e étage et terrasse sur le toit. Bon accueil. Resto le soir *(16h-21h).*

🏠 ***Hotel El Libertador*** (plan A2, **13**) : *av. Daniel León Borja 29-22 y Carabobo.* ☎ *294-73-93.* • *hotelelliber tador.com* • *Doubles env 25-30 US$ selon période.* 💻 📶 Face à la gare, ce bâtiment récent de 4 étages s'organise autour d'un patio surmonté d'une verrière. On y trouve une quarantaine de chambres nettes et bien finies, avec parquet, bonne literie, TV et salle de bains rutilante. La plupart sont assez spacieuses, mais celles de l'intérieur sont parfois assez sombres ; vitrage antibruit assez efficace côté rue. Un bon rapport qualité-prix.

### Prix moyens (30-48 US$)

🏠 ***Hotel Tren Dorado*** (plan A2, **16**) : *Carabobo 22-35 y 10 de Agosto.* ☎ *296-48-90.* • *hoteltrendorado.com* • *Près de la gare. Env 34 US$ la double, petit déj-buffet inclus. Parking gratuit.* 💻 📶 Ses patios et terrasses dessinent un charmant ensemble et ses chambres, équipées de salle de bains nickel, lits douillets et TV à écran plat toutes neuves, sont impeccables à défaut d'être chaleureuses. Évitez juste celles sur la rue, un peu bruyantes. Les couvre-lits, bien kitsch, sont ornés de lions, pandas et autres bestioles exotiques ! Agence de voyages *(Soul Train)* proposant tout type d'excursions et centre Internet juste à côté *(tlj 9h-minuit).* Une de nos meilleures adresses à Riobamba. En cas de soucis de communication, le fils de l'accueillante patronne parle le français !

## Plus chic (plus de 70 US$)

🏨 🍽 ***Mansión Santa Isabella*** *(plan B2,* ***12****) : Veloz 28-48, entre Carabobo et Magdalena Dávalos. ☎ 296-29-47. • mansionsantaisabella.com • Resto tlj sf dim soir. Double 80 US$, suite 122 US$, petit déj buffet inclus. Parking gratuit.* 💻 📶 Occupant une demeure coloniale jaune citron, cet hôtel s'organise autour d'un petit patio garni de fougères. Le restaurant occupe le rez-de-chaussée, les chambres (une douzaine), l'étage. Pas forcément très grandes, elles présentent un excellent niveau de confort, avec parquet, très belle salle de bains (la plupart avec baignoire), chauffage, TV écran plat, fenêtres double vitrage, couette et coussins... Cocktail de bienvenue offert.

🏨 ***Hotel San Pedro de Riobamba*** *(plan A2,* ***15****) : av. Daniel León Borja 29-50, entre Carabobo et Juan Montalvo. ☎ 294-05-86 ou 294-13-59. • hotelsanpedroderiobamba.com • Double 98 US$, très bon petit déj inclus. Parking gratuit.* 💻 📶 Pile poil face à la gare, ce luxueux hôtel occupe une très belle demeure de 1907 avec patio, ancienne propriété d'un édile du chemin de fer. Superbement restaurée, elle conserve un splendide salon au plafond en laiton martelé, avec mobilier ancien. Les chambres, nommées d'après des églises de la ville, ne sont pas en reste : beaux parquets, très bons édredons, TV écran plat, baignoire et même un tableau colonial dans chacune ! Accueil très pro et service aux petits oignons. Drôle d'entrée, en revanche, coincée entre 2 boutiques chic.

# Où manger ?

## Bon marché (moins de 5 US$)

🍽 ***Mercado de la Merced*** *(plan B3,* ***20****) : ouv tlj 7h-18h.* C'est l'endroit où venir goûter la spécialité de Riobamba : le *hornado,* du cochon rôti entier, servi avec de la salade et du *mote,* de gros grains de maïs blanc. Succulent ! Une quinzaine de stands, rassemblés dans une même salle, proposent à la criée ce mets délicat. Ensuite on n'a plus qu'à essayer de trouver de la place aux tables du milieu. Très populaire et convivial.

🍽 ***Hugo's*** *(plan B3,* ***21****) : dans la ruelle attenante au marché de la Merced.* Cette authentique *fuente de soda,* ouverte en 1936, a conservé son décor des années 1950-1960 ! Frigos d'époque, tabourets en Skaï autour du comptoir en marbre, sur lequel s'alignent pots de ketchup, moutarde et mayo... On y avale un sandwich (2,50-3,50 US$), un jus ou un milk-shake.

🍽 ☕ ***La Andaluza*** *(plan A1,* ***25****) : av. Daniel León Borja 36-04 y Uruguay. ☎ 294-71-89. Lun-sam 8h-22h, dim 8h30-14h. Dans la zone moderne et chic de l'avenue, près de l'office de tourisme.* C'est avant tout un traiteur, où l'on peut venir chercher jambon, mortadelle, saucisses et autres charcuteries à la coupe. Mais on peut aussi s'installer pour un sandwich (3-5 US$) mettant les mêmes en scène (pain baguette ou pain de mie), une salade, une assiette de tapas ou même venir prendre le petit déj. Grande salle vitrée et bien lustrée donnant sur l'avenue.

## De prix moyens à chic (5-15 US$)

🍽 ***La Cabaña Montecarlo*** *(plan A3,* ***22****) : García Moreno 21-40. ☎ 296-15-77. Tlj 12h-16h et mar-sam 18h-21h30. Menu midi 4 US$ ; plats env 4-10 US$.* Le midi, les notables et les papys-mamies viennent profiter du service en nœud pap', de la salle élégante, impeccablement propre, aux tonalités verdoyantes, et du menu (entrée, soupe, plat, dessert) à prix raisonnables. La cuisine, équatorienne, n'est pas extraordinaire, mais tient la route, et ce petit monde a quelque chose d'attachant.

🍽 ***Parrillada Don Severín*** *(plan B3,* ***23****) : Colón 22-44, entre 10 de Agosto* *et Primera Constituyente. ☎ 294-45-16. Lun-sam 9h-20h. Plats 4-6 US$ ; mix a la parrilla 8 US$.* Le menu est avant tout carnivore et la cuisine copieuse. Mon tout est servi dans une grande salle toute simple au plancher de bois, où l'on peut parler, car, ici, autre bonne nouvelle, il n'y a pas de TV !

|●| ***El Delirio*** *(plan B2, **24**) : Primera Constituyente y Rocafuerte. ☎ 296-64-41. Tlj sf lun 12h-22h. Plats 7-12 US$.* On vous l'indique avant tout pour son charme, pas pour sa cuisine (médiocre !). Bolívar a résidé dans cette vieille demeure coloniale et y a même écrit son poème « *Mi delirio sobre el Chimborazo* » (à demander à l'accueil). Le joli patio avec fontaine, arboré et fleuri, précède 2 petites salles intimes et chaleureuses, avec cheminée qui crépite, masques et vêtements traditionnels aux murs. On peut simplement y boire un café en journée. Sinon, misez plutôt sur une viande.

|●| ***Rayuela*** *(plan A1, **26**) : av. Daniel León Borja 36-30, entre Brasil et Uruguay. ☎ 295-49-77. Tlj à partir de 12h, jusqu'à 22h lun-mer, 23h jeu, minuit ven-sam, 16h dim. Menus 3-4 US$ ; plats env 7 US$. Happy hours tlj 17h-19h.* Envie de modernité, à contrario ? Grimpez l'avenue jusqu'à sa section la plus chic, où vous trouverez cette grande salle très aérée et vitrée, au cadre épuré. On y mange pas mal et le menu affiche un bon prix.

|●| On recommande aussi le restaurant de la ***Mansión Santa Isabella*** *(plan B2, **12**), Veloz 28-48,* en particulier pour son *menu ejecutivo* d'un bon rapport qualité-prix *(4-5 US$).*

## Où dormir ? Où manger dans les environs ?

### Bon marché

🏠 |●| ***Posada de la Estación :*** *à 23 km au nord de Riobamba par la Panaméricaine, au niveau du km 148, puis 1 km sur une piste défoncée vers La Urbina. Pour tte info, contacter Rodrigo Donoso (il parle l'anglais). ☎ 294-22-15 ou 📱 09-99-69-48-67. • aventurag@yahoo.com • altamontana.net • N'importe quel bus reliant Riobamba à Ambato ou Quito vous déposera au bout de la route. Compter 12-14 US$/pers ; petit déj 4 US$. Almuerzo ou cena 5 US$.* Le site est superbe : au pied du Chimborazo, à 3 620 m d'altitude, en plein *páramo.* Vous voilà chez Rodrigo Donoso, andiniste passionné. D'un côté, l'ancienne petite gare. En face, sans autre voisin, une bicoque de bois abrite 4 chambres à l'étage, partageant une salle de bains (au rez-de-chaussée). Ambiance refuge, sauf quand un groupe fait halte pour déjeuner... À travers son agence *Alta Montaña,* Rodrigo propose un tas d'activités : ascension de tous les volcans, Tungurahua inclus (lorsqu'il est calme !), treks originaux, balades à cheval ou à VTT, et même rencontre du dernier *hielero* du Chimborazo. Il peut aussi vous loger dans son refuge privé (Urcu Huasi) situé à 4 200 m, qui lui sert de base aux ascensions du Chimborazo.

### Très chic

🏠 |●| ***Hostería Abraspungo :*** *à 3,5 km de Riobamba, sur la route de Guano. ☎ 236-42-74. • haciendaabraspungo.com • Double env 120 US$, avec petit déj buffet ; suite jusqu'à 210 US$.* 💻 📶 Très apprécié des Quiteños en week-end, cet hôtel chic au style hacienda joue sur des notes rustiques sans rien abandonner au confort. Les chambres sont ultra spacieuses, impeccables, avec excellente literie, douche pluie, grande TV à écran plat, sèche-cheveux, baies vitrées dans la plupart... 6 disposent d'une cheminée (sinon radiateur) : demandez-les, elles sont au même prix. Bon resto *(tlj 5h-22h),* billard et possibilité de chevauchées. Accueil pro.

🏠 |●| ***Hostería La Andaluza :*** *à 16 km au nord de la ville, sur la route d'Ambato (Panaméricaine), avt La Urbina. ☎ 294-93-70 à 75. • hosteriaandaluza.com • Près du Km 155. Doubles env 74-103 US$, petit déj américain inclus.* Situé en bordure de la Panaméricaine, face au Chimborazo, ce vaste complexe s'inspire lui aussi du style des haciendas. Là encore, les chambres, spacieuses, avec moquette, murs blancs et mobilier en bois, présentent un excellent niveau de confort : lits très confortables, édredons moelleux, eau bien chaude, TV écran géant... Dommage que les *standards* sentent un peu l'humidité. Salle de jeux (billard, baby-foot, ping-pong). Restos et bars, souvent déserts en semaine.

## Où manger une bonne glace ?

**Los Alpes** *(plan B3,* ***30****) : Espejo 21-43 y 10 de Agosto. Tlj 9h-19h30.* Elles sont excellentes, ces glaces ! Au coco, à la fraise (hum !) et pourquoi pas au tamarin... (grimace) ? Coupes, jus frais, sandwichs à la commande, le petit local, tout beau tout neuf (et surtout tout propre), ne désemplit pas.

## Marchés, artisanat

– ***Marchés :*** il y en a plusieurs, particulièrement vivants le samedi et, dans une moindre mesure, le mercredi. Le plus grand est celui de *La Condamine,* mais il y en a d'autres, comme celui de *San Alfonso (hors plan par B3),* calle Argentinos y 5 de Junio, où sont vendus viande, fruits et légumes, et le *mercado de la Merced (plan B3)* couvert, pas très esthétique, mais où l'on peut déguster du bon cochon grillé. Intéressant aussi, le *mercado de la Concepción (plan B3),* sur Colón y Orozco, où l'on trouve tout ce qui touche à l'habillement – fringues, chapeaux, tissus, couturiers à l'œuvre, etc.

**Tagua Work Shop** *(plan A1,* ***40****) : av. Daniel León Borja y av. Miguel León. ☎ 295-50-14. Lun-sam 9h-19h, dim 10h-18h.* Vous pourrez voir le travail sur la *tagua,* cet ivoire végétal qui se prête à la fabrication de jolis petits objets à rapporter en souvenir – bijoux et petits animaux surtout. Certaines pièces plus grandes sont réalisées avec des morceaux assemblés.



# À voir

**Parque Maldonado** *(plan B3)* **:** jolie place entourée de maisons coloniales (la seule qui mérite le détour à Riobamba). Au centre se dresse une statue du géographe et astronome Vicente Maldonado, collaborateur de la mission géodésique française de 1735-1739. À l'est, la cathédrale montre une belle façade en pierre sculptée, d'un baroque clairement métissé. Elle a été rebâtie en 1835 après que la précédente fut détruite par le séisme de 1797. Elle conserve quelques éléments provenant de la première Riobamba, fondée au XVIe s à environ 25 km au sud. Du côté de Primera Constituyente, le ***Museo de la Ciudad*** *(lun-ven 8h30-12h30 et 14h30-18h, sam 8h-16h)* occupe une belle demeure de 1910 précédée d'une galerie aux jolis plafonds. Les secrets de l'histoire locale y côtoient quelques expos de peinture.

**Colegio nacional Maldonado** *(plan B3)* **:** *sur le parque Sucre. Lun-ven 7h-22h env.* C'est dans ce grand édifice que fut rédigée la première Constitution du pays en 1830. On peut en voir une copie au fond, à droite de l'escalier (original à Quito).
– *Concert : le 1er dim de chaque mois, vers 19h,* la fanfare municipale de la police ou de l'armée se produit dans le *parque Sucre.*

**Museo de Arte Religioso del Monasterio de la Concepción** *(plan B2-3)* **:** *Argentinos y Larrea. ☎ 296-52-12. Mar-sam 9h-12h30 et 15h-17h30. Entrée : 2 US$.* Installé dans les anciennes cellules de ce beau couvent du XVIe s, le musée expose un vaste ensemble de vêtements liturgiques, objets sacrés, pièces d'orfèvrerie, Christs et Vierges, peinture et mobilier. On peut aussi voir de sympathiques fléaux utilisés pour les (auto)flagellations et ce qu'il reste de la pièce maîtresse du musée : une toute petite partie du splendide ostensoir en or (6,4 kg) et pierres précieuses volé en 2007 et partiellement retrouvé en Colombie l'année suivante. Il mesurait à l'origine 1,10 m de haut et était incrusté de centaines d'émeraudes.

☛ ***Museo y Centro Cultural Riobamba*** *(plan B2)* **:** *Montalvo y Carabobo.* ☎ *296-55-01. Lun-ven 9h-17h. Entrée : 1 US$. À l'étage du* Centro Cultural. Les collections archéologiques de l'époque précolombienne, réparties dans deux salles, sont bien présentées. Plan-relief de la région avant l'arrivée des Espagnols et reconstitution d'une tombe *puruhá*.

## DANS LES ENVIRONS DE RIOBAMBA

☛ ***Guano :*** *à 8 km au nord de Riobamba. Prendre un bus au* mercado Davalos, *à l'angle de Nueva York et Rocafuerte – 2 cuadras à l'est de Venezuela.* Le village est réputé pour ses tapis de laine, mais semble se tourner de plus en plus vers la fabrication de chaussures – comme le bourg voisin de Santa Teresita. Si vous passez par là, profitez-en pour goûter aux *cholas,* de petits chaussons fourrés au sucre brun.

☛☛ ***Museo cultural de la Llama :*** à **Palacio Real,** *à 15 km à l'ouest de Riobamba. Prendre la Panaméricaine vers le sud, puis, à Calpi, bifurquer à droite vers Guamote ; 1 km plus loin, prenez à nouveau à droite (sur 1,5 km) jusqu'à Palacio Real.* ☎ *262-05-00 ou* 📱 *09-97-00-59-44. • turismopalacioreal@hotmail.com • ahuana.com • Tlj 9h-11h, ou téléphonez pour que quelqu'un vienne vous ouvrir. En taxi depuis Riobamba, comptez env 5 US$. Il y a bien les bus allant vers San Juan (ttes les 20-30 mn), que l'on prend à la plaza de Toros de Riobamba, à côté de la gare* (Coop 22 de Octubre), *mais il faut savoir où descendre et, après, il reste 3 km à pied... Entrée : 1,50 US$.* Lancé par l'évêché, le développement du tourisme communautaire local prend peu à peu de l'ampleur grâce au père Pierrick Van Dorpe, un curé français installé depuis une dizaine d'années dans le village voisin de San Francisco de Cunuguachay. Organisateur de talent, il encourage la communauté à prendre en main sa destinée à travers l'association *Sumak Kawsay*. C'est ainsi qu'a été fondé à Palacio Real cet intéressant petit musée, mettant en lumière la place du lama dans la cosmogonie andine (demandez la brochure en français). Croyez-le ou non, cet animal si précieux aux sacrifices incas avait presque disparu d'Équateur après la conquête espagnole ! Il a été réintroduit récemment dans le coin dans le cadre de la même initiative, avec un certain succès si l'on en juge par le nombre de bestioles croisées le long de la route. Laine et viande, longtemps négligées, trouvent à nouveau preneur. À côté du musée, vous découvrirez une boutique proposant de beaux produits à base de laine de lama, d'alpaga et de mouton – et même... de la graisse de lama pour lutter contre la toux ! Contrairement à l'habitude, les pulls, vestes et manteaux ont été pensés pour les goûts européens. Vous ferez donc à la fois de belles emplettes et une bonne action. L'association *Sumak Kawsay* propose des parrainages de lamas, des balades guidées à thème (sur les traces du lama, introduction aux plantes) et même des découvertes à la carte de la région, de ses vestiges incas et du dernier *hielero,* ou encore à la rencontre du Chimborazo. Libre à vous de partir avec ou sans lama, avec ou sans tente, avec ou sans guide (dans ce cas, on vous fournira un plan).

LE CENTRE

🏠 I●I ***Sumak Kawsay :*** *à* ***San Francisco de Cunuguachay,*** *env 3 km après Palacio Real.* ☎ *262-05-00 ou* 📱 *09-97-00-59-44. • turismopalacioreal@hotmail.com • Compter 6-8 US$/pers en dortoir ou en chausa, petit déj inclus. Repas 2,50 US$.* 💻 On ne rencontre guère de touristes ici, plutôt de jeunes (et moins jeunes) voyageurs au long cours, français pour beaucoup, intéressés par les projets du *padre* et désireux d'entrer en contact le plus naturellement possible avec la communauté quechua. On loge au choix dans l'un des 2 dortoirs (6-8 lits) de la maison du père Van Dorpe, ou dans l'une des 2 *chausa* attenantes, d'agréables maisonnettes traditionnelles avec chacune 2 chambres et salle de bains, poêle, entrée en troncs et parquet. Beaucoup plus luxueux que les prix le laisseraient supposer ! Tout le monde se retrouve le soir devant la cheminée, puis à la table commune pour évoquer les découvertes du jour, les coups de main donnés à la garderie du village ou aux familles en manque de main d'œuvre. Certains y passent des mois comme volontaires. Vétérinaires, agronomes, spécialistes du recyclage et des énergies nouvelles bienvenus ! Petit détail : n'oubliez pas, à 3 200 m d'altitude, il fait frisquet le soir...

L'association est aussi à l'origine de la construction à Palacio Real de 3 *chausa*. On y vit au plus près de la famille propriétaire. *Compter 10 US$/nuit et 2,50 US$/repas.*

***El Palacio de la Llama :*** *à côté du Museo Cultural de la Llama, à Palacio Real. Tlj 12h-15h. Menu 5 US$.* Tenez-vous bien, c'est le seul et unique restaurant d'Équateur proposant de la viande de lama ! Celle-ci est réputée pour sa haute teneur en protéines et, à contrario, sa faible teneur en graisses. Prévenez si possible avant de venir, pour qu'on prépare votre arrivée.

***Cajabamba :*** *à 19 km au sud-ouest de Riobamba. Bus au terminal Parroquial, à l'angle de l'av. Vicente Pedro Maldonado et de 9 de Octubre, à env 1 km au nord de l'office de tourisme.* Là était situé autrefois le chef-lieu régional, celui d'avant le tremblement de terre de 1797. Après le séisme, les habitants émigrèrent pour fonder Riobamba. Le seul intérêt du village est le ***marché*** du dimanche. Très coloré, c'est l'un des plus beaux d'Équateur, sans bus, sans touristes. On y vend de tout : des fruits, des légumes bien sûr, des patates par sacs de 50 kg, des carottes idem, de la viande sous la halle (ne respirez plus !), du dentifrice, du savon, des herbes médicinales, de la laine aux teintures naturelles (rose indien et violet acra nimbant les épaules des femmes) et, pour les tisanes, des céréales et des féculents en pagaille, blé, orge, lentilles et autres fèves. Les paysans en profitent pour prendre une douche chaude, se faire couper les cheveux, et repartent avec une grappe de raisin ou une glace.

***Iglesia de la Balbanera :*** *à l'orée de la laguna de Colta, à env 2,5 km au sud de Cajabamba, au carrefour de la route de Guayaquil.* Ne la ratez pas ! C'est la plus ancienne église d'Équateur. Posée le long de la Panaméricaine, on ne la voit guère en venant du nord : si vous arrivez au lac, c'est que vous êtes allé trop loin ! Probablement consacrée par Diego de Almagro le 15 août 1534, la Balbanera a été jetée à bas par le tremblement de terre de 1797, mais relevée à l'identique, avec sa façade en pierre calcaire greffée de deux angelots et d'une gargouille. L'intérieur, dépouillé, mène à un autel en pierres monumental évoquant une pyramide précolombienne. Dans son coin, une Vierge se recueille, coiffée d'un chapeau de feutre façon *indigena*.

***Guamote :*** *à 50 km au sud de Riobamba, bus depuis l'angle de l'av. Unidad Nacional et La Prensa, près du terminal terrestre.* Ce gros bourg aux rues tantôt pavées, tantôt poussiéreuses, a le charme de ses habitants – encore souvent vêtus de costumes traditionnels. Il s'y tient un très beau marché le jeudi matin. De plus, on vous y a déniché un chouette endroit où vous installer :

***Inti Sisa :*** *Garcia Moreno y Vargas Torres. ☎ 291-65-29 ou 09-69-36-30-00. • intisisa.org • Compter 10 US$/pers en dortoir (4-6 lits), double avec sdb 44 US$ ; petit déj inclus dans ts les cas. Repas 6-9 US$.* Fondée par une association belge, cette sympathique auberge contribue à financer un centre éducatif favorisant l'accès à l'éducation – il gère une maternelle et propose cours d'anglais, d'informatique et de couture pour aider les familles locales à acquérir un savoir-faire. On peut donner la main ou participer aux projets sur un plus long terme, selon ses compétences. L'occasion d'entrer vraiment en contact avec la population andine. Côté logement, on choisit entre les dortoirs, très bien tenus, dans les combles, et les chambres doubles charmantes, réalisées dans des matériaux nobles, avec belles salles de bains. Organise des excursions qui valent le coup, comme celle en VTT aux *lagunas de Atillos,* un coin merveilleux encore peu fréquenté, et propose aussi des cours d'espagnol, de quechua et de cuisine (avec dégustation à la fin !). On peut en outre, par leur intermédiaire, passer une nuit (ou plus) dans la *chausa* (chaumière) d'une famille locale.

## *LE CHIMBORAZO (6 310 m)*

Le voilà, le mont le plus haut d'Équateur, l'emblématique Chimborazo représenté sur les armes du pays ! Sa dernière éruption remontant à environ 1 500 ans, il est un peu considéré comme endormi. Le Papa Chimborazo des villageois du *páramo* est un dieu protecteur, là où la volcanique Mama Tungurahua, dressée en vue, vers l'est, vocifère, explose et se répand... Sa base fait 20 km de large et son sommet, enneigé toute l'année, n'est autre que le sommet le plus éloigné du centre de la Terre – car la Terre est renflée à l'équateur et aplatie aux pôles. C'est aussi, du coup, celui qui se rapproche le plus du Soleil ! Il est si haut, d'ailleurs, qu'il se nimbe bien souvent de nuages... Certains voyageurs ne le voient même jamais ! Son ascension est néanmoins fascinante, mais plutôt réservée aux habitués de la haute montagne.

Le Chimborazo se trouve au centre d'une *reserva de producción de fauna* de 585 km$^2$. On y a réintroduit en 1988 un groupe de 200 vigognes péruviennes et chiliennes dans l'espoir qu'elles apporteraient un peu de vie à ces pentes désolées. Et ça marche ! Elles seraient aujourd'hui près de 5 000. La réserve intègre, au nord du Chimborazo, le volcan Carihuayrazo (5 120 m), dont les pics découpés en englacés évoquent davantage un relief alpestre qu'andin.



### Arriver – Quitter

Pas facile d'accéder au Chimborazo en transports en commun. De Riobamba, vous pouvez prendre un bus pour Guaranda et demander à être déposé à l'entrée du parc – mais, de là, il reste encore 8 km à pied (et ça monte) jusqu'au refuge Carrel, situé à 4 850 m ! Peut-être aurez-vous la chance que quelqu'un vous prenne en stop (demandez à l'entrée). Les bus pour Guaranda partent toutes les heures, de 6h à 16h env. Le plus simple est néanmoins de louer un taxi à plusieurs au départ de Riobamba. Comptez environ 40 US$ pour 2 personnes. Et pensez à vous mettre d'accord pour le retour (même tarif) !

### Infos pratiques

– ***Horaires et tarifs :*** *accès possible tlj 8h-17h. Entrée gratuite. Ceux qui ont une voiture de tourisme pourront grimper sans grande difficulté jusqu'au refuge* Carrel *(4 850 m).*

– Pour l'ascension, les meilleures périodes sont juin-juillet et décembre-janvier. À contrario, le printemps (février-mai) est réputé pour ses accès de mauvais temps.

### Où dormir ? Où manger ?

Le tourisme communautaire est en pleine expansion dans le secteur du Chimborazo. Si cela vous intéresse, rendez-vous sur le site de la Cordutch, qui regroupe plusieurs villages de la région : • *cordutch.org.ec* • *voyage responsable.org* •

☗ La réserve compte 2 ***refuges*** accessibles à tous. Le 1er, ***Hermanos Carrel,*** est situé à 4 850 m, au terme de la piste grimpant vers le Chimborazo. Il compte tout juste 10 places, une cuisine et une cheminée – mais il faut apporter ses vivres et son bois pour pouvoir les utiliser. Ne manquez pas, pour le fun, la boîte à lettres (française !) accrochée sur le flanc extérieur... Quelqu'un saurait-il nous dire comment elle est arrivée là ? Le 2[d] refuge, nommé d'après le 1er alpiniste à avoir gravi le

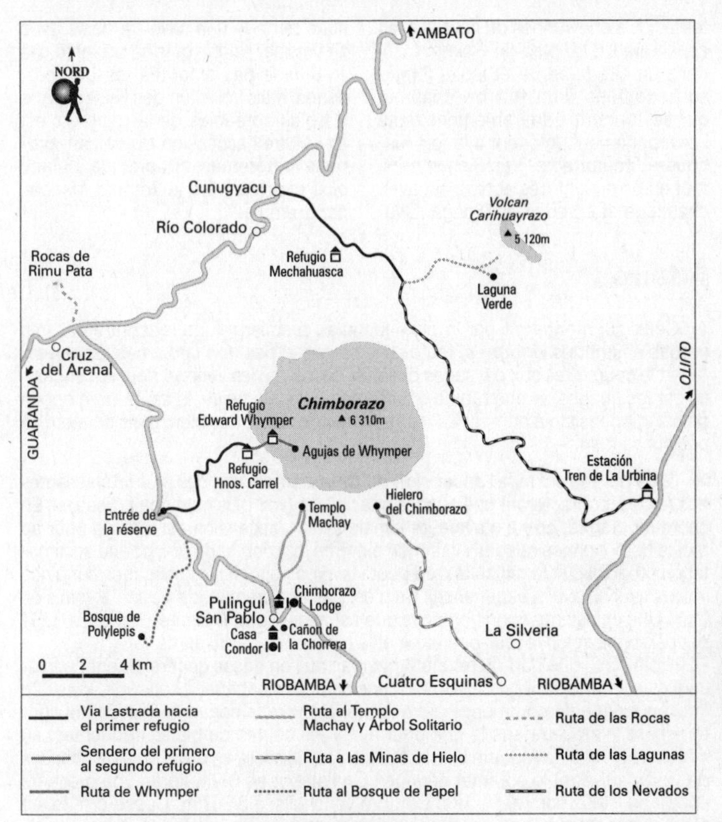


## LE CHIMBORAZO

sommet en 1880, Edward Whymper, est situé à 5 000 m. Il ne faut guère que 45 mn à 1h pour l'atteindre depuis le parking. Là, il y a 45 places. Sympa, les 2 sont gratuits !

**Casa Condor :** *à Pulinguí San Pablo (3 840 m), 8 km avt l'entrée de la réserve, à gauche en venant de Riobamba, au Km 37. 09-85-75-50-31 ou 09-95-13-04-26. • manuel_gualanc@hotmail.com • otc_casacondor@yahoo.es • Compter 25 US$/pers, petit déj inclus ; dîner 10 US$.* Perdu en plein *páramo,* loin de tout, le hameau se compose d'une dizaine de pauvres maisons les pieds dans la boue, autour desquelles déambulent des moutons crottés. Enfourchant le cheval de bataille du tourisme communautaire, les habitants proposent 4 petites chambres de 1 ou 2 lits dans un bâtiment récent, chacune avec poêle et lourde couverture. Raisonnablement tenues, elles partagent 2 salles de bains. Un bâtiment attenant est réservé aux repas, pris en commun. Correct mais froid et (trop) cher à notre avis.

**Chimborazo Lodge (Base Camp) :** *8 km avt l'entrée de la réserve, à droite en venant de Riobamba. Prendre contact avec l'agence* Expediciones Andinas *(voir « Riobamba – Adresses utiles – Agences d'andinisme et d'excursions »). ☎ 236-42-58 ou 78. • expediciones-andinas.com • Compter 56 US$/pers, petit déj et dîner compris. CB refusées.* C'est le gîte-hôtel de Marco Cruz, l'un des andinistes les plus chevronnés du pays. Il a fait construire ici, au pied du Chimborazo, dans un site superbe et isolé, 2 maisons coiffées d'un toit de chaume, qui se fondent admirablement dans l'environnement. Intérieur à la fois rustique et confortable. Les 8 chambres, tout en bois, sont très agréables, avec chauffage et édredon en alpaga. Chacune partage une salle de bains avec sa voisine. Bonne cuisine au resto. Ne s'adresse pas à toutes les bourses, certes, mais voilà l'un des lieux d'étape les plus agréables de la région, c'est dit ! Outre l'ascension du volcan, propose différentes options de balade plus courtes, vers le *Templo Machay* par exemple.

## À faire

➢ Ceux qui monteront par la piste jusqu'au premier refuge rencontreront très probablement des ***vigognes,*** toutes mignonnes et pas trop farouches. Et après ? À part le coup d'œil aux paysages désolés, battus par les vents et souvent engloutis par les nuages, et une rapide bataille de boules de neige, la seule vraie option de balade consiste à grimper au refuge *Whymper.* Bon, très bien, mais on reste un peu sur sa faim.

➢ Ceux qui veulent faire l'***ascension du Chimborazo,*** une des plus intéressantes des Andes, contacteront une agence spécialisée (voir plus haut nos adresses). En haute montagne, on ne s'aventure jamais seul ! L'ascension est difficile pour au moins deux bonnes raisons : l'altitude extrême, qui demande une bonne acclimatation préalable, et la difficulté qu'il peut y avoir à négocier les passages sur glace (mieux vaut en avoir l'expérience). Ce n'est pas une promenade de santé, loin s'en faut ! Une excellente condition physique est nécessaire. Compter 160 à 250 US$ par personne selon le tour-opérateur et le nombre de participants.

– La voie classique part du refuge *Whymper,* où l'on passe généralement l'après-midi et la (courte) nuit précédant l'ascension pour s'habituer à l'altitude. Vers 22h (maximum minuit) commence alors la montée vers le sommet. Elle doit obligatoirement avoir lieu dans la nuit pour éviter les chutes de pierre fréquentes, au retour, au niveau du redouté Corridor. Cela vous laissera en outre plus de chances de voir (peut-être) le sommet dégagé ! On l'atteint en 6-9h, après une première escale au « faux sommet » de la Cumbre Ventimilla, à 6 267 m. Casse-croûte sur place avant de redescendre vers le parking, qu'on rejoint en début d'après-midi. Certains partent du refuge *Carrel,* mais cela leur en coûtera 1h d'efforts supplémentaires... Les alpinistes chevronnés pourront aussi s'intéresser à d'autres voies moins usitées.

➢ Bien d'autres excursions sont possibles autour du Chimborazo. Parmi les classiques : le ***Templo Machay,*** un ancien lieu de culte rupestre puruha, à 4 700 m d'altitude. Plutôt un prétexte pour une belle balade à travers le *páramo* que pour la grotte en elle-même. Compter 3h de montée à pied ou à cheval depuis Pulinguí San Pablo (voir « Où dormir ? Où manger ? Casa Condor »). De nombreuses agences de Riobamba proposent l'excursion, comme *Andean Adventures (env 70 US$/pers).* Autre possibilité : la découverte, à 4 350 m, du ***Bosque de Polylepis,*** aux troncs torturés par les éléments. On les surnomme *arboles de papel* en raison de leurs multiples couches d'écorce fine qui pèle. C'est l'arbre qui vit le plus haut au monde, entre 3 800 et 4 600 m !

➢ Autre excursion désormais classique : la rencontre du dernier ***hielero*** du Chimborazo (voir encadré). Allez-y par exemple avec *Ahuana,* l'agence de tourisme communautaire du village de Cuatro Esquinas, sponsorisée par le curé français de San Francisco de Cunuguachay, le père Van Dorpe. *09-97-95-45-34 (Delia) ou 09-91-04-10-60 (Jorge). Compter env 25 US$ à pied (7h A/R), 35 US$ en mule, petit déj, pique-nique et guide inclus.* Le village est desservi à partir de 6h30 par les bus de la *Coop Cóndor* depuis Riobamba ; on les prend au rond-point face au *Colegio,* sur la route de Quito. Trajet : environ 45 mn. Attention, Baltazar ne part récolter la glace que les jeudi et vendredi !

➢ ***Faire le tour du Chimborazo par la route :*** ceux qui ont du temps envisageront un crochet superbe en se rendant de Riobamba à Ambato via Guaranda (60 km à l'ouest de Riobamba). On contourne le Chimborazo pendant quelques heures, en contemplant tous ses aspects. Bus toutes les 30 mn de Guaranda à Ambato (2h de trajet). Route très variée, considérée comme la plus haute du pays (elle passe à plus de 4 000 m). Si le temps est couvert, inutile, vous ne verrez rien. En chemin, vous pourrez faire halte aux sources chaudes de Cunugyacu, à 3 720 m. Les eaux des trois piscines, posées en plein *páramo,* atteignent 42 °C, mais le vent des plus frisquet n'aide pas à enfiler le maillot de bain ! Entrée : 2 US$.

### LE DERNIER *HIELERO* DU CHIMBORAZO

*Ils étaient jadis des dizaines à pratiquer ce métier. Il n'en reste qu'un : Baltazar Ushka Tenesaca, 75 ans au compteur et un caractère bien trempé. Deux fois par semaine, Baltazar quitte San Pablo pour les glaciers du Chimborazo, à plus de 4h de marche. Là, à 5 000 m d'altitude, armé d'un pic à glace et d'une hache, il détache six blocs de glace de 30 kg, emballés dans la paille et bientôt chargés à dos de mules. Ils seront vendus les jeudi et samedi matins au marché de Riobamba. Jadis considérée comme source de jouvence, cette glace d'une grande pureté a encore ses adeptes pour rafraîchir les jus de fruits.*

## PARQUE NACIONAL SANGAY

Cet immense parc national (2 719 km²) classé à l'Unesco n'englobe pas moins de trois volcans, dont deux actifs : le Tungurahua à son extrémité nord-ouest, l'Altar (5 319 m) à l'est de Riobamba et le Sangay (5 238 m) au sud-est de cette dernière. Il couvre tous les types d'écosystèmes rencontrés dans la région, depuis la forêt tropicale humide jusqu'aux glaciers des sommets.

# À faire

➢ Considéré comme éteint, ***El Altar*** se présente sous la forme d'une vaste caldeira en forme de fer à cheval, aux rebords édentés et englacés. Certains vulcanologues estiment qu'il fut jadis le plus haut volcan du pays avant d'être décapité par une explosion cataclysmique ! Ses neuf sommets résiduels, enneigés, forment aujourd'hui une superbe corolle autour d'un lac de cratère, la laguna Amarilla (d'ailleurs plus verte que jaune). Cette beauté lui a valu le nom inca de Capac Urcu, « sublime montagne ». Obnubilés par la religion, les Espagnols ont, eux, méticuleusement affublé les neuf sommets d'El Altar (« l'autel ») de noms hautement catholiques : El Canónigo (« le chanoine »), Los Frailes (« les frères »), El Tabernáculo (« le tabernacle »), La Monja Menor (« la petite nonne »), La Monja Mayor (« la grande nonne »), El Obispo (« l'évêque ») et El Acólito (« l'enfant de chœur »). Rien que ça ! On aborde El Altar par Penipe (sur la route de Baños) et La Candelaria (desservis par bus depuis Riobamba), puis par l'*Hacienda Releche,* à 3 200 m d'altitude, où l'on peut louer des chevaux, un guide, acheter des vivres et du bois de chauffage. On y règle aussi la nuitée au refuge *(5 US$/pers),* situé à 3 850 m. Un chemin y mène en 5h environ, à travers la belle vallée verdoyante de Collanes, aux parois dégoulinant de chutes d'eau après les pluies. Un paysage splendide, mais attention de ne pas vous éloigner du sentier : l'humidité est telle que l'on peut s'enfoncer jusqu'au genou (bottes o-bli-ga-toi-res) ! Reste, le lendemain matin, à rejoindre la Laguna Amarilla que l'on découvre, superbe, depuis la brèche occidentale, à 4 300 m (environ 3h). Avec un peu de chance, un condor sera là pour vous accueillir. Certains se risquent seuls dans la zone, d'autres préfèrent faire appel à une agence, comme *Andean Adventures* ou *Alta Montaña* (voir « Riobamba – Adresses utiles – Agences d'andinisme et d'excursions »). Cette dernière propose aussi l'ascension d'El Altar, réservée aux alpinistes chevronnés.

➢ On le surnomme le « volcan fantôme » tant il se découvre rarement... Le ***Sangay*** est en activité et crache régulièrement nuages de vapeur, de cendres et petites pierres. Son ascension, périlleuse, est parfois impossible en fonction de l'activité. Elle demande un minimum de 6 jours depuis Riobamba, dont 3 pour atteindre le camp de base de La Playa. Possibilité de prendre un guide à Alao ou Guargalla (entre Riobamba et le Sangay), mais la plupart des grimpeurs confient toute la logistique de l'expédition à une agence – nous vous conseillons *Alta Montaña* à Riobamba ou *Équateur Voyages Passion* à Quito. C'est évidemment assez cher. Soyez prévenu : la région est particulièrement pluvieuse (un peu moins entre décembre et février) ! Au final, une ascension très éprouvante, qui nécessite une excellente condition physique, mais la traversée du parc et l'arrivée au sommet à 5 230 m, près du cratère, récompensent amplement les efforts fournis. Priez pour ne pas vous prendre une grêlée de roches sur la tête...

## LAGUNAS DE ATILLO

Situés en plein *páramo,* à l'extrême sud-est de la province de Chimborazo (90 km de Riobamba), les lacs d'Atillo forment un bel ensemble de plans d'eau veillés par des montagnes pelées aux sommets enneigés. Superbe quand des bancs de brume les enveloppent ! Situées sur la route de Macas, les *lagunas* sont facilement accessibles par le bus – mais il est toujours plus facile d'en descendre que d'y remonter ! Sinon, plusieurs agences de Riobamba proposent des excursions, de même que l'ONG *Inti Sisa* de Guamote (la ville la plus proche), qui organise une sortie en VTT à la journée. D'Atillo, on peut rejoindre les ***lagunas de Ozogoche*** par un chemin en 7-8h. Là, ce sont carrément une trentaine de lacs, petits et grands, qui se regroupent au pied des montagnes. Certains sont bordés de plages où se regroupent les oiseaux migrateurs. Difficile d'accès sans véhicule, toutefois.



# ALAUSÍ

8 000 hab. IND. TÉL. : 03

**Sur la route entre Riobamba et Cuenca, cette bourgade pittoresque est isolée à 2 600 m d'altitude, au creux d'un superbe et vaste cirque de montagnes. Elle se poste à l'orée de la *Nariz del Diablo,* un défilé qu'emprunte presque chaque jour un célèbre train touristique. Ce parcours, long de 12 km, est l'un des derniers vestiges de la fameuse ligne Quito-Guayaquil (dont parle Paul Théroux dans *Patagonie Express*), endommagée et largement abandonnée dans les années 1980-1990 à la suite de glissements de terrain causés par El Niño. La voie est depuis des années en réfection, et le service vers Riobamba devrait reprendre entre fin 2012 et mi-2013. Reste que les charmants trains d'antan ont déjà cédé la place à des wagons touristiques très (trop) confortables. Oublié le temps où l'on grimpait sur le toit !**

## Arriver – Quitter

### En bus

Deux compagnies assurent des liaisons entre Alausí et le reste du pays : *Transportes Alausí* (situé dans la rue principale) et la compagnie *Patria,* qui a son arrêt sur la calle Colombia, tout en haut de la rue Esteban Orozco (perpendiculaire à la rue principale). On peut aussi tenter de héler les autres bus passant sur la grand-route, mais il faut se taper la grimpette jusque-là.

➢ ***Riobamba :*** ttes les 30 mn env, 5h-18h, avec *Coop de Transportes Alausí,* et 6/j. avec *Patria,* 8h-18h.

➢ ***Ambato, Latacunga et Quito :*** 1 fois/j. (à 11h) avec *Coop Alausí* et 6 fois/j. avec *Patria.*

➢ ***Cuenca :*** 6 bus/j. (7h30-17h30) avec *Patria* et 2/j. avec *Coop Alausí* (vers 6h et 10h).

➢ ***Guayaquil :*** 4 bus/j. avec *Coop Alausí,* à 4h, 9h, 11h et 13h.

## Adresses utiles

ℹ ***iTur*** *(office de tourisme municipal) : av. 5 de Junio y Ricaurte. ☎ 293-01-53, extension 307. Tlj 8h-12h et 13h-17h.*

@ ***Internet :*** *vous trouverez centres Internet et cabinas (téléphoniques) tt au long de l'av. 5 de Junio.*

■ ***Distributeur de billets : Banco Guayaquil,*** *av. 5 de Junio y Ricaurte, face à la gare et à l'office de tourisme.*

## Où dormir ?

Globalement, les tarifs sont bien élevés pour la qualité...

🏠 ***Hotel Panamericano :*** *av. 5 de Junio 161 y 9 de Octubre. ☎ 293-02-78 ou 01-56. Dans la rue principale. Doubles 16-24 US$ avec ou sans sdb.* Les chambres sont modestes, mais pour la plupart assez lumineuses. Demandez à en voir plusieurs, car certaines salles de bains sont assez fatiguées et la propreté est rarement extraordinaire. Accueil à l'avenant...

🏠 ***Hotel Gampala :*** *av. 5 de Junio 122 y Pedro de Loza. ☎ 293-01-38. • hotelgampala.com • Presque en face du précédent. Doubles 44-60 US$, petit déj américain inclus.* 📶 L'escalier est encore tout pourri, mais les chambres, à l'étage, ont déjà été entièrement rénovées. On se croirait presque dans un hôtel de chaîne, avec douche vitrée, grande TV à écran plat (câblée) et bain à bulles dans la junior suite !

🏠 ***Hostería La Quinta :*** *Eloy Alfaro 121. ☎ 293-02-47 ou 📱 09-91-77-00-81. • hosteria-la-quinta.com • Doubles env 61-73 US$, suites en duplex (3 pers) 112-117 US$ ; petit déj continental compris.* 💻 📶 Passez derrière la gare et suivez les rails... Comme à Aguas Calientes, au Machu Picchu, le train partage la rue avec voitures et piétons ! Perchée sur une saillie du terrain, à 300 m, cette belle demeure familiale des années 1900 dégage un charme certain, avec ses batteries de poutres, son mobilier et ses parquets anciens. Les chambres sont du même acabit, avec de belles salles de bain, mais elles manquent de chauffage (exigez un radiateur !). Belle salle de petit déj vitrée, avec cheminée, et grande terrasse.

## Où manger ?

On signale la petite boulangerie *Casa del Pan,* juste en face de la gare, fréquentée par les cheminots.

|●| ***Cafetería La Higuera :*** *av. 5 de Junio y Ricaurte. ☎ 293-14-46. Tlj 7h-22h. Plats 4-6 US$. Au bout de la rue principale, près de la gare ferroviaire.* La salle, proprette, est placée sous la surveillance d'une TV et de l'épouse d'un des conducteurs du train. Elle s'orne de quelques vieilles photos de tchou tchou. Petite carte (*pollo* grillé, *churrasco,* quelques soupes), mais grosses portions dans les assiettes.

|●| ***Punta Bocana Café :*** *Ricaurte, à 50 m du précédent, face à la gare. Tlj 8h-20h. Plats 2-6 US$. Burritos* ou *tacos* pour changer et toutes sortes de classiques équatoriens pas chers. Difficile, là aussi, pour les végétariens... Jolie petite salle fraîche aux tables recouvertes de nappes brodées. Bon accueil.

|●| ***El Mesón del Tren :*** *Ricaurte y Eloy Alfaro. À 50 m du précédent, derrière la gare. ☎ 293-02-04. Mar-dim 8h-18h, lun et soirées sur résa à partir de 2 pers. 📱 09-87-29-19-23. Menu 5 US$ ; plats 5-7,50 US$.* On est accueilli par Lorena, qui annonce le menu du jour. Spécialité de tilapia et, en dessert, de *bocado de la reina de Francia,* une tartelette au fromage et au miel... Que vient faire la reine de

France là-dedans ? Mystère. Bon, simple, copieux et pas trop cher. Grande salle en brique à arcades, sans trop de charme, mais avec cheminée.

## À faire au départ d'Alausí

➢ ***Le train vers la Nariz del Diablo*** *(« nez du diable »)* **:** *départ tlj sf lun à 8h, 11h et 15h. Le bureau des résas de la gare est normalement ouv tlj 7h-16h. ☎ 293-01-26. Coût du billet : env 25 US$ l'A/R, réduc.* Le trajet jusqu'à Sibambe dure 2h30 et offre des vues spectaculaires sur le relief andin. Mais ce « chemin de fer le plus difficile du monde » a malheureusement perdu tout son pittoresque depuis que des wagons panoramiques modernes (et d'autres plus rétros) ont été installés pour les groupes, abreuvés de commentaires bilingues, avec arrêts minutés dans les villages du parcours et passage obligatoire par les stands d'artisanat... On reste 1h entière à Sibambe avant de rebrousser chemin. Attention, le départ de 9h du week-end a lieu à bord de l'*autoferro,* un autocar sur rails au sifflet de loco préenregistré, encore moins évocateur... mais aussi beaucoup moins cher (seulement 6,50 US$). Résa quasi impérative en juillet-août et pour les week-ends fériés. Mieux vaut ne pas acheter votre billet dans une autre ville : il ne serait pas remboursable sur place si vous changez d'avis.

➢ ***Le chemin de l'Inca vers Ingapirca :*** on l'appelait jadis Cápac Ñan. Étirée sur 5 200 km de Quito à Tucumán (Argentine), via Cuzco, cette « autoroute » des Incas avait vocation à unifier l'empire et permettre la circulation des marchandises et des messagers. En grande partie pavé, il était entrecoupé d'escaliers interminables et de ponts suspendus franchissant canyons et gorges. Une petite section a été préservée au sud d'Alausí, permettant de rejoindre le site inca d'Ingapirca dans les règles de l'art. Pour cela, il vous faudra d'abord gagner la bourgade d'Achupallas (3 700 m), perchée à 28 km au sud-est d'Alausí. Des *camionetas* y mènent pour 1 US$ ; elles partent le matin (9h-13h) de l'angle de l'av. 5 de Junio (rue principale) et de 9 de Octubre. Un taxi revient, lui, à 15-20 US$.



À Achupallas, on peut contacter Gilberto Sarmiento au ☎ *293-06-57* ou 📱 *09-97-42-56-98,* qui tient une boutique calle Azuay, près de l'angle de Bolívar. Il vous fournira guide, chevaux, tentes et sacs de couchage. Il peut aussi organiser le transport depuis Alausí pour 5 US$ par personne. Nuit dans un petit hôtel comme la *Posada Inca Ñan, calle Bolívar 106 (10 US$/pers),* et départ dès potron-minet pour 2 jours de chevauchée (22 km) dans une nature magnifique, entre lacs et *páramo,* avec franchissement d'un col à plus de 4 200 m (premier jour assez éprouvant), puis découverte de ruines incas à Paredones. C'est le deuxième jour que l'on emprunte les sections les mieux conservées du *camino*. La descente vers Ingapirca se fait tout au long d'une verdoyante vallée où serpente une rivière sinueuse. En tout, compter environ 100 US$ par personne pour les 2 jours. Vous pouvez aussi contacter directement l'un des guides, Francisco Massa, au 📱 *09-88-77-02-16* ; il ne vous demandera sans doute que 80 US$, avec transfert depuis Alausí. Certaines agences de Quito et Riobamba proposent aussi le camino del Inca, mais elles sont beaucoup plus chères : au moins 400 US$ et parfois le double ! Dans tous les cas, prévoyez plein de vêtements chauds !

# INGAPIRCA

IND. TÉL. : 07

**À 85 km au sud d'Alausí et 80 km au nord de Cuenca, le site inca le plus important de l'Équateur s'accroche à un replat, à 3 230 m d'altitude, dans un joli paysage accidenté entrecoupé de cultures et de pâturages.**

## Arriver – Quitter

➢ ***Cuenca :*** 2 bus directs/j. avec *Coop de Transportes Cañar,* vers 9h et 12h de Cuenca, retour (vers Cuenca) vers 13h15 et 15h45 (slt 13h15 dim). Compter 3 US$ (et 2h30 de trajet).

➢ ***Quito ou Guayaquil :*** pas de bus direct, il faut passer par Tambo, à 9 km d'Ingapirca, ou Cañar. D'Ingapirca, des bus y mènent ttes les 15-20 mn, 6h-17h30 (20 mn de trajet). Dernier bus depuis Cañar vers 18h20 (17h le w-e).

➢ Certaines agences de Cuenca proposent des excursions à la journée : par exemple *Expediciónes Apullacta* (voir plus loin « Adresses utiles – Agences de tourisme et compagnies aériennes »), avec des départs les mer, ven et dim. Comptez 45 US$/pers.

## Où dormir ?
## Où manger ?

🏠 🍽 ***Cabañas El Castillo :*** *peu avt l'entrée du site, à droite. ☎ 221-70-02. Compter 10 US$/pers. Repas env 5 US$.* Gonzalo et Elsa ont aménagé 3 chambres en *cabañas* assez basiques, mais avec eau chaude, juste derrière leur resto. On y accède en traversant pas mal de fatras. On peut manger sur place : grosses soupes de lentilles, de pommes de terre et de quinoa, truites ou poulet. Le tout servi près d'une belle flambée. C'est simple, mais copieux et tout à fait correct. Gonzalo peut aussi vous faire découvrir à cheval le chemin de l'Inca jusqu'à Achupallas.

– Parmi les autres possibilités d'hébergement bon marché, il y a l'***hostal-restaurant El Huasipungo,*** sur la place où s'arrêtent les bus, mais c'est encore plus sommaire, sans chauffage ni même trop de couvertures. L'accueil est aussi glacial que l'atmosphère et la propreté a dû être oubliée en chemin... Compter 15 US$ la double, avec ou sans douche, même tarif !

🏠 🍽 ***Posada Ingapirca :*** *env 500 m au-dessus du site. ☎ 282-74-01 ou 283-11-20. Doubles 85-91 US$ avec ou sans cheminée, petit déj inclus.* L'endroit est plaisant avec ses petits bâtiments de style colonial distribués autour d'une jolie pelouse donnant sur la vallée. Tout autour, les moutons broutent et les vaches meuglent. Malheureusement les chambres, bien que correctement tenues, sont trop chères – surtout celles qui n'ont qu'un radiateur (froid garanti la nuit). Même remarque pour la cuisine : menu moyen le soir facturé 14 US$ ! Mais on vous offrira une *sangoracha,* un cocktail traditionnel qui décoiffe...



# À voir à Ingapirca et dans les environs

🎥🎥 ***Complejo arqueológico de Ingapirca :*** *env 600 m après l'arrêt des bus. • complejoingapirca.gob.ec • Tlj 9h-17h30, sf 1er janv, 1er mai et Noël. Dernière entrée 16h50. Tarif : 6 US$, réduc. Visite guidée incluse dans le prix, en anglais ou en espagnol. Demandez-la, on comprend mieux le site comme ça.*

Découvert par le savant français La Condamine lors de sa mission géodésique en Équateur, Ingapirca a longtemps intrigué les archéologues : s'agissait-il d'une forteresse ou d'un site religieux ? Malgré l'aspect fortifié, on penche aujourd'hui pour un centre cérémoniel. Il a de toutes évidences été occupé par les Cañaris avant les Incas et ce, dès le début du XIIIe s. Reconstruit vers 1500, il a été abandonné au moment de la Conquête.

– La visite guidée débute par le ***musée,*** qui évoque en photo la restauration du site à partir de 1966. On y voit le plan en français réalisé par la mission géodésique en 1736, puis un petit ensemble de statuettes, céramiques, lambeaux de textiles précolombiens (rares !), objets cañaris en cuivre et autres outils incas en pierre. Ajoutons une petite salle à vocation ethnologique.

– De l'entrée, on passe d'abord les maigres vestiges de *collcas* (« greniers ») pour atteindre la ***Pilaloma,*** un quartier cañari réoccupé par les Incas, qui lui donnèrent, pense-t-on, une fonction militaire. Un petit monolithe vertical entouré d'un cercle

de galets ronds désigne l'emplacement d'une tombe collective, dans laquelle ont été retrouvés les ossements d'une femme, entourée d'une douzaine d'autres squelettes et de nombreuses offrandes.
– On contourne ensuite les maigres vestiges des bains rituels, et ceux des réserves d'eau, pour arriver au ***secteur La Condamine.*** On peut voir les bases de six édifices rectangulaires, où ont été mises au jour 30 autres dépouilles féminines.
– ***L'Acllahuasi,*** la « Maison des vierges du Soleil », était traditionnellement construite contre le ***Templo del Sol,*** seul édifice du site véritablement digne d'intérêt. Formant un inhabituel ovale de 38 m de long sur 14 m de large, il occupe un léger surplomb rocheux. Il présente un bel appareillage de pierres en diorite verte, s'ajustant parfaitement les unes aux autres, sans aucun mortier, selon la technique inca. On reconnaît aussi les belles portes typiquement trapézoïdales. Sa forme ovale rappellerait l'orbite de la Terre autour du Soleil, tandis que son orientation (est-ouest) lui permettait d'être aligné dans l'axe de la course du Soleil.
– À droite du temple s'étend la ***plaza,*** grande esplanade où les vestiges se limitent aux fondations. Elle était utilisée pour les cérémonies et accueille encore aujourd'hui certaines fêtes comme l'*Inti Raymi* (21 au 24 juin) – la fête du Soleil, marquant le solstice d'hiver, occasion de danses et de musique traditionnelles.
– Ceux qui ont du temps à revendre peuvent emprunter le sentier partant à gauche de la sortie pour découvrir quelques autres vestiges épars. Le rocher de l'***Ingañawi,*** de l'autre côté du ravin, fait penser au profil de l'Inca. Fantaisie naturelle de la roche, érodée par le vent, ou retouche volontaire ?

***Baños del Inca :*** *d'El Tambo, un* autoferro *(bus sur rail) touristique mène en 2 km à Coyoctor, où l'on peut découvrir les (maigres) vestiges des bains de l'Inca, un site archéologique lié au culte du Soleil et de la Lune. Propose 2 départs/j., mat et ap-m, mer-ven, et 5 départs/j. w-e et j. fériés, vers 9h30, 11h, 12h30, 14h30 et 16h. Compter env 5 US$ l'A/R.* La balade complète prend 1h30.

# LE SUD

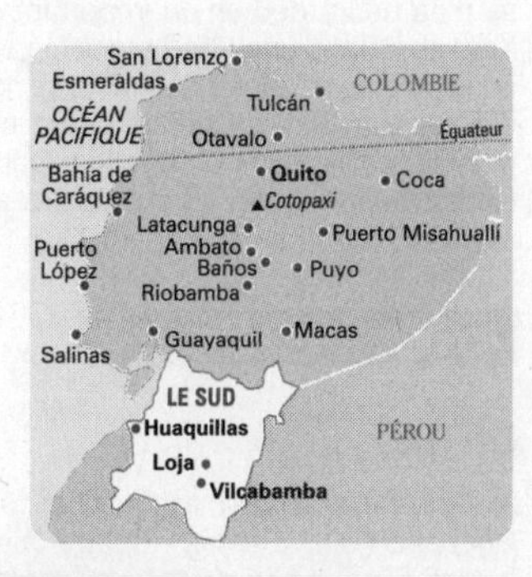


## CUENCA

env 350 000 hab. IND. TÉL. : 07

▸ Pour le plan de Cuenca, se reporter au cahier couleur.

**Troisième ville de l'Équateur par sa population, Cuenca est située à 2 500 m d'altitude, au fond d'une riche vallée arrosée par les ríos Tomebamba, Tarqui, Yanuncay et Machargara. Plus ramassée et nettement plus plaisante que Quito, elle a été classée en 1999 au Patrimoine mondial de l'humanité comme exemple parfait de ville planifiée selon les critères de l'urbanisme de la Renaissance. Sans être exceptionnelle, c'est une ville propre et vivante, où les maisons coloniales prédominent encore, où les rues vivantes et les nombreuses places invitent à déambuler et prendre le frais. Ici et là, quelques musées méritent que l'on s'y attarde. Les hôtels se lovent autour de leurs patios nostalgiques et, sur les marchés, l'artisanat reste florissant. C'est autour de Cuenca que l'on fabrique les fameux chapeaux panamas ! Bref, on peut séjourner ici quelques jours sans déplaisir.**
**La ville s'étend des deux côtés du río Tomebamba, avec les quartiers modernes au sud, et le centre colonial au nord – tout, ou presque, y est situé : hôtels, restos, musées. C'est l'un des points forts de Cuenca : tout se fait à pied.**

## UN PEU D'HISTOIRE

À l'époque préhispanique, le site, habité par les Indiens Cañaris, portait le nom de Guapondeleg, « vallée aussi grande que le ciel » (grande, oui, mais tout de même...). Les Incas la rebaptisèrent Tomebamba et en firent une importante cité régionale sur la route impériale qui reliait Cuzco à Quito. La ville n'a gardé de cette époque que de rares vestiges. Certains historiens évoquent le désir de l'empereur Tupac Yupanqui de faire naître en ce lieu une métropole grandiose, à l'image de

Cuzco. Un nom est avancé : Pumapungo, la « porte du puma ». Des temples fastueux, dit-on, se seraient élevés ici. Des temples couverts d'or. Mais lorsqu'ils débarquèrent au XVIe s, les Espagnols ne trouvèrent guère que des ruines.
Andrés Hurtado de Mendoza, vice-roi du Pérou, né en 1535 dans la Cuenca castillane, décida de donner le nom de sa ville natale à cette cité indienne récemment conquise : Cuenca fut donc fondée le 12 avril 1557 par Don Gil Ramirez Dávalos. On l'appela *Cuenca de América, Cuenca de las Indias, Cuenca de los Andes.* Enthousiasmés par la fertilité des terres qui l'entouraient, des auteurs, soucieux de comparaison, évoquèrent une « Castilla del otro mundo ». La cité, c'est vrai, se mua peu à peu en un important centre de production agricole. Devenue aux XVIIe et XVIIIe s une ville coloniale prospère, Cuenca se dota de quelques beaux édifices baroquisants. Au XIXe s, sa nouvelle université la fit surnommer « l'Athènes d'Équateur » ! Puis Cuenca devint centre manufacturier, exporta à tour de bras quinine et chapeaux – les fameux panamas, qui, bien que fabriqués ici, transitaient nécessairement par l'isthme centre-américain...

## Arriver – Quitter

### En bus

**_Terminal terrestre_** *(hors plan couleur par D1)* **:** *av. España y Chapetones, à env 2 km au nord-est du centre. ☎ 282-48-11. Les taxis patientent à droite de la sortie (env 2,50 US$). Nombreux bus urbains également : les nos 6 et 8 desservent la calle Tarqui jusqu'à Mariscal Sucre ; le no 7 longe le río Tomebamba ; les nos 10 et 26 passent près des petits hôtels bon marché du centre (plan couleur C3 ; descendre à l'angle de Mariano Cueva et c/ Larga) ; le no 9, très central, passe par Presidente Córdoba ; les nos 11 et 12 empruntent Vega Muñoz, aux marges nord du centre historique ; quant au no 28, il descend Mariscal La Mar sur tte sa longueur (par le Mercado 9 de Octubre). Billet : 0,25 US$.* Toutes les compagnies arrivent et partent d'ici. Très bien organisé. Pour accéder aux quais, même muni d'un billet, il faut payer 0,10 US$. Sur place : bureau d'infos *iTur,* tout au fond du terminal (local 15), distributeur de billets.

➢ ***Guayaquil :*** l'*Alianza Atrain* regroupe les 5 compagnies qui desservent Guayaquil, à savoir *San Luis, Turismo Oriental, Super Taxi, Sucre Express* et *Super Semeria.* Ils assurent en tout quelque 65 départs/j. (!), 24h/24, ttes les 30-35 mn max dans la journée, ttes les heures la nuit. La moitié passe par Cañar, d'où l'on rejoint aisément Ingapirca, l'autre moitié par le parque nacional El Cajas. Durée du trajet : 4h. Billet cher : 8 US$.

➢ ***Quito (via Alausi, Riobamba, Ambato et Latacunga) :*** là non plus, les options ne manquent pas, avec 52 bus/j. (3h30-0h30) ! Départs les plus fréquents avec *Express Sucre* (13/j.), *Santa* et *Flota Imbabura* (10/j.). On recommande cette dernière pour ses *ejecutivos* (env 12 US$ en semi-couchette). *Patria* (8/j.) dispose de véhicules plus anciens. Trajet jusqu'à Quito : 9h.

➢ ***Machala :*** bus ttes les 30 mn en moyenne (3h30-22h45), avec *Coop Azuay.* Également avec *Pullman Sucre* (24/j., 5h15-23h) et *Express Sucre* (11/j., 6h-20h30). *Rutas Orenses* assure aussi la liaison, mais part de son propre terminal, situé près du grand (côté ouest) : 13 bus/j. (6h-19h15). Trajet en 3h45.

➢ ***Huaquillas et le Pérou :*** 8 bus/j. avec *Coop Azuay* (3h-23h30) et 5/j. avec *Pullman Sucre* (7h-21h) pour Huaquillas. Compter 5h de route. Plus simple si vous voulez rejoindre rapidement le Pérou, prenez les bus pour Piura. Avec *Pullman Sucre,* les départs sont plus fréquents (tlj à 7h15, 18h et 21h), mais il faut changer à la frontière ; avec *Azuay,* il n'y en a qu'un à 21h30, mais il est vraiment direct et continue même jusqu'à Chiclayo. Compter 15-20 US$.

➢ ***Loja :*** env 11 bus/j. avec *Viajeros* (5h-22h30), et quelques autres avec *San Luis* (5/j.) et *Coop Loja* (2/j.). Durée : 6h.

➢ ***Macas :*** env 11 bus/j. avec *Turismo Oriental* (5h-23h), par Limon ou Gua-

rumales. Autres options avec *Coop Macas* (6/j.) et *Coop Ciudad de Sucúa* (5/j.). Trajet en 8-9h.
➢ ***Gualaceo :*** ttes les 15 mn env (6h-22h), avec *Gualaceo* et *Santa Bárbara*. Dernier retour vers 20h30.
➢ ***Sigsig :*** à 10h, 14h, 16h30, 19h, 20h, 22h et 1h du mat avec la *Coop 16 de Agosto*.

## En avion

✈ ***Aéroport*** *(hors plan couleur par D1)* **:** *av. España y Elia Liut, près du terminal terrestre.* ☎ *286-20-95. Compter 2,50 US$ en taxi de/vers le centre et 1,75 US$ pour le terminal terrestre. Sinon, pour un dixième de ce coût, vous pouvez prendre les bus nos 6, 7, 10, 11, 12, 18, 26 ou 28 devant le terminal, en fonction de votre destination.* Dans le hall, petit bureau d'informations *iTur (☎ 286-22-03 ; tlj 7h30-11h, 14h-15h30 et 17h-19h),* distributeurs de billets, agences des compagnies *Tame, LAN* et *Aerogal*, et bureau de location de voitures *Localiza* et *Avis* – mais pour cette dernière, allez plutôt à l'agence située à 50 m à gauche de la sortie du terminal.
➢ ***Quito :*** 8-11 vols/j. (un peu plus le ven, un peu moins le w-e) avec *Tame, LAN* ou *Aerogal*.
➢ ***Guayaquil :*** 3 vols/j. (2 le w-e) avec *Tame*.

# Adresses utiles

🅸 ***iTur*** *(plan couleur B2)* **:** *Sucre, entre Benigno Malo y Luis Cordero, sur le parque Calderón.* ☎ *282-10-35.* • *cuencaecuador.com.ec* • *Lun-ven 8h-20h ; w-e 8h30-13h30.* Excellentes infos, personnel avisé parlant anglais, et bonne documentation. Demandez le plan de la ville avec infos en français.

## Poste, télécommunications

✉ ***Poste*** *(plan couleur C1)* **:** *Borrero y Gran Colombia. Lun-ven 8h-18h ; sam 8h-12h.* On y vend des cartes postales.
■ ***Téléphone : ETAPA*** *(plan couleur B2,* ***1****), Benigno Malo 7-35 ; entre Mariscal Sucre et Presidente Córdova. Lun-ven 8h-18h, sam 8h-13h.* Compter environ 0,25 US$/mn pour un fixe européen. Bien d'autres centres téléphoniques dans la ville, n'hésitez pas à comparer pour trouver de meilleurs tarifs.
@ ***Internet :*** nombreux centres comme d'habitude, la plupart avec *cabinas* bon marché pour les appels téléphoniques. Voici 3 adresses : **Cyber @xceso** *(plan couleur B1), Mariscal Lamar 10-41, entre Aguirre et Torres, tlj sf dim 8h-22h ;* **Cyber Net** *(plan couleur B2), Benigno Malo 5-39, tlj 8h-23h ;* et **Gr@nnet** *(plan couleur C2), Presidente Borrero y Honorato Vásquez, 7h-minuit, w-e à partir de 9h.* Vous noterez que le wifi est accessible gratuitement dans le centre historique – avec mot de passe affiché sur les murs !

## Argent, change

■ ***Change : VAZcorp*** *(plan couleur C1,* ***2****), Gran Colombia 7-98 y Cordero. Lun-ven 8h30-17h30.* Change les euros (taux correct) et, moyennant une commission, les chèques de voyage *American Express*. Service *Western Union*.
■ ***Distributeurs de billets :*** *on en trouve un peu partout, par exemple à l'angle des rues Mariscal Sucre y Borrero (Bancos Pichincha et del Austro ; plan couleur C2,* ***3****). Un autre à côté de l'office de tourisme, au parque Calderón (plan couleur B2).*

## Francophonie

■ ***Alliance française*** *(plan couleur B3,* ***5****)* **:** *Tadeo Torres 1-92 y av. Solano.* ☎ *282-52-98.* • *afcuenca.org.ec* • *Lun-ven 8h-13h, 15h-18h. Médiathèque ouv 14h-15h et 17h-18h.* Projection gratuite de films français le mardi (à 15h30 et 18h), ateliers de danse et de cuisine, fête de la Musique fin juin, etc. Salle d'expo aussi et studio de la radio RFI (104.9 FM).
■ ***Agence consulaire de France*** *(plan couleur C1,* ***7****)* **:** *Gran Colombia 6-61, edif. Gran Colombia (niveau mezzanine).* ☎ *283-46-44.* • *consulatcuenca@gmail.com* • *Lun-ven 9h-12h.*

## Librairies

■ ***Libri Mundi*** *(plan couleur C2,* ***9****)* **:** *Hermano Miguel y Mariscal Sucre.* ☎ *284-37-83. Lun-ven 9h-19h, sam 10h-18h.* Même enseigne qu'à Quito. Beaux livres sur l'Amérique latine. Expos temporaires d'art ou photos au 2e étage. *Autre adresse dans le centre commercial* Mall del Río *(local B-47), tlj 10h-20h (21h ven-sam).*

■ ***Carolina Bookstore*** *(plan couleur C2,* ***10****)* **:** *Hermano Miguel 4-46 y c/ Larga. Lun-sam 9h-18h30.* Une bouquinerie pour globe-trotters, où acheter et échanger des romans aux pages écornées, la plupart en anglais. Petit rayon français, où vous trouverez peut-être même un bon *Routard* récent des pays voisins.

## Santé, hygiène

✚ ***Hospital Santa Ines*** *(plan couleur A2,* ***4****)* **:** *av. Daniel Córdova 2-67 y Agustín Cueva.* ☎ *282-78-88.* Clinique privée couvrant toutes les spécialités, plus sûre que l'hôpital public.

✚ ***Latino Clínica*** *(hors plan couleur par A1)* **:** *av. 3 de Noviembre 3-50 y Unidad Nacional.* ☎ *284-66-66.* Autre clinique privée.

■ ***Pharmacies : Farmacia Fybeca*** *(plan couleur B1,* ***11****), Simón Bolívar, entre Benigno Malo et Aguirre. Tlj 8h30-21h (20h30 dim). Sinon, il y a celle, ouv 24h/24, de l'hôpital militaire, av. 12 de Abril 5-21 y Federico Malo (plan couleur C3,* ***12****).*

■ ***Lavandería La Química Automática*** *(plan couleur C2,* ***8****)* **:** *Borrero 7-34. Lun-ven 8h-18h30 ; sam 9h-13h.* Service impeccable et rapide. Plusieurs autres sur Hermano Miguel, à côté de la *Casa Cuencana (plan couleur C2-3).*

## Agence de tourisme et compagnies aériennes

■ ***Expediciónes Apullacta*** *(plan couleur B1,* ***6****)* **:** *Gran Colombia 11-02 y General Torres.* ☎ *283-78-15 ou 76-81.* ● *apullacta.com* ● *À l'étage. Lun-ven 8h30-13h et 14h30-18h30 ; sam 9h-12h.* Agence très sérieuse qui propose des excursions de 1 à plusieurs jours dans la région de Cuenca (parc El Cajas, Gualaceo...). Pour Ingapirca, 3 sorties par semaine *(mer, ven et dim ; 45 US$/pers).* Également des randonnées à cheval, des excursions à vélo et divers sports d'aventure. On peut aussi y acheter ses billets d'avion.

■ ***Tame*** *(plan couleur C3,* ***13****)* **:** *av. Florencia Astudillo 2-22.* ☎ *410-31-04 ou 206-64-00 à l'aéroport.* ● *tame.com.ec* ● *Lun-ven 8h30-13h et 14h30-17h45.*

■ ***LAN*** *(plan couleur B1,* ***14****)* **:** *Simon Bolívar 9-18.* ☎ *1-800-842-526 (no national).* ● *lan.com* ● *Lun-ven 9h-13h et 14h30-18h, sam 9h-12h.*

■ ***AeroGal*** *(plan couleur A3,* ***15****)* **:** *av. F. Proaño y Remigio Tamariz Esq., edif. Rio Blanco.* ☎ *281-52-50.* ● *aerogal.com.ec* ● *Lun-ven 8h45-12h30 et 14h45-18h30, sam 9h-13h.*

# Où dormir ?

Nos hôtels sont situés dans le centre historique ou à ses marges. Si vous arrivez début novembre (fête de l'indépendance de Cuenca) ou au moment du carnaval, pensez à réserver.

## De très bon marché à bon marché (moins de 30 US$)

⌂ ***La Casa Cuencana*** *(plan couleur C2,* ***20****)* **:** *Hermano Miguel 4-45 y c/ Larga.* ☎ *282-60-09.* ● *lacasacuencana@hotmail.com* ● *Compter 7-10 US$/pers.* 📶 On l'aime bien, cette *Casa Cuencana* ! D'abord, il y a l'accueil gentil de Marta. Puis les dortoirs (6-8 lits) et les chambres, fort bien tenus, répartis dans 2 maisons voisines. Ces dernières sont charmantes, lumineuses, avec parquet et bons matelas ; 6 d'entre elles ont une salle de bains privée – mais évitez de préférence celles côté rue, plus bruyantes. Autour, plusieurs coins et recoins permettent de s'isoler ; la 2e maison a même une terrasse garnie de hamacs sur le toit ! Cuisine très bien équipée et impeccable, et laverie en face. Pas de petit déj, mais on peut s'en offrir un costaud au *Bananas Café,* juste en bas (voir plus loin « Où prendre le petit déjeuner ? »).

🏠 ***Posada del Río*** *(plan couleur C2-3,* ***21****) : Hermano Miguel 4-18 y c/ Larga. ☎ 282-31-11 ou 📱 09-95-51-22-10. • posadadelriocuenca@yahoo.com • Lit en dortoir 7 US$, doubles 18-22 US$ avec ou sans sdb.* 💻 📶 Un peu plus chère que la *Casa Cuencana,* située juste en face, cette agréable maison tenue par 2 sœurs abrite 8 chambres impeccables et coquettes, avec petits rideaux aux fenêtres, bons lits et salles de bains nickel à l'exception de celle du dernier étage, vieillotte. Cloisons un peu fines en revanche. Belle cuisine équipée, avec thé ou café à dispo (petit déj en sus). Salon tout parqueté et mouluré, avec TV et DVD.

🏠 ***Villa del Rosario*** *(plan couleur C2,* ***24****) : Honorato Vasquez 5-25 y Mariano Cueva. ☎ 282-85-85 ou 📱 09-92-25-37-78. • hvillarosario.com • Doubles 16-25 US$, avec ou sans sdb.* 📶 Toujours dans le même quartier, le *Villa del Rosario* est un autre bon choix, plus calme peut-être. Ses petites chambres, disposées sur 2 étages autour d'un patio verdoyant, n'ont aucun luxe superflu, mais elles ont été refaites récemment – avec un poil de recherche dans la déco. Les salles de bains communes sont elles aussi bien propres et l'eau chaude ne fait pas défaut. Cuisine et petit salon TV à disposition. Bon accueil.

🏠 ***Hostal El Cafecito*** *(plan couleur B2,* ***26****) : Honorato Vásquez 7-36 y Luis Cordero. ☎ 283-23-37. • cafecito.net • Dortoir 7 US$, doubles avec ou sans sdb 15-25 US$ ; petit déj à partir de 3 US$.* 📶 Voilà ce que les Anglo-Saxons appellent un *party hostel*... une sorte d'AJ très vivante, où déferlent des voyageurs venus des quatre coins du monde et où, le soir, la guitare résonne autour du feu – quand ce n'est pas la techno autour du bar. Idéal pour les rencontres et pour faire la fête, un peu moins pour dormir... Les dortoirs (3-5 lits), situés autour du patio central, sont les plus malmenés. Optez plutôt pour une chambre privée à l'arrière, donnant sur le grand jardin. Elles sont plutôt sympas et colorées, comme les nos 10 et 11. Lits aussi fatigués que vous après une journée à arpenter la ville... Dommage.

🏠 ***Bau Hôuse*** *(plan couleur B1,* ***31****) : Benigno Malo 10-31 y Gran Colombia. ☎ 283-29-31 ou 📱 09-99-87-67-69. • bauhousehostel.com • Dortoir (8 lits) 10 US$/pers ; double 16 US$.* 📶 Les adeptes de l'authentique Bauhaus ne seront pas bluffés, mais cette AJ très récente dispose de 2 grands dortoirs en duplex, bien propres et clairs, et de petites chambres avec salle de bains partagée (un peu le parent pauvre).

🏠 🍽 ***La Cigale*** *(plan couleur B2,* ***33****) : Honorato Vásquez 7-80 y Luis Cordero. ☎ 283-53-08. • lacigalecuencana@yahoo.fr • Dortoir 9 US$/pers ; double 24 US$ ; petit déj inclus.* 💻 📶 Les prix sont un poil plus élevés, mais c'est totalement justifié ! Cette auberge de jeunesse pimpante occupe une maison rénovée avec goût, propre et confortable, chaleureuse même avec ses tons chauds, ses coursives en bois laqué, ses plafonds de bambou et son hamac qui pend mollement dans la courette du fond. Les chambres doubles et dortoirs de 4 grands lits sont bien douillets, avec salle de bains nickel. Dans le patio, un petit resto sert sandwichs et salades pour moins de 3 US$ *(tlj 8h-22h30 ;* happy hours *17h-20h).* Lorsque Gainsbourg ne s'y fait pas entendre (la proprio est marseillaise), ce sont parfois des groupes *en vivo* (petit droit d'entrée). Laverie. Une bonne adresse.

🏠 ***Hotel El Monasterio*** *(plan couleur B2,* ***34****) : Padre Aguirre 7-24 y Presidente Córdova. ☎ 282-44-57. • hostalelmonasterio.net • Au 6e étage d'un immeuble où, parfois, l'ascenseur ne marche pas ! Doubles 22-28 US$ avec ou sans sdb, 4 US$ de plus avec le petit déj ; réduc pour plus de 3 nuits (marchandez !).* 💻 📶 On trouve ici des chambres avec TV câblée d'un rapport qualité-prix encore acceptable, même si les tons marron ne sont pas bien joyeux... Certaines ont une vue magnifique sur la ville – vue qu'on retrouve d'ailleurs de la cuisine et de la salle à manger. Thé et café gratuits.

🏠 ***Hotel Fenix*** *(hors plan couleur par D1,* ***35****) : El Chorro 2-56 y Gil Ramirez Dávalos (l'av. du* terminal terrestre*). ☎ 408-44-42. Double 22 US$, avec sdb privée.* Pour ceux qui veulent dormir près de la gare routière, mais quand même un peu au calme... Les chambres sont quelconques, éclairées au néon, mais propres et convenables. Le moins glauque du coin.

## Prix moyens (30-48 US$)

Cette catégorie de prix et les suivantes profitent d'un large choix d'*hostales* élégants, installés dans de belles maisons coloniales joliment rénovées, où les parties communes sont souvent plus agréables que les chambres. Le petit déj est en général inclus.

**Hostal La Orquídea** *(plan couleur C1,* ***27****) : Borrero 9-31 y Bolívar. ☎ 283-58-44 ou 282-45-11. • hostallaorquidea@hotmail.com • Double 30 US$, appartement 80 US$.* Voilà un petit hôtel bien tenu, au cœur de Cuenca, face à l'église San Alfonso. Son patio central lumineux est orné de fougères et de tableaux, et les anciens sols en céramique ont été conservés. Les chambres, pour la plupart intérieures, sont petites mais propres et de bon confort, souvent avec frigo et micro-ondes. Évitez néanmoins celles du rez-de-chaussée. Également 2 appartements au dernier étage pour petit groupe ou famille. Resto de qualité. Bon accueil. Un bon rapport qualité-prix.

**Posada Todos Santos** *(plan couleur C3,* ***36****) : c/ Larga 3-42 y Machuca. ☎ 282-42-47. Double 33 US$, avec le petit déj.* Un peu à l'écart du centre, cette pension propose 6 chambres impeccables, avec TV, moquette, salle de bains rutilante et petite fresque amusante sur les murs. Elles s'organisent autour d'un coin salle à manger sous verrière, garni de plantes, où se prend le petit déj. L'ensemble est très bien, quoique un peu sombre. Cuisine et eau potable à disposition. Bon accueil.

**Hostal Macondo** *(plan couleur B1,* ***23****) : Tarqui 11-64 y Lamar. ☎ 284-06-97. • hostalmacondo.com • Doubles 31-38 US$, avec ou sans sdb, suite avec cuisine 50 US$ ; petit déj inclus, en libre-service dans la cuisine commune.* Cette charmante maison coloniale patinée et bien décorée s'ouvre, à l'entrée, par un patio sous verrière garni de plantes. Trois des chambres, toutes bien propres et revêtues de parquet, ont la salle de bains sur le palier. À l'arrière, d'autres donnent sur un petit jardin fleuri bien agréable. Belle et grande cuisine. Un bon rapport qualité-prix.

**Gran Hotel** *(plan couleur B1,* ***37****) : General Torres 9-70 ; entre Bolívar et Gran Colombia. ☎ 283-19-34 ou 284-51-54. Env 42 US$ la double, petit déj inclus.* Les chambres, aux murs de brique, s'organisent autour de 2 patios. Le 1er est assez sombre, le 2d plus vaste et un peu plus lumineux, noyé sous les plantes – on préfère ce côté, également plus récent. Toutes sont très calmes, nettes et bien équipées, avec la TV câblée et des lits un peu durs. Excellent accueil. Cafétéria dans le patio.

**Cabañas Yanuncay** *(hors plan couleur par A2,* ***38****) : Cantón Gualaceo 2-149 y av. Loja. ☎ 288-37-16 ou 281-96-81. • yanuncay@etapaonline.net.ec • Y aller en taxi ou en bus par le n° 12 (arrêt Loja ; remonter un peu la rue vers le centre, puis prenez à gauche juste avt le pont). Camping 5 US$, 15 US$ pour un camping-car, sinon 15 US$/pers en* cabaña, *petit déj inclus. Tarifs au mois (250-300 US$). Menu le soir 7 US$.* Voici une adresse tranquille et originale pour séjourner à la campagne en pleine ville, au cœur d'un potager biologique où gambadent les poules ! Humberto, fier de ses racines cañaris, a aménagé sur son terrain 5 *cabañas* (2-4 personnes) avec cuisine et salle de bains, dont 3 sont louées sur le long terme. On préfère celles en bois à celles en brique, moins jolies. On croise ici un nombre étonnant de voyageurs au long cours, partis d'Europe ou d'ailleurs en voiture ou en combi ! Sauna, hydromassage et laverie. Les mercredi et samedi, les lève-tôt accompagneront Humberto au marché bio qu'il organise à proximité.

## Chic (48-70 US$)

**La Cofradía del Monje** *(plan couleur B2,* ***25****) : Presidente Córdova 10-33 y Aguirre. ☎ 283-12-51. • hostalcofradiadelmonje.com • Doubles 48-60 US$ selon période, petit déj inclus.* Face

CUENCA

à la plaza San Francisco, cet hôtel coquet répartit ses chambres à l'étage, autour d'un agréable patio sous verrière (quelques-unes sont internes). Spacieuses, avec TV, elles sont joliment décorées dans les tons colorés et bois.

**Hostal Calle Angosta** *(hors plan couleur par B1, **39**) : Tarqui 12-38, entre Sangurima et Vega Muñoz. ☎ 282-24-89. • hostalcalleangosta.com • Doubles 48-54 US$, petit déj inclus. Parking.* Tenu par un couple accueillant d'une cinquantaine d'années, cet hôtel ne déborde pas de charme, mais il dispose d'un parking gratuit en plein centre et de chambres im-pec-ca-bles avec salle de bains et TV câblée. Certaines sont assez sombres.

**Posada del Angel** *(plan couleur A1, **44**) : Bolívar 14-11 y Estévez de Toral. ☎ 284-06-95. • hostalposadadelangel.com • Double 67 US$ avec petit déj (- 10% en liquide...). Parking gratuit à 1* cuadra *et demie.* La maison, typiquement coloniale, a été très joliment rénovée. On pénètre dans un patio sous verrière, où retentit toutes les heures une pendule de grand-mère. Les chambres (jusqu'à 5 personnes), ont la TV câblée, des couvre-lits à carreaux bleu et blanc, et une salle de bains impeccable. Attention, celles côté rue sont assez bruyantes. Cafétéria fort plaisante pour prendre le petit déj sous une 2e verrière ; thé, café et eau potable en libre-service. Resto italien attenant (lire plus loin « Où manger ? »).

**Casa Ordoñez** *(plan couleur C1, **29**) : Mariscal Lamar 8-59 y Benigno Malo. ☎ 282-32-97. • casa-ordonez.com • Double 65 US$, petit déj inclus.* Encore une belle maison coloniale joliment rénovée, organisée autour de plusieurs patios – dont un, plus petit et chaleureux, fait office de salon avec cheminée. Chambres au parquet craquant, simples mais confortables (TV câblée) malgré des salles de bains un peu étroites. Déco sobre, sans faute de goût. Rassurez-vous, la belle comtoise française de l'étage est muette !

**Hotel Cuenca** *(plan couleur C1, **22**) : Borrero 10-69, entre Gran Colombia et Lamar. ☎ 283-37-11. • hotelcuenca.com.ec • Double 58 US$, petit déj américain compris. Parking gratuit (20h-8h).* Sous des airs vaguement Art déco, l'hôtel a été bien restauré et propose une trentaine de chambres de très bon confort, tendance design. Au programme : grandes salles d'eau, grande TV à écran plat (câblée) et une salle à manger qui donne envie de s'attabler.

## Plus chic (plus de 70 US$)

**Hotel Inca Real** *(plan couleur B1, **28**) : General Torres 8-40 ; entre Sucre et Bolívar. ☎ 282-36-36 ou 282-55-71. • hotelincareal.com.ec • Double env 70 US$, petit déj inclus.* Cet hôtel de style colonial occupe une grande et belle demeure restaurée du début du XIXe s. Les chambres sont dispersées autour de 3 patios lumineux. Confortables, avec moquette et excellente literie, elles sont sobres et pour certaines un peu étroites – en tout cas moins élégantes que ne le laisseraient supposer les parties communes. On vous conseille le bar-resto de tapas du rez-de-chaussée, *Akelarre* (voir plus loin « Où boire un verre ? Où sortir ? »).

**Hotel Morenica del Rosario** *(plan couleur B1, **40**) : Gran Colombia 10-65, entre General Torres et Padre Aguirre. ☎ 282-86-69. • morenicadelrosario.com • Double env 78 US$, gros petit déj inclus (avec des spécialités équatoriennes).* Beaucoup d'hôtels s'affublent du terme « boutique » pour évoquer un établissement de petite taille à la déco personnalisée et à l'attention privilégiée. Celui-ci ne l'a pas fait, mais il aurait pu ! Ici, peintures, artisanat et fresques mettent la culture cuencana à l'honneur dans les parties communes (très fleuries), tandis que les chambres dessinent des enclaves de luxe révélant un grand souci du détail. Certes, elles sont petites, mais le confort est inégalé en ville. On aime bien le salon au mobilier doré et, plus encore, le mirador perché sur le toit, avec sa table unique pour profiter de la vue sur la cathédrale, l'église Santo Domingo et les toits de tuiles rousses, un verre à la main.

**Hotel Casa del Aguila** *(plan couleur A1, **41**) : Mariscal Sucre 13-56, entre*

*Juan Montalvo et Estevez de Toral.* ☎ *283-64-98.* • *hotelcasadelmaguila.com* • *Doubles env 79-84 US$, petit déj buffet inclus.* Au centre du patio glougloute une fontaine semée de pétales de roses, et sur les murs saumon ou jaunes, courent des frises de plantes ou de fruits. L'ambiance, très réussie, tient du petit palais privé. Les chambres ne sont malheureusement pas aussi bien : certaines sont petites et un peu trop sombres, d'autres ont une douche posée au beau milieu de la suite ! Et puis, la ventilo bruyante dans les salles de bains, quel gâchis... Notre préférée ? La n° 18, au fond, très calme et dominant un jardinet.

**Casa San Rafael** *(plan couleur C2,* ***42****) :* *Bolívar 5-03 y Mariano Cueva.* ☎ *282-39-20.* • *casasanrafael.com* • *Double env 85 US$, bon petit déj américain inclus. Enfant gratuit jusqu'à 8 ans (cher ensuite).* Encore une maison de style colonial ! Datant des années 1900, celle-ci abrite 13 chambres plus ou moins grandes (certaines riquiquis), impeccablement tenues, aux parquets qui craquent et aux murs ornés de petites fresques florales. On s'y sent bien. Rigolo, elles ont gardé leur clé d'origine ! Thé et café en libre-service. Massages.

CUENCA

## Très chic (plus de 100 US$)

**Hotel San Juan** *(plan couleur B1,* ***43****) :* *General Torres 9-59 y Gran Colombia.* ☎ *284-08-70.* • *sanjuanhotel.ec* • *Double 116 US$, petit déj inclus ; suites 195-238 US$. Transfert depuis l'aéroport et parking (à 1 cuadra) gratuits.* La demeure est républicaine, le salon sous verrière de l'étage est agréable, les chambres spacieuses, le confort assuré, mais le mieux est encore ce très agréable petit jardin au fond. Les doubles classiques entourant le 1er patio sont un peu sombres au rez-de-chaussée. Si vous en avez les moyens, laissez-vous séduire par une des 2 suites familiales, vraiment séduisantes, en duplex, avec jacuzzi face au lit...

**Hotel Santa Lucía** *(plan couleur C2,* ***32****) :* *Borrero 8-44 y Sucre.* ☎ *282-80-00.* • *santaluciahotel.com* • *Double 150 US$, petit déj buffet inclus.* L'édifice, qui date de 1845, a appartenu au gouverneur de la ville. Jadis, une ruelle étroite passait à l'intérieur même du bâtiment : la calle del Buro, ainsi nommée en raison de son étroitesse (seuls les ânes pouvaient l'emprunter). Le gouverneur l'annexa sans autre forme de procès ! On découvre aujourd'hui un magnifique patio central aux boiseries nobles et un salon cossu à la française, restauré dans les règles de l'art. Une vingtaine de chambres, aussi, toutes parfaitement équipées, avec lit à mémoire de forme, minibar, TV à écran plat, coffre et salle de bains avec baignoire. La maison abrite 2 restos, un italien, un équatorien, et un bar lounge à la déco vert et violet où vous pourrez commander un autre *yaguana* (une sorte de sangria), si celui qu'on vous a offert à l'arrivée vous a plu... Excellent accueil à la réception.

**Mansión Alcázar** *(plan couleur B1,* ***30****) :* *Bolívar 12-55 y Tarqui.* ☎ *282-39-18 ou 283-28-39.* • *mansionalcazar.com* • *Double min 200 US$, petit déj américain inclus. Parking gratuit.* Notre adresse la plus chère à Cuenca, mais aussi la plus classe ! Dès l'entrée, on est séduit par le patio avec fontaine (surplombée d'un lustre en fer forgé), où les hôtes peuvent prendre le thé à toute heure de la journée. À l'arrière, un splendide jardin, et que dire du spa, du bar très feutré, du superbe resto gastronomique (encore abordable !) et du salon de style républicain à l'étage ? Les chambres et les suites sont à l'image de tout ça : toutes différentes, très bien arrangées et tout confort (TV écran plat, coffre...). Le mobilier ancien et les quelques photos de famille dispersées au gré des pièces donnent la sensation d'être des invités plus que des clients. Le meilleur choix pour nos lecteurs les plus à l'aise dans leur budget. Le jeudi, entre 18h et 20h, le piano du patio s'anime joyeusement.

# Où manger ?

## Bon marché (moins de 6 US$)

**Mercado 10 de Agosto** *(plan couleur B2,* ***51****) :* *Torres, entre plaza San*

*Francisco y c/ Larga. Lun-sam 7h-19h.* De nombreux *comedores* se regroupent à l'étage de cette grosse halle en béton. On y mange des plats simples à tout petits prix *(1,50-2,50 US$)*. Tout un côté est dédié aux jus de fruits frais !

**El Nuevo Paraíso** *(plan couleur D1 et D2,* **56***) : 2 adresses proches, l'une sur Bolívar, sur la plaza San Blas, l'autre Tomás Ordóñez 10-40 y Gran Colombia. Le 1er, tlj 8h-22h ; le 2d, 8h30-22h (18h dim). Menu 1,80 US$ ; plats env 1,20-2,40 US$.* On préfère quand même celui de la plaza San Blas, au cadre plus aéré. Mais les 2 proposent le même menu (entrée, soupe, plat, jus) hyper bon marché, différent chaque jour, et un assortiment de plats végétariens copieux qui tiennent la route – *guatita de soya, cazuela vegetariana, plato primavera...* On choisit et on paie en entrant. On peut aussi y déguster de délicieuses glaces, des milk-shakes et des jus de fruits frais sans eau ajoutée.

**Moliendo Café** *(plan couleur C2,* **57***) : Honorato Vásquez 6-24 y Hermano Miguel. ☎ 282-82-10. Lun-sam 9h-21h. Almuerzo 2,50 US$ (12-16h) ; plats à la carte 2-6 US$.* Voici un petit resto fort populaire pour son menu du midi, qui vous donnera l'occasion de goûter la cuisine colombienne. En version bon marché, on peut aussi piocher parmi le très grand choix d'*arepas,* des tortillas de maïs (un peu fades, il faut bien le dire) avec, au choix, du poulet aux légumes, de la côtelette fumée *(chuleta ahumada),* du guacamole, des saucisses et de l'avocat... Sert également des petits déj. Côté cadre : une petite salle informelle avec, çà et là, des photos, images et objets évoquant la Colombie – sans oublier les beaux abat-jour chapeaux de paille ! Si vous êtes content, en sortant, sonnez la cloche. Dans la même rue, entre Presidente Borrero et Hermano Miguel, d'autres petits restos proposent des menus du midi à 2,50 US$.

**El Pavón Real** *(plan couleur C1,* **58***) : Gran Colombia 8-33 y Luis Cordero. ☎ 284-66-78. Tlj 8h-21h. Menu midi 2,50 US$, plats 3-6 US$.* Patio aux tables couvertes de nappes bleues. Parmi les spécialités : *el morlaco,* un plat typique à base de porc ou poulet, servi avec *llapingachos,* avocat et *mote pillo* (maïs aux œufs). Également des pâtes, pizzas, sandwichs... Souvent plein.

## De bon marché à prix moyens (moins de 12 US$)

**Raymipampa** *(plan couleur B1,* **59***) : Benigno Malo 8-59 y Sucre. ☎ 283-41-59. Lun-ven 8h30-23h, w-e 9h30-22h. Plats 4,50-7,50 US$ ; sandwichs dès 2 US$.* Idéalement posé sur la place centrale, à côté de la cathédrale, ce resto fondé en 1933 est une véritable institution auprès des visiteurs. On aime bien se nicher en mezzanine, sous les vieilles poutres, ou devant l'une des fenêtres ouvrant sur le parque. Certes, la déco est un peu passée, mais les portions sont copieuses et la cuisine équatorienne est bien servie : *seco de pollo* (ragoût de poulet), *ceviches, arroz con camarón, churrasco...* Crêpes sucrées-salées et quelques options végétariennes aussi. Service diligent et bon accueil... sauf si vous envisagez juste de prendre un verre aux heures des repas.

**La Viña** *(plan couleur B2,* **50***) : Cordero 5-101 y Jaramillo. ☎ 283-96-96. Plats et pizzas 5,50-11 US$. CB refusées. Tlj sf dim 15h-23h.* Le patron est de Bergame, en Italie. Mais si vous croyez trouver là un resto italien de plus, vous vous trompez ! Tout, ici, est excellent : le pain, les salades, les pâtes, les pizzas... Le cadre est soigné sans pour autant être guindé, avec des vignes peintes ornant les arcades et courant sur les murs jaunes.

**Mangiare Bene** *(plan couleur A1,* **44***) : Estévez de Toral 8-91 y Bolívar. ☎ 282-62-33. Lun-sam 11h-15h30 et 18h-22h30 (ou 23h), dim 11h-16h. Plats env 6-9 US$.* C'est le resto de l'hôtel *Posada del Angel* (voir plus haut « Où dormir ? »). Les patrons sont argentins, mais d'origine italienne ! On y mange donc bien, comme l'affirme l'intitulé. La *pasta* maison est cuisinée à vue et à toutes les sauces (une page entière !). Portions un peu chiches cependant. Belle carte des vins (quelques-uns au verre) et service stylé.

**El Maíz** *(plan couleur D3,* **55***) : c/ Larga 1-279, à l'angle de Los Moli-*

*nos.* ☎ *284-02-24. Lun-sam 11h-21h. Plats 6-10 US$.* Une bonne adresse où goûter une cuisine équatorienne de qualité, saupoudrée de quelques plats tendance fusion. Bonne *trucha* (truite) d'El Cajas, mais on peut tout aussi bien, et c'est même recommandé, déguster un *hornado* (cochon rôti) *cuencano.* Côté cadre, on s'installe dans une enfilade de coquettes salles parquetées, façon maison bourgeoise, ou dans le patio à l'arrière, sous une sorte de tonnelle. Service tout en finesse.

|●| ***Hostal El Cafecito*** *(plan couleur B2,* ***26****) : Honorato Vásquez 7-36 y Luis Cordero.* ☎ *283-23-37. Tlj 8h-23h. Ceux qui y logent bénéficient de 10 % de réduc.* Il règne une bonne ambiance, le soir, dans la petite cour intérieure aux tables en bois éclairées à la bougie. Un fond musical sympa accompagne le repas et, certains soirs (environ 1 fois par semaine), des groupes de jazz, electronica, troba, rock ou autres débarquent. On recommande ce resto pour les petits déj (granola et yaourt), les sandwichs, salades, tapas, crêpes salées, pâtes, burgers, röstis, et les gâteaux, divins.

CUENCA

## De prix moyens à chic (de 5 à 20 US$)

|●| 🍸 ***Café Eucalyptus*** *(plan couleur B1,* ***54****) : Gran Colombia 9-41 y Benigno Malo.* ☎ *284-91-57. Lun-jeu 8h-minuit, ven-sam 8h-2h, dim 17h-minuit. Plats 3-15 US$.* Dans une grande et chaleureuse salle en bois brûlé, fréquentée quasi exclusivement par des touristes, on déguste des salades, des pâtes et une cuisine du monde d'excellente réputation : babaganoush, *pad thai,* calamars frits, il en vient de partout. Le service est attentionné. Un peu plus tard, le lieu se transforme en un sympathique bar dansant (voir un peu plus loin « Où boire un verre ? Où sortir ? ») – fort apprécié si l'on en juge par la sacrée collection de bouteilles alignées au bar ! Attention, le menu le précise : entrée interdite à Hugo Chavez et aux fans de Manchester United (entre autres) !...

|●| ***La Esquina*** *(plan couleur C3,* ***60****) : angle c/ Larga et Hermano Miguel.* ☎ *284-53-44. Tlj 12h-16h et 18h30-minuit. Plats 18-24 US$ pour 2. Résa conseillée (ou arriver tôt).* Il y a d'abord le cadre : une toute petite salle (5 tables) un peu biscornue, à la superbe déco noir et blanc rehaussée de papiers peints aux motifs géométriques et de touches de rouge – quelque part entre le bistro et le lounge design. Affable et souriant, le patron, argentin, trône derrière son bar, un verre de vin à la main. Sa spécialité ? Les *discos de arado,* une spécialité de l'Argentine rurale, servis dans des plats métalliques brûlants, si gros qu'on les partage à 2 (ou 3...). On a adoré celui aux fruits de mer et poisson, rappelant une *paella valenciana* de la meilleure facture. Un de nos meilleurs souvenirs gastronomiques d'Équateur.

|●| ***Villa Rosa*** *(plan couleur B1,* ***52****) : Gran Colombia 12-22 y Tarqui.* ☎ *283-79-44. Lun-ven 12h-14h30 et 19h-22h30. Fermé w-e. Plats 6-14 US$.* Le cadre est chic, avec les tables dispersées dans un patio colonial très élégamment agencé, et la clientèle est à l'avenant – businessmen en post-réunion, familles bourgeoises et touristes aisés. Au menu, tous les grands classiques d'Équateur et une belle gamme de plats méditerranéens et européens, façon rognons au xérès et belles salades aux noix et roquefort. Un endroit plébiscité par les *Cuencanos,* qui l'ont élu plusieurs fois meilleur resto de la ville. Reste à supporter les serveurs pompeux (quoique compétents)...

|●| ***Salón Tres Estrellas*** *(plan couleur D3,* ***62****) : c/ Larga 1-174.* ☎ *282-23-40. Tlj 12h30-15h30 et 19h-1h (2h ven-sam). Plats 5-7 US$,* cuy *19 US$.* Le décor s'ingénie à restituer l'ambiance d'une hacienda, avec sa déco ruralo-rustique mettant en scène charrue, vieux fers à repasser et fusils pendus au plafond... Le menu puise à la même source équatorienne et fait une place d'honneur au *cuy,* le cochon d'Inde. Spécialité de Cuenca, il n'est pas frit, ici, mais longuement rôti à la broche après avoir été mariné dans l'*achote* (le roucou antillais). Il est donc un peu moins gras qu'ailleurs ! La cuisson demandant 1h15, vous pouvez

téléphoner un peu avant pour passer commande.

I●I ***Balcón Quiteño*** *(plan couleur C1, **61**) : Sangurima 6-49. ☎ 283-19-28. Tlj 8h-1h (4h le w-e). Plats 7-14 US$.* Populaire auprès des noctambules, le *Balcón* a adopté un style de *diner* à l'américaine, façon *Happy Days,* mais sans Fonzie ni Richie. Au menu : box aux banquettes rembourrées, guitares, trompettes, plaques de voitures aux murs, milk-shakes et cuisine *todo frito* (ou presque). Le cadre est marrant, mais la nourriture trop chère.

I●I Voir aussi le resto de l'hôtel ***La Orquídea*** *(plan couleur C1, **27**) et,* cité plus haut dans la rubrique « Où dormir ? ».

## Très chic (plus de 20 US$)

I●I ***Tiestos*** *(plan couleur C2, **53**) : Juan Jaramillo 7-34 y Presidente Borrero. ☎ 283-53-10. Mar-sam 12h30-15h et 18h30-22h, dim midi slt. Résa impérative soir et w-e.* Dans une maison classée aux sols pavés à l'ancienne, un chef toqué mitonne à vue une cuisine sud-américaine inventive et généreuse – *cuencana y fusión* dans le texte –, servie pour 2 personnes minimum. En hors-d'œuvre, l'assortiment de tapas aux saveurs explosives ouvre la voie à la spécialité de la *casa,* le *lomo fino a la crema y tomata,* préparé façon tajine, et sa ribambelle d'accompagnements. Un festival pour les yeux et les papilles. À tester également, le *lomo fino salsa mora y vino tinto,* les *camarones,* le *pollo*... Pour arroser le tout, jolie carte des vins et délicieux jus de fruits servis au litre. Ambiance décontractée et conviviale avec serveurs chapeautés de panamas aux petits soins, quand ce n'est pas le chef qui vient lui-même vous faire saucer les plats ! Une adresse hors du commun, dont on ressort repu et heureux.

I●I ***Casa Alonso*** *(plan couleur B1, **30**) : Bolívar 12-55 y Tarqui. ☎ 282-39-18. Tlj 7h-10h, 12h-15h et 19h-22h30. Plats 7-23,50 US$.* C'est le restaurant de la très chic et très belle *Mansión Alcázar* (voir « Où dormir ? », plus haut). Une fois encore, nous voilà convaincus par l'excellence de la maison ! Puisant à la fois dans les classiques équatoriens et méditerranéens (italiens), la cuisine dépasse les frontières et mêle les savoir-faire pour offrir un menu varié, inhabituellement surprenant pour le pays. La présentation est soignée, le service est irréprochable et le cadre très classe. La salle évoque un *tea room* ouvert sur le jardin et baignant dans de douces nuances de beige. Les amoureux s'installeront sous la pergola. L'après-midi, on peut même prendre le *high tea* à l'anglaise (15h30-17h) pour 9,50 US$ (avec option chocolat au lieu du thé !). Cher, mais justifié.

## Où prendre le petit déjeuner ? Où manger une glace ou une pâtisserie ?

Les gourmands ne sauront plus où donner de la dent. Cuenca est semée de boulangeries-pâtisseries.

☕ ***Bananas Café*** *(plan couleur C2, **66**) : Hermano Miguel 4-36 y c/ Larga. Lun-sam 7h-13h. Nombreuses formules 2-6 US$.* Très apprécié des habitués, ce petit local jaune vitré, égayé par un lierre courant au plafond, s'est fait une spécialité des petits déjeuners. *Pancakes*, granola et yaourt, fruits, œufs et bacon sont servis dans une belle vaisselle en terre cuite. On en redemande. D'ailleurs des mots de clients satisfaits couvrent les murs !

☕ 🍸 ***Cinema Café*** *(plan couleur C2, **67**) : Luis Cordero. Dans le* Teatro Casa de la Cultura. *Lun-ven 9h-21h ; sam 9h-19h.* Espace tout en longueur sur une mezzanine en béton. Avec toutes ces photos de scènes de cinéma aux murs, on a un peu l'impression de se retrouver quelques dizaines d'années en arrière. Longue liste de cafés, thés et chocolats chauds, ainsi que quelques sandwichs. Très populaire aussi auprès des jeunes Équatoriens pour descendre une bière en fin de journée.

☕ 🍸 ***Sucré-Salé Café*** *(plan couleur C1, **64**) : Luis Cordero 8-74 y Sucre. Sur le parque Calderón. ☎ 284-51-81. Lun-ven 8h-21h, sam 16h30-21h.*

Ce modeste café français, lieu de rendez-vous de la jeunesse cuencana, est idéalement placé sous les arcades enserrant le parque Calderón. Au menu : petits déj classiques, crêpes, gaufres, quiches *(2 US$)*, mais aussi crèmes brûlées et autres moelleux au chocolat... Le soir, l'*happy hour (17h-19h30)* attire plein de monde pour *mojitos* et *cuba libres*.

**Live Organico** *(plan couleur B1,* **68***) : Gran Colombia 9-87 y Aguirre. Lun-sam 8h-18h.* Grand comme un demi-mouchoir de poche, ce bar à *batidos* (milk-shakes) et jus de fruits propose des saveurs originales en diable. Que diriez-vous d'un cocktail infusé de lait d'amande, de *kale* (une sorte de salade), d'huile de coco, d'aloe vera, de germe de blé, polen ou maca (le ginseng péruvien) ? C'est excellent pour la santé (paraît-il) et bon au goût. Également des salades de fruits et du granola nappé de yaourt.

**Frutilados** *(plan couleur C1,* **69***) : Remigio Crespo 4-53 y Ricardo Muñoz. ☎ 288-61-18. Tlj 9h-21h.* Vous apprécierez sa jolie cour intérieure (très touristique) aux marges de la *plaza central* et ses parasols. Voilà tout ce qu'il faut pour une pause salvatrice : milk-shakes, *granizados*, jus frais, grand choix de cafés, glaces à gogo (surtout en coupes) et, même, pour caler un creux, des gaufres, des pâtisseries et quelques sandwichs.

**Cafetería Angelus** *(Tutto Fredo ; plan couleur B1,* **65***) : angle Bolívar y Malo. Sur le parque Calderón. Lun-mer 8h-22h30, jeu-sam 8h-23h30, dim 8h-22h.* De gros volets marron ouvrent sur les arcades de la grande place centrale. Dans les bacs, plein de glaces (excellent ananas, *naranjilla, manjar* aux noix...) et de savoureuses pâtisseries, servies dans une salle moderne avec mezzanine. Toujours plein, même le soir.

**Heladería Monte Bianco** *(plan couleur D2,* **63***) : Bolívar 2-80 (parque San Blas). Tlj 8h30-22h30.* Pas de sommets enneigés chez ce vénérable glacier, mais des coupes bien glacées aux drôles de noms (*copas espaguetti* ou *pinocho*) et des pâtisseries. Ne faites pas le détour, mais si vous passez par là...

Pour s'offrir de savoureuses glaces, rendez-vous également au restaurant végétarien ***El Nuevo Paraíso,*** près du *Monte Bianco* et, pour le petit déjeuner, voir aussi le resto de l'***Hostal El Cafecito*** (lire plus haut « Où manger ? »).

## Où boire un verre ? Où sortir ?

La vie nocturne démarre le jeudi et s'achève le samedi. Du dimanche au mercredi, Cuenca s'endort après 20h.

**Akelarre** *(plan couleur B1,* **72***) : attenant à l'hôtel* Inca Real. *Tlj 11h-22h.* Les murs lie-de-vin donnent le ton de ce bar-resto cossu : vous voici dans une bodega à l'espagnole, où l'on partage un verre en picorant des tapas. L'*akelarre* vient tout droit du pays basque, comme le sympathique proprio, d'ailleurs : jambon fumé, ail, champignons et mozzarella grillée. Grande paella le dimanche. Dommage que le choix de vins au verre soit aussi réduit (un rouge, un blanc) et que les prix soient aussi élevés...

**Wunderbar Café** *(plan couleur C3,* **74***) : Hermano Miguel 3-43 y c/ Larga. ☎ 283-12-74. Lun-ven 11h-1h ; sam 15h-1h.* Descendre un peu les escaliers qui mènent à la rivière, c'est sur la droite ; quelques marches de plus et vous découvrez un bar à plusieurs niveaux, dans une enfilade de petites pièces aux parquets cirés, vitres à gros carreaux et murs ornés d'affiches de ciné. L'ambiance est chaleureuse, notamment quand un groupe vient pousser la chansonnette (1 fois par mois). Possibilité de grignoter un petit plat *(menu 5,50 US$)*. Quelques tables sont semées sur 2 terrassons, à l'extérieur. Billard.

**Café Eucalyptus** *(plan couleur B1,* **54***) : Gran Colombia 9-41 y Benigno Malo. ☎ 284-91-57. Lun-jeu 8h-minuit, ven-sam 8h-2h, dim 17h-minuit.* Le service terminé, le resto (voir « Où manger ? ») cède la place à un bar dansant très apprécié des plus de 40 ans. Tout commence le jeudi par une soirée jazz ou musique latino *en* *vivo,* et se poursuit, en fin de semaine, par l'arrivée d'un DJ, tendance salsa, merengue et cumbia (à partir de 23h30). Il y a aussi une *noche de las mujeres* le mercredi (2 boissons gratuites pour ces dames), mais l'ambiance n'est pas débridée !

**La Compañía** *(plan couleur C2,* ***70****) : Presidente Borrero 4-66 y Honorato Vásquez.* On aime beaucoup le labyrinthe de petites salles, recoins et mezzanines avec, pour les plagistes dans l'âme, un coin hamac sur moquette... Ce bar brasse sa propre bière : 6 exactement, de la rousse à la brune intense (on ne préfère pas les blondes ici !). Toutes ne se valent pas, alors allez-y mollo sur les dégustations... le plus petit verre affiche déjà un bon 500 cl ! On peut aussi tenter un cocktail à base de *cerveza* et éponger le tout d'un nacho à choisir dans la colonne *Devoratum*...

**Coffee Tree** *(plan couleur C2,* ***73****) : angle Presidente Borrero y c/ Larga.* C'est une chaîne, certes, mais qui sait tendre de belles terrasses et les placer en des lieux stratégiques – ici, à l'orée de la très noceuse calle Larga. Bière a gogo, à écluser les fesses au chaud, grâce aux chaufferettes semées sur le pavé. Grande TV pour les retransmissions et musique un peu lourdingue.

**La Mesa** *(plan couleur D1-2,* ***75****) : Gran Colombia 3-35 y Tomás Ordóñez. Repérer la porte discrète, surmontée d'une petite enseigne rouge. Mer 21h-2h.* Eh oui, vous avez bien lu : cette salsathèque, la plus ancienne de Cuenca, n'est ouverte que le mercredi soir ! Au programme : quelques tables, une piste de danse microscopique, une ambiance passablement enfumée et une musique 100 % salsa. Goûtez le *mojito* maison. On vous conseille d'arriver avant 22h pour vous faire une place.

***Prohibido Centro Cultural – Museo de Arte Extremo – Café*** *(plan couleur A2,* ***71****) : La Condamine 12-102. ☎ 284-07-03. • prohibidocc.com • Au bout de Tarqui et c/ Larga. Lun-sam 9h-21h. Ferme plus tard quand il y a des soirées spéciales (parfois assez trash). Entrée : 1 US$.* Ceux qui n'ont pas froid aux yeux plongeront dans les entrailles de ce café où règnent le macabre et l'étrange : niches funéraires, grilles au sol laissant voir des poupées décomposées, banc accoté à une guillotine, squelettes, fresques érotico-sataniques et, au milieu, des christs sanguinolents tout à fait à leur place ! Ne ratez pas les toilettes des femmes et leur lavabo, pour le moins original (surprise...). C'est Eduardo, le proprio, qui a tout réalisé. Musique plutôt hard rock underground (live certains samedis), mais il arrive qu'on y entende Aznavour... comme quoi ! Soirées théâtre et projections régulières, le jeudi ou vendredi.

## Achats

### Panamas

Cuenca est réputée pour ses chapeaux, mais c'est dans les villages des environs que vous pourrez assister à leur fabrication. Une coopérative se situe à *Sígsig,* à 36 km au sud-est de la ville, sur la route de l'Oriente. Les chapeaux y sont au même prix mais, selon les connaisseurs, c'est l'endroit le plus intéressant à visiter. La tradition régionale du tissage du panama est séculaire. On utilise pour cela des feuilles de *paja toquilla* – une sorte de petit palmier connu sous le nom de *jipijapa,* cultivé sur la côte. La plupart des artisans vendent leurs couvre-chefs inachevés à des grossistes spécialisés, qui terminent le processus de *compostura* – coupage des pailles qui dépassent, lavage, blanchiment, pressage, repassage et finitions. Les meilleurs chapeaux peuvent se plier (dans un seul sens, regardez faire le vendeur) et se ranger dans une boîte. Mais faites attention, si on l'y laisse trop longtemps (plus de 3 jours), il perd tout de même sa forme ! Autrefois, plutôt que d'entourer le chapeau d'un ruban souvent bien trop cher, on peignait à sa base une bande noire.

– Tarifs : de 30-40 à 1 000 US$ le chapeau selon la finesse de la fibre et du tissage. Il faut compter 8h de travail pour un chapeau de base et jusqu'à 6 mois pour un *extrafino* ! Pour apprécier la qualité du chapeau, regarder à l'intérieur le nœud central où débute le tissage. Plus il est fin, plus le chapeau vaut cher.

**Casa del Sombrero** *(plan couleur A-B2,* **100***) : Tarqui 6-91. Lun-ven 8h-12h et 14h-18h, sam 8h-13h.* Cette petite boutique à l'ancienne a longtemps été tenue par Alberto Pulla, réputé comme étant l'un des meilleurs spécialistes de la finition des panamas. Sa famille a repris l'entreprise à sa mort en 2010, mais la municipalité parle aujourd'hui d'en faire un musée ! En attendant, vous pourrez toujours découvrir le vieil atelier de confection au rez-de-chaussée, où pendent en brochettes des dizaines de panamas, et la petite salle-boutique du 1er. Mieux vaut parler espagnol pour ne pas voir les tarifs évoluer à la hausse...

**Homero Ortega P. & Hijos Co** *(hors plan couleur par D1,* **102***) : Gil Ramírez Dávalos 3-86. ☎ 280-90-00. • homeroortega.com • À l'arrière du* terminal terrestre. *Lun-ven 8h-12h30 et 14h30-18h, sam 9h-12h30 et dim mat quand il y a des groupes.* La famille d'Homero Ortega exporte ses panamas dans le monde entier. On peut visiter les ateliers, où l'on vous montrera chaque étape qui conduit à la création de ce chapeau increvable, ainsi qu'un intéressant petit musée baptisé *Magia del Sombrero*. Pour finir, grand choix de formes et de couleurs à la boutique.

**Paseo El Barranco** *(plan couleur B2,* **101***) : c/ Larga 10-41, entre padre Aguirre et General Torres. ☎ 283-15-69. • barrancospanamahats.com • Lun-ven 9h-18h, sam 9h30-17h, dim 9h30-13h30.* Cette boutique moderne, doublée d'une fabrique et d'un petit musée du Chapeau très instructif, conviendra à tous ceux qui n'aiment pas marchander. Le guide détaille, outils à l'appui, tout le processus de fabrication du panama.

## Artisanat

**Casa de la Mujer – centro artesanal Cemuart** *(plan couleur B2,* **103***) : General Torres 7-33 y Presidente Córdova, sur la plaza San Francisco. Lun-ven 9h-18h30, sam 9h-17h, dim 9h-13h.* Ce centre d'artisanat bien situé regroupe des dizaines d'échoppes proposant céramiques, lainages, objets en bois, cuir, bijoux et tagua (ivoire végétal), broderies (magnifiques vestes), panamas et autres chapeaux. Un peu mort, cependant.

**Galería Taller Eduardo Vega :** *via a Turi 201. Au sud de Cuenca, sur la route menant à Turi. ☎ 288-14-07. • ceramicavega.com • Lun-ven 9h-17h30 ; sam 9h30-13h30.* Le céramiste Eduardo Vega est réputé dans tout le pays. Plaques et assiettes décoratives, plateaux, vases, vaisselle... Du très beau travail, toujours très coloré (et parfois un peu kitsch).

**Artesa :** *Isabel La Católica 1-102 y av. de las Américas (au sud-ouest de la ville). ☎ 405-64-57. • artesa.com.ec • Tlj sf dim 9h-19h (13h sam).* Très jolies vaisselle et céramiques. Les pièces sont souvent décorées suivant les dessins d'Eduardo Vega ou inspirées d'anciens motifs précolombiens.

## Marchés

Des marchés quotidiens se tiennent à plusieurs endroits de la ville. Ils sont plus destinés aux Équatoriens qu'aux touristes.

– **Mercado San Francisco** *(plan couleur B2) : angle General Torres et Presidente Córdova.* Souk aux fringues et godasses et, sur les côtés, artisanat de plus ou moins bonne qualité. D'ici à ce que vous lisiez ces lignes, les vendeurs auront peut-être été regroupés dans l'ancienne *Banco del Azuay, Presidente Córdova 4-21.*

– **Plaza de las Flores** *(plan couleur B1-2) : angle Sucre et Padre Aguirre.* Pittoresque marché aux fleurs au pied de l'*iglesia del Carmen.* Beaucoup de glaïeuls.

– **Mercado 10 de Agosto** *(plan couleur B2) : Torres, entre la plaza San Francisco et la c/ Larga.* Grand marché alimentaire exposant ses montagnes de fruits, légumes et viande pendante. Au 1er étage, de nombreux *comedores* invitent à manger des plats locaux à petits prix (voir plus haut « Où manger ? Bon marché »).

– **Mercado Sangurima** *(plan couleur D1) : Sangurima y Machuca.* C'est le

CUENCA

jeudi qu'il est le plus animé. Poteries, vannerie, objets en bois, cordes, quincaillerie et même des meubles !

– **Mercado 9 de Octubre** *(plan couleur C1)* **:** *Mariscal Lamar y Hermano Miguel.* La grande halle en béton abrite un marché alimentaire avec, à l'étage, des comptoirs pour manger pas cher. L'occasion de goûter au *hornado* (cochon entier grillé).

– **Mercado 12 de Abril** *(hors plan couleur par D2)* **:** *angle Guapondelig et Eloy Alfaro, à env 1 km à l'est, par Cordóva.* Un des plus grands marchés alimentaires de Cuenca. Très vivant.

– **Gran mercado el Arenal :** *av. de las Américas, à env 2 km à l'ouest du centre.* Alimentation essentiellement. À côté se tient le mercredi la **Feria Libre,** un marché aux fringues.

# À voir

## Autour du parque Calderón

Le **parque Calderón** *(plan couleur B-C1-2),* dominé par la large façade massive de la cathédrale, occupe le cœur de la ville. Ses huit arbres gigantesques (des *Araucaria exelcea*) ont été rapportés du Chili en 1865 sur les genoux du président Cordero... Quelques intéressants édifices entourent la place – notamment, à l'angle de Sucre et Cordero, la **cour supérieure de justice** en pierre de lave, précédée de monumentales colonnes. Au 8-26 Bolívar, jolie façade ouvragée avec balcon en fer forgé.

**Catedral de la Inmaculada** *(plan couleur B1-2)* **:** *parque Calderón, Benigno Malo y Mariscal Sucre.* Coiffée par des dômes aux céramiques blanches et bleues, la « cathédrale neuve », comme on l'appelle ici, est précédée d'une façade massive – pour ne pas dire lourdaude –, veillée par deux grosses tours trapues. Point de finesse dans cette architecture bâtarde, mêlant style néoroman des portails en plein cintre et néogothique des rosaces. Bâtie à partir de 1885 pour remplacer la « vieille cathédrale » dressée de l'autre côté de la place et devenue trop petite, elle ne fut pas achevée avant les années 1960... Dès l'entrée, on est accueilli par une grandiloquente statue de Jean-Paul II, commémorant sa visite en 1985. L'intérieur est recouvert de marbre rose et égayé de vitraux, dont l'un représente un cône volcanique aux neiges éternelles. Riche et colossal baldaquin de bronze doré sur colonnes salomoniques (torses).

**Catedral Vieja o Iglesia El Sagrario :** *en face, de l'autre côté du parque Calderón. Lun-ven 9h-13h et 13h30-17h30 ; w-e 10h-13h. Entrée : 2 US$.* On remarque à peine cette ancienne cathédrale désacralisée, qui ne cherche plus depuis longtemps à rivaliser avec sa grande sœur bien plus voyante. L'intérieur est pourtant autrement plus beau ! Le chœur prend ici de vrais airs de théâtre, avec sa scène grandeur nature et son décor peint. C'est un baroque lumineux, pastel, peu habituel que l'on découvre – jusque dans les chapelles latérales aux fioritures décoratives plus profanes que sacrées (une maquette géante de la nouvelle cathédrale est exposée dans l'une d'elles). L'escalier menant à la chaire vaut aussi le coup d'œil, tout comme le très bel orgue enchâssé de personnages. Sur le mur est, une fresque de 1573 représentant la Vierge a été préservée. La tour, elle, ne date que de 1860 et remplace celle que La Condamine utilisa pour déterminer l'arc du méridien. Des concerts de musique classique ou religieuse sont parfois organisés.

**Museo de Esqueletología** *(plan couleur C1-2,* ***83****)* **:** *Bolívar 6-57 y Borrero. ☎ 419-99-46 ou 98-88. Lun-ven 9h-13h et 15h30-19h, sam 10h-14h. Entrée : 1,50 US$. Brochure en français.* Ce musée, aussi minuscule qu'original, abrite la collection du Dr Gabriel Moscoso (1920-1993), chercheur et prof à l'université. Grand soin a été pris pour éviter d'effrayer les enfants, et c'est réussi. Dès l'entrée, on est accueilli par le sourire hilare d'un squelette de cheval ! Ce brave canasson fut champion de saut du pays. Plus loin, on peut voir des mâchoires de requins, un squelette de condor, des toucans, le singe *Titi pigmeo,* le plus petit du monde (il tient dans une main !). Chaque squelette bénéficie de sa fiche signalétique. On peut ainsi voir l'évolution des squelettes, du plus élémentaire (l'hippocampe) aux plus élaborés. Incroyable la quantité de choses que l'on apprend seulement en examinant l'ossature des bestioles !

**Iglesia Carmen de la Asunción** *(plan couleur B2) : angle Padre Aguirre et Mariscal Sucre, face à la placette du joli marché aux fleurs.* Elle présente un ravissant porche sculpté aux colonnes salomoniques (torses) typiquement baroques, et un intérieur du même acabit. Le maître-autel est chargé de statues colorées et fleuries, et la chaire est incrustée de miroirs.

**Casa con Sillares Incas** *(plan couleur B1, **80**) : Aguirre 9-85 y Gran Colombia.* C'est le dernier vestige inca du centre historique... un petit pan de mur aux pierres parfaitement ajustées, sur lequel s'élève une maison coloniale.

**Museo del Monasterio de las Conceptas** *(plan couleur C2) : Hermano Miguel 6-33, entre Juan Jaramillo et Presidente Córdova. ☎ 283-06-25. Lun-ven 9h-18h30 ; sam et j. fériés 10h-13h. Fermé dim. Entrée : 2,50 US$. Visite guidée incluse (sur demande), sinon, explications en français dans certaines salles.* Fondé en 1599, ce couvent est encore occupé par une trentaine de sœurs de l'*Inmaculada Concepción,* qui n'en sortent pas. L'ancien hôpital accueille un musée, aménagé autour de deux petits patios verdoyants. D'autres, à l'arrière, fleuris de roses, figuiers et fuchsias, s'ouvrent sur les anciennes cuisines.

– ***Au rez-de-chaussée :*** à travers photos, objets et reconstitutions, les salles montrent la vie religieuse du monastère, ses intérieurs et le quotidien des sœurs – fabrication des hosties à base de farine de blé et broderie en particulier.

– ***Au premier étage :*** cet espace est dédié à l'art religieux sous toutes ses formes, datant principalement du XVIIIe s. Dans la section de peinture, vous remarquerez une peu commune Vierge allaitant et une fort belle *Vierge de la Merced* de 1781, au cadre doré incrusté de miroirs (reflet de l'âme pour les Amérindiens). Suit une sanguinolente collection de statuettes de christs en croix de l'*école de Sangurima* (on voit même le cœur de l'un d'eux !). Les crèches sont pour certaines fort impressionnantes ; dans l'une d'elle, gigantesque et néanmoins portable, l'enfant Jésus prend des airs de bébé Cadum. Une autre, dans la salle suivante, illustre le *Massacre des Innocents* : une vraie hécatombe, veillée par Marie en robe de grande d'Espagne ! Les salles suivantes exposent verrerie, porcelaine, coffres sculptés en bois ou cuir repoussé, statuettes sacrées et profanes – autant d'objets offerts en dot par les religieuses à leur entrée au couvent. Amen.

## *Le long du rio Tomebamba et au-delà*

Une portion de sentier prolongée par une promenade longe la berge nord du río Tomebamba, invitant à une balade tranquille entre le Puente del Vado à l'ouest et le Puente Roto à l'est (en direction du *Museo del Banco Central*). Le cours d'eau est veillé par quelques belles demeures à hautes fenêtres, balcons en bois et toits de tuiles patinées, à l'architecture désordonnée pleine de charme. Ceux qui connaissent la Cuenca espagnole y verront, toutes proportions gardées, un parallèle avec ses *Casas Colgadas* suspendues au-dessus du vide. Le quartier était récemment en pleine réfection, et les bars commencent à s'installer au-dessus du río.

Sur la calle Larga, parallèle au Tomebamba, vous verrez plusieurs ***maisons coloniales*** aux façades travaillées. Nichée au fond d'un patio, celle du no 7-121 et Luis Cordero *(plan couleur B2, **82**)* abrite un magasin d'antiquités (sonnez !). Plairont à qui aime les intérieurs anciens un peu surchargés. Plus à l'est, face à l'église du même nom, la ***Casa de Todos los Santos*** *(plan couleur C3,* ***88****)*, au n° 4-78, affirme un style autrement plus populaire. Ici, jadis, se trouvait le quartier des *panaderías* (boulangeries).

⚲ ***Museo del Banco Central*** *(plan couleur D3)* **:** *c/ Larga y av. Huayna Cápac. ☎ 283-12-55. Lun-ven 8h-17h, sam 9h-13h. Fermé dim. Entrée libre.* Un peu excentré, ce musée occupe le site inca de Tomebamba (le deuxième plus important d'Équateur), dont proviennent d'ailleurs certaines des pièces exposées ici. Vous pourrez ensuite faire un tour au milieu du parc archéologique, mais ne vous attendez pas à grand-chose... Dans sa partie basse, une collection de plantes médicinales endémiques voisine avec un petit parc ornithologique.

- ***Section archéologique*** **:** c'est la plus réussie. Plongée dans la pénombre, elle couvre la période allant des premiers hommes à l'arrivée des colons espagnols. Chaque époque est présentée sur des panneaux explicatifs (en espagnol et en anglais), puis illustrée par de chouettes dioramas et une belle collection d'objets. Dommage quand même qu'il fasse aussi sombre.
- ***Section artistique*** **:** les autres salles du rez-de-chaussée accueillent des expositions temporaires d'art, tendance moderne. N'oublions pas aussi une salle philatélique.
- ***Section ethnographique*** **:** *à l'étage.* Ici, les explications sont presque exclusivement en espagnol. Chaque espace met en scène une ethnie du pays, avec costumes, mannequins, masques, reconstitution d'habitations traditionnelles, de scènes domestiques, de festivités... Dans la section « Oriente », impossible de rater la collection de têtes réduites Shuas (Jivaros) ! Pour finir, on passe rapidement en revue les principales formes d'artisanat (poterie, tissage) et les fêtes d'Équateur.
- ***Section numismatique*** **:** *au sous-sol. Généralement fermée.* Si jamais elle est ouverte, vous découvrirez 3 000 ans d'histoire de la monnaie équatorienne, depuis les fragments de coquillages précolombiens jusqu'à la disparition du sucre en 2000.

⚲⚲ ***Museo de las Culturas aborigenes*** *(plan couleur C3,* ***85****)* **:** *c/ Larga 5-24, entre Hermano Miguel et Mariano Cueva. ☎ 283-91-81. Lun-ven 8h30-18h, sam 9h-15h. Entrée : 2 US$. Brochure détaillée en français à rendre en sortant. Sinon, visites guidées gratuites en espagnol (ou anglais si plus de 5 pers).*
Ce musée privé abrite une riche collection archéologique constituée par Juan Cordero Iniguez, historien, professeur à l'université de Cuenca et ancien ministre de la Culture. En tout, plus de 5 000 objets représentent toutes les cultures amérindiennes d'Équateur, depuis la lointaine période Valdivia jusqu'aux Incas. La présentation est un peu confuse, mais tente de distinguer les principales réalisations des différents peuples de manière chronologique. Pour une fois, on est proche des objets : tous ne sont pas sous cloche et c'est bien agréable !
Parmi les pièces les plus intéressantes, vous remarquerez les étonnants litophones (pierres musicales) paléolithiques (salle I), les petites Vénus de la culture *valdivia* (salle II), initiant le recours à la céramique, puis, dans la salle III, les masques, phallus en terre cuite et statuettes évoquant le cycle de la reproduction de la culture de La Tolita (- 500 à 500 apr. J.-C.). Tout est représenté, de la rencontre amoureuse à l'allaitement ! De la même époque, les Jama-Coaques (salle IV) ont laissé de belles représentations d'insectes en terre cuite (araignées !), et les Bahía (salle V) de grandes poteries figurant sœurs siamoises et diablotins. Étonnant, aussi, ces sifflets anthropomorphes de grande taille. Mentionnons encore les « masticateurs de coca » des cultures andines du Nord et du Centre (salles VII et VIII) et leurs *guaillacos* (sortes d'ocarinas très anciens), les drôles de pots à pattes des Puruhá (500-1500) dans les salles IX, X et XI, les très beaux brûleurs d'encens zoomorphes de la culture manteña, installée sur le littoral. Enfin, apparaissent les premiers objets en métal, sujet d'une section spécifique. Si vous regardez bien, vous y verrez même des pinces à épiler !

Au rez-de-chaussée, outre l'agréable cafétéria située dans la cour, on peut flâner dans la ***boutique.*** Elle propose des reproductions (pas trop chères) d'objets en céramique et des objets en argent inspirés des collections du musée.

***CIDAP – Museo de Artes populares*** *(plan couleur C3,* ***87****)* ***:*** *Hermano Miguel 3-23. ☎ 284-09-19. Lun-ven 9h-13h et 14h30-18h30, sam 10h-13h. Entrée libre.* Ce n'est pas vraiment un musée, plutôt le siège d'une administration promouvant l'artisanat, installé dans une belle maison coloniale, au bas de l'escalier qui mène au *río,* sur la droite (à côté du *Wunderbar*). Au gré des couloirs, entre les bureaux, des vitrines exposent de très beaux objets d'artisanat d'Équateur et des pays voisins.

***Museo de Historia de la Medicina*** *(plan couleur B3,* ***86****)* ***:*** *av. 12 de Abril y Solano, sur la berge opposée du río Tomebamba. ☎ 283-58-59. Lun-ven 9h-17h30. Fermé w-e. Entrée : 1 US$.* Ce modeste musée tient le coup grâce à quelques passionnés et intéressera surtout d'autres passionnés. Peu voire pas d'explications, à vous d'imaginer à quoi servaient toutes ces horrifiantes machines et instruments du siècle dernier, exposés dans de grandes salles un peu froides. Beaucoup sont français. Au programme : vitrines remplies de fioles et anciennes boîtes de médocs, une table d'accouchement de 1910 plutôt abominable, des couveuses, un respiromètre de 1900... et des cadavres momifiés de fœtus et d'enfants particulièrement macabres.

Signalons, à deux pas, le petit *musée du Chapeau panama* dans la boutique ***Paseo El Barranco*** *(plan couleur B2,* ***101****).* Et, un peu plus loin, sur Tarqui *(plan couleur A2,* ***100****),* l'extraordinaire atelier à l'ancienne de la ***Casa del Sombrero,*** à ne surtout pas manquer. Voir plus haut la rubrique « Achats ».

***Museo municipal de Arte moderno*** *(plan couleur A1,* ***84****)* ***:*** *Sucre 15-27 y Coronel Talbot. ☎ 283-10-27. Sur la plaza San Sebastián. Lun-ven 9h-17h30, w-e 9h-13h. Entrée libre.* Installé dans un bel édifice de 1876, le musée se consacre à des expos temporaires de céramiques, peintures et sculptures d'artistes locaux et internationaux. Au fond, dans l'agréable jardin, un banc invite à s'oublier un moment.

***Casa de las Posadas*** *(plan couleur A1,* ***89****)* ***:*** *Gran Colombia 17-42 y M. Heredia. Lun-ven 9h-17h30, sam 9h-12h30. Entrée libre.* Construite entre la fin du XVIIIe s et le début du XIXe s, elle fut sans doute une maison de commerce. C'est en tout cas un bel exemple de l'architecture coloniale espagnole. C'est désormais un centre culturel abritant des expos temporaires d'intérêt variable. Parfois, il n'y a carrément rien à voir...

Pour avoir un bel aperçu de Cuenca « vue du ciel », rien ne vaut un tour au ***Mirador de Turi,*** balcon naturel perché au-dessus de la ville nouvelle. *À 10 mn au sud du centre en taxi (max 3 US$/sens). Bus indiqués « Turi », ttes les 20 mn, à l'angle de l'av. Solano y 12 de Abril, face au* Puente del Centenario *(plan couleur B2).*



## Fêtes

Cuenca est connue pour ses fêtes religieuses, parmi les plus nombreuses et importantes d'Équateur. Procurez-vous l'agenda culturel au bureau *iTur* (voir « Adresses utiles », plus haut).
- ***6 janvier :*** fête des Saints Innocents.
- ***Mi-février :*** carnaval.
- ***Pâques :*** *Semana santa* (Semaine sainte). Mais rien de particulier ne s'y passe.
- ***12 avril :*** fondation de Cuenca.
- ***3 mai :*** fête de la Croix.
- ***24 mai :*** célébration de la bataille de Pichincha.

– **Juin :** *Corpus Christi (Fête-Dieu).* Dure 1 semaine, mais la date est variable. Atmosphère bon enfant. Autour du parque Calderón, vente de bonbons et gâteaux, forains, stands de brochettes, pommes d'amour... Feux d'artifices tirés tous les soirs depuis des *castillos* de bois au beau milieu de la foule.
– **3 novembre :** fête de l'indépendance de Cuenca.
– **24 décembre :** *El Pase del Niño Viajero.* Une grande procession met en scène une statue du Christ emmenée jusqu'en Terre sainte par un évêque en 1961 ! Longe la calle Bolívar.
– **31 décembre :** *Año viejo.* Pour fêter la « vieille année », on brûle des mannequins bourrés de dynamite !
– Sinon, *le 1er sam de chaque mois,* une procession religieuse mène jusqu'au *Santuario Guardiana de la Fe,* à Cajas, à 28 km à l'ouest de Cuenca. Partant vers 6h de La Piedra, elle parcourt 8 km (en 3h environ) jusqu'au sanctuaire – site de supposées apparitions de la Vierge entre 1988 et 1990. Paysage de montagne magnifique sur fond de chants religieux. Ne pas oublier son pull : le Cajas est à 4 000 m d'altitude ! Pour plus d'infos, s'adresser à la *Fundación Jardín del Cajas, Daniel Córdova 1-100 y Fredrico Proaño, à Cuenca.* ☎ *288-27-94.* • *info@guardianadelafe.com* •

# DANS LES ENVIRONS DE CUENCA

**Gualaceo :** *à 36 km à l'est de Cuenca. Petit office de tourisme face au square, à l'angle de Gran Colombia et 3 de Noviembre. Lun-ven 8h-13h et 14h-17h.* • *gualaceo.gob.ec* • Procure carte de la ville et prospectus sur les activités alentour. Ce gros bourg plutôt ordinaire, auquel on accède par une belle vallée encaissée depuis la Panaméricaine, est réputé pour son marché, plus animé les mardi, vendredi et, surtout, dimanche. Occupant l'ensemble de la plaza Guayaquil, il met en scène piles de fruits et légumes, vendeuses de tisanes, fromages et autres ustensiles de cuisine. Les touristes sont rares et le lieu est sympathique. Malheureusement, la municipalité annonce la construction, pour 2013, d'une nouvelle halle moderne en périphérie... D'ici à ce que vous lisiez ces lignes, des stands d'artisanat auront peut-être remplacé l'actuel marché.
Attenant à la plaza Guayaquil, le parque 10 de Agosto conserve une jolie ronde de maisons coloniales, théâtre de certaines des festivités annuelles. La fête du saint patron, *Santiago,* est célébrée par une procession et une *Batalla de Moros y Cristianos* colorée, mettant en scène une centaine de participants, le dimanche le plus proche du 25 juillet. Tout au long du mois, des danses ont lieu à Gualaceo et dans les bourgs voisins.
Peu probable, à priori, que vous passiez la nuit ici, mais si vous décidiez du contraire, cela peut s'arranger :

**Hostal Los Sauces :** *Manuel Moreno 4-05 y Cuenca.* ☎ *225-61-96. Double 20 US$.* Dans le centre, en face du marché *25 de Junio.* Cet hôtel récent, à la façade vitrée, abrite 15 chambres impeccables, avec parquet, TV et salles de bains nickel. Pour le petit déj, resto juste en bas.

**Mercado 25 de Junio :** *on l'atteint rapidement depuis la plaza Guayaquil par la c/ Cuenca.* On peut manger à l'étage dans une myriade de petits snacks regroupés par spécialité. Au menu, l'excellent *hornado* (cochon grillé), que l'on mange allègrement avec les doigts. La viande, prélevée directement sur le dos de la bête encore entière, se commande au poids. Autres options : *mote* et galettes cuites sur des pierres chaudes. Tant qu'à y être, goûtez à la boisson traditionnelle locale, le *rosero,* une mixture mariant farine de maïs et fruits tropicaux. Pas léger, léger...

**La Campiña :** *Manuel Moreno, à l'angle de Roldos (av. principale).* ☎ *225-88-75. Tlj 11h-16h et 18h-21h.* Almuerzo *4 US$, plats 5-9 US$.* Cuisine honnête et copieuse servie dans une sorte de véranda tout en bois plutôt agréable. Le lieu est propre, le service rapide et le patron accueillant. Le week-end, demandez le *ceviche.* Pizzas également.

**Ecuagenera :** *2 km avt Gualaceo en venant de Cuenca, vers le km 15. ☎ 225-52-37. ● ecuagenera.com ● Lun-ven 7h-18h. Le w-e, seul le magasin est ouv (sam 7h30-18h, dim 9h30-18h). Entrée : 3-5 US$ selon nombre de pers, visite guidée obligatoire.* Pour les mordus d'orchidées, on en trouve ici quelque 8 000 variétés, exportées dans le monde entier. Explications sur les méthodes de reproduction.

**Atelier d'ikat :** *7 km avt Gualaceo en venant de Cuenca, entre les km 10 et 11.* L'*ikat* est une technique complexe qui consiste à nouer la laine avant de la tremper dans la teinture, pour éviter que tout le fil soit coloré – et, ainsi, dessiner des motifs. Cette méthode est très répandue en Asie, beaucoup plus rare en Amérique latine ; elle serait héritée du savoir-faire cañari, si l'on en croit le señor José Jimenez. Lui et sa famille ne travaillent qu'avec des teintures naturelles (plantes, terres, insectes...). Ils se feront un plaisir de vous détailler le processus de fabrication (pourboire bienvenu) : filage de la laine, teinture, tissage... Selon sa complexité, une pièce peut prendre entre 3 jours et 2 mois de travail. On peut bien sûr acheter les belles étoffes qu'ils fabriquent. Compter environ 40-50 US$ l'étole.

**Chordeleg :** *à 4 km au sud de Gualaceo (nombreux bus).* Petit village tranquille spécialisé dans l'orfèvrerie en argent et en or (blanc, jaune et rose). Les artisans se tiennent sur la place de l'église couleur pistache-vanille et dans la rue qui descend de cette même place. Il y en aurait 500 dans tout le village.

**Baños :** *à 8 km au sud-ouest de Cuenca. Bus n^os 11 ou 12 ; le 1^er se prend sur Vega Muñoz, au nord du centre (plan couleur C1) ; le 2^d sur Juan Montalvo (plan couleur A1) ou face au* Puente del Centenario, *à l'angle de 12 de Abril et de l'av. Solano (plan couleur B2-3) ; ils passent ttes les 5-15 mn, 5h45-23h env (6h-19h env le w-e). En taxi, compter env 5 US$.*
Très populaires auprès des Équatoriens, les sources thermales de Baños se déclinent en plusieurs complexes, piscines, bains et saunas. L'eau qui jaillit des sources à 72 °C arrive dans les piscines à environ 38 °C. Les établissements *Durán,* quasi en situation de monopole sur la station, disposent de deux sites distincts, aux tarifs différents :
– À l'entrée du village, on trouve la partie ***Hostería,*** la plus chic, avec hôtel et resto, quatre piscines, salle de massages, hammam... *● hosteriaduran.com ● Ouv tlj, 7h-22h. Compter 5 US$ l'entrée (réduc), plus 1 US$ pour le bonnet de bain.* Dans le même complexe, simple ***piscine*** (eau froide) avec toboggan. *Ouv 7h-21h. Entrée : 2,50 US$ ; réduc.*
– Plus haut dans le village (fléché), le complexe d'***El Riñon*** est plus populaire. Piscine thermale et hammam. *Ouv tlj 6h-16h30, puis 16h30-21h (hammam slt). Entrée : 3,60 US$ ; réduc.*
– Ceux qui recherchent luxe, calme et volupté iront se détendre au spa de la ***Piedra de Agua,*** situé un peu avant *El Riñon. ● piedradeagua.com.ec ● Lun-sam 6h-22h, dim 6h-19h. Entrée : 10 US$ pour chaque piscine, pour les thermes et pour les* baños de cajón. *Forfaits (chers) comprenant divers soins.*

**Parque nacional El Cajas :** *à 35 km à l'ouest de Cuenca par la route de Molleturo (fléché depuis l'av. Las Américas). ● etapa.net.ec ● Compter 1h25 de bus ou 50 mn en voiture. Accès par une superbe route encaissée entre des monts verdoyants. Tlj 8h-16h30. Entrée libre.*
En quechua, son nom signifie « porte de la Sierra ». Couvrant une superficie de 285 km², entre 3 150 et 4 450 m d'altitude, le parc, sauvage à souhait, est semé de quelque 235 lacs d'origine glaciaire, incrustés dans le fouillis des massifs montagneux. Ceux-ci lui ont valu d'être classé zone Ramsar – une région humide d'importance vitale pour les oiseaux migrateurs (quelque 157 espèces ont été recensées). Château d'eau de Cuenca, la région est saisie en tout temps par un froid prenant (7 °C de moyenne annuelle) et souvent plongée dans un brouillard

si dense qu'il peut rendre dangereuses les randonnées non guidées... Le parc dispose d'un réseau de 13 sentiers, non balisés, pour des promenades allant de 4h à 2 jours. Cinq d'entre eux, les plus courts, peuvent être parcourus non accompagné. Pour les autres, mieux vaut vraiment prendre un guide, ou alors avoir une solide expérience en matière de randonnée en milieu sauvage ! On trouve aussi des tronçons du vieux chemin de l'Inca, qui reliait les hauts plateaux au littoral du Pacifique.

– *Pour s'y rendre :* la moitié des bus desservant Guayaquil depuis Cuenca passent par le parc, mais attention, tous n'acceptent pas de s'arrêter. Sinon, il y a ceux de la *Coop Transporte Occidental,* qui partent du *terminal sur,* en fait situé à l'ouest de la ville, près de la Feria Libre. *Env 9 départs/j., 5h30-17h45.* Descendre à ***Toreadora,*** l'entrée principale, où vous trouverez un centre d'interprétation, un petit refuge *(5 US$/pers)* avec cuisine et toilettes, où vous devrez vous inscrire, et une cafétéria. De là, on peut parcourir deux sentiers, de 4h et 5h respectivement. On peut aussi planter sa tente. Le mirador de *Tres Cruces,* situé à 4 200 m, 15 mn en bus après Toreadora, offre un panorama imprenable. Certains sentiers en partent.

– Parmi les zones les plus facilement accessibles, mentionnons aussi la ***vallée de Llaviuco*** (ou Zorrocucho), occupée par un lac glaciaire dont on peut faire le tour par un sentier. Elle est veillée par de hautes parois et semée de rochers épars. On y accède depuis la route principale par une piste de 3 km.

– On peut faire l'excursion avec une agence, comme *Apullacta* (voir plus haut « Adresses utiles »). *Compter env 43 US$/pers pour la journée (8h-16h).* Possibilité également de camper, pêcher la truite dans les torrents et faire du VTT.

– Dernier conseil : si la météo est mauvaise à Cuenca, ne vous hasardez pas à monter au parc, vous resteriez alors au refuge.

# LOJA

140 000 hab. IND. TÉL. : 07



**Capitale de la province du même nom, cette ville agréable, l'une des plus anciennes du pays, fut fondée en 1548. Située à 205 km au sud de Cuenca et à 2 100 m d'altitude, cette cité possède deux importantes universités, une célèbre faculté de droit et un conservatoire. Hormis le petit centre historique, il n'y a pas grand-chose à y voir. Loja est connue comme la ville d'origine de grands chanteurs et guitaristes, et aussi pour l'amabilité de ses habitants. La cuisine de la région est très réputée (goûtez au *repe blanco,* soupe traditionnelle, aux *tamales de mote* et aux *roscones de viento,* sorte de pièce montée de mariage). C'est aussi dans cette région qu'un moine franciscain a découvert la quinine au début du XVIIe s. Loja est idéale pour une halte si vous souhaitez passer la frontière avec le Pérou à Macará, en direction de Piura. Vous aurez ainsi le temps de vous rendre à *Saraguro* pour son joli marché du dimanche.**

## Arriver – Quitter

### En bus

Bonne nouvelle : ttes les compagnies partent du même ***terminal terrestre,*** situé à env 1,5 km au nord du centre. On trouve sur place distributeurs de billets, cabines téléphoniques et cybercafés.

➢ ***Quito :*** départs ttes les heures. Prévoir 12-14h de voyage, ts les bus n'étant pas directs. 3 compagnies proposent une liaison directe : *Loja International, Panamericana* ou encore *Viajeros Internacional* (3 bus/j.). Sinon, il faut changer au terminal de Cuenca.

➢ ***Cuenca :*** bus ttes les heures. Env

4h30 de voyage. Route tortueuse mais magnifique.

➢ ***Vilcabamba :*** départs ttes les 30 mn. 1h de trajet. Il existe aussi un excellent service de minibus, le *Vilcabambatouris* (même prix et mêmes fréquences), qui part aussi de la gare routière. Bureau au fond à droite du terminal.

➢ ***Guayaquil :*** bus env ttes les 15 mn. Compter 7-8h de route.

➢ ***Machala/Huaquillas :*** avec *Loja Internacional*, 2 bus/j., en soirée. Compter 5h de route.

➢ ***Piura (Pérou) :*** 3 bus/j. avec *Loja Internacional*. Le trajet (8-9h) passe plus vite avec les bus de nuit (frontière ouv 24h/24). Le passage de frontière à Macará s'effectue dans de bonnes conditions.

## En avion

➢ 3-4 vols/j. avec *Tame* pour **Quito.** ☎ *257-02-48.* • *tame.com.ec* • Env 45 mn de vol. Attention, l'aéroport se trouve à 45 km. Prévoir donc 1h de route pour y aller sans stress. Prendre un minibus ou un taxi (compter 5 US$ pour cette dernière option).



## Adresses utiles

ℹ ***Office de tourisme :*** *sur la place principale, à l'angle de Bolívar y Jose Antonio Eguiguren.* ☎ *258-12-51.* • *loja.gob.ec* • *Lun-ven 8h-13h, 15h-18h ; sam 9h-12h.* Bien pourvu en documentation. Bon accueil et nombreuses infos sur la région : parcs, balades, culture...

✉ ***Poste :*** *à l'angle de Colón y Sucre. Lun-ven 8h-12h, 14h-18h.*

■ ***Alliance française :*** *au bord de la rivière Malacatos, à l'angle des av. Manuel Augustín Aguirre (l'av. principale) y Miguel Riofrío.* ☎ *257-11-66. Lun-ven 8h-12h30, 15h-18h.* Projection de films français, le 2e jeudi de chaque mois à 18h30.

@ Comme toujours, on trouve de nombreux ***cybercafés*** en ville, dont un grand sur le *parque Bolívar (calle 18 de Noviembre)*, et un autre sur le *parque Central (fermé dim).*

## Où dormir ?

Le centre-ville est situé sur la « presqu'île » formée par la réunion des ríos Malacatos (à l'ouest) et Zamora (à l'est). Son axe principal est la calle Bolívar, qui le traverse du sud au nord. C'est ici que se trouvent la plupart de nos adresses.

### De bon marché à prix moyens (15-30 US$)

🏠 ***Hotel Internacional :*** *10 de Agosto 15-30, entre Sucre y 18 de Noviembre.* ☎ *257-84-86. Compter 10 US$/pers.* Dans une rue pavée du centre historique, un vieil hôtel bleu azur, basique mais bien tenu. Les chambres au parquet craquant se répartissent autour d'une longue cour coiffée d'une verrière. Salle de bains privée, eau chaude. Un peu bruyant toutefois.

🏠 ***Hotel Metropolitano :*** *18 de Noviembre y Colón, à côté du parc Bolívar, à un bloc de la poste.* ☎ *257-00-07.* • *hans_martinez2000@yahoo.es* • *Double 24 US$ ; petit déj en sus ; réduc de 10 % avec la carte ISIC. Parking.* Wi-fi Grand et vieil hôtel au charme suranné, qui possède encore de beaux restes sur le plan du confort. Chambres bien propres dotées d'une jolie salle de bains carrelée, TV câblée et téléphone. Lits fatigués en revanche. Accueil sympa.

🏠 ***Hostal América :*** *18 de Noviembre, entre Quito y Imbabura.* ☎ *256-28-87.* • *hostal.america@gmail.com* • *Env 30 US$ la double, petit déj et taxes inclus.* 💻 Hôtel moderne à la façade « Miami », aux chambres fonctionnelles mais assez élégantes. TV, moquette. Propreté irréprochable. Accueil très pro. Peut-être le meilleur rapport qualité-prix de la ville.

🏠 Nombreux hôtels relativement bon marché le long de l'avenue qui borde la rivière Malacatos. Prestations similaires avec une constante : le bruit.

### Chic (plus de 50 US$)

🏠 ***Hotel Bombuscaro :*** *10 de Agosto y av. Universitaria.* ☎ *257-70-21.* • *bom* *buscaro.com.ec* ● *Double env 60 US$, petit déj-buffet et taxes inclus. Parking.* Hôtel des années 1970 clean et confortable, installé dans le centre. Horrible façade de verre. Chaque chambre propose salle de bains, TV et téléphone. 2 suites avec jacuzzi et grand écran, mais sans fenêtres, ce qui est le cas de nombreuses chambres ! Personnel aimable.

**Hotel Libertador :** *calle Colón 14-30 y Bolívar.* ☎ *256-07-79.* ● *hotel libertador.com.ec* ● *Doubles à partir de 65 US$, avec petit déj-buffet. Parking gardé.* Hôtel « de luxe » calme et sans souci. Les chambres, immenses et climatisées, sont d'une propreté parfaite et plutôt jolies. Elles donnent sur la rue ou l'intérieur. Minibar. Parties communes sombres et tristes en revanche. Piscine intérieure, sauna, bain turc, gymnase. Excellent accueil.

## Où manger ?

### De bon marché à prix moyens (jusqu'à 8 US$)

**Los Tayos :** *Sucre 06-55 y Eguiguren.* Resto propret et coloré, très fréquenté par les locaux car d'un excellent rapport qualité-prix. Plats typiques et économiques ; quasiment rien au-dessus de 4 US$. C'est un self, on prend donc son plateau et on choisit son plat avant d'aller s'asseoir, dans une courette agréable. Quelques plats végétariens.

**Bohio's :** *à l'angle de Bolívar et Lourdes. Tlj. Plats à moins de 6 US$.* Derrière une belle façade coloniale, une salle carrelée sans âme où l'on sert à la chaîne poissons, fruits de mer et bons et copieux *almuerzos con carne*. Populaire et sans surprise.

**Parrilladas El Fogón :** *8 de Diciembre y Juan José Flores.* ☎ *258-44-74. En diagonale du terminal terrestre. Une autre enseigne en centre-ville, à l'angle de Bolívar et Eguiguren. Tlj jusqu'à minuit (fermé plus tôt dim).* Tables en bois laqué, têtes de bovidés empaillées. On y mange d'énormes entrecôtes de bœuf pour un prix dérisoire ! *Parrillada* complète pour 2 ou 3, agrémentée de sangria. Très copieux.

**Charme** *(encanto francés)* **:** *Miguel Riofrío 14-55 y Bolívar.* ☎ *257-44-19. Lun-sam.* Un « resto-raclette-bar » (sic !) qui n'a de français que le nom. Très chicos : tables dressées avec classe, serveurs élégants. Pour un dîner romantique.



## À voir

**Parque Central :** square bordé d'un élégant bâtiment colonial, siège de la *Gobernación* de Loja.

**Calle Bolívar :** elle relie dans sa longueur les trois églises du centre-ville : San Francisco, la cathédrale crème achevée en 1564, Santo Domingo et ses briques, 200 m plus au sud, et San Sebastián, sur la place de l'Indépendance, qui date elle du XXe s.

**Calle Lourdes :** à droite de l'église San Sebastián, une petite rue croquignolette qui débute par un portique ouvragé, sur lequel figure une évocation de la Vierge de Lourdes. Succession de maisonnettes colorées, balcons et fenêtres en bois sculpté, céramiques à caractère religieux, galeries d'artistes. Tout cela forme un ensemble agréable à l'œil.

**Museo del Banco Central :** *sur le parque Central. Lun-ven 8h-16h. Entrée payante.* Modeste collection archéologique.

**Parque Jipiro :** un parc de loisirs très apprécié des habitants le dimanche, avec des pavillons reconstituant quelques monuments célèbres (Kremlin, pagode chinoise, tour Eiffel...). Location de vélos pour une petite promenade sur le circuit balisé le long de la rivière. Joli lac avec des canoës à louer. Terrains de sport en libre accès, jeux pour les enfants, petit zoo et piscine couverte. Très sympa.

Les ***marchés*** de Loja sont intéressants et très peu connus des touristes. Entre autres, le *mercado Gran Colombia,* très animé, et le *mercado mayorista,* juste à côté. Ils se tiennent les samedi, dimanche et lundi (mais le meilleur est comme souvent celui du dimanche).

## Fête

– Vers la fin de l'été, Loja fête la ***Virgen del Cisne.*** Cette Vierge vient du village d'***El Cisne,*** à 70 km environ de Loja. Des milliers de pèlerins arrivent de partout aux alentours (et même du Pérou) pour prier devant la Vierge exposée dans la cathédrale de Loja.

## DANS LES ENVIRONS DE LOJA

***Parque nacional Podocarpus :*** *à 13 km au sud de Loja, sur la route de Vilcabamba. ☎ (07) 302-48-37 (bureau de Cajanuma). • ambiente.gob.ec • Nécessité d'acheter un permis à l'entrée du parc (10 US$) ; ou au bureau du ministerio del Ambiente à Quito (calle Madrid 1159 y Andalucia ; ☎ (02) 256-34-29 ou 398-76-00).*

➢ Pour s'y rendre, plusieurs options : prendre un bus reliant Loja et Vilcabamba et demander au chauffeur de vous arrêter à Cajanuma, l'entrée nord du parc. De là, finir à pied les 8 km de piste (2h de marche) qui vous séparent du refuge. Ou alors prendre carrément un taxi qui vous mène jusqu'au refuge et donc au départ des sentiers de rando : on gagne ainsi du temps à l'intérieur du parc. Ceux qui disposent de leur propre véhicule pourront monter directement jusqu'au refuge. Attention, ça passe quand même difficilement avec une voiture de tourisme, voire avec un 4x4 selon l'état de la piste. Deux autres entrées sont situées plus à l'est, du côté de Zamora. On peut aussi accéder au parc via Vilcabamba, en prenant un tour guidé, à pied ou à cheval par exemple. En général, on trotte 13 km jusqu'au premier refuge, avant d'emprunter une partie du sentier des lagunes. Balades de plusieurs jours également (pour plus de détails, lire plus loin la rubrique « À faire » à Vilcabamba). La meilleure période pour visiter le parc court d'octobre à décembre. Le Podocarpus, immense parc de près de 1 500 km², abrite une luxuriante forêt tropicale humide constellée de lacs. La variété des altitudes (de 900 à 3 600 m !) et des climats a permis le développement d'une biodiversité extrêmement riche : 600 espèces d'oiseaux, 3 000 à 4 000 espèces de plantes (notamment les orchidées sauvages)... Randonnées accessibles à tous. Pour les pressés, deux petits sentiers de découverte de moins de 1 km démarrent du refuge, situé à 2 750 m d'altitude. Ils permettent d'observer oiseaux et plantes. Sinon, prévoir au minimum 2-3h pour la rando la plus courte, celle du Mirador à 3 100 m d'altitude avec vue sur Loja (5 km avec des dénivelés importants). Superbes itinéraires sur les crêtes également. On peut rencontrer des tas d'animaux magnifiques : perroquets, toucans, ours à lunettes, opossums et même, avec beaucoup de chance, des pumas... Un deuxième sentier balisé de 14,5 km se parcourt sur 6h-8h et grimpe jusqu'à 3 200 m (températures entre 8 et 12 °C). Enfin, un troisième sentier, celui des lagunes, est réservé aux bons marcheurs partant 2 j., accompagnés d'un guide. On peut passer la nuit au départ des sentiers de rando, soit dans la maison du parc (prévoir sac de couchage et tapis de sol), soit en plantant sa tente. Prévoir eau, casse-croûte, bottes, pull (au refuge, la température oscille entre 10 et 15 °C), imperméable. Se renseigner aussi à l'entrée du parc sur l'état des pistes et sentiers. En effet, au Podocarpus, c'est la fête à la grenouille, il pleut très régulièrement et les pistes peuvent alors se transformer en champs de boue. Et s'il y a des nuages à Loja, c'est qu'il pleut au refuge.

***Copalinga Ecolodge :*** *à* ***Zamora,*** *sur la route du parc, à 3 km de l'entrée Bombuscaro. 09-34-77-013. • copalinga.com • Résa min 72h*

LE SUD

*avt. Compter env 20-35 US$/pers et par nuit ; pens complète env 22 US$.* Une adresse familiale tenue par un chaleureux couple de Belges polyglottes, Catherine et Baudoin. Une belle étape pour les ornithologues amateurs... et pour tous les amoureux de nature. Logement dans de jolies cabanes en bois bien espacées, au cœur de la végétation. 2 dortoirs avec salle de bains commune et 6 cabanes avec chambre double, salle de bains privée et petite terrasse. Le tout construit avec des matériaux naturels. Même l'électricité est alimentée par une petite centrale conçue par Baudoin. Les repas concoctés par la maîtresse des lieux sont aussi fameux, à base de bons produits locaux et confitures maison au petit déjeuner. Joli jardin d'orchidées. Plusieurs sentiers pédestres au départ du *lodge* permettent d'explorer la forêt et d'observer de nombreux oiseaux. Et on est tout proche du parc de Podocarpus.

**Saraguro :** *à 65 km au nord de Loja (2h de bus).* Calé à environ 2 400 m d'altitude au creux d'un cirque de collines, Saraguro est un sympathique village aux quelques ruelles pavées encadrant les places de l'église et des halles. Depuis les abords du bourg, superbes panoramas sur les monts verdoyants alentour, où s'éparpillent de petites fermes. Arrangez-vous pour vous y rendre le dimanche pour son joli marché et rencontrer les Indiens saraguros, avec leur tenue noire caractéristique ; amples robes noires à jupons pour les femmes, chapeaux de feutre, superbes colliers et pantalons courts pour les hommes. La tenue noire serait une façon d'exprimer depuis près de cinq siècles le deuil pour l'assassinat de leur Inca, Atahualpa.

Petit ***bureau d'informations*** sur la place de l'église.

**Hotel San Pedro :** *dans la rue qui part à droite quand on a l'église dans le dos. 099-49-73-32. Compter 6 US$/pers.* Hôtel tout récent, extra propre, qui manque de finitions mais pas de confort : literie douillette, TV, salle de bains commune impeccable. Seules 2 chambres jouissent de la vue sur la vallée ; les autres se contentent de celle sur le couloir, à travers des baies vitrées qui font office de murs (rideaux). Bar-cafétéria au rez-de-chaussée. Laverie.

**Nuti Wasi :** *calle Juan Antonio Montesinos, la rue à gauche en arrivant sur les halles.* Almuerzo env 2 US$. Dans la grande cour sous verrière d'une maison coloniale rénovée, pavée en céramique et encadrée de coursives de bois. Bonne cuisine locale et service souriant. Une étape agréable.



**Zaruma :** *à 115 km au nord-ouest de Loja (env 2h de route).* Une longue piste semée de superbes points de vue permet de rejoindre Portovelo depuis la Panaméricaine. On y croise des petits villages dissimulés dans les arbres touffus, où les habitants regardent filer le temps depuis leur hamac. Perchée à plus de 1 150 m, la ville minière de Zaruma est un bijou d'architecture coloniale. Cet ancien site d'extraction de l'or, fondé au milieu du XVIe s, surplombe magnifiquement la ville de Portovelo où s'est déplacée aujourd'hui l'activité minière. Balcons ciselés, façades de couleurs vives, trottoirs de bois longeant des maisons à arcades, musée de l'Or, vues étonnantes, les atouts de Zaruma ne manquent pas. Grimpez donc jusqu'au sommet de cette cité tout en pente pour embrasser le panorama (fléché « *vista* »). Waouw ! Cybercafé et petit bureau d'informations, sympa et efficace, sur la place de l'église. Possibilité de rejoindre en bus Machala, sur la côte ouest ; liaisons régulières avec les *TAC, Piñas* ou *Trans Paccha*. Compter 3h de route.

**Hostal Romeria :** *pl. de la Independencia y 9 de Octubre. ☎ 297-36-18. • romeria_hostal@hotmail.com • Double avec sdb env 20 US$, taxes en sus.* Une pension de famille proprette aux chambres confortables et parquetées, avec vue sur la ville ou l'intérieur. Bon accueil. Café au rez-de-chaussée pour prendre le petit déj. Laverie.

**Galería Restaurant 200 Millas :** *av. Honorato Marquez y Sucre (au milieu de la rue principale). ☎ 297-*

*26-00. Plats et* almuerzos *à moins de 6 US$.* Essayer de trouver une place au fond, près de la fenêtre, pour profiter du superbe panorama sur la vallée, ou demander à descendre dans la 2de salle en contrebas. Côté assiette, goûter au *tigrillo,* la spécialité locale, un agglomérat de millet, œufs et fromage servi avec des légumes cuits et à accompagner d'une viande au choix. Nourrissant, un vrai casse-croûte de mineur !

# VILCABAMBA

5 000 hab. IND. TÉL. : 07

**Alors là, on se croirait vraiment au paradis ! Cette bourgade, posée à 1 858 m d'altitude et située à 48 km au sud de Loja, est un lieu magique. Il règne ici une atmosphère incomparable. La nature est plus douce et plus verte, le climat plus clément. Dès qu'on y arrive, on a envie de poser son sac et de rester quelque temps. On croise d'ailleurs ici de nombreux routards au long cours. Les ruelles, aux maisons flanquées de porches et d'arcades, convergent toutes vers la mignonne place pavée de l'église où se regroupent cafés et petits restos. Le soir, des centaines d'étoiles allument la nuit, bercée par le chant des insectes. Vilcabamba signifie « vallée sacrée » en quechua. Les habitants du village étaient autrefois réputés pour leur longévité (une bonne partie mourait centenaires !), mais le mode de vie actuel et l'alimentation à la sud-américaine ont eu raison de cette espérance de vie hors du commun. La réputation de Vilcabamba comme la ville de l'éternelle jeunesse date des années 1950, quand un certain nombre de livres et d'essais ont été publiés par des chercheurs américains sur la magie de ce lieu et sur l'âge avancé de ses habitants. Il n'en a pas fallu plus pour déclencher une arrivée massive de touristes intéressés... Mais rassurez-vous, c'est encore un endroit tranquille ! À faire dans le coin : des balades à pied, à VTT et à cheval. Entre les possibilités de promenade et vos chers mollets, ce sont certainement les seconds qui seront épuisés les premiers !**



## Arriver – Quitter

➢ ***Loja :*** les bus et minibus partent du terminal terrestre de Loja et arrivent sur une placette située à 2 blocs de la place principale de Vilcabamba. Très pratiques, les minibus *Vilcabambaturis* partent ttes les 30 mn env (5h45-20h45), et mettent une grosse heure. Ils semblent être la solution la plus recommandable. Sinon, bus normaux très régulièrement.
Le trajet peut également se faire en taxi privé (45 mn) ou, encore moins cher, en taxi collectif avec « 11 de Mayo ». Départs de Loja très fréquents sur José Manuel Aguirre, à l'angle avec Alonso de Mercadillo (tout près du centre, juste de l'autre côté de la rivière Malacatos). Pour le retour, vous pourrez demander au chauffeur de prolonger jusqu'au terminal terrestre de Loja.

➢ Pour se déplacer dans le village et alentour, prendre un taxi pick-up *Termino terrestre* ou *Vilcamixta* (négocier le prix de la course avt le départ).

## Adresses utiles

🛈 ***Office de tourisme :*** *à l'angle de la place principale.* ☎ *264-00-90. Tlj 8h-13h, 15h-18h.* Cartes de la ville gratuites et vente de cartes de treks (s'il en reste !). Documentation intéressante à consulter sur place.

■ ***Distributeur de billets :*** *pl. de l'église, à côté de l'office de tourisme.* Accepte en principe les cartes internationales. Mieux vaut tout de même arriver les poches pleines, on ne sait jamais.

✚ ***Hôpital :*** *à l'entrée du village en*

*venant de Loja.* ☎ *264-01-28.*

■ **2 pharmacies :** *dans la rue Bolívar, à côté de la place de l'église.*

■ ***Téléphone et Internet :*** *sur la place de l'église.* Cybercafé et cabines téléphoniques.

## Où dormir ?

### Bon marché (10-20 US$)

🏠 ***Hostal Valle Sagrado :*** *Eterna Juventud y Fernando de la Vega, au bord de la route, à deux pas de la gare routière.* ☎ *264-03-86. Compter 14 US$ pour 2 et 18 US$ pour la seule et unique chambre dotée d'une sdb privative.* Chambres plutôt rudimentaires, mais on apprécie d'avoir sous la main une adresse pas chère comme celle-là. D'autant que l'ambiance est très cool et bénéficie d'un calme presque olympien. Vaste jardin avec hamacs. Salles de bains communes avec eau chaude, assez propres. Cuisine à dispo, bon accueil. Organise des excursions. Si l'*hostal* est plein, mêmes tarifs au ***Mandango*** à côté de la gare routière, mais avec des chambres plus glauques et déglinguées. Jolie vue sur la vallée en revanche.

🏠 ***Hostería El Agua de Hierro :*** *à env 1 km du centre en direction de Yambura. Suivre la rue Diego de Vega (env 15 mn à pied).* ☎ *264-03-01. À partir de 9 US$/pers (en dortoir) et jusqu'à 30 US$ la double avec bains ; petit déj en sus.* 💻 Un club de vacances cheap, rendez-vous obligé des routards de toutes origines, ce qui provoque une nette impression de surpeuplement. Cuisine en libre accès, piscine, jacuzzi, sauna, bain turc, petit gymnase, massages, terrain de volley, billard, TV dans les chambres... Eau purifiée gratuite, laverie et location de chevaux, plus un tas d'autres choses trop longues à énumérer. L'établissement manque un peu de calme, mais les prestations sont bonnes et les prix bas. Entretien aléatoire cependant et eau chaude par intermittence.

🏠 ***Ecolodge Rumi Wilco :*** *à 15 mn à pied du village, à l'entrée de la réserve du même nom. Pas de tél, infos au magasin* Prima Vera *en bas de la place de l'église (av. Sucre), ou venir directement (à pied ou en taxi). À pied, tourner à gauche après l'*Hostal Le Rendez-vous *(calle Diego de Vaca), passer devant la* Casa Cultural *puis prendre à droite (fléché). C'est à 10 mn, avec traversée d'un drôle de pont en partie effondré. Autre accès, plus long et moins rigolo : remonter Diego de Vaca sur env 1 km puis prendre une piste à gauche (fléché).* Tenu par un original, qui vit quelques centaines de mètres plus bas au cœur de la réserve, dans une grande cabane de Robinson. Il a aménagé pour ses hôtes un coin paisible, rustique et plein de charme. À l'orée du bois, sous les arbres, des cabanes en pierre abritent 8 chambres rudimentaires (juste un lit, quoi). Sanitaires communs avec douche à chauffe-eau solaire, cuisine, hamacs et vieille guitare à disposition. Coin à l'arrière pour faire du feu. Pour dormir en pleine nature...

### Prix moyens (20-35 US$)

🏠 ***Hostal Le Rendez-vous :*** *Diego Vaca de Vega 06-43 y La Paz, à 200 m de la place.* 📱 *092-19-11-80.* • *rendezvousecuador.com* • *Selon saison, compter 20-30 US$ pour 2 (avec ou sans sdb privée), petit déj inclus. Séjour de 2 nuits min pour les plus chères.* 📶 Serge et Isabelle, des Français, vous invitent dans leur *hostal* sympa et confortable construit avec des matériaux et des normes écologiques. Les chambres sont spacieuses et agréables, avec salle de bains privée (eau chaude) ou commune, literie douillette et petite terrasse avec hamac pour buller. Elles se nichent au cœur d'un patio et d'un joli jardin où des colibris butinent les hibiscus. Petit déj équilibré avec produits frais et pain maison. Possibilité de laver son linge. Livres en français, anglais et espagnol. Location de TV, DVD et VTT. Un excellent rapport qualité-prix.

🏠 🍴 ***Hostería Izhcayluma :*** *sur la colline, à 2 km au sud de Vilcabamba en direction de Yangana.* ☎ *302-51-62.* • *izhcayluma.com* • *Plusieurs formules : en dortoir de 6 lits avec sdb atte-*

*nante, le lit coûte 10 US$ ; double avec sdb commune 24 US$ ; pour un cabanon (2-4 lits) avec sdb privée et intimité garantie, compter 30 US$ ; petit déj compris.* Un endroit idyllique, assez isolé, pour se reposer quelques jours et rencontrer plein de routards. Excellent esprit entretenu par des patrons allemands très cool. Vue spectaculaire sur la vallée. Dortoirs et cabanons répartis en plusieurs unités sont bien intégrés dans le paysage, tout comme la piscine. Eau chaude partout dans de belles salles d'eau en pierre, joli mobilier de bois, bonne literie. Les dortoirs se divisent en 2 niveaux pour plus d'intimité. Casiers. Jardins magnifiques, hamacs, ping-pong, billard, jeu d'échecs géant, jeux de société et prêt de vélos : en somme, vous ne risquez pas de vous ennuyer ! Et puis tout est gratuit, même l'eau purifiée. Côté activités payantes, on peut louer des chevaux ou s'offrir un bon massage. Le resto, pas trop cher *(plats env 6 US$)*, est plutôt bon et très copieux. Sandwichs délicieux et consistants. C'est y pas beau, tout ça ?

**Hostal Jardín Escondido :** *en bas de l'av. Sucre, près de la place principale. ☎ 264-02-81. Doubles avec sdb 24-30 US$ selon période ; petit déj inclus, très copieux, avec d'énormes salades de fruits.* Les chambres sont correctes, bariolées – tout l'hôtel est décoré dans des tons jaune et bleu – et disposées autour d'un beau patio hérissé de bambous et palmiers. Piscine, jacuzzi, jeux de société, laverie. Resto mexicain sympa et cuisine goûteuse. Calme, relaxant... sauf le samedi soir où l'équipe de l'hôtel, composée de musiciens et danseurs, organise des spectacles.

## Chic (plus de 50 US$)

**Madre Tierra :** *à 15 mn à pied du village sur la route de Loja. Si vous arrivez à Vilcabamba en bus, demandez au chauffeur de vous arrêter devant l'hôtel, cela vous évitera la marche (ça grimpe) ! ☎ et fax : 264-02-69. • vilcabambamadretierra.com • À partir de 60 US$ pour 2 avec petit déj ; taxes en sus. CB acceptées.* Cet *hostal* s'est installé dans une vallée féerique. Vous serez logé dans de jolies cabanes de bois et de pierre, au milieu d'une nature incroyable. Chambres tout confort, dotées de salle de bains caverne d'Ali Baba. Demander celles tout en haut, plus calmes. Certaines s'ouvrent sur un balcon embrassant toute la vue sur la vallée. Jardins luxuriants tout autour, jolie piscine, jacuzzi. Nourriture excellente au resto, à base de produits du potager. Café, thé et eau purifiée en libre-service. C'est aussi un spa renommé : massage, aromathérapie, yoga... Un authentique havre de paix.

**Hostería de Vilcabamba :** *à 10 mn à pied du village en direction de Loja. ☎ 264-02-71, 72 ou 73. Compter 55 US$ pour 2, avec petit déj, taxes, sauna et bain turc inclus. CB acceptées. Totalement différent du* Madre Tierra. Les chambres se trouvent dans de vastes bungalows de brique très « country-club », entourés d'un jardin taillé au cordeau et bordés d'une petite forêt de bambous. Végétation policée, herbe rasée de près. Intérieur confortable, avec mobilier british et tissus à carreaux. Sauna, piscine, terrain de volley. Restaurant de cuisine internationale sur fond de musique douce. Jeux pour enfants, possibilité d'excursions. Parfait pour ceux qui aiment les endroits nets et sans bavure. Repos assuré.

## Où manger ? Où boire un verre ?

À noter, on trouve un tas de petits cafés autour de la place dont beaucoup, tenus par des expatriés, sont à durée de vie limitée.

**Cafétéria El Punto :** *à un angle de la place principale.* Quelques tables sous les arcades ou dans une salle minuscule. Pour boire un verre, un expresso, un cappuccino... Ou bien dévorer un sandwich, une salade, une pizza ou des pâtes. Bon rapport qualité-prix. Ambiance décontractée, on peut même y jouer au ping-pong.

**Restaurante El Jardin :** *resto de l'*Hostal Jardín Escondido *(voir « Où dormir ? »). Plats 5-10 US$.* Dans la cour d'un joli jardin, un resto bio, particulièrement apprécié des expats, proposant de bonnes salades, des pâtes et des jus de fruits. Le pain est fait maison.

**Shanta's Bar :** *à 10 mn à pied du centre, sur Diego de Vaca de Vega, un peu après le pont. À partir de 13h.* Bar-cabane qui offre d'excellents cocktails et, dit-on, les meilleures frites du village ! Tenu par un cow-boy à moustaches, à l'impressionnante collection de chapeaux et de tequilas. Mais la spécialité, ici, c'est la liqueur de serpent, qui trempe dans de l'alcool de canne. Quelques plats également et de bonnes pizzas. Déco originale, ambiance sympa, musique jazzy. À découvrir...

**Sambuca Café :** *sur la place de l'église. Plats env 6-8 US$.* Une adresse à la carte en forme d'inventaire : *burgers,* pizzas, *tacos,* salades, pâtes, gâteaux... Pour arroser le tout, cocktails de fruits, jus aux « propriétés médicinales » et puis de l'alcool tout de même, pour les irrécupérables. Faites votre choix, avant de picorer tout ça en salle ou sous les arcades au sol en mosaïque.

**La Terraza :** *Diego de Vaca y Bolívar, à côté de l'office de tourisme. Plats à moins de 6 US$.* Sandwichs, snacks, classiques locaux et spécialités mexicaines (le tiercé gagnant : *burritos, fajitas y tacos*). Bon choix de pâtes et tiramisù également, pour la touche italienne. Cadre agréable, ouvert sur la rue.

**Natural Yogurt :** *à deux pas de la place principale, en descendant la rue Bolívar.* Salle miniature avec une paire de tables sous les arcades. On y trouve des yaourts bio à tous les parfums, des jus de fruits frais, sandwichs, plats végétariens, crêpes et quelques pâtisseries. Une pause rafraîchissante.

**Layseca's :** *sur la place principale. Ouv mar-dim 11h-20h30.* Pour une pause gourmande, chocolat façon belge, gros gâteaux bien sucrés, bon café et aussi des pizzas et des pâtes, à déguster sous les arcades ou dans une courette.

**Papaya's Café :** *face au terminal terrestre. Plats à moins de 6 US$.* Sympatoche café coloré avec terrasse sur le toit. Carte variée.

## À faire au départ de Vilcabamba

– Nombreuses ***balades et randonnées*** au départ du village (infos à l'office de tourisme), notamment l'***ascension du Mandango,*** ce « dieu endormi » dominant le village du haut de ses 2 040 m. Compter 3-4h aller-retour. Superbe panorama au sommet.

**Reserva Rumi Wilco :** *à 15 mn à pied du village. Pour l'accès, voir plus haut l'*Ecolodge Rumi Wilco, *rubrique « Où dormir ? Bon marché ». Entrée : 2 US$, à déposer dans une boîte. Livret gratuit avec plan des sentiers (à rendre en sortant).*
Une jolie initiative que cette petite réserve forestière bordant une rivière tumultueuse. Elle doit son nom à l'arbre emblématique de Vilcabamba, dont l'écorce est utilisée comme colorant pour la tannerie. À partir d'un chemin principal, un réseau de sentiers bien balisés (temps de parcours et niveaux de difficulté indiqués) permet de s'égarer sans risque de se perdre, au hasard de ses envies. Au choix, grimpettes à l'assaut des collines via des marches taillées dans la terre ou le lit de torrents asséchés, ou, à l'inverse, descentes vers la rivière avec quelques coins pour faire trempette. Les différents parcours, traversant des sous-bois luxuriants, sont égrenés de panneaux indiquant les noms des arbres, expliquant quelques mystères de la nature (en espagnol et en anglais).... En levant le nez à la poursuite des oiseaux et des papillons, on croise du regard les *Estoraques,* des pinacles caractéristiques du coin, sortes de pitons de terre et de pierre sculptés par les vents et perchés en surplomb de la vallée. Superbes points de vue depuis les hauteurs. Compter au moins 2h de balade, selon l'itinéraire choisi.

## Excursions avec un guide

Depuis Vilcabamba, on accède au ***Parque nacional Podocarpus.*** On peut s'y balader à pied, à cheval ou à VTT.

■ ***Refugio Solomaco :*** *📱 099-14-48-12. ● solomaco.net ● Se renseigner à l'agence* Holger, *sur la place principale, à côté de* El Punto. Refuge situé à 13 km de Vilcabamba et géré par une Française qui y vit. Compter environ 5-6 h de marche (ça grimpe) pour l'atteindre ; on vous fournit une carte. Possibilité également de s'y rendre en 3-4 h à cheval (lire ci-après). 3 chambres, cuisine, draps, douche chaude. Prévoir son casse-croûte en revanche. Ambiance conviviale. Possibilité de rester 1, 2, 3 jours. De là, on peut faire de belles balades à pied (sentiers balisés). À ne pas manquer !

■ On peut découvrir le Podocarpus à cheval, avec notamment l'agence **Monta Tours** *(calle Sucre, à l'angle de la pl. principale. 📱 090-20-88-24).* Excursions de 1 ou de plusieurs jours, avec passage par des cascades, initiation aux plantes médicinales...

■ Pour ceux qui ne se sentent pas l'âme d'un *caballero,* possibilité de troquer le canasson pour un VTT. Location chez ***El Chino,*** *calle Diego de Vaca, à env 150 m de la place principale. Compter 2 US$/h et 10 US$/j. Organise aussi des tours guidés sur une demi-journée et des descentes cross du haut de la montagne.*

– On peut enfin visiter la ***communauté de Pisco Huasi*** (« la Maison des oiseaux »), installée à 10 km de Vilcabamba. Volontaires étrangers et Équatoriens y vivent d'agriculture biologique, d'énergie solaire et d'échanges culturels, troquant le « matérialisme et la haute technologie » contre la quiétude... *Sur tour organisé slt. Compter 20 US$/groupe, transport compris. Rens dans presque ts les hôtels et cafés du village, notamment à* Madre Tierra, *au* Sambuca Café *et à l'*Hostal Le Rendez-Vous *(lire plus haut « Où dormir ? » et « Où manger ? Où boire un verre ? »).*

# MACHALA

220 000 hab. — IND. TÉL. : 07

**À 3h au sud de Guayaquil et 1h de la frontière péruvienne. Machala, capitale de la province de l'Oro, est une grande ville relativement moderne et très commerçante. L'Oro est la plaque tournante de la production nationale (allez, soyons fous : internationale !) de bananes : sur la route, vous verrez des bananeraies à perte de vue ! À part ça, rien à faire à Machala, si ce n'est une étape sur le chemin du Pérou voisin (ou l'inverse, pour ceux qui viennent du Pérou et se rendent à Guayaquil).**

## Arriver – Quitter

### En bus

🚌 Chaque compagnie possède sa propre gare routière. Elles sont ttes disséminées dans le carré Tarqui, Bolívar, 9 de Octubre et Colón, excepté *Cifa* (Bolívar y Guayas).

➢ ***Guayaquil :*** env 3h de route. Une quinzaine de départs/j. avec *Ecuatoriano Pullman* (Colón y 25 de Junio), et ttes les 20 mn avec *Cifa* (Bolívar y Guayas).

➢ ***Quito :*** 4 bus directs/j. avec la compagnie *Panamericana* (Bolívar y Colón). Compter 11h de route. Les bus partant en soirée continuent ensuite vers Ibarra et Tulcán. 3 bus/j. avec *TAC* (Colón, face à l'hôtel *Saloah*), via Santo Domingo de los

Colorados.

➢ ***Loja :*** 10 bus/j. 7h-minuit avec *Trans Coop. Loja,* à l'angle de Tarqui et Bolívar. Vous aurez droit à 5-6h de trajet à travers des paysages magnifiques.

➢ ***Cuenca :*** env 4h de route. Nombreux bus avec *Coop Azuay* (Sucre y Tarqui) de 1h à 22h45, ttes les 30 mn de 4h30 à 19h.

➢ ***Zaruma :*** env 3h de route avec *TAC* (Colón face hôtel *Saloah*), ttes les heures 4h-19h via Portevelo, et 3 bus/j. avec *Pinas Interprovincial* (Colón y Rocafuerte) via Pinas.

➢ ***Pérou :*** bus ttes les 20 mn pour Huaquillas (la ville frontière), 6h20-19h30 avec *Cifa* (Bolívar y Guayas), avec arrêts aux postes frontières pour faire tamponner son passeport, si continuation vers ***Tumbes*** (départs 8h20-19h). Le trajet dure 3h, passages de la frontière compris. Autre passage de frontière possible via Macará jusqu'à ***Piura*** (1 bus en fin de matinée et 3-4 bus en soirée) ou jusqu'à ***Mancora,*** à 14h.

## Adresses utiles

Petit ***bureau d'informations*** sur la place principale.

■ ***Argent, change :*** autour de la place principale, on trouve plusieurs banques avec distributeurs acceptant les cartes internationales. Pour ceux qui arrivent du Pérou, ce sont les premières vraies banques après la frontière (mais il existe plein de changeurs sauvages à Huaquillas). On peut faire du change au *Banco del Austro.*

## Où dormir ? Où manger ?

***Hotel Rizzo :*** *Guyas 2123 y Bolívar. ☎ 293-53-19. • rizzohotelmachala@hotmail.com • Compter 45 US$ la double, petit déj et taxes inclus. Parking.* Chambres modernes, propres et confortables (AC, TV et salle de bains avec eau chaude). Fait aussi resto. Gros avantage : la proximité des bus *Cifa* pour les départs ou les arrivées tôt le matin ou tard le soir (calme malgré tout). Belle piscine, patio accueillant. Bon accueil.

***Hostal Saloah :*** *Colón 1818 y Bolívar. ☎ 293-43-44. Compter 40 US$ la double, petit déj en plus.* Chambres simples mais propres sur 3 étages, salle de bains avec eau chaude, AC et TV. Petit salon avec canapé à tous les étages. Au dernier étage, cafétéria pour le petit déj. Éviter les chambres donnant sur la rue.

***Oro Hotel :*** *Sucre y Juan Montalvo. ☎ 293-00-32 ou 07-83. • orohotel.com • Compter 43 US$ la double avec petit déj et taxes. Parking.* Chambres nickel, plutôt vastes, au confort satisfaisant : AC, téléphone, salle de bains avec eau chaude, frigo et même une table et des chaises (pour recevoir ses amis ?). Fait aussi resto. Bon accueil. Un plan sans accroc.

Quelques ***gargotes,*** surtout des ***Chifas*** sans prétention et des fast-foods. Pas de resto vraiment réjouissant. La spécialité locale semble être l'huile, que l'on sert à toutes les sauces : à la viande, au poisson, à la banane, etc. À propos, vous trouverez toujours une paire de bananes sur la table. Région productrice oblige !



# DANS LES ENVIRONS DE MACHALA

***Puerto Bolívar :*** *à 5 km. Bus n° 1 depuis Machala.* Port industriel et de pêche, surtout animé en fin de semaine et en soirée. On y trouve une vingtaine de restos collés les uns aux autres, proposant évidemment des spécialités de poisson et fruits de mer. C'est aussi le point de départ pour aller à la ***playa de Jambelí.*** Prendre une *lancha* au bout du ponton de cabotage, face aux restos. Départs ttes les heures 7h30-18h. Compter 4 US$ A/R.

# LA FRONTIÈRE DE HUAQUILLAS-AGUAS VERDES (ÉQUATEUR-PÉROU)

**Cette frontière très fréquentée est ouverte 24h/24. Huaquillas-Aguas Verdes ressemble à un vaste marché à ciel ouvert : on y vend et achète de tout ! Si vous avez besoin de renouveler votre garde-robe, c'est le moment. Côté Pérou, on trouve de tout ; on peut même acheter les mannequins qui portent les fringues ! Attention ici aux pickpockets et aux faux changeurs d'argent, deux spécimens toujours très répandus aux abords des frontières...**
**Huaquillas-Aguas Verdes est en fait une zone franche où l'on passe sans contrôle d'un côté à l'autre du pont marquant la limite entre les deux pays. Il vous appartient donc de bien vérifier qu'on vous tamponne le passeport des deux côtés de la frontière ; les services d'immigration étant postés respectivement 5 km avant la frontière côté Équateur et 3 km après côté Pérou. Pas besoin de visa pour le Pérou, il faut juste un tampon.**

## Où dormir ?

Arrangez-vous pour ne pas avoir à dormir à Huaquillas, ville à l'activité frénétique mais franchement laide, sans intérêt et dotée d'une hôtellerie minable. Pour cela, passez la frontière Huaquillas-Aguas Verdes dès le matin. Vous serez alors certain d'avoir un bus pour Cuenca ou Guayaquil dans la journée.
On vous indique une adresse pour dépanner :

**Hotel San Martín :** *av. República, en face de l'église. ☎ 299-60-83. Compter 14 US$ pour 2 ; pas de petit déj.* L'un des moins pires. Les chambres avec ventilo sont réparties de part et d'autre d'un couloir, en retrait de la rue. En choisir une avec fenêtre. Salles de bains communes ou privées avec eau froide. C'est globalement correct et pas trop mal tenu, mais forcément bruyant. Pour un peu plus de confort, une succursale, 300 m plus haut dans la rue, propose des chambres avec AC dans un bâtiment moderne *(compter 26 US$ pour 2).*

## Quitter Huaquillas

Pour éviter les arnaques, passer la frontière de jour et prendre son ticket de bus directement au guichet de la compagnie. Gare aux offres alléchantes des *colectivos* qui vous promettent un billet pas cher jusqu'à Guayaquil ou Lima. Contentez-vous de les emprunter pour franchir les 25 km qui séparent la frontière péruvienne de Tumbes, la grande ville du Nord.
Chaque compagnie possède son terminal. Il n'y a pas vraiment de noms de rues à Huaquillas. Ne pas hésiter à demander. Elles ne sont pas loin les unes des autres. Pour avoir plus de choix dans les destinations, ou si vous avez besoin de passer à la banque, vous pouvez prendre un bus pour Machala (1h de route pour 50 km) avec *Cifa* (3 bus/j. 8h-12h) ou *Ecuatoriano Pullman.* Sinon, plusieurs liaisons directes :

➢ ***Guayaquil :*** avec *Ecuatoriano Pullman (dans la rue principale),* 15 départs/j., 2h-20h. Confortable et rapide (env 3h de trajet). Normalement, bus climatisés à 10h et 12h30. Avec *Cifa International (calle Santa Rosa, à droite presque au bout de la rue principale),* env 9 départs/j., 2h30-minuit. Compagnie sûre et agréable.

➢ ***Cuenca :*** la route qui y mène (en bon état) est assez superbe. Pendant 5-6h, on se faufile à travers de belles collines et vallons aux doux contours, avant d'attaquer un relief plus rude et aride, empreint d'une certaine majesté. Liaisons avec *Cooperativa Azuay (av. Cordovez, parallèle à la rue principale),* env 8 bus/j.

dans les 2 sens, 6h-3h30. Également 4 départs/j., avec *Empresa Sucre (av. Cordovez)*.

➢ **Quito :** *Panamericana Internacional (av. Cordovez)* assure env 5 connexions directes, tlj 9h45-20h45. C'est la plus confortable. Heureusement, puisque 12h de route vous attendent ! Affrète également 1 bus pour ***Tulcán*** *(frontière colombienne)*, tlj vers 16h. *Transportes Occidentales (av. Cordovez)* assure aussi 5-6 départs/j. Également 1 bus/j. pour ***Esmeraldas,*** vers 19h.

➢ ***Pérou :*** depuis Machala et Huaquillas, *Cifa* affrète des bus directs (8h30-19h) pour ***Tumbes.*** Pratique ! On peut aussirejoindre directement ***Piura*** avec *Cifa* toujours (env 4 bus/j., 2h45-minuit) ou *Ecuatoriano Pullman* (env 2 bus/j.). Sinon, traverser le pont-frontière jusqu'à Aguas Verdes (Pérou) et prendre un *colectivo* pour Tumbes (25 km plus au sud). De Tumbes, aucun problème pour rallier les villes de la côte péruvienne (Piura, Chiclayo, Trujillo) jusqu'à Lima.

# LA CÔTE OUEST

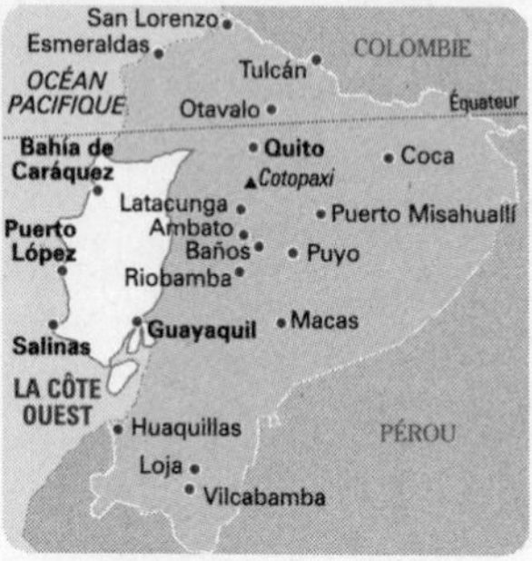

## GUAYAQUIL

3 500 000 hab. IND. TÉL. : 04

Pour le plan de Guayaquil, se reporter au cahier couleur.

**La première bouffée d'air chaud, la moiteur, les embouteillages et la circulation intense, par où commencer quand on débarque au *terminal terrestre* ? D'abord prendre un bus pour l'hyper-centre, là où se concentrent la majorité des hôtels, puis poser son sac... Ensuite, aller prendre le « frais » sur le *malecón,* histoire de tâter le pouls de la ville.**
**Comme Valparaiso (Chili), le destin de Guayaquil est lié à la mer. Voici donc la capitale économique du pays. Guayaquil, c'est à la fois le cœur des affaires, le moteur de l'industrie et du commerce maritime (export de bananes, cacao, bois, marchandises), et le plus grand port de la côte ouest d'Amérique du Sud. Les cargos ne viennent plus jusqu'au centre-ville mais sont amarrés dans une zone portuaire située à quelques kilomètres au sud. La ville s'est développée le long du Guayas, un fleuve chocolat dont les eaux tumultueuses charrient en permanence vers le Pacifique des petits morceaux d'Amazonie. Ville de boue, ville métisse, ville où les riches habitent des prisons dorées, cernées de barbelés et miradors, tandis que les pauvres s'éparpillent toujours plus loin dans leurs banlieues sordides. Délinquance chronique. Dans le centre, la mode est au gilet pare-balles, à tout le moins dans la journée, car les rues se vident dès la tombée de la nuit. Personne. Pourtant, ces dernières années, la municipalité a tenté de prendre les choses en main. À grand renfort de projet d'urbanisme, elle a refilé de la peinture aux pauvres pour mettre de la couleur dans le paysage (cas du *cerro Santa Ana*), dessiné une promenade pour les familles ou pour les étudiants, construit des centres commerciaux et réhabilité des musées... Le problème, c'est que cette satanée ville grandit trop vite, et qu'au royaume de l'import-export, l'argent-roi**

**n'a que faire de ses sujets... Il est bien loin le Guayaquil des lithos de la fin du XIXe s, du temps où les vraquiers de l'ancien monde venaient s'engorger de cabosses de cacao.**
**Mais Guayaquil n'en est pas pour autant dénuée d'intérêt. Vivante, attachante et poisseuse, c'est une vraie mégapole sud-américaine. Une de ces grandes villes tentaculaires qui possèdent le rare privilège de pouvoir contenter les uns pour exactement les mêmes raisons qu'elles déçoivent les autres. À découvrir, donc...**

## UN PEU D'HISTOIRE

### Une ville née de la Conquête, un port convoité

Il reste peu de traces du passé colonial de Guayaquil, hormis quelques imposants édifices (XIXe s) construits le long du fleuve, bien après l'indépendance de l'Équateur. Et pourtant elle possède un riche passé colonial ! Elle doit tout d'abord son nom au chef indigène Guayas et à son épouse Quil, qui refusèrent de se soumettre à l'envahisseur espagnol. Guayas donna également son nom au fleuve sur les rives duquel se construisit la ville.
Officiellement, la ville est fondée le 25 juillet 1538 par le capitaine ***Francisco de Orellana*** (originaire de Trujillo, Estrémadure, Espagne). C'est le même Orellana qui découvre l'Amazone en 1541, à la tête de la première expédition européenne en Amazonie.

#### À L'ABORDAGE !

*Entre les XVIe et XVIIe s, Guayaquil subit six attaques meurtrières de pirates. L'expédition qui marqua le plus les mémoires fut celle des corsaires français Grogniet et Picard en 1687. Leurs soudards mirent à sac un collège de jeunes filles, emmenant plusieurs d'entre elles plus au sud sur l'île Puná, où ils s'entretuèrent pour savoir qui abuserait de qui... Finalement relâchées, certaines rentrèrent chez elles enceintes. On affubla alors leurs enfants nés de ces viols du sobriquet de* piratillos.

La ville est réputée dès les XVIe et XVIIe s pour ses chantiers navals et pour sa grande activité portuaire, et se transforme tout naturellement en cible privilégiée pour les pirates hollandais, français et anglais. Un marin écossais – Alexander Selkirk –, plus connu sous le nom de Robinson Crusoé, participera même au pillage de la ville avant d'être déposé de son plein gré sur son île. Point de passage obligé du commerce entre Lima et Quito, Guayaquil enchaîne pillages et mises à sac, tant et si bien qu'en 1763, les autorités construisent un fort afin de repousser les attaques des pirates (ses ruines sont encore visibles dans le quartier de Las Peñas). Pauvre en eau potable (le río Guayas étant la plupart du temps chargé de sel), la ville est vulnérable. De plus, elle doit faire face à plusieurs tremblements de terre, sans compter les incendies... Finalement, Guayaquil proclamera son indépendance en 1820, puis sera occupée par l'armée péruvienne pendant 7 mois quelques années plus tard, avant d'être pratiquement totalement détruite par un gigantesque incendie en 1896. Heureusement, tel un phénix, cette ville-champignon renaîtra de ses cendres...

### L'âge d'or du cacao

À la fin du XIXe s et jusqu'aux années 1920, Guayaquil connaît une période d'essor économique sans précédent, une prospérité due à la production et l'exportation du cacao (le meilleur du monde, dit-on encore de nos jours : 70 % du chocolat haut de gamme reste confectionné avec du cacao équatorien), surnommé ***« la pepa de oro ».*** Cette denrée se vend alors dans le monde entier, assurant à ses intermédiaires des fortunes en peu de temps. Malheureusement cet âge d'or du cacao n'a qu'un temps et s'achève après la Première Guerre mondiale, avec l'émergence de pays concurrents (Brésil, Côte-d'Ivoire). Avec la crise mondiale du cacao des années 1990, les industriels du chocolat (notamment ceux d'Europe) se tournent à nouveau vers le cacao d'Équateur, apprécié pour son très bon rapport qualité-prix (nombreuses plantations dans la région de Guayaquil).

## GUAYAQUIL AUJOURD'HUI

Aujourd'hui, la ville est devenue tentaculaire, et n'est pas sans rappeler certaines grandes villes d'Asie tropicale.
À la fin des années 1990-début 2000, les autorités locales ont investi plusieurs millions de dollars dans la rénovation de la promenade au bord du fleuve Guayas, le ***malecón 2000,*** puis dans l'aménagement d'une seconde promenade, le ***malecón del Salado,*** du côté de l'université, dans le cadre de la revalorisation du ***parque Histórico*** et du quartier ***Las Peñas.*** Dans le même temps, la bourgeoisie locale est partie se barricader sur « son île », du côté de Samborodón, où elle vit désormais parmi les centres commerciaux, les salles de cinéma, les hôtels de luxe et les parcs, bien à l'abri dans des lotissements corsetés de clôtures électriques ou de barbelés. Rappelons quand même au passage que la police locale fait ici état d'un enlèvement avec demande de rançon toutes les 9h !
Dans le vieux centre, l'avenida 9 de Octubre et les rues alentour ont été « nettoyées », les façades restaurées, l'éclairage refait à neuf. À tel point que le passé de la ville a par endroits été englouti, comme l'église San Francisco située à l'angle de l'avenida 9 de Octubre et Chile, cernée par les immeubles modernes.
Malgré ça, Guayaquil traîne encore sa mauvaise réputation. La mairie a pourtant pris d'importantes mesures pour enrayer la délinquance, consécutive à la misère sociale. En principe le centre-ville est sûr pour toute la partie comprise entre le cerro Santa Ana, le boulevard José Joaquín de Olmedo et la plaza del Centenario. Au-delà, on ne répond plus de rien, mais, de toute façon, vous n'aurez pas grand-chose à faire en dehors de cette zone.
Question propreté, des amendes dissuasives sont infligées à ceux qui prennent les trottoirs pour des poubelles. Les marchands ambulants ne sont pas admis dans le secteur des *malecón* ni dans les allées du cerro Santa Ana, deux quartiers jalousement gardés par des escouades de vigiles jusqu'à minuit pétant. Vigiles si nombreux que c'est presque une raison d'aller s'y balader ! Sinon, on ne peut vraiment pas dire que cette ville donne l'envie d'y faire du lèche-vitrine à la lueur des réverbères ! Dernière chose, appelez toujours votre taxi vous-même depuis votre hôtel ou restaurant, ne prenez jamais un taxi au hasard des rues, surtout la nuit.



## Arriver – Quitter

### En bus

***Terminal terrestre*** *(hors plan couleur par A1)* **:** *av. Benjamín Rosales y av. de Las Américas (au nord de la ville, à côté de l'aéroport).* ☎ *213-01-66 ou 67.* ● *terminalterrestreguayaquil.com* ● *Pour y aller, prendre le* Metrovía *(arrêt av. de Las Américas) ou bus nº 84 depuis le* malecón *(fonctionne 5h-minuit ; billet 0,25 US$). En taxi, compter 3,50 US$ depuis le centre-ville. Pour le trajet terminal-centre, tarifs fixes affichés à la station des taxis (bagages payants).* Énorme, cette gare routière abrite une centaine de compagnies. Leurs guichets, regroupés par zone géographique, se trouvent au rez-de-chaussée. Les départs se font au 2e étage. Dans le terminal, un centre commercial avec fast-food, poste, banque, cybercafé, etc.

➢ ***Playas (Villamil, Posorja) :*** départ ttes les 15 mn (5h-20h) avec *Posorja* et *Trans Villamil*. Trajet en 2h.
➢ ***Salinas et Santa Elena :*** départ ttes les 10 mn (3h-22h) avec *Libertad Peninsular CLP.* 6 bus/j. (5h-16h30)

vont jusqu'à ***Montañita.***

➢ ***Manta :*** au moins 1 départ/h, 24h/24, avec *Coactur.* Nombreux bus aussi avec *Reina del Camino.* Certains continuent vers ***Bahía de Caráquez.*** Durée jusqu'à Manta : 3h30.

➢ ***Cuenca :*** bus ttes les 35 mn, de 5h45 à 19h, puis ttes les heures la nuit, avec *Ejecutivo San Luis, Super Semeria, Super Taxi Cuenca* ou encore *Turismo Oriental.* Compter 4h. Billet cher : 8 US$. Également des services de minibus av. de Las Américas, à 400 m du terminal dans le *Centro de negocios,* bloc C. Départ ttes les heures 5h-19h30. Compter 3h de route et 12 US$.

➢ ***Esmeraldas :*** ttes les heures, 24h/24, avec *Trans Esmeraldas* et *Trans Occidentales.* Compter 8h de route et 9 US$.

➢ ***Macas (Amazonie) :*** 3 bus/j. avec *Riobamba* et *Macas,* à 4h, 12h et 21h. Durée : 10h.

➢ ***Quito (via Riobamba...) :*** 1 bus/h, 24h/24, avec *Transportes Ecuador, Panamerica Internacional* et *Ecuador Ejecutivo.*

➢ ***Baños :*** 4 bus avec la compagnie *Baños* (à 16h45, 19h30, 23h et 23h55). Compter 7h. Celui de 16h45 continue vers ***Puyo*** et ***Tena,*** celui de 19h30 va vers ***Coca*** (16h de route). Les 2 derniers sont directs.

➢ ***Machala, Haquillas et Tumbes (Pérou) :*** départs ttes les 30 mn avec *Cifa.* Durée jusqu'à Tumbes : 6h. Également, avec cette même compagnie, 5 bus/j. jusqu'à ***Piura*** (Pérou), 1 à 7h20, les 4 autres entre 18h20 et 23h30. Durée : 10h. Billet : 17 US$ ; également 1 départ quotidien à 21h pour ***Chiclayo*** (compter 25-35 US$ selon confort).

➢ ***Loja (sud) :*** 8 bus/j 9h-23h30 avec *Coop Loja.* Assure la connexion pour Vilcabamba.

➢ ***Otavalo et Tulcán (frontière colombienne) :*** départs ttes les heures 24h/24 avec *San Cristobal,* départs également avec *Flota Imbabura* (11 bus/j 8h-minuit).

➢ ***Trujillo et Lima (Pérou) :*** 1 bus direct tlj, à 14h, avec la compagnie *Ormeño.* ☎ *213-08-47.* Attention, l'agence *(ouv tlj 8h-18h)* se situe av. de Las Américas, à 400 m du terminal dans le *Centro de negocios.* Pratique et service 1re classe à bord (repas inclus) mais c'est cher : 70 US$. Les fauchés préféreront prendre un bus jusqu'à Tumbes et, de là, un autre pour Lima. *Ormeño* affrète aussi des bus directs pour la ***Colombie*** et le ***Venezuela,*** départs lun, mer, ven entre 1h et 3h du mat (se pointer 1h avt le départ, le quartier n'étant pas sûr, mieux vaut passer à l'agence le jour même pour se faire préciser le lieu et l'heure du rdv). Compter 80 US$ et 24h de trajet pour Cali, 140 US$ et 3 j. de route pour Caracas.

## En avion

✈ ***Aéroport international José Joaquín de Olmedo*** *(hors plan couleur par A1) : av. de Las Américas.* ☎ *216-91-69 ou 216-90-00.* • *tagsa.aero* • *À env 5 km au nord du centre-ville, à côté du* terminal terrestre *(on peut passer de l'un à l'autre à pied). Du centre, compter env 30 mn (selon embouteillages) en voiture et env 5 US$ en taxi. En bus, prendre le n° 2, 76, 84 ou 92 ou mieux, le* Metrovía. *Pour rejoindre le centre depuis l'aéroport, suivre le fléchage à la sortie du terminal puis prendre n'importe quel bus indiquant « Centro ». Billet : 0,25 US$.*

Avec 4 millions de passagers par an, c'est un aéroport très prisé des hommes d'affaires. Plusieurs distributeurs de billets aux 2 terminaux et un comptoir de change au *Banco de Guayaquil (rdc ; ouv lun-ven 8h30-18h, fermé w-e).* Ne change que des petites sommes. On trouve, au terminal d'arrivées, un bureau d'informations, des cabines téléphoniques, les agences de location de voitures, une poste et des consignes à bagages.

Pour info, le vol Quito-Madrid d'*Iberia-LAN* fait escale à Guayaquil tandis que le vol de *KLM* pour Amsterdam part de Guayaquil et passe par Quito. Dans les 2 cas, il n'est donc pas nécessaire de revenir à Quito pour rentrer en Europe.

➢ ***Galápagos (San Cristóbal ou Baltra) :*** 3-5 vols/j. avant midi avec *Tame, Aerogal* ou *LAN.*

➢ ***Cuenca :*** 3 vols/j. avec *Tame,* 1 tôt le mat, les 2 autres dans l'ap-m.

➢ ***Quito :*** vols ttes les 30 mn env

6h-20h40 avec *Tame, Aerogal* ou *LAN.*
➢ ***Cali (Colombie) :*** 3 vols/ sem, lun, mar et sam avec *Taca.*
➢ ***Esmeraldas :*** 1 vol/j. lun-ven à 9h, à 11h30 le sam et à 16h30 le dim avec *Tame.*

## Adresses utiles

**Oficina de Turísmo** *(plan couleur B2) : calle Ballén y Pichincha, petit bureau face à l'entrée du musée* Nahim Isaias. ☎ *232-41-82. Tlj sf dim 9h-17h.* Parfaitement incompétent.

✉ **Poste** *(plan couleur B2) : Aguirre y Pedro Carbo. Tlj sf dim 8h-17h (14h sam).*

@ **Internet : Cyber@City** *(plan couleur A-B2,* **1***) dans le centre commercial* Unicentro, *calle Ballén. Lun-ven 9h30-19h30 ; sam-dim 10h ou 11h-18h.* Nombreux autres cybercafés en ville, notamment dans le **Centro comercial Malecón** *(plan couleur B3,* **2***) sur le* malecón 2000, *à la hauteur des calles Sucre et Colón.*

■ **Banco de Guayaquil** *(plan couleur B2,* **3***), calle Aguirre, à l'angle de Pichincha.* Distributeurs de billets. Mais il y en a plein d'autres en ville !

■ **Police :** *av. de Las Américas.* ☎ *101 ou 911.*

■ **Jefatura provincial de migración** *(hors plan couleur par A1) : av. Benjamín Carrión (à droite du* terminal terrestre *quand on sort face au parking).* ☎ *214-00-04. Lun-ven 8h-12h30, 13h30-17h.* Utile pour prolonger votre séjour (prorogation de 3 mois faite sur-le-champ, et c'est gratuit).

**Hospital Kennedy** *(hors plan couleur par A1) : Ciudadela Vieja Kennedy, av. Del Periodista Callejón 11 A, près de l'aéroport.* ☎ *228-96-66.* Excellent hôpital privé ; également une autre adresse *km 2,5 vía Puntilla, sur le* perimetral, *après le centre commercial* Rio Centro *à Samborodón.* ☎ *228-96-66. Urgences au 1800-Kennedy (1800-536-63-39).*

■ **Alliance française** *(hors plan couleur par A2,* **4***) : Hurtado 436 y José Mascote.* ☎ *253-20-09. Lun-ven 9h-13h, 15h-19h.* Cours, bibliothèque, médiathèque (pas de journaux récents) et quelques activités culturelles, du cinoche notamment. Sympathique bar *Montmartre.* Petites antennes dans les quartiers Urdesa et Samborodón.

### Représentations diplomatiques

■ **Consulat de Belgique :** *J. A. Campos 101 y García Avilés.* ☎ *231-05-05. Lun-ven 9h30-12h30.*

■ **Consulat de France :** *José Mascote 909 y Hurtado (à côté de l'alliance française ; hors plan couleur par A2,* **4***).* ☎ *232-84-42. Lun-ven 10h-13h.*

■ **Consulat du Canada :** *av. Francisco de Orellana 234 ; edif. Blue Towers (6e étage, bureau 604).* ☎ *511-77-02, poste 101. Lun-ven 9h-11h.*

■ **Consulat général de Suisse :** *Tanca Marengo km 1,8 y Santiago Castillo ; edif. Conauto, 5e étage.* ☎ *268-19-00, poste 034. Lun-ven 9h-12h30.*

■ **Ambassade et consulat de Colombie :** *av. Francisco de Orellana, edif. World Trade Center, tour B, 11e étage.* ☎ *263-06-74. Lun-ven 9h-13h30.*

■ **Ambassade et consulat du Pérou :** *av. Francisco de Orellana 501, edif. Porta, 14e étage.* ☎ *228-01-14.* • *consuladoperuguayaquil.com* • *Lun-ven 9h-13h, 15h-17h.*

### Compagnies aériennes

Elles sont toutes représentées à l'aéroport.

#### Compagnies aériennes équatoriennes

■ **Tame :** *av. 9 de Octubre 424.* ☎ *231-03-05.* • *tame.com.ec* •

■ **Icaro :** *10 de Agosto 103 y malecón, edif. Valtra 80.* ☎ *390-50-60. Aéroport :* ☎ *216-92-01.* • *icaro-group.aero* •

■ **Aerogal :** *Junin 440 entre Cordova y Baquerizo Moreno.* ☎ *208-33-99.* • *aerogal.com.ec* •

■ **Saereo :** *à l'aéroport.* ☎ *1-800-72-37-36 (résas).* • *saereo.com* •

#### Compagnies aériennes internationales

■ **LAN :** *Mall del Sol (au rdc).* ☎ *1-800-10-10-75 (résas) ou 600-48-25.* • *lan.com* •

■ ***Copa Airlines :*** *av. 9 de Octubre 100 y malecón, immeuble de Banco La Previsora, 25e étage.* ☎ *230-32-11.* ● *copaair.com* ●

■ ***American Airlines :*** *Gral. Cordova 1021 y av. 9 de Octubre, edif. San Francisco 300, 20e étage.* ☎ *259-88-00. Aéroport :* ☎ *216-92-52.* ● *aa.com* ●

■ ***Iberia :*** *av. 9 de Octubre 101 y malecón.* ☎ *232-95-58. Bureau de l'aéroport :* ☎ *216-90-80.* ● *iberia.com* ●

■ ***Air France KLM :*** *à l'aéroport.* ☎ *216-90-70.* ● *klm.com* ●

### Agence de voyages

■ ***Dreamkapture Travel :*** *à l'intérieur de l'hôtel* Dreamkapture Alborada Doceava Etapa, *calle Juan Sixto Bernal (y Benjamín Carrión), Manzana 02 Villa 21, au-delà de l'aéroport et du terminal de bus (compter env 10 mn en taxi).* ☎ *224-29-09.* ● *galapagos-cruises.ca* ● *Lun-ven 8h30-18h ; w-e 9h-13h.* Une agence de voyages américano-équatoriano-québécoise (Maria parle le français) qui propose des croisières de 3 à 6 jours à partir de l'île de Santa Cruz, aux Galápagos. Fait également de la billetterie pour cette destination (et pour ailleurs).

## Où dormir ?

Rien de bien excitant dans la catégorie bon marché, où l'on dort dans des hôtels type gare routière (voire hôtels de passe), situés dans des quartiers populaires bruyants (bouchons d'oreilles requis), passablement défraîchis et peu sûrs. Dans l'ensemble, l'offre d'hébergement à Guayaquil est chère et sans charme. Voici notre sélection :

### Très bon marché (moins de 18 US$)

***Hotel 9 de Octubre*** *(plan couleur A2,* ***11****) : av. 9 de Octubre 736 y García Avilés.* ☎ *256-42-22. Double env 15 US$.* Un établissement central et récent. Les chambres possèdent toutes une salle de bains, la clim et la télé câblée (supplément de 5 US$ pour la télécommande !). L'accueil est variable et le petit déj très moyen. Néanmoins ça reste une bonne adresse.

***Hotel Niucanche*** *(plan couleur A2,* ***12****) : Pío Montúfar 105 y Aguirre.* ☎ *251-23-12. Doubles 8-12 US$ selon confort.* Un hôtel familial d'une petite trentaine de chambres, plutôt pour ceux qui ont le sommeil lourd, car la plupart donnent sur la rue, bruyante. Cela dit, elles sont correctes pour le prix, claires et assez propres, presque sympas pour un hôtel de cette catégorie. Lits posés sur un socle de pierre, murs de stuc blanc cassé, sanitaires (eau froide), ventilo et TV. Pas de clim. Bon accueil de Sonia.

***Hotel Delicia*** *(plan couleur A2,* ***13****) : Clemente Ballén 1105 y Pío Montúfar.* ☎ *232-49-25. Doubles avec ou sans sdb 10-16 US$.* Une quarantaine de chambres propres, genre sol béton, murs kaki et lumière crue. Pour le reste, c'est du tout cuit, car une huitaine seulement possèdent la clim. Elles donnent sur la rue et sont légèrement parfumées aux gaz d'échappement. Celles sans douche (eau froide) et w-c sont sur l'arrière, et vraiment pas chères. Bref, vous n'y passerez pas vos vacances !

### De bon marché à prix moyens (18-48 US$)

***Hotel Montesa*** *(plan couleur A2,* ***15****) : Luis Urdaneta 817 y Rumichaca.* ☎ *231-25-26 et 230-10-21. Doubles 20-30 US$ selon confort (AC ou ventilo) ; quadruple climatisée 40 US$. Parking.* Petite réception engageante, comme l'accueil. Chambres relativement agréables et bien tenues, avec tentures aux fenêtres et tout le confort de base. Bruyant côté rue, comme partout dans ce quartier. Cafétéria au rez-de-chaussée, indépendante de l'hôtel, où l'on peut prendre le petit déj. Bout de toit pour faire office de terrasse.

***Hotel del Centro*** *(plan couleur B2,* ***16****) : Junín 412 y Córdova.* ☎ *256-21-14.* ● *hotel-delcentro@hotmail.com* ● *Double 35 US$. Parking.* Plongée dans une pénombre bleutée, la réception de cet hôtel n'est pas très séduisante. Pourtant, à défaut d'être agréables (pas de fenêtre ni de déco), les chambres sont clean et toutes avec clim, offrant un bon confort (matelas épais et bien fermes, TV, salles de bains propres). Cafétéria au rez-de-chaussée.

**Hotel Andaluz** *(plan couleur A-B2, **14**) : Junín 840 et av. Baquerizo Moreno. ☎ 230-57-96. • hotelandaluz-ec.com • Double 40 US$.* Petit hôtel sympathique où les tableaux aux murs et les objets de brocante disséminés parmi les plantes vertes donnent un certain cachet. Le 2e étage, ouvert sur la rue, est une petite jungle très sympa et mène à une petite terrasse. Les chambres, tout confort (salle de bains, clim et TV) sont un peu surévaluées, mais c'est compensé par un accueil charmant. Demandez à en voir plusieurs.

**Hostal Suites Madrid** *(plan couleur A2, **19**) : Quisquis 305 y Rumichaca. ☎ 230-78-04. • hostalsuitesmadrid.com • À deux pas de l'*Hotel Montesa*. Doubles 30-40 US$ selon confort. Parking.* Vous rêviez de loger dans une piscine sans eau ? Alors cet hôtel noyé dans la faïence bleue est fait pour vous ! 25 grandes chambres impeccables où vous pourrez indifféremment lire vos emails au son de la circulation ou prendre vos aises en compagnie de vos amis (belles quadruples). Côté confort, toutes possèdent une salle de bains et la clim. Possibilité de petit déj à la cafét' à l'angle de la rue. Bon accueil.



## Chic (48-70 US$)

**Hotel Presidente Internacional** *(plan couleur A2, **20**) : Quisquis 112 y Ximena. ☎ 230-67-79. • presidenteinternacional.com • Double 55 US$, petit déj inclus.* Essayez de grimper dans les étages, sinon les bruits de la rue envahiront votre chambre pour vous soustraire aux bras de Morphée ! Sinon, petits nids proprets avec tout le confort souhaité : salle de bains minuscule, frigo-bar, micro-ondes, cuisinette parfois. La literie est convenable, et on note un petit effort de déco. Une bonne adresse doublée d'un accueil gentil.

**Manso Boutique Hotel** *(plan couleur B2, **18**) : malecón 1406, entre Aguirre et Illingworth. ☎ 252-66-44. • manso.ec • Réception 7h-23h. Doubles 36-81 US$ selon standing, petits déj 3-5 US$. En dortoir de 4 lits, compter 12 US$/pers. CB acceptées.* Un des seuls hôtels de Guayaquil qui ne fassent pas appel au verre fumé, au béton peint et aux huisseries aluminium. Aménagé dans une vénérable demeure qui, par le passé, devait voir le fleuve, cet hôtel bohême et fort bien situé, propose une bonne douzaine de chambres aménagées dans un style orientalisant flirtant avec l'Amazonie. Sur 3 étages, on trouve 2 petits dortoirs façon cages à lapins, et des chambres doubles avec ou sans salle de bains dont la valeur et l'intimité sont très variables (ne pas choisir sans avoir vu). Les plus chères sont vraiment sympas (vive le double vitrage). Déco de bric et de broc faite de trucs de récup, petite boutique de créateur et un patio où l'on croise du monde à longueur de journée. Accueil cool, version baba.

## Beaucoup plus chic (plus de 130 US$)

**Grand Hotel Guayaquil** *(plan couleur A2, **17**) : Boyacá y 10 de Agosto, derrière la cathédrale. ☎ 232-96-90. • grandhotelguayaquil.com • À partir de 160 US$ pour 2, petit déj-buffet inclus.* Près de 200 chambres dans cet hôtel moderne, vastes et tout confort (moquette, AC, double vitrage, coffre, salon avec TV câblée, mini-bar...). Excellent petit déj et très bonne carte à la cafétéria *La Pepa de Oro* (voir plus loin « Où manger » ?). Navette gratuite depuis et vers l'aéroport. En prime, une belle et grande piscine avec cascade accolée à la cathédrale. Sauna, salle de gym, terrain de squash et *business center*. Bon accueil.

## Où manger ?

### *Dans le centre*

### Bon marché (moins de 5 US$)

**Cevichería Centenario** *(plan couleur A2, **34**) : Pedro Moncallo 810 y 9* *de Octubre.* 📱 *09-94-02-92-85. Tlj 8h-14h. Plat env 2,50 US$.* Arrivez tôt à l'heure du déjeuner, ça vous évitera d'allonger la queue sur le trottoir. Ensuite appropriez-vous, dans la pénombre de la salle minuscule, une de ces tables à touche-touche bardées d'Équatoriens le nez dans leur bol de *ceviche*. Et faites des grands schlurps, tout comme eux !

|●| ***Las Tres Canastas*** *(plan couleur B2,* ***50****) : angle de Chile et Vélez. Tlj 7h30-20h. On mange pour moins de 2 US$.* Petit local d'angle, ouvert sur la rue, avec des serveuses en casquette et tablier vert. Spécialisé dans le fruit sous toutes ses formes (jus généreux, salades, brochettes, milk-shake, etc.), idéal pour faire une pause, assis au comptoir ou à une table sur le trottoir, pour déguster un *humitas* au fromage ou un *batido de lúcuma* au fort goût de noix.

|●| ***El Rincón de Juanita*** *(plan couleur A-B2,* ***36****) : angle Manuel Rendón y Afredo Baquerizo Moreno.* ☎ *256-04-51. Tlj 7h-22h30. Plat env 2 US$.* Un angle largement ouvert sur la circulation pour ce snack 100 % du cru. Poulet, *humitas* et autres plats à base de riz font le bonheur des locaux attablés ici. Bien aussi pour un petit déj.

|●| ***El Mordiscón*** *(plan couleur B2,* ***31****) : Vélez 125 y Chile. Ouv 7h30-16h30.* Cantine populaire, où se repaître pour seulement 2 US$ d'*almuerzos* copieux et plutôt variés. Le tout servi dans une grande salle défraîchie, ouverte sur une rue piétonne.

|●| ***Patio de la Comida*** *(plan couleur B3,* ***37****) : sur le* malecón 2000. Une brochette de petits fast-foods avec terrasses ombragées par de grands parasols invitent aussi à la halte. Ils proposent tous la même chose : *burgers, sopa marinera,* plats de poisson et viande grillés, *ceviches...* pour environ 4-6 US$. L'ambiance est bon enfant et les plats sont copieux.

## De prix moyens à chic (de 5 à 20 US$)

|●| ***La Canoa*** *(plan couleur B2,* ***32****) : Chile 512 y av. 10 de Agosto.* ☎ *232-92-70. Resto de l'*Hôtel Continental, *donnant sur le parc aux iguanes. Ouv 24h/24. Plats env 3-9 US$, excellent buffet de petit déj «* all you can eat *» 15 US$.* Une sorte de brasserie, véritable institution à Guayaquil. Les employés du coin s'y pressent à midi pour manger une cuisine modeste et savoureuse. Pas mal de choix : *ceviches, cazuelas, encebollados* (soupes de fruits de mer), ragoûts de viande, brochettes... Belles pâtisseries aussi. Si les tables sont prises, n'hésitez pas à investir le comptoir, les tabourets sont confortables. Notre meilleure adresse.

|●| ***Plaza de Mariscos*** *: à l'extrémité nord du* malecón del Salado *(hors plan couleur par A2 ; lire plus loin « À voir. À faire »). Tlj 10h-minuit (plus tard le w-e). Env 7 US$.* Rangées de tables en bois genre ensemble de pique-nique, abritées sous un grand hangar ouvert aux quatre vents. Très populaire chez les classes moyennes qui viennent ici en famille s'empiffrer de crevettes et de calamars.

|●| ***La Parrilla del Ñato*** *(plan couleur B2,* ***33****) : Luque 100-104 y Pichincha.* ☎ *232-16-49. Tlj 12h-22h. Intéressant menu le midi env 6 US$ ; le soir, compter min 20 US$. CB acceptées.* Vous ne viendrez pas ici pour le cadre, plutôt banal : une longue salle vitrée et une autre à l'étage. En revanche, vous apprécierez ce resto spécialisé dans les grillades (viande, poisson et fruits de mer) ainsi que dans la paella. La viande est si tendre que les couteaux n'ont pas besoin d'être aiguisés. Autre point fort qui réjouira les gros appétits : les portions sont assez gargantuesques !

|●| ***La Pepa de Oro*** *(plan couleur A2,* ***17****) : dans le* Grand Hotel Guayaquil *(voir « Où dormir ? »).* ☎ *232-96-90. Tlj 24h/24. Plat à la carte env 14 US$.* La *Pepa de Oro,* c'est la fève de cacao qui fit un temps la richesse de la ville. On peut d'ailleurs voir d'énormes photos de plantations de ladite pépite sur les murs de cette élégante cafétéria. Salle climatisée pour un repas pris au coude à coude, accroché au bar, ou dans la salle à la déco marine. L'ambiance est sympathique. La cuisine, convenable, sans plus, fait la part belle aux plats méditerranéens. Portions assez chiches en revanche.

### Dans le quartier Urdesa

Voici un quartier assez animé le soir, avec de nombreux restos et bars jalonnant l'av. Estrada. Il y en a pour tous les goûts ; le choix est bien plus large qu'en centre-ville. Allez-y en taxi, il vous en coûtera environ 3 US$. Petit rappel : commandez toujours le taxi vous-même et toujours depuis votre hôtel.

**Pizzería El Hornero** *(hors plan couleur par A1, **38**) : Victor Emilio Estrada 906 y Higueras. ☎ 238-47-88. Tlj (de l'année !) 11h-minuit. Combos intéressants le midi env 3,50 US$, pizzas 10-15 US$, pâtes 6-7 US$. CB acceptées.* Ce n'est pas l'Italie, mais cette franchise équatorio-uruguayenne propose de belles pizzas, des sandwichs, des pâtes et des plats de viande tout à fait corrects. À consommer dans la petite salle ou sur les quelques tables en terrasse.

**Lo Nuestro** *(hors plan couleur par A1, **38**) : Victor Emilio Estrada 903 y Higueras. ☎ 238-63-98. En face de la* Pizzería El Hornero. *Tlj 12h-23h (23h30 le w-e). Résa conseillée le w-e. Plats régionaux 15-20 US$, on mange pour env 30 US$. CB acceptées.* Belle façade néocoloniale à moitié mangée par le vert, et intérieur climatisé très agréable : tables joliment dressées, entre des murs chargés de coupures de journaux et de vieilles photos de Guayaquil. Carte très variée (du porc sauce créole au riz au crabe en passant par le homard « Lo Nuestro »). Un personnel tiré à quatre épingles qui papillonne autour des assiettes baignées d'une petite musique latino. Une des meilleures tables de Guayaquil.

GUAYAQUIL

### Sur le cerro Santa Ana

En montant les marches, on croise plusieurs cafés proposant tous plus ou moins la même chose.

**El Galeon de Artur's** *(plan couleur B1, **39**) : Diego Noboa, marche nº 53. ☎ 231-10-73. Tlj sf dim 18h-minuit (2h ven-sam). Plats env 8-10 US$.* Au début de l'escalier, dans le bas de la colline, à droite en montant. Resto sympa sur plusieurs niveaux (en escalier quoi !), avec photos de personnalités et maquettes de bateaux. Plats assez classiques. Groupe de musique le soir à 22h en semaine, 20h le w-e.

**Artur's Café** *(plan couleur B1, **40**) : Numa Pompilio Llona (à l'extrémité de la rue en gros pavés qui contourne le cerro par la droite, côté fleuve). ☎ 231-22-30. Lun-jeu 18h30-2h (3h ven-sam). Plat env 8 US$.* Même proprio et même carte qu'au *Galeon* ; seul le cadre change : une grosse bâtisse coloniale en bois blanc avec 2 salles l'une sur l'autre en surplomb du fleuve, l'une vitrée, l'autre en plein air. À retenir pour le cadre – afin de regarder, au loin, scintiller Samborodón, la banlieue riche de Guayaquil – plus que pour l'assiette, niveau resto U.

## Où boire un verre ? Où sortir ?

**Resaca** *(plan couleur B2, **54**) : sur le* malecón 2000, *à la hauteur de la calle Junín. ☎ 263-10-68. Tlj 12h-minuit (2h jeu-sam). Happy hours lun-ven 16h-20h. CB acceptées.* Voici la « gueule de bois » en espagnol. Sympa pour boire un verre le nez sur le fleuve, sur la terrasse protégée d'un auvent, perché sur des tabourets autour de tables hautes. Salsa en live le vendredi, *peña* et karaoké le samedi à partir de 20h. On peut aussi manger dans la salle climatisée juste en dessous, mais on a fait mieux.

Pour les guincheurs avides de déhanchés latinos, on trouve une poignée de ***discothèques*** et ***salsatecas*** aux abords de l'angle formé par les av. Rumichaca et Rendón *(plan couleur A2).*

### Sur le cerro Santa Ana et dans le quartier de Las Peñas

Un quartier sympa pour venir écluser un gorgeon, même si depuis la construction du *malecón,* les Guayaquileños préfèrent ce dernier, beaucoup plus facile à escalader puisque lui, au moins, il est plat !

🍸 ♪ 🍽 ***Habano Diva Nicotina*** *(plan couleur B1, **39**) : à cerro Santa Ana, marche nº 10, au pied de l'escalier, à droite. ☎ 230-90-40 ou 📱 09-95-31-17-92. Lun-jeu 18h-minuit (jusqu'à 2h ven-sam). Plat env 10 US$.* Un bar sombre avec une mezzanine parfumée aux volutes de havanes fabriqués en Équateur. Ici c'est jazz le mercredi et rock-blues le jeudi (à partir de 22h). En fin de semaine, encore du live, quelquefois un DJ. Pour éponger la mousse, quelques hamburgers, mais rien d'exceptionnel, juste un endroit pour tirer sur un barreau de chaise (pas sur le pianiste).

🍸 ***Bar El Faro del Cerro*** *(plan couleur B1, **52**) : au niveau de la marche nº 356, côté fleuve. Lun-ven 12h-minuit (jusqu'à 2h le w-e) Plat env 5 US$.* Un minitroquet de quartier sans chichis, perché en surplomb du fleuve et ouvert à tous vents. Bien pour une bière et quelques amuse-gueule.

🍸 ***La Paleta*** *(plan couleur B1, **55**) : Numa Pompilio Llona 174 (quartier de Las Peñas). Mar-jeu 20h-3h (jusqu'à 4h ven-sam). ☎ 232-09-30 ou 📱 09-99-09-12-95.* Un bar de nuit un peu en retrait de l'animation du *cerro* mais empli de bonnes vibrations ! Musique cool, flamenco ou espagnole dans une salle sur 2 étages s'organisant autour d'un minipatio. Déco dans les tons rouges, fresques et plantes partout. On s'y sent bien, les fesses bien calées dans un pouf, un verre de vin à la main, devant une petite assiette de tapas, à discuter jusqu'à une heure avancée de la nuit...

🍸 ***Cafe-Galería Triviño*** *(plan couleur B1, **55**) : Numa Pompilio Llona 172 (quartier de Las Peñas). Tlj 9h-minuit. ☎ 231-14-32 ou 📱 09-91-54-85-12 (Armando). Plat env 2 US$.* Une galerie d'art qui expose des artistes équatoriens. On y vient pour s'y rincer l'œil et refaire le monde autour d'un jus de fruits et de quelques plats majoritairement végétariens. Aussi du bon café, et du chocolat...

## Achats

***Mercado Artesanal Guayaquil*** *(plan couleur B1, **60**) : Loja y B. Moreno. Lun-sam 9h-18h30 ; dim 10h-13h.* Sortes de halles couvertes dédiées à l'artisanat équatorien. Des Indiens otavalos y vendent leurs produits. Rien de spécial, des articles vus et revus.

***Mercado de Bahía*** *(plan couleur A-B3) : au niveau du* Palacio de Cristal, *grosso modo de part et d'autre de la calle Huancavilca et dans les rues adjacentes (perpendiculaires au malecón). Tlj 9h-20h, mais y aller de préférence avt 15h (éviter le soir).* L'autre visage de Guayaquil, grouillant, sale et populaire. Grand marché à ciel ouvert copieusement arrosé de musique latino. Très animés, les trottoirs fourmillent de vendeurs à la sauvette. Dans les échoppes, tout ce qui est susceptible d'être accroché l'est. On y trouve absolument de tout et pour pas cher. Mais il ne faut pas être regardant sur la qualité. On peut même acheter dans les pharmacies des médicaments périmés. Prenez garde aux pickpockets.



# À voir. À faire

On peut flâner au moins 2 jours à Guayaquil sans crainte de s'ennuyer.

## *Dans le centre*

Dans cette ville bardée de fils et d'enseignes, où le béton n'a même pas la force d'être beau, quelques belles ***façades*** ont résisté à l'épreuve du temps et du progrès. Aux alentours du *malecón 2000* et de l'avenida 9 de Octubre, la mairie *(plan couleur B2)* est un beau bâtiment carré style néoclassique, ordonné autour d'une galerie en verre et fer forgé et flanqué de quatre coupoles. Face à la mairie, sur la plaza Cívica, autre belle façade Art déco. Jouxtant la mairie, le ***palacio***

***de Gobierno*** de la province de Guayas, érigé dans les années 1920, paraît plus sobre. À l'angle de l'avenida 9 de Octubre et de la rue Panama, voir la façade néoclassique jaune de l'***ancienne bourse de Guayaquil*** avec ses colonnes à chapiteau corinthien et ses fenêtres à fronton. Au hasard d'une balade dans la ville, vous passerez peut-être aussi à l'angle des avenidas Boyacá et 10 de Agosto devant l'immeuble ***El Telégrafo*** où se mélangent les styles néoclassique et Art déco. Il fut, jusqu'en 1938, le plus haut bâtiment d'Équateur.

***Parque Seminario*** *(plan couleur A-B2)* **:** *en face de la cathédrale.* Beau square en plein centre-ville, étonnamment occupé par des dizaines d'iguanes qui descendent des arbres lorsque le soleil a bien chauffé le sol à partir de 9h et remontent dans le milieu de l'après-midi pour s'y reposer jusqu'au lendemain. Marrant, ça change des pigeons ! Attention, ils ont la fâcheuse habitude de faire leurs besoins d'en haut, évitez donc d'être en dessous... Malgré les bruits de la ville et la présence humaine, ils se sentent bien dans leur square et ne le quitteraient sous aucun prétexte. Le soir, on en a compté jusqu'à une cinquantaine roupillant paisiblement dans un seul arbre sous l'œil impavide des vigiles chargés de leur sécurité !

***Museo municipal*** *(plan couleur B2-3)* **:** *Sucre y Chile. ☎ 259-91-00, demandez le 7402. • museodeguayaquil.com • Mar-sam 9h-17h30. Entrée libre. Guides disponibles à l'accueil, en espagnol et en anglais.* Panneaux explicatifs (denses) en espagnol. Au rez-de-chaussée, les expos permanentes et à l'étage les temporaires.
Un musée intéressant, présentant l'histoire de la ville et de la région depuis les origines jusqu'au XXe s.
– Dans le hall, schémas de la ville à différentes époques, avec des loupiotes sur les monuments que l'on peut éclairer.
– La visite démarre avec la *salle précolombienne,* où sont exposés des ossements du quaternaire ainsi que des outils lithiques de la culture valdivia (- 4000 à - 1800 av. J.-C.). Leurs Vénus et autres amulettes sont bien éclairées. Puis on enchaîne sur la culture machalilla (- 1800 à - 1500 av. J.-C.) avec des terres cuites zoomorphes. Viennent ensuite les cultures chorrera (- 1500 à - 500 av. J.-C.) puis bahía (- 500 av. J.-C. à + 500). Un florilège d'ustensiles de la vie de tous les jours qui permet de mieux cerner l'évolution des différentes cultures qui se sont succédé sur la côte pacifique. Quelques dioramas aident à imaginer leurs rites.
– *Dans la salle coloniale I,* les origines et la fondation de Guayaquil. Présentation des conquistadores Benalcázar (ambitieux et cruel) et Orellana (aussi ambitieux, mais moins cruel). Maquette du Guayaquil colonial et dioramas. Mousquetons, escopettes et demi-coques occupent une bonne partie de l'expo.
– *Salle coloniale II :* Guayaquil devient le premier centre de construction navale du Pacifique sud au XVIIe s. Portraits de corsaires célèbres (la ville fut constamment en proie aux invasions), évocation des fléaux qui l'ont ravagée (peste, incendie). S'ensuivent la *salle de l'Indépendance,* une maquette de la ville en 1858 et un diorama de l'incendie de 1896. Belle *Ford* de 1926. Portraits des leaders de l'indépendance, ça permet de mettre un visage sur les noms des rues... Leurs masques mortuaires en bronze et le cercueil de Vincente Rocafuerte y sont présentés.

***Museo Nahim Isaias*** *(plan couleur B2)* **:** *Pichincha y Aguirre. ☎ 232-41-82. • museonahimisaias.gob.ec • Mer-sam 9h-17h. Entrée libre. Visite guidée en anglais.*
Eh hop, encore un musée du *Banco Central* ! L'art religieux y est à l'honneur, dans un parcours intitulé « cosmogonies », ce dernier ayant pour fil conducteur les quatre éléments constitutifs, chez les Grecs anciens, de l'univers. Fort bien, mais quel rapport avec l'art religieux ? Réponse : le feu, la terre, l'eau et l'air sont en fait, dans la religion chrétienne, chacun liés à des figures religieuses. Ainsi, Dieu renvoie au feu (l'évanescence !), les curés à la terre (car ils font « surgir »

le sentiment religieux chez les fidèles), les saints à l'eau (idée de pureté) et les anges à l'air (d'où les ailes). Le musée présente aussi, dans des salles multimédias, l'*histoire de Guayaquil*. Partie bien conçue, mais qui fait un peu double emploi avec celle du Musée municipal. Inutile donc, à notre avis, de voir les deux.

**LA QUESTION DE L'OMBRE ÉCLAIRCIE**

*Avez-vous remarqué, dans la salle du musée consacrée à l'élément « eau », l'ombre de la statue de Santa Águeda de Catania ? Curieusement, c'est celle de Jésus ! L'explication tient à ceci : la sainte en question était une jeune Sicilienne qui avait voué son existence à Dieu. Or, le sénateur Quintianus (on est au III^e s) la convoitait. Repoussé constamment, il tenta de la tuer en lui infligeant de terribles blessures. La gamine, juste avant de rendre l'âme, vit le Christ... qui la sauva ! Voilà pourquoi sa statue (qui a été un peu façonnée pour ça) projette l'ombre de Jésus...*

**Museo naval y de Historia maritima Almirante Illingworth** *(plan couleur B2)* **:** *Simón Bolívar y Clemente Ballén, dans l'edificio de la Gobernación, 1^er étage. Lun-ven 8h-13h et 14h-16h30 (il devrait ouvrir aussi le sam). Entrée libre.* Histoire navale et maritime de l'Équateur jusqu'à la Seconde Guerre mondiale. Dans cinq salles, maquettes de bateaux, armes, uniformes, etc. Un vrai musée de la Marine en somme ! Visite pas indispensable...

**Basilica de la Merced** *(plan couleur B2)* **:** *av. Victor Manuel Rendón y Pedro Carbo. Lun-ven 7h-12h, 18h-19h30, sam 7h-10h, 18h-20h.* Érigée en 1786, détruite par un incendie (sa façade était en bois à l'origine) puis reconstruite dans un style néogothique byzantin en 1927, elle fut décrétée basilique par Jean XXIII en 1962. Elle présente un superbe maître-autel de style baroque au centre duquel trône la Vierge de la Merci, patronne des forces armées.

**À LA MERCI DE LA MERCED**

*Les mercédaires appartiennent à un ordre religieux catholique obéissant à la règle de saint Augustin. Fondé au XIII^e s par un riche drapier languedocien, il avait pour but de racheter les chrétiens enlevés et réduits en esclavage par les pirates qui sévissaient en Méditerranée à l'époque. En se livrant pour libérer les captifs, les « volontaires » établissaient un « marché », d'où le nom latin de* mercedem. *Les mercédaires participèrent grandement à l'évangélisation des Indiens du Nouveau Monde, tout comme les Jésuites, d'ailleurs.*

**Museo de Arte prehistórico** *(plan couleur A2)* **:** *dans la Casa de la Cultura, 9 de Octubre 1200 y calle Pedro Moncayo, au 6^e étage. ☎ 230-05-86 ou 230-49-99, poste 112 pour les visites guidées. Ouv mar-ven 10h-18h ; sam 9h-15h. Entrée : 1 US$.* Si vous ne faites pas une indigestion de céramiques et d'objets votifs, ce petit musée, qui comporte seulement trois salles, en propose, lui aussi, une belle collection. Mis à part un bel échantillonnage d'instruments de musique, et notamment une flopée de sifflets et ocarinas en forme d'oiseaux, le clou de ce musée ce sont les broches, les anneaux et les masques en or de la période comprise entre le - 500 av. J.-C. et le XVI^e s. Les plus beaux sont originaires de la province d'Esmeraldas. Superbes ! La visite se termine par une petite reconstitution de catacombes, urnes funéraires et cultes des morts ainsi que par une introduction aux croyances indigènes.



## *Le long du malecón 2000*

Le ***malecón 2000*** *(plan couleur B1-2-3)* est une promenade de 2,5 km fermée par des portails *(accessible tlj 7h-minuit)*, entièrement réaménagée et sécurisée en bordure du río Guayas, sur un espace gagné sur l'eau. Le *malecón* commence au pied de la colline de Santa Ana et finit après le *palacio de Cristal.* Entre les deux, tout au long de la balade, plusieurs monuments, des miradors en bois et acier, un jardin tropical, une zone de jeux pour les enfants, des musées, un cinéma IMAX, quelques restos avec terrasse et vue sur le fleuve, des galeries commerciales, etc. Cet aménagement est une réussite, et les Guayaquileños l'ont rapidement adopté. Les arbres ont été intégrés dans cet ensemble et ils sont tous éclairés le soir. La décoration est une stylisation de l'univers marin : hublots, auvents en forme de voilure, colonnes en forme de mât, filin... Une armée de balayeurs et de jardiniers veille aux espaces verts. L'endroit est désormais le plus sûr de la ville avec pas moins de 350 policiers répartis en trois escadres faisant les trois-huit. Faites la division, il y a un policier tous les 20 m. Plus que le parti pris architectural, l'endroit étonne par son ampleur.

– ***La torre Morisca*** *(plan couleur B2)* **:** *sur le* malecón, *au niveau de la mairie (municipio).* Une tour bâtie en 1931 dans un style mauresque donc. Les bronzes furent modelés à Barcelone et les ornementations sculptées à Florence.

– ***Monumento a los Libertadores*** *(plan couleur B2)* **:** *sur le* malecón. C'est la sculpture en rotonde qui évoque l'entretien de Bolívar et San Martín à Guayaquil, et le rattachement de la ville à la Grande-Colombie.

– ***Palacio de Cristal*** *(plan couleur B3)* **:** *au bout du* malecón. Superbe structure en fer forgé dans le style Art nouveau, construite par Gustave Eiffel au début du XXe s. L'édifice servit de marché aux légumes et aux poissons avant d'être restauré pour devenir un hall d'expo. Comme nombre de ses alter ego (dont celui de Madrid), il fut influencé par celui de Londres, même s'il est de taille plus modeste. À côté, petit marché artisanal. Devant le *palacio de Cristal,* l'église *San José,* de style néo-baroque, ressemble à un gâteau d'anniversaire bicolore.

➢ Possibilité de faire une ***balade en musique sur le fleuve*** à bord d'une réplique d'un bateau de pirates : le *Sir Henry Morgan.* Embarcadère sous la galerie commerciale *Malecón (plan couleur B3).* ☐ *09-99-73-72-15.* • *barcomorgan.com* • *Durée : 1h. Au moins 3 départs/j. (sf lun), à 16h, 18h et 19h30. Prix : 6 US$ ; réduc. En fin de sem, il y a même une croisière à 23h30, qui dure 2h ; 12 US$ pour les filles et 15 US$ pour les mecs, avec* barra libre *(boissons à volonté) à bord !*

**★★ *Centro Cultural Libertador Simón Bolívar*** *(plan couleur B1)* **:** *grand complexe de béton au nord du* malecón 2000, *presque au pied du* cerro Santa Ana. ☎ *230-94-00. Mar-ven 9h-16h30 ; sam-dim 10h-16h30. Entrée libre.*

Si, si, il émane aussi du *Banco Central* ! Et comme celui-ci fait souvent bien les choses, la collection d'archéologie vaut vraiment le coup d'œil. Riche collection d'objets superbement mis en valeur dans cinq salles ayant chacune un thème. D'abord les céramiques trouvées dans les mangroves aux environs de Guayaquil, notamment de la culture Las Vegas (antérieur à 4000 av. J.-C.), mais aussi *valdivia.* Là, belle collection de Vénus. Certaines sont fracturées par endroits car, lorsqu'un membre de la tribu souffrait, on cassait la partie de la statuette correspondant à celle qui demandait des soins ! Puis les « peuples naviguant » (colliers et masques de coquillages), suivis de statues particulièrement bien conservées de la culture jama-coaque (région entre le cap San Francisco et la baie de Bahía de Caráquez de - 500 av. J.-C. à 1531), un siège en pierre de cacique, des écuelles de chaman. Petit film sur les échanges culturels de l'époque, et, enfin, panorama des différentes civilisations, pour ceux qui n'auraient pas tout mémorisé. Ça, c'est la première moitié du musée.

L'autre partie est dédiée à l'*art contemporain,* dans un espace très moderne. Les œuvres changent chaque année, mais le principe est toujours le même : exposer des artistes du monde entier autour de 24 thèmes ou « angles d'approche » différents.

Enfin, auditorium, salle de ciné où l'on projette films et documentaires, librairie et cafétéria.

**Guayaquil en la Historia – Miniature Exposition** *(plan couleur B1)* **:** *au nord du* malecón 2000, *sous le cinéma* IMAX, *à deux pas du* Centro Cultural. ☎ *256-30-78. Tlj 9h-20h. Entrée : 2 US$ ; réduc.* Ce parcours de 15 riches dioramas fourmillant de détails retrace l'histoire de Guayaquil de la période précoloniale à nos jours. Commentaires en anglais et espagnol. Ludique et instructif. Plaira surtout aux enfants, pour peu que vous jouiez les interprètes.

## Sur le cerro Santa Ana

*À l'extrémité nord du* malecón *(plan couleur B1).* La promenade le long du fleuve *(malecón)* se termine par un escalier de 444 marches (numérotées) jusqu'au sommet d'une colline, le ***cerro Santa Ana.*** Noyau dur historique de Guayaquil, il domine la ville et le fleuve, sorte de vigie naturelle, un peu à la manière de l'Alfama à Lisbonne. C'est là que les premiers découvreurs et conquérants jetèrent l'ancre et, le long du río au pied de cette grosse butte, qu'Orellana fonda la cité en juillet 1538.
Ce fut un des plus grands chantiers de Guayaquil dans les années 1990. Le résultat est à la hauteur des attentes. À l'origine, quartier délabré, insalubre, pauvre et peu sûr, le *cerro Santa Ana* a littéralement changé de visage. Ses façades ont été restaurées et repeintes de différentes couleurs. Chaque maison rénovée porte sur un mur extérieur – comme une marque de sa métamorphose – une photo montrant l'état dans lequel elle était avant restauration. « Faire du neuf avec de l'ancien », tel a été l'objectif de ce vaste projet. Il a ainsi pu conserver son atmosphère vivante et populaire, et s'avère très prisé des touristes nationaux, qui grimpent jusqu'en haut pour la vue ou jeter un coup d'œil dans le ***Museo El Fortin de Santa Ana*** *(plan couleur B1)* situé sous le phare *(entrée libre)* avant de redescendre au ***Museo de los Bomberos*** *(plan couleur B1)* situé sur la place Colón *(mer-dim 10h-17h. Fermé dim l'hiver. Entrée : 1 US$).* Un musée consacré aux soldats du feu, lesquels eurent à lutter contre une dizaine d'incendies mémorables dans cette ville-brasier.
Aujourd'hui, la sécurité du *cerro Santa Ana* s'est grandement améliorée grâce à la présence policière. Du coup les habitants se sont mis à tenir commerce : qui un petit resto, qui un karaoké, qui un bar de nuit... Les soirs de week-end, l'animation est bien là, même si depuis la construction du *malecón, le cerro*, peu propice à la promenade en raison de son important dénivelé, est un peu délaissé.
Au pied de la colline, côté fleuve, détour obligatoire par le quartier ***Las Peñas,*** où subsistent quelques belles maisons de bois coloré abritant des galeries d'art. On y arrive par la rue *Numa Pompilio Llona,* qui part vers la droite lorsqu'on fait face à l'escalier. Si vous allez jusqu'au bout, vous découvrirez ***Puerto Santa Ana,*** un quartier ayant récemment fait peau neuve, où les anciennes brasseries *Pilsener* ont été restaurées. On y trouve le ***Museo Julio Jaramillo*** *(mer-sam 10h-17h, dim 10h-15h ; gratuit),* consacré à la musique populaire guayaquileña et qui mérite un coup d'œil car il resitue bien une époque.

### CROONER DES FAUBOURGS...

*Né en 1935, Julio Jaramillo est un enfant des rues de Guayaquil. Sa voix fut à l'égal de celle des Sinatra ou Gardel, et sa carrière atteignit son apogée dans les années 1960. Surnommé le « rossignol d'Amérique », il enregistra la bagatelle de 5 000 chansons dans sa courte carrière, puisqu'il décéda à l'âge de 42 ans !*

## Dans le quartier de l'université

**Malecón del Salado** *(hors plan couleur par A2)* **:** *à l'ouest de la ville, par l'av. 9 de Octubre. Depuis le centre-ville, prendre le Metrovía, en taxi (compter env*

*3,50 US$), ou remonter à pied le long de l'avenue (env 30 mn de marche). Ouv tlj 7h-minuit.* Une autre agréable promenade, nettement plus modeste et plus végétale que celle du *malecón 2000,* aménagée sur environ 1 km le long d'un bras du fleuve. Quelques cafés jalonnent le parcours, mais rien d'exceptionnel. Au sud, la promenade vient mourir sur la *plaza de Mariscos,* un lieu très prisé de la *middle class* (lire plus haut « Où manger ? »). Au nord, elle borde l'université ; les étudiants s'y bécotent sur les bancs publics.

**Museo Presley Norton** *(hors plan couleur par A2)* **:** *av. 9 de Octubre y Carchi. ☎ 229-34-23. Mar-ven 9h-17h, sam, dim et j. fériés 10h-17h. Entrée libre. Visite guidée en anglais ou en espagnol.* Expos temporaires au rez-de-chaussée, permanentes à l'étage. Cartels en anglais très succincts, donc vite lus. Une ou deux belles pièces, notamment un superbe *cántaro cerámico* avec tête d'aigle tenant un serpent dans son bec (notez les obsidiennes utilisées pour figurer les yeux du reptile !). La plupart d'entre elles viennent de la culture *chorrera* (côté sud du pays, entre - 1500 et - 500 environ) et sont dans un état de conservation remarquable.

## Dans le quartier de Samborodón et à la périphérie

**Parque Histórico de Guayaquil** *(hors plan couleur par B1)* **:** *dans la zone Entre Ríos, sorte de péninsule sur le fleuve en face de l'aéroport. ☎ 283-29-58. • parquehistoricoguayaquil.gob.ec • En voiture, suivre Samborodón, puis tourner à gauche entre le centre commercial* Rio-Centro *et la* Banco del Pacífico. *Pour y aller, taxi depuis le centre-ville (compter env 7 US$). Sinon, prendre le bus n° 48 jusqu'au* terminal terrestre, *puis le bus vert et blanc* La Puntilla Entrerios *et finir les 200 derniers mètres à pied (demander l'arrêt au chauffeur). Mer-dim 9h-16h30. Entrée libre. Représentations théâtrales le dim à 13h et 16h dans la* Casa campesina, *et à 14h et 17h dans la* Casa hacienda *(payant).*
Encore un site appartenant au *Banco Central.* Le parc est divisé en trois zones : le zoo, le vieux Guayaquil et une partie « ethnologique ». Intéressera surtout les enfants. Compter 1h30 de visite en tout. Beaucoup de monde le week-end. Plusieurs cafétérias. Possibilité de visites guidées (en espagnol ou en anglais) comprises dans le prix d'entrée. Dans ce cas, il faut attendre aux guichets qu'un groupe se constitue.
– ***La zona silvestre* :** c'est le zoo auquel on faisait allusion plus haut... et la seule partie vraiment intéressante du parc. Dans cette réserve de 5 ha sont réunies les espèces les plus représentatives des principaux écosystèmes qui, autrefois, constituaient la région de Guayaquil. Promenade agréable loin de l'agitation de la ville (si on oublie les avions...), le long de pontons en bois courant à travers la mangrove et un sous-bois tropical. Chemin faisant, le visiteur pourra observer des singes, des perroquets de différentes tailles, des paresseux, des tapirs, des crocodiles, des cochons sauvages, des aigles, des ocelots...
– ***La zona urbano-arquitectónica* :** cette zone est la fierté du parc. Elle présente la reconstitution de quelques-unes des belles façades du début du XXe s qui ornaient les rues de Guayaquil, parmi lesquelles de jolies demeures bourgeoises, une banque, un hospice et sa chapelle. Les façades flambant neuves ont été construites à partir des restes de maisons récupérés dans le centre de la ville et transportés ici : portes, encadrements, moulures... Malgré le soin méticuleux apporté à cette reconstitution, on peut s'interroger sur le bien-fondé de cette démarche, qui consiste à déposséder la ville de ses demeures *in situ.* Le faux semble avoir digéré le vrai. D'ailleurs, si l'on ne vous avait pas dit que des éléments d'origine ont été intégrés dans ces façades, vous n'en sauriez rien. L'ensemble a de l'allure – certes – mais a franchement l'air d'un parc d'attractions à l'américaine, même si, bien sûr, le parc s'en défend.

– ***La zona de tradiciones,*** elle, présente l'habitat traditionnel des campagnes équatoriennes au XIXe s. Elle jouxte un jardin botanique. Plants de bananiers, de cacaoyers, de caféiers et de palmiers (servant à confectionner les panamas) complètent l'ensemble.

👁👁 👨‍👧 ***Jardín botanico*** *(hors plan couleur par A1)* **:** *tt au nord de la ville, av. Francisco de Orellana, dans le quartier Las Orquideas. Prendre le bus no 63 du parque del Centenario (compter 15 mn). ☎ 256-05-19. Tlj 8h-16h. Entrée : 3 US$.* Observation d'une variété étendue (plus de 3 000 espèces végétales dont 80 espèces d'orchidées) de fleurs, d'oiseaux et de papillons représentatifs de la forêt équatorienne dont beaucoup sont, à ce jour, en danger d'extinction. Un bel endroit pour une découverte en famille (vos enfants pourront parler en espagnol avec les perroquets). Service de guide moyennant un petit pourboire.

👁 ***Museo naval contemporáneo*** *(hors plan couleur par A3)* **:** *Vacas Galindo y Cinco de Junio. Au sud de la ville (env 4 US$ en taxi). Mar-ven 9h-17h ; sam 9h-14h. Entrée gratuite.*
Histoire navale du pays de la Seconde Guerre mondiale à nos jours. C'est donc la suite du musée *Illingworth* (voir plus haut « Dans le centre »). Si vous êtes venu jusqu'ici, allez au moins jeter un œil au ***museo-memorial Cañonero Calderón,*** presque à côté. Ce dernier est un remorqueur transformé en bateau de guerre, qui défit le bâtiment de guerre péruvien *Almirante Villar,* plus grand et mieux équipé, lors de la bataille navale de Jambeli en 1941.

## DANS LES ENVIRONS DE GUAYAQUIL

➢ De Guayaquil, possibilités d'***excursions vers la forêt côtière :*** *Vinces, Milagros, Babahoyo.* Oiseaux exotiques, fruits tropicaux, cacao...

👁 👨‍👧 ***Le Cerro Blanco :*** *à env 16 km de Guayaquil sur la route de Salinas (sud-ouest) ; entrée à droite en allant vers Salinas, juste au niveau de l'école privée* Cenest Harvard. *📱 09-86-22-50-77. • bosquecerroblanco.org • Ouv sam-dim 8h-16h : lun-ven sur résa slt. Entrée : 4 US$ ; réduc.* Il s'agit d'une colline protégée et en partie couverte de forêt, où l'on peut observer des centaines d'oiseaux et, avec une *buena suerte,* des félins, des singes... Au choix, trois parcours guidés *(sur résa ; compter 12-20 US$ selon parcours ; 8 pers max).* Également un sentier balisé de 20 mn dit « des arbres géants » et un centre de reproduction en captivité.

👁 ***Reserva ecológica Manglares Churute :*** *à env 50 km au sud-est de Guayaquil. Tlj 8h-14h. Entrée : 10 US$ ; env 15 US$ pour un tour en canot sur les marais.* Réserve nationale de 50 000 ha, composée essentiellement de mangrove. On y rencontre des singes, des félins et 265 sortes d'oiseaux. Il s'y pratique encore un peu d'agriculture et de pêche artisanale. Des sentiers balisés ont été aménagés pour les visiteurs. Les plus accessibles partent du *centro de visitantes.* Pour une découverte plus approfondie, s'adresser à la *Finca Monoloco. 📱 09-99-64-32-82. • monoloco.ec •* dans laquelle on peut également se loger.



# PLAYAS

IND. TÉL. : 04

**Playas c'est une belle et longue plage de 14 km plutôt populaire, où les habitants de Guayaquil viennent passer la journée en famille. Une station balnéaire vaguement développée, vaguement délabrée, nonchalante en tout cas et qui sent bon les congés payés. Une halte éventuelle pour les surfeurs qui apprécieront la vague bien formée quand le swell rentre plein sud.**

– Le distributeur de la ***Banco Pichincha,*** entre la place de l'église et la mer, accepte en principe les cartes internationales.

## Arriver – Quitter

### En bus

Pour Salinas et Guayaquil, le terminal se trouve av. Pedro Menéndez Gilbert (à 150 m de l'église).

➢ ***Guayaquil :*** dans les 2 sens, bus env ttes les 10 mn 4h-20h15. Durée du trajet : 2h.

➢ ***Salinas :*** aucune liaison directe. Prendre un bus pour Guayaquil et descendre à Progreso (le village au carrefour des routes pour Salinas, Guayaquil et Playas), d'où vous attraperez une correspondance pour Salinas.

## Où dormir ?
## Où manger ?

Rien d'extraordinaire, plutôt une série d'établissements style station balnéaire des *seventies.*

### De bon marché à prix moyens

☗ ***Hostal Brisas del Pacífico :*** *sur le malecón. ☎ 276-17-30. Double 20 US$. Parking.* Ce petit bâtiment pêche – et son requin en guise de figure de proue – abrite une vingtaine de chambres simples mais propres et colorées, avec ventilo, TV et salle de bains privée. Petite cafét' sur place.

|●| ***La Casa de Marie et Gabriel :*** *av, Jaine Roldós Aguilera (en diagonale du parque de la Madre de Playas, à côté de l'hôtel* Ricomar*). Grosso modo ouv ven 15h-21h et w-e 11h-21h.* Un endroit joliment décoré qui sert de bonnes pâtisseries quand c'est ouvert !

|●| On trouve plein de ***paillotes*** sur la plage, pour siroter un verre, manger un poisson *a la plancha* ou déguster un *ceviche* les pieds dans le sable. L'*arroz marinero* y est parfois servi avec un crabe entier qu'on vous casse en morceaux. Portions de géant. Et si votre *cabaña* ne vous plaît pas, il vous en reste encore 40 à essayer !

|●| Les ***cevicherías*** de l'av. Paquisha (qui mène à la plage) : elles s'alignent par paquets de 12 sur les places et aux angles des rues. Là encore, choisissez au feeling. Playas est véritablement la ville du *ceviche* ! De gros tas de *conchas* sur la table, une télé allumée et, dans les frigos publicitaires, des bouteilles de soda de 3 l... Ces gargotes sont extrêmement populaires et à quelque 5 US$ le *ceviche,* il n'y a aucune raison de se priver. Également des *cazuelas* et *sopas.*

### Chic

☗ ***Hotel Nevada :*** *av. Paquisha y av. Guayaquil. ☎ 276-07-59. • hotelnevadaplayas.com • Dans la rue principale de Playas, à deux pas de la mer. Doubles 40-50 US$ selon saison, petit déj env 3-5 US$. CB acceptées.* Grand immeuble blanc d'une trentaine de chambres tout confort (literie bien ferme). Quelques-unes donnent sur la mer pour le même prix. Petite piscine à l'arrière, billard, baby-foot.



# SALINAS

IND. TÉL. : 04

**La station balnéaire la plus chic du pays, très appréciée par la gente friquée de Guayaquil qui vient ici se gaver de fruits de mer et faire des ronds dans l'eau à bord de leur jet-ski. Rien de bien excitant pour le routard en vadrouille si ce n'est l'opportunité d'aller observer les baleines entre juin et septembre.**

## Arriver – Quitter

### En bus

🚌 ***Terminal de bus :*** *av. General E. Gallo (en face de l'hôtel* Oro del Mar*).*

➢ ***Guayaquil :*** départ ttes les 10 mn avec les compagnies *Cica (Costa Azul), Libertad Peninsular* et *Liberpesa,* 4h-20h. Durée du trajet : 2h.

➢ Pour gagner le nord en longeant la côte (la « *Ruta del Sol* »), il faut aller prendre le bus à ***La Libertad,*** d'où partent les bus pour ***Montañita, Puerto López,*** mais également ceux pour ***Cuenca et Quito...*** Pour aller à La Libertad, prendre un taxi ou un bus des compagnies *Transcica, Horizonte Peninzular* et *Trunsa* qui partent en face de la base militaire de Salinas (« Fuerte Militar Salinas » ; tt au bout des plages). Bus ttes les 5 mn.

## Adresses utiles

ℹ ***Oficina de Turismo :*** *Eloy Alfaro s/n entre Mercedes de Jesús Molina y Los Almendros (derrière la mairie).* ☎ *277-00-00. Lun-ven 8h-12h, 13h-17h.* Pas grand-chose à se mettre sous la dent.

@ ***Pacifictel :*** *en face de* Cevichelandia *(voir plus loin « Où manger ? »).*

■ Distributeur de billets acceptant les cartes internationales à la ***Banco del Pichincha*** et ***Banco Bolivariano,*** toutes 2 sur le *malecón* et presque voisines. Le distributeur de la ***Banco de Guayaquil,*** situé juste à l'entrée de la mairie, vous dépannera aussi. Pas de possibilité de faire le change à Salinas.

## Où dormir ?

Prix relativement élevés dans cette station chic. Attention, les tarifs peuvent doubler pendant les fêtes de Noël, Carnaval ou Pâques.

### Prix moyens (30-48 US$)

🏠 |●| ***Hostal Las Palmeras :*** *calle Rumiñahui y General Enriquez Gallo.* ☎ *277-00-31.* • *h.palmera@hotmail.com* • *À 2 mn à pied de la plage, dans la 1re rue parallèle au* malecón. *Double env 30 US$. Pas de petit déj.* 📶 Hôtel d'une quinzaine de chambres possédant toutes commodités (salle d'eau, clim). Chambres colorées mais pas très lumineuses (celles du rez-de-chaussée n'ont pas de vraies fenêtres). Petit café ouvert sur la rue. Bon accueil.

🏠 |●| ***Hostal Francisco I :*** *av. General Enriquez Gallo y Rumiñahui.* ☎ *277-35-44 ou 41-06.* • *hotelesfrancisco.com* • *Dans une rue parallèle au* malecón, *à 200 m de la mer, presque en face de l'*Hostal Las Palmeras. *Doubles 37-48 US$. CB acceptées. Parking.* 📶 Cette maison soignée possède 12 chambres confortables et spacieuses, équipées de frigo, AC et eau chaude. Faute d'avoir une vue sur la mer, les chambres donnent directement sur une petite piscine destinée à la clientèle de l'hôtel. Calme et propre. Cafétéria, resto, bar. Une adresse offrant un bon rapport qualité-prix.

## Où manger ?

### Bon marché (moins de 5 US$)

|●| ***Cevichelandia :*** *au bout du* malecón. *Au niveau de la pointe du yacht-club, prendre à gauche et c'est 2 blocs plus loin, à deux pas du terminal des bus.* Sur une grande place, des dizaines de stands couverts où le *ceviche* est roi ! Dommage qu'on vous saute d'emblée dessus en brandissant le menu. Pas la peine de préciser que le poisson est on ne peut plus frais et pas cher du tout.

### Chic (12-20 US$)

|●| ***Mar y Tierra :*** *av. 10-339 y calle 28.* ☎ *277-36-87. Sur le* malecón. *Tlj jusqu'à 23h. Résa fortement conseillée. Plats 10-15 US$, 2 fois plus cher pour les* parilladas. Ce resto en forme de bateau est une petite institution à Salinas. Installé dans une sorte d'entrepont en bois ouvert sur la rue, on s'y régale de très bonnes spécialités de fruits de

mer. Carte plutôt variée : *paella con langosta, parrilladas de mariscos, arroz marinero, corvina a la genovese,* espadon grillé... Vin au verre (mais cher). Attention toutefois : lorsque le patron est absent (en vadrouille dans son pays d'origine, l'Espagne), la qualité baisse nettement.

Voir aussi nos adresses dans la rubrique « Où dormir ? ».

## Où dormir ? Où manger dans les environs ?

***El Farallón Dillon :*** *au nord de Salinas, sur la falaise, après le village de Ballenita. ☎ 295-36-11. 09-99-77-17-46. • farallondillon.com • Bien indiqué depuis Ballenita, à 15 mn de Salinas en voiture. Double 85 US$, petit déj inclus. Plats 8-16 US$.* Surprenant hôtel au bord de la falaise *(lomas de ballenita)* d'où l'on a une vue magnifique sur la baie et les ébats éventuels des baleines, dont le passage annuel se fait à quelques encablures. Le site a été aménagé par le capitaine Alberto Dillon, un ancien de la marine marchande. Tout ici rappelle l'univers qui fut le sien pendant 35 années, des Vikings en passant par Christophe Colomb, les sirènes et les pirates. Les chambres, plaisantes et toutes différentes, ont adopté un look un poil nostalgique, patiné par le temps. 3 d'entre elles se logent dans un phare ; on va se coucher en grimpant une échelle de fer ! Presque toutes s'ouvrent sur un balcon pour jouir du panorama. Le resto a été transformé en pseudo-musée de la Marine, en fait, un bric-à-brac jouxtant un bar qui sent le teck et les abordages « enrhumés ». Côté resto, bonne nourriture, côté détente, petite piscine à débordements et accès direct à la plage en contrebas, avec hamacs et planches de surf. Vous pouvez aussi vous contenter de prendre un verre ou de dire bonjour aux perroquets de quart. Excellent accueil.
– La chapelle voisine, aussi factice que le musée, est un espace dédié à l'art où sont exposés quelques œuvres d'artistes locaux mais également les restes d'un galion coulé un peu plus au large, il y a 350 ans !

## DANS LES ENVIRONS DE SALINAS

***Museo de los Amantes de Sumpa :*** *à 1 km de Santa Elena (à l'est de Salinas). ☎ 294-10-20. Depuis le centre de Santa Elena, prendre la direction Salinas ; le musée (situé dans une rue sur la gauche) est indiqué par un grand panneau. Mar-dim 10h-17h. Entrée gratuite. Photos interdites.* Petit musée aménagé dans un jardin tout à la gloire du pavé béton et des bordures de trottoir. Il se situe exactement à l'emplacement d'un cimetière vieux de plus de 8 000 ans, où des fouilles ont mis au jour plus de 200 squelettes humains, ce qui en fait le plus vieux cimetière jamais découvert au monde. Malheureusement tout a disparu sous le béton et les bâtiments qui abritent le musée. Vous pourrez néanmoins admirer quelques squelettes, dont les fameux amants de Sumpa, enlacés pour l'éternité, qui ont donné leur nom au musée. Nombreuses explications en espagnol sur le mode de vie de l'époque et mise en relation avec le mode de vie actuel, notamment en ce qui concerne les cérémonies de mise en bière. Quelques terres cuites et bronzes de la culture valdivia et une maison traditionnelle reconstituée pour l'occasion.

***Museo paleontologico Megaterio :*** *via La Libertad, Santa Elena (à l'intérieur de l'enceinte de l'université* UPSE*). ☎ 278-43-05, poste 107. Mar-sam 9h-17h.* Le Megaterio était une grosse bébête toute velue qui mesurait 6 m de haut et pesait 5 t. Sacré nounours ! Ses restes, mis à jour par les compagnies pétrolières de la région, sont exposés ici. Du coup, on en a profité pour recréer quelques bestioles vivant à la même époque (lors de la glaciation du Wisconsin (entre 85 000 et 7 000 av. J.-C.) : castor géant, lama géant, mastodonte. Ces recherches tendraient à prouver que l'homme était déjà installé ici il y a 15 000 ans. Intéressant.

**Anconcito :** *à env 30 mn au sud-est de Salinas.* Petit port de pêche déshérité, lové au pied de falaises crayeuses au sommet desquelles s'étend un village de poussière. Très animé tôt le matin, quand les barques multicolores rentrent au bercail. Quelques kilomètres plus au sud, la morne petite ville d'*Ancon* vit de l'exploitation de quelques modestes puits de pétrole et de gaz éparpillés dans la lande sablonneuse.

**Baños de San Vicente :** *à env 30 mn à l'est de Salinas. ☎ 253-51-00. Tlj 6h-18h. Taxi A/R env 15 US$. Entrée : 2 US$ ; réduc.* Il s'agit d'une des quatre plus importantes stations thermales d'Équateur. Elle est tout particulièrement reconnue pour les propriétés médicinales des quelque 25 minéraux contenus dans l'eau d'origine volcanique et non filtrée, qui alimente en continu les trois piscines naturelles du site. L'une d'entre elles, de 4 m de profondeur, est d'une température d'environ 38 °C. Au programme, bains de boue, de vapeur, massages *(env 5 US$)*... L'endroit est très populaire, surtout en mai-juin, mais les gens venant avant tout ici pour se soigner, la moyenne d'âge de la clientèle est plutôt élevée. Petits restos et complexe touristique sur place.

**Museo Real Alto :** *route de Guayaquil km 109 ; tourner au niveau de la station-service PS. C'est à 12 km (indiqué). 📱 09-95-96-15-29 ou 09-88-62-73-57. • complejoculturalrealalto.org • Mar-dim 9h-17h. Entrée : 1 US$ ; réduc.* Dans une savane broussailleuse à souhait, à 2 km à peine du petit port de pêche (très animé) de **Chanduy,** ce musée géré collectivement fait le point sur la région à travers sa longue histoire. Inventaire est dressé des plantes médicinales déjà utilisées par la culture valdivia (de 4400 à 1450 av. J.-C.), évidemment, encore des terres cuites issues des fouilles effectuées sur le site dans les années 1970. Petite expo sur le fameux spondylus (*el Mullu* en jargon local), ce coquillage infalsifiable qui servait de monnaie d'échange, utilisé également lors des rites en l'honneur de la Pachamama (la déesse mère représentant la terre). Déesse que les hardis prosélytes du christianisme n'auront aucun mal à assimiler à la Vierge Marie aux yeux des Indiens, soit dit en passant. Ce coquillage était pêché entre 20 et 30 m de profondeur, et son arrivée massive sur les côtes valait prévision météo puisqu'il annonçait une saison des pluies propice à une bonne récolte.
Le jardin qui entoure ce musée n'est pas non plus dénué d'intérêt puisqu'il inventorie la plupart des essences natives : balsa, guayacan, mate, guasango... Possibilité de loger pour 5 US$ dans une grande coque en bois, très agréable bien que l'endroit soit un peu désert. Pour un petit creux, quelques gargotes à Chanduy, à 2 km de là.

En remontant vers Montañita, la côte est jalonnée de ***villages de pêcheurs,*** avec paillotes-restos les pieds dans le sable. Régulièrement, au crépuscule, les hommes et les gosses du village se réunissent pour hisser sur la plage à la force des bras la pêche du jour, soit d'énormes filets chargés de poissons frétillants. Dans une tranquille et studieuse pagaille, chacun s'attache aux filins par la taille puis s'écorche les mains à tirer la lourde masse, repoussée vers le large par la houle. Autour, des dizaines d'oiseaux virevoltent, espérant happer les poissons qui réussiront à s'extraire des mailles du filet. Quand le filet est suffisamment remonté sur la plage, les pêcheurs sortent pelles et seaux pour le vider et se répartir le fruit de la pêche. Et sachez qu'ils ne refusent jamais un coup de main...



# MONTAÑITA

2 000 hab. IND. TÉL. : 04

**Il est bien loin le Montañita baba des années 1960, le point de rendez-vous des routards au long cours. Loin des purs de la glisse, le surf qui**

**l'a vu naître y distille désormais une bien étrange limonade, une sorte de *hippy land* qui finit chaque soir en beuverie généralisée. Un pâle avorton d'Ibiza, oserait-on dire. Pourtant, la vague si belle et si pure, dont les premiers découvreurs s'étaient entichés, est toujours là, elle ; on a même dû l'empêcher de ronger le village à grand renfort de rochers. Montañita serait donc devenu un petit bout de paradis version kermesse organisée ? Elle vit aujourd'hui sous le diktat d'un décibel vengeur autour de quelques micro-rues tressées de fils électriques et d'enseignes publicitaires. Et ça pratiquement toute l'année, car ici, contrairement à Puerto López, la saison touristique ne correspond pas à la période de reproduction des baleines mais aux vacances scolaires, en gros de mi-décembre à Pâques. Une période pendant laquelle trouver un matelas libre relève de l'exploit. Et c'est sans compter pouvoir y dormir... On l'aura compris, Montañita n'intéressera que les fêtards, les frottés de *trance* ou de reggae, les fêlés du citron vert version caipirinha. Ceux qui surfent au sec sur leurs *lap-tops*. Les autres prendront le bus pour Olón, à 5 km plus au nord, là où la vague réserve encore quelques belles sessions d'adrénaline aux *waveriders* et où l'on peut encore dormir dans les hôtels.**

## Arriver – Quitter

### En bus

➢ ***Puerto López :*** bus locaux ttes les 30 mn 4h-20h, dans les 2 sens, avec les compagnies *Manglaralto* et *Reales Tamarino.* Durée du trajet : 1h45.

➢ ***Olón :*** bus ttes les 30 mn avec la compagnie *Manglaralto.*

➢ ***Salinas :*** liaisons ttes les 15 mn. Durée : 1h30.

➢ ***La Libertad ou Santa Elena :*** liaisons ttes les 15 mn avec *Libertad Peninsular*. Durée du trajet : 1h30. Les bus *Citup* desservent ts les villages de la côte jusqu'à La Libertad.

➢ ***Guayaquil :*** 3 bus directs/j. avec *Libertad Peninsular* à 5h, 13h et 17h. On peut aussi prendre un bus pour Santa Elena, puis effectuer un changement pour Guayaquil. Bus ttes les 15 mn dans ce cas-là. Durée du trajet : 3h en direct.

➢ ***Quito :*** aucun direct, il faut soit monter à Puerto López pour prendre un bus *Reina del Camino* ou *Carlos Alberto Aray,* soit descendre à La Libertad pour prendre un bus *Trans Esmeraldas*. Compter 10-11h de trajet.

## Adresses utiles

@ Aucun problème pour se connecter à Internet ou passer un coup de fil à l'étranger. Plusieurs échoppes dans le centre, mais la plupart des cafés disposent d'un accès wifi gratuit.

■ ***Distributeurs de billets :*** *le 1er* (Banco Bolivariano) *se situe calle 15 de Mayo, sous l'hôtel* Montañita *et le 2nd* (Banco de Guayaquil) *sur le côté arrière de l'hôtel* Tiki Limbo.

## Où dormir ?

Il y a de nombreux petits *hostales* dans le centre, collés les uns aux autres, dont les « chambres » s'empilent parfois sur plusieurs étages. La plupart sont sales et mal insonorisés. Nous n'en avons sélectionné aucun. Si vous tenez absolument à dormir à Montañita, filez plutôt à *la Punta,* à 15 mn à pied par la route ou par la plage. Ce secteur est beaucoup plus paisible et la plage y est également moins fréquentée. Attention : au plus fort de la saison, pendant les fêtes calendaires incluses dans la haute saison (Noël, Jour de l'an, Carnaval et Semaine sainte), les prix décollent. La réservation est alors indispensable.

### De prix moyens à chic (30-70 US$)

🏠 🍽 ***Balsa Surf Camp :*** *à la Punta.* ☎ *206-00-75 ou* 📱 *09-89-71-46-*

*85. • balsasurfcamp.com • Doubles 55-65 US$ selon emplacement, copieux petit déj compris ; sup de 5 US$ pour la ½ pens. Au resto, carte 7-9 US$. CB acceptées.* Un petit havre de paix à deux pas de la vague. Entourant un très beau jardin où les palmes viennent caresser les façades, une douzaine de chambres tout confort mais sans clim pour 2 à 5 personnes, réparties sur 2 niveaux (les plus chères sont en haut). Très belle déco, mêlant les matériaux modernes, pavés de verre, carrelage, etc., à des touches plus « nature » tels le bambou, la brande, les galets... Les volumes sont harmonieux, la *honeymoon suite* avec son lit *king size* et son balcon, est craquante. Cette adresse de charme où les arbres portent des hamacs en guise de boucles d'oreilles, possède également un bon restaurant où les plats locaux sont remis au goût de Julie, la proprio, par une petite pointe de saveurs méditerranéennes. Quant à Rasty, son mari, il vous embarque à bord de *la chiva*, un 4x4 rallongé pour des safari-surfs débridés. Faut dire que le surf c'est son affaire, puisqu'il *shape* lui-même ses *boards* en balsa pour en faire de véritables œuvres d'art.

**Hostal Rosa Mística :** *à la Punta. 09-97-98-83-83. • hostalrosamistica.net • À 1 km au nord de Montañita, sur la droite quand on regarde la mer. Doubles 32-45 US$ côté jardin ; 45-84 US$ côté plage, petit déj compris. CB acceptées moyennant surcharge de 10 %.* Parfait pour les familles et ceux qui recherchent le calme. Une dizaine de chambres tout confort dans un bâtiment en L qui ouvre sur un jardin luxuriant. Très relax. La déco est simplissime mais les chambres sont soignées. Elles possèdent toutes une salle de bains avec eau chaude, et l'atmosphère est rafraîchie par un ventilo sur pied. De l'autre côté du chemin, une 2de bâtisse, flanquée d'un petit bar les pieds dans le sable. Elle abrite 4 chambres climatisées tout confort, en bois et bambou, très propres, pouvant loger jusqu'à 5 personnes. Resto (carte réduite hors saison). Une adresse toute simple et rafraîchissante.

## Où manger ?

Pour manger ou boire un verre, vous aurez l'embarras du choix, même si cela ne soulèvera pas forcément l'enthousiasme de vos papilles. Pour schématiser, tous les clubs de surf font hôtel, tous les hôtels font resto, tous les restos font bar, et tous proposent à peu près les mêmes cocktails et plats (petit déj, *burgers*, poisson grillé, pizza et *burritos*). Côté décor, le thème unique c'est « bambou exotique ». Plutôt que de proposer une sélection forcément arbitraire, notre conseil pour choisir : le pif ! Voici tout de même 2 adresses un peu plus typiques :

**Restaurante Doña Elena :** *calle 15 de Mayo (rue de l'église).* Établissement tenu par des autochtones qui vous proposeront des plats de poisson et de crevettes pas chers du tout. On y sert aussi des petits déj, pizzas, *empanadas, ceviches...* Une institution à Montañita.

**La Puntilla :** *calle Vincente Rocafuerte (entre un marchand de légumes et un* shaper *de balsa qui fait l'angle avec la calle 10 de Agosto). Tlj à partir de 7h30. Petit déj ou* almuerzo *env 3 US$.* Table en bois, chaise bambou, la télé en ligne de mire. C'est bon et servi avec gentillesse par Manuel.

## Où dormir ? Où manger dans les environs ?

Pour échapper aux nuits blanches de Montañita, Olón est un excellent compromis. Pourvu que la « montañitite » ne le prenne pas de si tôt !

**The Sea Garden House :** *malecón del Sol y av. Misericordia (à l'extrémité sud de la plage). 09-91-31-20-34 ou 09-91-33-77-72. • thegardenhouse.com • Compter 20 US$/pers quelle que soit la saison, petit déj bio env 3 US$.* Au total, 7 chambres tout confort (sans clim), reparties dans 2 unités, se partageant un joli jardin clos pratiquement sur la plage. Le grand bâtiment est plutôt fait pour les familles, le plus élancé satisfera les tourtereaux. La construction, en brique vernissée et bois de guayacan, confère à l'un comme à l'autre un charme indéniable, d'autant que certaines chambres sont largement vitrées sur le large. Bien sûr, d'agréables terrasses avec tout un tas d'engins de torture pour satisfaire une bonne sieste. Endormissement garanti au son du ressac. Quant à Rodolfo, le maître des lieux, ancien mathématicien reconverti en aubergiste, il saura vous distraire (en anglais) et ne manquera pas de vous faire remarquer que sa clôture est en train faire des feuilles !

**Hostería Isramar :** *av. Sta Lucía y Rosa Mística (à 30 m de la plage). ☎ 278-02-15 ou 09-97-12-12-93. • hosteriaisramar.com • Doubles 30-50 US$ selon saison ; petit déj 3 US$.* Distribuées en coursive, une dizaine de petites chambres aux couleurs acidulées. Toutes possèdent leur propre salle d'eau, moustiquaire et ventilo. Le routard prévoyant réservera plutôt celles de l'étage, plus à l'écart du bar. Sinon, la maison propose aussi une petite restauration, où la pizza (casher) tient une place de choix. Accueil réservé.

## Surf

Comme on vous l'a déjà dit, Montañita est l'un des meilleurs spots de surf du pays. La période recommandée court de décembre à avril. Pendant cette période, le soleil tape fort et le ciel se vide pratiquement tous les jours. C'est là que les vagues sont les plus grosses. La température de l'eau en janvier y est de 25-27 °C. Le reste de l'année, les vagues se tassent un peu. Entre juillet et septembre, c'est presque le calme plat car le swell ne rentre pas. Montañita ainsi que bon nombre de villages de la côte baignent dans une sorte de ouate atmosphérique, la *garua,* qui masque le soleil. La température de la mer n'est « que » de 22-23 °C. C'est le meilleur moment pour observer les baleines à bosse. Côté surf, la vague de *la Punta* est un beach-break assez paisible qui fonctionne grâce à un *swell* du nord de décembre à avril ; elle peut atteindre 2,50-3 m durant cette période. La bonne heure dépend directement des horaires de la marée. Pas de danger au fond (sable). Pour admirer les surfeurs en action, une compétition est organisée en février-mars.

La région compte également quelques spots capables de satisfaire plusieurs niveaux de pratique. Épinglons pêle-mêle quelques-uns des plus faciles d'accès (en bus) : Olón, Curía et San José contenteront les débutants, leur beach-break est du genre guimauve. À Las Tunas, Ayampe ou La Rinconada (compter 30 mn de bus) en revanche, vous risquez de souffrir un peu car la vague est puissante. Quant au point-break le plus près, il se trouve à Rio Chico (au nord d'Ayampe, à environ 40 mn).

Un bon plan, c'est de commander une planche ici. Plusieurs *shapers* dans le village font des planches en balsa. La différence de prix avec l'Europe est importante (on vous l'accorde, après il faut la rapporter...).

Un endroit où se renseigner, parmi une bonne quinzaine :

■ **Balsa Surf House :** *au* Balsa Surf Camp *(voir coordonnées plus haut dans la rubrique « Où dormir ? »).* César (Rasty) Moreira sculpte le balsa qu'il va lui-même choisir sur pied en forêt. Il en sort de véritables œuvres d'art. Donne également des cours de surf et organise des stages et des *surf trips* pour les *riders* qui n'ont pas froid aux yeux.



## DANS LES ENVIRONS DE MONTAÑITA

**Playa de Simón Bolívar :** *au village du même nom, à 8 km au sud de Montañita, avt d'arriver à Valdivia.* Superbe plage de sable blanc, longue de plusieurs kilomètres. Quelques paillotes coincées entre la mer et la route pour manger du poisson et une adresse :

**La Casa del Sombrero :** *libertador Bolívar av. principal (sur la plage). 09-93-49-11-85. • lacasadelsombrero.comuna.ec • Doubles 30-40 US$, quadruples 50-60 US$ selon saison, petit déj compris.* Oubliez les chambres situées dans la maison, elles sont plus grandes (jusqu'à 6 personnes) mais aussi plus près de la route. Choisissez plutôt les *cabañas* situées à fleur de plage. Sol béton, lit gros bambou, ventilo, moustiquaire, salle de bains avec eau chaude. Situées sur 2 niveaux (préférez celles du haut avec leur petit balcon), elles accueillent indifféremment 2 ou 4 personnes. Ne reste plus qu'à choisir un hamac et faire l'inventaire des noix de coco en espérant qu'aucune d'entre elles ne se décroche pendant la sieste. La maison loue des kayaks et des *bodyboards*. Bon accueil.

**Valdivia :** *à env 15 km au sud de Montañita.* Petit village tranquille où l'on trouva, au cours de fouilles archéologiques en 1956, une quantité de petites statuettes Vénus qui auraient appartenu à une culture précolombienne, peut-être organisée en matriarcat.

– **Ecomuseo :** *à la sortie du village côté droit, direction Montañita. Tlj 9h-16h. Entrée : 2 US$ ; réduc.* Ce modeste musée en plein air est entièrement géré par des gens du village et appartient à la communauté. Quelques pièces originales y sont exposées, ainsi que des objets des cultures *machalilla* et *guangala*. Quelques exemples de Vénus de *Valdivia* en terre avec leur chevelure en forme de casque et leur organe génital développé. Deux petites cellules sur l'artisanat traditionnel : celui de la *paja toquilla*, où l'on vous explique tout le processus de fabrication, de la plante au chapeau, et celui de la *tagua* (ivoire végétal), dont on suit le procédé d'élaboration des objets à partir de coquilles de *concha*. Petite boutique de souvenirs juste derrière.

– **Acuario** (aquarium) **:** *à la sortie du village direction Salinas. Tlj 8h30-17h30. 09-82-98-39-94. • acuariovaldivia.com • Entrée : env 2 US$ ; réduc.* Bien entretenu, il fait partie du même projet que l'*Ecomuseo*. Série d'aquariums en plein air en attendant la construction d'un centre plus conséquent. On voit notamment un ballet d'hippocampes, des oursins de toutes les couleurs, des concombres et limaces de mer, etc. Grand bassin au milieu servant de terrain de jeux à deux pingouins de Magellan bien tristounes, véritables vedettes de l'aquarium. À côté, le bassin des tortues marines. Les animaux sauvages malades ou blessés sont amenés ici pour y être soignés. Les oiseaux repartent lorsqu'ils se sentent d'attaque. Une visite pas indispensable.

### L'HIPPO-CAMPE SUR SES POSITIONS ET COUVE SES PETITS !

*Chez les hippocampes, c'est le mâle qui porte les petits ! Il couve les 100 à 200 œufs que lui transmet la femelle dans une poche abdominale pendant environ 2 semaines, avant de les expulser et de remettre ça, avec la même dame, s'il vous plaît. Eh oui ! Non seulement l'hippocampe mâle passe de grossesse en grossesse en période de reproduction, mais il est aussi fidèle.*

**Ayampe :** *à env 9 km au sud de Salango, après Las Tunas.* Un minuscule village bien paisible, posé sur une large baie en bordure d'une lagune, escale de nombre d'oiseaux. Sortez vos jumelles ! À quelques encablures, un îlot bossu hérissé de deux hauts pitons rocheux surveille l'océan. On trouve sur place quelques *hostales* un peu chers pour dormir en bord de mer, et une poignée de gargotes éparpillées dans le village.

# SALANGO

IND. TÉL. : 05

**Petit port de pêche calé sur une baie à 6 km au sud de Puerto López, et flanqué d'une conserverie de poisson particulièrement hideuse et malodorante. Heureusement, longue et belle plage. Les pêcheurs attirent les frégates et les urubus noirs qui attendent patiemment leur tour, perchés sur les poteaux électriques. On peut également louer une barque *(lancha)* pour visiter l'île de Salango où sont nichés des fous à pattes bleues ou encore affréter un bateau pour dépasser l'île et s'en aller à la chasse photographique à la baleine. Tarifs à discuter fermement. Dernière chose : on mange très bien à Salango.**

## Adresse utile

■ ***Marea de la Plata :*** *à 100 m à droite de la conserverie quand on regarde la mer. ☎ 258-90-35 ou 09-97-39-47-20. Résa si possible 24h à l'avance. Masque, tuba et palmes fournis ; prix intéressants pour les groupes de min 5 pers (env 20 US$/pers) ; pour 3, env 80 US$/pers (essayez de vous grouper, en général ils ne larguent pas les amarres pour moins de 3 routards).* Petite agence de tourisme tenue par Gary et sa famille, qui proposent de la pêche sportive autour de l'îlet Salango ou encore une balade en bateau pour aller voir la faune de l'île et barboter autour. En saison, expéditions à la découverte des baleines, avec *snorkelling* autour de l'îlot sur le trajet retour (compter 2h d'excursion bien tassées, dont 1h15 en station pour observer les cétacés (il paraît que c'est assez...).



## Où dormir ? Où manger à Salango et dans les environs ?

Il n'y a pas d'hôtel à Salango mais vous trouverez quelques belles adresses dans les environs de Puerto Rico et Las Tunas (un spot de surf), 2 microvillages voisins situés à environ 7 km au sud de Salango.

### Prix moyens

🏠 🍽 ***Cabañas Viejamar :*** *à* ***Las Tunas.*** *☎ 234-70-32 ou 09-87-81-73-10. • viejamar.com • Double env 50 US$ ; cabañas famille env 80 US$, petit déj inclus (fruits du jardin). Les enfants jusqu'à 11 ans ne paient pas.* Dissimulés dans un jardin touffu et coloré en bordure de plage, une quinzaine de sympathiques bungalows en bois et bambou pour 2 à 4 personnes, avec salle de bains privée. Propre, bonne literie, ventilo et moustiquaire (2 seulement possèdent la clim). Pour se rafraîchir, petite piscine ou vaste océan. Petit resto-bar avec jeux de société (sérieux casse-tête chinois) et école de surf. Une adresse menée tambour battant par Rodrigo, ancien téléreporter chilien. Très sympa.

🏠 🍽 ***Hostería La Barquita :*** *à* ***Las Tunas,*** *juste à côté des Cabañas Viejamar. ☎ 234-70-51. • hosterialabarquita.com • Doubles 32-50 US$ ; familiales 32-108 € selon confort et période. Petit déj en sus. Au resto, plats 5-14 US$.* Une vingtaine de chambres tout confort, pour 2 à 6 personnes, dont plus des trois quarts sont climatisées. Agréables, elles se répartissent dans de sympathiques cabanons disséminés dans le jardin au bord de l'eau. Certaines disposent d'une mezzanine. Au milieu de tout ça, l'arche de Noé : un immense navire en bois verni, prêt à prendre le large. Il abrite le resto (déchaussez-vous avant d'entrer), bien ventilé, ce qui est appréciable lorsque le soleil est au plus haut ! Le superbe bar, avec vue sur la plage, est au 1er étage. Une piscine toute biscornue, mais néanmoins rafraîchissante, complète cette adresse bien insolite tenue par un Suisse francophone.

🍽 ***Restaurant Delfin Mágico :*** *à* ***Salango.*** *☎ 278-02-91. Sur la place* *du village, dans une rue parallèle à la mer. Lun-ven 9h-20h ; w-e jusqu'à 22h. Plats 9-11 US$.* Une petite institution qui ne démérite pas. Belle et rafraîchissante salle décorée en bambou et fresques aquarium. Très bon resto de fruits de mer et de poissons, cuisinés de différentes manières (à la vapeur, pané, grillé, frit, à l'ail...). Le patron, Alfredo Pincay, est un plongeur invétéré. Il cuisine à merveille le pouce-pied (*perceve* en jargon local). Sinon, langouste, langoustines, *ceviche* de crevettes, poulpe, calamars... Service tout sourire.

🍽 ***Restaurant El Pelicano :*** *à* ***Salango.*** *📱 09-91-85-18-12. À un jet de pierre de la place du village. Tlj 8h-20h (plus tard le w-e). Plats 7-10 US$.* De la cuisine, où officie la maîtresse de maison, sortent une petite musique andine et des plats goûteux. Attablez-vous et, si elle figure au menu, commandez une bonne salade de poulpe à la coriandre. Sinon, *corvina* à la plancha, grillée ou à l'étouffée, sauce arachide *(mani)* ou nature, quelquefois langouste. La maison propose également quelques hébergements sommaires aux routards de passage, compter 8 à 10 US$ par personne, renseignez-vous.

🍽 ***La Isla :*** *à* ***Salango,*** *sur le* malecón, *dans le centre du village. 📱 09-82-91-18-15. Plats 5-10 US$ (plats les plus chers à base de langouste !).* Ronny et Cecilia tiennent cette petite baraque toute blanche ouverte aux quatre vents face à la mer, bien agréable lorsqu'il fait chaud. Petit resto de poisson simple et tout à fait correct. Propose aussi des excursions sur l'île de Salango.

🍸 À Salango, dans le centre du village face au musée, ***minibar-salle de billard*** à l'ambiance populaire. Pour tuer le temps.

## Plus chic

🏠 🍽 ***Hostería Piqueros Patas Azules :*** *au sud de Salango, sur la plage de los Piqueros dépendant du parque nacional Machalilla. ☎ 258-92-79 ou 📱 09-93-84-52-88. • hosteriapiqueros.com • Double env 62 US$, petit déj 3,50 US$. Au resto, plat env 10 US$ (compter 25 US$ pour la langouste).* 📶 Structure écotouristique isolée en bord de mer. Les chambres, sous forme de *cabañas,* bien tenues, avec ventilo, moustiquaire et balcon, ont un peu vécu mais restent propres dans l'ensemble. Elles donnent sur la mer et peuvent loger jusqu'à 5 personnes. Le cadre, la plage sont magnifiques, et la vague (une belle gauche) contentera les *waveriders*. Au rayon des activités : kayak de mer, bateau jusqu'à l'isla de la Plata (prix équivalent à Puerto López), excursions de pêche à la journée ou plongée en apnée. Bar et resto de bonne qualité. Un bel endroit pour se reposer.

# À voir. À faire

★ ***Museo :*** *tlj 9h-18h avec une pause déjeuner. ☎ 258-93-04. Entrée : 2,50 US$ ; réduc.* Petit musée situé sur un site cérémoniel du VIII^e^ s av. J.-C. et découvert au début des années 1980. Y sont assemblés des pièces des cultures précolombiennes de la région (valdivia et machalilla) ainsi que des objets venant des balsas qui sillonnaient les côtes du Pacifique chargés de marchandises, dont le célèbre spondylus. La coquille servait de monnaie et avait plus de valeur que l'or pour les indigènes. Elle avait même, selon eux, un pouvoir spirituel. C'est sur l'un de ces bateaux que Pizarro, en descendant vers le sud, rencontra des indigènes pour la première fois. Juste à côté, la maison coloniale toute bleue se visite également.

★★ ***Pêche en mer et snorkelling :*** s'adresser au resto ***El Pelicano.*** *📱 09-91-85-18-12 ou 09-93-31-58-70. • pelicanos-tours.com •* Ivo est natif de Salango. La mer, il connaît, il y pêche depuis qu'il est minot. Alors c'est tout naturellement qu'il propose aux amateurs une sortie pour aller taquiner le thazard, le merlin, le *cherna* (cernier, une sorte de mérou) ou la *corvina* (une sorte d'ombrine). *La journée de pêche pour 2-4 pers revient, tt compris, bateau, prêt de matériel et appâts, à* *env 300 US$ (départ 5h du mat, retour vers 17h) ; compter 150 US$ pour la demi-journée.* L'agence organise également des sorties snorkelling aux abords de l'île de Salango. Une parcelle de coraux d'environ 1 000 m² est gérée par la commune (corail rouge, tabulaire, noir ou blanc), peuplée d'oursins de toutes les couleurs et de poissons-anges.

# PUERTO LÓPEZ

18 500 hab. IND. TÉL. : 05

**Puerto López a les pieds dans l'eau et c'est en partie pour ça que les routards s'y arrêtent. Sa belle anse, fermée par des falaises s'enfonçant dans l'océan, abrite des maisons brinquebalantes et colorées. Sur son *malecón* ourlé de majestueux tamariniers et semé de paillotes usées par les ans, on flâne en regardant les bateaux amarrés au loin, leurs filets tendus comme les ailes d'un papillon, et, quand les jambes se font lourdes, on grimpe dans un rickshaw. Ainsi, l'endroit nous a charmés pour son ambiance bonhomme, l'accueil simple et gentil que l'on y rencontre en général. Ne manquez pas, le matin, le retour des bateaux de pêche escortés par une colonie de frégates, de pélicans et d'urubus noirs (*gallinazos* en jargon local). Sur la plage, les poissons sont rapidement triés, pour le plus grand bonheur des oiseaux ; la partie servant à l'approvisionnement local est vendue sur place, le reste part alimenter les marchés de la région.**
**La ville est également le port d'embarquement pour l'isla de la Plata – les « Galápagos du pauvre » – et la porte d'entrée du parc national de Machalilla et de sa superbe playa de Los Frailes. À partir de mi-juin et jusqu'en septembre, Puerto López a le grand honneur d'accueillir des hôtes prestigieux. Fuyant la zone antarctique, les baleines émigrent à la recherche d'un endroit propice pour mettre bas et lâcher dans le grand bain leur bambin maousse costaud né ici 1 an plus tôt. Dans la foulée, les femelles sont fécondées à nouveau en prévision de la prochaine naissance. Chaque année, une colonie de plusieurs centaines de baleines à bosse choisit alors de s'installer quelques semaines près de l'isla de la Plata ou derrière l'île de Salango, à quelques encablures d'ici.**



## Arriver – Quitter

Les différentes compagnies de bus et leurs bureaux sont regroupés dans la même zone, en plein centre, le long de la grande route (la E 15) qui traverse la ville ; seule la *Reina del Camino* est très légèrement décalée, face au marché.

➢ ***Quito :*** avec la ***Coop Carlos Aray*** *(📱 09-93-58-69-38 ; plan A2-3, **1**)*, via Portoviejo : 3 bus/j., 2 tôt le mat et 1 autre vers 17h. Avec la compagnie ***Reina del Camino*** *(☎ 230-02-07 ; plan A2-3, **1**)*, 1 bus vers 8h et l'autre (*ejecutivo*, celui-là) vers 20h. Durée du trajet : env 11h.

➢ ***Manta :*** avec ***Manglaralto*** *(plan A2-3, **1**)*, 11 bus/j., 6h20-18h20. Ils passent soit par la côte, soit par Jipijapa (gros bourg-carrefour à env 50 km au nord de Puerto López). Durée du trajet : 2h20 par la côte, 3h par Jipijapa. De Manta et Jipijapa, nombreuses liaisons pour les grandes villes du pays.

➢ ***La Libertad (Salinas), via Salango, Olón et Montañita :*** avec *Manglaralto (plan A2-3, **1**)*. Départs ttes les 20 mn en journée.

➢ ***Guayaquil :*** avec la ***Coop de Transportes Jipijapa*** *(plan A3, **2**)*, 10 bus directs/j., 3h45-16h50. Durée : 4h. Les liaisons sont plus nombreuses si vous changez à Jipijapa (bus ttes les 30 mn dans la rue principale de Puerto López). Durée du trajet : 1h pour Puerto López-Jipijapa et 2h30 pour Jipijapa-Guayaquil.

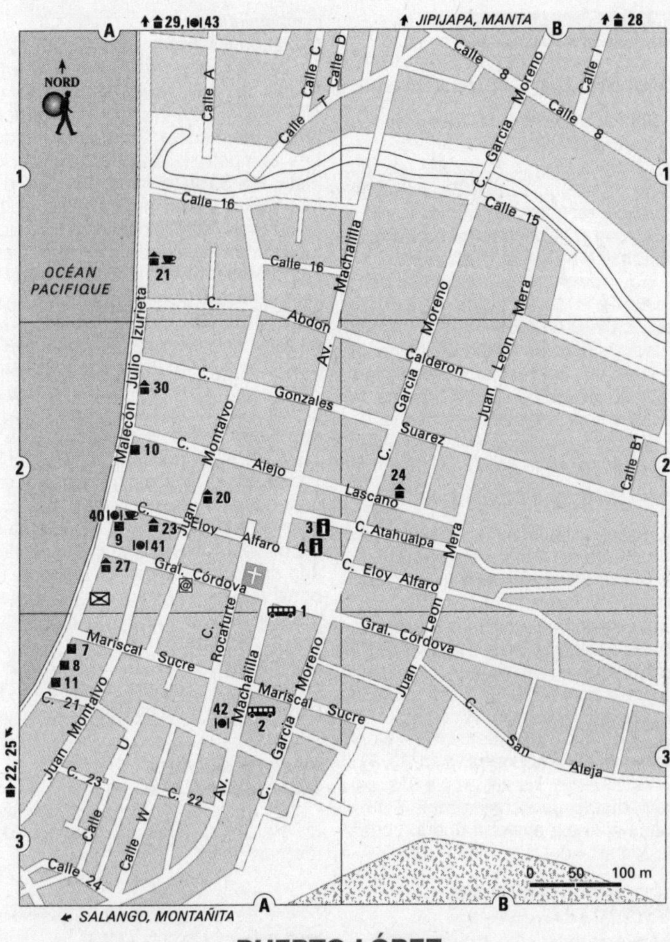


# PUERTO LÓPEZ

**Adresses utiles**

- 1 Gare routière des compagnies Coop Carlos Aray, Reina del Camino et Manglaralto
- 2 Gare routière de la compagnie Coop de transportes Jipijapa
- 3 Oficina de Turísmo i-Tour
- 4 Bureau d'informations du Parque nacional Machalilla
- 7 Banco del Pichincha
- 8 Laverie
- 9 Exploramar Diving
- 10 Machalilla Tours
- 11 Winston Churchill

**Où dormir ?**

- 20 Hostal Sol Inn
- 21 Hostería Itapoá
- 22 Hostal Monte Libano
- 23 Hostal Fragata
- 24 Albergue Turístico Dannita
- 25 Hospedería Punta Piedrero
- 27 Hostal Los Islotes
- 28 Hostería La Terraza
- 29 Hostería Mandála
- 30 Hotel Pacífico

**Où manger ? Où prendre un petit déj ?**

- 21 Café et Chocolate
- 40 Restaurant Spondylus et Bellitalia
- 41 Patacón Pisáo
- 42 Rey Hoja
- 43 Bella Napoli

## Adresses utiles

### Informations touristiques

🅸 ***Oficina de Turísmo i-Tour*** *(plan A2,* ***3****) : calle Atahualpa. Dans une rue perpendiculaire à la rue principale, près du poste de police. Tlj 8h-13h, 14h-17h.* Bien pour récupérer un plan de la ville.

🅸 ***Bureau d'informations du Parque nacional Machalilla*** *(plan A2,* ***4****) : en face du marché, dans une rue perpendiculaire à la rue principale. ☎ 230-01-70. Tlj 8h-13h, 14h-17h.* Voir détails plus loin dans le « Parque nacional Machalilla ». Borne interactive (anglais et espagnol) qui donne des infos sur la faune, la flore et les cultures locales.

### Poste et télécommunications

✉ ***Poste*** *(plan A2) : à l'intérieur de l'hôtel* Ruta del Sol, *sur le* malecón.

@ ***Cyber Muyuyo Net*** *(plan A2) : General Córdova y Juan Montalvo. Dans la grande rue qui relie la place de l'église à la plage.* Un lieu aéré et plutôt confortable.

### Banque

■ ***Banco del Pichincha*** *(plan A3,* ***7****) : sur le* malecón. Ne fait pas le change, mais distributeur de billets. Évitez quand même d'arriver à Puerto López les poches vides.

### Divers

■ ***Laverie*** *(plan A3,* ***8****) : sur le* malecón, *entre Mariscal Sucre et la calle 21. Repérer l'enseigne verte «* Laundry *». Ouv tlj 8h-20h.* Le patron et sa belle barbe blanche semblent tout droit sortis du *Vieil Homme et la Mer* de Hemingway. Efficace, rapide et pas cher.

### Agences de tourisme

■ ***Exploramar Diving*** *(plan A2,* ***9****) : sur le* malecón, *à côté du resto* Spondylus. *☎ 256-39-05. • exploradiving.com •* Cours de plongée tous niveaux (PADI), observation de baleines et tours à l'isla de la Plata. Personnel pro et sympathique.

■ ***Machalilla Tours*** *(plan A2,* ***10****) : sur le* malecón. *☎ 230-02-34. 📱 09-94-92-59-60. • machalillatours.org • Tlj 8h-20h. CB acceptées.* Agence tenue par Fausto Choez, un guide très compétent. Tours à l'isla de la Plata, isla Salango et dans le parc de Machalilla, à pied ou à cheval, pour 1 ou 2 jours. Sorties pêche ou bivouac, location de kayaks de mer, et la bise aux baleines bien sûr. Bref, des activités variées et bien encadrées.

■ ***Winston Churchill*** *(plan A3,* ***11****) : petite agence presque au bout du* malecón, *dans une cabane rouge pétard ornée d'une chansonnette bien triviale en français pour attirer le chaland. Vous ne pouvez pas la rater... 📱 09-89-92-32-17. • winstonchurchill72@hotmail.com •* Un poil hâbleur, Winston est un gars qui peut vous organiser des circuits dans la région. Avec lui, vous êtes sûr de vous amuser : partir à la pêche, apprendre à préparer un *ceviche,* à observer les baleines ou chausser masque et tuba pour un peu de snorkelling. Dépaysant.

■ ***Amazilia*** *: 📱 09-94-70-46-41 (Carmen).* C'est l'association des guides du Parque nacional Machalilla.

## Où dormir ?

En été, il est vivement conseillé de réserver.

### De très bon marché à bon marché (16-30 US$)

🏠 ***Hostal Sol Inn*** *(plan A2,* ***20****) : Juan Montalvo y Eloy Alfaro. ☎ 230-02-48 ou 📱 09-89-97-87-86. • hostal_solinn@hotmail.com • Doubles avec ou sans sdb 16-20 US$ ; 6 US$/pers en dortoir, réduc en basse saison.* 📶 2 sympathiques maisons de bois et bambou s'ouvrant sur un jardin. Au total, une dizaine de chambres rudimentaires dont la moitié possèdent leur propre salle d'eau. Charmantes et très propres, elles comportent entre 2 et 4 lits (bons matelas), un ventilo et une moustiquaire. Patricia, helvético-chilienne, accueille chaleureusement les routards du monde entier. Pas de petit déj, mais cuisine commune dans le jardin. Billard. Un des meilleurs plans pour loger à Puerto López.

**Albergue Turístico Dannita** (*plan B2,* **24**) **:** *Alejo Lascano y García Moreno (Barrio Gómez Valda).* ☎ *230-00-80.* 📱 *09-95-95-70-31.* • *albergue dannita.ec* • *Doubles 16-25 US$ selon saison, petit café du matin offert.* Ne vous fiez pas à la façade et poussez la grille en fer forgé. Au fond de la cour, c'est la petite structure hôtelière familiale tenue par Solanda qui, pour boucler ses fins de mois, vend aussi du prêt-à-porter (d'où la pin-up en façade). Solanda propose 7 chambres, toutes avec salle de bains, eau chaude, ventilo et TV câblée. La cuisine est commune, on mange tous ensemble. Une adresse pour routards très appréciée à en juger par les murs remplis de tags de satisfaction. Bon accueil.

**Hostería Itapoá** (*plan A1,* **21**) **:** *malecón Julio Izurieta.* 📱 *09-93-14-58-94. Entrée discrète sur le* malecón, *2 rues après le* Pacífico *(vers la droite en regardant la mer). Doubles 24-30 US$ selon saison, petit déj inclus. (aussi câblé).* Du nom d'une plage au Brésil d'où vient la sympathique Maria. Avec son mari Raúl, ils vous invitent à loger dans l'une de leurs mignonnes cabanes sur pilotis plantées dans un paisible jardin. Il existe aussi plusieurs chambres en dur, dont une vraiment originale, et qui coûtent le même prix. La plupart peuvent accueillir jusqu'à 4 personnes (1 grand lit et 2 lits superposés) et possèdent salle de bains privée avec eau chaude, ventilo, moustiquaire et hamac. Cuisine commune, machine à laver. Une atmosphère reposante, à l'écart de l'animation et à deux pas de la plage.

**Hostal Monte Libano** (*hors plan par A3,* **22**) **:** *au bout de la baie, à gauche en regardant la mer, juste avt le* Punta Piedrero. ☎ *230-02-31.* • *hostalmontelibano.com* • *Doubles 22-26 US$, selon confort et saison, petit déj compris. CB acceptées (insister).* À l'écart, tout au bout de la plage. Longue maison rectangulaire dont la façade évoque un peu une cabane. Un endroit très cool, vaguement communautaire, où l'on trouve une dizaine de chambres pouvant contenir jusqu'à 4 personnes, dont une appelée la *casita de Tarzan* (avec salle d'eau privée, mezzanine et balconnet, idéal pour une famille ou une bande de potes). Propres dans l'ensemble, la plupart se partagent une salle de bains. Cuisine commune. Terrasse où buller en attendant d'aller faire trempette, juste en face.

**Hostal Fragata** (*plan A2,* **23**) **:** *rue Alfaro, à 50 m du* malecón. ☎ *230-01-56. Par pers avec sdb et ventilo, 8-15 US$ selon saison (négocier ferme).* Une pension modeste comportant une vingtaine de chambres de 2 à 8 personnes avec salle de bains et eau chaude. Bien choisir son nid car toutes les litières ne se valent pas. Accueil gentil.

## Prix moyens (30-48 US$)

**Hospedería Punta Piedrero** (*hors plan par A3,* **25**) **:** *au bout de la baie, à gauche en regardant la mer.* ☎ *230-00-13.* • *puntapiedreroecolodge.com* • *Villa blanche en bordure d'océan. Double env 30 US$/pers.* Une pension familiale aux chambres aussi colorées que propres avec ventilo et salle d'eau, toutes équipées pour 4 personnes. Hamacs de-ci de-là pour siester, bercé par le ressac. Calme assuré dans ce coin retiré. Une adresse qui propose également tout plein de trucs à faire dans le coin, comme aller voir les baleines ou se balader dans les parcs. Accueil simple et charmant.

**Hostal Los Islotes** (*plan A2,* **27**) **:** *malecón Julio Izurieta y General Córdova.* ☎ *230-01-08 ou* 📱 *09-91-45-08-92.* • *hostallosislotes@hotmail.com* • *Doubles 20-30 US$ selon vue.* Petit hôtel familial proposant une quinzaine de chambres convenables (AC pour certaines, TV pour toutes) et bien tenues pouvant accueillir 4 personnes, avec différentes vues. Celles qui donnent sur l'intérieur sont un peu sombres. Vous pourrez contempler la mer depuis la grande terrasse à l'étage, ou même y prendre votre petit déj. Situation un peu bruyante cependant, car au cœur du *malecón*.

## Chic (48-70 US$)

**Hostería Mandála** *(hors plan par A1,* ***29****) : malecón Julio Izurieta. ☎ 230-01-81. • hosteriamandala.info • Un poil excentré ; en bord de plage, à env 1 km au nord du centre. Résa conseillée. Doubles 49-58 US$ selon type d'hébergement, petit déj en sus 4 ou 8 US$, c'est selon. CB refusées.* Eh oui, c'est ici, à 10 338,86 km de Rome, que Maja la Suissesse et Aurelio l'Italien ont décidé de jeter l'ancre. L'endroit déborde de charme. On dort dans des cabanons de 2 à 5 personnes, joliment arrangés et très confortables, disséminés dans une végétation luxuriante : du haut de la colline, le *Mandála* a tout l'air d'une oasis au milieu du désert ! Joli mobilier, ventilo et moustiquaires au-dessus des lits. Mignonnes salles de bains privées avec eau chaude. Terrasse extérieure avec hamacs. Une attention particulière est portée à l'environnement. Juste en face, joli bout de plage. Au resto (exclusivement réservé aux résidents), on trouve de bonnes spécialités, telles que le *pescado salsa mani,* quelques délicieuses recettes italiennes (dont un fameux tiramisù) et de divines glaces maison. Cette grande pièce sert également de salle de jeux, de lecture et de rencontre. Une adresse à part.

**Hostería La Terraza** *(hors plan par B1,* ***28****) : ☎ 230-02-35. • laterraza.de • Sur la colline, de la route principale, sortir direction Manta, puis à droite après l'hôpital, puis à gauche une route en terre, c'est à 200 m. Double 58 US$ ; excellent petit déj en sus 2-3 US$. CB refusées.* Une maison blanche haut perchée, tenue par un couple d'Allemands. Vue imprenable sur la baie. Les maisonnettes, genre minicottages qui abritent la douzaine de chambres, sont réparties à flanc de colline, dans la verdure. Elles sont très propres, avec salle de bains tout aussi nickel, mais sans ventilo. Belle terrasse panoramique avec piscine à débordement et coin bar bien fourni. Jeux de société. Une adresse séduisante, au-dessus de l'agitation.

**Hotel Pacífico** *(plan A2,* ***30****) : au centre du* malecón. *☎ 230-01-47. • hotelpacificoecuador.com • Doubles 30-58 US$, avec ou clim selon saison, sans petit déj (hors saison, il est offert pour le même prix). CB acceptées.* Les moins chères sont les plus anciennes, mais leur rapport qualité-prix est meilleur que les autres, cossues, refaites à neuf et climatisées, mais plus chères. Ces dernières donnent cependant sur une terrasse avec vue sur mer, alors que les autres regardent seulement la cour. Le plus incontestable de cette adresse, c'est la piscine, agrémentée d'un coin hamac.

## Où manger ? Où prendre un petit déj ? Où boire un verre ?

### Bon marché (moins de 5 US$)

Nombreux petits ***restos*** en bord de mer mais rien d'exceptionnel. Les spécialités locales sont bien sûr les fruits de mer et le poisson, en principe tout frais puisqu'ils n'ont qu'à traverser la route pour atterrir dans vos assiettes. Si vous êtes véhiculé, sachez qu'on mange très bien et bon marché à Salango, à 10 mn en voiture d'ici.

**Restaurant Spondylus** *(plan A2,* ***40****) : sur le malecón. 09-85-62-75-36. Tlj jusqu'à 23h.* Cette petite salle tout en longueur a pris le nom du coquillage qui servait de monnaie chez les Incas. Goûtez les *langostinos,* les spaghettis aux crevettes et les *ceviches* à toutes les sauces. Les *gringos* se régaleront aussi de l'*hamburguesa especial*. Sert également des petits déj. Service lent et plats pas toujours à température.

**Café et Chocolate** *(plan A1,* ***21****) : calle Abdón Calderón. 09-93-14-58-94. Entrée discrète sur le* malecón. Le sympathique couple de proprios de l'*Hostería Itapoá* (voir plus haut « Où dormir ? ») tient ce joli café, où prendre un bon petit déjeuner en regardant la mer. Bon chocolat, mais en été seulement.

I●I ***Patacón Pisáo*** *(plan A2,* ***41****) : General Córdova. Dans la rue principale qui relie la place de l'église à la mer ; à quelques pas du malecón. ☎ 09-91-27-42-06. Tlj 9h-21h (sf le dim hors saison). Plats 4-8 US$.* Un petit café-restaurant colombien avec une terrasse au toit en feuilles de coco protégée de la rue par des plantes vertes. Un endroit bien sympathique où boire un bon café, jouer aux cartes ou aux dominos ou déguster une cuisine originale, notamment avec les *patacón pisáo* (des galettes de bananes croustillantes) agrémentées de crevettes, poulet, etc. Ça tient au corps ! Également des brochettes et des crêpes salées.

I●I ***Rey Hoja*** *(plan A3,* ***42****) : av. da Machalilla (en face de la station des bus de Jipijapa). ☎ 230-02-25. Tlj 7h-22h. Plats 4-8 US$.* Plus de 30 ans d'expérience pour ce resto largement ouvert sur la rue. La carte, longue et plastifiée, propose tous les classiques de la mer. Reste plus qu'à s'attabler au mobilier en bois mastoc et zieuter les bus qui entrent en ville...

🍷 Le long du *malecón,* de nombreux ***bars-paillotes*** allongent leurs chaises longues et allument loupiotes et musique à la nuit tombée. Idéal pour boire un verre ou un jus bien frais les pieds dans le sable, ou pour faire des rencontres en soirée.

### De prix moyens à chic (5-20 US$)

I●I **Bellitalia** *(plan A2,* **40***) : angle malecón y Eloy Alfaro. Un resto italien perché au 1er étage d'un vilain immeuble du malecón. Tlj sf dim 18h-21h.* Le propriétaire, originaire de Modène, mitonne une bonne cuisine traditionnelle : les pâtes (aux fruits de mer, aux brocolis, au pistou...) sont naturellement *al dente*. Petit vin rouge ou blanc en pichet pas désagréable. Et, une fois encore, un bon tiramisù en dessert et une vue imprenable sur la mer pour les tables les mieux situées.

I●I **Bella Napoli** *(hors plan par A1,* **43***) : malecón Julio Izurieta (Barrio 17 de Agosto), à 100 m de l'*Hostería Man-dála*. ☎ 09-94-59-77-06. Tlj mat, midi et soir.* Encore un resto italien ! Celui-ci est tenu par Pietro, un Génois, mais vous serez accueillis par la souriante Anabel, qui vous invitera à prendre place dans son environnement largement ouvert sur la plage et rafraîchi par la brise marine. Dans un mobilier qu'on dirait sorti de chez le géant suédois, formant un décor bien propret, vous passerez commande d'une cuisine équatorienne aux accents méditerranéens. *Ceviches,* salades composées. Pizza le soir... Pour une note moins salée qu'on imaginerait. Très agréable, aussi, pour un petit déj.

## DANS LES ENVIRONS DE PUERTO LÓPEZ

### *PARQUE NACIONAL MACHALILLA*



*Il comprend 3 sites indépendants : la isla de la Plata, la superbe playa de Los Frailes et le site archéologique d'Agua Blanca. Les entrées dans les parcs sont gratuites. Des agences agréées (se renseigner à l'office de tourisme) proposent des tours guidées. Compter env 40 US$/pers. Départ de la place de Puerto López vers 10h15, retour vers 16-17h. Le site d'Agua Blanca est géré par la communauté du même nom et le billet d'accès s'achète sur place.*

Créé il y a plus de 25 ans, ce parc immense est la seule réserve côtière de l'Équateur. Il a pour mission de préserver plusieurs îles (Plata et Salango), des plages (dont celle de Los Frailes), des coraux et une partie de la forêt tropicale. On y a adjoint quelques sites archéologiques. La partie terrestre du parc est riche en espèces végétales (kapoks, figuiers, etc.), mais aussi en gibier, reptiles, singes et oiseaux.

👥 ***Agua Blanca*** *: à 6 km au nord de Puerto López (10 mn en bus, 0,25 US$), poste de contrôle au bord de la route côtière. Bus ttes les 30 mn de la place* *du village, direction Machalilla. Également ts les bus qui montent sur Jipijapa. Demandez au chauffeur de s'arrêter au parque et précisez à Agua Blanca. Après le poste de contrôle, il faut marcher env 5 km pour arriver au village (route en plein soleil !). Accessible toutefois aux véhicules et aux taxis (ou plutôt rickshaws, puisque c'est le taxi le plus courant à Puerto López). Musée (et visite du site) : tlj 7h30-18h. Entrée : 3,50 US$ ; comprend l'entrée du musée et la balade de 2 km sur le site avec un guide.*

Vous trouverez sur ce site un petit ***Musée archéologique*** et les ruines précolombiennes de la culture manteña (du VIIe au XVIe s), une des dernières à avoir peuplé la côte avant l'arrivée des Espagnols. Les fouilles ont commencé en 1979 et plus de 500 maisons ont été découvertes à Agua Blanca (village où il ne reste plus aujourd'hui que 63 maisons et quelque 280 habitants). C'était alors le village principal de la seigneurie de Salangome (nom précolombien d'Agua Blanca), qui s'étendait de l'actuelle Machalilla au nord jusqu'à Salango au sud. Dans le musée, petit hommage au *spondylus,* une huître géante que l'on ne pêche que dans la région et actuellement en voie de disparition. On lui prêtait différentes vertus, spirituelles et aphrodisiaques, elle était appelée « la confiture des dieux ».

Petit centre artisanal (objets en bois de santal ou en ivoire végétal, bijoux en coquillage). Pour la ***balade,*** n'oubliez pas votre maillot de bain. En effet, celle-ci vous mène au milieu des plantations de maïs, de bananiers et autres arbres fruitiers, jusqu'à un bassin d'eau sulfurée dans lequel vous pourrez piquer une tête et vous enduire de boue pour retrouver une peau de bébé (même si l'odeur de soufre est prégnante et attention à vos yeux !).

➢ D'Agua Blanca, plusieurs ***petits treks*** jusqu'aux autres sites. Pour ceux qui ont du temps, possibilité de rejoindre San Sebastián (850 m d'altitude, à 15 km du site d'Agua Blanca) : *env 5-6h de marche tranquille pour y accéder ; pour un A/R dans la journée, départ avec un guide vers 7h pour être de retour vers 17h ; peut aussi se faire plus tranquillement sur 2 j. Sortie organisée par la communauté d'Agua Blanca ; rens au musée ; env 25 US$/j. pour un guide ; loc tentes env 10 US$/j. ; possibilité aussi de faire cette rando à cheval avec guide sur 1 j. pour 35 US$/j (50 US$ pour 2 jours de rando).* Juin-septembre est la meilleure période. Le reste de l'année, c'est plus délicat car la pluie engendre beaucoup de boue sur les chemins. Le trek permet d'admirer successivement la forêt sèche puis la forêt humide de moyenne altitude encore à l'état sauvage.

Possibilité de ***loger chez l'habitant*** à Agua Blanca. *Env 6 US$/pers. S'adresser au musée. Petit resto à proximité tenu par les familles du village (résa indispensable au moins quelques heures à l'avance).* Il propose en particulier du *seco de chivo,* de la viande de cabri assaisonnée d'une sauce à la bière.

***Playa de Los Frailes :*** *au nord de Puerto López, sur la route principale, après le poste de contrôle pour accéder à Agua Blanca (direction Manta). Prendre un bus du centre de Puerto López, direction Machalilla et demander à s'arrêter à Los Frailes, ensuite marcher sur 2 km. En rickshaw, env 15 US$ l'A/R de Puerto López, avec 1h sur la plage (pour un tour Puerto López, Agua Blanca, plage de Los Frailes, compter env 25-30 US$). Accès à la plage tlj 8h-16h30.* Magnifique plage de sable qui s'étend le long d'une anse encadrée par deux collines. Prévoir une casquette et de l'eau, car il n'y a pas d'ombre. La baignade est autorisée sauf pendant les grandes marées, quand la mer est agitée *(aguaje).* Se renseigner en arrivant. Un sentier pédestre fait le tour du site en 2h en passant par un belvédère dominant tout le paysage.

***Isla de la Plata :*** *située près des côtes, à 1h30 de bateau (attention au mal de mer, car celle-ci est souvent très agitée et les bateaux petits). Les agences de Puerto López pratiquent ttes le même programme pour le même prix : env 40-50 US$, pique-nique et matériel de snorkelling inclus. Départ vers 9h (min 8 pers, mais c'est vite rempli), marche d'env 3h sur l'île au gré des commentaires* *du guide et retour vers 17h-17h30. En saison, juin-oct, plusieurs bateaux partent chaque jour. Le reste de l'année, les agences se regroupent pour affréter un seul bateau. Prévoir en été un pantalon et un pull car la température dépasse rarement 20 °C, un coupe-vent pour le retour en bateau, un chapeau, beaucoup d'eau et de la crème solaire s'il fait beau (sur l'île, il n'y a pas un poil d'ombre). Il est aussi conseillé d'avoir de bonnes chaussures pour arpenter les sentiers.*

– ***Quelques conseils :*** on peut voir toute l'année des lions de mer et de gentils dauphins en cours de route. De juin à septembre, il vaut mieux réserver un tour spécifique pour aller voir les baleines, même s'il n'est pas rare d'en croiser en cours de route. Prévoyez de quoi grignoter et de l'eau car, bien souvent, vous risquez d'avoir encore faim après avoir dévoré le modeste pique-nique fourni par l'agence. Renseignez-vous aussi auprès des touristes le jour où vous prenez votre résa, dans les restos du bord de mer ou à la descente du bateau (vers 18h) pour un témoignage à chaud. Ils vous diront quels animaux ils ont vus et vous partirez en connaissance de cause. Pour partir en petit comité et avec un programme moins standardisé, possibilité de s'adresser à des guides locaux, souvent moins chers et dont les tours ne sont pas forcément moins intéressants que ceux des agences.

La isla de la Plata présente curieusement le même genre de végétation que l'archipel des Galápagos (sauf que ce n'est pas une île volcanique), d'où son surnom de « Galápagos du pauvre ». Avec de la chance, vous pourrez y observer le batifolage des otaries, des tortues et quelques-uns des oiseaux les plus originaux des Galápagos : fous à pattes rouges ou bleues, pélicans, albatros et frégates. Tous ces volatiles peinent à battre des ailes et ont besoin de s'appuyer sur les courants d'air et les vents pour s'envoler. La plupart sont des oiseaux pêcheurs, notamment l'étrange fou à pattes bleues qui vit relativement peu longtemps et, ceci explique cela, plutôt dangereusement. Se nourrissant exclusivement de sardines, il est condamné à pêcher près des rochers, s'écorchant régulièrement en plongeant. Vous serez surpris de voir ces animaux très peu effrayés par la présence humaine ; on peut les approcher à moins de 1 m.

À découvrir également, de nombreux arbres aux vertus médicinales, comme l'omniprésent *Palo Santo (bursera graveolens)* qui, une fois sec, brûle comme un encens naturel très efficace pour éloigner les moustiques, ou le *« sangre de dragón » (croton lechleri)* à la sève rouge qui, appliquée sur la peau, se transforme en une sorte de pommade calmant les démangeaisons, toujours causées par ces satanés moustiques. Certains organisateurs proposent, avant de repartir pour Puerto López, un peu de découverte sous-marine pour admirer les poissons exotiques près des récifs.

Il y a sur l'île un refuge d'où partent les promeneurs accompagnés par un guide. Deux sentiers balisés : celui de droite fait 6 km, c'est le *Machete,* il passe par les crêtes et offre de jolis points de vue sur la côte déchiquetée de l'île. Celui de gauche fait 5 km, c'est l'*Escalera* ; la faune y est légèrement différente. Les otaries se trouvent en principe au pied d'une falaise sur le chemin de droite, et les frégates sont sur le chemin de gauche.



## MANTA

217 500 hab. — IND. TÉL. : 05

**Fondée en 1535 par Francisco Pacheco sur un important site de la culture manteña, Manta est aujourd'hui la capitale mondiale du thon. Ville industrielle doublée d'une importante base militaire, autant dire qu'elle n'intéressera que les routards en costard-cravate.**

**La ville comprend grosso modo deux entités : Tarqui à l'est, le plus ancien, aujourd'hui flanqué d'un important nœud routier. Il a mal vieilli et nous vous déconseillons de vous y promener le soir. À l'opposé, Murciélago, un quartier**

**huppé qui s'est développé pendant que l'armée américaine squattait l'aéroport entre 1999 et 2009 (afin de contrôler le trafic de drogue en Amérique du Sud). De grosses infrastructures (hôtels, hôpitaux, écoles) ont alors été construites pour les besoins des familles des militaires. De ce gentil coup de pouce, il reste aujourd'hui quelques guinguettes et une vie nocturne intense, tout particulièrement sur la belle plage de Murciélago le week-end.**

– ***Les fêtes*** du 28 juin *(San Pedro)* et du 29 septembre *(Virgen del Merced)* rivalisent avec les célébrations du carnaval.

## Arriver – Quitter

***Terminal terrestre :*** *av. de la Cultura.* Ttes les compagnies de bus y sont rassemblées.

➢ Ts les bus en direction du sud passent par ***Montecristi.***

➢ ***Quito :*** avec la compagnie *Reina del Camino,* env 13 bus/j., 4h-22h, dont 5 *ejecutivo* (directs) à 6h15, 8h45, 11h45, 14h et 22h. Avec *Coactour,* 4 bus/j. depuis Manta, 1 vers 9h25, les 3 autres entre 20h et 21h45. Durée du trajet : env 9h.

➢ ***Guayaquil :*** avec la compagnie *Reina del Camino,* bus env ttes les heures, à la demie, 2h15-20h30 (*ejecutivo* à 2h15 et 5h30). Avec *Coactur,* ttes les heures, 3h-20h. Durée du trajet : 3h.

➢ ***Esmeraldas :*** avec *Reina del Camino,* 6 bus/j., 3h-21h45. Le dernier est un *ejecutivo*. Durée du trajet : 10h.

➢ ***Bahía de Caráquez :*** avec la compagnie *Coactur,* 8 bus/j., 6h-19h. Durée du trajet : 3h30.

➢ ***Canoa :*** le plus sûr est de prendre un bus jusqu'à Bahía, puis changer.

➢ ***La Libertad (via Jipijapa, Puerto López, Olón, Montañita) :*** avec *Trans Manglaralto,* 7 bus/j., 5h-15h.

## Adresses utiles

***Oficina del Ministerio del Turísmo :*** *malecón y Calle 7 (à 100 m du* terminal terrestre*). ☎ 262-24-44. • turismo.gob.ec • Lun-ven 8h30-17h.* Peu de doc mais bon accueil. Procure un plan de la ville.

***Ciinfotur Información turística :*** *sur le parking situé en face du musée (playa Murciélago). ☎ 262-40-99. Tlj 8h-17h.* Pas mal de doc. Distributeur de billets sur l'arrière du bâtiment.

***Poste :*** *à l'angle de l'av. 2 et de la calle 9.*

***Banco del Pacífico :*** *av. 2. Lun-ven 8h-15h ; sam 8h-13h.* Change les devises et les chèques de voyage. Nombreux autres ***distributeurs*** dans les agences bancaires situées entre les calle 9 et 14.

## Où dormir ? Où manger ?

***Hotel Leo Inn :*** *calle 8 entre av. 9 y 10 (à 50 m de la gare routière, mais au calme). ☎ 261-06-17. • hotel_leointernacional@hotmail.com • 20 US$/pers. Pas de petit déj. Parking.* Une petite trentaine de chambres tout confort (salle de bains, clim, TV câblée, bonne literie). Toutes très colorées et d'une propreté exemplaire, elles sont distribuées par de longs couloirs. Certaines, en revanche, ne possèdent pas de fenêtre.

***Hotel-boutique Maria Isabel :*** *av. 24 nº 103 y calle M2 (barrio Murciélago). ☎ 262-50-13 ou 262-50-23. • hotelboutiquemariaisabel.com • Double 85 US$, petit déj américain compris. CB acceptées.* Une bonne quinzaine de chambres au standard international, version cosy, avec clim silencieuse, écran plat qui vous en met plein la vue, frigo-bar, produits d'accueil et tout le tralala. Certaines possèdent deux lits *queen size* comme aux States ! C'est cossu, et l'escalier en bois tropical donne un petit air exotique pas piqué des vers. Assiette dorée pour prendre son petit déj, ne reste plus qu'à nouer la cravate ou ajuster le tailleur, vous êtes déjà en retard ...

***El Ejecutivo :*** *av. 24 s/n y calle M1 (barrio Murciélago). ☎ 262-01-13 ou*

LA CÔTE OUEST

*09-99-47-21-36.* • *restejecutivo@yahoo.com* • *Lun-ven midi et soir, sam slt le soir. Résa conseillée. Plat env 15 US$, compter 25 US$ pour une* parillada de mariscos, *vins à partir de 25 US$.* Depuis 30 ans, c'est le resto chicos de Manta. Ambiance lie-de-vin, fontaine glougloutante, sol en marbre et stores vénitiens. Le chef, qui œuvre ici depuis plus de 20 ans, est passé maître dans l'art de marier la cuisine méditerranéenne à celle de l'Équateur. Les cols blancs sont ravis, qui viennent ici surtout pour les fruits de mer.

Vous trouverez de nombreux ***restos*** sur la ***plage El Murciélago.*** Ils sont à touche-touche, avec rabatteurs qui font leur cirque et offrent toutes sortes de menus, où les produits de la mer sont bien sûr à l'honneur. Mais soyez observateur, certains sont désespérément vides quand d'autres refusent du monde. Le ***Rincón Marinero*** est souvent plein, son menu du jour à 3,50 US$ attire les familles qui viennent se graisser les lèvres avec des fourchettes toutes suintantes de poisson pané.

## À voir

Au bout de la ***playa de Tarqui,*** voir le retour de la pêche au petit matin. Plus animé qu'à Puerto López.

***Museo Centro cultural Manta :*** *sur le* malecón. *Lun-ven 9h-17h, sam-dim 10h-17h. Entrée libre.* Face au *malecón* de la plage El Murciélago. Vous pouvez difficilement rater le grand bâtiment de verre, couleur orange et avec arcades de la *Banco Central del Ecuador* qui héberge ce musée. La section archéologique mérite la visite. Nombreuses pièces de la culture manteña. Également un espace dédié aux peintres contemporains équatoriens, un autre aux expos temporaires et un centre documentaire.

***Playa El Murciélago :*** grande plage, sympa pour se détendre. Attention, le courant est traître dans le coin (sur la plage de Tarqui également) et la plage assez ventée.

# DANS LES ENVIRONS DE MANTA

## *MONTECRISTI*

À environ 30 mn au sud de Manta ; tous les bus remontant ou descendant vers le sud s'y arrêtent. La région de Manabí (dont fait partie Montecristi) est, avec Azuay et Cañar (aux environs de Cuenca), l'une des trois principales régions de fabrication du fameux panama.
Les ***panamas*** de Montecristi sont fabriqués avec la paille du palmier local, la célèbre *toquilla,* connue comme la plus raffinée d'Équateur. Ils sont réputés pour leur légèreté, leur souplesse et leur longévité, et certaines pièces peuvent atteindre la modique somme de 1 000 US$ ! Aujourd'hui, pour répondre au marché et être vendus à un prix raisonnable (entre 15 et 60 US$ en moyenne), plus de 80 % des panamas vendus à Montecristi proviennent d'ailleurs, et notamment de la région de Cuenca. Autre particularité des panamas de Montecristi : ils sont blanchis au soufre et terminés à la main par les artisans, à la différence de ceux de Cuenca, terminés à la presse. Une halte salvatrice au pays où le soleil cogne fort !

***Office de tourisme :*** *calle Eloy Alfaro, au 1er étage d'une vieille maison coloniale tte bleue, aux belles fenêtres arabisantes. Lun-ven 8h-12h30, 13h30-17h. ☎ (05) 231-16-82.* Cette vénérable demeure coloniale abrite également un minuscule musée consacré à Eloy Alfaro, premier président libéral d'Équateur. On est ici dans sa maison natale. Juste en face, dans un bâtiment moderne, un petit centre artisanal sans grand intérêt.

Une adresse d'artisan à l'ancienne parmi la kyrielle de boutiques qui vendent tout et n'importe quoi : ***Modesto Hats,*** *9 de Julio y Olmedo.* *09-97-26-33-57. Tlj 8h-18h30.* Bel échantillonnage de qualité différente à partir d'une quinzaine de dollars. Les plus chers demandent 1 mois de travail et coûtent environ 600 US$. Un vrai travail d'artiste, chapeau !

## CRUCITA

IND. TÉL. : 05

**Situé entre Manta et Bahía de Caráquez. Depuis Bahía, longer la côte en direction de San Jacinto, puis tourner à droite dans le village de Charapotó ; cela vous épargnera un détour par Rocafuerte. Une petite route serpente parmi rizières et cocotiers ; pour un peu on se croirait au Laos. Tout au bout : Crucita, un port de pêche tranquille, doté d'une longue plage très prisée des nationaux (attention toutefois, le ressac est costaud). La vie semble ici s'écouler sans se presser, appuyée sur un coin de sourire. Une étape possible entre Puerto López et Canoa.**

➢ *Bus ttes les 20 mn jusqu'à 21h de/vers Manta ou Portoviejo, avec* Crucita Internacional.

### Où dormir ? Où manger ?

Notre sélection compte 2 adresses, pas davantage, mais il en existe quelques autres sur le *malecón.* Ce sont des cubes de béton moches, mais qui peuvent néanmoins dépanner.

***Hostal Vóladores :*** *calle Principal y Nueva Loja.* ☎ *234-02-00 ou* *09-93-99-47-81.* • *parapentecrucita.com* • *Au bout de la route principale, continuer sur le chemin en terre. Double avec sdb 30 US$ (16 US$ sans), petit déj 2-3,50 US$. CB refusées.* Une adresse très accueillante tenue par Luis Tobar, un fou de parapente qui gère le site de vol de Crucita, et par sa femme, tout aussi adorable. Au total, une bonne quinzaine de chambres ventilées dont la grande majorité possèdent une salle de bains, donc plus chères. Si vous êtes coincé côté budget, pensez à le préciser. Au choix, les plus modernes, dans le bâtiment principal, ou les plus rustiques, dans une maison de bambou donnant sur une petite piscine. Elles peuvent loger jusqu'à 4 personnes. Location de kayaks de mer et, bien sûr, cours de parapente. Bonne cuisine maison.

***Hostería Casa Grande :*** *malecón 100.* ☎ *234-01-33 ou 37.* • *hosteria-casagrande@hotmail.com* • *Doubles 24-40 US$ selon confort. CB acceptées. Parking.* Ne vous fiez pas à l'hideuse façade de cet hôtel, car il s'étire longuement sur l'arrière dans un environnement plutôt plaisant avec piscine. Au total, une cinquantaine de chambres sous forme de *cabañas* au look très différent. Optez pour celles situées sur l'arrière, plus tranquilles. Les chambres sont saines et bien tenues, même si la clim doit dater de l'époque de Jules Verne. Accueil pro.

Le front de mer est semé de ***bars, restos et paillotes*** où se gaver de fruits de mer ou massacrer en karaoké quelques standards en espagnol.

## À faire

Mis à part le parapente *(contact à l'*Hostal Vóladores*),* pas grand-chose à faire ici à part buller au soleil. Poussez quand même jusqu'à l'extrémité nord du *malecón,* c'est le quartier très animé des pêcheurs.

# BAHÍA DE CARÁQUEZ

30 000 hab. IND. TÉL. : 05

**Bahía est l'une de ces villes balnéaires très belles vues d'avion. Le problème, c'est que ça change énormément quand on y met les pieds... Si la ville a connu ses heures de gloire avant le tremblement de terre qui la ravagea en août 1998, elle se tourne aujourd'hui presque exclusivement vers le tourisme national. C'est à Bahía, en effet, que les Quiteños viennent se gorger de moiteur océane. Le touriste occidental, lui, risque de s'y ennuyer sérieusement. Pas un bar de plage, pas un troquet ouvert le soir. Les rues sont désespérément vides. Sur le *malecón,* les bandes de jeunes ont beau ouvrir les portières de leur voiture pour s'abreuver de décibels, Bahía ne danse pas. Est-ce son statut d'*ecociudad* et la tripatouillée de mesures prises pour en faire une ville modèle depuis sa reconstruction qui la plombent de la sorte ? Mystère... Et la mise en service du pont semble avoir aggravé le problème, car désormais, on l'évite, un comble... Toutefois, il est une raison qui vaut la peine qu'on s'y arrête : le musée. La culture de Bahía (de 500 av. J.-C. à 500 apr. J.-C.) fut l'une des plus productives en matière de terres cuites.**

## Arriver – Quitter

### En bus

La ***gare routière*** *(hors plan par B3)* est située à env 5 km à l'extérieur de la ville. Du centre (au niveau de l'ancien bac), prendre la navette (bus vert et blanc de la compagnie *Ondina del Pacifico*). Départ ttes les 5 mn, 5h50-20h30. Compter 25 cts/pers.

➢ ***Quito :*** 4 bus/j. avec la *Coop Reina del Camino.* 2 bus de bonne heure le mat, 2 le soir. Le dernier (22h20) est le plus confortable.

➢ ***Ambato :*** avec *Aray.* 1 bus via Santo Domingo à 5h15, 1 direct à 19h30.

➢ ***Guayaquil :*** bus directs avec la *Coop Reina del Camino.* Une bonne dizaine de bus/j., 6h30-23h30. La plupart sont des *ejecutivos*. Attention, les trois quarts d'entre eux partent avt 12h30. Trajet 5h. Liaison assurée également par *Coactur* via Manta et Portoviejo à 4h20 et 19h.Trajet 6h dans ce cas-là.

➢ ***Portoviejo et Manta :*** 7 bus/j. pour Portoviejo avec *Manabí*. Trajet 2h ; 3 bus directs pour Manta 6h15, 12h15 et 14h40. Trajet 2h20. Plusieurs départs également avec *Coactur*. Depuis Portoviejo, nombreuses correspondances pour les grandes villes du pays.

➢ ***Jipijapa puis Puerto López :*** avec la *Coop Reina del Camino,* il faut changer de bus à Jipijapa.

➢ ***Crucita :*** aucun bus direct. Le plus court est de changer à San Jacinto, le village juste avt.

➢ ***Montañita :*** aucun bus direct, il faut changer à Jipijapa. Durée du trajet : env 3h entre Bahía de Caráquez et Jipijapa et 3h de Jipijapa à Montañita.

➢ ***Canoa :*** ttes les 25 mn, 5h-20h30, avec *Tosagua*.

### En bateau

Le ***bac entre San Vicente et Bahía*** *(plan B2)* fonctionne tlj 7h-20h. Départ ttes les 15 mn. Durée de la traversée : 20-30 mn. Prix : 30 cts/pers.

## Adresses utiles

***Oficina de Turísmo*** *(plan B1) : av. Bolívar y Circunvalación (au 1er étage de la mairie annexe). Lun-ven 8h-16h30.* Quelques infos sur Bahía et sur la *reserva biológica Cerro Seco.* Accueil sympa.

***Poste*** *(Correos ; plan B2) : sur le* malecón, *face à l'embarcadère piéton.*

@ ***Cyber Bahía*** *(plan B2) : av. Bolívar y Arenas. Lun-ven 8h15-22h ; sam 9h-22h ; dim 9h-21h.* Bonne connexion Internet dans une salle climatisée.

Quelques cabines téléphoniques. On trouve d'autres cybercafés en ville.

■ ***Banco de Guayaquil*** *(plan B2,* ***1****) : av. Bolívar y calle Río Frío. Lun-ven 8h30-17h, sam 9h30-13h30.* Distributeur de billets acceptant les cartes internationales et le change (mais pas les chèques de voyage).

■ ***Banco del Pichincha*** *(plan B2,* ***2****) : av. Bolívar et calle Ascázubi.* Distributeur de billets.

■ ***Western Union*** *(plan B2,* ***3****) : angle malecón Alberto F. Santos y Ascázubi (dans le supermarché* Tiá*). Tlj 9h-21h.*

■ ***Police nationale*** *(hors plan par B3) : sur av. Velasco Ibarra (au niveau de l'entrée du pont). ☎ 269-22-04 ou 00-45. Ou composer le ☎ 101.*

■ ***Hôpital Miguel H. Alcivar :*** *Léonidas Plaza, au sud de Bahía, à 5 mn en taxi du centre. ☎ 239-87-12.*

■ ***Guacamayo Tours*** *(plan B2,* ***4****) : av. Bolívar 902 y Arenas. ☎ 269-11-07. • guacamayotours.com • Lun-ven 8h-16h ; sam 9h-16h ; dim 10h-14h.* Une agence sérieuse qui propose de découvrir la région. Tours les plus demandés : le río Muchacho à cheval ou en 4x4 et les îles des Frégates (lire plus loin « Dans les environs de Bahía de Caráquez »). Accueil sympathique.

## Où dormir ?

Pas grand-chose à se mettre sous la dent côté hébergement. Les plus beaux hôtels sont au bord du fleuve, à l'extérieur de la ville, mais ils sont hors de prix. Vous ne passerez pas vos vacances à Bahía de toutes les façons, filez plutôt sur Canoa...

### Bon marché (18-30 US$)

■ ***Hostal Coco Bongo*** *(plan B2,* ***11****) : malecón Alberto F. Santos 910 y Arenas. ☎ 269-10-84 ou 📱 09-85-44-09-78. • cocobongohostal.com • Dortoir 7 US$/pers ; doubles avec sdb 28-34 US$ ; petit déj en sus.* Face au square, une maison pleine de couleurs et au parquet qui craque, tenue par Suzie, une sexagénaire australienne teintant son espagnol d'un délicieux accent british. Une huitaine de chambres simples, mais vastes, coquettes et bien tenues, malgré des matelas épuisés. Un petit dortoir d'une douzaine de lits, mais sans fenêtre. Grande cour patio avec cuisine à dispo et terrasse où prendre le petit déj, surfer sur Internet, échanger ses bouquins... Location de vélos. Le meilleur plan pour dormir pas trop cher à Bahía.

■ ***Hostal Bahía B & B*** *(plan B2,* ***10****) : Ascázubi y Morales. ☎ 269-01-46. Env 10 US$/pers, avec ou sans petit déj. Eau chaude.* Ici aussi ça craque du parquet ! Vieille pension de famille toute défraîchie où l'odeur de l'encens peine à masquer celle de renfermé. Chambres plutôt vastes mais limite destroy avec des lits mous dont on ne fera jamais de blanquette... (bon d'accord, c'est facile...). Bon accueil d'Eugenia en revanche. Petit resto chinois juste en face.

### Prix moyens (30-48 US$)

■ ***La Herradura*** *(plan B1,* ***14****) : Bolívar y Daniel Hidalgo. ☎ 269-04-46. • laherradurahotel.com • Doubles 30-50 US$ selon confort et étage (2e et 3e étages plus chers), petit déj compris.* Un hôtel d'une quinzaine de chambres, très romantique (belle déco vintage, ambiance Touring-club des années 1930), mais sérieusement défraîchi ! S'il a connu ses heures de gloire (et l'eau chaude par la même occasion), son plus grand atout, aujourd'hui, est d'avoir résisté au tremblement de terre. Le resto est au diapason ; quant au personnel, il fait ce qu'il peut pour assurer le coup.

### Plus chic (plus de 80 US$)

■ ***Villa Casa Grande B & B*** *(plan B1,* ***12****) : malecón Virgilio Ratti 606 (juste après le virage, après l'hôtel* La Piedra*). ☎ 262-25-09. Résa conseillée. Doubles 80-183 US$ selon confort, copieux petit déj inclus. CB acceptées.* 7 chambres tout confort dans une belle villa au milieu d'un jardin fleuri et bien entretenu. C'est un *B & B* haut de gamme. Les volumes sont grands et la déco raffinée, avec des toiles d'Eduardo Kingman aux murs.

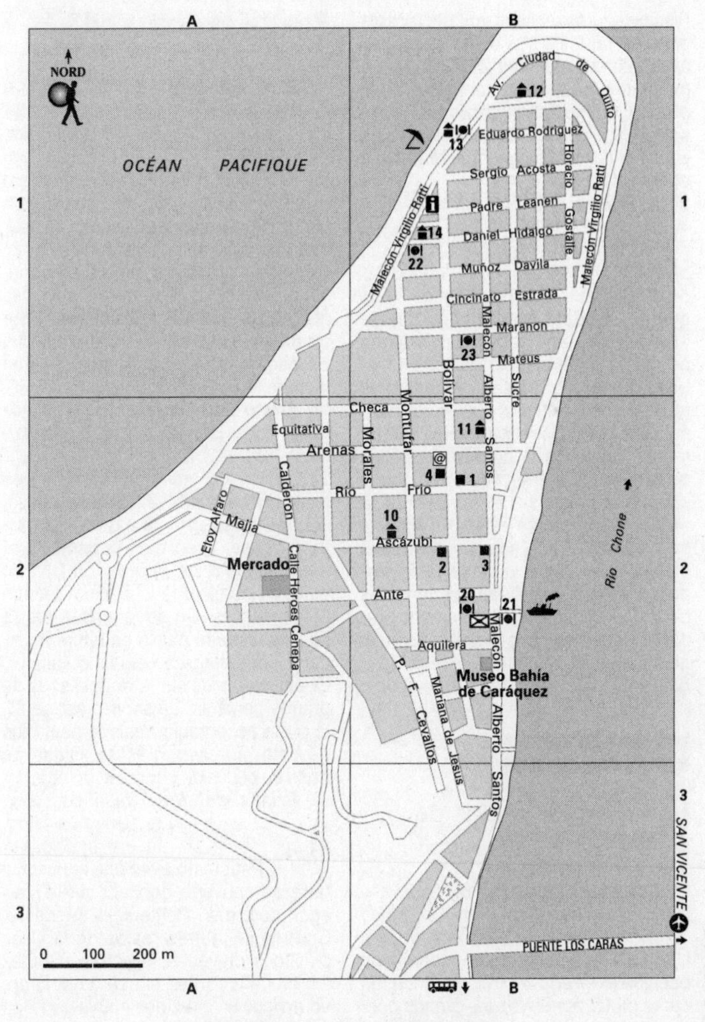


# BAHÍA DE CARÁQUEZ

**Adresses utiles**

1 Banco de Guayaquil
2 Banco del Pichincha
3 Western Union
4 Guacamayo Tours

**Où dormir ?**

10 Hostal Bahía B & B
11 Hostal Coco Bongo
12 Villa Casa Grande B & B
13 La Piedra
14 La Herradura

**Où manger ?**

13 La Piedra
20 Colombiu's
21 El Muelle Uno
22 Brisas del Mar
23 Arena Bar – pizzería y restaurante

Piscine. Luxe, calme et volupté au programme pour les très belles chambres avec vue sur mer. Les 2 chambres les moins chères sont en contrebas de la piscine, moins sympas mais tout aussi soignées. Très bon accueil et plein de conseils sur les choses à faire dans le coin.

**La Piedra** (*plan B1,* **13**) **:** *malecón Virgilio Ratti. ☎ 269-07-80. • hotellapiedra.com.ec • Double 118 US$ ; petit déj 7,50 US$. Plats 9-12 US$. CB acceptées.* C'est dans cet hôtel que descendent les Quiteños friqués quand ils veulent se payer une bonne bouffée d'air salin. L'établissement dispose d'une quarantaine de chambres tout confort, vastes et claires donnant sur une belle piscine (préférez quand même celles de la coursive à celles du rez-de-chaussée). Avec son accès direct à la plage, il a été longtemps la meilleure adresse de Bahía. Au resto, la salle et l'ambiance sont assez froides et aseptisées, mais la petite carte propose des prix tout à fait raisonnables pour une cuisine soigneusement préparée, servie avec professionnalisme et gentillesse. À déguster les yeux dans l'océan.

## Où manger ?

### Bon marché (moins de 5 US$)

**Colombiu's** (*plan B2,* **20**) **:** *Bolívar y Ante. ☎ 269-05-37. Tlj 7h-22h. Menu du midi 2,50 US$. Plat env 5 US$.* Une cuisine colombiano-équatorienne basique (*parilladas* et fruits de mer), un cadre plutôt agréable (une grande cour en partie couverte, en partie arborée) et une spécialité, les poulets, qui en ont aussi fait leur cantine ! Évitez de partir sans payer...

### Prix moyens (5-12 US$)

***El Muelle Uno*** (*plan B2,* **21**) **:** *sur le malecón Alberto F. Santos, à côté de l'embarcadère pour San Vicente. 09-89-89-89-27. Tlj 8h-minuit. Menu du midi 3 US$, plats 6-7 US$.* Ce resto en semi-plein air, géré par un hardi gaillard gentil comme tout, est réputé pour ses viandes grillées au feu de bois. Grosses *parrilladas* pour 2. *T-bone, lomo* mais aussi d'excellents *ceviches* et un large choix de fruits de mer. Pour un repas le nez sur le va-et-vient des passagers qui embarquent pour San Vicente (ou en arrivent).

***Arena Bar – pizzería y restaurante*** (*plan B1,* **23**) **:** *Maranon y malecón Alberto F. Santos. ☎ 269-20-24. Tlj 17h-minuit. Pizzas 7-13 US$.* Des pizzas généreuses (3 tailles au choix), servies dans une grande salle plutôt joyeuse, avec bar en bambou et murs tapissés de photos, où Charlot et le Kid côtoient le Che, Guayasamín et les Beatles. On se remplit la panse l'oreille distraite par la garniture musicale, « hommage au cinoche italien ». Quelques tables sur le trottoir, sous de grands parasols. Le service est gentil, la pizza acceptable, mais le petit plus de cette adresse, c'est la salade de fruits au coulis de chocolat, un régal !

***Brisas del Mar*** (*plan B1,* **22**) **:** *av. Circunvalación y Daniel Hidalgo. ☎ 269-15-11. Tlj pour le petit déj et le midi.* Petit resto avec une minuscule terrasse couverte donnant sur le *malecón* côté mer. Petite salle intérieure. Comme les autres restos de la ville : poissons, crevettes, *ceviches*... Goûtez les crevettes frites sauce au poivron, vous nous en direz des nouvelles ! Bon accueil de Manuel, le patron.

Voir aussi le restos de **La Piedra** (*plan B1,* **13**), cité plus haut dans « Où dormir ? ».

## À voir. À faire

***Museo Bahía de Caráquez*** (*plan B3*) **:** *malecón Alberto F. Santos, tt près du débarcadère. ☎ 269-22-85. Mar-sam 8h30-17h ; dim et j. fériés 10h-17h. Entrée libre ; possibilité de visite guidée en espagnol.* Dans un vilain immeuble bleu délavé, un musée fort bien documenté avec des cartels, certes en espagnol, mais concis et lisibles, et une muséographie agréable où les pièces sont bien éclairées.

La chronologie est évoquée avec intérêt. La visite commence par la période antérieure à l'apparition de la poterie (de 8000 à 3500 av. J.-C.), avec quelques précisions sur la situation postglacière de la fin du quaternaire, puis on enchaîne avec le processus de néolithisation : début de la culture du maïs, domestication des animaux, pêche, etc., avec rappel des spécificités des cultures qui se sont succédé et quelques beaux objets (bétyles, masques, coquillages) des cultures valdivia (de 3500 à 1500 av. J.-C.), machalilla (de 1600 à 800 av. J.-C.) puis chorrera (de 900 à 100 av. J-C.). Une attention toute particulière est portée sur l'importance de la région dans l'expansion de l'agriculture (entre 300 av. J.-C. et 800 apr. J.-C.), qui s'est accompagnée de la mise en place d'une élite politico-religieuse. L'expression artistique, en plein boum à cette période, se traduit par de remarquables figurines votives, symboles de fertilité ou des représentations d'êtres mythiques en terre cuite. La statuaire est très expressive. Plus loin, quelques masques en or de toute beauté et de superbes bijoux provenant de la culture jama-coaque (de 350 av. J.-C. à 400 apr. J.-C.). La période qui suivra, et jusqu'à l'arrivée des Espagnols, verra l'organisation des sociétés en vastes territoires et le développement d'une industrie textile, métallurgique ainsi que le début de la construction navale (une embarcation grandeur réelle en balsa en témoigne).
Le premier étage quant à lui est orienté vers les fouilles des sites de Chirije et de San Isidro. Ensuite, un inventaire est dressé des techniques agricoles, qui rappelle que, en Équateur, l'activité volcanique a fortement influencé le développement de l'agriculture. Par ailleurs, dans la section mettant l'accent sur la relation entre l'homme et son biotope, un coup de projecteur est mis sur des matières premières autochtones, telles que la coca, l'obsidienne, le coquillage spondylus, le balsa et le coton (fabrication de vêtements et voiles pour les bateaux). Très intéressant pour comprendre le degré de développement des civilisations indiennes avant l'arrivée des conquistadors.
Enfin, le deuxième étage est consacré à la peinture équatorienne récente. Au troisième, à la bibliothèque, vous pourrez surfer gratuitement sur Internet. Avant de partir, faites un tour sur la terrasse, au quatrième étage. Beau panorama sur le fleuve.

La ***plage*** la plus agréable de Bahía est située à gauche de l'hôtel *La Piedra* *(plan B1)*. Elle est idéale si vous avez de jeunes enfants, car on a pied loin. C'était la plage préférée de l'ex-président Sixto Durán-Ballén qui dirigea le pays de 1992 à 1996. Bahía tenait une place à part dans son cœur, car il y était né et y possédait une maison. Pendant son mandat de président, il a fortement contribué à la modernisation de la station balnéaire, mais le tremblement de terre est passé par là depuis. Vous verrez d'ailleurs plusieurs bustes de lui dans la ville.

***Reserva biológica Cerro Seco*** *(hors plan par A3)* **:** *calla bellavista. ☎ 269-30-04 ou 09-94-37-63-99 (Marcelo Luque). • cerroseco.org • Téléphoner avt d'arriver.* Cette réserve d'une quarantaine d'hectares fut créée dans le but de sensibiliser la population à la préservation de l'environnement, consécutivement au phénomène El Niño qui ravagea Bahía en 1998. Située au sud de la ville (on peut s'y rendre à pied), elle est perchée à 250 m au-dessus du niveau de l'océan et marque la terminaison nord de la cordillère de Balsamo. C'est l'une des dernières forêts primaires d'Équateur et, à ce titre, elle abrite quelques espèces endémiques. Sur place, un petit centre d'interprétation, quelques sentiers aménagés et des « miradors » pour observer les oiseaux. La réserve recèle également quelques reptiles et mammifères, mais rien d'exceptionnel.



## DANS LES ENVIRONS DE BAHÍA DE CARÁQUEZ

***Isla Corazón*** **:** *dans l'estuaire.*
*Trois façons d'y aller :*
*– Prendre la route qui longe l'estuaire au départ de San Vicente, direction Portovelo, pdt 8 km. On longe des étangs à crevettes. L'entrée est marquée : « Isla*

*Corazón ». En contrebas, des cabañas. C'est le point de départ de l'expédition vers l'île.* ☎ *(05) 239-94-60. Entrée du parc : 8 US$/pers. Env 15 US$/pers pour une visite guidée de 2h. Tlj 8h-16h. Réserver la veille ; les horaires de sortie varient avec la marée : elle doit être haute pour que l'on puisse traverser sans risquer de s'échouer sur un banc de sable.*
*– Faire appel à une agence de Bahía ou de Canoa, mais c'est plus cher : 48 US$/pers, comprenant l'entrée du site (8 US$/pers), la visite guidée, le repas du midi et le transport. À partir de 3 pers, le tarif passe à 31 US$/pers.*
*– Se pointer à l'embarcadère pour San Vincente, côté Bahía, négocier la traversée jusqu'à l'île (env 10 US$/pers A/R) et payer l'entrée du site.*
Une excursion en pleine nature, splendide, paisible et instructive. Installé dans une barque à fond plat, on traverse cette île de mangrove par un tunnel naturel enfoui sous les branchages, avant d'en faire le tour par le fleuve puis de terminer la visite par un parcours sur pilotis menant à une tour d'observation. Chemin faisant, évocation (en espagnol) de la faune, de la flore et des techniques de pêche artisanale. Lors du trajet en canoë (tartinez-vous de crème solaire !), on peut observer quantité d'oiseaux (les jumelles sont bienvenues) et, comme l'embarcation n'a pas de moteur, on peut même les entendre voler. Parmi eux, de nombreuses frégates. Pour voir le mâle faire le beau (quand il gonfle sa gorge rouge pour attirer les dames), il faut venir à la période de reproduction, soit en juin et juillet. Les guides, une dizaine de pêcheurs à qui les tours apportent un complément de revenu, sont vraiment impliqués dans le projet et parlent très bien de leur île en forme de cœur (d'où son nom), dont l'environnement a été profondément transformé en 1998, l'année d'El Niño et du tremblement de terre. Elle est depuis classée en réserve naturelle.

**Isla de las Fragatas :** *également dans l'estuaire, visibles de l'île précédente. Compter 5h pour le tour complet. La visite est également organisée par* Guacamayo Tours *(voir plus haut « Adresses utiles »).* Les îles possèdent une incomparable colonie d'oiseaux et surtout de frégates, la plus importante d'Équateur, supérieure à celle qui se trouve dans les Galápagos. N'oubliez pas vos jumelles.

***Le río Muchacho :*** *à la rencontre de la culture monteña, visite du site et des haciendas (à 45 mn de Bahía). Séjours organisés par les agences* Guacamayo Tours *à Bahía et* Rio Muchacho *à Canoa (voir plus haut « Adresses utiles ») : on peut passer 1 jour sur place (68 US$/pers tt compris, réduc à partir de 3 pers) ou choisir le programme de 3 jours et 2 nuits.* Une ferme pour qui la fibre écolo ne cède en rien à un sérieux penchant pour le marketing, où vous apprendrez tout sur l'agriculture bio, la reforestation, la pêche des crevettes, la fabrication des fromages et des objets en *tagua* (ivoire végétal). Vous visiterez également une plantation de café dans la forêt humide où vit une colonie de singes hurleurs. Pendant votre séjour, vous serez logé dans une cabane située au milieu des oiseaux et des orchidées. Baignade et randonnée à cheval. Accueil de volontaires. Bref, un séjour à la ferme version tropicale.



## CANOA

IND. TÉL. : 05

**À 20 km au nord de Bahía de Caráquez. Ambiance résolument *« sea, surf and sun »* dans cette station balnéaire de poche, connue pour être une, sinon la plus belle plage d'Équateur. Le swell du Pacifique y attire les surfeurs du monde entier, mais rien à voir avec la kermesse éthylique de Montañita. Ici, on surfe encore « à la cool », en osmose avec la nature, et, contrairement**

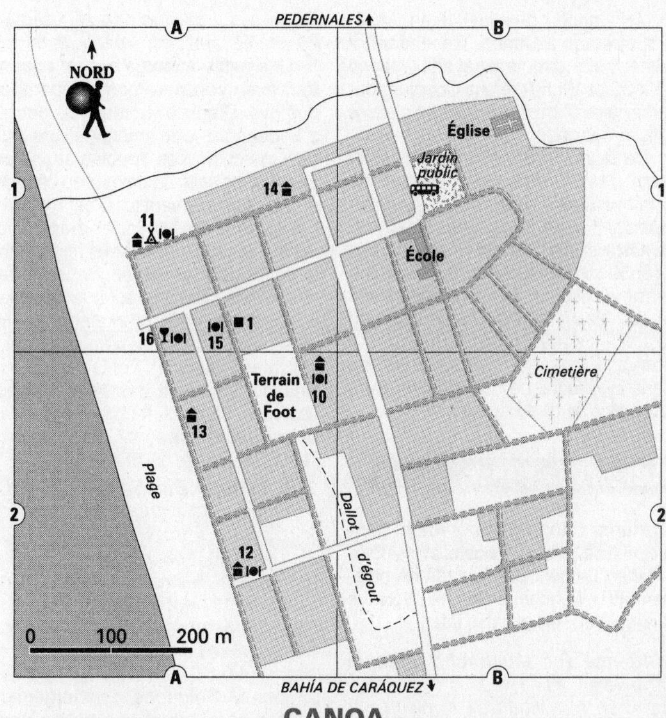


CANOA

| | |
|---|---|
| ■ Adresse utile | 11 Hotel Bambu |
| 1 Agence Rio Muchacho Organic Farm | 12 Baloo |
| Où dormir ? Où manger ? Où boire un verre ? | 13 La Vista Hotel |
| | 14 Hotel País Libre |
| | 15 La Canoa |
| 10 Amalur | 16 Surf Shak Bar-Resto |

**à la plupart des villes côtières du pays, ça sent vraiment les vacances... Petit revers de médaille tout de même : ce village semble toujours en chantier, et si les constructions en bois et en bambou dominent encore, le béton commence malheureusement à faire des adeptes. Cela dit, Canoa est certainement le seul endroit de la côte où l'on a vraiment envie de poser son sac pour quelques jours... Pourvu que ça dure !**



## Arriver – Quitter

Le plus important étant d'arriver ici et pas d'en repartir, nous vous donnons les infos à partir de la ville de départ. Pour le retour (ben oui, faut bien rentrer un jour), tous les hôtels et auberges dignes de ce nom vous renseigneront.

➢ ***De Bahía de Caráquez :*** avec *Coactur* (ttes les 30 mn, 4h30-17h30) ou avec *Tosagua* (ttes les 25 mn, 5h-20h30).

➢ ***De Guayaquil vers Pedernales :*** de Guayaquil, le plus commode et le plus sûr est de prendre un *ejecutivo* de la compagnie *Reina del Camino* (8 bus/j., 8h-23h) jusqu'à Bahía, puis un bus *Coactur* (ttes les 30 mn, 4h30-17h30) jusqu'à Canoa. Cependant, il existe 2 bus directs Guayaquil-Canoa à 12h30 et 13h50 ; le bus *Coactur* pour Pedernales (7 bus/j., 3h40-12h) s'arrête aussi à Canoa.

➢ ***De Quito :*** 1 bus quotidien à 14h30 avec *Trans Vencedores* (départ du terminal Quitumbe) ou le « *servicio especial* » de la compagnie *Reina del Camino,* départ du terminal Carcelén à 10h30 (passe aussi au terminal Quitumbe à 11h45). Les bus *ejecutivos* de nuit de *Reina del Camino* partent de l'arrêt situé 18 de Septiembre y Manuel Larrea dans le quartier de Mariscal, proche de l'intersection entre l'av. Patria et 10 de Agosto.

## Adresse et info utiles

Attention, Canoa ne possède ni banque, ni distributeur, ni poste, et les hôteliers ne prennent pas la carte de paiement. En revanche, on trouve plusieurs centres d'appels et cafés Internet.

■ ***Agence Rio Muchacho Organic Farm*** *(plan A1,* ***1****) : dans la 2e rue à droite en remontant de la plage par la rue principale. ☎ 258-81-84 ou 📱 09-91-47-98-49. • riomuchacho.com •* La très commerçante *Rio Muchacho Organic Farm* organise des tours dans sa ferme bio, le long du río Muchacho, avec diverses activités à la clé : initiation à l'agriculture locale, à la médecine par les plantes, pêche à la crevette, vannerie, balades à cheval... Propose également des excursions à l'isla Corazón (voir plus loin « Dans les environs de Bahía de Caráquez »). À partir de 56 US$ par jour tout compris, réduc pour les groupes constitués. Accueil de volontaires.

– ***Compétition de surf :*** *en nov.*

## Où dormir ? Où manger ?

### De bon marché à prix moyens (18-48 US$)

🏠 🍽 ***Amalur*** *(plan A2,* ***10****) : en face du terrain de foot. 📱 09-83-03-50-39. • amalurcanoa.com • Doubles 20-24 US$, petit déj à partir de 3 US$.* 📶 Une petite auberge sympa comme tout avec son parement en bambou déployé. Diego et Lorena, un couple d'Espagnols, ont aménagé une huitaine de chambres doubles ou triples, toutes avec salle de bains, eau chaude, moustiquaire et ventilo. C'est très propre, la literie est neuve, les draps colorés et l'envie d'y rester très forte. Dans la petite cour ensablée, vous écrirez vos cartes postales sous le papayer, à moins que vous ne préfériez la terrasse, avec vue sur le terrain de foot... et la mer à l'horizon. Petit resto de cuisine locale servant des salades appétissantes. La maison donne des cours de surf et d'espagnol. *Pour le surf, contactez Cédric au ☎ (05) 302-27-95.*

⛺ 🏠 🍽 ***Hotel Bambu*** *(plan A1,* ***11****) : sur la plage. ☎ 258-80-17 ou 📱 09-99-26-33-65. • hotelbambuecuador.com • Au bout du village, en direction de la falaise. Résa conseillée. Camping 5 US$/pers ; doubles 18-50 US$ selon type de chambre et confort, possibilité de triples et quadruples moyennant 15-20 US$/pers en sus, suivant saison.* 📶 Solutions d'hébergement variées comportant une bonne vingtaine de chambres dont plus de la moitié possèdent une salle de bains. Ça va du bungalow à la grande maison commune en passant par le camping. Les petits budgets se satisferont des chambres sans salle de bains, dont le prix plancher ne varie pas en fonction de la saison. Pour le reste, tout est bien tenu. Cadre très californien avec palmiers, hamacs et bar les pieds dans le sable avec la mer pour arrêter le regard (ou les filles, c'est selon). Idéal pour quelques jours de farniente. La clientèle est plutôt jeune, style blondinets le surf sous le bras... Pour les plus actifs, de bons cocktails ! Agréable resto servant une cuisine locale aux accents méditerranéens. Souvent beaucoup de monde, pensez à réserver.

🏠 🍽 ***Baloo*** *(plan A2,* ***12****) : sur la plage. ☎ 258-81-55 ou 📱 09-85-56-59-52. • baloo-canoa.com • Au bout du village, à l'opposé des falaises, sur la gauche face à la mer. Doubles avec ventilo 35-43 US$,* cabañas *pour*

LA CÔTE OUEST

*4 pers 56-67 US$ selon saison, petit déj 2-3,50 US$.* Une grande maison de bambou entourée de jolis bungalows pour 4 ou 8 personnes (avec cuisinette), ventilos et petit balcon. Les chambres, toutes avec salle de bains privée, sont assez petites mais proprettes et dotées de bons matelas. 2 d'entre elles accueillent 4 personnes et ont vue sur mer. Des hamacs, un bar... Voici un endroit paisible, un peu à l'écart de l'agitation, qui semble avoir adopté le refrain du personnage dont il porte le nom : « Il en faut peu pour être heureux. » Resto avec quelques spécialités de la mer, cours de yoga, massages... Un endroit cool quoi !

**La Vista Hotel** *(plan A2,* ***13****) : sur la plage.* *09-92-28-89-95. Doubles avec sdb 26-38 US$ selon saison ; petit déj 3-4,50 US$ ; également des familiales.* En bord de plage, une grande et haute maison au toit de palmes séchées et aux balcons de bois laqué. Une dizaine de chambres ventilées pour 2 ou 4 personnes, toutes avec salle de bains. Elles possèdent un chaleureux plancher en bois sombre, une déco pour une fois bien inspirée et sont très bien tenues ; le hamac sur le balcon offre une bonne occasion de se repaître de la vue sur la mer à travers les cocotiers... Bon accueil.

**Hotel País Libre** *(plan A1,* ***14****) :* ☎ *258-81-87.* • *hotelpaislibre.com* • *Dans la dernière rue perpendiculaire à la plage. Doubles avec ou sans sdb 24-50 US$, petit déj compris.* Dans une grande *longhouse* de 4 étages tout en bois, une trentaine de chambres à la propreté quelquefois limite, avec lits en bois, salle de bains commune au dernier étage mais avec eau chaude, moustiquaires. Des tableaux contemporains égaient chambres et coursives. Hamacs en terrasse confectionnés en bambou, piscine, location de planches, cours de surf... Un peu cher pour ce que c'est en pleine saison, en revanche. Accueil un peu embrumé.

Les restos se ressemblent beaucoup et proposent grosso modo le même genre de cuisine, poisson et *western food*. Allez-y au feeling.

**La Canoa** *(plan A1,* ***15****) : face à l'agence* Río Muchacho, *dans la 2e ruelle à droite en remontant de la plage.* *09-88-99-03-30. Ouv tte la journée. Plat env 5 US$.* Pour changer des restos de plage, une modeste gargote familiale et ses 3 tables serrées les unes aux autres, dans un petit local en brique avec toile de jute en guise de plafond. Pendant que les femmes cuisinent dans l'arrière-salle, les hommes prennent soin des gamins qui jouent avec ceux des clients, des gens du coin. Quelques pizzas et des plats typiques, à base de poulet ou fruits de mer. Copieux, simple, bon et pas cher. Convivial aussi.

**Surf Shak Bar-Resto** *(plan A1,* ***16****) : face à la plage.* *09-81-01-14-71 (Peter).* • *canoathrills.com/surf-shak* • *Snacks 5-7 US$, pizzas 6-13 US$, selon taille.* Assis sur des billes de bois tranchées par la main d'un géant, une petite restauration rapide au retour d'une session de surf ou de parapente. Dans ce bar-resto anglo-saxon, on croise du monde et la musique est bonne.

# LA CÔTE NORD

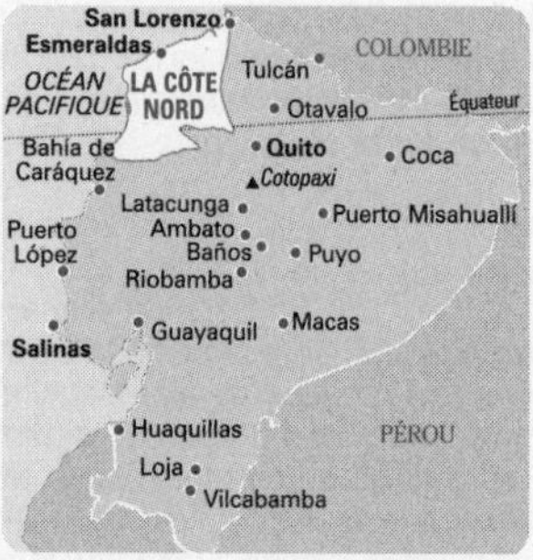

**Que dire de cette région si particulière ? Tout d'abord, qu'il s'agit d'un autre Équateur. Celui des mangroves, des plantations d'hévéas... Peuplée en majeure partie de Noirs descendants d'esclaves, c'est une région pauvre à la nature sauvage, située totalement en dehors des grandes voies de communication (l'axe Quito-Guayaquil). L'activité portuaire d'Esmeraldas n'a jamais vraiment réussi à décoller, les franges côtières servent surtout à l'exploitation du bois et abritent des populations vivant dans une extrême précarité... Parmi les sites intéressants pour les voyageurs figure cependant la réserve nationale de Manglares Cayapas-Mataje.**

## SANTO DOMINGO DE LOS COLORADOS

IND. TÉL. : 02

**À Santo Domingo de los Colorados (aussi appelé Santo Domingo de los Tsáchilas), la route bifurque sur Guayaquil, Portoviejo ou Esmeraldas. En direction de la côte, elle descend doucement de 700 m d'altitude jusqu'à l'océan. On traverse d'abord des bananeraies, puis subitement, le paysage change aux abords des monts Chindul. On découvre alors une succession de collines verdoyantes entre lesquelles la route serpente, comme entre les différents panneaux d'un décor de théâtre.**
**Santo Domingo est un carrefour de routiers, sale, avec tout autour la forêt abîmée, pillée par des générations de colons. Autant dire qu'elle n'a aucun intérêt pour les touristes, sinon d'être à la croisée des chemins entre Quito et la côte équatorienne, et au pied des contreforts montagneux abritant la forêt subtropicale.**
**Marché le dimanche, où l'on rencontre parfois quelques indiens tsáchilas.**

### Adresses utiles

**iTur :** *à l'entrée du* terminal terrestre. *% 1-800-83-78-37. Lun-ven 8h-12h30 ; 14h30-18h.* Infos pratiques sur la ville et les communautés tsáchilas. Bon accueil.

■ @ ***Internet et téléphone :*** *un peu partout dans le centre, notamment à*

*l'angle de Quito et Toachi.*
■ ***Banco de Pichincha :*** *distributeur sur la place centrale.*

## Où dormir ? Où manger ?

### De bon marché à prix moyens

🏠 ***Hotel Jennifer :*** *av. 29 de Mayo et Latacunga. ☎ 275-05-77. Dans le centre, à côté des marchés. Compter 24 US$ la double avec eau chaude, TV et ventilo.* Les chambres donnant sur la cour, plus au calme, ont toutes un balcon.

🏠 ***Hotel Diana Real :*** *av. 29 de Mayo et Loja. ☎ 275-13-84. Dans le centre, à côté des marchés. Compter 18 US$/pers, petit déj inclus.* Toutes les chambres sont avec TV, téléphone et ventilo. On prend le petit déj à la table d'hôtes, au 5e étage, dans une salle à manger rococo. Très bon accueil (même en pleine nuit !).

|●| ***Parrilladas Che Luis :*** *entre Río Yamboya et Caracas, dans une ruelle donnant sur l'av. Quito, juste avt le centre commercial en arrivant de Quito. ☎ 275-89-32. Tlj 12h (17h lun)-minuit. Compter 15 US$ pour un plat de viande. CB acceptées.* Très bon resto argentin proposant une succulente viande de bœuf. Service impeccable et cadre de bonne tenue.

|●| ***Cocina de Consuelo :*** *av. Quito et Chimbo, dans une petite rue en face de l'hôtel* Siesta. *☎ 275-11-00. Tlj 7h-21h (dim-lun 18h30). Compter 8-12 US$.* Dans une maison ancienne et accueillante, petits déj et *almuerzos* à prix raisonnables. Cuisine locale et internationale de qualité. Spécialités de mélanges terre-mer comme la *corvina en salsa de camerones y filet mignon.*

## Où séjourner « utile » dans les environs ?

🏠 |●| ***La Hesperia :*** *situé 31 km avt le péage de Santo Domingo sur la route de Quito et à 88 km de Quito (2h en voiture). ☎ 99-57-81-63 ou 📱 09-99-57-83-69. ● lahesperia.com ● La Hespería se situe 11 km après Tandapi en venant de Quito. Là, prendre à gauche le chemin qui monte dans la forêt en passant sous l'arche de pierre ; attention, seuls les 4x4 peuvent l'emprunter. Si vous êtes en voiture, il faut la laisser au village et prévenir de votre arrivée pour que l'on vienne vous chercher. La réserve est 1,5 km plus loin, au milieu de la nature. Depuis Quito, prendre le bus en direction de Santo Domingo et se faire déposer au village de La Hespería, tt simplement. Là encore, pensez à prévenir de votre arrivée pour que l'on vienne vous chercher.* Ici, on ne vient pas en touriste, on s'engage dans le bénévolat sur plusieurs semaines, le minimum étant de 2-3 semaines (environ 260-360 US$ tout compris), mais on peut aussi s'engager jusqu'à 12 semaines (environ 1 240 US$). On découvre ainsi une autre manière de vivre au milieu de cette immense réserve écologique de plus de 800 ha. L'endroit, perdu dans une clairière au milieu d'une forêt située en zone subtropicale (entre 1 100 et 2 040 m d'altitude), est très paisible et propice à la découverte de l'environnement naturel. On est logé soit dans le corps principal de la ferme, très agréable, avec un salon de lecture face au paysage, soit dans une annexe. Les repas sont pris en commun, comme en famille. Unique pour l'observation de la faune et de la flore de la forêt nuageuse *(bosque nublado),* c'est l'une des 10 réserves du pays gérées par une ONG, *Gatun Sacha,* qui œuvre pour la conservation des espèces naturelles. Accueil très sympa de Juan Pablo, qui parle le français, et d'Alejandra. Leur travail consiste à recenser les espèces de la forêt, bien fournie en orchidées et en oiseaux (plus de 320 répertoriés). Surtout, ils développent des cultures biologiques de légumes qui permettent aux communautés locales de s'autosuffire, au lieu de vivoter de la vente de bois.

# SAN LORENZO 15 000 hab. IND. TÉL. : 06

**Une ville de bric et de broc, alanguie de manière désordonnée le long d'un estuaire. Imaginez que, jusque dans les années 1990, on n'y venait quasiment qu'en bateau. Aujourd'hui, une bonne route asphaltée relie Ibarra, et la route jusqu'à Esmeraldas est aussi goudronnée. Mais la ville, loin de s'exciter à l'idée d'être reliée au monde, n'a pas changé son rythme de vie. La journée s'égrène dans l'indolence générale, avant que la nuit ne vienne réveiller les ardeurs de la population. Le soir venu, une musique chaloupée envahit tout le centre, chaque café rivalise avec les décibels du voisin et la bière coule à flots. Cette ville de *desesperados,* que l'on croirait sortie d'un vieux western, révèle alors sa personnalité bon enfant. Bref, voilà une ville tout indiquée pour ceux qui veulent véritablement sortir des sentiers battus. Attention toutefois : les problèmes de sécurité ne sont pas à négliger, des agressions ont été signalées.**

– Marché animé le samedi.

## Arriver – Quitter

### En bus

➢ ***Esmeraldas :*** ttes les heures 4h-18h30 avec *La Costeñita* (parque central ; 2 directs à 6h15 et 16h15) et *Trans del Pacífico* (2 directs à 5h15 et 11h15). Prévoir 4h de route avec les omnibus qui s'arrêtent à Borbón, 2h30 avec les directs.

➢ ***Ibarra :*** une bonne route permet de rallier le nord de l'Équateur en 4h. Paysages magnifiques, surtout en arrivant en altitude. Une vingtaine de bus/j., 4h-17h, avec *Trans del Valle, Pullman Carchi* et *Cita Express.* Les 3 compagnies se trouvent av. Camilo Ponce, à l'entrée de la ville.

➢ ***Guayaquil via Santo Domingo, Quevedo :*** 3 bus/j. avec *Trans Esmeraldas*, 1 bus/j. (vers 18h30) avec *Trans Occidentales*.

### En bateau

➢ ***Vers la Colombie :*** compter 1h30. *Lanchas* communautaires pour ***Palmareal,*** 7h30-16h (env 10 US$), et ***Guachal*** vers 14h (env 13 US$). Pratique et exotique. Mais pour l'instant, cette zone n'est pas conseillée aux touristes. Se renseigner au poste de police sur le parque central, notamment concernant les formalités.

## Adresses utiles

■ ***Téléphone** (CNT) : en face de l'hôtel San Carlos.* Cabines téléphoniques un peu partout en ville.

■ ***Banco Pichincha :** à côté du CNT.* Pas de change, mais distributeurs. Il vaut quand même mieux arriver avec du liquide.

## Où dormir ?

Vu l'absence de touristes, l'hôtellerie est plutôt médiocre. Cependant, quelques bâtiments plus modernes commencent à voir le jour. Ne vous étonnez pas des locations pour 2h à 10 US$ proposées par certains hôtels... Prenez impérativement un hôtel avec garage si vous êtes en voiture. Et par ailleurs, sachez que les nuits de week-end sont extrêmement agitées : boules Quies de rigueur !

### Bon marché (moins de 20 US$)

■ ***Hotel Puerto Azul :** calle Imbabura. ☎ 278-03-60. À l'entrée de la ville en venant d'Ibarra, sur la gauche. Double avec ventilo 8 US$, avec clim 10 US$.* Propose une vingtaine de chambres avec salle de bains privée (eau froide) et TV. L'ensemble est plutôt propre et calme. Garage et service médical d'urgence assuré : le propriétaire, médecin, a son cabinet au rez-de-chaussée.

**Hotel Tolita Pampa de Oro :** *calle Tacito Ortez, un peu en retrait de la rue principale. ☎ 278-02-14. Grande chambre avec sdb, TV, ventilo 9 US$/pers.* Correct, d'un bon rapport qualité-prix.

**Hostal Continental :** *au milieu d'Imbabura (la rue principale). ☎ 278-01-25 ou 09-93-63-28-29. Compter 20 US$ pour une double climatisée, 15 US$ avec ventilo et TV.* Hôtel central de 15 chambres avec eau chaude (c'est rare). Préférer celles à l'arrière, plus calmes. Le mobilier est un peu vieillot, et la réception est un vrai fourre-tout, mais le lieu est sûr, et les propriétaires sont d'une grande gentillesse.

**Gran Hotel San Carlos N° 1 :** *José Garces et Imbabura. En face de la* Banco Pichincha, *réception au 1er étage. ☎ 278-02-84. Doubles 20-25 US$ avec ou sans AC.* Facile à reconnaître avec ses couleurs jaune et orange. Une trentaine de chambres rénovées, confortables, avec TV et balcon commun. Garage. À deux pas, tout en couleurs aussi et au même prix, l'***Hotel San Carlos N° 2.***

## Où manger ?

– Pour le ***petit déj,*** faites confiance aux stands de rue. Sur le square central, on presse des jus frais et on ouvre à coups de machette des noix de coco bien pleines. Des boulangeries et un marché permettent de compléter le repas. Certaines gargotes préparent aussi des plats frits pour caler les gros creux.

**Un Pedocito de Colombia :** *en bas de l'hotel* Puerto Azul. Une boulangerie-pâtisserie qui sert des *almuerzos.* Bonnes soupes et quelquefois des saucisses grillées. Très bon marché.

**El Salon de Isabel :** *au pied du* Gran Hotel San Carlo N° 1. Petit déj et *almuerzo* dans un cadre baroque, où les locaux affluent à toute heure. Une adresse incontournable.

**EL Chocó :** *au milieu d'Imbabura.* Un resto propre et aéré qui sert de bons *almuerzos* à un prix très bas. Bon accueil. Un autre lieu préféré des locaux.

# DANS LES ENVIRONS DE SAN LORENZO

La région se développe doucement sur le plan de l'éco-ethno-agro-tourisme. C'est une des régions les plus riches du monde en diversité biologique. Vu la fragilité de ces zones, les amateurs aventuriers ne pourront les visiter que par petits groupes et obligatoirement avec un guide. Petit conseil, il est préférable de porter des vêtements blancs. Il paraît que cela éloigne les moustiques. N'oublions pas que San Lorenzo est une zone impaludée.

Pour de plus amples renseignements sur les environs, contacter Andrés Carvache, responsable du tourisme local, en face de *Fuerza Naval,* à l'échoppe qui vend des billets pour les passages en Colombie, à l'entrée de la grande jetée. *☎ 278-01-61 ou 09-91-08-01-08. • andrescarvache@yahoo.es •* Ou Francisco Betencourt, à la *Coop San Lorenzo del Pailón-Operadora de Turismo Malvinas,* en face, une agence agréée qui propose un certain nombre de circuits. *☎ 278-00-39 ou 09-97-95-09-44. • sanlorenzodelpailon.com •* Les tarifs sont très variables selon le nombre de personnes et la durée des excursions. Compter environ 120-150 US$ pour une balade de 5h en bateau en groupe de 1 à 10 personnes. Les *lanchas* à louer peuvent accueillir des groupes de 4 jusqu'à 10, 20, 30 ou 40 personnes. Un guide est obligatoire, indispensable pour visiter tous les sites dont les suivants.

***Reserva ecológica Gayapas-Mataje :*** où vivent des indigènes pêcheurs au milieu de nombreuses îles et de zones de marécages. On peut s'y rendre uniquement en barque. Possibilité de dormir sur le site dans un hôtel communautaire bon marché. Resto. Balades de 2h minimum.

**Reserva La Chiquita :** *à 29 km de San Lorenzo.* Balades de 3h minimum : rivière, petits villages, observation d'oiseaux...

**Forêt humide de Yalare :** *à 30 km de San Lorenzo, en direction d'Esmeraldas.* Grande forêt tropicale humide, à la faune très riche (beaucoup d'oiseaux). On y trouve 50 espèces différentes de chauves-souris, dont les plus grands vampires du monde (1 m d'envergure). Lors de l'observation, à la tombée de la nuit, on vous prête un voile qui vous protège la tête de ces redoutables bestioles. Balade de 3h minimum.

**Reserva awa :** *à la frontière colombienne, à 90 km de San Lorenzo.* Rencontre avec les indigènes awas, observation de la faune et de la flore (oiseaux, reptiles, coléoptères). Possibilité de dormir sur place. Compter 2 jours minimum.

**Communauté chachi La Ceiba :** communauté indigène vivant dans une forêt exceptionnelle d'arbres fruitiers exotiques. Compter également 2 jours de visite.

**Reserva Playa de Oro :** *à 90 km.* Forêt primaire. Un seul hôtel à *Tumbire,* petit village adorable. Observation de la faune et de la flore. 2 jours de visite minimum.

**El Majagual Manglar :** il s'agit d'une forêt de palétuviers (mangrove), les plus hauts du monde, où vit une faune importante d'oiseaux et de poissons de marécage. Excursion d'une journée possible.

**Reserva ecológica Cotacachi-Cayapas :** l'une des plus grandes réserves du pays, qui protège 200 000 ha de forêt tropicale côtière. On y rend visite aux communautés noires et indigènes (notamment les Chachis), dans un milieu naturel d'une exubérante diversité. Et pour cause ! Trait d'union entre la côte et la Sierra, les altitudes vont grosso modo du niveau de la mer à près de 4 950 m (le volcan Cotacachi). Prévoir 3 jours minimum de visite, dont 8h de navigation pour y aller. Des séjours dans la communauté indigène chilcapamba, à côté de la lagune Cuicocha, sont possibles. Logement et dîner chez l'habitant, excursions avec un guide local pour découvrir les environs.
➢ La porte d'accès à cette réserve est le village de ***San Miguel,*** en pleine forêt. Pour cela, prendre une *lancha* (barque) tôt le matin à San Lorenzo pour Limones, puis en attraper une pour Borbón. Pour économiser temps et énergie, on peut aussi rejoindre directement Borbón par la route (il y a 48 km). De là, vous pourrez négocier une *lancha* pour San Miguel (un départ fixe chaque jour vers 10-11h). Prévoir 5h de trajet. Dur, mais inoubliable. *Borbón* (5 000 habitants) est un comptoir créé par une colonie anglaise au XIXe s pour exploiter les bois précieux de la forêt. Les grumes sont envoyées jusqu'à Limones par radeaux. On peut loger de façon rudimentaire et prendre un repas simple mais bon à la *Casa de las Mujeres.*

**La Tolita :** site archéologique intéressant dans la réserve *Cayapas-Mataje.* De San Lorenzo, prendre une *lancha* communautaire pour Limones puis pour La Tola, siège d'une importante culture précolombienne. Le musée recèle de nombreux vestiges de la culture *tolita* (d'environ 600 av. J.-C. à 400 apr. J.-C.). Plein de balades à faire à proximité, bonne base pour rayonner dans le coin (infos au musée).

**Limones :** village sympathique relié à San Lorenzo par des *lanchas* communautaires (aucune route). *Départs de San Lorenzo à 7h30, 10h et 13h. Compter 5 US$ et env 45 mn de trajet. Possibilité de dormir à l'hôtel* Mauricio Real *(8 US$ pour une chambre simple, 12 US$ la double).* Depuis Limones, on peut ensuite se rendre en bateau jusqu'à La Tola *(30-40 mn, env 3 US$)* où commence la route goudronnée. De là, bus pour Esmeraldas.

# ESMERALDAS

150 000 hab. IND. TÉL. : 06

**Pour ceux qui souhaitent atteindre directement les villages d'Atacames, Súa, Same, etc., il est intéressant de changer de car au *terminal terrestre Centro Commercial,* à 10 km du centre-ville. Cela vous fait gagner du temps et permet d'éviter Esmeraldas, qui est un peu en retrait de la côte et sans aucun intérêt touristique.**
**La ville, fondée en 1526, est devenue rapidement la capitale de la « province verte de l'Équateur ». La province d'Esmeraldas produit en effet de la banane, du cacao, du café, du tabac, de l'huile de palme et de nombreux fruits tropicaux. L'exploitation du bois y tient également une place importante.**
**Malgré son nom de femme fatale – dû au nom du fleuve qui, à l'époque précolombienne, abondait en émeraudes –, Esmeraldas n'a rien de particulier à proposer. Les politiciens de Quito y voyaient l'avenir du pays, avec le débouché de l'oléoduc apportant le pétrole amazonien dans sa banlieue à Balao... Résultat, une seule raffinerie s'est installée. Ils rêvaient d'une industrie pétrochimique : il n'y a plus qu'un port en perdition et un paludisme ravageur... L'humidité transperce le corps, et les (tristes) tropiques suintent l'ennui.**
**La côte ici n'est franchement pas terrible pour la baignade. Voir la plage de Las Palmas, par exemple : c'est tout bonnement un dépotoir, et la présence de pétroliers au mouillage n'arrange pas la qualité de l'eau...**
**En outre, il y règne un climat d'insécurité : ne jamais sortir seul le soir et éviter les promenades nocturnes sur la plage de Las Palmas ainsi que dans le centre-ville.**
**Deux fêtes endiablées : celle du 21 septembre, commémorant la fondation de la ville, et celle du 5 août, célébrant l'indépendance de la cité et la fin de l'autorité coloniale.**

## Arriver – Quitter

### En bus

La gare routière, éloignée du centre, rassemble ttes les compagnies (pas de bus pour s'y rendre, taxi 3 US$).

➢ ***Quito*** *(320 km)* **:** 10 bus/j. (6h25-22h15) via Santo Domingo et 9 bus/j. (7h15-0h55) via Los Bancos avec *Transportes Esmeraldas* ; 3 bus/j. (8h40, 23h50, 0h10) avec *Transportes Occidentales*, 5 bus/j. (7h-22h10) avec *Aerotaxi* et 1 bus *(23h10)* avec *Panamericana*.

➢ ***Guayaquil*** *(470 km)* **:** 17 bus/j. *(5h30-0h15)* avec *Transportes Esmeraldas,* des directs à 22h, 22h45, 23h15, et une continuation pour ceux de 17h55 et 20h40 jusqu'à Machala et Huaquillas. Avec *Transportes Occidentales,* 14 bus/j. (4h30-minuit) ; celui de 17h continue jusqu'à Machala et celui de 18h30 jusqu'à Huaquillas. Avec *Aerotaxi,* 5 bus/j. (7h20-23h35) ; avec *Panamericana,* à 23h05.

➢ ***Manta via Portoviejo*** *(475 km)* **:** avec *Reina del Camino* 6 bus/j. (5h20-21h35) ; avec *Transportes Esmeraldas,* à 22h25 ; avec *Coop Reales Tamarindos,* 6 bus/j. (3h45-19h50).

➢ ***Atacames*** *(28 km),* ***Súa*** *(31 km)* ***et Muisne*** *(80 km)* **:** avec *La Costeñita,* bus ttes les 30 mn env.

➢ ***San Lorenzo*** *(155 km)* **:** avec *La Costeñita* (7h-13h) et *Pacífico* (6h-16h).

➢ ***Latacunga via santo Domingo*** *(345 km)* **:** avec *Cita* ; une dizaine de bus/j. (6h-23h40).

### En avion

✈ ***Aéroport :*** *à 25 km de la ville.* ☎ *247-50-42.* Il n'existe pas de bus pour se rendre à l'aéroport. Prévoir env 5 US$ pour le taxi, sachant que le trajet dure env 20 mn.
Le bureau de la compagnie ***Tame*** se

trouve sur Bolívar 5-25, à côté de l'office de tourisme. ☎ *272-68-63. Tlj 8h-13h, 14h30-17h30.*

➢ ***Quito :*** 1-2 vols/j. avec *Tame*.

➢ ***Guayaquil :*** 1 vol/j. avec *Tame*.

➢ ***Cali (Colombie) :*** 3 vols/sem avec *Tame*.

## Adresses et infos utiles

**iTur :** *av. Bolívar 5-21.* ☎ *272-73-40. Lun-ven 8h-12h ; 14h-17h.* Pas de carte et peu d'infos.

✉ **Poste** (Correos) **:** *malecón y Montalvo.*

■ ***Téléphone (CNT) :*** *Libertad y Muriel.* ☎ *272-88-50.* Cabines téléphoniques un peu partout dans le centre.

■ ***Change : Banco del Pichincha,*** *Bolívar y 9 de Octubre.* À un coin de la place centrale. Éviter de changer ici : taux vraiment défavorables. Distributeur pour *Visa* et *MasterCard*.

■ ***Consulat de France :*** *Kennedy (Final) Las Palmas.* ☎ *246-12-17.* *09-99-72-62-40.* La dernière maison tout au bout du *malecón*, à la plage de Las Palmas.

***Hospital Delfina Torres de Concha :*** *av. Libertad y Parada 8.* ☎ *272-27-77.* Urgences 24h/24.

## Où dormir ?

Ne vous attardez pas à Esmeraldas ; la ville reste sale, chère et peu intéressante. N'allez pas non plus trop traîner vos guêtres dans le square central, où de nombreuses agressions sont à déplorer, et évitez la plage de Las Palmas à la nuit tombée. Maintenant que le *terminal terrestre* vous permet de sauter tout de suite dans un autre bus, n'hésitez pas et passez votre chemin. On vous donne une adresse pour dépanner :

***Hostal El Trebol :*** *Cañizares y Bolívar.* ☎ *272-80-31. Compter 13 US$/pers avec sdb privée (eau froide), AC et TV.* Hôtel moderne un peu bétonné, mais calme et bien propret, avec des chambres spacieuses donnant sur un vaste patio couvert. L'ensemble est bien tenu. Une adresse agréable et sécurisée.

## Où manger ?

Dans la ville même, il n'y a pas grand-chose, à l'exception de *Las Redes,* sur la place centrale, recommandable car c'est propre, et on y est bien accueilli (ouvert seulement le midi !). On trouvera plus de choix parmi les gargotes le long de la mer à ***Las Palmas,*** à 3 km du centre. De nombreux bus desservent cette plage en journée. Le soir, prendre impérativement un taxi.

I●I ***Restaurante El Capitán :*** *av. Kennedy 6-07 y Valdez, à Las Palmas.* ☎ *272-13-90. Plats 5-6 US$.* Ici, on vous propose quelques spécialités équatoriennes et surtout un bon *almuerzo* à 3 US$. Dommage qu'on soit au bord de la route, avec vue sur les entrepôts du port industriel. Clientèle d'habitués.

I●I Pour les plus économes, allez tout au bout de l'avenida Kennedy. Vous découvrirez alors, en longeant la mer, des ***gargotes.*** Ambiance musicale et *ceviches* assurés ! Sur la plage, nombreux bars-disco-karaoké à l'ambiance de feu le soir. Mais attention, on se répète, la nuit peut être dangereuse par ici.



# Manifestations

– ***Fête de l'Indépendance de la ville :*** *le 5 août.* Défilés des écoles, bals dans les rues toute la nuit, etc. La fête dure toute une semaine. Les musiciens se relaient sans arrêt.

– ***Fête commémorative de la fondation de la ville :*** *le 21 sept.* Ambiance très, très joyeuse !

# ATACAMES

IND. TÉL. : 06

**Atacames est située à 28 km d'Esmeraldas. Cette petite station balnéaire est entièrement vouée à la fête et à la consommation à outrance, notamment de juillet à mi-septembre ainsi que pendant les semaines qui entourent les fêtes religieuses. Les Équatoriens adorent ! En particulier les montagnards venus en famille ou encore les étudiants en vacances... Tout ce petit monde vient s'encanailler sur la côte. Musique techno-salsa-dance 24h/24, dans tous les bars le long de la plage.**

**Ce n'est pas pour rien qu'on compte les hôtels par dizaines. Ceux qui veulent faire la fête, et uniquement la fête, qui ne redoutent pas l'entassement et ne comptent pas dormir trouveront donc leur bonheur ici. Les autres fileront tout droit vers Súa ou Same, à la recherche d'une plage plus calme, car ici, le moindre espace est occupé. Cependant, en dehors des périodes signalées ci-avant et sans être le paradis, Atacames est une halte assez sympa la journée, grâce à sa plage et à son *malecón*.**

**Attention : ici LA MER PEUT ÊTRE DANGEREUSE. Alors méfiez-vous des vagues violentes, et ne vous éloignez pas : au large, les courants sont très entraînants... Par ailleurs, surveillez vos affaires personnelles sur la plage.**

## Arriver – Quitter

### En bus

Pas de *terminal terrestre,* les compagnies se trouvent à Atacames ville, près du carrefour Vargas Torres et Prado.

➢ ***Quito :*** 4-5 bus/j. avec *Trans Occidentales.* Compter 6-7h de voyage.

➢ ***Guayaquil, Cuenca, Huaquillas :*** une dizaine de bus/j. avec *Transporte Esmeraldas* (9h-22h45).

➢ ***Manta, Portoviejo :*** 1 bus/j. avec *Transporte Esmeraldas.*

➢ ***San Lorenzo, Ibarra, Otavalo :*** 4 bus/j. avec *Aerotaxi.*

➢ ***Súa, Same, Muisne :*** liaisons fréquentes entre Esmeraldas et Same via Muisne, Atacames et Súa, notamment avec la compagnie *Atacameñita.* Trajet rapide ; départs à peu près ttes les 10 mn.

## Adresses utiles

■ ***Banque :*** *Banco del Pichincha, à Atacames ville, angle Luis Tello et Eugenio Espero.* Pas de change. Distributeur *Visa* et *MasterCard.* D'autres distributeurs sur le *malecón.*

■ ***Change :*** il est préférable d'avoir changé suffisamment d'argent avant, sinon il faut se rendre à Esmeraldas.

✚ ***Centro Medico Santa Rosa :*** *Roberto Cervantes y Eugenio Espero.* ☎ *273-19-16.* Urgences 24h/24.

## Où dormir ?

La plupart des hôtels sont construits en béton, tous avec piscine. Les rues perpendiculaires au *malecón* sont plus calmes, un peu éloignées de la musique distillée par les bars du bord de mer. Certains hôtels proposent aussi quelques *cabañas*. Pour les fêtes de fin d'année, au moment du Carnaval, à Pâques, et de juillet à mi-septembre, les prix doublent ou triplent, et il devient difficile de se loger. On vous conseille par ailleurs de ne rien laisser dans les chambres. Déposez vos objets de valeur à la réception ; on insiste (de nombreux vols nous ont été signalés).

### *À Atacames plage*

#### Bon marché (moins de 20 US$)

🏠 ***Hostal Jennifer :*** *Cedros, une rue perpendiculaire au malecón, à 50 m de la plage.* ☎ *276-01-72.* ● *jennifer@anditel.net* ● *Doubles 15-20 US$.*

Immeuble de 3 niveaux doté d'une trentaine de chambres propres avec ventilo et salle de bains. Choisir les nouvelles chambres derrière le bâtiment central autour de la petite piscine. À l'étage, des doubles et au rez-de-chaussée des chambres de 4-8 personnes. Vraiment correct et relativement calme de surcroît. L'un des moins chers et des plus sympas, à l'écart de la furie de la plage.

■ ***La Bastille Hotel :*** *Las Tawas, une rue perpendiculaire au malecón, entre le río et la plage. ☎ 273-15-39. 📱 09-97-97-60-96. • hotellabastille@yahoo.es • Compter 12 US$/pers.* Immeuble tout en hauteur. Chambres simples, bien tenues avec salle de bains, où l'on s'entasse en famille ou entre amis grâce à des lits superposés supplémentaires. Petite piscine et mini-jacuzzi. Pour dépanner.

■ ***Chill Inn :*** *Los Ostiones, la rue qui mène à la passerelle piétonne qui traverse le río, perpendiculaire au malecón, à 50 m de la plage. ☎ 276-04-77. 📱 09-98-02-39-46. • chillinnecuador.com • Compter 8-12 US$/pers.* Dans une belle maison tenue par Yolanda, une Suissesse allemande qui accueille chaleureusement ses hôtes, 4 chambres confortables avec ventilateur. Pièce commune au rez-de-chaussée avec hamacs, petite bibliothèque pour échanger des livres, lecteur DVD, TV et cuisine à disposition.

## Prix moyens (20-40 US$)

■ ***Hotel María Co :*** *Los Ostiones, en face de l'hôtel* Chill Inn. *☎ 273-12-59. À partir de 25 US$ et jusqu'à 40 US$, voire plus en hte saison, petit déj inclus.* Cabanes pour 2 et chambres pour 2 à 6 personnes. Un hôtel coloré et confortable, un petit peu en retrait de l'océan. On a le choix entre des cabanes bleu et blanc avec salles de bains autour d'une piscine (beaucoup de bruit la journée) et des chambres tout confort autour d'un jardin arboré, mais sans vraiment de fenêtre et au mobilier un peu cheap. Certaines possèdent TV et réfrigérateur... Mais le rapport qualité-prix laisse perplexe.

## Où manger ?

🍴 Parmi les petits restos du *malecón* en bord de plage, nous avons aimé ***Las Delicias del Marisco,*** à côté de l'hôtel *Playa Hermosa* pour ses spécialités manabitas, le ***Rincon Marino,*** face à la plazoleta de Artesanos pour ses crabes gratinés, ses *conchas asadas* et ses crêpes de *camarones,* et enfin ***La Feria de las Comidas*** pour ses *bandejas de mariscos* pour 4 personnes. Tous les 3 sont fréquentés par les locaux.

🍴 ***Paco Foco :*** *dans la rue Los Ostiones, perpendiculaire à la plage. ☎ 246-46-98.* Goûter aux langoustes à la plancha à un prix ridiculement bas (13 US$), à l'*encocado de mariscos,* des fruits de mer de toutes sortes – langoustes, crevettes, langoustines, conches, coquillages – cuits à la vapeur et relevés avec du jus de coco autour de 8 US$. C'est très copieux, mais il faut attendre 30 mn. Leurs *patacones* sont les meilleurs que nous ayons goûtés en Équateur. Le tout dans une ambiance populaire.

🍴 ***Pizzeria da Giulio :*** *sur le* malecón. *☎ 273-16-03. CB acceptées. Mar-dim 17h30-2h.* Un resto italien avec vue sur la mer, tenu par un Sarde qui sert les spécialités de son pays : *scalopine alla romana, proscuitto de Parma, antipasto,* une quinzaine de plats de pâtes et surtout une nombreuse variété de pizzas. Pour finir, arrosez le tout de chianti ou de lambrusco, et finissez en beauté avec une *grappa,* une *sambuca* ou un *amaretto.*

## Où boire un verre ? Où danser ?

🍸 Partout sur la plage et le *malecón* ! Entre un bain, une partie de ballon et une petite *siesta,* on peut aller se réhydrater dans un bar-paillote, les pieds dans le sable... Ils rivalisent tous en décibels : cumbia, salsa, reggae, rock, disco... Grand choix de cocktails et de jus naturels.

♫ Beaucoup de bars-boîtes le long de la plage comme ***Cheer's, Friend's, Juan Pachanga*** et le ***Ludo's.*** *Tlj et surtout le w-e, 20h-3h.*

# SÚA

IND. TÉL. : 06

**Petit village au bord d'une belle baie tranquille, à 3 km d'Atacames. On peut y aller en 30 mn par la plage, mais à marée basse seulement. Sinon, prendre une mototaxi ou un bus (qui attend au bord de la route principale).**
**L'attrait de Súa est d'être une station côtière à taille humaine, relativement calme et à l'ambiance agréable. La plage, sans être paradisiaque (pas très propre), n'est pas désagréable, car elle conserve le charme des petits ports de pêche.**

## Arriver – Quitter

➢ ***Muisne :*** attendre le bus Esmeraldas-Muisne sur la route. Il est assez régulier.
➢ ***Esmeraldas et Atacames :*** bus ttes les 10 mn env. La compagnie *Atacameñita* relie Esmeraldas à Súa (ou Same). Depuis Súa, départ à la sortie de la ville sur la route principale. Compter 10 mn pour Atacames et 1h pour Esmeraldas.

## Où dormir ?

L'endroit est bon marché. Mais ici comme ailleurs, n'hésitez pas à marchander hors saison.

### Bon marché (moins de 20 US$)

☗ ***Hostal Las Buganvillas :*** *sur le malecón. ☎ 247-30-08. Résa conseillée pdt les vac et w-e. Compter 25 US$ la double.* Chambres dans plusieurs bâtiments, sortes de grandes villas de béton. Confort très correct : salle de bains avec eau chaude et ventilo. La chambre n° 10 bénéficie d'une vue extra, à la fois sur la montagne et sur la mer. Jolie piscine dans la cour. Les avenants patrons tiennent une petite épicerie *Bazar Anita* à l'entrée et s'occupent vraiment bien de leur affaire. C'est probablement le meilleur rapport qualité-prix de la plage, infiniment plus propre et mieux entretenu que ses voisins.
☗ ***Chagra Ramos :*** *face à la mer, le 1er hôtel de la plage. ☎ 247-10-06. • hotechagraramos@hotmail.com • Compter 23 US$ pour 2, petit déj inclus.* Une situation privilégiée. Bungalows en gradins sur la colline. Préparez-vous à gravir un paquet de marches pour atteindre votre chambre. Mais ça vaut le coup : de là-haut, vue superbe sur la mer. Chambres spacieuses, toutes avec salle de bains et ventilo. Bon confort pour le prix. Endroit d'autant plus agréable que l'accueil est super gentil. Attention toutefois, l'hôtel est proche d'une discothèque qui fonctionne en période estivale, le week-end. Restaurant avec quelques tables sur la terrasse face à la plage. Garage.
☗ |●| ***El Peñón de Súa :*** *dans la ville, en retrait de la plage, derrière l'église. ☎ 247-32-13. 📱 09-93-82-34-36. Double 24 US$, petit déj inclus. CB acceptées.* Cette grande bâtisse moderne, à 100 m de la plage, possède une trentaine de chambres simples, de 1 à 5 personnes avec ventilo et eau froide. Piscine et resto. Le patron, très affable, connaît bien la région. Il vous indiquera quelques balades à faire.

## Où manger ?

Quelques petits restos sur le *malecón*. Pour info, la langouste est moins chère ici qu'ailleurs. Profitez-en (en saison, bien sûr) !

|●| En bord de plage, plusieurs petits ***kiosques à ceviches*** tenus par des pêcheurs. N'hésitez pas à goûter, c'est frais et bien moins cher que partout ailleurs, le *ceviche de langostas* est excellent.

## À voir. À faire

**Isla de los pájaros** *(l'île aux oiseaux)* **:** *à gauche de la plage.* On y va à marée basse ou en balade organisée avec une *lancha* que l'on trouve sur le petit port, au bout du *malecón,* ou bien à Atacames. Un mont caillouteux où se réfugient toutes sortes d'oiseaux marins : goélands, pélicans... Attention à la marée montante, pensez à revenir avant.

**Peñón de Súa :** *la pointe à droite sur la plage.* Il était une fois une princesse inca du nom de Súa. Son prince bien-aimé et elle firent un séjour prolongé dans ce charmant petit village. En apprenant que son mari la trompait avec une fille du coin, la belle princesse se jeta du haut de ces rochers pour finir dans la mer. Depuis, le site se souvient d'elle.

➢ Quelques **balades** à faire dans les environs, dans la campagne vallonnée.

➢ **Marimba Spanish School :** *malecón.* ☎ *247-31-78.* ● *marimba-spanishschool.com* ● Pourquoi ne pas profiter de votre séjour dans cette petite ville balnéaire pour apprendre l'espagnol ? Cours intensifs et stage de plusieurs semaines.

## SAME

IND. TÉL. : 06

**Same se trouve à 6 km au sud de Súa. Il faut pénétrer dans l'ancien village, particulièrement le dimanche, pour humer son atmosphère très vacances. On a ici le choix entre des hôtels confortables où il fait bon se prélasser ou des chambres beaucoup plus simples, louées par les restaurants. L'ambiance est plutôt cool. On est à mille lieues du bruit et de la fureur d'Atacames, même si, depuis la construction d'un immense complexe hôtelier sur la colline et en bord de mer (le *Casablanca Golf et Marina*), le village a pris des allures de station balnéaire un peu artificielle... Précisez au chauffeur du bus de vous arrêter à *Playa Parquadero,* sinon il vous laissera à l'entrée de cet ensemble de « condominiums ». Les curieux peuvent visiter l'un des élevages de crevettes du village voisin, *Tonchigue.***

### PLEINS FEUX SUR LA CREVETTE !

*La nuit, l'océan brille de mille feux : c'est la pêche aux crevettes. Si une lumière rouge s'allume tout à coup à l'horizon, vous assisterez alors à un étrange ballet. Quand un pêcheur attrape dans ses filets une crevette femelle avec ses œufs, il allume sa lampe, et des acheteurs des piscicultures voisines se précipitent dans leur bateau équipé d'un aquarium et d'oxygène. Les enchères, qui peuvent atteindre 160 US$, ont lieu en pleine mer et en pleine nuit ! Le plus offrant repartira illico avec la fameuse* camarón, *qui sera ensuite utilisée pour la reproduction.*

### Adresse utile

■ **Distributeur de billets :** *au* **Club Casablanca,** *dans la partie ultra moderne de Same.* Vaste complexe touristique avec des appartements de vacances, 5 restos, un golf, une marina, etc. Une vraie ville dans la ville ! On y trouve un ATM qui accepte *Visa* et *MasterCard.* Pratique car il n'y en a pas d'autre avant Esmeraldas ou Bahía.

## Où dormir ?

### De bon marché à prix moyens (moins de 35 US$)

🏠 🍽 ***Restaurant-Hotel Seaflower :*** *derrière le resto* La Terraza, *à 20 m de la plage.* ☎ *247-03-69 ou* 📱 *08-35-56-63-95.* • *elnuevoseaflowerama webs.com* • *Chambres pour 1-3 pers 10 US$/pers avec douche (eau froide), moustiquaire et ventilo à la demande.* Cet hôtel plein de personnalité est tenu par une Allemande qui propose une poignée de chambres à la décoration soignée, dans la maison principale ou disposées autour d'une cour. Salle commune remplie de souvenirs rapportés du monde entier. Malheureusement, c'est un peu bruyant la nuit, le week-end. Possède un resto un peu plus cher que les gargotes de la plage mais raffiné (voir « Où manger ? », ci-après).

### De prix moyens à plus chic (35-50 US$)

🏠 🍽 ***Restaurant-Hotel La Terraza :*** *sur la plage.* ☎ *247-03-20.* 📱 *09-97-32-44-05.* • *laterrazasame.com* • *En hte saison, compter env 45 US$ pour une chambre de 4 dans un bungalow (que l'on soit 1 ou 4 pers, c'est le même tarif) ; hors saison, grosse réduc (quasi 50 %) et possibilité de ne prendre qu'un seul lit dans une chambre de 4 (qui devient donc dortoir). Double 25 US$.* Une dizaine de bungalows, avec chacun sa salle de bains (eau chaude) et son balcon, ou bien 2 chambres doubles plus simples. Resto, bar et quelques hamacs. Le proprio espagnol et sa femme équatorienne ont bien fait les choses : chambres bâties dans un style bien léché, avec des murs aux angles arrondis et blanchis à la chaux. Parquet au sol. Bien tenu et plein de charme.

🏠 ***Hostería El Rampiral :*** *à la sortie de Same, entre la route et la plage.* 📱 *09-99-95-84-20.* • *rampiral@ yahoo.com* • *Établissement entièrement restauré en 2012. Double 54 US$.* Une situation paradisiaque, les pieds dans l'eau. Cet hôtel propose 10 cabanes en bois pouvant accueillir jusqu'à 5 personnes. Eau chaude, ventilo, TV et frigo, face à la plage. Pour ceux qui ne tiennent pas en place, possibilité de louer des kayaks ou de faire des balades à cheval. Petite piscine.

🏠 ***Cabañas Isla del Sol :*** *à la sortie de Same, à côté de l'*Hostería El Rampital. ☎ *247-04-70.* • *cabanaisladelsol. com* • *Double 62 US$, taxes incluses.* Une vingtaine de *cabañas* en bois, tout confort, avec bain privé (eau chaude), AC, frigo, hamac et terrasse, le tout les pieds dans l'eau. Un lieu idéal pour se reposer et profiter de la plage. Piscine. Resto.

## Où manger ?

Same ne compte que peu de restos de qualité en dehors des gargotes de la plage, c'est pourquoi ils sont un peu plus chers. Mais ils sont d'excellente qualité, alors faites-vous plaisir !

🍽 Beaucoup de restos de plage les uns à côté des autres, parmi lesquels ***Moscu, Bernabe, Estrelita :*** *plat env 6 US$.* On y sert des spécialités de fruits de mer.

🍽 Pour manger très bon marché (moins de 5 US$), essayer le ***Bob Marley,*** tout petit resto en bois juste en face du *Seaflower.* On y sert le fameux poisson sauce coco qui est l'une des spécialités locales.

🍽 Pour allier une bonne pizza à un brin de causette, passez voir Juanjo, un Argentin qui officie depuis des décennies sur la plage de Same. *Tlj à partir 18h30 jusqu'à tard.* Il tient le kiosque rond tout en bois qui trône au milieu de la plage. Excellentes pizzas de 8 à 9 US$, servies sur une planche. Cocktails généreux en alcool.

🍽 ***Restaurante-Bar Azuca :*** *à la sortie de la ville, en bord de route.* 📱 *09-99-44-41-21. Prendre le chemin principal qui passe derrière les bungalows de l'hôtel* La Terraza *et le grand bâtiment jaune en ruine ; quelque 100 m plus loin, vous êtes arrivé. Tlj 8h-21h.* 📶 Cuisine locale ou colombienne : *pez coco, calamares al ajillo, ceviche peruano* et grillades à un prix raisonnable. Sur demande, vous pourrez même déguster une langouste grillée au feu de bois. La charmante propriétaire, qui est aussi une artiste, peut vous proposer à l'étage 2 grandes chambres avec eau froide et vue sur les arbres très proches (10 US$/pers). Propre et agréable. Lieu plein de charme, tout en bambou et en bois.

I●I ***La Terraza :*** *compter env 8 US$.* Resto sur 2 niveaux, tout en bois et bambou, avec vue sur mer. Sert tous les types de plats locaux et aussi des pizzas. Bonne *parrillada de mariscos* que l'on peut partager à 2 ou paella pour les inconditionnels de l'Espagne. Du charme et un accueil très cool. La patronne pourra vous montrer ses créations de bijoux et d'artisanat.

I●I ***Restaurante Seaflower :*** *à l'arrière de* La Terraza. *À partir de 12 US$ pour un repas.* Resto très cosy avec, au menu, gambas et langoustines. Ici, la cuisine est raffinée, à des prix plus élevés. Bons petits déj avec pains et confiture maison. La qualité est au rendez-vous. La patronne est également une artiste peintre confirmée. Quand elle est là, elle peut, sur demande, vous tirer le portrait.

## TONCHIGUE

IND. TÉL. : 06

**On peut se rendre à ce bourg de pêcheurs par la plage de Same à marée basse ou par la route en mototaxi (0,50 US$). Il n'y a que quelques kilomètres. Vous ne manquerez pas d'admirer les nuées de vautours qui attendent avec excitation le retour des pêcheurs. Plage assez sale par ailleurs. À l'entrée du village, ne loupez pas le cimetière (au bord de la plage) et cet étrange quai en ferraille, vestige d'une ancienne pêcherie. Tonchigue n'a aucune vocation touristique. Son hôtellerie est donc quasi inexistante. Elle constitue une balade à faire à partir de Same ou de Súa. Quelques gargotes pour déguster des fruits de mer, le long du *malecón* *Jésu Maria.***

### Où dormir ? Où manger ?

#### Bon marché (moins de 20 US$)

☗ ***Hostal Mary :*** *sur le port.* ☎ *247-00-57.* 📱 *09-97-66-28-51. Double 20 US$.* Une maison familiale rose habitée par un jeune couple et leurs enfants. Quelques chambres propres équipées de sanitaires complets. L'occasion de partager un morceau de vie locale avec ces hôtes charmants, et cela en plein cœur de l'animation puisque les pêcheurs débarquent juste en face.

#### Chic (à partir de 50 US$)

☗ I●I ***Conjunto Turistico El Acantilado :*** *entre Same et Tonchigue, prendre le joli chemin fleuri partant de la route principale.* ☎ *273-34-66 ou 31-10.* ● *hosteriaelacantilado.com* ● *Suites pour 2 pers 55-85 US$ selon saison ;* cabañas *120-160 US$ selon capacité et saison. Au resto, plats copieux et goûteux à partir de 9 US$.* Quel beau site que cette mini-jungle fleurie coincée au sommet d'une falaise ! Une très bonne adresse pour les amoureux de nature. Une vingtaine de suites et bungalows qui conviendront aussi bien aux couples qu'aux familles ou groupes d'amis. Chaque bungalow au mobilier en bois possède une terrasse avec hamac offrant une superbe vue sur la baie ; 3 d'entre eux ont une petite cuisine équipée. Suites avec salles de bains privées, tout aussi agréables. Eau chaude et frigo partout. Ceux que les escaliers ne rebutent pas choisiront les bungalows situés en hauteur sur la colline, plus isolés. La nuit, la mer scintille de centaines de lumières venant des embarcations de pêche qui opèrent dans le secteur. Grande salle commune où l'on trouve un resto-bar, *La Atarraya*, et à l'extérieur billard, baby-foot et ping-pong. Devant le resto, une petite piscine dont l'eau descend d'une cascade. On peut accéder à la plage par un escalier.

# MUISNE

6 000 hab. IND. TÉL. : 06

**À environ 30 km au sud de Same. La route s'arrête au bord du río Muisne, près de l'embarcadère où se trouvent également les arrêts de bus. De l'autre côté, l'île de Muisne. Des *lanchas* à moteur assurent la liaison sur le fleuve (0,50 US$/pers). Une fois franchi le bras du fleuve, prenez la route pavée et continuez toujours tout droit pour traverser le village, à pied ou en mototaxi. Peu d'activités, en tout cas rien de bien gai. Le village est quasiment en ruine, défiguré par le ciment et les ordures. Le front de mer compte pourtant une poignée d'*hostales* et de petits restos qui seraient d'autant plus charmants si cette île n'était pas si déprimante.**

## Arriver – Quitter

➢ ***Esmeraldas :*** via Same, Súa, Atacames... et ts les villages côtiers : bus ttes les 20 mn (4h30-21h30). Trajet : 2h. Plusieurs compagnies : *Trans Esmeraldas, La Costeñita, Trans Occidentales* et *Gilberto Zambrano.*

➢ Bus directs pour ***Guayaquil, Santo Domingo, Quito, etc.*** Plusieurs fois/j.

➢ Pour ceux qui désirent aller ***vers le sud,*** il existe une bonne route asphaltée, mais les bus directs ne sont pas nombreux et il est souvent nécessaire de changer de bus à *El Salto* (14 km), puis à *Chamanga,* et *Perdernales* pour arriver enfin à *Canoa* ou *San Vincente*. Un beau périple – fatiguant –, qui peut durer 6h.

## Où dormir ? Où manger ?

≜ ***Hostal Calade Spondylus :*** *sur la plage, à 1 km du petit port. Env 6 US$/pers.* Maison un peu délabrée. Une douzaine de chambres bien tenues mais très sommaires, avec salle de bains et w-c pour certaines. Ambiance relax, guitare et bière. Organise des sorties pêche ou balade dans la mangrove.

≜ ***Hostal Las Olas :*** *sur la plage de Muisne. ☎ 248-07-82. 10 US$ la double, avec sdb et moustiquaire.* Un hôtel tout en bois sur 3 niveaux, face à l'océan. Propreté et sécurité sont au rendez-vous. Petits restos au rez-de-chaussée.

|●| Quelques ***gargotes*** sur la plage servent du poisson sous toutes ses formes. Terrasses et ambiance pas désagréables.

## À faire

– Ici, on peut ***nager*** en prenant ses précautions. Attention : comme souvent, LA MER EST DANGEREUSE !

➢ À l'embarcadère, il est possible de ***louer un bateau*** pour quelques heures *(15 US$/h)* afin de remonter le río et d'aller admirer la mangrove. Possibilité de faire le tour de l'île en 2h.

# MOMPICHE

**Île au sud de Muisne, accessible par taxi fluvial en 30 mn. Belles plages pratiquement vierges. Quelques hôtels. Dans la région, on trouve une grande zone de palétuviers et une forêt primaire tropicale. On peut observer des dauphins et une grande variété d'oiseaux des falaises. Possibilité de balades à cheval. Non loin de là se trouve la réserve écologique Mache-Chindul.**

➢ Accès en louant une embarcation à partir de Muisne (env 20 US$), ou par la plage à marée basse. Pour en partir, mêmes transports puis bus pour Esmeraldas avec la *Costeñita* ou *Transportes Gilberto Zambrano,* ttes les 20 mn (4h30-21h30).

➢ Plus simple si l'on réserve auprès de *Cabañas de Iruña* (voir ci-après), qui se charge de votre transport à partir de Muisne.

## Où dormir ?

– Dans la catégorie « Bon marché », l'***hostería Gabeal*** et le ***Chao Pescao,*** sur la plage, sont les meilleures options.

***Cabañas de Iruña :*** *contacter Teresa sur place,* *09-99-47-24-58.* • *teremonpiche@yahoo.com* • *À partir de 15 US$/pers. Pas de resto, mais service de repas (6 US$/pers, 2,50 US$ le petit déj).* Cabanes rustiques et écolo prévues pour 4 personnes. Confort sommaire, mais propreté irréprochable. 2 chambres et une salle de bains avec eau chaude par cabane ; électricité solaire. L'eau est douce (traitée). Balades, plage et surf.

# L'AMAZONIE (L'ORIENTE)

**On l'appelle aussi Oriente, puisqu'elle couvre toute la partie est du pays. Cette vaste région n'a rien à envier à l'Amazonie brésilienne : moins gigantesque, la forêt n'en est pas moins sauvage. Selon certains, la faune y est même proportionnellement plus riche : singes, tapirs, tatous, toucans, aras, perroquets, papillons... et pour les indispensables frayeurs : caïmans, anacondas, piranhas, araignées géantes et insectes grouillants. N'hésitez pas à découvrir cet autre aspect équatorien, après la montagne et la mer. L'Oriente se divise en six provinces : Sucumbíos, Napo, Pastaza, Morona y Zamora, Chinchipe et Oriana.**

**La région amazonienne est à la fois riche et pauvre. Riche dans la mesure où elle produit beaucoup de pétrole, mais à quel prix pour l'environnement ! Et pauvre par le fait qu'elle ne compte que 3 % de la population équatorienne, population indigène, bien sûr, mais aussi population de colons venus du reste du pays tenter leur chance pour grappiller quelques miettes de la richesse générée par l'or noir. Les colons s'encombrent peu de scrupules écologiques et ont tendance à défricher la forêt de façon inconsidérée. On aperçoit très bien ce phénomène en survolant la région.**

## COMMENT VISITER L'AMAZONIE ÉQUATORIENNE ?

On ne visite pas l'Amazonie par ses propres moyens : aucun moyen de transport, pas d'endroit où loger (le camping ne serait guère une solution), la nourriture que vous emporteriez pourrirait vite, sans compter tous les dangers inhérents à la forêt. Bref, il est indispensable de passer par une agence. Celle-ci prendra en main toute la logistique, du transport à l'hébergement en passant par les repas et les excursions en forêt ou sur les rivières avec un guide. On a le choix entre plusieurs types de tours : séjours dans un *lodge* plus ou moins confortable, d'où l'on rayonne la journée pour découvrir la forêt ; tours « itinérants », où l'on dort dans un endroit différent chaque jour ; séjours « communautaires », où l'on participe à la vie quotidienne des indi-

### AMAZONIE ?

*Quand les Espagnols remontèrent le fleuve, au XVIe s, ils furent attaqués par des femmes très combatives. Il n'en fallut pas plus pour évoquer les fameuses Amazones de la mythologie grecque. Le nom est resté pour dénommer le fleuve et la région qu'il traverse.*

gènes de la forêt, etc. À vous bien sûr de décider quel type de séjour répondra le mieux à vos attentes, selon votre budget et vos aspirations d'aventurier, sachant aussi que la qualité et l'intérêt du tour varient en fonction du programme d'activités et du coin où il se déroule (certains sont plus beaux ou plus vierges ou plus riches en faune que d'autres). Tâchez aussi de bien choisir votre agence, car toutes, évidemment, ne se valent pas, y compris dans une même gamme de prix. Pour cela, on vous recommande des agences fiables pour chaque ville traitée dans ce chapitre.

– Depuis ***Puyo*** et ***Tena*** s'organisent plutôt les séjours dans des communautés indigènes, plus ou moins éloignées (elles ont tendance à être plus reculées au départ de Puyo).

– Depuis ***Puerto Misahualli,*** vous trouverez les tours les moins chers, ou alors carrément l'expédition vers Iquitos, au Pérou (voir le chapitre en question).

– La ville de ***Coca*** est le point de départ des séjours dans les luxueux *lodges* du bas río Napo et, dans une certaine mesure, des excursions en territoire waorani, tandis que ***Lago Agrio*** est la ville de passage obligé vers la fameuse réserve du *Cuyabeno,* aux confins nord-est de l'Oriente, près des frontières colombienne et péruvienne. Pour ces deux derniers coins cependant (les *lodges* du bas Napo et le Cuyabeno), sachez que les séjours ou excursions s'achètent presque exclusivement dans les agences de ***Quito.***

– Enfin, la petite ville de ***Macas,*** à 3h30 de bus au sud de Puyo, est le point de départ pour ceux qui souhaitent rendre visite aux Shuars, les anciens réducteurs de têtes !

## Tourisme communautaire

Par l'importance et la variété de ses populations indiennes, l'Équateur est l'un des premiers pays d'Amérique latine à pratiquer et à encourager le tourisme communautaire. Cette forme de tourisme ne concerne actuellement que 5 % des touristes étrangers, mais au fil des années, elle se développe et fait de plus en plus d'adeptes. Tourisme : parce que ce sont des touristes qui partent à la découverte des communautés. Communautaire : parce que les acteurs et les partenaires de cette nouvelle économie appartiennent à ces mêmes communautés indigènes, que ce soit des Quechuas (majoritaires), des Shuars ou des Huaoranis. L'idée de départ consiste à mettre en contact les visiteurs étrangers et les communautés locales indigènes d'une manière respectueuse et équitable, au-delà des préjugés folkloriques ou lieux communs. Cette pratique a comme objectif de préserver la diversité culturelle, en développant un tourisme à visage humain, basé sur quelques principes essentiels comme le respect des cultures indigènes et de l'environnement.

Grâce à cet écotourisme responsable, c'est l'autre visage de l'Équateur qui apparaît dans sa vérité et son authenticité, facilitant les échanges entre les visiteurs et les communautés indigènes. Un enrichissement mutuel autour de la connaissance d'autrui : l'argent et la présence des touristes profitent directement à l'environnement et aux villageois, souvent très pauvres. Cette pratique a déjà favorisé en Équateur la création de près de 200 entreprises, actives dans les trois parties du pays : les Andes, l'Amazonie et la côte. Près de 2 000 emplois directs et 3 800 indirects ont ainsi été générés par cette forme alternative de tourisme.

Les initiatives sont de plus en plus nombreuses, ici et là, dans tous les secteurs géographiques du pays. Plusieurs associations et agences proposent désormais des séjours dans les villages communautaires de la région d'Otavalo, des randonnées à pied dans les montagnes andines en compagnie de guides locaux, des excursions et des séjours dans les villages Shuar d'Amazonie (au départ de Puyo, Tena, Puerto Misahualli, Coca...), la participation à de grands événements culturels comme le Nouvel An inca (Inti Raymi, qui se déroule en juin chaque année). On peut ainsi parler d'ethno-tourisme communautaire. L'un des précurseurs est *Ricancie,* association à but non lucratif basée à Tena (Amazonie équatorienne), qui propose aux touristes des excursions (en pirogue ou à pied) et des séjours (courts ou longs) en forêt amazonienne, parmi neuf communautés différentes abritant 200 familles impliquées au quotidien et sur le terrain dans cette nouvelle forme de développement. Plusieurs agences dirigées par des membres des communautés indigènes proposent aussi ce type d'aventure communautaire, comme *Papangu Tours,* basée à Puyo, qui reste l'épicentre de la lutte des indigènes contre les entreprises pétrolières. On peut citer encore la communauté shuar de *Chico Mendez,* dans le canton d'Arajuno (Amazonie), qui a monté seule son projet de tourisme communautaire et permet d'appréhender aussi bien les traditions et pratiques culturelles que les difficultés rencontrées aujourd'hui par les communautés indigènes. Enfin, il existe quelques *lodges* fidèles à cet esprit respectueux de la nature et des populations, comme l'*ecolodge* du *Napo Wildlife Center,* dans le parc national de Yasuni, près de Coca (Amazonie). Celui-ci a reçu plusieurs prix et récompenses internationales ces dernières années pour son travail en faveur du tourisme durable et équitable.

## CONSEILS ET INFOS UTILES

Commençons par casser une idée tenace : en forêt, on voit peu d'animaux, en particulier les gros mammifères, qui non seulement sont peu nombreux mais se cachent très bien. Ceux qui vous promettent le contraire (de moins en moins nombreux, reconnaissons-le) sont de gros menteurs ! De même, à la différence de ce que laisse croire la légende amazonienne, on ne risque pas facilement sa peau en s'aventurant dans la forêt, surtout de nos jours, en canot à moteur et avec un guide. Les tours restent très intéressants : découverte du milieu amazonien le long des rivières (souvent pas mal d'oiseaux et de singes) et petits bras d'eau qui s'enfoncent dans une épaisse végétation, marche en forêt (très nombreuses espèces d'arbres et de plantes, le plus souvent médicinales), repérage de caïmans la nuit ou encore possibilité de participer aux activités quotidiennes d'une communauté (pêche, cuisine, récolte, artisanat, danses...).
En général les tours durent 3-4 jours, mais peuvent être plus courts ou plus longs bien sûr. Sachez toutefois que plus vous partirez longtemps, plus vous aurez de chance de vous éloigner de la civilisation et de voir la « vraie » forêt, avec tout ce qu'elle a à offrir.
Côté hébergement, c'est assez variable mais, en général, on dort dans des *campamentos* constitués de maisons en bois dotées de chambres avec moustiquaires et d'une petite salle de douche avec w-c. Parfois c'est encore plus simple : juste une plate-forme « communautaire » sur pilotis et sous un toit de feuilles, où l'on dort sur des matelas abrités de moustiquaires. Dans ce cas, mêmes toilettes et douches pour tout le monde. Enfin, il y a les *lodges* plus luxueux, avec chambres plaisantes et confortables, eau chaude, excellents repas et tour d'observation (prix évidemment élevés).
– Pour jouir de l'excursion au maximum, il est recommandé de partir en ***bonne condition physique.*** On conseille aussi de suivre un ***traitement antipaludéen*** (et, pour les plus prudents, d'être vacciné contre la fièvre jaune).
– Inutile de se surcharger de ***bagages*** : laissez une partie de vos affaires à l'hôtel de votre ville de départ, vous serez beaucoup plus à l'aise pour voyager. Ici, l'ennemi principal est la pluie, évidemment fréquente dans les forêts « pluviales » *(rain forests)* : assurez-vous que l'agence fournit des ponchos plastifiés, sinon, procurez-vous-en un. Attention aussi à l'***humidité*** qui abime tout à une vitesse vertigineuse : emballez toutes vos affaires dans des sacs étanches (et prévoyez des sachets de silicate pour vos appareils électroniques et matériel photo).
– ***En marchant dans la forêt amazonienne :*** toujours regarder où l'on pose les pieds, ne pas toucher les plantes étranges (allergies fréquentes), ne pas mettre les mains dans les terriers ou les troncs vides (repaires de bestioles !). Méfiez-vous

des fourmis congas : leur piqûre fait un mal de chien pendant 24h et donne de la fièvre. Elles sont faciles à reconnaître : ce sont les plus grosses ! Enfin, ne laissez pas traîner vos bottes n'importe où et secouez-les avant de les enfiler (idem pour le sac de couchage). On peut avoir des surprises...

## Matériel à emporter

– Vêtements légers mais manches longues et pantalon, car les moustiques sont voraces.
– Répulsif antimoustiques efficace (voir notamment la rubrique « Santé » dans « Équateur utile » au début du guide).
– L'indispensable lampe torche (pas d'électricité dans la forêt) ou, mieux, une lampe frontale. Très utile, car ça permet de garder les mains libres...
– Chapeau ou casquette (risque d'insolation en pirogue).
– Vêtements de rechange (en raison de l'humidité).
– Petite trousse de secours (pansements, antiseptique).
– Gourde pour les marches en forêt.
– Couteau suisse (l'incontournable !).
– Éventuellement des jumelles, si vous voulez voir les singes en train de se gratter et les toucans manger leurs fruits préférés.
– Les prudents auront aussi leurs pastilles purifiant l'eau mais, en principe, ce n'est pas nécessaire vu que les agences prévoient toujours de l'eau en bidon ou purifiée pour toute la durée du séjour.
– La plupart des agences prévoient aussi une cape de pluie et des bottes en caoutchouc pour chacun des participants. Il n'est donc – en principe – pas indispensable de s'en munir.

## Quelques règles à suivre

La forêt vierge est en danger : c'est un fait établi. Certains viennent même en se disant qu'elle finira par disparaître. Même si ses premiers prédateurs sont l'agriculture intensive, les bûcherons, *petroleros* et autres chercheurs d'or, dites-vous que le tourisme et le flux des visiteurs qu'il draine menacent aussi son écosystème et ses habitants.
– ***Respectez des règles élémentaires :*** ne pas faire de feu en dehors des espaces déboisés, ne pas ramasser de fleurs, ne rien jeter dans un cours d'eau, ne pas abandonner ses déchets n'importe où et, pour les fumeurs, garder ses mégots dans sa poche...
– ***N'achetez surtout pas de peaux*** ou de souvenirs touristiques à base de plumes (flèches, colliers et autres). C'est participer directement à la disparition de certains mammifères (jaguars, pumas, ocelots) et d'oiseaux (aras, perroquets). Même mise en garde pour les objets en bois tropicaux. Contentez-vous des figurines en balsa ou des colliers en graines, inoffensifs pour la forêt. Acheter des matières rares, c'est encourager les trafics interdits.
– Concernant les ***populations indiennes*** : ne pas déranger les familles dans leur intimité (ça paraît tout bête mais bon...), respecter les coutumes locales : demander l'autorisation avant de prendre une photo, ne pas « importer » de gadgets et autres produits de consommation inutiles (vous êtes là pour apprendre à connaître un univers différent, pas l'inverse). Se renseigner aussi sur les conditions de rétribution des villages visités (certains sont franchement exploités par les agences de tourisme).
– ***Ne réclamez pas du pittoresque*** (cérémonies sacrées, rites ancestraux, etc.) ***:*** soit on vous en montrera du faux (c'est le plus courant) et vous serez déçu, soit vous inciterez les promoteurs touristiques à en dénicher, donc à le pervertir... Enfin, ne pas chercher à tout prix à rencontrer les groupes isolés, tout contact avec l'extérieur est déstabilisant.

– ***Précaution :*** si vous désirez vous rendre dans la partie nord, non loin de la frontière colombienne, consultez au préalable le site du ministère des Affaires étrangères pour savoir quel est l'état de la sécurité dans cette partie du pays : ● *france.diplomatie.fr/voyageurs/etrangers/avis/conseils* ●

# PUYO

25 000 hab. IND. TÉL. : 03

**À 60 km à l'est de Baños et 230 km de Quito. C'est l'une des villes les plus importantes de l'Oriente, capitale de la province de Pastaza, située à 950 m d'altitude. À l'instar des autres villes d'Amazonie, Puyo, avec ses rues plutôt bruyantes et son architecture de béton, ne présente que peu d'attrait. On y vient surtout pour organiser un tour en forêt, dans les villages indigènes, la ville étant un point de départ important pour le tourisme communautaire. Les environs recèlent aussi un certain nombre de jardins botaniques, réserves écologiques et refuges pour animaux qui peuvent mériter le coup d'œil. Enfin, Puyo constitue un carrefour pour ceux qui se rendent ensuite au sud de l'Oriente (Macas) ou au nord (Tena). La région, elle, est grande productrice de thé et d'artisanat à partir du balsa (un bois léger comme le papier).**
**Si vous vous y trouvez la première quinzaine de mai, vous aurez sans doute la chance de participer aux *fêtes de la fondation de la ville,* qui eut lieu en 1899.**

## UN CLIMAT TROPICAL TEMPÉRÉ

Grâce à son altitude (950 m) et à sa situation géographique (le pied des Andes, le début de la forêt tropicale), Puyo jouit d'un climat plutôt agréable : pas de chaleur torride le jour, comme au cœur de l'Amazonie, et une température nocturne très supportable. En revanche, il pleut souvent. Puyo signifie « nuage » en langue quechua. Et, de fait, Puyo détient le record de pluviométrie en Équateur avec 6 m d'eau par an ! En revanche, à cette altitude, il n'y a pas de moustiques et la climatisation dans la chambre d'hôtel n'est pas nécessaire.

## Orientation

La gare routière se trouve à environ 2 km au sud-ouest du centre. Celui-ci n'est pas très grand, en gros 5 blocs d'est en ouest et autant du nord au sud, vous n'aurez donc pas de mal à trouver les adresses qui s'y trouvent. Pour celles qui sont un peu excentrées, prendre un taxi, pour environ 2 US$.

## Arriver – Quitter

***Terminal terrestre :*** *à env 2 km au sud-ouest du centre, sur la route de Baños.*
➢ ***Tena :*** env 7 bus/j. avec *Expresso Baños* et 4-5 bus/j. avec *San Francisco*. Compter 2h30 de route.
➢ ***Macas :*** env 10 bus/j. (8h-23h) avec *San Francisco,* et env 6 bus/j. avec *Coop Macas.* Trajet en 3h30. La route est presque entièrement asphaltée.
➢ ***Baños :*** bus très fréquents (plusieurs compagnies). Env 1h15 de route.
➢ ***Ambato :*** env 12 bus/j. avec *San Francisco.* Durée : 2h30.
➢ ***Riobamba :*** 8-10 bus/j., principalement avec *Trans Sangay.*
➢ ***Quito :*** env 15 départs/j. avec *San Francisco.* Compter 5h de trajet.
➢ ***Coca :*** plusieurs départs/j., avec *Coop Centinela del Oriente, San Francisco* et *Flota Pelileo.* Durée : 9h.

## Adresses utiles

***Cámara provincial de turismo :*** *Ceslao Marín y Atahualpa.* ☎ *288-36-81. Au rdc d'un immeuble d'angle, à côté de l'hôtel* Amazónico. *Lun-ven 8h-12h30, 14h-18h.* Plans de la ville et de la province, avec les différentes attractions.

✉ **Poste :** *27 de Febrero y Atahualpa. En plein centre. Lun-ven 8h-18h ; sam 9h-13h.*

■ **Téléphone : Andinatel,** *Francisco de Orellana. Lun-ven 8h-16h30.*

@ **Cybercafé Carmen Carrillo :** *9 de Octubre y F. de Orellana. Lun-ven 8h-20h ; sam 9h-16h.* Dans le patio intérieur du bâtiment de la mairie. Calme et central. Il y a un bar sur place.

■ **Change :** *à* Amazonia Touring, *sur Atahualpa, entre 10 de Agosto et Davilia (dans le centre, presque à côté du Museo Etnoarqueológico). Lun-ven 8h-20h ; dim 8h-13h30.* Change les euros et, avec une commission, les *travellers.*

■ **Distributeurs de billets : Banred,** *face à l'hôtel* Amazónico, *sur Atahualpa ;* **Banco del Austro,** *Atahualpa y 9 de Octubre ; et* **Banco Pichincha,** *10 de Agosto, entre Atahualpa et Orellana.*

✚ **Hospital Militar Pastaza :** *Ceslao Marín, barrio El Dorado, à l'ouest de la ville. ☎ 288-55-42.* Accessible aux touristes étrangers 24h/24.

## Où dormir ?

### Très bon marché (moins de 18 US$)

**Hostal El Dorado :** *Ceslao Marín y 27 de Febrero. ☎ 288-61-08. 📱 09-98-12-29-49. Env 14 US$ la double avec sdb.* Petit hôtel modeste et bien tenu avec des chambres (bains-w-c, eau chaude) donnant sur la rue ou l'arrière (sans vue mais plus calme). Bon accueil.

**Hotel Araucano :** *av. Ceslao Marín 576 y 27 de Febrero. En plein centre. ☎ 288-56-86. • hotelaraucanopuyo.com • Doubles env 12-16 US$, petit déj inclus.* Hôtel tenu par un Chilien affable et bienveillant. Petite collection de chapeaux et d'objets divers à côté de la réception. Les chambres sont agréables (bons matelas, salle de bains et TV) et situées à l'étage. Certaines sont plus sombres mais plus calmes. Petit déj servi dans une grande salle à manger au rez-de-chaussée. Excursions possibles dans la réserve Yazasi.

### De bon marché à prix moyens (18-48 US$)

**Hotel El Colibrí :** *Manabí y Bolívar. ☎ 288-30-54. Sur la route de Tena, à 10 mn à pied du centre. Compter 20 US$ pour 2.* 💻 Chambres spacieuses et proprettes, avec parquet et salle de bains. Bon accueil. Ambiance cool, pas mal de routards. Petit resto de pizzas.

**Hotel Majestic Inn :** *Ceslao Marín y plaza San Francisco. ☎ 288-54-17. Env 20 US$ la double.* Un hôtel très bien tenu mais un peu bruyant côté rue, comme partout dans le centre-ville. Les chambres, avec sanitaires et TV, sont pimpantes.

**Hotel México :** *9 de Octubre y 24 de Mayo. ☎ 288-56-68. Compter 25 US$ pour 2 ; petit déj 1 US$.* Central mais plus calme que d'autres. Propose 12 chambres avec parquet, couvre-lit orange, TV câblée et sanitaires nickel. Très correct pour le prix. La nº 16, pour un couple, est particulièrement sympa. Accueil affable.

**Hostal Del Río :** *av. Loja y Cañar, sector barrio Obrero. ☎ 288-60-90. • hostaldelrioenpuyo@yahoo.com • Double env 25 US$, sans les taxes mais avec le petit déj.* À 5-10 mn à pied au nord du centre, une bâtisse moderne de style chalet. Chambres coquettes et bien équipées, avec salle de bains, TV et lits... orthopédiques. Celles du 1er étage ont un balcon. Petit resto-cafétéria.

**Hotel Los Cofanes :** *à l'angle de 27 de Febrero y Ceslao Marín. À côté de l'hôtel* Araucano. *☎ 288-55-60 ou 30-94. • loscofanes@yahoo.com • Double env 25 US$.* Chambres nettes, réparties sur 3 étages. Déco assez soignée, salle de bains, TV et ventilo. Préférez les chambres à l'arrière, plus calmes. Salle de petit déj ouverte sur la rue. Plutôt une bonne adresse.

**Hotel Las Palmas :** *20 de Julio y 4 de Enero. ☎ 288-48-32. • hostal_laspalmas_puyo@yahoo.com • Doubles 25-35 US$, avec petit déj. Parking clos.* Ici, 2 types de chambres : simples mais bien tenues, avec parquet et donnant sur la rue, ou *cabañas* (les plus chères) dans le jardin à l'arrière, avec carrelage, frigo, terrasse et hamac. Literie confortable. Possibilité de faire laver son linge. Une bonne adresse.

## Plus chic (plus de 70 US$)

**Hotel-Restaurante El Jardín :** *Paseo Turistico del Rio Puyo, barrio Obrero. ☎ 288-77-70. • eljardinrelax.com.ec • Au nord de la ville. Double env 76 US$, petit déj inclus.* Notre meilleure adresse à Puyo, pour son emplacement exceptionnel et son rapport qualité-prix. Niché dans un jardin tropical, enfoui sous les arbres à l'orée de la forêt tropicale, l'hôtel est accessible par une passerelle, réservée aux piétons, qui enjambe le río (on laisse son véhicule sur le parking de l'autre côté de la rivière). Chambres, agréables et confortables (excellente literie) avec douche-w-c, dans un grand pavillon en bois doté d'une véranda à l'étage. Vue sur le jardin à la végétation luxuriante. Fait aussi resto (voir « Où manger ? », ci-après).

**Finca el Pigual :** *au nord de la ville, avt l'hôtel* El Jardín. *☎ 288-61-37 ou 79-72. • elpigualecuador.com • Accès par la rue Tungurahua jusqu'à son extrémité est ; l'hôtel se trouve de l'autre côté du pont suspendu, au-dessus de la rivière Puyo. Doubles standard env 75-84 US$ en sem (plus cher le w-e), avec petit déj.* Calme et douceur en bordure de la forêt. La *Finca* a été créée par Philippe, un Français (un Ch'ti), et son épouse équatorienne. Belles maisonnettes disséminées dans une immense propriété gagnée sur la forêt. Les chambres boisées, en duplex, peuvent accueillir jusqu'à 5 personnes. Grande piscine accessible aux non-résidents pour 4 US$. Sauna, massages et bains turcs. On peut dîner dans une vaste salle de construction centrale à claire-voie. Organisation d'excursions.

# Où manger ?

## De bon marché à prix moyens (moins de 12 US$)

**Cevicheria Los Cofanes :** *Ceslao Marín y 27 de Febrero, attenant à l'*Hotel Los Cofanes. Plats très bon marché : sandwichs, hamburgers, *ceviches,* petits déj. Quelques tables à l'extérieur. Simple et bon.

**Parilladas El Vino Tinto :** *Atahualpa y 27 de Febrero. 09-92-84-46-89. Tlj sf lun, jusqu'à 23h. Plats env 4-9 US$.* Petit restaurant central et souvent enfumé par les *parilladas* (viandes cuites à la broche), spécialités de la maison. Sert aussi des soupes, *ceviches* et des pâtes.

**Restaurant Sal y Pimienta :** *Atahualpa y 27 de Febrero. ☎ 288-77-16. Tlj sf dim, 8h-23h. Menu midi env 3 US$, plats 5-7 US$ (hors taxes).* Un des nombreux petits restos du centre, mais où le rapport qualité-prix est tout à fait honorable. Salle populaire ouverte sur la rue. Outre le menu, on mange plutôt des plats de poisson et fruits de mer le midi et des grillades le soir. Bon accueil.

**Pizzería Buon Giorno :** *Francisco de Orellana, entre 27 de Febrero et Villamil. ☎ 288-38-41. Tlj à partir de 12h. Compter 7-8 US$.* Si vous êtes fatigué de la gastronomie locale, on sert ici de bonnes pizzas (et seulement des pizzas !) dans un cadre soigné. Accueil souriant.

**Restaurant Toro Asado :** *Atahualpa y 27 de Febrero. 09-93-05-19-63. Tlj 9h-23h. Menu midi env 3 US$, plats 5-7 US$.* Nattes tressées aux murs, petite salle modeste et cuistot affairé au barbecue, sur le trottoir. Spécialité : la *guanta,* un petit cochon d'Amazonie à la chair tendre et délicate.

## Chic (12-20 US$)

**El Jardín :** *c'est le resto de l'hôtel cité plus haut (voir « Où dormir ? »). ☎ 288-77-70. Fermé dim soir. Plat env 10 US$ (hors taxes).* On recommande déjà chaudement l'hôtel alors, si vous n'y dormez pas, venez au moins y prendre un repas ! Environnement végétal touffu et salle tout en bois avec petites tables nappées. Excellente cuisine de la patronne, un peu considérée comme le cordon-bleu de Puyo.

## Où boire un bon café ?

**Café El Fariseo :** *Atahualpa y Villamil. Ouv 7h-22h. ☎ 288-37-95. Tlj sf dim, 7h (8h sam)-21h.* Dans un petit passage, un bar modeste et tout simple, où l'on sert un vrai café expresso de machine et de bonnes pâtisseries.

## Achats

**Flora Sana :** *Atahualpa 40 y Villamil. ☎ 288-71-19. • florasana.org • Tlj sf dim, 9h-12h30, 15h-20h.* Magasin tenu par une Équatorienne mariée à un Français qui a créé sa propre marque de produits bio amazoniens. Caramels, miels, chocolats de Kallari, huiles essentielles, shampoings et produits de beauté, mais aussi infusions, pommades et remèdes à base de plantes médicinales de la forêt amazonienne.

# DANS LES ENVIRONS DE PUYO

On vous rappelle que l'office de tourisme donne des brochures avec plan de la région où sont indiqués les principaux sites et attractions touristiques.

**Parque etnobotánico Omaere :** *en bordure du río Puyo et de la forêt. ☎ (08) 525-08-64 ou 744-02-70. • fundacionomaere.org • Au nord de la ville, à deux pas de l'hôtel* El Jardín. *Il suffit de franchir le 2e pont suspendu sur le río Puyo. Tlj 9h-17h. Entrée : 3 US$ ; réduc. Prévenir si vous êtes en groupe. Visite en espagnol.*

À l'origine, ce sont deux Françaises passionnées qui ont eu l'idée épatante de sensibiliser le visiteur à l'environnement et à la culture waorani et shuar (les fameux réducteurs de têtes, surnommés Jivaros par les Espagnols). Ainsi est né ce parc, aujourd'hui dirigé par une femme shuar et son compagnon, Chris Canaday, un jovial ornithologue américain (auteur d'un très beau livre sur les oiseaux d'Amazonie).

Il s'agit donc d'un domaine de 15 ha planté d'une grande variété d'essences d'arbres et de plantes, souvent médicinales, que l'on trouve en territoires shuar et waorani. Le guide vous expliquera qu'il existe dans la forêt des remèdes pour tout. À vous de vous faire une opinion mais, de toute façon, on apprend un tas de choses sur ces cultures, d'autant qu'on peut voir aussi des reconstitutions de leur habitat traditionnel.

– La *Fondation Omaere* reçoit aussi des volontaires du monde entier, qui peuvent être logés sur place. Avis aux amateurs.

### LA PLUS GRANDE PHARMACIE NATURELLE DU MONDE

*L'Amazonie, fantastique réservoir de remèdes pour l'humanité ! On a déjà trouvé le curare et l'aspirine dans la flore amazonienne. Les plus grands laboratoires cherchent encore et consultent les Indiens détenteurs de secrets de médecine naturelle. Par exemple : la cannelle contre le cholestérol et l'excès de poids, la* sangre de dragón *contre les ulcères, le* yutso *contre les affections hépatiques, les* uñas de gato *(griffes de chat) contre le diabète et le cancer (pas moins !) ; ou encore le* Cruz Caspi *(un arbre qui grandit voûté et se redresse en vieillissant), aux vertus contraceptives...*

**Jardín botánico Las Orquídeas :** *à 3 km au sud de la ville (compter 3 US$ en taxi). ☎ 253-03-05. • jardinbotanicolasorquideas.com • Tlj 8h30-16h. Entrée : 5 US$ ; réduc pour les groupes de plus de 3 pers. Commentaires en espagnol.* Plus qu'un jardin (le nom est trompeur), c'est un morceau de forêt tropicale aménagé, que l'on découvre à pied, au fil de sentiers judicieusement couverts de

sciure de bois. On peut y admirer de nombreuses variétés d'orchidées, et notamment les plus petites (de 3 à 5 mm). Compter 1h30 à 2h de marche, tant la visite de ce morceau d'Amazonie est enchanteresse, surtout si vous avez l'occasion de la faire accompagné d'Omar Tello.
Cet ancien employé de banque a consacré des années à la réalisation de son rêve et à l'accomplissement de sa passion : les orchidées. Si vous n'allez pas en forêt, voici une belle occasion d'y faire une promenade et d'en avoir un aperçu (sans aucun risque, ni moustiques, ni serpents, ni rien).

**Paseo Los Monos :** *10 de Agosto, à 6 km du centre de Puyo (compter 3 US$ en taxi). ☎ 288-50-97. • paseolosmonos.webs.com • Tlj 9h-17h. Entrée : 2 US$.*
Un refuge d'animaux créé par Yvan Bouvier et Véronique Grand, Suisses francophones passionnés et investis dans la protection des animaux et de la nature. Ils ont commencé par recueillir des animaux rejetés par leurs maîtres et leur petit domaine est devenu un refuge officiel. Sur place, plusieurs espèces de singes (chorongos, singes-araignées, tamarins à dos rouge...), des coatis, des ragondins, des tortues d'Amazonie, un ours fourmilier, un huron (sorte de belette) et une poignée de volatiles.
La grande particularité de ce centre d'accueil est l'ambiance « Arche de Noé » qui y règne : les paresseux pendent à une branche dans la maison, les singes montent sur les chiens, courent partout, vous grimpent dessus (attention à vos lunettes !), etc. Bien sûr, les animaux sont remis en liberté après une longue période de soin, de réapprentissage et de réadaptation à la vie sauvage. On fait un tour de 1h dans le domaine, qui est aussi le dernier coin de forêt primaire des environs immédiats de Puyo, avec les explications d'un guide naturaliste... ou d'Yvan lui-même. Vraiment sympa et convivial, et on peut même déjeuner avec eux si on les prévient la veille ! Accueille des volontaires bénévoles *(100 US$/sem).*

**Yana Cocha – Centro de rescate de fauna silvestre :** *à 3 km au nord de Puyo, en direction de Tena. Panneau sur la droite de la route. • yanacocharescue.com • Billet : 2 US$ ; réduc. Tlj 8h-17h.* Récupération, réhabilitation, adaptation et libération, telles sont les étapes de travail de cette réserve-refuge privée pour animaux maltraités. Plusieurs espèces de singes, des perroquets, pécaris, coatis, tigrillos (ocelots)... Compter 1h30 pour un tour complet à pied sur des sentiers en sous-bois. Accepte des volontaires bénévoles *(3 sem min ; 150 US$/sem).*

**Museo etnoarqueológico de Pastaza :** *Atahualpa, entre 9 de Octubre y 10 de Agosto, en plein centre. Au 2e étage du centre médical* Gilberto Diaz. *☎ 288-56-05. Lun-ven 10h-12h30, 13h30-16h30. Gratuit.* Présentation des ethnies de la province de Puyo, à travers leur habitat et toutes sortes d'objets de la vie quotidienne : hutte waorani, maisons shuar et achuar, authentiques têtes réduites, hamac en écorce d'arbre, sarbacane (admirez la longueur !), etc. Également des animaux empaillés et quelques beaux spécimens de mygales. Un bon prélude à une excursion en forêt !

**Reserva ecológica Hola Vida :** *à 27 km de Puyo, sur la route de Macas. 📱 09-99-70-22-09. De Puyo, faire 16 km, puis prendre sur la droite une autre route et la suivre sur 9 km.* On peut y loger dans des *cabañas* simples (salle d'eau commune, lits avec moustiquaires) pour pas cher. Balade de 45 mn à travers la forêt pour aller voir la cascade Hola Vida. Un sentier mène aussi au bord du río Puyo *(cabañas),* d'où l'on peut prendre une pirogue à rames jusqu'à Puyopungo *(env 10 US$, compter 40 mn).* Pour bien faire, prévoir une journée sur place.

**Proyecto etnoecológico Indichuris :** *à quelques km au sud de Holavida. 2 bus/j. pour y aller du* terminal terrestre. *Durée du trajet : 1h.* *Cabañas* et petit resto. Balades à travers la forêt en canoë. Faune et flore riches et variées. Possibilité de participation aux rituels des indigènes. Contacter Jorge Vargas à Puyo *(☎ 288-53-11).*

## Excursions en forêt

Puyo est un point de départ possible pour des séjours en Amazonie, notamment dans des communautés shuar, quechua ou waorani qui vivent le long de rivières, parfois en pleine forêt. On y accède soit par voie terrestre puis fluviale, soit en petit avion à hélice, solution rapide mais plus coûteuse. Le prix des excursions inclut la plupart du temps le transport, l'hébergement (simple, dans des *campamentos* du village), les repas, le guide et les activités.
Nous vous recommandons deux agences :

■ ***Papangu Tours :*** *à l'angle de 27 de Febrero et Sucre, dans le centre. Face au* Registro de la Propriedad. *☎ 288-76-84. • papangutours.org • Tlj 8h-20h.* Une agence tenue par José Gualinga, un authentique Quechua de la forêt, marié à une authentique Française ! Sérieux et fiable. Propose au choix des tours de 1 à 6 jours, en communauté quechua ou shuar. On descend en pirogue à moteur jusqu'à Sarayacu (environ 5h), on y séjourne et on découvre la forêt, au travers notamment de balades accompagnées par un guide local. Le retour peut se faire en pirogue ou bien en avionnette (plus cher, 25 mn de vol, mais superbe). *Compter env 120 US$/j. par pers (avec option pirogue-avionnette), tt inclus.* Notre adresse préférée.

■ ***Amazonía Touring :*** *Atahualpa y 9 de Octubre. ☎ 288-30-64. • amazoniatouring.com • En plein centre, tt près du Museo etnoarqueológico. Tlj 8h-20h (13h30 dim).* Santiago Peralta est l'un des fondateurs de la réserve *Hola Vida*. Il organise tout type de tours dans la forêt, dont des excursions de plusieurs jours auprès de différentes communautés waoranis, le long de la rivière *Curaray.* Pas toujours facile à organiser cela dit, car il faut être minimum 5 personnes.

# TENA

env 28 000 hab. IND. TÉL. : 06

**À 2h de route (asphaltée et facile) au nord de Puyo, voici une petite ville amazonienne située à la jonction de deux rivières, au pied de la cordillère. Le massif andin y forme des coulées d'arbres et d'orchidées. C'est encore l'Amazonie équatorienne, au climat tropical tempéré, sans moustiques, sans excès de chaleur. Fondée en 1560, la ville a longtemps été un poste avancé du colonialisme religieux. Les indigènes, malgré une résistance farouche, ont fini par céder aux missionnaires. Aujourd'hui, aucune trace architecturale de cette époque coloniale et pas grand-chose à voir, à part les combats de coqs le dimanche soir (et on n'est pas obligé d'aimer ça !). L'intérêt principal de Tena reste la possibilité d'effectuer, comme depuis Puyo, des tours en forêt, en compagnie de guides locaux.**



## Arriver – Quitter

🚌 ***Terminal terrestre*** *(plan B3) : au sud du centre-ville, à 15 mn à pied.*

➢ ***Puyo, Baños et Ambato :*** env 7 bus/j. avec *Expreso Baños,* 3 bus/j. avec *Flota Pelileo. Coop Riobamba* assure également la liaison entre Tena, Puyo, Baños et ***Riobamba.*** Attention, de Tena, un certain nombre de départs se font pdt la nuit. Durée : 2h30 pour Puyo, 4h pour Baños, 5h pour Ambato et env 6h pour Riobamba.

➢ ***Quito par Baeza :*** env 6 bus/j. avec la compagnie *Amazonas,* 7 bus/j. avec *Flota Pelileo,* bus aussi avec les Cies *Expresso Baños* et *Coop Baños.* Durée : 4h30-5h.

➢ ***Puerto Misahualli :*** bus ttes les

45 mn env, 6h-19h. Compter 30 mn de trajet.

➢ ***Coca :*** 5 bus/j. avec *Jumandy* et 5 bus/j. avec *Valle de Quijos.* Durée : 4h30 (3h en voiture).

## Adresses utiles

**🅸 *iTur Oficina de turismo*** *(plan B2) : Augusto Rueda, à côté de l'*Hostal Los Yutzos. *☎ 288-80-46.* • *tena.gob.ec* • *Lun-ven 7h30-12h30, 14h-17h ; sam 8h-12h.* Donne un plan de la ville et des infos sur les activités dans le coin.

✉ ***Poste*** *(plan A1) : av. Olmedo, près du pont pour voitures. Tlj sf dim 8h-18h (jusqu'à 12h sam).*

■ ***Téléphone*** *(plan A1,* ***1****) : angle de Montalvo et Olmedo. Lun-ven 8h-20h ; sam 8h-14h.*

@ **Internet : Cyberzone** *(plan B2), calle 9 de Octubre, à 200 m de l'intersection avec 15 de Noviembre. Ouv lun-sam 9h-22h.*

■ **Distributeurs : Banred,** *Juan L. Mera y Amazonas (plan A1,* ***2****) ou 15 de Noviembre y Monteros (plan B3,* ***2****).*

■ **Police** *(plan B3) : Augusto Rueda et Secundo Baquero. ☎ 288-61-05.*

**✚ Hôpital** *(hors plan par B3,* ***3****) : 15 de Noviembre y Eloy Alfaro. ☎ 288-63-05.*

■ **Pharmacie** *(plan A1,* ***4****) : Amazonas y Abdon Calderón.*

## Où dormir ?

### Très bon marché (moins de 18 US$)

🏠 ***Hostal Limoncocha*** *(hors plan par B3,* ***10****) : calle Ita 533. ☎ 288-75-83.* • *limoncocha.tripod.com* • *À 300 m de la gare routière. Compter 7-10 US$/pers, petit déj en plus.* 💻 📶 Un peu à l'écart du centre, une grosse bâtisse de 3 étages. Chambres à la propreté irréprochable, avec ou sans salle de bains privée (eau chaude partout), matelas fermes ou mous, ça dépend. La plupart avec TV. Terrasse à côté de la réception, avec vue sur la ville et la forêt. Billard, baby-foot. C'est aussi une agence qui propose des tours en forêt, du rafting et du kayak. Notre adresse préférée à Tena.

🏠 ***A Welcome Break Hostal*** *(plan B3,* ***11****) : Augusto Rueda 331 y 12 de Febrero. ☎ 288-63-01. Compter 6-8 US$/pers.* 💻 Dans un bâtiment de 2 étages, avec une cour à l'avant où pendent quelques hamacs. Chambres modestes avec ou sans salle de bains. Le manque d'isolation les rend un peu bruyantes, mais accueil correct et prix doux. Petite cuisine équipée à dispo et pizzeria attenante. Organise aussi l'excursion au canyon del río Ñachi et des séjours en forêt.

### Bon marché (18-30 US$)

🏠 ***Hostal Alemana*** *(plan B1,* ***12****) : av. 15 de Noviembre 210, à l'angle de Díaz de Pineda. ☎ 288-64-09.* • *hostalalemana@gmail.com* • *À l'entrée de la ville, près du pont pour voitures. Double env 20 US$.* Chambres avec salle de bains dans un petit complexe hôtelier garni de végétation. Préférez celles de l'aile du fond, plus agréables. En revanche, pour le bruit, c'est pareil partout. Également quelques *cabañas* pour 3 personnes. Petite piscine.

🏠 **Hostal Austria** *(plan B2,* ***13****) : Tarqui y Díaz de Pineda, à 100 m. ☎ 288-72-05.* • *hostalaustria@gmail.com* • *Double env 25 US$, avec petit déj.* 📶 Centrale mais au calme, dans une rue à l'écart du bruit, cette pension familiale propose des chambres petites mais très soignées et agréables, donnant sur la rue ou sur le jardin à l'arrière. Salles de bains privées, eau chaude, ventilo ou AC, TV câblée. Le petit déj se prend à la table du salon. Une excellente adresse.

🏠 **La Posada** *(plan B2,* ***15****) : Augusto Rueda y 12 de Febrero. ☎ 288-68-90 ou 78-97. Compter 25 US$ la double.* 💻 📶 Les chambres sont impeccables, avec moustiquaires aux fenêtres. Certaines surplombent la rivière. Laverie. Un rapport qualité-prix correct.

### De prix moyens à chic (30-70 US$)

🏠 ***Amarongachi Jungle Eco-Lodge*** *(plan B2,* ***14****) : av. 15 de Noviembre 438, puente Carros. ☎ 288-82-04 ou*

*63-72. • amarongachi.com • Double env 35 US$, petit déj compris.* Il y a des petites chambres intérieures, avec salle de bains lilliputienne dépourvue d'eau chaude. Et d'autres avec minibar, AC et une jolie vue sur une partie de Tena. Demandez une chambre au 4e étage, plus calme et lumineux. Resto à côté. Tenu par la même famille que l'agence *Amarongachi Tours* (voir plus loin la rubrique « Séjours en forêt »).

**Hostal Los Yutzos** *(plan B2,* ***16****) : Augusto Rueda 190 y 15 de Noviembre. ☎ 288-67-17. • uchutican.com/yutzos/index.html • Env 50 US$ pour 2, avec petit déj (quelconque). Parking.* L'un des hôtels les plus chers de la ville, avec des chambres sans charme, mais confortables et paisibles (certaines avec vue sur la rivière). Propreté irréprochable. Toutes ont frigo, TV satellite, téléphone. Jolie terrasse au 1er étage.

## Où dormir dans les environs ?

**Hakuna Matata :** *à env 9 km au nord de Tena. ☎ 288-96-17. • hakunamat.com • 3 km avt le village d'Archidona, prendre à gauche (panneau) une piste de terre (4x4 recommandé) qui monte jusqu'à l'hôtel, isolé dans la montagne. En taxi de Tena : 10 US$. Compter 60-72 US$/pers et par nuit avec petit déj. Repas 15-25 US$.* Un très beau *lodge* situé à flanc de montagne, en pleine forêt (pas de moustiques, chaleur modérée), et une rivière qui traverse le domaine de 150 ha (on peut s'y baigner). Rudy et Marcellina, les propriétaires flamands et francophones, ont tout quitté pour accomplir le rêve de leur vie. Ils ont ouvert ce *lodge* à échelle humaine. Accueil et service excellents. Tout fonctionne selon les principes du commerce équitable et de l'écotourisme, dans le respect des hommes et de la nature. Chambres confortables, bien équipées (douche-w-c), décorées avec soin et originalité. Déjeuner et dîner dans une belle salle à manger qui domine la canopée. Savoureuse cuisine, sans doute la meilleure de la région (viandes fameuses). Randonnées à pied ou à cheval dans la forêt, baignade dans la rivière ou la piscine, balades en canoë, rafting... Notre coup de cœur ! Attention toutefois, les excursions ne sont pas incluses dans le prix du séjour.

**Cotococha Amazon Lodge :** *téléphoner avt à Quito au ☎ (02) 223-43-36. 09-99-04-44-19. • cotococha.com • À env 15 km au sud-est de Tena, sur la route longeant la rive droite du río Napo. Compter env 235 US$/pers pour 3 j., en pens complète.* Pour ceux qui veulent avoir un avant-goût de la grande forêt, un beau *lodge* en bordure du río Napo, constitué de bungalows disséminés dans un jardin à la végétation luxuriante. Aucune lumière artificielle : le soir, on ne s'éclaire qu'à la bougie ou à la lampe à huile, ce qui crée une ambiance des plus romantique ! Chambres agréables (bains et eau chaude) et très propres, réalisées avec les matériaux naturels de la région. Resto. Possibilité de faire des balades en forêt, du kayak et du rafting.

**Sacha Runa :** *à env 20 km au sud de Tena. Téléphoner avt à Quito au ☎ (02) 250-44-66. • sachalodge.com • Séjours de 3 j. min, compter 200 US$/pers en pens complète (3 j. et 2 nuits), rafting ou tour en forêt inclus.* Vaste *lodge* de charme blotti dans la

**Adresses utiles**

1 Téléphone
2 Distributeurs Banred
3 Hôpital
4 Pharmacie
5 Ricancie
6 Amarongachi Tours

**Où dormir ?**

10 Hostal Limoncocha
11 A Welcome Break Hostal
12 Hostal Alemana
13 Hostal Austria
14 Amarongachi Jungle Eco-Lodge
15 La Posada
16 Hostal Los Yutzos

**Où manger ? Où boire un verre ?**

20 Cositas Ricas
21 Restaurant Chuquitos
22 The Marquis

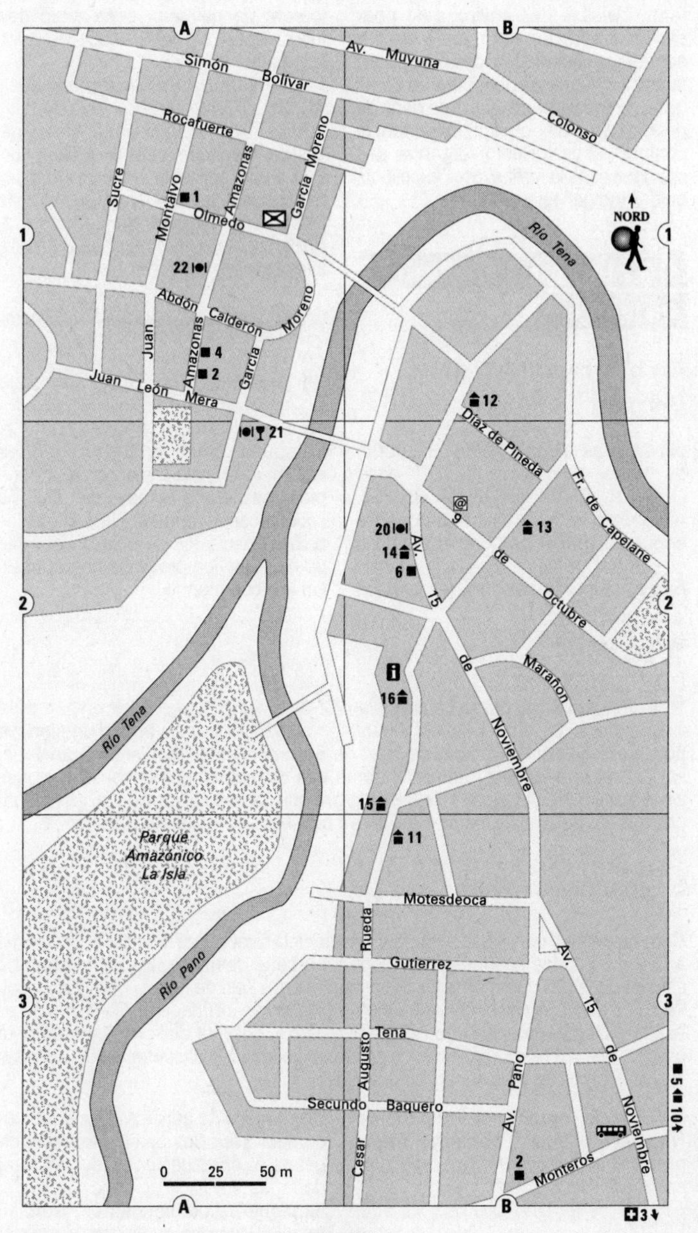

A
B
1
2
3
Av. Muyuna
Simón Bolívar
Rocafuerte
Colonso
Sucre
Montalvo
Amazonas
García Moreno
Olmedo
NORD
Río Tena
Abdón Calderón
Juan
Juan León Mera
Díaz de Pineda
Fr. de Capelane
9 de Octubre
Av. 15 de Noviembre
Marañon
Parque Amazónico La Isla
Río Pano
Motesdeoca
Gutierrez
Rueda
Tena
Cesar Augusto
Secundo Baquero
Av. Pano
Monteros
0 25 50 m
1
2
4
6
11
12
13
14
15
16
20
21
22
5
10
3


# TENA

forêt, invisible des environs (et pour cause). Il est situé sur une île et on y accède seulement en pirogue ou en *tarabita* (nacelle suspendue à un câble qui enjambe la rivière). On loge dans de petites cases en bois dotées de tout le confort. Jacuzzi. Resto. Organise des marches dans la forêt avec d'excellents guides indigènes.

## Où manger ? Où boire un verre ?

### De bon marché à prix moyens (moins de 12 US$)

|●| ***Cositas Ricas*** *(plan B2,* ***20****) : av. 15 de Noviembre 438 y 9 de Octubre. ☎ 288-63-72. Tlj 7h-22h. Plat max 5 US$.* Cuisine équatorienne bonne, simple et peu onéreuse, dans une ambiance locale. Spécialités régionales comme le *ceviche de palmitos* (cœurs de palmier), servi avec des frites. Sinon, *burgers,* salade de fruits tropicaux.

|●| 🍸 ***Restaurante Chuquitos*** *(plan A2,* ***21****) : García Moreno 146. ☎ 288-76-30. Tlj 7h-21h30. Plats 6-8 US$.* Cuisine bien faite, mais on y vient surtout pour l'agréable terrasse donnant directement sur la rivière. Spécialité de *tilapia.* Sinon, grand choix à la carte. Bar à cocktails en contrebas du resto, avec terrasse là encore.

### Chic (12-20 *US$)*

|●| ***The Marquis*** *(plan A1,* ***22****) : av. Amazonas 251 y Olmedo. ☎ 288-65-13. Tlj 12h-23h. Plat env 15 US$.* Fresques amazonico-fantastiques aux murs et salle à manger à la déco plus cossue que la moyenne. Cuisine savoureuse et réputée. Plats à tous les prix et spécialités de poisson et fruits de mer. Service pro et de bon conseil. On le recommande !

## À voir

★ 👪 ***Parque Amazónico La Isla*** *(plan A2-3) : dans le centre, à gauche du pont pour piétons. ☎ 288-75-97. Tlj 8h-16h45. Entrée : 2 US$.* Au bout d'une longue passerelle en bois se trouve ce parc de 8 ha, composé d'un jardin botanique, habité par une faune protégée. Il abrite des orchidées, des colibris, quelques singes en liberté et l'arbre-suicide, un arbre qui, parvenu à l'âge de 25 ans, fleurit une fois (ou deux) puis meurt. Peut-être y croiserez-vous aussi une autruche.

## Séjours en forêt

Comme à Puyo, on vient à Tena pour découvrir la forêt et ses richesses. Et comme à Puyo, il y a des agences pour répondre à cette demande. Il s'agit surtout de séjours dans des communautés indigènes vivant à l'est de Puerto Misahualli (d'où l'on peut aussi organiser son excursion, voir plus loin ce chapitre). Gardez juste en tête le dicton équatorien « *Lo barato sale caro* », qui veut dire : « Payer peu peut coûter cher. » En clair, méfiez-vous des tours vendus à la sauvette. Voici quelques agences parmi les plus sérieuses du coin :

■ ***Ricancie, organisme indigène du Haut-Napo pour l'échange interculturel et l'écotourisme*** *(hors plan par B3,* ***5****) : av. El Chofer y Hugo Vasco, pas loin du terminal des bus. ☎ 284-62-62. • ricancie.nativeweb.org • Tours 2-4 j. à partir de 100 US$/pers pour 2 j. et 210 US$ pour 4 j. ; plus le groupe est important, moins c'est cher.* Une excellente adresse pour entrer en contact avec des communautés indigènes et effectuer un séjour en forêt dans les environs de Tena. Le projet implique 10 communautés, soit au total 600 familles quechuas. Hormis le transport en bateau à moteur, tout le voyage est pris en charge : logement en cabanes (lits avec moustiquaires) avec salle de bains collective ou privée, repas et activités en forêt et au sein de la communauté. Celles-ci vont de la participation aux activités quotidiennes de la famille (cuisine, artisanat, récoltes, etc.) aux balades en forêt à la découverte des animaux et des plantes, en passant par la rencontre avec le shaman. C'est à vous de préciser ce que vous voulez faire. Un bel exemple de tourisme différent, qui profite directement aux communautés locales.

■ ***Amarongachi Tours*** *(plan B2,* ***6****)* ***:*** *av. 15 de Noviembre 438. ☎ 288-63-72 ou 82-04. • amarongachi.com • Dans l'*Amarongachi Jungle Eco-Lodge. *Départ tlj (2 pers min requises). Compter env 60 US$/j., tt compris.* Une agence pro et sympa. Propose des tours en forêt primaire à l'ouest de Tena, au pied des Andes. 2 sites : Amarongachi et Shangrila, ce dernier se trouvant au bord d'une falaise, à 100 m au-dessus de la rivière Anzu. De là, vue spectaculaire sur la forêt et les Andes en toile de fond ! Le séjour se passe avec des familles quechuas d'Amazonie. Au programme : baignade, pêche, techniques de chasse et de survie en jungle, recherche d'or, visite de cultures, poterie et, bien sûr, balades en forêt à la découverte des plantes médicinales. Nuit dans des cabanes en bambou (un peu plus de confort à Shangrila qu'à Amarongachi).

■ ***Ríos Ecuador :*** *contact à Tena, ☎ 288-67-27. Bureaux à Quito : Foch 746 y Juan León Mera. ☎ 290-40-54. 📱 09-97-76-75-41. • riosecuador.com • Compter 70 US$/pers ; min 4 pers.* Pour découvrir la région en kayak ou en rafting. Les tours durent de 1 à 4 jours et permettent de naviguer sur des rivières adaptées à tous les niveaux. Les prix sont assez élevés, mais on paie la sécurité et le sérieux. L'équipement complet est fourni. Propose également des formules qui combinent rafting et séjour en forêt. Et même des séjours en forêt seulement, dans des communautés waoranis.

# PUERTO MISAHUALLI

IND. TÉL. : 06

**Ça y est, vous voilà en Amazonie. Cerné par les ríos Napo et Misahualli, Puerto Misahualli est un petit port à 22 km au sud de Tena (30 mn de bus sur une route asphaltée) attire les visiteurs en quête d'aventure amazonienne, de treks en forêts, de rafting sur les rapides. Dans le village, un pont accessible aux véhicules enjambe le fleuve et permet de rejoindre la route (asphaltée) qui relie les bourgades de la rive droite du río Napo. Véritable ombre au tableau, le tout nouvel aéroport et la double voie qui le relie au village ont fortement perturbé l'environnement naturel...**

**Puerto Misahualli reste le point de départ des excursions les moins chères de l'Oriente. Il est possible aussi de monter une expédition fluviale jusqu'à Iquitos, au Pérou (à condition de constituer un petit groupe et d'avoir le budget nécessaire). Avis aux amateurs de « hors-piste » ! Enfin, les environs, s'ils ne sont plus tous vierges, offrent quelques beaux itinéraires de balades.**

– Petite particularité de Puerto Misahualli : sur la place du village, de petits singes roublards viennent fouiner, attirés par tout ce qui brille.

## Arriver – Quitter

➢ ***Tena :*** env 1 bus/h. Départ à 50 m de la gare routière, de l'autre côté du terrain vague qui sert de parking aux bus. Compter 30 mn pour couvrir les 22 km reliant les 2 villes.

➢ ***Quito :*** possibilité de se rendre à Puerto Misahualli directement depuis Quito, avec *Transportes Amazonia*, mais il n'y a que 1 liaison/j.

– À l'heure où nous imprimons ce guide, le nouvel aéroport de Puerto Misahualli achève d'être construit...

## Où dormir ? Où manger ?

Hôtels parfois complets le samedi soir à cause du marché du dimanche. En haute saison (juillet-août), il est recommandé de réserver sa chambre pour le retour de l'excursion.

### Bon marché (18-30 US$)

🏠 🍴 ***Hostal El Paísano :*** *Guillermo Rivadeneira, derrière la place et en face de l'école. ☎ 289-00-27. • hostalel paisano.com • Compter 14 US$/pers, petit déj inclus.* Grande demeure en bois avec un patio fleuri et une quinzaine de chambres agréables, bien tenues et équipées (douche-w-c, moustiquaire). Laverie. Un bon rapport qualité-prix, doublé d'un accueil irréprochable ! Pour le soir, carte assez variée au resto.

🏠 🍴 ***Hostal-Restaurante La Posada :*** *sur la pl. principale. ☎ 289-00-05 ou 01-13. • monosmisahualli. com • Env 12 US$/pers.* Une douzaine de chambres modestes, mais propres et plutôt spacieuses, avec salle de bains et ventilo. Bon accueil. On y mange bien, sur de grosses tables en bois donnant sur la place. Cuisine amazonienne arrangée pour les Occidentaux. Une originalité : les *chonta curo,* de gros vers de la forêt, à déguster vivants ou non, avec de la *yuca* (sorte de pomme de terre) frite... On y boit aussi d'excellents cocktails.

🍴 ***Doña Gloria :*** *sur la pl. centrale, à l'angle droit en allant vers le pont piéton. Plats 5-6 US$.* Plus éloigné des singes en liberté donc moins de risques d'être enquiquiné...Tout simple, sans prétention mais bonne cuisine locale. Sert aussi les petits déj.

### Prix moyens (30-48 US$)

🏠 🍴 ***Albergue Español :*** *à 150 m de la place du village, à droite de la route en venant de Tena. ☎ 289-00-04. • albergueespanol.com • Env 22 US$/pers (moins cher hors saison), petit déj inclus.* Auberge avec terrasse en bordure du río. Propose une douzaine de chambres très convenables pour le prix (murs blancs, ventilo, salles de bains carrelées). Excellent accueil, resto ouvert toute la journée. Organise aussi des séjours dans un *lodge* à 1h30 de bateau de Puerto Misahualli. Les proprios parlent le français.

🏠 🍴 ***Chambres d'hôtes France-Amazonia :*** *Casilla 300, au bord du río, un peu avt l'entrée du village, face au collège. ☎ 289-00-09. Demandez au bus de Tena de vous y arrêter. Compter env 20 US$/pers, petit déj inclus. Cartes Visa acceptées.* 💻 Tenu par un sympathique couple de Français. Maisonnettes indépendantes et fort agréables, de style rustique, dans une luxuriante végétation. Elles abritent des chambres agréables, avec salle de bains et eau chaude. Repas au bord de la piscine sous un toit de paille. Un chemin privé mène au fleuve. Nombreuses propositions de séjours en forêt. Également une source d'informations fiable sur les différentes possibilités d'excursions à pied autour de Puerto Misahualli.

🏠 ***Hotel Shaw :*** *sur la pl. principale. ☎ 289-00-19. • ecoselva@yahoo.es • Double env 18 US$/pers.* Adresse sans prétention, mais très correcte. Accueil souriant. Chambres avec douche et moustiquaire. Petite boutique d'artisanat et organisation de tours en forêt.

## Où dormir ? Où manger dans les environs ?

### Bon marché (18-30 US$)

🏠 🍴 ***Cabañas de Shiripuno :*** *à 2 km de Puerto Misahualli en aval du fleuve. ☎ 289-00-33. Rens à l'agence* Teorumi, *proche de la place centrale, ☎ 289-03-13. • shiripuno.ecuador. free.fr • Traverser le pont suspendu puis suivre la piste, à gauche tte. En pirogue, compter 1 US$/pers. Env 8-10 US$/pers la nuit, 15-17 US$ en ½ pens.* Un hébergement hors des sentiers battus, géré par la communauté indigène de Shiripuno, située un peu en retrait du fleuve, au cœur de la forêt.

Une grande case en bois et feuilles de coco abrite une demi-douzaine de chambres sommaires, dotées de 5 lits avec moustiquaire. Pas d'électricité, on s'éclaire à la bougie (prévoir sa frontale). Douches froides et toilettes sèches communes. Hamacs. Rustique donc, mais le cadre, l'atmosphère et l'accueil valent toutes les clim du monde. Les repas, frais et équilibrés, se prennent en commun. Nombreuses activités : fabrication (et dégustation) de chocolat, pêche, rafting, visite du jardin botanique et de ses caïmans, initiation aux plantes médicinales... On peut même tester des plantes hallucinogènes, sous l'œil bienveillant du shaman ! Organise aussi des excursions en forêt.

### Plus chic (plus de 70 US$)

**Liana Lodge :** *à l'est de Puerto Misahualli, sur le río Arajuno (un bras du río Napo), à côté du refuge* Amazoonico *(voir « Dans les environs de Puerto Misahualli »). 09-99-80-04-63. • selvaviva.ec • Pour y aller, prendre un bus de Tena en direction de Santa Rosa, descendre à Puerto Barantilla (env 1h30), puis prendre une pirogue pour* Liana Lodge *(transfert inclus ; prévenir à l'avance). Forfait de base pour 3 nuits et 2 j. d'excursion : 138 US$/pers (pens complète).* Au bord du fleuve, de beaux bungalows dans le style local, disséminés au cœur d'une végétation luxuriante. Chambres spacieuses avec lits en bambou et salle de bains privée. Excellents repas. Ce *lodge* dépend de la *Fondation Amazoonico-Selva Viva,* refuge pour animaux blessés et organisme de protection de la forêt. L'argent des nuitées leur permet de continuer leur travail : vous ferez donc œuvre utile tout en bénéficiant de remarquables prestations.

### Où boire un verre ? Où danser ?

**Pato's :** *juste en dessous de la place. Ferme à 2h.* Grand bar à l'étage ouvert sur l'extérieur. Billards et chaude ambiance selon l'affluence.

Un peu après l'agence *Teorumi,* la **Discoteka** fait danser le village le dimanche soir.

## À faire

➢ **Baignade :** pour se rincer des sueurs tropicales, possibilité de faire trempette près du port dans le río Misahualli (le petit bras, sur la gauche), plus chaud et moins tumultueux que le río Napo. À éviter cependant après de fortes pluies (l'eau est alors sale et les courants dangereux).

➢ **El Arból Gigante** *(l'arbre géant) : balade d'env 1h A/R.* De Puerto Misahualli, prendre la rue de l'agence *Teorumi* et continuer toujours tout droit sur la piste, jusqu'à atteindre une petite communauté. Traverser alors le río Misahualli sur l'impressionnant et brinquebalant pont suspendu aux câbles rouillés. L'arbre s'élève quelques mètres plus loin, sur la droite. Il est le plus haut de la région, culminant à une trentaine de mètres (personne n'a vraiment mesuré...) et solidement arrimé au sol par des racines tout aussi longues.

## DANS LES ENVIRONS DE PUERTO MISAHUALLI

## Excursions d'une journée

Les agences regroupées autour de la place centrale proposent, en plus des séjours en forêt (voir plus loin), des tours d'une journée dans les environs de Puerto Misahualli. Ceux-ci incluent souvent la visite de l'*Amazoonico* (voir ci-après) avec, en chemin, un arrêt au musée *Sachatanai* (expo sur les techniques de chasse et coutumes des indigènes) ainsi qu'au centre artisanal d'*Ahuano*. Si ces lieux vous tentent, c'est le moyen le plus facile de les visiter, y aller par ses propres moyens étant plutôt compliqué. Mais bien sûr, c'est aussi une solution plus onéreuse.

– En descendant le Napo, vous apercevrez sur les berges des ***orpailleurs*** au travail, en fait des familles des environs en quête d'un revenu complémentaire. On est cependant loin de l'El Dorado, un orpailleur ne récolte pas ici plus d'un demi-gramme d'or par jour.

***L'Amazoonico :*** *sur le río Arajuno, un affluent du río Napo situé à l'est de Misahualli. Pour s'y rendre, le plus simple est de prendre un bus de Tena pour Santa Rosa, et de descendre à Puerto Barantilla (env 1h30). Là, prendre une pirogue et, en 5 mn, vous y êtes. Depuis Puerto Misahualli, traverser le pont qui enjambe le río Napo puis marcher 30 mn jusqu'à la route principale et attendre un bus qui va vers Santa Rosa. • selvaviva.ec • Entrée : env 3,50 US$.* Une fondation créée par un Suisse et un Équatorien de la région pour protéger les animaux. Ici, on ne les achète pas mais on les récupère. Une belle initiative ! On peut y voir des singes, des caïmans, des tapirs, des perroquets... De nombreux animaux arrivent ici blessés et traumatisés, et l'on essaie de les remettre sur pattes. Gère aussi le *Liana Lodge*, voir plus haut « Où dormir ? Où manger dans les environs ? »).

➢ ***Balade vers la cascade du río Latas :*** *prendre un bus Misahualli-Tena et demander au chauffeur de s'arrêter au río Latas (env 20 mn de route). Remonter le río Latas pdt 1h en traversant quelques vasques profondes. Être préparé à nager un peu. Entrée au site payant : 2 US$.* N'y aller que par beau temps, le niveau des eaux montant très vite lorsqu'il pleut. Éviter aussi d'y aller à la saison trop sèche, car les cascades présentent moins d'intérêt. Un bel endroit pour se baigner et se détendre, plein de papillons par beau temps. Pour les traînards, le dernier bus revenant à Puerto Misahualli part de Tena vers 19h.

## Séjours en forêt

C'est tout de même surtout pour ça qu'on vient jusqu'ici. Comme on l'a dit plus haut, les prix sont ici parmi les moins élevés de l'Oriente : à partir de 35-40 US$ par jour et par personne, s'il y a un minimum de participants. Et comme d'hab, cela inclut le transport, l'hébergement (en *campamento* de base ou dans de confortables *lodges*, c'est selon), la nourriture et les activités en forêt avec un guide. Les guides locaux nous ont assuré qu'à environ 8h de marche de Puerto Misahualli vivent encore des communautés indiennes « non civilisées », qui refusent tout contact avec l'extérieur. Ils accueilleraient les Occidentaux indésirables à coups de sarbacane...

### AU ROYAUME DE LA CANNELLE

*Christophe Colomb pensait que le paradis terrestre devait se situer quelque part en Amazonie, entre la Colombie, le Venezuela et l'Équateur actuel. Plus prosaïques, les conquérants espagnols du XVIe s avaient deux obsessions : l'or et la cannelle. Ils trouvèrent des montagnes d'or au Pérou et cherchèrent l'El Dorado, le royaume dont le roi était un « homme doré à la feuille », c'est-à-dire couvert d'or. Ne le trouvant, ils cherchèrent le royaume de la cannelle dans la forêt amazonienne. La cannelle, épice noble, valait autant que l'or...*

Aux *Indiana Jones* en herbe, on précise qu'il est possible aussi, depuis Puerto Misahualli, de se rendre jusqu'à Iquitos au Pérou. Un périple véritablement hors des sentiers battus, probablement l'un des plus intéressants qu'on puisse faire en Amazonie. Mais ne vous emballez pas trop vite : l'excursion dure 8 à 15 jours, c'est cher (ne pas compter moins de 1 000 US$ par personne !), il faut constituer un

petit groupe, et c'est un voyage aller uniquement. Si vous êtes prêt à remplir toutes ces conditions, alors, oui, vous pourrez sans doute goûter aux joies de l'aventure, la vraie, en pleine forêt tropicale !
Quelques adresses fiables sur la place principale du village de Puerto :

■ ***Agencia de Viages Teorumi :*** *proche du parque central.* ☎ *289-03-13.* • *shiripuno.ecuador.free.fr* • *À partir de 60 US$/j. par pers, dégressif en fonction du nombre de participants.* Gérée par Teodoro Ravadeneyra, guide naturaliste équatorien qui parle quechua, espagnol, français et anglais, et sa femme française, Amélie Leman. Leur agence propose tout type d'excursions à la carte, ainsi que des activités dans la communauté de Shiripuno (lire plus haut « Où dormir ? Où manger dans les environs ? »). Excursions de 1 à 15 jours dans la région de Misahualli et jusqu'à Iquitos, au Pérou. Tour de 3 jours avec visite de la communauté et marche en forêt incluant le transport (pirogue ou voiture privée), les nuits en cabanes plus ou moins confortables, tous les repas, l'eau, les bottes et les entrées aux parcs et centres artisanaux. Également des séjours « aventure » vers Puerto Rico, avec bivouac dans la forêt. Une agence très sérieuse.

■ ***Eco Selva :*** *à l'hôtel* Shaw *(voir « Où dormir ? Où manger ? »).* Géré par Pepe Tapia, un bon guide naturaliste qui parle l'anglais. Propose tout type de tours. Il possède aussi un élevage de papillons.

■ ***Aventuras Amazonicas :*** *à l'*Hotel-Restaurant La Posada *(voir plus haut « Où dormir ? Où manger ? »).* Bons séjours en forêt, organisés par Carlos Santander, un natif de la région qui connaît le fleuve dans ses moindres recoins. Également une excursion de 1 ou 2 jours à la *cascada de Pusuno,* et la fameuse expédition vers Iquitos qui, ici, dure 2 semaines et requiert au moins 6 participants. Prix très raisonnables.

■ ***Selva Verde :*** *à côté de l'hôtel* Shaw. ☎ *289-01-65.* • *selvaverde-misahualli.com* • Tenu par l'aimable Luis Zapata, par ailleurs champion national de kick-boxing ! Il ne travaille qu'avec des guides indigènes. Séjours de 3-4 jours en *lodge* confortable ou dans des campements reculés, sans électricité. Propose également le périple vers Iquitos *(à partir de 8 j. et min 5 pers),* ainsi que du rafting (bon équipement).

## MACAS

IND. TÉL. : 07

**Petite ville en pleine expansion de l'Oriente sud, située entre Puyo et Cuenca. Sans doute le coin le moins touristique d'Amazonie équatorienne, en tout cas beaucoup moins fréquenté que Puerto Misahualli. En outre, c'est une bourgade tranquille, dans un cadre bien agréable. De nuit, il arrive qu'on aperçoive les explosions du volcan Sangay, à 40 km de là.**

### Arriver – Quitter

➢ ***Puyo-Macas :*** une dizaine de bus/j. avec *San Francisco,* et env 6 bus/j. avec *Coop Macas.* Trajet 3h30-4h. La route a été refaite mais comporte quelques passages en mauvais état.

➢ ***Cuenca :*** env 10-12 bus/j. avec *Turismo Oriental.* Durée : 8-9h.

➢ ***Quito (en avion) :*** 1-2 vols/j., avec *Tame* ou *Saéreo.*

### Adresse utile

ℹ ***Cámara de Turismo :*** *Bolívar y Soasti. Dans le bâtiment* Comercial del Valle. ☎ *270-16-06. Au 2e étage. Lun-ven 7h-12h30, 14h-20h ; sam 8h-12h30. Fermé dim.*

## Où dormir ?

### Bon marché (moins de 30 US$)

**Residencial Macas :** *24 de Mayo 14-35 y Sucre. ☎ 270-02-54. Double avec ou sans sdb env 15 US$.* Sonner en haut de l'escalier à droite. Tout simple, mais très correct.

**Hostal Esmeraldas :** *Cuenca 612 y Soasti. ☎ 270-01-30. Compter 17 US$ pour 2.* Petite pension familiale d'une douzaine de chambres. Toutes ont leur salle de bains privée et la TV. Celles à l'arrière sont les plus sympas. Bon accueil.

**Hotel La Orquídea :** *9 de Octubre y Sucre. ☎ 270-09-70. Compter 20 US$ pour 2 (2 US$ en plus pour l'eau chaude).* Chambrettes bien arrangées, très propres et agréables, chacune avec sa petite salle de bains privée. L'une d'entre elles est dotée d'un balcon. Préférer celles du 2e étage, lumineuses et avec une jolie vue. Grande terrasse donnant sur le toit de l'église et le terrain de foot.

**Residencial Mayflower :** *calle Soasti. Double env 15 US$.* Salle de bains commune. Opter pour celles à l'avant, les autres sont vraiment sombres. Possibilité de faire sa lessive. Assez propre, mais pas jojo dans l'ensemble. L'un des moins chers.

### Prix moyens (30-48 US$)

**Cabañas del Valle :** *av. 29 de Mayo. ☎ 270-02-26. • hosteriacabanasdelvalle.com • À 1,5 km de Macas en direction de Sucúa. Compter 30 US$ pour 2.* Cabanes très confortables, avec salle de bains privée, eau chaude, TV et garage. Petit resto. La famille qui tient l'endroit est très accueillante et connaît bien la région. Jeux pour enfants, jardins et hamacs. Location de vélos. Une belle adresse toute tranquille. Organise également des tours dans les communautés shuars et dans la forêt.

## Où manger ?

Nombreux restos bon marché, notamment autour du terminal des bus.

**Chonta Café Restaurant :** *av. 24 de Mayo, nº 1622. En face du centre artisanal.* Un endroit agréable, frais et propre. Cafétéria qui sert de bons petits déj avec des produits maison. À la carte, salades, omelettes, quelques plats de viande et volaille, pâtes et sandwichs. On peut même siroter un petit cocktail en soirée. À côté, un petit magasin avec de l'artisanat provenant des communautés shuars.

**Los Carlitos :** demandez, tout le monde connaît. Resto de poisson sous une paillote (descendre la passerelle). Les maniaques de la propreté feront la grimace. Toutefois les soupes de poisson sont bonnes et vraiment pas chères.

# À voir. À faire

**L'église Nuestra Señora de Macas :** l'extérieur ne paie pas de mine, mais l'intérieur est assez joli avec son mélange de marbre et de céramique.

**Panorama :** depuis le centre *Voz del Upano,* derrière l'église (vers la droite). On y admire les montagnes et les méandres du fleuve.

– **Complejo acuático** *(piscine)* **:** pratique quand il fait chaud...



# Excursions en forêt

De Macas, plusieurs possibilités. L'attrait principal de la région n'est pas la faune, moins riche que dans le Nord, mais la possibilité d'aller à la rencontre des Indiens shuars, anciennement appelés Jivaros. Ils ne réduisent plus les têtes depuis quelque temps... mais ont tout de même réussi à garder quelques traditions : peut-être pourrez-vous goûter la *chicha* (alcool de manioc, contrairement à la *chicha de la sierra,* à base de maïs). Avoir l'estomac bien accroché : les femmes la préparent en la mastiquant avant de la cracher !

➢ Des avionnettes vous mènent dans les villages shuars les plus éloignés. ***Taisha*** est l'un des plus réputés. Se renseigner auprès des agences, comme ***Kujáncham Expeditions.***

➢ Ceux qui n'ont pas les moyens peuvent emprunter les quelques pistes qui mènent aux villages shuars. Le plus proche est celui de ***Sevilla Don Bosco,*** qui est en fait une mission (environ 1h de marche). Si vous ne voulez pas marcher, bus fréquents.

➢ Plus loin, à une vingtaine de kilomètres au sud de Macas, le village de ***Sucúa,*** d'où l'on peut effectuer de nombreuses randos en forêt. Le parc national Sangay, pourtant proche de Macas, est très difficile d'accès de ce côté.

# COCA

env 42 000 hab. IND. TÉL. : 06

**Au nord-est de Tena (3h-3h30 de route), la ville de Coca est la capitale de la province d'Orellana, et l'une des agglomérations les plus importantes de l'Oriente. On quitte le plateau et soudain la route débouche sur une sorte de balcon surplombant l'immensité de la forêt amazonienne, grand océan de verdure, plat jusqu'à l'infini. On descend dans cette plaine, peu peuplée, au climat tropical humide et chaud.**

**Le nom historique de Coca est Puerto Francisco de Orellana, en référence au premier découvreur européen du fleuve Amazone au XVIe s. Pas de quartier colonial, nulle place à arcades comme dans certaines villes équatoriennes anciennes, mais des immeubles modernes et fonctionnels, dans une cité plate, quadrillée et sans grand charme particulier. La ville n'offre guère d'intérêt hormis son site, à la confluence du río Coca et du fleuve Napo, qui se jette dans l'Amazone à 80 km d'Iquitos (Pérou).**

**Coca est surtout le point de départ obligé pour se rendre dans les luxueux *lodges* du bas río Napo et, dans une certaine mesure, en territoire waorani, même si les séjours en question s'achètent plutôt à Quito. À noter aussi que les bords du río Napo (le *malecón*) ont été refaits, avec désormais une promenade et deux maisons présentant les cultures shuar et quechua.**

**Quant aux environs, il y a du vert, la nature, et du noir, le pétrole. Belleza (Beauté), Paraiso (Paradis), El Dorado (Le Doré), Isla del Amor (Île de l'Amour), les noms enchanteurs de quelques villages aux alentours immédiats de Coca font certes rêver par leur douceur et leur poésie. Ils ne peuvent pas cacher l'envers du décor, la réalité économique de cette région marquée par l'exploitation pétrolière : déforestation, dégradation de l'environnement naturel, piscines de rétention du pétrole, déculturation...**

– Meilleure saison : de juillet à octobre. Toutefois le climat est chaud et humide toute l'année, bien plus qu'à Puyo et Tena.

## Arriver – Quitter

### En bus

***La gare routière :*** *9 de Octubre et Sergio Saenz. Ouv 5h-23h.* Elle est un peu excentrée, au nord de la ville, mais les compagnies ont toutes un bureau dans le centre, d'où partent les bus avant de se rendre au terminal. Inutile, donc, de se rendre jusqu'à ce dernier.

➢ *Transportes Baños* (à l'angle de Bolívar et Napo) propose 11 bus/j. de/vers ***Quito*** (9h de trajet) ; 5 bus/j. de/vers ***Baños via Tena et Puyo*** (compter

6h jusqu'à Tena et 9h jusqu'à Baños) ; et env 8 bus/j. de/vers ***Lago Agrio*** (trajet en 2h).

### En avion

✈ ***L'aéroport*** est situé dans la ville, à un peu plus de 1 km du centre. Compter 2 US$ en taxi.

➢ ***Quito :*** env 6-7 vols/j. avec *Tame (angle Quito et Enrique Castillo ; ☎ 288-10-78)* et *Icaro (☎ 288-05-46).*

### En bateau

➢ ***Rocafuerte :*** en canoë à moteur. 3-4 départs/sem, tôt le mat. Durée : 10-12h.

## Adresse utile

ℹ ***iTur Oficina de turismo :*** *calle Chimborazo y Amazonas. ☎ 288-05-32. • orellanaturistica.gob.ec • Lun-ven 8h-12h, 14h-18h.* Infos sur toute la province.

## Où dormir ?

### De prix moyens à plus chic (30-70 US$)

***Hotel San Fermin :*** *à l'angle de Quito et Bolívar, dans le centre. ☎ 288-08-02. • wildlifeamazon.com • Compter 2-28 US$ pour 2.* Architecture tout en bois style chalet amazonien, avec réception ouverte sur l'extérieur. Chambres agréables, carrelées, toutes propres, équipées ou non de sanitaires et clim. Propose aussi des excursions.

***Hotel Río Napo :*** *Bolívar, entre Napo et Quito. ☎ 288-08-72. • hotel_rio_napo@hotmail.es • Double 36 US$, avec petit déj.* On aime bien ce petit hôtel accueillant. Notre préféré dans cette catégorie de prix et de confort. Il propose sur 3 étages des chambres impeccables avec carrelage.

***Hotel El Auca :*** *Napo y García Moreno. ☎ 288-01-27 ou 06-00. • hotelelauca.com • Doubles 50-60 US$, service et petit déj non compris. Plat env 10 US$.* Le meilleur hôtel de la ville. Il abrite plus de 80 chambres fort plaisantes, mais aussi des « cabanes » dans un joli jardin où gambadent des *guatuzas* (un rongeur bien sympathique). Excellent confort dans les chambres les plus chères, en fait des minisuites. Bon resto.

## Où manger ? Où boire un verre ?

***Bars du Malecón :*** *à l'intersection de Napo et du malecón.* Plusieurs bars et cafés-restaurants très animés le soir, en particulier le week-end, après 20h jusqu'à 1h ou 2h du matin, parfois plus. Défilé de motos, de voitures et de gros 4x4... Dans certains endroits, on boit, on mange et on danse sur de la musique latino ou caraïbe. Allez-y au flair, selon vos goûts. On se croirait déjà un peu au Brésil voisin...

***La Casa del Maito :*** *Napo y Chimborazo, presque au bord du río Napo. Ouv slt le midi. Compter 4 US$.* Petite salle ouverte sur la rue. On y vient pour le *maitos de pescado,* un excellent poisson du coin cuit à la vapeur dans une feuille de bananier, servi avec des *yuca,* des bananes plantains et des petits oignons au vinaigre...

***Parrilladas Argentinas :*** *Cuenca e Inés. ☎ 288-07-24. À 2 blocs de la rue principale, à l'étage d'un karaoké. Ouv slt le soir. Plat env 7 US$.* Pas vraiment de carte, juste 2 ou 3 grillades, mais qu'est-ce qu'elles sont bonnes ! Tout est dit, non ?

## Séjours en forêt, excursions sur le fleuve Napo

Contrairement à Puyo et à Tena où tout est à moins d'une journée, il faut compter au moins une journée de bateau sur le fleuve Napo *(env 75 US$/pers),* accompagné d'un guide, pour commencer à voir des sites intéressants autour de Coca. On peut dire que l'action ne se passe pas à Coca même, mais plus loin, à 2h, 3h

# PLANS ET CARTES EN COULEURS

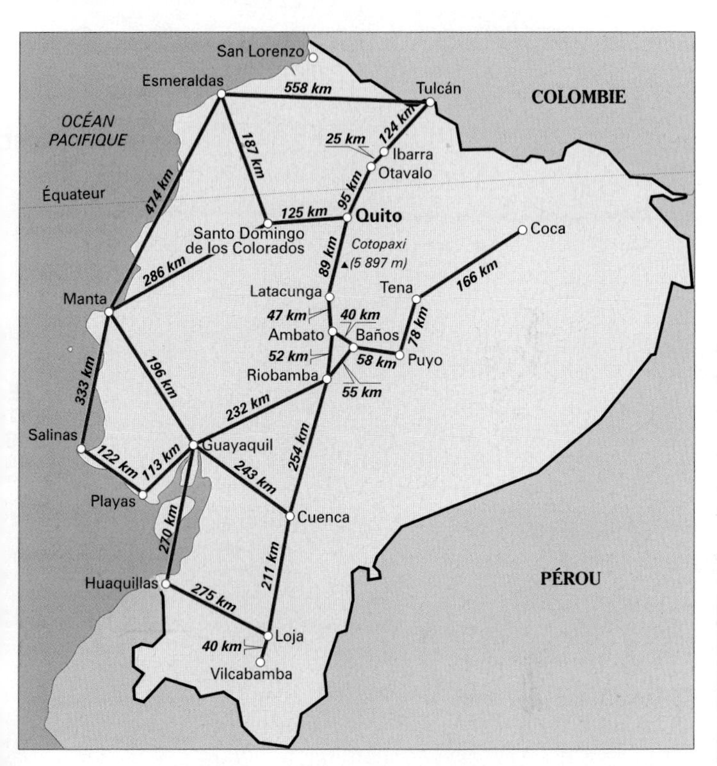


## DISTANCES PAR LA ROUTE

Otavalo Lieux traités
Río Verde Adresses et lieux dans les environs
Jipijapa Repères
site inscrit au Patrimoine mondial de l'Unesco
NORD
La Tol
Camarones
Esmeraldas
★Súa
Tonchigue
Atacames
Same
Muisne
Mompiche
LA CÔTE NORD
p. 300
Pedernales
Équateur
Santo Domingo de los Colorados
Jama
★★★Canoa
San Vincente
★Bahía de Caráquez
LA CÔTE OUEST
p. 254
★Chugch
Crucita
Manta
Quevedo
Montecristi
Portoviejo
I. de la Plata
Puerto Cayo
Jipijapa
OCÉAN
PACIFIQUE
★★Puerto López
P. n. Machalilla★★
★★Salango
Puerto Rico
Ayampe
Montañita★★
Valdivia
La Libertad
Baños de San Vicente
Salinas
★★GUAYAQUIL
Anconcito
Santa Elena
★★Reserva ecológica Manglares Churute
Playas
Isla Púna
Golfe de Guayaquil
Parque nacional El Cajas
★★CUEN
La Balbaner
Babahoyo
Nariz del Dia
Machala
Puerto Bolívar
Santa Rosa
Aguas Verdes
Huaquillas
Saraguro
Tumbes
Zaruma
LE SUD
p. 221
★★Vilcabamba
Macara
PÉROU
Zur
0 50 100 km

San Lorenzo
LE NORD
p. 135
COLOMBIE
Ipiales
Tulcán
San Gabriel
Cotacachi
Lago Yahuarcocha
Putumayo
Ibarra ★★
San Antonio de Ibarra
Peguche
Otavalo
Cochasquí
Lago de San Pablo
Lago Agrio
Cayambe ★★
Pululahua
Aguarico
Reserva de Cuyabeno★
Mitad del Mundo
QUITO ET SES ENVIRONS
p. 91
Mindo
El Quinche
QUITO ★★
Limon Cocha
Papallacta
Baeza
Coca ★★
(Puerto Francisco de Orellana)
Napo
Refugio de Vida Silvestre Pasochoa★
Cotopaxi
5 897
P. n. Cotopaxi ★★★
Saquisilí★
Latacunga
Tena
Puerto Misahuallí ★★
L'AMAZONIE (ORIENTE)
p. 315
P. n. Llanganates
Santa Clara
Baños
Río Verde ★★
Puyo
5 023
Volcán Tungurahua
Ruta de la Cascadas
Guano
5 319 Volcán Altar
Riobamba
Cajabamba★
Guamote
Volcán Sangay
Pastaza
P. N. Sangay ★★
Alausí
Macas
Sucúa
Achupallas
Chemin de l'Inca
PÉROU
Gualaceo
Chordeleg
ÎLES GALÁPAGOS
OCÉAN PACIFIQUE
I. Isabela
Baltra
I. Santa Cruz
I. San Cristóbal
Puerto Baquerizo Moreno
Puerto Ayora
Puerto Villamil
Quito
ÉQUATEUR
Guayaquil
LES ÎLES GALÁPAGOS
p. 340
0 100 200 km
PÉROU

L'ÉQUATEUR

QUITO – PLAN D'ENSEMBLE

**Adresses utiles**

- 1 Terminal terrestre Quitumbe-sur
- 4 American Express
- 5 Ambassade et consulat de France
- 6 Change VAZcorp
- 8 Cinéma Ocho y Medio
- 15 Instituto Geográfico Militar
- 16 South American Explorers Club
- 20 Ambassade de Colombie
- 24 AeroGal
- 25 Air France-KLM
- 27 Avianca
- 28 LAN
- 34 Bus Ecuador
- 35 Bus Esmeraldas
- 36 Bus Flota Imbabura
- 37 Bus Occidentales
- 39 Bus Reina del Camino
- 40 Bus Santa
- 60 Équateur Voyages Passion
- 193 Librairie du Museo Amazónico Abya-Yala

**Où dormir ?**

- 58 Residencial Margarita 1
- 60 L'Auberge Inn
- 63 Hostel Revolution
- 79 Hotel Plaza Internacional
- 85 La Cartuja
- 86 Hostal Los Alpes
- 87 Café Cultura
- 89 La Casona de Mario
- 90 Casa Aliso
- 91 Hotel Quito

**Où manger ? Où prendre le petit déjeuner ?**

- 8 Café du cinéma Ocho y Medio
- 87 Café Cultura
- 123 La Casa de Mi Abuela
- 130 Restaurant sans nom
- 131 Formosa
- 132 La Choza
- 136 Zazu

**Où boire un verre ? Où écouter de la musique ? Où sortir ?**

- 155 Varadero et Bodeguita de Cuba
- 159 El Pobre Diablo
- 160 Ñucanchi Peña

**Achats**

- 171 Mercado artesanal « La Mariscal »

**À voir**

- 193 Museo Amazónico Abya-Yala
- 194 Museo Etnohistórico de artesanías del Ecuador Mindalae

# QUITO – REPORTS DU PLAN I

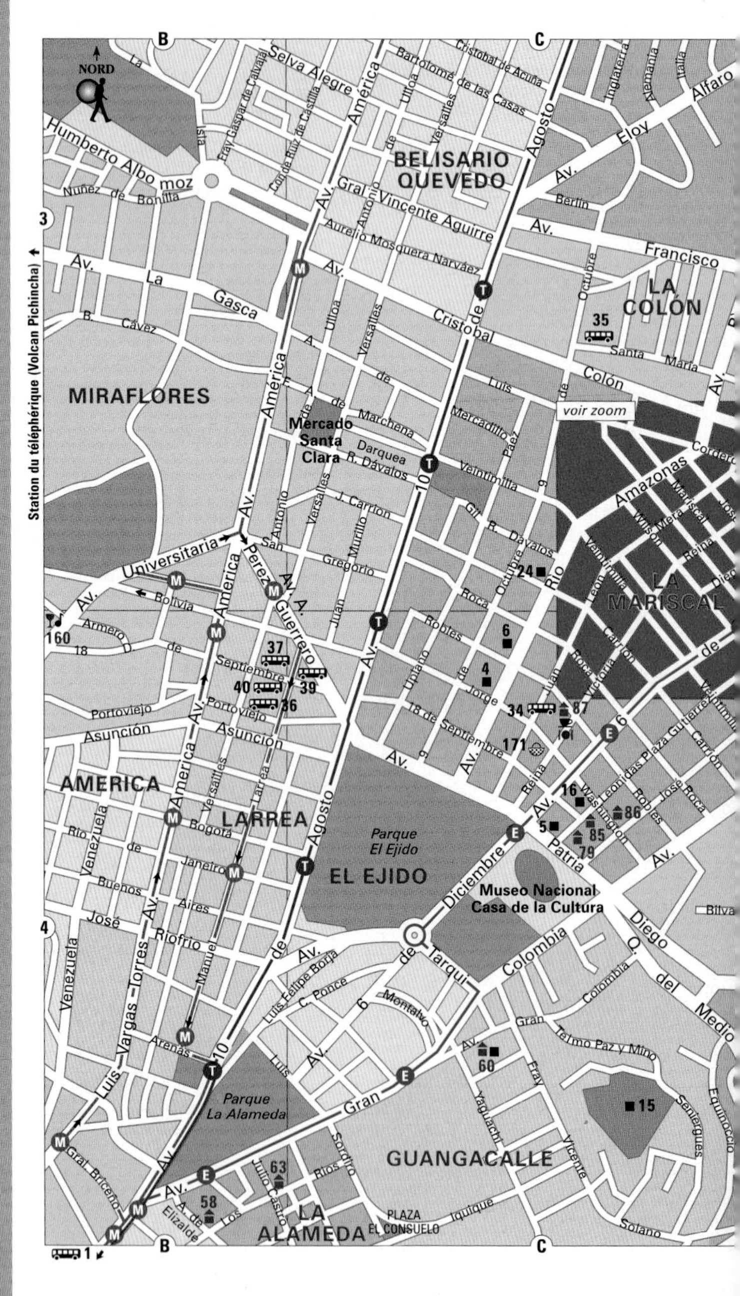

NORD
B
C
3
4
Station du téléphérique (Volcan Pichincha)
BELISARIO QUEVEDO
LA COLÓN
MIRAFLORES
LA MARISCAL
AMERICA
LARREA
EL EJIDO
GUANGACALLE
LA ALAMEDA
Mercado Santa Clara
Parque El Ejido
Museo Nacional Casa de la Cultura
Parque La Alameda
PLAZA EL CONSUELO
voir zoom
Selva Alegre
Av. América
Av. 10 de Agosto
Av. Gral. Vincente Aguirre
Aurelio Mosquera Narváez
Av. La Gasca
Av. Cristobal Colón
Av. Francisco
Av. Eloy Alfaro
Humberto Albornoz
Nuñez de Bonilla
Av. Universitaria
Bolivia
Av. Pérez Guerrero
18 de Septiembre
Portoviejo
Asunción
Bogotá
Rio de Janeiro
Buenos Aires
José Riofrio
Av. Luis Vargas Torres
Manuel Larrea
Venezuela
Versalles
Ulloa
Av. 6 de Diciembre
Av. 12 de Octubre
Av. Amazonas
Veintimilla
Av. Patria
Colombia
Diego de Almagro
Av. Gran Colombia
Tarqui
Luis Felipe Borja
C. Ponce
Montalvo
Yaguachi
Telmo Paz y Miño
Sodiro
Julio Castro
Iquique
Solano
Equinoccio
Arenas
Gral. Briceño
Elizalde
Inglaterra
Alemania
Italia
Berlín
Santa María
Cordero
Wilson
Mera
Reina Victoria
Leonidas Plaza Gutiérrez
Robles
Jorge Juan
Carrión
Roca
Washington
J. Carrion
San Gregorio
Marchena
Darquea
R. Dávalos
Mercadillo
Páez
Armero
Bilva
1 4 5 6 15 16 24 34 35 36 37 39 40 58 60 63 79 85 86 87 160 171

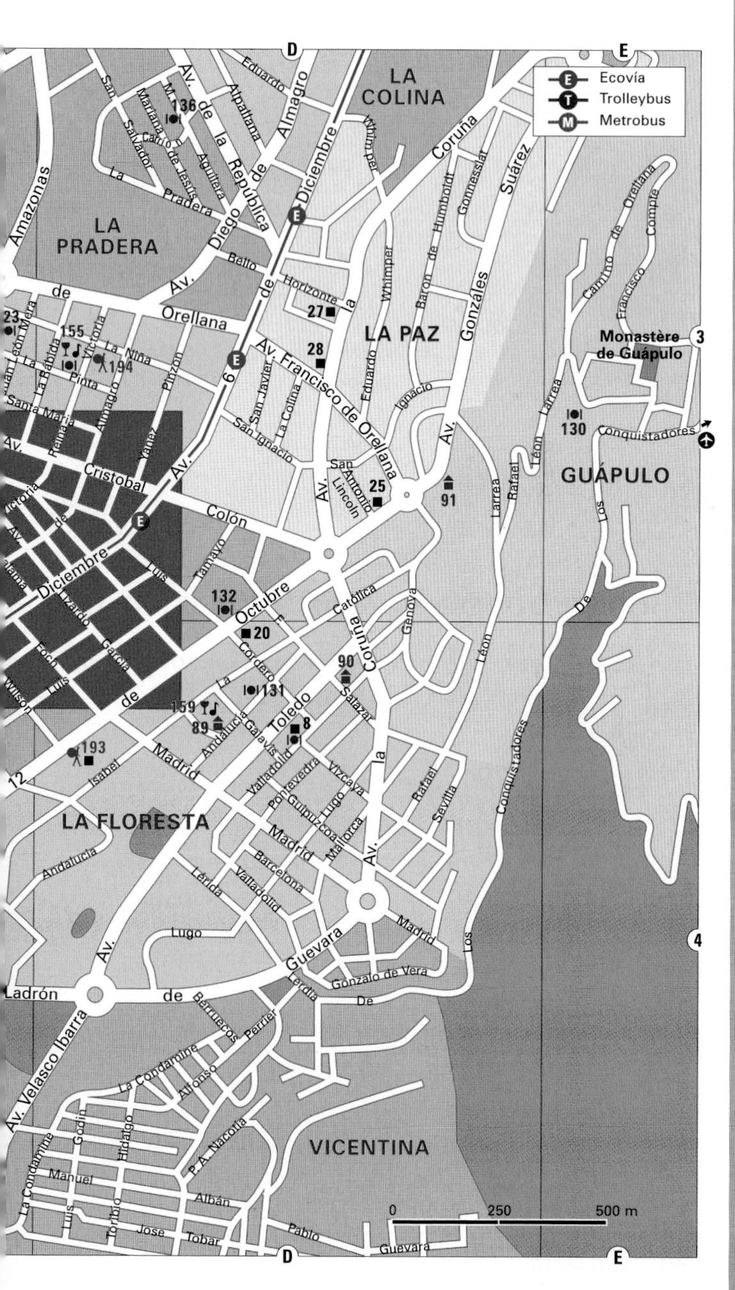


# QUITO MODERNE – PLAN I

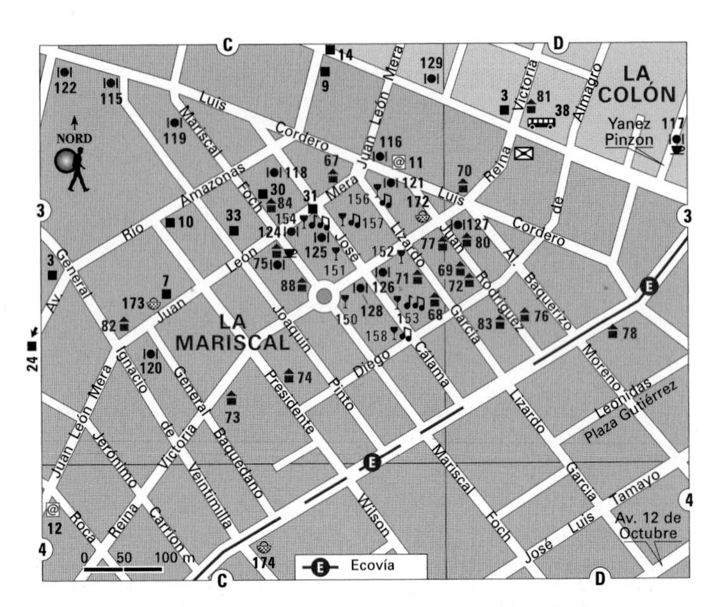


# QUITO MODERNE – ZOOM (LA MARISCAL)

**Adresses utiles**

- 3 Distributeurs
- 7 Libri Mundi
- 9 Tame
- 10 Western Union
- @ 11 Cabinas Intern
- @ 12 Netplace Cyber
- 14 Budget
- 24 AeroGal
- 30 Biking Dutchman
- 31 Gulliver
- 33 Laverie
- 38 Bus Panamericana

**Où dormir ?**

- 67 Otavalo Huasi Hostal
- 68 Hostal New Bask
- 69 Hostal Backpackers' Inn
- 70 El Cafecito Café-Hostal
- 71 Hostal Centro del Mundo
- 72 Hostal Loro Verde
- 73 Hostal de la Reina
- 74 Hostal El Vagabundo
- 75 The Magic Bean
- 76 Hotel Posada del Maple
- 77 Hostal El Arupo
- 78 Villa Nancy Bed & Breakfast
- 80 Cayman Hotel
- 81 Carolina Montecarlo
- 82 Hostal Fuente de Piedra II
- 83 Apart-Hotel Antinea
- 84 Casa Foch Boutique Hotel
- 88 Nü House

**Où manger ? Où prendre le petit déjeuner ?**

- 75 The Magic Bean
- 115 Restaurant sans nom
- 116 Porky's
- 117 Méli-Mélo
- 118 Great India Restaurant
- 119 Fried Bananas
- 120 Chez Alain
- 121 El Palé Suizo
- 122 La Casa del Cangrejo y el Pargo
- 124 Al Estilo Uruguayo
- 125 Mongo's Mongolian Lounge & Grill
- 126 La Boca del Lobo
- 127 Achiote
- 128 Mama Clorinda
- 129 Parrilladas Columbia

**Où boire un verre ? Où écouter de la musique ? Où sortir ?**

- 150 Coffee Tree
- 151 Canut Café
- 152 Ambrosia
- 153 El Aguijón
- 154 Zócalo
- 156 Mayo 68
- 157 No Bar
- 158 Bungalow 6

**Achats**

- 172 Galería Gourmet
- 173 Galería Latina
- 174 Hilana

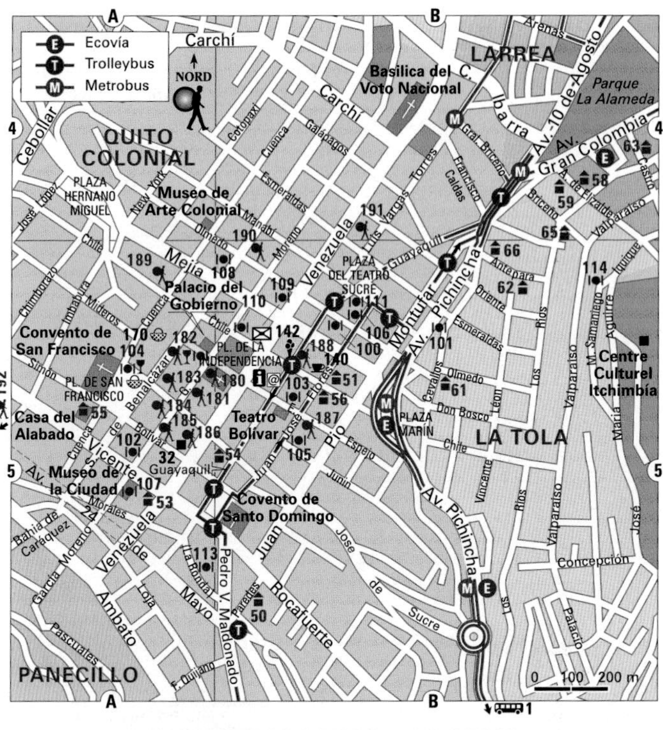


# QUITO COLONIAL – PLAN II

**Adresses utiles**

- Quito Turismo
- 1 Terminal terrestre Quitumbe-sur
- 32 Supermarché

**Où dormir ?**

- **50** Hostal La Posada Colonial
- **51** Hotels San Agustín et Viena Internacional
- **53** Hostal Ecuador
- **54** Hotel San Francisco
- **55** Hotel Boutique Portal de Cantuña
- **56** Hostal Quito Cultural
- **58** Residencial Margarita 1
- **59** Hotel Mediterráneo
- **61** Community Hostel
- **62** Hostal Secret Garden
- **63** Hostel Revolution
- **65** Chicago Hostel
- **66** Hostal San Blas

**Où manger ?**

- **100** Donde Balfour
- **101** Marché central
- **102** Las Delicias de Don Viche
- **103** Frutería Monserrate
- **104** Tianguez
- **105** Dios No Muere
- **106** El Criollo
- **107** Café del Museo de la Ciudad
- **108** Portal de Benalcazar
- **109** Café del Fraile
- **110** Café Plaza Grande
- **111** Theatrum
- **113** Tampu
- **114** Café Mosaíco

**Où prendre le petit déjeuner ? Où boire un café et manger une douceur ?**

- **104** Tianguez
- **140** Cafeto
- **142** Heladería San Agustín
- **182** Cueva del Buho

**Achats**

- **104** Tianguez
- **170** Águila de Oro

**À voir**

- **180** Catedral Primada
- **181** El Sagrario
- **182** Centro Cultural Metropolitano et Museo Alberto Mema Caamaño
- **183** La Compañía
- **184** Museo numismático del Banco Central del Ecuador
- **185** Casa-museo María Augusta Urrutia
- **186** Museo Casa de Sucre
- **187** Museo Monacal Santa Catalina de Siena
- **188** Iglesia de San Agustín
- **189** Iglesia de La Merced
- **190** Casa de Benalcázar
- **191** Museo Camilo Egas
- **192** Recoleta San Diego

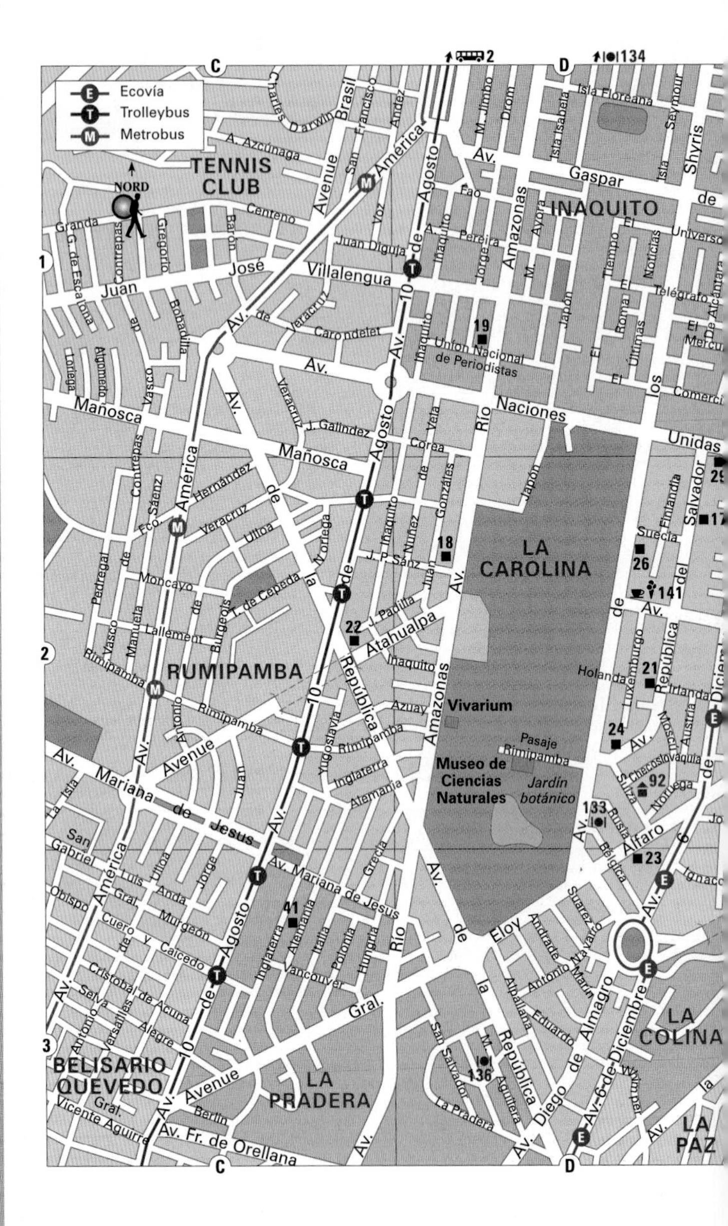
Ecovía
Trolleybus
Metrobus
NORD
C
D
2
134
1
2
3
TENNIS CLUB
INAQUITO
RUMIPAMBA
LA CAROLINA
BELISARIO QUEVEDO
LA PRADERA
LA COLINA
LA PAZ
Vivarium
Museo de Ciencias Naturales
Jardín botánico
Pasaje Rimipamba
Unión Nacional de Periodistas
19
18
22
41
26
141
17
21
24
92
133
23
136
Av. América
Av. 10 de Agosto
Av. Amazonas
Av. República
Av. de la República
Av. Río Amazonas
Av. Naciones Unidas
Av. Mariana de Jesus
Av. Atahualpa
Av. Eloy Alfaro
Av. 6 de Diciembre
Av. Diego de Almagro
Av. Fr. de Orellana
Av. de los Shyris
Av. Gaspar de Villarroel
Av. Manosca
Av. Rimipamba
Av. Gral.
Juan José Villalengua
Charles Darwin
Brasil
San Francisco
Andez
A. Azcúnaga
Centeno
Granda
Juan Diguja
Carondelet
Veracruz
Mañosca
J. Galindez
Corea
Hernández
Ulloa
Noriega
Moncayo
Lallement
Pedregal
Burgeois
T. de Cepeda
J. Padilla
J. P. Sánz
Iñaquito
Azuay
Yugoslavia
Inglaterra
Alemania
Grecia
Italia
Polonia
Hungría
Vancouver
San Gabriel
La Isla
Luis
Gral. Murgeón
Cuero y Caicedo
Obispo
Cristóbal de Acuña
Selva Alegre
Versalles
Vicente Aguirre
Berlín
San Salvador
M. Aguilera
La Pradera
Suarez
Andrade Marín
Antonio Navarro
Eduardo
Alpallana
Whymper
Suecia
Finlandia
Holanda
Luxemburgo
Irlanda
Austria
Moscú
Checoslovaquia
Suiza
Noruega
Rusia
Bélgica
Ignacio
Japón
Isla Floreana
Isla Isabela
M. Jimbo
Drom
Fao
A. Pereira
Ayora
El Universo
El Telégrafo
Las Últimas Noticias
El Comercio
El Tiempo
Roma
Vela
Núñez
Gonzáles

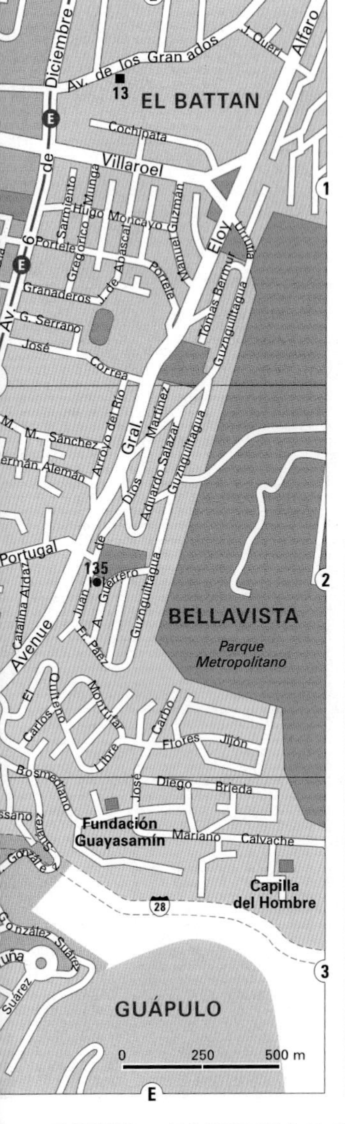


■ **Adresses utiles**

| | |
|---|---|
| 2 | Terminaux terrestres Carcelén-norte et La Ofelia |
| 13 | Avis |
| 17 | Ambassade de Belgique |
| 18 | Ambassade de Suisse |
| 19 | Ambassade du Canada |
| 21 | Ambassade du Pérou |
| 22 | Consulat de Colombie |
| 23 | Alliance Française |
| 24 | AeroGal |
| 26 | American et Delta Airlines |
| 29 | United |
| 41 | Palmar Voyages |

**Où dormir ?**

| | |
|---|---|
| 92 | Lugano Suites |

**Où manger ? Où prendre le petit déjeuner ? Où boire un café et manger une douceur ?**

| | |
|---|---|
| 133 | Al Forno |
| 134 | Conchitas Azuela |
| 135 | Zavalita |
| 136 | Zazu |
| 141 | Cyrano et Corfu |

## QUITO – PARQUE LA CAROLINA (PLAN III)

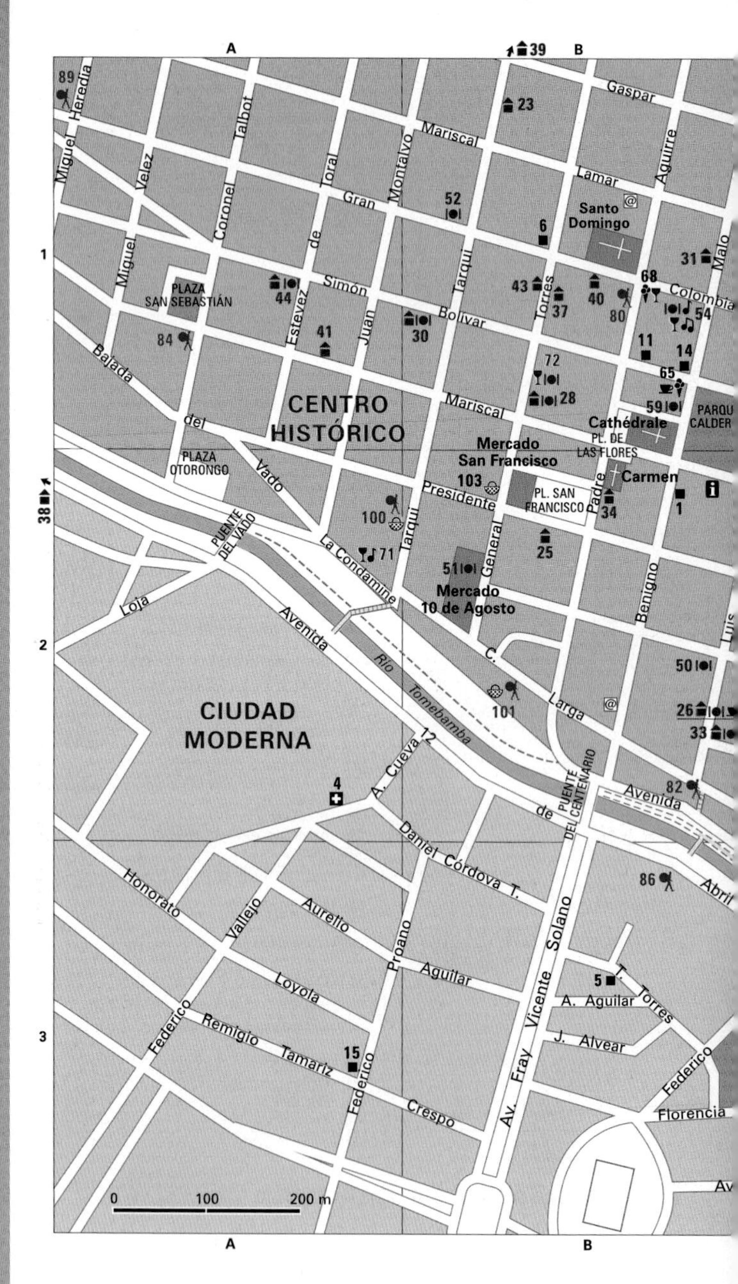

A
B
1
2
3
CENTRO HISTÓRICO
CIUDAD MODERNA
PLAZA SAN SEBASTIÁN
PLAZA OTORONGO
Santo Domingo
Cathédrale
PL. DE LAS FLORES
Carmen
Mercado San Francisco
PL. SAN FRANCISCO
Mercado 10 de Agosto
PARQU CALDER
PUENTE DEL VADO
PUENTE DEL CENTENARIO
Río Tomebamba
Gaspar
Mariscal
Lamar
Gran
Colombia
Simón
Bolivar
Mariscal
Presidente
La Condamine
Bajada del Vado
C. Larga
Avenida 12 de Abril
Miguel Heredia
Miguel Velez
Coronel Talbot
Estevez de Toral
Juan Montalvo
Tarqui
General Torres
Padre Aguirre
Benigno Malo
Luis
Loja
A. Cueva
Daniel Córdova T.
Honorato Vallejo
Aurelio Aguilar
Proano
Loyola
Federico
Remigio Tamariz Crespo
Federico
Av. Fray Vicente Solano
A. Aguilar
J. Alvear
T. Torres
Federico
Florencia
Av
0 100 200 m

C
D
Antonio Vega Muñoz
Pio Bravo
NORD
Sangurima
35
102
61
PL. 9 DE OCTUBRE
Mercado 9 de Octubre
Mercado Sangurima
España
29
Cordero
22
Borrero
2
58
Miguel
Ordoñez
69
27
7
56
64
83
Cueva
75
El Sagrario
32
42
63
56
3
9
67
Sucre
PLAZA SAN BLAS
San Blas
Cápac
Presidente
8
Machuca
Vega
Monasterio de las Conceptas
Córdova
53
Juan
Vargas
Huayna
Jaramillo
Tomás
57
Hermano
Mariano
Coronel
Manuel
Estrella
Av.
70
73
Honorato
10
24
20
66
21
Calle
Vásquez
74
60
85
87
PUENTE MARIANO MORENO
Larga
88
Jervez
Alfonso
Angel
12
Malo
3
Bajada de Todos los Santos
36
Alfonso
Jerves
Arriaga
Huayna
de
PUENTE ROTO
Malo
PARQUE DE LA MADRE
Noviembre
Calle
Miguel
62
J.
13
de los Molinos
55
Larga
Cápac
Astudillo
Cornelio Merchan
MILLENIUM PLAZA
Jose Peralta
Museo del Banco Central
Mercado 12 de Abril
1
2
3
C
D

CUENCA

## ■ Adresses utiles

1 Téléphone ETAPA
2 Change VAZcorp
3 Distributeurs de billets
4 Hospital Santa Ines
5 Alliance française
6 Expediciónes Apullacta
7 Agence consulaire de France
8 Lavandería La Química Automática
9 Libri Mundi
10 Carolina Bookstore
11 Farmacia Fybeca
12 Pharmacie de l'hôpital militaire
13 Tame
14 LAN
15 AeroGal

## Où dormir ?

20 La Casa Cuencana
21 Posada del Río
22 Hotel Cuenca
23 Hostal Macondo
24 Villa del Rosario
25 La Cofradía del Monje
26 Hostal El Cafecito
27 Hostal La Orquídea
28 Hotel Inca Real
29 Casa Ordoñez
30 Mansión Alcázar
31 Bau Hôuse
32 Hotel Santa Lucía
33 La Cigale
34 Hotel El Monasterio
35 Hotel Fenix
36 Posada Todos Santos
37 Gran Hotel
38 Cabañas Yanuncay
39 Hostal Calle Angosta
40 Hotel Morenica del Rosario
41 Hotel Casa del Aguila
42 Casa San Rafael
43 Hotel San Juan
44 Posada del Angel

## Où manger ?

26 Hostal El Cafecito
27 Restaurant de l'Hostal La Orquídea
30 Casa Alonso
44 Mangiare Bene
50 La Viña
51 Mercado 10 de Agosto
52 Villa Rosa
53 Tiestos
54 Café Eucalyptus
55 El Maíz
56 El Nuevo Paraíso
57 Moliendo Café
58 El Pavón Real
59 Raymipampa
60 La Esquina
61 Balcón Quiteño
62 Salón Tres Estrellas

## Où prendre le petit déjeuner ? Où manger une glace ou une pâtisserie ?

26 Hostal El Cafecito
56 El Nuevo Paraíso
63 Heladería Monte Bianco
64 Sucré-Salé Café
65 Cafetería Angelus
66 Bananas Café
67 Cinema Café
68 Live Organico
69 Frutilados

## Où boire un verre ? Où sortir ?

54 Café Eucalyptus
70 La Compañía
71 Prohibido Centro Cultural – Museo de Arte Extremo – Café
72 Akelarre
73 Coffee Tree
74 Wunderbar Café
75 La Mesa

## Achats

100 Casa del Sombrero
101 Paseo El Barranco
102 Homero Ortega P. & Hijos Co
103 Casa de la Mujer – centro artesanal Cemuart

## À voir

80 Casa con Sillares Incas
82 Maisons coloniales
83 Museo de Esqueletología
84 Museo de Arte moderno
85 Museo de las Culturas aborigenes
86 Museo de Historia de la Medicina
87 CIDAP – Museo de Artes populares
88 Casa de Todos los Santos
89 Casa de las Posadas
100 Casa del Sombrero
101 Paseo El Barranco

CUENCA – REPORTS DU PLAN

■ **Adresses utiles**

@ **1** Cyber@City
@ **2** Centro comercial Malecón
**3** Banco de Guayaquil
**4** Alliance française et consulat de France

**Où dormir ?**

**11** Hotel 9 de Octubre
**12** Hotel Niucanche
**13** Hotel Delicia
**14** Hotel Andaluz
**15** Hotel Montesa
**16** Hotel del Centro
**17** Grand Hotel Guayaquil
**18** Manso Boutique Hotel
**19** Hostal Suites Madrid
**20** Hotel Presidente Internacional

**Où manger ?**

**17** La Pepa de Oro
**31** El Mordiscón
**32** La Canoa
**33** La Parrilla del Ñato
**34** Cevichería Centenario
**36** El Rincón de Juanita
**37** Patio de la Comida
**38** Pizzería El Hornero et Lo Nuestro
**39** El Galeon de Artur's
**40** Artur's Café
**50** Las Tres Canastas

**Où boire un verre ? Où sortir ?**

**39** Habano Diva Nicotina
**52** Bar El Faro del Cerro
**54** Resaca
**55** La Paleta et Cafe-Galería Triviño

**Achats**

**60** Mercado Artesanal Guayaquil

# GUAYAQUIL – REPORTS DU PLAN

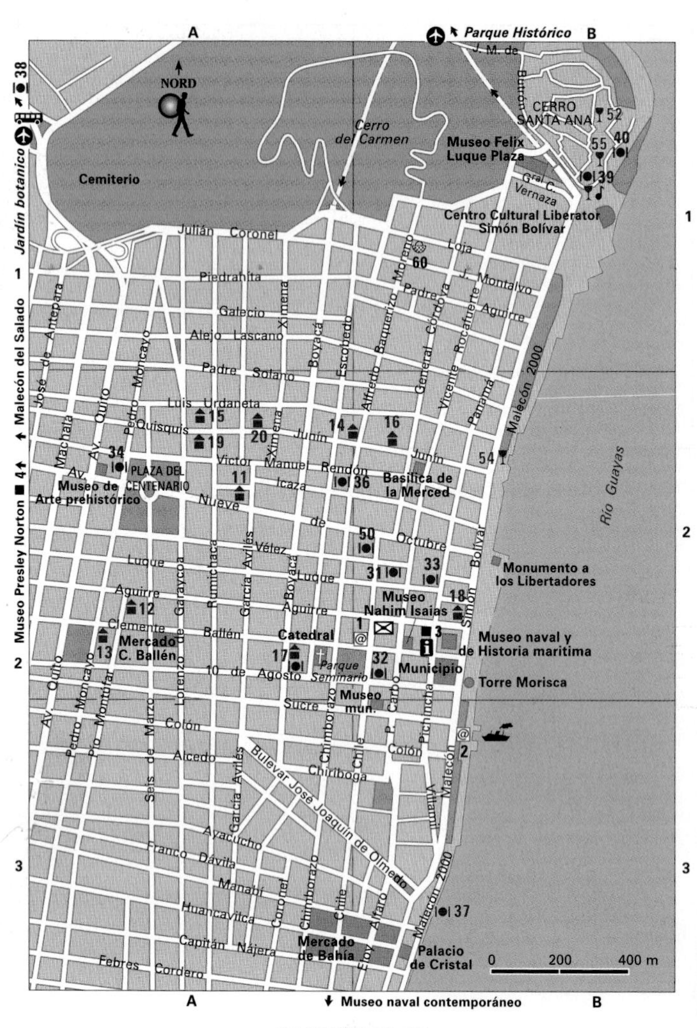

A
B
Parque Histórico
NORD
Cemiterio
Cerro del Carmen
Museo Felix Luque Plaza
CERRO SANTA ANA
Centro Cultural Liberator Simón Bolívar
Jardín botanico
Malecón del Salado
Museo Presley Norton
PLAZA DEL CENTENARIO
Museo de Arte prehistórico
Basílica de la Merced
Río Guayas
Monumento a los Libertadores
Museo Nahim Isaias
Catedral
Parque Seminario
Museo naval y de Historia maritima
Municipio
Torre Morisca
Museo mun.
Mercado C. Ballén
Mercado de Bahía
Palacio de Cristal
Malecón 2000
0
200
400 m
Museo naval contemporáneo


# GUAYAQUIL

ou 4h de bateau. C'est surtout pour se rendre dans les *lodges* du bas río Napo qu'on vient à Coca. La ville est aussi un bon point de départ pour les excursions en territoire waorani, situé à une centaine de kilomètres au sud-est. Mais n'oubliez pas que la plupart des *lodges* et agences qui proposent les séjours en question ont leur bureau à Quito, et que c'est donc plutôt de là-bas qu'il faut tout organiser.

## Agences de voyage

■ ***Napo Wildlife Center :*** *Yanez Pinzón y La Niña 26-131, à Quito. ☎ (02) 600-58-93. • napowildlifecenter.com •* Entreprise communautaire (quechua) qui tient un *lodge* accessible par bateau (voir plus bas), à 2h30 de Coca. De l'avis des locaux, c'est l'agence la plus écotouristique et la plus respectueuse des communautés. Elle a reçu plusieurs récompenses internationales en reconnaissance de son travail en faveur du tourisme durable et équitable, et pour la protection de l'environnement.

■ ***Wildlife Amazon :*** *Quito y Bolívar. ☎ 288-08-02 et 18-48. • wildlife amazon.com •* Découverte de la forêt et des communautés indiennes. Organise des excursions en bateau (pirogue à moteur) dans la province, en territoire waorani, dans la réserve du Cuyabeno et même jusqu'à Iquitos (Pérou).

■ ***Kempery Tours :*** *Ramirez Dávalos 117 y Amazonas, à Quito. ☎ (02) 250-55-99. • kempery.com •* Gère le *lodge Bataburo,* une cabane reculée en forêt sur le río Tiguino, à 7h de Coca par la route et les rivières. Très bon service, guides très expérimentés et site très intéressant pour l'observation de la faune et de la flore.

■ ***Jungaltur :*** *av. Amazonas 853 y Veintimilla, à Quito. ☎ (02) 252-30-72. • jungal@impsat.net.ec •* Opère sur le río Shiripuno, en territoire waorani. Là encore, séjours intéressants avec nuits en cabane. Eugenia, la proprio de l'agence, guide elle-même les séjours dans un anglais parfait. Propose également des tours dans d'autres régions du pays et le transport depuis Quito (9h de route).

## Prix moyens

***Reserva biológica del rio Bigal :*** *09-87-10-53-83 ou 09-89-30-69-88. • bigalriverbiologicalreserve.org • Compter env 50 US$/j./pers tt compris.* Une réserve biologique située au sud du parc national Sumaco, sur les flancs de la cordillère orientale, entre 500 et 1 000 m d'altitude. Paysage de forêt tropicale humide, avec une flore et une faune très riches (oiseaux, papillons, singes, jaguar, tapir...). L'ONG française *Sumac Muyu* administre la réserve depuis 2008 et offre des opportunités de recherche scientifique, de volontariat et d'écotourisme, tout en créant des emplois et des projets de développement durable dans les communautés voisines. Les séjours écotouristiques (de 4 jours sur place minimum) incluent le transport jusqu'à la réserve depuis la ville de Loreto, le logement sur place dans de confortables cabanes en bambou ou sous la tente (selon dispo), la pension complète, et des randonnées diurnes et nocturnes assurées par des guides naturalistes. Toutes les infos auprès de l'association.

## Plus chic

***Lodge de Napo Wildlife Center :*** *☎ 600-58-19. 09-99-93-22-53. • napowildlifecenter.com • Compter 760 US$/pers pour 4 j. et 3 nuits tt compris.* Un beau *lodge* dans le parc national Yasuni, géré par une entreprise communautaire. On y accède en bateau au départ de Coca, en descendant le fleuve Napo. Durée du trajet : 2h30. Il s'agit d'un *ecolodge* à taille humaine (peu de chambres) pratiquant le tourisme équitable et respectueux de la nature et des cultures indigènes. Il abrite une douzaine de pavillons confortables, conçus dans le style amazonien et bien équipés (douche-w-c, ventilateur). Sur place, repas végétariens, laverie. Nombreuses excursions dans la forêt et sur le fleuve. L'occasion de découvrir la faune et la flore locales, de jour comme de nuit, avec un guide local.

**Sacha Lodge :** *● sachalodge.com ● À 2h de pirogue motorisée sur le río Napo depuis Coca. Vous êtes pris en charge à l'embarcadère de Coca. Puis petite marche dans la forêt sur un chemin balisé ; ensuite, petit trajet en pirogue sur une lagune pour rejoindre le* lodge. *Plusieurs formules de 4 ou 5 j. depuis Quito, hébergement, repas, guides et transport compris.* Un ensemble de bâtiments en matériaux naturels assez luxueux, construit en pleine forêt. Logement dans des bungalows bien équipés. Repas-buffet de très bonne qualité en compagnie de groupes de *bird watchers,* le plus souvent nord-américains. Visite d'un élevage de papillons et petite incursion dans la forêt pour s'installer dans une tour d'observation qui surplombe la canopée. Les guides sont très attentifs à vous montrer tous les oiseaux, toucans et perroquets qui y évoluent. Ils sont intarissables pour vous expliquer toutes les facettes du biotope. Excursion nocturne pour voir les caïmans.

# LA RÉSERVE DU CUYABENO ★

**Au nord-est de l'Oriente, la réserve du Cuyabeno est une destination de choix pour ceux qui souhaitent découvrir l'Amazonie équatorienne. Elle fut créée en 1979 pour préserver ce morceau unique de forêt, en partie inondée, constitué de lacs et de multiples cours d'eau où se mire une épaisse végétation tropicale. Il y règne une paix royale ! De plus, c'est un véritable sanctuaire d'oiseaux (plus de 500 espèces recensées, dont le *hoatzin,* un oiseau préhistorique), de singes (une quinzaine d'espèces), d'insectes, de reptiles (il n'est pas rare d'y voir des anacondas) et d'animaux aquatiques, notamment le fameux dauphin rose.**

**Pourtant, à peine né, le Cuyabeno s'est vu menacé par les compagnies pétrolières qui, très vite, empiétèrent sur son territoire et déversèrent – à plusieurs reprises – des (milliers de) tonnes de brut dans ses rivières. Le gouvernement était alors intervenu, en déplaçant les limites de la réserve vers l'est et, surtout, en lui ajoutant 4 000 km². Aujourd'hui, la menace semble écartée et sa superficie totale est portée à plus de 6 000 km².**

## Comment y aller ?

Les excursions dans le Cuyabeno s'organisent principalement à Quito, où plusieurs agences proposent des séjours dans des *lodges* ou campements qu'elles possèdent dans la réserve. Attention, le transport n'est assuré que depuis ***Lago Agrio,*** ville pétrolière à 2h de bus au nord de Coca ou 7h de Quito (départs toutes les heures du *terminal terrestre*), et le forfait n'inclut pas le droit d'accès à la réserve. À Lago Agrio, plusieurs possibilités de logement, mais la plupart des voyageurs se contentent de prendre un bus de nuit de Quito et d'y arriver le matin, un peu avant le départ pour la réserve.

## Adresses utiles

Voici, à notre avis, les meilleures agences (basées à Quito) pour organiser un séjour dans le parc :

■ ***Neotropic Turis :*** *Pinto E4-360 y Amazonas, dans le Quito moderne. ☎ 252-12-12. ● neotropicturis.com ●* Séjour sur la *laguna grande* du Cuyabeno, dans des petites cabanes comprenant chacune 2 lits simples et une salle de bains avec eau chaude. Superbe situation et riche faune à proximité immédiate du *lodge.* De plus, excellents repas, avec bière et vin possibles (en sus), électricité pour recharger les batteries de l'appareil photo et livres sur les oiseaux à dispo. Bons guides aussi. Pour les moins fortunés, également quelques petits dortoirs. En outre, le départ se fait de Lago Agrio tôt le matin, on arrive vers 13h au camp et, du coup, on ne perd pas la première journée (contrairement à ce qui se passe avec beaucoup d'autres agences !). Vraiment recommandable.

■ ***Samona Lodge :*** *Pinto E4-371, entre Amazonas et Juan León Mera (Quito moderne).* ☎ *223-58-72.* ● *samona-expedition.com* ● L'un des plus populaires. Fort bel ensemble de *cabañas* (avec salle de bains) et de petits dortoirs installés autour d'un petit lagon, non loin de la *laguna grande.* Eau froide uniquement. Vente de bière et de vin. Bonne ambiance mais attention, il peut y avoir beaucoup de monde. Pas vraiment conseillé donc pour ceux qui recherchent la tranquillité.

■ ***Hot Spots :*** ☎ *222-84-05.* ● *hotspots-tours.com* ● Plus sommaire que les adresses précédentes (on dort sous moustiquaire sur une plate-forme en bois) mais moins cher, et, étonnamment, les repas sont excellents. À vous de voir !

# LES ÎLES GALÁPAGOS

**Galápagos... Prononcez ce nom et votre entourage se mettra à rêver. Ajoutez que vous comptez vous y rendre et vous verrez les mêmes verdir de jalousie ! Peu de noms possèdent un tel pouvoir onirique. On comprend pourquoi il est resté en usage et préféré au pâle nom officiel « archipel de Colón ».**
**On arrive ici non sur un simple archipel mais sur une planète inconnue, échouée dans l'univers aqueux, merveilleuse désolation volcanique aux couleurs mystérieuses. Ces îles sont un asile à la population monstrueuse, unique et comme immortelle : iguanes géants, tortues centenaires, fous à pattes rouges ou bleues...**
**Pour plus d'infos :** • *galapagospark.org* • **(en anglais).**

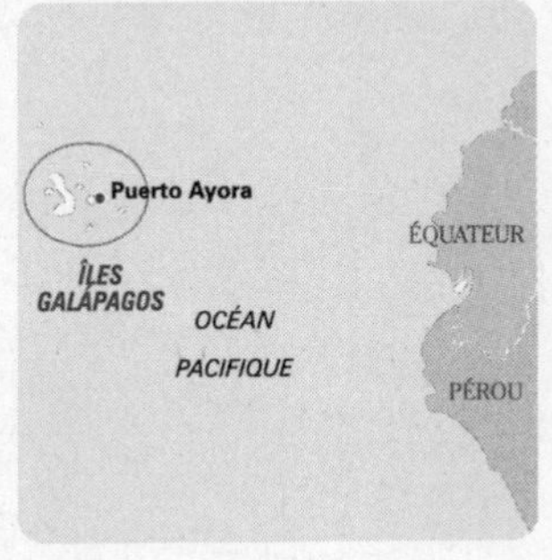


## UN PEU D'HISTOIRE

L'archipel des Galápagos, situé à environ 1 170 km à l'ouest des côtes équatoriennes, comporte 19 îles ainsi qu'une quarantaine d'îlots, qui s'étendent sur 8 006 km². L'archipel est d'origine volcanique, et Isabela, la plus grande des îles, est composée de six volcans.
On pense que les insectes arrivèrent ici poussés par les vents ou sur des morceaux de bois à la dérive. Ce qui est exceptionnel, c'est que personne ne vint sur ces îles avant le XVIe s. Tout est donc demeuré intact depuis la nuit des temps, l'homme n'ayant pas eu l'occasion de forger la nature à son gré. Découvertes par hasard en 1535 par Tomás de Berlanga, elles servirent surtout de refuge aux marins naufragés, aux pirates et aux pêcheurs de baleines, qui y introduisirent les premiers animaux domestiques et commencèrent, au XVIIIe s, à y chasser les tortues géantes.
En 1832, les Galápagos devinrent une province de l'Équateur et, en 1835, Charles Darwin y séjourna 5 semaines. 24 ans plus tard, il publia la *Théorie de l'évolution des espèces.*
En 1959, le gouvernement équatorien, en raison du caractère unique des Galápagos, crée un parc national. En même temps naît la Fondation Charles-Darwin, dont la mission est de préserver cet écosystème exceptionnel. En 1978, l'archipel des Galápagos est le premier site à être inscrit sur la liste du Patrimoine mondial de l'Unesco. En 1986, León Febres Cordero, président de l'époque, établit la « Réserve des ressources marines des Galápagos », afin de préserver l'écologie unique de ces îles.

En 1980, la population sédentaire des Galápagos était de 5 000 personnes. En 1989, elle avait doublé et, en 2012, elle était estimée à environ 19 500 personnes. Cette croissance est largement due à une forte immigration en provenance du continent. Beaucoup de problèmes sont apparus à cause d'un manque d'infrastructures évident : approvisionnement en eau, électricité, traitement des ordures ménagères, insuffisance de solutions hospitalières, non-respect des lois du parc national Galápagos, pêche illégale dans la réserve, etc.

### DU RÊVE À LA RÉALITÉ...

*Attirés par les manchettes des journaux de leur pays vantant ces îles paradisiaques aux eaux abondantes de poissons et de baleines, 2 000 Norvégiens tentèrent de s'implanter sur les Galápagos entre 1925 et 1928. Ils apportèrent leurs maisons préfabriquées, leur matériel de pêche, les machines nécessaires à la création d'une conserverie de poisson... Mais, bien qu'habitués aux conditions rudes, ils ne résistèrent pas à l'environnement hostile des Galápagos (trop chaud, peut-être !). Ce « paradis sur terre » devint un enfer... et le cimetière de la majorité d'entre eux dès la première année. Certains rentrèrent au pays et d'autres s'entretuèrent... Charmant paradis, non ?*

Le nombre de touristes autorisés à visiter l'archipel ne devrait pas dépasser un certain quota, mais le gouvernement équatorien semble de plus en plus désireux d'« exploiter » le côté touristique de ces îles. En 2000, si le nombre de visiteurs approchait les 60 000 personnes, en 2006, il frôlait les 150 000 ! Cette fréquentation accrue entraîne une croissance du trafic entre les îles. Parmi les différents projets déjà réalisés, citons la fermeture de certaines îles au tourisme, qui sont devenues totalement préservées, réservées à la science, en contrepartie de quoi les espèces animales seraient visibles au public dans une poignée d'îles faciles d'accès. Actuellement, il existe une cinquantaine de points d'accès autorisés, et cela suffit amplement pour voir tous les animaux existants.

## CLIMAT

Les îles Galápagos ont un microclimat peu ordinaire, dû à la confluence de plusieurs courants marins. Nous pourrions distinguer deux saisons :

– la saison sèche ou saison de *garua* : elle s'étend de fin mai à fin décembre. La température de l'air peut varier de 20 à 26 °C et la température de l'eau, plus basse qu'en saison pluvieuse, varie de 18 à 22 °C. Pour se baigner, un T-shirt en Lycra peut être utile, voir une combinaison *(loc 10 US$/j.).* Peu de précipitations mais nombreuses apparitions de la *garua,* sorte de brouillard quasi permanent couvrant le sommet des îles ;

– la saison chaude : elle s'étend de novembre à mai avec des pluies fréquentes. Néanmoins, la température de l'air est en hausse, de 22 à 30 °C, avec une forte humidité. La température de l'eau est également plus agréable, variant suivant les îles de 24 à 30 °C.

## COMMENT Y ALLER ?

On vous prévient dès maintenant : un séjour au Galápagos coûte très cher. Tout est onéreux : l'accès (par avion), le permis d'entrée (100 US$), la croisière ou les excursions à la journée ; même la vie sur place y est au moins deux fois plus chère que sur le continent.

## En avion

On accède aux Galápagos uniquement par avion. Ces derniers partent de Quito ou de Guayaquil pour rejoindre l'un des deux aéroports de l'archipel : Baltra, l'aéroport qui dessert l'île de Santa Cruz (la plus peuplée et fréquentée), ou San Cristóbal (la capitale administrative mais beaucoup moins animée). L'île d'Isabela n'est encore accessible par avion que depuis les deux autres îles et non directement du continent. Compter 1h30-3h de trajet selon votre aéroport d'embarquement. Attention au décalage horaire : en atterrissant aux Galápagos, vous reculerez votre montre de 1h. Quand il est 12h sur le continent, il est 11h aux Galápagos.
Vous devez vous présenter à l'aéroport 1h30 avant le départ de l'avion. Avant d'enregistrer vos bagages, rendez-vous au guichet Ingala (Instituto Nacional Galápagos) pour obtenir la carte de transit, qui coûte 10 US$, et passez un premier contrôle des bagages (interdiction de transporter des produits frais, des graines ou tout animal).
Trois compagnies desservent les Galápagos : la *Tame* (● *tame.com.ec* ●), *Lan* (● *lan.com.ec* ●) et *Aerogal* (● *aerogal.com.ec* ●).

➢ ***Baltra (Santa Cruz) :*** 1-2 vols/j. le mat avec *Tame, Lan* et *Aerogal,* à partir de Guayaquil et de Quito. Éviter les vols à l'aube : de Puerto Ayora, il faut du temps pour rejoindre l'aéroport – au moins 1h30 – et il faut aussi se présenter 1h30 avt le départ...

➢ ***San Cristóbal :*** 3 vols/sem depuis Guayaquil avec la *Tame* (mar, ven, sam 11h20) ; 6 vols/sem vers Guayaquil (mar-ven 12h45, sam 14h) et 5 vols/sem depuis Quito. Avec *Aerogal,* 1 vol/j. depuis Guayaquil (lun-ven 11h45, sam-dim 9h40) et vers Guayaquil (lun-ven 13h15 ; sam-dim 11h20). Départs tlj depuis Quito (lun-ven 10h10 ; sam-dim 8h10) et depuis San Cristóbal (lun-ven 13h15 ; sam-dim 11h20).
Le billet d'avion A/R coûte env 460-500 US$ selon aéroport d'embarquement (Quito ou Guayaquil), compagnie (*Lan* étant souvent la moins chère) et saison. Normalement, les enfants paient ½ tarif.
En arrivant aux Galápagos, vous devrez vous acquitter d'un droit d'entrée (100 US$), à régler en espèces uniquement.
– Il existe une possibilité plus économique et plus originale de découvrir les Galápagos, mais il faut avoir du temps (3 mois min) et tout le monde n'est pas pris (mieux vaut être étudiant) : en postulant comme bénévole auprès du parc national des Galápagos. Vous êtes exonéré de l'entrée du parc ; en revanche, le vol, l'hébergement et les repas sont à votre charge. Pour plus d'infos : ● *galapagospark.org* ●

# COMMENT DÉCOUVRIR L'ARCHIPEL ?

## Par vos propres moyens, en séjournant sur une ou plusieurs îles

L'avantage d'établir votre camp de base sur une île, notamment Santa Cruz : vous avez la possibilité de choisir vos activités au jour le jour, vous passez vos soirées en ville, avec qui vous voulez... Bref, vous êtes libre ! En prime, si vous optez pour Puerto Ayora, plusieurs sites sur l'île peuvent être visités sans guide. Cette solution permet aussi de s'imprégner de l'atmosphère des villages des Galápagos et d'y découvrir tranquillement la vie locale. Rien ne vous empêche cependant de combiner cette solution à la croisière (dans ce cas-là, sachez que c'est à Santa Cruz que vous aurez le plus de choix).
En choisissant de vous baser dans une des îles principales, il vous faudra passer par des agences et prendre des excursions à la journée pour découvrir les îles non habitées, ou les endroits protégés ou difficiles à atteindre. Ces excursions ne vous emmènent généralement que sur une seule autre île (Seymour, Plaza, Santa Fe, Bartolome, Floreana ; les agences proposent une île différente chaque

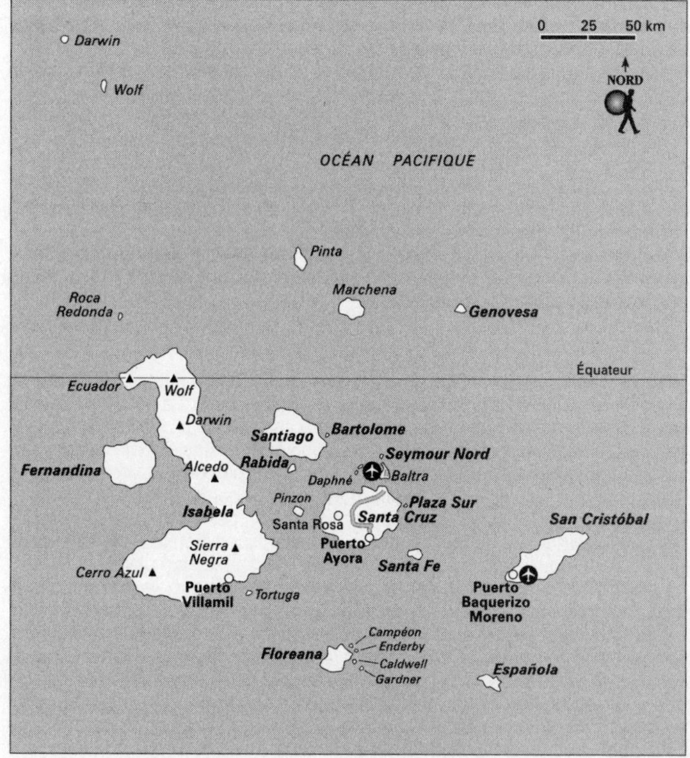


LES ÎLES GALÁPAGOS

jour). L'excursion à la journée coûte de 70 à 150 US$ selon les agences, la fréquentation et la destination ; le prix comprend le repas du midi. Une partie de l'excursion est souvent consacrée au snorkelling (plongée avec masque et tuba). Le monde sous-marin étant de toute beauté, on vous recommande vraiment de vous jeter à l'eau, même si les courants forts peuvent rendre la nage assez éprouvante. Si vous n'êtes pas pressé et n'avez pas arrêté votre choix sur une île en particulier, faites le tour des agences en fin de journée pour essayer de bénéficier des prix *« last minute »*. Pour ce type d'excursion, c'est en logeant à Santa Cruz que vous aurez le plus de choix (et sa situation centrale dans l'archipel vous permet de rejoindre plus facilement la majorité des autres îles). Des agences proposent aussi d'autres formules, comme, par exemple, celle de 2 jours et 1 nuit sur l'île d'Isabela (la plus riche et la plus belle), ou des croisières de 3 à 8 jours.

Pour poser vos sacs, vous avez le choix entre l'île de Santa Cruz (la mieux approvisionnée à tous niveaux, mais aussi la plus fréquentée), Isabela (la plus riche et encore sauvage) et San Cristóbal (la capitale administrative, tranquille mais sans les avantages des précédentes) ; l'île de Floreana est également habitée. Les trois premières îles sont reliées entre elles par bateau ou par des avionnettes (de cinq ou huit places ; dans certaines, le poids maximum de bagages par personne est de 9 kg !). Que ce soit par l'un ou l'autre des moyens de transport, le choix des horaires est restreint.

➢ ***En avion :*** les liaisons sont assurées par les compagnies *Emetebe* et *Saereo* (voir les coordonnées dans les villes concernées). Des coucous relient Baltra-San Cristóbal, San Cristóbal-Isabela et Baltra-Isabela. Il n'y a souvent que 1 vol/j. (le mat vers 8h), mais l'horaire peut changer au dernier moment, en fonction du nombre de passagers, donc toujours se faire reconfirmer la veille l'heure du vol. Un aller Baltra-Isabela coûte env 110-135 US$, Isabela-Cristobal 150-155 US$ et l'A/R env 210-320 US$, en fonction des compagnies ou des promotions du jour. Le vol dure 25-40 mn. C'est assez sonore et exigu, mais rapide. Attention, cependant, pour Santa Cruz l'avion atterrit à Baltra (une autre île reliée par bac), et l'aéroport est à 42 km de Puerto Ayora, la ville principale... alors que le bateau, lui, arrive en pleine ville (bref le gain de temps final est nul !).

➢ ***En bateau :*** 1 liaison quotidienne (dans les 2 sens) est assurée entre Santa Cruz-Isabela et Santa Cruz-San Cristóbal. Départ de Santa Cruz à 14h et départ d'Isabela et San Cristóbal à 6h. Billet aller : 30 US$.

## En croisière

Cette solution vous permet de gagner du temps (mais pas automatiquement de l'argent !). Les croisières proposées durent généralement de 3 à 8 jours, mais pour faire le tour complet, il faut minimum 15 jours. C'est ce que proposent les croisières de luxe. Idéal, évidemment. Ceux qui ont moins de temps et moins d'argent se contentent d'une semaine. Un bon compromis. Beaucoup de routards restent 4 ou 5 jours en moyenne : le temps de voir les six îles principales. C'est déjà pas mal.

Si vous avez loué les services d'une agence de voyages, votre guide, présent à l'aéroport, se chargera de tout : accueil et transfert sur le bateau avec le reste du groupe, etc. Sinon, vous devrez vous organiser directement sur place.

Les départs sont plus nombreux et plus fréquents à Puerto Ayora, sur l'île de Santa Cruz, que sur les autres îles habitées. La majorité des tour-opérateurs y possèdent un bureau. Tentez votre chance pour dénicher une place. En haute saison, pas très facile de trouver un bateau sans réservation à l'avance. Cela dit, le gros avantage en étant sur place, c'est que vous pouvez demander à voir le bateau (on vous le conseille vivement). Cela va du bateau au confort rudimentaire au yacht de croisière. On dort dessus et la nourriture est incluse. Si vous voulez être tranquille, optez pour un petit bateau (on ne choisit pas les passagers !). Méfiez-vous quand même des prix très économiques, le résultat pouvant être catastrophique au niveau de la prestation ou de l'état du bateau.

Il serait difficile de recommander tel ou tel bateau car il y en a vraiment pour tous les goûts et tous les budgets. En principe, tout l'équipement est prévu à bord. Emportez lunettes de soleil, chapeau (ça tape !), crème solaire, serviette de bain (parfois incluse dans la prestation), crème antimoustiques, un poncho (précieux quand le ciel déverse brusquement toutes ses larmes), un T-shirt en Lycra de mai à décembre, un pull, des vêtements de rechange, de la lecture... et des jumelles ! Important : emportez des chaussures solides car la lave peut couper. Le masque, le tuba et les palmes peuvent aussi être très précieux (on vous l'accorde, ce n'est pas si simple à transporter !).

## À propos des guides...

Impossible de visiter les îles sans guide : c'est obligatoire. Leur prestation est comprise dans l'excursion en bateau (pourboire à discrétion et non obligatoire). Ils parlent tous l'anglais, très rarement le français. Les gros bateaux ont un avantage, ils ont souvent un guide français à bord (mais parfois, encore faut-il que vous ayez payé pour ce service pour que le guide daigne s'exprimer dans la langue de Molière). En gros, on peut distinguer trois classes différentes de guides :

– le guide naturaliste I, parlant l'anglais et pouvant être débutant dans le métier. Connaissance de base de l'archipel.

– Le guide naturaliste II, parlant couramment l'anglais et ayant une solide expérience. Connaissances approfondies.

– Le guide naturaliste III, parlant couramment l'anglais et une autre langue étrangère. Spécialisé ou biologiste de formation, c'est le pro haut de gamme. Peu de bateaux offrent un tel service.



## Agences de voyages

Les agences de voyages équatoriennes proposent des prix bien plus intéressants que si l'on réserve de France. On en trouve des dizaines à Quito sur l'avenida Amazonas : ça permet d'en visiter plusieurs, de prendre les brochures et de comparer les prix. Là aussi, faites gaffe aux arnaques, très fréquentes. Demandez conseil à d'autres voyageurs et choisissez plutôt les agences que nous vous recommandons.
Petite remarque : sur place, vous constaterez que le « marché Galápagos » est principalement américain, tout est donc fait pour eux, d'autant plus qu'en général ils paient sans rechigner et sont très généreux en pourboire ! Eh oui, les enfants ! Les Français ont mauvaise presse sur ce point : ils sont réputés pour leur faible aptitude à distribuer les billets ici et là ! Une question de culture... Ne vous étonnez donc pas si vous n'êtes pas toujours accueilli avec empressement sur les bateaux par le personnel, les guides...

■ ***Andes Planet :*** *av. 10 de Agosto 35-67 y Mañosca, à Quito.* ☎ *(02) 226-64-61 et 81-80 ;* 📱 *09-85-10-53-39.* • *andesplanet.com.ec* • Une petite agence familiale de confiance, tenue par la famille Salazar, qui peut organiser votre voyage aux Galápagos à la carte, que vous soyez un individuel, un petit ou un grand groupe.

■ ***Agence Kleintours :*** *av. Eloy Alfaro 34-151 y Catalina Aldaz, à Quito.* ☎ *(02) 226-70-00* • *kleintours.com* • Agence très sérieuse proposant plusieurs bateaux de qualité. Les prix sont variables, voire un peu excessifs, mais vous ne serez pas déçu par la qualité de la prestation.

■ ***Ecoventura S.A. :*** *Almagro 31-80, edif. Venecia, à Quito;* ☎ *(02) 290-73-96 ; à Guayaquil :* ☎ *(04) 283-93-90.* • *ecoventura.com* • Cette compagnie dispose de plusieurs yachts de 20 personnes chacun. Propose également des itinéraires spéciaux pour les accros de la plongée sous-marine. Croisières avec guides naturalistes parlant le français, diplômés de la fondation Darwin.

■ ***Galasam Tours :*** *Luis Cordero 24-214 y Amazonas, à Quito.* ☎ *(02) 250-70-80 et 81, ou (02) 290-39-09.* • *galasam.com* • Opérateur direct des bateaux *Millennium, Cruz del Sur, Estrella del Mar, Queen of Galápagos.* Très sérieux.

■ ***Andando Tours :*** *Moreno Bellido 6-167 y Amazonas, à Quito.* ☎ *(02) 323-73-30.* • *visitgalapagos.travel* • Opérateur direct des yachts *Sagitta, Sea Cloud, Diamante, Mary Anne, Samba, The Beagles.* Très professionnel. Réductions en basse saison.

■ ***Equateur Voyages Passion :*** *Gran Colombia 15-200 y Yaguachi ; à l'intérieur de l'*Hostal Auberge Inn, *à Quito.* ☎ *(02) 254-38-03.* • *equateur-voyages.com* • Agence française offrant une sélection variée d'embarcations à prix correct. Tarifs intéressants pour les départs de dernière minute.

■ ***Rolf Wittmer :*** *Foch E7-81 y Diego de Almagro, à Quito.* ☎ *(02) 252-69-38 ou 250-72-82. À Puerto Ayora :* ☎ *(05) 252-65-03.* • *rwittmer.com* • Propose des croisières haut de gamme sur les bateaux *Tip Top.* Un peu cher, mais le service est à la hauteur.

■ ***Dreamkapture Cruises :*** *Alborada Etapa 121, à Guayaquil.* ☎ *(02) 224-29-09.* • *galapagos-cruises.ca* • Cet hôtel propose des croisières de 3 à 6 jours à prix raisonnables à partir de Santa Cruz.

# L'INCROYABLE FAUNE DES GALÁPAGOS

Faune intacte depuis des millénaires, puisque la population humaine des îles ne date que du XIXᵉ s ; les espèces les plus intéressantes sont, bien sûr, les

fameuses tortues géantes, les iguanes (marins et terrestres), mais aussi les crabes aux pattes rouge et bleu, dont les ancêtres traversèrent l'océan. On dénombre 58 espèces d'oiseaux, dont 28 n'existent que sur l'archipel : albatros, manchots, 3 espèces de fous et 13 espèces de pinsons de Darwin. Il n'est pas rare de rencontrer des dauphins. Le sol volcanique confère à l'endroit un aspect lunaire. Avec tout ça, on comprend que Darwin y ait fait tant de découvertes ! « Un laboratoire vivant », disait-il. En fait, la théorie de Darwin peut se résumer à ceci : l'évolution de la vie s'est faite sur la Terre à partir d'éléments simples par le moyen de sélection naturelle, c'est-à-dire par l'élimination dans la nature de toute reproduction de ce qui est le moins apte à survivre dans un milieu donné.
Les espèces se sont adaptées au milieu naturel ou ont disparu. Ainsi vous verrez des oiseaux de même espèce qui, d'une île à l'autre, ont des ailes ou le bec différents, car le sol et la végétation y sont différents.

## Monstres préhistoriques et reptiles

On dénombre une bonne vingtaine d'espèces, faciles à observer.
- ***Tortues :*** les tortues *galápagos* sont ici un modèle commun, ce qui n'étonnera personne, mais il s'agit d'une espèce menacée. (Pour info, ce sont elles qui ont donné leur nom à l'archipel et non le contraire.) En gros, deux espèces : la grande tortue, divisée en onze sous-espèces dont cinq sur Isabela, de couleurs diverses, et la tortue marine (verte), qui pèse jusqu'à 100 kg. La grande tortue des Galápagos peut atteindre 250 kg. C'est bien connu, les tortues vivent bien plus longtemps que nous : on reconnaît les plus vieilles non pas à leur taille mais au lichen et aux champignons qui poussent sur leur carapace !
- ***Iguanes marins :*** l'autre grande curiosité reptilienne de l'archipel. Vous en verrez partout, notamment sur les plages et même sur le port de Puerto Ayora ! « Les rochers abondent de ces gros lézards noirs, de 3 à 4 pieds de long... C'est une hideuse créature, stupide et maladroite », écrivait Darwin. En les observant dans leur élément naturel (l'eau), le naturaliste est devenu admiratif : ces sales bestioles nagent magnifiquement, descendent jusqu'à plus de 12 m de profondeur et parviennent à ralentir les battements de leur cœur pour demeurer près de 1h sous l'eau ! Elles peuvent également jouer les variateurs en contrôlant leur température. Elles imitent les tournesols en tendant le cou vers le soleil, puis changent de position avant l'insolation. Les iguanes marins ont un mets de prédilection : les algues.
- ***Iguanes terrestres :*** plus beaux, plus colorés et bien plus gros que les iguanes marins. Certains dépassent 1 m de long. Leurs couleurs varient, allant du beige-gris à des teintes jaunes superbes. Ils passent le plus clair de leurs journées au soleil mais ne dédaignent pas une petite sieste à l'ombre des cactus. Normal, c'est leur garde-manger : ils adorent leurs fruits ! Mais ils ont des ennemis : les rats et les oiseaux, qui mangent leurs œufs. Éteints sur l'île de Santiago, les iguanes terrestres sont encore présents sur Isabela, Santa Cruz, Fernandina, Santa Fe, Seymour, et en grand nombre à Plaza..
- ***Serpents :*** on trouve plusieurs espèces, sur presque toutes les îles, dont trois endémiques. Pas de panique : ils ne dépassent pas 1 m. Certains sont probablement venimeux, mais on ne recense pas de cas fatals. En revanche, si vous en voyez un jaune dans l'eau, fuyez !
- ***Lézards :*** le lézard de lave (pas plus de 30 cm de long) est fréquent sur la plupart des îles. Certaines variétés vivent à l'état endémique aux Galápagos. Ils changent facilement de couleur. Certains sont beiges, d'autres presque noirs. Ils sont carnivores : en plus des insectes et des araignées, certains ne dédaignent pas les scorpions ! On trouve aussi des geckos, de petits lézards de 5 cm de long, vivant essentiellement la nuit. On les voit principalement dans les îles centrales.

## Volatiles et autres animaux à plumes

On en voit partout : dans les airs, dans l'eau, sur les rochers et les plages. Ils sont ici chez eux !

– ***Manchots :*** rappelons que c'est un oiseau de mer aptère (non volant). À ne pas confondre avec le pingouin (qui vit dans l'hémisphère nord), même si les manchots sont appelés *pingüinos* en espagnol. Les Galápagos possèdent leur propre manchot, le plus petit au monde puisqu'il ne dépasse pas les 35 cm. Ils résistent autant à la chaleur extérieure qu'à la fraîcheur de l'eau. Leur population est évaluée à quelques milliers de couples, répartis sur plusieurs îles dont Santa Cruz, Isabela, Seymour, Santiago, Floreana.

– ***Cormorans :*** présents sur Isabela et Fernandina. Ceux des Galápagos ont la particularité de ne pas savoir voler ! Ils sont noir et brun, avec de beaux yeux bleus. Pour passer le temps, à défaut de pouvoir planer, ils ont inventé une danse aquatique assez plaisante.

– ***Pélicans :*** le pélican brun est omniprésent aux Galápagos. On en voit dès l'arrivée à Baltra. Ils vivent sur la côte, là où pousse la mangrove. Superbes avec leurs grands becs.

– ***Albatros :*** l'un des plus grands oiseaux de l'archipel (jusqu'à 2 m d'envergure). On le trouve principalement à Española, où vit une espèce endémique : l'albatros des Galápagos, ou « ondulé ». Vous ne le verrez pas de janvier à mars : il passe ses vacances au Pérou !

– ***Fous :*** plusieurs espèces plus rigolotes les unes que les autres ; fou nazca (une espèce de fou masqué ; *Piquero blanco*) ; fou à pattes bleues *(Piquero patas azules)*, évalués à 10 000 couples ; et fou à pattes rouges *(Piquero patas rojas)*. Ces trois oiseaux sont les plus mignons à photographier. Leur plongeon, en piqué, est assez étonnant.

### UNE PETITE DANSE ET... L'AFFAIRE EST DANS LE SAC !

*S'il y a une chose à ne pas rater, c'est bien la danse des albatros ! Le mâle et la femelle respectent un étonnant rituel : ils restent bec à bec pendant des heures, exécutent des pas compliqués, bougent la tête en émettant un petit bruit et vont jusqu'à croiser le fer (si l'on peut dire). D'après les spécialistes, cette danse les excite : ils sécrètent une huile lubrifiante... Tout cela (mais on ne vous raconte pas tout : la censure veille) donnera un adorable poussin albatros.*

– ***Frégates :*** bel oiseau au long bec crochu à l'extrémité, genre perroquet à rallonge. On trouve deux espèces aux Galápagos : la grande frégate et la frégate magnifique *(Fregata magnificens)*, dont le mâle se distingue facilement, histoire d'attirer les femelles : sa gorge se transforme en un gros ballon rouge ! Étonnant. Si la femelle est intéressée, elle descend vers le mâle. Ce sont des oiseaux très particuliers, car leur corps ne touche jamais la mer (il ne produit pas d'huile protectrice). Pour se nourrir, ils pêchent en surface ou, plus fréquemment, dérobent leur proie aux autres oiseaux, en plein vol, d'où leur nom de « frégate » (à l'origine, la frégate était un petit bateau de pirates très rapide qui permettait à ces derniers de piller les autres navires).

– ***Mouettes de lave :*** quelques centaines de couples seulement, répartis sur une dizaine d'îles.

– Autres curiosités des îles : un faucon endémique, des oiseaux moqueurs et plein de petits pinsons rouge et jaune.

– Également beaucoup d'autres espèces plus connues : hérons, flamants, aigrettes, sternes, canards, pigeons, pétrels, hiboux...

## Et dans l'eau...

– ***Lions de mer :*** on en a recensé plus de 50 000. Ils ressemblent aux phoques et encore plus aux otaries, mais jouent en catégorie poids lourd : certains atteignent

250 kg. Ils ont une fourrure claire, qui devient presque noire au contact de l'eau. Attention, le mâle s'approche des nageurs pour marquer son territoire et parfois il mord. En revanche, on peut nager en toute quiétude avec les femelles (ça tombe bien, elles sont plus mignonnes !).

– ***Otaries :*** moins nombreuses que les lions de mer. Difficile de les différencier. Il faut avoir l'œil entraîné : des poils plus longs, un nez pointu, moins de cou et des yeux plus grands. Sachez que l'otarie mâle se distingue de la femelle par son poids (le double : 250 kg) mais aussi par une bosse sur la tête ! Et la différence avec le phoque ? Il n'a pas d'oreilles ! La femelle met bas un seul petit par an, qu'elle allaite, et dont la gestation dure 9 mois.

– ***Requins et raies :*** plusieurs espèces dans les eaux de l'archipel, y compris le requin marteau. Pas d'inquiétude : ils n'ont pas encore croqué de touristes. Le seul risque de les voir foncer sur vous : si vous vous coupez sur des coraux en plongeant. Autre sujet de frayeur : les raies mantas, aux proportions hallucinantes (parfois 6 m !). Elles font la joie des plongeurs chevronnés.

Et, de temps en temps, des baleines et de gentils dauphins qui suivent les bateaux.

# ISLA SANTA CRUZ

**Santa Cruz est l'île la plus peuplée des Galápagos (environ 11 500 habitants), la plus fréquentée et celle qui offre le plus de prestations touristiques.**

## PUERTO AYORA

IND. TÉL. : 05

**Profitez de ce charmant village à la population débonnaire et à l'atmosphère de vacances vraiment agréable. Ne passez pas trop de temps à visiter Santa Cruz : l'île est surtout intéressante pour sa plage *Tortuga Bay Mansa,* ses iguanes marins et ses tortues.**

**On vous conseille d'organiser vos excursions et éventuellement votre transfert vers Isabela ou San Cristóbal dès votre arrivée.**

### Arriver – Quitter – Se déplacer sur Santa Cruz

Pour les liaisons avec le continent ou avec les autres îles, se reporter aux rubriques « Comment y aller ? » et « Comment découvrir l'archipel ? », en début de chapitre.

➢ ***De l'aéroport de Baltra à Puerto Ayora :*** l'aéroport qui dessert Santa Cruz est en réalité situé sur la petite île de Baltra, au nord de Santa Cruz. Pour y aller, un bus fait gratuitement la navette entre l'aéroport et le canal d'Itabaca (d'où part le bac) et ses horaires sont accordés aux arrivées des avions. Une fois débarqué du bac, il vous reste encore 42 km jusqu'à Puerto Ayora. Si vous venez du continent par un avion de la *Tame, Lan* ou *Aerogal,* un bus vous attend à la descente du bac. Si vous arrivez d'une autre île en avionnette, c'est beaucoup plus aléatoire, car les horaires sont imprévisibles (et vous êtes beaucoup moins nombreux !). Dans ce cas-là, il vous reste la solution du taxi (environ 17 US$) ; ils sont plusieurs à attendre le passager, on vous rassure. Les bus déposent les passagers au port ou sur le parcours, en fonction de votre demande.

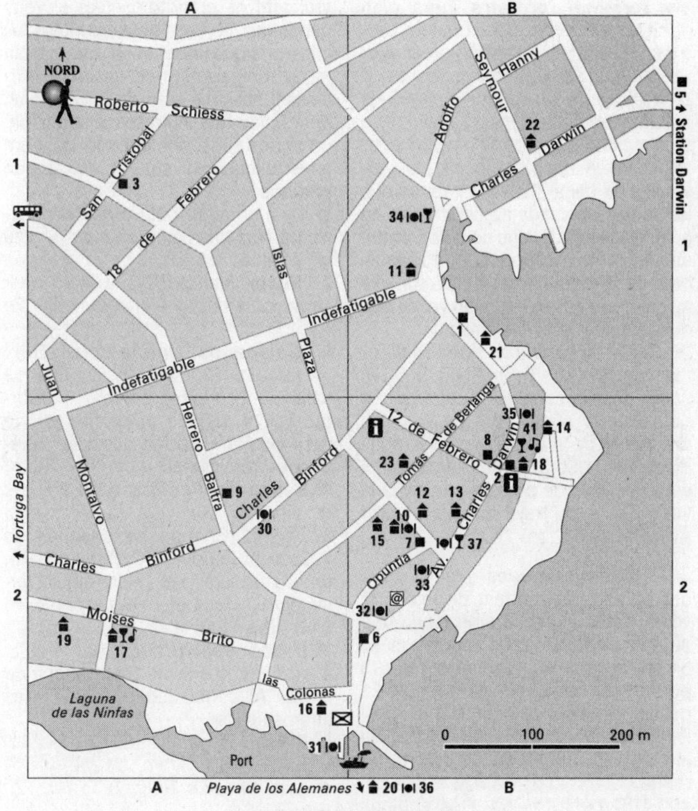


# PUERTO AYORA

**Adresses utiles**

**1** Banco del Pacífico
**2** Tame
**3** AeroGal
**5** Scuba Iguana
**6** Galatravel
**7** Galápagos Crusing Muran
**8** Lan
**9** Pingüino (location de vélos)

**Où dormir ?**

**10** Hotel Lirio del Mar
**11** B & B Peregrina
**12** Hotel Salinas
**13** Hotel New Elizabeth
**14** Estrella de Mar
**15** Hotel Palmeras
**16** Hotel Castro
**17** Casa del Lago
**18** Gran Hotel Lobo de Mar
**19** Hotel Fiesta
**20** Finch Bay Eco Hotel
**21** Hotel Solymar
**22** Hotel Silberstein
**23** Hotel España

**Où manger ?**

**10** Hotel Lirio del Mar
**30** Gargotes de la rue Charles-Binford
**31** Salvavidas
**32** Hernan
**33** El Rincón del Alma
**34** Tintorera
**35** La Garrapata
**36** Angermeyer Point
**37** The Rock

**Où boire un verre ? Où sortir ?**

**17** Casa del Lago
**34** Tintorera
**37** The Rock
**41** La Panga

***Terminal terrestre** (hors plan par A1) : av. Baltra. Gare bien propre, avec un guichet. À l'entrée de la ville, excentré, à env 30 mn du centre à pied (la route pour s'y rendre n'est pas très agréable, car sur la fin il n'y a plus vraiment de trottoir). 1 US$ pour rejoindre le centre-ville en taxi.* En venant du canal Itabaca, le bus vous laisse à la demande au centre-ville ou au port. Au retour, vous pouvez prendre une *chiva,* un bus avec plate-forme en bois décoré qui circule du centre-ville au canal, ou bien prendre au vol un bus qui vient de laisser ses arrivants.

➢ ***Canal Itabaca** (bac pour Baltra et l'aéroport) :* 4 bus/j. (7h, 7h30, 9h30 et 9h40) pour le canal Itabaca. Les bus pour Puerto Ayora sont en fonction des avions de la *Tame, Lan* et *Aerogal.* Billet : env 1,80 US$. En hte saison, il est préférable de prendre son billet la veille. Durée du trajet complet Puerto Ayora-aéroport : env 1h.

***Taxis aquatiques** (plan A-B2) :* ces bateaux permettent de rejoindre votre bateau d'excursion pour une autre île ou certaines de nos adresses ; on les attrape en descendant sur le ponton du débarcadère. Il s'agit de petites embarcations jaunes à toit bleu (éventuellement vert), reconnaissables la nuit à leur petite lumière verte ou rouge. *Tarifs : 0,60 US$/pers 6h-19h et 1 US$/pers 19h-6h.* Des zodiacs peuvent aussi vous déposer où vous le souhaitez, mais il faudra alors négocier les tarifs.

➢ ***Taxis communs :*** aux Galápagos, les voitures sont ttes les mêmes (des pick-up). On vous proposera souvent de vous prendre. La coutume veut qu'on verse une petite contribution. Très pratique car les bus sont assez rares et ne vous laissent pas forcément où vous voulez.

## Adresses utiles

***Ministerio de Turismo** (plan B2) : av. Charles Binford et 12 de Febrero. • turismo.gob.ec • Lun-ven 7h30-17h30.* Les locaux sont un peu déroutants (plusieurs bureaux mais pas vraiment de comptoir), mais si vous demandez, on vous donnera toutes les infos pratiques dont vous avez besoin (et en anglais, si nécessaire). Fournissent aussi un plan de la ville et un petit guide très intéressant. Attention, certaines rues ont changé de nom mais uniquement sur le plan, pas en pratique.

Il y a un autre petit ***office de tourisme iTur** (plan B2), près du bureau de la* Tame.

✉ ***Poste** (plan A-B2) : face au malecón, près du port. Lun-sam 8h-17h (sam 14h).*

@ ***Galápagos Online** (plan B2) : av. Darwin. Tlj 7h30-23h30.* Grande salle où l'on peut pianoter confortablement installé et profiter d'une connexion tout à fait correcte. Téléphone international.

■ ***Banco del Pacífico** (plan B1, **1**) : av. Darwin. Lun-ven 8h-16h ; sam 9h30-13h.* Change les chèques de voyage et les euros (comme d'habitude, à un taux peu intéressant). Également un distributeur qui accepte les cartes internationales.

■ ***Banco Bolivariano** (plan A-B2) : à côté de la poste.* Distributeur de billets ATM qui accepte les cartes internationales.

■ ***Bureau Tame** (plan B2, **2**) : av. Darwin et 12 de Febrero. ☎ 252-65-27. • tame.com.ec • Tlj 8h-12h ; 14h-17h (sam 8h-13h).*

■ ***AeroGal** (plan A1, **3**) : Roberto Schiess y San Cristóbal. ☎ 259-67-98. • aerogal.com.ec • Lun-ven 8h30-12h30, 14h-16h ; sam 9h-12h30.*

■ ***Lan** (plan B2, **8**) : Darwin s/n face à* Tame. *• lan.com.ec • Lun-sam 8h-18h ; dim 9h-13h.*

■ ***Emetebe :** à l'aéroport. ☎ 252-47-55. • emetebe.com • CB acceptées.* Compagnie qui assure les liaisons en avionnette vers San Cristóbal ou Isabela, en général vers 7h30 le matin.

■ ***Saereo :** à l'aéroport. ☎ 252-45-99. À Quito : ☎ (02) 330-11-52. • saereo.com •* Compagnie qui assure les vols vers San Cristóbal, Isabela et Guayaquil.

■ ***Galápagos Cruising Muran** (plan B2, **7**) : Bolivar Naveda et Enrique Fuentes. ☎ 252-48-38. • galapagoscruisingmuran@yahoo.com •*

Cette petite agence propose des croisières intéressantes, de la cabine standard à la cabine 1re classe, de 5 jours *(530-1 100 US$/pers)* à 8 jours *(960-1 800 US$/pers),* et même des balades à cheval dans la montagne ou des locations de vélos *(3 US$/h ; 15 US$/j.).* Accueil très chaleureux.

■ ***Galatravel*** *(plan B2,* ***6****) : Darwin et Baltra. ☎ 252-74-02. • galatravel.com.ec •* Cette agence, tenue par les locaux des Galápagos depuis de nombreuses années, affrète pour les excursions à la journée des bateaux rapides de bonne qualité (15 personnes) de la compagnie *Narel* (lunch excellent, serviette et matériel de plongée inclus), ainsi que des passages simples vers Isabela ou San Cristobal avec un bateau ultra rapide.

■ ***Pingüino*** *(location de vélos ; plan A2,* ***9****) : Baltra y Berlanga. Env 10 US$/j.* Vélos bien entretenus. Il y a des pistes cyclables dans la ville.

■ ***Scuba Iguana*** *(hors plan par B1,* ***5****) : av. Darwin, face au cimetière. ☎ 252-64-97. • scubaiguana.com • Juste avt l'entrée de la station Darwin. Tlj 7h30-12h30, 14h-17h. Compter 175-220 US$/j ; baptême, stage d'initiation 90 US$/j.* Découverte d'une île, d'un lieu de plongée différent chaque jour. Une structure sérieuse, qui travaille surtout avec les plongeurs confirmés.

## Où dormir ?

On trouve quelques petits hôtels à prix raisonnables pour les Galápagos, mais le confort et surtout la vue sur mer restent un luxe !

### De prix moyens à chic (30-70 US$)

☗ ***Hotel Lirio del Mar*** *(plan B2,* ***10****) : Islas Plaza y Tomás de Berlanga. ☎ 252-62-12. • pmesitrujillo@yahoo.com • Double avec sdb, clim et TV 40 US$.* Des chambres simples, bien tenues et pourvues d'une bonne literie. Pas de cour intérieure mais, à l'étage et donnant sur la rue, une vaste terrasse à l'état brut (et sans un poil d'ombre). Petite cantine très bon marché au rez-de-chaussée. Bon accueil.

☗ ***Hotel España*** *(plan B2,* ***23****) : Islas Plaza y Tomás de Berlanga. ☎ 252-61-08. • hotelespanagalapagos.com • Double avec sdb, clim et TV 40 US$, petit déj en plus (3 US$).* Wi-fi. Une trentaine de chambres simples et bien tenues, réparties sur 5 niveaux. Beau patio intérieur avec hamacs pour se détendre. Choisir de préférence une chambre aux étages supérieurs. Restaurant convivial pour le petit dej. Une bonne affaire pour la situation et le rapport qualité-prix.

☗ ***B & B Peregrina*** *(plan B1,* ***11****) : av. Darwin y Indefatigable. ☎ 252-63-23. • peregrinagalapagos@yahoo.com • Double env 52 US$, bon petit déj inclus.* Au fond d'un petit jardin ombragé de quelques cocotiers, une douzaine de chambres, dans une petite structure familiale très bien tenue. Toutes sont dotées d'une belle salle de bains (exiguë mais nickel) avec eau chaude et clim. Accueil sympathique de la propriétaire qui parle anglais. Une bonne adresse.

☗ ***Hotel Salinas*** *(plan B2,* ***12****) : Islas Plaza y Berlanga. ☎ 252-61-07. Doubles avec ventilo et sdb sans eau chaude 28 US$, avec eau chaude 38 US$, avec clim 56 US$.* Autour d'une cour agréable, des chambres confortables réparties sur plusieurs étages.

☗ ***Hotel New Elizabeth*** *(plan B2,* ***13****) : av. Darwin. ☎ 252-61-78. • galapagoshotelelisabeth@hotmail.com • Doubles avec ventilo, sdb et eau froide 35 US$, avec eau chaude 40 US$.* Grandes pancartes sur la rue et petites chambres aménagées dans une étroite cour intérieure, à l'étage le long d'un balcon. S'il n'y a personne à l'accueil, demander à la boutique juste à côté. Simple mais correct pour le prix et, vu la taille des salles de bains, vous y éviterez les grands mouvements ! Demander cependant à voir plusieurs chambres, car leur qualité est inégale (certaines ne sont pas très saines à cause de l'humidité). Accueil souriant.

☗ ***Estrella de Mar*** *(plan B2,* ***14****) : ubicado Junto al Mar, 12 de Febrero, au fond d'une impasse. ☎ 252-60-80 ou 64-27. • hotelestrellademar@islasantacruz.com • Double avec sdb, eau* *chaude, TV, minifrigo et clim 40 US$.* Une allée fleurie mène à ce petit hôtel propret et familial. Chambres très bien tenues et confortables, salles de bains un peu justes mais situation idéale pour cet hôtel en front de mer. Quelques chambres seulement ont vue sur les flots bleus (dans lesquelles le soleil cogne dès l'aube), mais tous les clients ont accès au balcon et pourront admirer les lions de mer se prélassant sur les pontons ou les iguanes dans le jardin voisin. Accueil et ambiance plaisants. Une bonne adresse.

**Hotel Castro** *(plan A2,* ***16****) : Colonas y Las Ninfas. ☎ 252-61-13. • hotel_castro@hotmail.com • Double avec sdb, eau chaude et clim 70 US$, petit déj inclus.* Dans une maison à la jolie façade, des chambres sobres et propres. Accueil agréable.

## Plus chic (plus de 70 US$)

***Hotel Palmeras*** *(plan B2,* ***15****) : Tomás de Berlanga y Bolivar Nevada. ☎ 252-61-39 ou 63-73. • hotelpalmeras.com.ec • Double avec sdb, eau chaude et clim 110 US$, petit déj compris.* Structure moderne proposant une trentaine de chambres propres et simples. Il règne dans cet endroit une atmosphère un peu chic et aseptisée. Piscine, petit jardin plaisant et salon extérieur confortable. Grand resto à l'étage.

***Casa del Lago*** *(plan A2,* ***17****) : Juan Montalvo y Moises Brito. 📱 09-99-71-46-47. • info@casadellagogalapagos.com • Double 115 US$, suite 220 US$.* Enfin une adresse qui a du charme et une atmosphère bien à elle ! 2 ravissantes suites seulement, où l'on peut loger jusqu'à 4 personnes, avec cuisine, petite chambre, salle de bains et terrasse privée très, très tranquille. Colorées et décorées avec soin, elles se trouvent dans une maisonnette très mignonne, dans laquelle on s'attendrait presque à être accueilli par Blanche-Neige et les sept nains. La maison juste à côté abrite un café qu'on aime aussi beaucoup (voir plus loin « Où boire un verre ? Où écouter de la musique ? Où danser ? »).

***Gran Hotel Lobo de Mar*** *(plan B2,* ***18****) : av. 12 de Febrero y Darwin. ☎ 252-61-88. • lobodemar.com.ec • Double 110 US$, petit déj inclus.* L'imposante bâtisse blanche abrite des chambres tout confort dotées de belles salles de bains. Dans le 1er hall, on découvre avec surprise une petite piscine. Une autre se cache dans une aile du bâtiment. La plupart des chambres ont un balcon donnant sur la rue (avec vue lointaine sur la mer pour certaines).

***Hotel Fiesta*** *(plan A2,* ***19****) : calle Moises Brito. ☎ 252-64-40. Double avec AC 130 US$, petit déj compris.* Légèrement à l'écart du centre, il règne dans cet établissement une ambiance un peu club, avec belle piscine (bien appréciable), billard, table de ping-pong. Les chambres sont propres mais simples et ne justifient pas le prix demandé. Seulement, elles sont situées dans un jardin exquis avec accès direct à la lagune voisine (l'heure est venue de vous tartiner de répulsif antimoustiques !). Canoë à disposition.

## Encore plus chic (plus de 170 US$)

***Finch Bay Eco Hotel*** *(hors plan par B2,* ***20****) : Finch Bay. ☎ (02) 252-62-97. • finchbayhotel.com • Accès rapide par taxi aquatique (demander l'arrêt pour Finch Bay) ou avec la navette de l'hôtel, puis suivre le sentier pour « Las Grietas ». Doubles avec AC 333-444 US$, petit déj inclus.* Un hôtel isolé qui s'intègre parfaitement dans un environnement magnifique, fleuri, verdoyant et juste au bord de la plage de los Alemanes. Les chambres ne se trouvent pas dans la bâtisse principale, mais dans une petite annexe juste à côté. Elles sont bien sûr tout confort, avec terrasse privative, mais, une fois encore, on paie plus pour le cadre et la qualité du service que pour les chambres, certes élégantes et impeccables, mais relativement petites. Une très belle piscine vient compléter le décor...

***Hotel Solymar*** *(plan B1,* ***21****) : av. Darwin y Tomas de Berlanga. ☎ 252-62-81. • hotelsolymar.com.ec • Double 300 US$, petit déj inclus.* Une petite vingtaine de chambres dans un bâtiment de forme originale mais pas très réussi... Toutes ont vue sur la mer et disposent d'un petit balcon. Les chambres ne brillent absolument pas par l'originalité de leur déco, mais bénéficient de tout le confort. Jolie terrasse au bord de l'eau, avec la proche compagnie des iguanes et des lions de mer. Bar, piscine et même un petit jacuzzi. Accueil très professionnel. Annexe juste en face, de l'autre côté de la route, un peu moins chère *(doubles 200-220 US$, petit déj inclus).*

**Hotel Silberstein** *(plan B1,* ***22****) :* *av. Darwin y Los Piqueros. ☎ 252-62-77. • hotelsilberstein.com • Double 220 US$, petit déj inclus.* Une adresse de type auberge aménagée autour d'un beau jardinet. Ambiance plutôt romantique avec la piscine traversée d'un petit pont de bois. Chambres confortables mais, une fois encore, les prix sont surestimés (oui, on se répète... mais nous aussi ça nous désole !). Préférez celles à l'étage, moins bruyantes. Organise des croisières et des excursions de plongée sous-marine.

## Où manger ?

### Bon marché (moins de 5 US$)

Dans la **rue Charles-Binford** *(plan A2,* ***30****)*, vous trouverez un alignement de **gargotes** populaires où les locaux viennent manger viandes et poissons cuits au barbecue.

***Hotel Lirio del Mar*** *(plan B2,* ***10****) : Islas Plaza y Tomás de Berlanga. ☎ 252-62-12. Menu midi 4 US$.* Au rez-de-chaussée de l'hôtel du même nom, dans une petite salle qui a pour seule déco la télé (chic !), 5 grandes tables où locaux et touristes s'installent pour manger le bon menu du jour. Une adresse encore dans son jus.

***Salvavidas*** *(plan A2,* ***31****) : sur le port, juste au bord de l'eau. Menu midi 5 US$ ou spécialités de fruits de mer.* Parmi les plats proposés : le *ceviche,* l'*arroz marinero,* les *camarones,* les *langostinos reventado,* etc. Surtout appréciable pour sa terrasse bien aérée, même si le nez y est quelquefois perturbé par l'odeur de fuel des moteurs de bateau.

### De prix moyens à chic (5-20 US$)

***Hernan*** *(plan B2,* ***32****) : av. Herrera y Pelicano. ☎ 252-65-73.* Grande et belle terrasse abritée et animée. Cuisine variée à prix raisonnable : poissons, poulets, viandes, *empanadas,* pizzas, glaces à l'italienne. Café espresso. Une bonne adresse.

***The Rock*** *(plan B2,* ***37****) : Islas Plaza y Darwin. ☎ 252-42-89. Happy hours 17h-19h.* Un resto-bar avec une belle carte variée : viande, poisson, plats italiens. Prix très raisonnables. Ambiance animée et conviviale.

***El Rincón del Alma*** *(plan B2,* ***33****) : av. Darwin. ☎ 252-61-96.* Cadre banal mais terrasse stratégique, dans le coin le plus animé du port. Spécialités de poisson. Quelques plats : *ceviche, sopa de bacalao, chautubriand et filett miñon* (dans le texte !), *churrasco,* langouste, etc. Service simple et gentil.

***Tintorera*** *(plan B1,* ***34****) : av. Darwin.* Un poil en retrait de la route et de l'agitation, une vingtaine de tables sous une jolie terrasse couverte, où règne une ambiance paisible. Également une salle intérieure à la déco soignée. La carte n'est pas très grande, souvent réduite à l'*almuerzo,* mais les plats proposés sont très frais, plutôt goûteux et bien préparés. Billard.

***La Garrapata*** *(plan B2,* ***35****) : av. Darwin. Prix abordables.* Terrasse couverte vite prise d'assaut, bar en bois et sol en gravier. Intéressant pour son cadre agréable et sa cuisine copieuse (et son bon café !). À la carte : *pollo, lomo,* poisson et bonne sélection de spaghettis. Viandes superbes, mais bien insister si vous la souhaitez bleue.

### Plus chic (plus de 20 US$)

***Angermeyer Point*** *(hors plan par B2,* ***36****) : Punta Estrada. Accès simple et rapide par taxi aquatique. 09-83-64-98-81. Tlj à partir de 17h. Plats 15-25 US$, spécialité de langouste 39 US$.* Resto chic aménagé autour d'une grande et élégante terrasse au bord de l'eau (votre antimoustiques sera de rigueur ce soir-là !). Cuisine raffinée internationale et végétarienne ; petit bémol toutefois pour les desserts, aux goûts très sucrés et manquant de subtilité. Dommage aussi que l'on y pousse tant à la consommation, car le lieu est vraiment charmant et idéal pour un dîner aux chandelles.

## Où boire un verre ? Où sortir ?

***Casa del Lago*** *(plan A2,* ***17****)* **:** *Juan Montalvo y Moises Brito. Tlj sf dim jusqu'à 21h.* Un concert par mois. Superbe petit café où flemmarder devant un jus de fruits, un café, un petit morceau à grignoter. Intérieur en mezzanine chaleureux et lumineux avec, à l'étage en grande partie vitré, une terrasse et un espace librairie. Une adresse à part.

***La Panga*** *(plan B2,* ***41****)* **:** *av. Darwin, juste à côté de* La Garrapata. *Mer-sam 19h-2h.* La meilleure discothèque de l'île. Musique internationale, consommations bon marché et chaude ambiance certains soirs.

Voir aussi ***The Rock*** *(plan B2,* ***37****)* et ***Tintorera*** *(plan B1,* ***34****)* cités plus haut dans « Où manger ? ».

# À voir. À faire

***Le port* :** très animé. Chargement et ravitaillement des bateaux ancrés dans la baie. C'est de là que partent les passagers embarquant pour une croisière. Un grand nombre de pélicans s'amassent ici pour pêcher. Le spectacle est époustouflant lorsque les oiseaux foncent droit sur leur proie et plongent dans le port.

***La station internationale Darwin*** (hors plan par B1) **:** *à 15 mn à pied du centre, au bout de l'av. Darwin. • darwinfoundation.org • Tlj 7h-17h. Entrée gratuite.* Les tortues géantes étant une espèce menacée, le centre assiste et protège leur procréation avant de les élever et de les relâcher dans la nature (il en est de même avec les iguanes terrestres que l'on peut également voir en enclos). Dans ce qu'on pourrait appeler la « nurserie », vous pourrez observer le reptile à carapace à différents âges (1 an, 2 ans...) et constater que la bête met du temps à pousser ! Un chemin balisé permet de voir certaines tortues de près. D'une passerelle, on pouvait observer la « star » de la station : *Lonesome George,* qui est mort le 24 juin 2012. Trouvée sur l'île de Pinta en 1971, c'était la dernière tortue de sa race, exterminée par les chasseurs de baleines à la recherche de chair fraîche. Son habitat disparut aussi à cause des chèvres. Ces dernières furent éradiquées en 1990, mais cela ne ressuscita pas les tortues. George vivait avec deux jolies femelles proches de sa race (et qui viennent d'Isabela), mais malheureusement, il n'a pu se reproduire et, avec sa mort, c'est la disparition de son espèce.

***La plage de la station Darwin* :** *à 200 m de la station Darwin. Fléchée depuis la route.* Toute petite crique de sable avec un étroit passage pour se baigner. Des petits iguanes marins se confondant avec la couleur de la lave batifolent sur les rochers.

# DANS LES ENVIRONS DE PUERTO AYORA

➢ Certaines agences proposent le ***tour de Bahia,*** et c'est une bonne façon de découvrir une partie de l'île. Ce tour de 4h *(env 35 US$)* permet d'explorer en bateau la baie sud de Santa Cruz et ses différents points d'intérêt (Punta Estrada, Las Grietas, Canal del Amor y Tintoreras...). L'excursion prévoit aussi des arrêts snorkelling (on le répète : découvrir le monde sous-marin des Galápagos avec masque et tuba est souvent une superbe expérience). Pour observer les animaux, préférer les excursions du matin. Si vous aviez déjà prévu des excursions individuelles, ce tour de l'île n'est pas essentiel, car vous aurez déjà découvert la côte et fait de belles plongées.

– ***Plongée :*** plusieurs clubs de plongée ou hôtels proposent des sorties ou des cours (voir coordonnées dans « Adresses utiles »). Cependant, en période creuse, il n'y a pas souvent d'instructeurs pour les débutants ou pour les baptêmes, les joies de cette activité restant alors le privilège des initiés.

***Tortuga Bay :*** *à 1h de marche à l'ouest de Puerto Ayora. Accès à pied slt, par l'av. Charles Binford. Tlj 6h-18h.* Peu avant d'accéder au sentier, vous devrez vous faire enregistrer à l'entrée comme à la sortie. Promenade agréable sur un sentier aménagé (pavé même !) d'environ 2,5 km (45 mn), qui traverse une espèce de maquis. Un petit paradis sans beaucoup de tortues, pas mal d'oiseaux, mais avec moustiques à certaines périodes ! Belles plages de sable blanc. Spot de surf. Attention aux vagues, cependant, et surtout au courant sur la première plage *(playa Brava)*. La seconde, ouverte sur une baie entourée de mangroves, ***Bahía Mansa,*** est bien plus calme pour se baigner. Colonies d'iguanes marins entre les deux plages.

***Reserva de tortugas gigantes El Chato :*** *à Santa Rosa (22 km). Prendre un taxi de Puerto Ayora qui vous descendra jusqu'à l'entrée de la réserve et vous attendra (30 US$). C'est la meilleure solution.* Réserve de tortues géantes à l'état sauvage. Les tortues étant en liberté, il n'est pas forcément facile d'en croiser ; quant aux tunnels creusés dans la lave, ils sont à l'abandon, dommage ! Obscurité totale, alors n'oubliez pas votre lampe ! Les locaux conseillent de prendre un guide (40 US$) pour visiter cette réserve depuis que, en 2011, un Chilien s'est perdu (il n'a été retrouvé vivant qu'une semaine après !). Outre le risque de se perdre, il est préférable de se faire accompagner pour être sûr de voir des tortues en liberté. N'entreprendre cette sortie qu'en période sèche : s'il pleut, vous avez toutes les chances de patauger dans des chemins très, très boueux ou même d'être bloqué sur le sentier (fléché) par de grandes mares d'eau. De plus, les tortues risquent de rester bien cachées...

***Cueva Gallardo :*** *à 7 km de Puerto Ayora, à Bellavista (bus ou taxi pour y parvenir). Droit d'accès : 3 US$.* Un immense tunnel creusé dans la lave sur près de 2,2 km. C'est l'un des plus grands d'Amérique du Sud (800 m éclairé et visitable) et le mieux entretenu de l'île.

***Playa de los Alemanes et Las Grietas :*** *du port, prendre un taxi aquatique. Course très courte et, de l'embarcadère, la plage n'est plus qu'à 5 mn à pied (suivre la direction « La Grietas »).* La plage est belle, mais l'eau y est très peu profonde à marée basse. Un sentier vous mène ensuite jusqu'à *Las Grietas,* une sorte de joli petit canyon creusé dans la lave et aux eaux transparentes (idéal pour le snorkelling). Vraiment une jolie promenade, qui traverse un paysage de lagunes.

# ISABELA

**Longue de 130 km et large de 82 km (dans sa plus grande largeur). La plus grande île des Galápagos est très peu peuplée (environ 1 800 habitants) et possède six volcans, dont certains partiellement en activité. Deux culminent à près de 1 700 m : le *Cerro Azul* (1 689 m) et le *Wolf* (1 646 m). Très agréable, encore authentique et idéale pour se poser quelques jours, Isabela est incontournable si vous ne prévoyez pas de croisière. Accessible de Santa Cruz tous les jours à 6h en bateau rapide (durée 2h15) et retour à 14h. Attention, la mer étant souvent très agitée, prévoir KWay et un cachet anti mal de**

**mer. Si vous allez à San Cristobal directement après, préférez l'avionnette, le double du prix mais plus rapide et plus agréable.**
**C'est aussi dans cette île que l'on trouve le plus d'animaux introduits par l'homme : chiens, chats, rats, chèvres, porcs, chevaux, ânes, bovins, poulets... Les chiens posent en particulier un gros problème écologique car ils déciment les colonies d'iguanes, mais la population en est consciente et s'organise pour préserver son île.**



# PUERTO VILLAMIL

IND. TÉL. : 05

**Petit village tranquille d'environ 1 600 habitants, situé le long d'une belle et grande plage de sable blanc. La population se consacre principalement à l'agriculture et à la pêche artisanale. On y trouve quelques hôtels, des petits restos et surtout beaucoup de choses à voir. Venir dans ce « bled paumé », c'est en quelque sorte faire un retour dans le passé. Taxe d'accès au parc 5 US$. Si vous arrivez ou partez par la mer, il vous faudra prendre obligatoirement un taxi aquatique (0,50 US$).**

## Adresses et infos utiles

**iTur** *(plan A2) : sur la pl. principale, dans les bâtiments du* Gobierno Municipal Isabela. *Lun-ven 7h30-12h ; 14h-17h.* Plans des environs et petit guide complet sur les Galápagos.

@ **Pacifitel** *(plan B2) : sur la pl. principale.* Café internet, fax et téléphone.

■ **Change :** pas de banque, veillez absolument à venir avec des dollars en liquide.

■ **Emetebe** *(plan B2,* **1***) : sur la pl. principale. ☎ 252-93-87. • mtbventasgalapagos@hotmail.com •* Compagnie intéressante surtout pour le vol Isabela-San Cristóbal en avionnette de 5-8 places *(120 US$ ; A/R 210 US$)*, car pas de bateau entre ces 2 îles. Faites-vous confirmer le vol et l'heure de départ la veille.

■ **Saereo** *(plan B2,* **2***) : Las Fragatas. ☎ 252-93-87. • saereo.com •* Mêmes remarques que la compagnie précédente. Tarifs un peu plus élevés.

■ **Trans Martisa** *(plan B2,* **3***) : av. Antonio Gil, à l'angle de la place, à côté de* Emetebe. *☎ 252-90-66.* Compagnie maritime organisant des excursions à la journée et ventes de billets pour Santa Cruz.

## Où dormir ?

### De bon marché à prix moyens (18-48 US$)

**Posada del Caminante** *(plan B1,* **10***) : Cormoran y Pinzon Artesano. ☎ 252-94-07. • posadadelcaminante@hotmail.com • Double 25 US$.* Un peu excentré et dans une zone en construction, mais ici on est comme chez soi dans cette maison familiale et son annexe un peu plus loin. Les 9 studios comprennent kitchenette, ventilo, hamac. Le propriétaire se met en quatre pour vous accueillir : lessive gratuite, oranges à profusion pour faire vous-même vos jus de fruits et prêt de DVD pour occuper vos soirées. Une bonne adresse pour petits budgets.

**Coral Blanco Lodging** *(plan A2,* **11***) : Antonio Gil ; face au* Cormorant Beach House. *☎ 252-91-25. • hotelcoralblanco@gmail.com • Double 40 US$.* 7 bungalows confortables, eau chaude. AC, tout propre autour d'un jardinet-salon où sont suspendus des hamacs. L'hôtel, par l'intermédiaire de son agence *Sierra Negra,* propose les tours classiques : volcan Sierra Negra et Chico, Tintoras et Los Tuneles.

**Caleta Iguana** *(plan A2,* **12***) : sur*

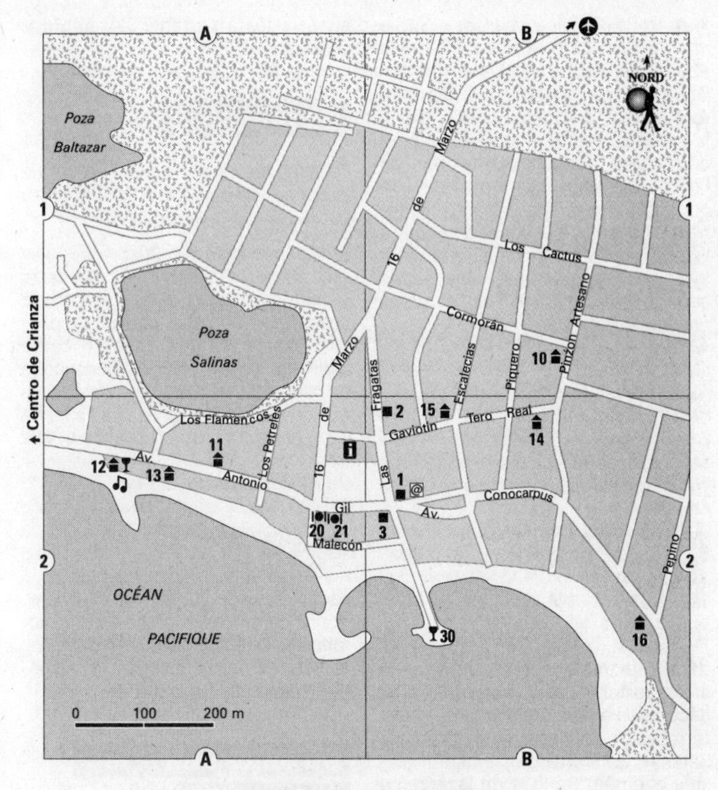


## PUERTO VILLAMIL

| | |
|---|---|
| **■ Adresses utiles**<br>**1** Emetebe<br>**2** Saereo<br>**3** Trans Martisa<br><br>**Où dormir ?**<br>**10** Posada del Caminante<br>**11** Coral Blanco Lodging<br>**12** Caleta Iguana<br>**13** Cormorant Beach House | **14** Tero Real<br>**15** Hospedaje Las Gardenias<br>**16** La Casa de Marita<br><br>**Où manger ?**<br>**20** César's<br>**21** El Encanto de la Pepa<br><br>**Où boire un verre ? Où danser ?**<br>**12** Caleta Iguana<br>**30** Iguana Point |

*la grande plage, un peu avt le chemin pour le* Centro de Crianza. *☎ 252-94-05. • caletaiguana.com • Doubles 45-65 US$, petit déj inclus.* Dans une vaste maison rustique (*casa Rosada*), un *hotel & surf camp* les pieds dans l'eau, face aux belles grosses vagues. Cuisine à disposition, salon-bibliothèque, hamacs. Location de planches *(15 US$/j)*. On vient ici pour l'ambiance sportive et aussi pour son *happy hour* en fin d'après-midi, qui peut durer tard le soir.

### De chic à plus chic (48-70 US$ et plus)

***Cormorant Beach House*** *(plan A2, 13) : sur le* malecón. *☎ 252-91-92.*

● *albemarle20@hotmail.com* ● *Sur la grande plage. Double 65 US$, taxes et petit déj copieux inclus.* Maison jaune au toit rose bonbon. 4 chambres tout confort avec eau chaude, AC et frigo : 2 au rez-de-chaussée, autour d'un salon donnant sur la mer, où l'on peut prendre ses repas que l'on concocte soi-même dans la kitchenette attenante, et 2 autres très cosy à l'étage, donnant sur une belle terrasse avec vue panoramique. Une bonne adresse les pieds dans l'eau à un prix presque raisonnable.

**Tero Real** *(plan B2,* ***14****)* **:** *av. Real y Gaviotín. ☎ 252-91-95 ou 06.* ● *tero.real@hotmail.com* ● *Env 10-15 US$/pers avec eau chaude, AC, TV.* Propose 6 bungalows en duplex pour 4 personnes, construit, en pierre volcanique sur un miniterrain, autour de quelques cocotiers.

**Hospedaje Las Gardenias** *(plan B2,* ***15****)* **:** *av. Escalecias y Tero Real. ☎ 252-91-15. En diagonale de l'hôtel* Tero Real. *Double avec sdb 30 US$/pers ; petit déj inclus.* Almuerzos *7-10 US$.* Quelques chambres dans une maison bien entretenue et confortable, reconnaissable à sa décoration extérieure (flamants roses, tortues...). Bon accueil et propreté garantie. Eau chaude, ventilo et cuisine équipée. Service de laverie. La patronne organise aussi des excursions sur l'île.

**La Casa de Marita** *(plan B2,* ***16****)* **:** *entre le village et l'embarcadère. ☎ 252-93-01.* ● *infos@casamaritagalapago.com* ● *Résa conseillée. Doubles ou suites 120-150 US$.* Le plus bel hôtel de Puerto Villamil donne directement sur la plage. Une douzaine de chambres très confortables et 7 suites indépendantes disposées autour d'un vaste jardin fleuri. Déco personnalisée et joliment colorée. Tout confort : salle de bains, minibar, téléphone, AC, prise antimoustiques, peignoir de bain, etc. Salle de resto à l'étage. Les clients sont invités à partager le salon des proprios.

## Où manger ?

Tous les restos se trouvent autour de la place principale. On a l'embarras du choix.

**Cesar's** *(plan A2,* ***20****)* **:** *av. Antonio Gil. Lun-sam, ouv tard le soir.* Almuerzo le midi mais aussi plats à la carte à base de poisson bien frais ou de poulet. Cuisine raffinée dans un cadre lumineux, où se retrouvent beaucoup de touristes. Prix un peu plus élevés que ses voisins, mais les plats sont de meilleure qualité. Bons cocktails et vins au verre.

**El Encanto de la Pepa** *(plan A2,* ***21****)* **:** *en face de la place et de la* Ballena Azul. *Tlj, mais respectez les heures de service (le soir avt 20h).* Cadre banal mais agréable. Menus ou plats à la carte à base de poisson ou de poulet. Bonne cuisine, bien préparée et plutôt raffinée. Une bonne et sympathique adresse qui doit beaucoup à la personnalité pétillante du patron.

## Où boire un verre ? Où danser ?

**Iguana Point** *(plan B2,* ***30****)* **:** *au bout de la jetée en partant du* malecón. *Ouv 17h-2h.* Quelques tables pour boire un des nombreux cocktails, avec une belle vue sur la mer et les plages. Bonne ambiance.

**Caleta Iguana** *(plan A2,* ***12****)* **:** *voir « Où dormir ? », plus haut. Ouv 17h-tard le soir.* Happy hours *17h-19h.* Après une journée de surf, les jeunes viennent s'abreuver et faire la fête sur cette terrasse les pieds dans l'eau. Feu de bois et chaude ambiance. Le week-end, on y danse à partir de 21h.

# À voir. À faire

**Volcan Sierra Negra :** *un volcan en activité dans la partie haute de l'île. Guide obligatoire. Pour organiser l'excursion, se renseigner directement auprès des hôtels ou des agences. Prévoir des chaussures de marche, un pull selon saison et* *une cape de pluie car il bruine souvent au sommet. Compter 35 US$/pers (60 US$ à cheval), panier-repas inclus. L'excursion peut durer jusqu'à 15h.* Départ le matin du village à 7h30 en camionnette (45 mn si tout va bien) jusqu'à *La Bocanilla*. Puis, on continue à pied (ou à cheval avec supplément) par un sentier de 8 km relativement glissant, qui longe l'énorme cratère (11 km de diamètre), le deuxième plus grand du monde, puis encore 2h à pied sur des coulées de lave formées par différentes éruptions dont la dernière date de 1976, pour atteindre (enfin !) le volcan Chico. Ne sortez pas du chemin balisé, ça peut craquer sous les pieds. Paysage de type lunaire et forte odeur de soufre vers le sommet. La vue sur l'ensemble de l'île est superbe par beau temps, malheureusement le panorama est souvent brumeux. Retour à pied ou à cheval (selon l'option choisie au départ) et enfin en camionnette (pourvu qu'il ne pleuve pas).



**Parque Los Humedales et Muro de las Lágrimas :** *accès gratuit tlj 9h-18h. Entrée du parc à 3 km du village.* Longue balade de 2 km parmi les mangroves (n'hésitez pas à prendre les petits sentiers avec panneaux pour découvrir oiseaux, iguanes marins, étangs) pour atteindre la plage del Amor. De là encore 4,4 km jusqu'au ***Muro de las Lágrimas,*** le « mur des larmes ». Dans les années 1950, il existait un centre de détention réputé pour la cruauté de ses gardiens. Un mur impressionnant, un peu à l'abandon maintenant (10 m de haut, 120 m de long) fut construit en haut d'une aride colline par les prisonniers. Partez tôt le matin (il peut faire très chaud), muni d'une réserve d'eau suffisante. Si vous êtes en jambes (ça monte et descend), vous pouvez aussi y aller à vélo. À la sortie du village, suivre le chemin le long de la plage. Le sentier aménagé se partage entre plages désertes d'un côté et mangroves de l'autre. La végétation est dense et variée. Ne manquez pas la colonie de flamants roses dans la zone marécageuse. Quelques tortues, des iguanes marins et terrestres agrémenteront ce long parcours. Le sentier vous emmène vers des puits naturels aux eaux stagnantes, à une lagune où planent frégates et hérons, et à un tunnel naturel *Tunel del Estero,* formé par une coulée de lave. Le sentier se hisse ensuite jusqu'au mirador *Cerro Orchilla* aux escaliers qui n'en finissent plus (l'effort en vaut la peine) et se termine sur un plateau où se dressent les ruines de l'ancien bagne. Malgré la chaleur étouffante, une atmosphère glaciale règne sur ces lieux.

**Centro de Crianza** (hors plan par A2) **:** *centre d'élevage et de reproduction de tortues. À 1 km du village. Prendre l'av. Antonio Gil, puis suivre le sentier aménagé. Accès gratuit, tlj 9h-12h ; 14h-17h.* Végétation surprenante et quelques flamants roses dans les mares environnantes, sur le chemin. Surtout, ne mangez pas les pommes, elles sont toxiques ! Visite intéressante pour tout savoir sur les tortues. Ne partez pas sans voir celles à carapace aplatie.

**Las Tintoras :** *à 20 mn de bateau de Puerto Villamil. Compter 25 US$/pers (équipement de plongée compris).* Cet îlot volcanique est réservé aux amateurs de snorkelling, qui pourront y observer des tortues, des raies mantas et parfois même des tiburons (requins) et des pingouins.

**Tagus Bay :** c'était l'un des points de débarquement les plus populaires. Maintenant seuls les scientifiques y ont accès, mais parfois certaines croisières s'y arrêtent. *Accès possible slt par la mer.* Grimpette sympa vers un beau lac de cratère, le *Darwin Lake.* Curieusement, pas de rivière pour le nourrir, ni source ni connexion avec la mer. Le lac reste à niveau par infiltration : 49 kg de sel pour 1 000 l. Ne peut y vivre que du plancton (pas de poissons, pas d'oiseaux aux alentours). Eaux très vertes, environ 10 m de profondeur. Du lac, un chemin grimpe jusqu'à un point d'observation livrant un panorama époustouflant.

– ***Vicente Roca Point*** est un joli coin de baignade, où l'eau est malheureusement froide et souvent trouble, mais seules les croisières font un stop rapide sur ce lieu. Difficile d'observer les poissons. On longe de hautes falaises qui tombent abruptement dans la mer, superbement veinées, indiquant les dernières coulées de lave. À leur pied, quelques colonies d'otaries à fourrure et beaucoup d'iguanes marins.

Immense grotte en demi-cercle et roches rouges phosphorescentes. Strates de lave exprimant un magnifique et joyeux chaos graphique. Un des lieux de pêche des pélicans qui plongent dans la mer comme des fusées et des frégates qui leur piquent au retour le produit de leur pêche en plein vol !

# SAN CRISTÓBAL

**Malgré tous ses efforts, cette île, la plus peuplée après Santa Cruz (environ 6 200 habitants), ne semble pas vraiment attirer les touristes, si ce n'est les surfeurs qui viennent profiter de ses excellentes vagues, les plus belles de l'archipel selon les amateurs. Intéressante pour ses plages, sa végétation, son lac *(El Junco Laguna)* et son petit sommet (beau point de vue). Plein d'oiseaux : frégates, oiseaux moqueurs et quelques fous. Côté reptiles, beaucoup de lézards de lave et quelques tortues sauvages au nord de l'île, mais difficiles à trouver.**

## PUERTO BAQUERIZO MORENO

IND. TÉL. : 05

**Capitale politique de la province Galápagos, ce village de pêcheurs est situé sur la baie des « naufragés ». L'endroit est paisible et sa promenade au bord de l'eau joliment aménagée. Si vous avez prévu d'aller à Isabela par la suite, préférez l'avionnette (le double du prix mais plus rapide et plus agréable), cela vous évitera de revenir en bateau pour un transit à Santa Cruz avec une mer souvent agitée.**

### Arriver – Quitter

➢ ***Aéroport de San Cristóbal :*** à 500 m du centre-ville. Il dessert Baltra, Isabella, Guayaquil et Quito.

➢ ***Guayaquil, Quito :*** avec la *Tame,* mar-ven 12h45 ; sam 14h. Avec *Aerogal,* lun-ven 13h15 ; sam-dim 11h20. Avec *Lan,* mer-dim 11h.

➢ ***Isabela, Baltra :*** avec *Saereo,* tlj 7h15, retour 12h30 de Baltra et 13h d'Isabela ; avec *Emetebe,* tlj 7h30 pour Isabela, et 10h15 pour Baltra.

### Adresses utiles

ℹ ***iTur*** *(plan A3) : av. Charles Darwin. À côté de la poste. Lun-ven 8h30-12h, 15h-17h.* Plans et quelques informations.

✉ ***Poste*** *(plan A3) : av. Charles Darwin.*

■ ***Banco del Pacífico*** *(plan B2, **1**) : av. Charles Darwin. Lun-ven 8h-15h30 ; sam 10h-12h.* Change de liquide et de chèques de voyage. Distributeur de billets acceptant les cartes internationales à l'extérieur.

■ ***Emetebe*** *(hors plan par A3) : à l'aéroport. ☎ 252-06-15 ou 01-83.* • *emetebe.com.ec* •

■ ***Saereo*** *(hors plan par A3) : à l'aéroport ☎ 252-07-10.* • *saereo.com* •

■ ***Tame*** *(hors plan par A3) : à l'aéroport. ☎ 252-13-51.* • *tame.com.ec* •

■ ***AeroGal*** *(hors plan par A3) : à l'aéroport. ☎ 252-11-18.* • *aerogal.com.ec* •

■ ***Lan*** *(hors plan par A3) : à l'aéroport. ☎ 252-08-06.* • *lan.com.ec* •

### Où dormir ?

On trouve des hôtels à prix raisonnables, mais pas toujours bien entretenus.

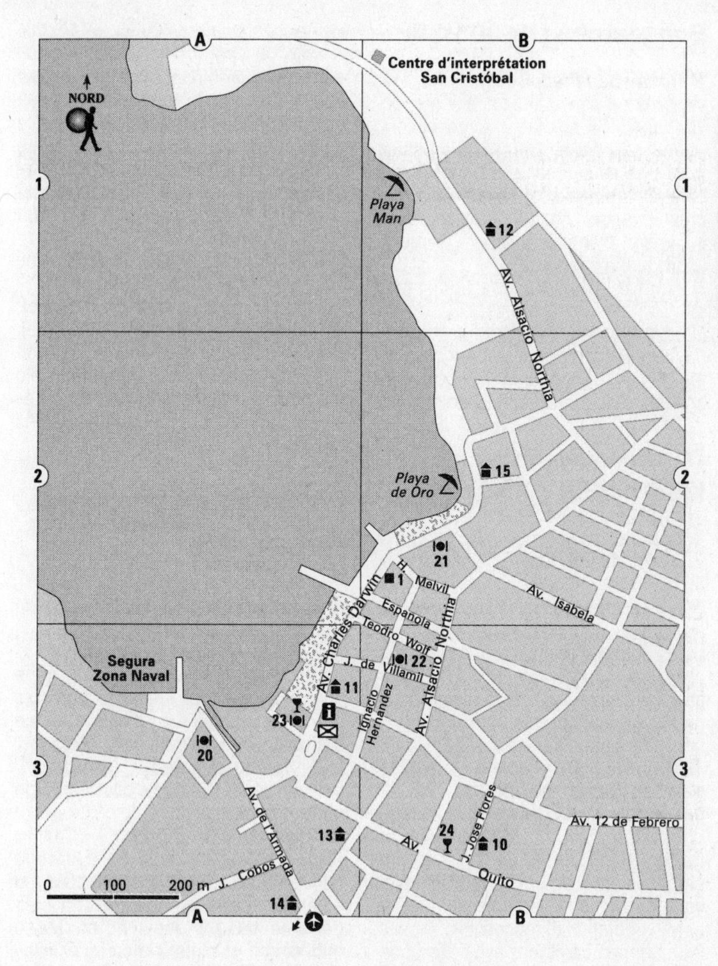


## PUERTO BAQUERIZO MORENO

**Adresse utile**

1 Banco del Pacífico

**Où dormir ?**

10 Los Cactus
11 Hostal San Francisco et Hostal Albatros
12 Cabañas Don Jorge
13 Hostal Mar Azul
14 Hotel Chatham
15 Hostal Galápagos

**Où manger ? Où boire un verre ?**

20 La Playa
21 Miconia
22 La Rosita
23 Calypso
24 Iguana Rock

## Bon marché (18-30 US$)

🏠 ***Hostal San Francisco*** *(plan A3, **11**) : av. Charles Darwin. Sur le malecón. ☎ 252-03-04. Double avec ventilo, TV, sdb et eau froide 20 US$.* Bien situé, mais une seule chambre donne sur la baie. Chambres sommaires mais propres. En saison chaude, préférez celles à l'arrière, bien plus fraîches. Accueil à la droguerie attenante.

🏠 ***Hostal Albatros*** *(plan A3, **11**) : av. Charles Darwin. ☎ 252-02-64. Double avec AC, TV, sdb et eau chaude 25 US$.* Bien situé, chambres proprettes. Accueil-réception à la boutique de souvenirs du rez-de-chaussée.

## De prix moyens à chic (30-70 US$)

🏠 ***Los Cactus*** *(plan B3, **10**) : av. Flores y Quito. ☎ 252-00-78. Double env. 50 US$ avec TV, eau chaude, ventilo ou AC. Petit déj inclus.* 📶 Dans une rue tranquille, une dizaine de chambres assez sommaires mais propres. Accueil chaleureux. La gérante, Maria Angélica, saura vous convaincre de rester. Organise des excursions en bateau à la journée. Une bonne adresse.

🏠 ***Cabañas Don Jorge*** *(plan B1, **12**) : av. Alsacio Northia. ☎ 252-02-08. • cabanasdonjorge.com • Résa conseillée. Env 25 US$/pers.* 4 bungalows très colorés de 2 pièces : un salon-cuisine et une chambre avec salle de bains et ventilateur. Enfouies entre végétation et roches volcaniques, les cabanes semblent avoir été construites sans détruire la moindre plante. C'est assez rustique à l'intérieur, mais spacieux et lumineux ; on s'y sentirait presque l'âme d'un Robinson.

🏠 ***Hostal Mar Azul*** *(plan A3, **13**) : av. Alsacio Northia. ☎ 252-01-07. • hotelmarazul.com.ec • Doubles sans AC 20 US$/pers, avec AC 25 US$/pers.* 📶 Dans le centre, tout en long et de plain-pied. Cette adresse bien tenue a beau être au bord de la route principale, les chambres confortables sont retirées derrière un patio couvert, et l'ensemble se révèle paisible et très plaisant.

🏠 ***Hotel Chatham*** *(plan A3, **14**) : av. Armada Nacional y Alsacio Northia (à côté de l'aéroport). ☎ 252-01-37. • grandhotelchatham.com.ec • Double 35 US$/pers.* Un hôtel moderne un peu trop bétonné, mais avec un agréable patio bordé de hamacs et une petite piscine. Les chambres sont relativement spacieuses, avec AC et frigo.

🏠 ***Hostal Galápagos*** *(plan B2, **15**) : playa de Oro. ☎ 252-01-57. La réception se trouve à l'arrière. Doubles avec sdb, eau chaude et AC 35-45 US$.* Petits bungalows très stricts d'aspect, donnant sur une terrasse (sans ombre). Confort acceptable, même si l'endroit gagnerait à être mieux entretenu. Cela dit, l'adresse jouit d'un cadre appréciable, agrémenté de petites allées fleuries.

## Où manger ? Où boire un verre ?

🍽 ***La Playa*** *(plan A3, **20**) : av. Armada Nacional. ☎ 252-15-11. Ouv tard le soir.* Resto en plein air, en face de la petite plage où se regroupent lions de mer et pélicans. Terrasse agréable et vue imparable sur la baie. Cuisine nationale et internationale. Poisson, fruits de mer et grillades. L'*encocado*, poisson sauce coco, est délicieux. Bon rapport qualité-prix.

🍽 ***Miconia*** *(plan B2, **21**) : av. Charles Darwin. ☎ 252-06-08.* 📶 Sur une belle terrasse donnant sur la baie, au 1er étage d'une grande maison bien décorée faisant aussi hôtel. Menu midi et soir et plats à la carte. Cuisine fraîche et bien préparée. Spécialité : *pescado a lo macho.* Délicieux cocktails. Bons petits déj également. Une très bonne adresse.

🍽 ***La Rosita*** *(plan B3, **22**) : Villamil y Ignacio Hernandez.* Une terrasse en bois de plain-pied ouverte à tout vent. Au plafond, drapeaux et T-shirts des quatre coins du monde. Cuisine locale préparée avec soin par doña Rosita. Menu du jour et plats à la carte à base de poisson.

🍽 🍸 ***Calypso*** *(plan A3, **23**) : av. Charles Darwin. Sur la place, au bout du malecón, en face de la mairie. Tlj 17h30-23h.* Le rendez-vous des touristes de tout poil. Cuisine internationale, avec notamment des pizzas (4 tailles possibles) et des pâtes. Grand choix de cocktails également.

**Iguana Rock** *(plan B3,* ***24****)* **:** *av. Flores y Quito. Lun-sam 20h30-2h.* Musique branchée et billard.



## À voir. À faire à Puerto et dans les environs

**Le malecón :** très animé et agréable, surtout le soir au soleil couchant. Il est envahi par des colonies de *lobos marinos* qui se prélassent sur la plage, le ponton et même sur les bancs publics. Ce sont les maîtres des lieux !

**Centre d'interprétation San Cristóbal** *(plan B1)* **:** *au bout de l'av. Alsacio Northia. Tlj 8h-17h. Entrée libre.* Prévoir eau, casquette, maillot de bain, masque et tuba, et de bonnes chaussures. Informations en photos sur l'origine, l'histoire naturelle et sociale, le climat, la faune et la flore des Galápagos, ainsi que des statistiques sur l'évolution des îles. Derrière le centre, des sentiers pavés bétonnés ont été aménagés. L'un d'eux va jusqu'au cerro Tijeretas (joli point de vue sur le port et les baies). Au cours de cette balade parmi les cactus et les arbustes, vous pourrez rencontrer des nichées de cormorans et des frégates. Ne continuez pas après le mirador par le minuscule sentier qui ne mène à rien (même s'il est balisé). Tournez plutôt à gauche en descendant et continuez jusqu'à un autre petit mirador où se trouve le monument édifié en hommage à Charles Darwin. C'est ici, dans la baie en contrebas, qu'il a débarqué lors de son arrivée aux Galápagos. De là, un sentier vous mènera jusqu'à une petite crique à l'eau turquoise, site privilégié pour la plongée en apnée. Retour par la *playa Carolina* (surf et plongée) puis baignade possible parmi les lions de mer qui ont établi leur lieu de repos sur *playa Mann,* qui se trouve face à l'entrée du centre d'interprétation. La plage est belle, mais très fréquentée par les familles le dimanche et les étudiants de l'université en face, qui occupent le peu d'espace pour faire trempette (beaucoup de rochers et des courants assez forts).

**Isla Lobos :** *accès possible slt par bateau. Les agences proposent cette excursion avec possibilité, en fin de balade, de snorkelling (50 US$) ou de plongée avec bouteilles (120 US$).* L'île est intéressante pour observer les frégates, fous à pattes bleues, lions de mer et pour la plongée en apnée sur un site protégé. Sur place, le terrain est rugueux et pas toujours facile quand il pleut. Au bout du sentier, belle vue sur le *Leon Dormido* ou *Kicker Rock,* un rocher aux falaises vertigineuses qui se dresse au large, mais où l'on ne peut accoster. Les petites embarcations se contentent de passer au milieu. L'excursion se termine en général par la *playa Manglerito.*

**La Loberia :** *pour s'y rendre, aller jusqu'à l'aéroport, puis continuer par la route qui longe les pistes (30 mn de marche), pour atteindre le sentier qui mène à la plage. Taxi env 8 US$ A/R.* Une belle plage un peu rocailleuse nommée *Refugio de los Lobos Marinos* (surf et plongée possibles), mais aujourd'hui malheureusement, il y a plus de lions de mer sur le *malecón* qu'ici...

**Lago Junco :** *sur la partie haute de l'île, à 630 m d'altitude. Pour s'y rendre, bus jusqu'au village d'El Progesso, puis une longue marche de 10 km jusqu'au lago Junco. Les plus courageux loueront une bicyclette ; au retour, ça descend. Autres solutions : un tour organisé (30-60US$/pers en fonction du nombre de participants), ou avec un taxi (env 40 US$ A/R avec attente).* C'est l'unique lagune d'eau douce des Galápagos, nichée autour d'un cratère. Sentier aménagé pour faire le tour à pied ou à cheval. La grimpette jusqu'au sommet vaut le détour quand la vue est dégagée, ce qui n'est pas toujours le cas malheureusement. La zone est unique pour sa végétation caractérisée par les miconias, des buissons atteignant parfois 4 m de haut dont les feuilles ressemblent à du cacao. Prévoyez pantalon, manches longues, spray ou crème antimoustiques et de bonnes baskets, car une espèce de mouche vampire de couleur noire très enquiquinante sillonne le secteur. Le long de ce parcours, en dehors des vues panoramiques, frégates, tortues géantes à la *Galapaguera* et lézards.

# LES AUTRES ÎLES

**ATTENTION : les distances entre les îles sont parfois importantes. En individuel, malheureusement, les agences de Santa Cruz ne proposent qu'une île par jour, même si deux îles sont proches (plus rentable pour elles). De Puerto Ayora, on passe beaucoup de temps dans les transports pour rejoindre le canal Itabaca (bus 1h), d'où partent les bateaux rapides (compter encore 2-3h pour rejoindre la destination choisie). Il reste à peine 1h sur place pour découvrir ce que l'on espérait voir. Souvent frustrant et fatiguant pour pas grand-chose, surtout si on veut toutes les faire. Choisissez bien votre destination, en fonction du temps dont vous disposez et des îles que vous voulez voir, selon que vous rêvez de croiser un iguane terrestre ou d'observer un fou à pattes bleues. Si vous avez les moyens financiers, il est préférable de choisir une croisière plus ou moins longue, pour en avoir plein les yeux et ne pas perdre de temps en aller-retour entre les îles.**

## PLAZA SUR

**Au nord-est de Santa Cruz, à 2h de bateau de Puerto Ayora. Idéale pour une balade d'une journée. Notre chouchou : un îlot plus qu'une île, recouvert de cactus géants et d'algues rouges (on n'a pas fumé, on vous le jure)... Avec le ciel bleu, carte postale garantie.**
**Autre avantage : on y trouve un peu de tout question bestioles. Otaries et lions de mer vous accueillent à l'arrivée. À l'intérieur, un sentier balisé permet de découvrir toute l'île, avec des iguanes terrestres partout et quelques lézards. L'un des côtés de l'île s'achève en falaise : on y observe quantité de mouettes et autres oiseaux. En contrebas, de temps en temps, des bancs de petits requins de récifs, presque fluorescents dans l'eau verte. Compter 130 US$ par personne pour cette excursion d'une journée au départ de Santa Cruz.**

## SEYMOUR NORD

**Au nord de Plaza, comme son nom l'indique, à 1h de bateau du canal Itabaca. Également toute petite mais passionnante puisqu'on est sûr, en suivant le sentier balisé, d'y observer l'adorable fou à pattes bleues et l'étonnante frégate *magnificens.* Également des otaries, des iguanes marins de la même couleur que la lave, donc difficiles à repérer, et quelques beaux iguanes terrestres. Compter 130 US$ par personne pour cette excursion d'une journée au départ de Santa Cruz.**

## SANTA FE

À 3h de bateau du canal Itabaca et 2h de Puerto Ayora. À l'arrivée, une belle petite baie avec une plage sablonneuse, où se prélasse une colonie d'otaries. De là partent deux sentiers balisés. Le plus court (environ 400 m) serpente parmi les cactus géants, où l'on croise quelques iguanes terrestres et de belles sauterelles. Le plus long (environ 1,5 km) permet de découvrir des iguanes terrestres un peu plus gros, mais malheureusement les guides le proposent rarement, préférant consacrer plus de temps au snorkelling. Il est vrai que cette petite île est également réputée comme l'un des meilleurs spots de plongées. À vos palmes, masque et tuba ! Compter 135 US$ par personne pour cette excursion d'une journée au départ de Santa Cruz.

## BARTOLOME

Une des plus petites de l'archipel (1,2 km²), au nord-ouest de Santa Cruz, à 3h de bateau à partir du canal Itabaca. La plus visitée aussi et la carte postale la plus vendue (avec le fameux *Pinnacle Rock*). À peine 3 km de long sur 1 km de large. Accès par une seule plage. Née d'une éruption en 1810. Paysage d'une austérité pathétique, quasi lunaire.

Au point de mouillage, snorkelling, mais préférez plutôt la petite plage en face, sur Santiago. Bancs de poissons superbes. Parfois des manchots viennent batifoler avec vous. Un escalier en bois, construit pour stopper l'érosion de l'île, mène au sommet (114 m). Peu de végétation dans ce paysage totalement minéral. Essentiellement, le petit cactus de lave, la *tiquilia* (de couleur blanche) et la *chamaesyae,* petite touffe verte garnie de minuscules fleurs blanches. Quelques sauterelles accompagnent le visiteur. Les rats ont été définitivement éradiqués.

D'en haut, l'un des plus beaux panoramas de l'archipel. Dans la direction de Santiago, isthme couvert de mangrove séparant deux plages. Sur celle du nord s'élève le *Pinnacle Rock,* comme une lame plantée dans le ciel. À la fin de l'année, les tortues viennent nombreuses y pondre. Compter 150 US$ par personne pour cette excursion d'une journée au départ de Santa Cruz.

## SAN SALVADOR (OU SANTIAGO, OU JAMES)

Au nord-ouest de Santa Cruz. Pas de visites en dehors des croisières de plusieurs jours. La quatrième plus grande (585 km²) île de l'archipel. Point culminant à 905 m.

De nombreux animaux furent introduits par l'homme. On y compterait à l'heure actuelle plus de 60 000 chèvres et des milliers de tortues (Darwin avait estimé leur nombre à 5 000, uniquement sur Santiago). D'ailleurs, au premier point de débarquement de l'île, on en croise pas mal, ainsi que de nombreux iguanes terrestres. Intéressant aperçu des différentes végétations au cours d'une balade de 30 mn environ, balisée par d'énormes tortues terrestres. Elles sont désormais capables de manger les fruits du mancenillier (processus darwinien classique).

Le deuxième point de débarquement se trouve à *Puerto Egas,* James Bay, au nord-ouest. L'un des plus fascinants de l'archipel. D'abord, c'est une plage superbe avec de remarquables reliefs sous-marins et tous les poissons de la terre. Un vrai bonheur que d'y pratiquer le snorkelling ! Pas rare d'y croiser des raies géantes et de petits requins. Les otaries, peu farouches, viennent parfois jouer avec les nageurs. Ensuite, superbe balade à pied. À 45 minutes de la plage, on aperçoit les vestiges d'une ancienne mine de sel en activité jusque dans les années 1950. Restes de la maison du maître et de la citerne. Pieux marquant les habitations des ouvriers. Chemin de 800 m environ qui suit le rivage et mène à de pittoresques grottes sous-marines. Nombreuses otaries à fourrure. Il est désormais interdit de s'y baigner et de batifoler avec elles, à cause des crèmes à bronzer et autres produits nocifs pour elles. Cabotins, les hérons se laissent approcher à 1 m, pour la photo.
Pour les randonneurs hardis, possibilité de programmer une grimpette au *Pan de Azúcar.* Il culmine à 450 m. Compter un peu plus de 1h de montée. Seconde partie assez raide et fatigante. Profond cratère.

## GENOVESA (TOWER)

Au nord-est de l'archipel, à environ 6-7h de bateau de Santa Cruz. Pas de visites en dehors des croisières de plusieurs jours. Surtout connue pour ses innombrables oiseaux. L'un des rares endroits de nidification du fou à pattes rouges. On y observe aussi des fous masqués, des frégates, diverses espèces de mouettes, de pétrels et autres. Également des otaries et des lions de mer.

## FERNANDINA (NARBOROUGH)

L'île possède l'un des volcans les plus actifs (plus d'une douzaine d'éruptions en 150 ans, la dernière en 1995). Là aussi, pas de visites en dehors des croisières de plusieurs jours.
Un seul point de débarquement, *Punta Espinosa,* au nord-est de l'île. Beaux rochers striés et accueil par des otaries joueuses. On y trouve l'une des plus impressionnantes colonies d'iguanes marins. À la longue, si l'on ne fait pas attention, on risque d'en retrouver un sous sa chaussure ! Petit sentier se faufilant parmi les palétuviers et les pétunias *(Cacabus miersi)* donnant une fleur blanche. Champs de lave noire alternant avec les zones sableuses où nidifient les iguanes. Plus de tortues terrestres, toutes ont été tuées lors de l'éruption de 1968.
La balade se termine sur une large pointe crevassée où vivent en harmonie totale otaries, hérons, crabes rouge et bleu, iguanes marins, cormorans sans ailes, etc. L'une de nos îles préférées, c'est dit !

## RABIDA (JERVIS)

Située entre San Salvador et Santa Cruz. L'une des plus petites, quasiment au centre géographique de l'archipel. Mais encore une fois pas de visites en dehors des croisières de plusieurs jours.

Splendide plage de sable rouge (teinté par l'oxyde de fer). Beaucoup de pélicans nichent dans la falaise au-dessus. Les chèvres furent exterminées, il ne reste plus que des rats. Derrière la plage, cachée par la végétation, une grande lagune où séjournent, en principe, quelques flamants roses et des canards. À l'extrémité de la plage (à gauche, face à l'île), un sentier part dans les terres. Paysages à la Sergio Leone, arides, grands cactus et tout, sauf après les pluies quand ça reverdit. Bon coin pour faire du snorkelling au niveau du chemin. Attention de ne pas nager plus loin que la pointe rocheuse, car les courants sont assez forts. D'ailleurs, dès que les masses d'eau chaude et froide commencent à alterner, c'est signe qu'il ne faut pas aller plus loin. Tout au long de la plage, petites bandes d'otaries placides bronzant au soleil (sauf le mâle dominant qui s'épuise à rugir pour éloigner les rivaux potentiels).

## FLOREANA (ISLA SANTA MARIA)

Au sud de Santa Cruz, à 2h en bateau rapide (à ce jour, on ne peut rejoindre cette île d'Isabela). Il s'agit de l'une des quatre îles habitées (environ une centaine d'habitants). Une tradition de l'île, qui remonte à l'époque des baleiniers, veut qu'on poste son courrier dans un tonneau. On y observe, entre autres, flamants roses et fous à pattes bleues. Compter 70 US$ par personne pour cette excursion d'une journée au départ de Santa Cruz. Certains jours, des bateaux de pêcheurs au départ du port de San Cristobal proposent la balade (compter 30 US$ par personne aller-retour).

### UNE HISTOIRE À VOUS HÉRISSER LE POIL...

*Floreana est célèbre pour les étranges disparitions dont elle a été témoin dans les années 1930. En 1929, les Ritter, un couple allemand, s'installent sur l'île. Ils sont suivis en 1931 par la famille Wittmer (dont les descendants habitent toujours l'île). La quiétude de l'île se trouve brisée quelques mois plus tard avec l'arrivée de la baronne Wagner de Bosquet et de ses trois amants (pas moins !), qui sèment la discorde sur Floreana. En 1934, la baronne et un de ses amants disparaissent mystérieusement. En juillet, un autre amant est retrouvé mort suite à un naufrage puis, 5 mois après, Ritter meurt empoisonné. Des morts en série restées à jamais inexpliquées...*

## ESPAÑOLA (HOOD)

Au sud-est de l'archipel. Hélas éloignée, seules les croisières s'y rendent. Les connaisseurs sont d'accord, c'est avec Genovesa l'île la plus intéressante pour l'observation des oiseaux : mouettes à queue d'aronde, pinsons, hérons de lave, moqueurs... C'est le seul endroit au monde où se reproduisent les albatros des Galápagos. Également des fous à pattes bleues et des fous masqués. Côte ouest : des otaries et des iguanes marins.

# les ROUTARDS sur la FRANCE 2013-2014

(dates de parution sur • *routard.com* •)

## DÉCOUPAGE de la FRANCE par le *ROUTARD*

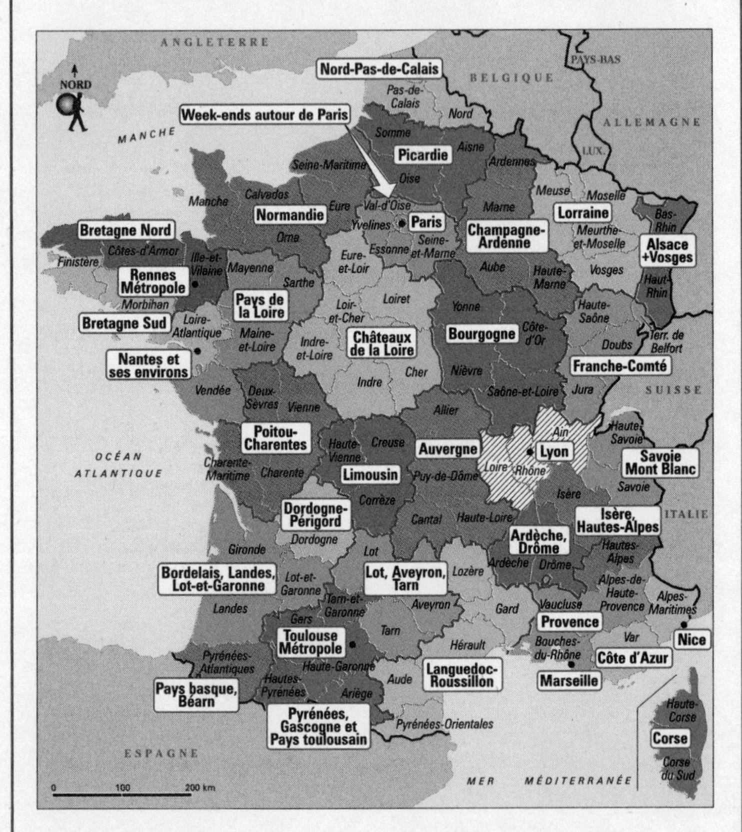


### *Autres guides nationaux*

- Les grands chefs du routard
- Nos meilleures chambres d'hôtes en France
- Nos meilleurs campings en France
- Nos meilleurs hôtels et restos en France
- Nos meilleurs sites pour observer les oiseaux en France (nouveauté)
- Tourisme responsable

### *Autres guides sur Paris*

- Paris
- Paris à vélo
- Paris balades
- Restos et bistrots de Paris
- Le Routard des amoureux à Paris
- Week-ends autour de Paris

# *les ROUTARDS sur l'ÉTRANGER 2013-2014*

(dates de parution sur • *routard.com* •)

## Europe

### Pays européens

- Allemagne
- Andalousie
- Angleterre, Pays de Galles
- Autriche
- Baléares
- Belgique
- Budapest, Hongrie
- Catalogne (+ Valence et Andorre)
- Crète
- Croatie
- Danemark, Suède
- Écosse
- Espagne du Nord-Ouest (Galice, Asturies, Cantabrie)
- Finlande
- Grèce continentale
- Îles grecques et Athènes
- Irlande
- Islande
- Italie du Nord
- Italie du Sud
- Lacs italiens
- Madrid, Castille (Aragon et Estrémadure)
- Malte
- Norvège
- Pologne
- Portugal
- République tchèque, Slovaquie
- Roumanie, Bulgarie
- Sardaigne
- Sicile
- Suisse
- Toscane, Ombrie

### Villes européennes

- Amsterdam et ses environs
- Barcelone
- Berlin
- Bruxelles
- Copenhague (mai 2013)
- Dublin (nouveauté)
- Florence
- Lisbonne
- Londres
- Milan (nouveauté)
- Moscou (avril 2013)
- Prague
- Rome
- Saint-Pétersbourg (avril 2013)
- Stockholm (mai 2013)
- Venise
- Vienne (nouveauté)

## Amériques

- Argentine
- Brésil
- Californie
- Canada Ouest
- Chili et île de Pâques
- Équateur et les îles Galápagos
- États-Unis Nord-Est
- Floride
- Guatemala, Yucatán et Chiapas
- Louisiane et les villes du Sud
- Mexique
- Miami (nouveauté)
- Montréal (nouveauté)
- New York
- Parcs nationaux de l'Ouest américain et Las Vegas
- Pérou, Bolivie
- Québec, Ontario et Provinces maritimes

## Asie

- Bali, Lombok
- Bangkok (nouveauté)
- Birmanie (Myanmar)
- Cambodge, Laos
- Chine
- Inde du Nord
- Inde du Sud
- Israël, Palestine
- Istanbul
- Jordanie
- Malaisie, Singapour
- Népal, Tibet
- Shanghai (avril 2013)
- Sri Lanka (Ceylan)
- Thaïlande
- Tokyo, Kyoto et environs
- Turquie
- Vietnam

## Afrique

- Afrique de l'Ouest
- Afrique du Sud
- Égypte
- Kenya, Tanzanie et Zanzibar
- Maroc
- Marrakech
- Sénégal, Gambie
- Tunisie

## Îles Caraïbes et océan Indien

- Cuba
- Guadeloupe, Saint-Martin, Saint-Barth
- Île Maurice, Rodrigues
- Madagascar
- Martinique
- République dominicaine (Saint-Domingue)
- Réunion

## Guides de conversation

- Allemand
- Anglais
- Arabe du Maghreb
- Arabe du Proche-Orient
- Chinois
- Croate
- Espagnol
- Grec
- Italien
- Japonais
- Portugais
- Russe
- G'palémo (conversation par l'image)

Espace offert par l'annonceur – Avec le soutien de l'agence ★ EURO RSCG C&O
RÉPARER LES VIES
HANDICAP
INTERNATIONAL

# INDEX GÉNÉRAL

## A



## B



## C-D

# E



# F



# G



# H-I-J

# L



# M



# N-O

# P



# Q-R

# S



# T-U

## V-Y-Z



## OÙ TROUVER LES CARTES ET LES PLANS ?

## Les **Routards** *parlent aux* **Routards**

Faites-nous part de vos expériences, de vos découvertes, de vos tuyaux. Indiquez-nous les renseignements périmés. Aidez-nous à remettre l'ouvrage à jour. Faites profiter les autres de vos adresses nouvelles, combines géniales... On adresse un exemplaire gratuit de la prochaine édition à ceux qui nous envoient les lettres les meilleures, pour la qualité et la pertinence des informations. Quelques conseils cependant :

– Envoyez-nous votre courrier le plus tôt possible afin que l'on puisse insérer vos tuyaux sur la prochaine édition.
– N'oubliez pas de préciser l'ouvrage que vous désirez recevoir.
– Vérifiez que vos remarques concernent l'édition en cours et notez les pages du guide concernées par vos observations.
– Quand vous indiquez des hôtels ou des restaurants, pensez à signaler leur adresse précise et, pour les grandes villes, les moyens de transport pour y aller. Si vous le pouvez, joignez la carte de visite de l'hôtel ou du resto décrit.
– N'écrivez si possible que d'un côté de la lettre (et non recto verso).
– Bien sûr, on s'arrache moins les yeux sur les lettres dactylographiées ou correctement écrites !

En tout état de cause, merci pour vos nombreuses lettres.

*Les Routards parlent aux Routards :*
*122, rue du Moulin-des-Prés, 75013 Paris*

**e-mail :** • *guide@routard.com* •
**Internet :** • *routard.com* •

## Le Trophée du voyage humanitaire ROUTARD.COM s'associe à VOYAGES-SNCF.COM

Ils ont aidé à la création d'un poste de santé autonome au Sénégal, à la reconstruction d'un orphelinat à Madagascar... Et vous ?
Envie de soutenir un projet qui favorise la solidarité entre les hommes ? Le Trophée du Voyage Humanitaire Routard.com est là pour vous ! Que votre projet concerne le domaine culturel, artisanal, écologique, pédagogique, en France ou à l'étranger, le *Routard* et Voyages-sncf.com soutiennent vos initiatives et vous aident à les réaliser ! Si vous aussi vous voulez faire avancer le monde, inscrivez-vous sur • *routard.com/trophee* • ou sur • *tropheesdutourismeresponsable.com* •

## **Routard Assurance** *2013*

Routard Assurance et Routard Assurance Famille, c'est l'Assurance Voyage Intégrale. Dépenses de santé et frais d'hôpital pris en charge directement sans franchise jusqu'à 300 000 € + caution + défense pénale + responsabilité civile + tous risques bagages et photos. Assurance personnelle accidents : 75 000 €. Très complet ! Tarif à la semaine pour plus de souplesse. Tableau des garanties et bulletin d'inscription à la fin de chaque *Routard* étranger. Pour les départs en famille (4 à 7 personnes), demandez le bulletin d'inscription famille. Pour les longs séjours, contrat Plan Marco Polo « spécial famille » à partir de 4 personnes. Pour un voyage éclair de 3 à 8 jours dans une ville de l'Union européenne, bulletin d'inscription adapté dans les guides villes avec des garanties allégées et un tarif « light ». Également un nouveau contrat Seniors pour les courts et longs séjours. Si votre départ est très proche, vous pouvez vous assurer via Internet • *avi-international.com* • ou par fax : 01-42-80-41-57, en indiquant le numéro de votre carte de paiement. Pour en savoir plus : ☎ 01-44-63-51-00.

Édité par Hachette Livre (43, quai de Grenelle, 75905 Paris Cedex 15, France)
Photocomposé par Jouve (45770 Saran, France)
Imprimé par Rotolito Lombarda (via Sondrio, 3, 20096 Seggiano di Pioltello, Italie)
Achevé d'imprimer le 4 mars 2013
Collection n° 13 - Édition n° 01
24/5634/1
I.S.B.N. 978-2-01-245634-1
Dépôt légal : mars 2013

PAPIER À BASE DE FIBRES CERTIFIÉES

hachette s'engage pour l'environnement en réduisant l'empreinte carbone de ses livres. Celle de cet exemplaire est de : 700 g éq. $CO_2$
Rendez-vous sur www.hachette-durable.fr